PRINCIPES D'ELECTRONIQUE

PRINCIPES D'ELECTRONIQUE

ALBERT PAUL MALVINO

3e édition

Traduction française
Léon COLLET

Dixième tirage

EDISCIENCE
international

1995

Maquette de couverture : Françoise Rojare

Principes d'électronique est traduit de la 3e édition américaine d'**Electronic Principles**

© 1973, 1979, 1984, McGraw-Hill pour l'édition américaine

© 1988, Ediscience International, Paris, pour l'édition française

ISBN : 2-84074-040-0

(publié précédemment par les éditions McGraw-Hill, Paris
ISBN : 2-7042-1176-0)

Ediscience International — 28, rue Beaunier, 75014 Paris

TABLE DES MATIÈRES

AVANT-PROPOS

Cette nouvelle édition est une refonte en profondeur de la précédente. Pour effectuer cette mise à jour, qui reflète l'évolution industrielle, j'ai presque tout récrit. La nouvelle matière occupe la place laissée par la combinaison de quelques anciens chapitres sur les dispositifs discrets. J'ai réduit l'étude de ceux-ci à l'essentiel tout en préservant l'exposé sur la nature et le fonctionnement des diodes et des transistors, indispensable à la compréhension des circuits intégrés (CI).

Ce texte traite davantage et d'une nouvelle façon de certains sujets : dépannage, dispositifs optoélectroniques, filtrage d'alimentation, droites de charge, analyse graphique, étages en cascade, paramètres h, classes D à S, interrupteurs à FET à jonction, résistances commandées par tension à FET à jonction, transistors MOS double grille et interfaces à transistor VMOS, analyse d'amplificateur différentiel, dispositifs à contre-réaction ou réaction négative, réduction automatique de courant de court-circuit, oscillations parasites et boucles à verrouillage de phase.

Outre les changements énumérés ci-dessus, j'ai écrit quelques nouveaux chapitres sur la réaction de tension et la réaction de courant, les dispositifs à amplificateur opérationnel commandés par FET à jonction, les sources de courant commandées par tension, les amplificateurs de courant, les filtres actifs de Butterworth, les comparateurs à hystérésis, les comparateurs à fenêtre, les bascules de Schmitt, les intégrateurs, les différentiateurs, les conformateurs, les convertisseurs continu-continu, les régulateurs à découpage, les minuteries 555 et les thyristors.

J'ai aussi innové dans deux domaines. D'abord, ce texte permet d'utiliser à son gré le sens conventionnel de courant et le sens de déplacement des électrons, tous deux valides. Au chapitre 1, j'expose les deux sens et j'indique comment les utiliser dans les autres chapitres.

Deuxième innovation. Pour satisfaire de nombreuses demandes, j'ai créé cinq catégories de problèmes à la fin de chaque chapitre : les problèmes simples et les problèmes de dépannage, de conception, de défi et ceux à résoudre par ordinateur. Les problèmes simples ressemblent aux problèmes de la précédente édition, les autres sont neufs. Ces nouveaux problèmes sont facultatifs. Adoptez-les s'ils conviennent à votre programme, sinon ignorez-les. Les professeurs des écoles pour technologues et techniciens adoptent les problèmes simples et les problèmes de dépannage. Les professeurs d'autres écoles y ajoutent les problèmes de conception et de défi. Finalement, les professeurs des écoles qui disposent d'ordinateurs adoptent en plus la dernière catégorie. Pour tout détail, consulter le chapitre 1. Ces problèmes enrichissent tout programme et apportent une nouvelle dimension à la formation en électronique.

Le présent ouvrage est conçu pour un premier cours d'électronique linéaire. Les préalables sont un cours sur le courant continu et le courant alternatif, les cours d'algèbre élémentaire et une connaissance de la trigonométrie suffisante pour manipuler les signaux sinusoïdaux. Certaines écoles dispensent simultanément un cours sur le courant alternatif et un cours de trigonométrie.

Dernier point. Le manuel d'expériences de laboratoire *Principes d'électronique. Cahier de laboratoire* est le complément tout choisi. Il expose plus de 50 expériences, exercices de dépannage et de conception facultatifs y compris.

Albert Paul Malvino

Introduction

Le cours sur la théorie des circuits à courant continu dans lequel on traite de la loi d'Ohm, des lois de Kirchhoff et des autres théorèmes des circuits est un des préalables à la lecture de cet ouvrage.

Ce chapitre comporte une révision des quelques notions fondamentales et présente quelques nouveaux points de vue que vous avez peut-être négligés lors d'une première étude de la théorie du courant continu.

1.1. SENS CONVENTIONNEL ET SENS DE DÉPLACEMENT DES ÉLECTRONS

Dans quel sens les charges électriques circulent-elles ? Selon une loi de Murphy, le nombre de croyances profondes égale le nombre de possibilités, aussi ridicules soient-elles. Heureusement, le courant ne peut circuler que dans un sens sur deux : du plus au moins ou du moins au plus.

THÉORIE DES FLUIDES

En 1750, par sa théorie sur le fluide électrique, Franklin contribua grandement à la compréhension de l'électricité. Il imagina que l'électricité était un fluide invisible. Selon lui, un corps qui possédait plus que sa part normale de ce fluide avait une charge positive, et un corps qui en possédait moins que sa part normale avait une charge négative. Franklin concluait que le fluide électrique circulait du positif (excès) au négatif (défaut).

La théorie du fluide électrique était facile à imaginer et concordait avec toutes les expériences réalisées aux XVIIIe et XIXe siècles. Chacun admit que les charges s'écoulaient du positif au négatif (sens de parcours appelé maintenant *convention-nel*). Entre 1750 et 1897, on découvrit de nombreuses notions et formules fondées sur le sens conventionnel du courant. Durant cette période, les scientifiques admirent le sens conventionnel comme une seconde nature.

Encore actuellement, les ingénieurs continuent à utiliser le sens conventionnel. Tout inventeur (habituellement un ingénieur ou un scientifique) d'un nouveau dispositif y met des flèches qui pointent dans le sens conventionnel du courant.

L'ÉLECTRON

En 1897, Thomson découvrit l'électron et prouva qu'il avait une charge négative. Actuellement, le concept planétaire de la matière est bien connu. La matière est constituée d'atomes. Chaque atome contient un noyau chargé positivement et entouré d'électrons qui orbitent. La force centrifuge de chaque électron est équilibrée par l'attraction du noyau. Les électrons circulent donc sur des orbites stables à la façon des planètes autour du soleil.

Un atome de cuivre possède 29 protons et 29 électrons. Parmi ces 29 électrons, 28 circulent sur des orbites serrées autour du noyau ; comme ces orbites sont petites, la forte attraction du noyau verrouille ces électrons à l'atome. Le 29e atome circule sur une très grande orbite. Comme il est relativement éloigné du noyau, cet électron ne ressent presque aucune attraction du noyau. On l'appelle *électron libre,* puisqu'il erre facilement d'un atome de cuivre à un autre.

SENS DE DÉPLACEMENT DES ÉLECTRONS

Dans un morceau de cuivre, les seules charges qui circulent sont les électrons libres. Sous l'influence d'un champ électrique, ces électrons libres sortent de la borne négative d'une batterie, parcourent un fil et rentrent dans la batterie par la borne positive. Ce sens contraire au sens conventionnel engendre des difficultés. Actuellement chacun admet que, dans un fil de cuivre, les charges circulent du négatif au positif, mais personne ne veut abandonner l'usage du sens conventionnel.

Ce refus de changer ses habitudes s'explique aisément : au-dessus du niveau atomique les deux sens de parcours s'équivalent et donnent, mathématiquement parlant, les mêmes réponses. Même si le sens de déplacement des électrons est le seul vrai sens de parcours, le sens conventionnel préserve les bases mathématiques de la théorie des circuits, vieille de presque 200 ans.

Conclusion : l'utilisation des deux sens au lieu d'un seul est pratique pour les ingénieurs. Au niveau atomique, le sens de déplacement des électrons leur permet d'expliquer ce qui se passe réellement. Au-dessus du niveau atomique, ils prétendent que ce sont des charges positives hypothétiques qui circulent, et non des électrons. Un jour, peut-être, les ingénieurs analyseront mathématiquement les circuits selon le sens de déplacement des électrons, mais actuellement ils admettent presque à l'unisson que ce changement ne vaut pas la peine de s'y attarder.

LES DEUX SENS SONT VALIDES

Lorsqu'on étudie un dispositif pour la première fois, on représente les deux sens de parcours à l'aide d'une flèche pleine pour le sens conventionnel et d'une flèche en traits discontinus pour le sens de déplacement des électrons. Vous pouvez utiliser un de ces deux sens et ignorer celui que vous ne voulez pas. A titre d'exemple, nous avons adopté le sens conventionnel pour le circuit représenté à la figure 1-1*a* et le sens de déplacement des électrons pour le même circuit représenté

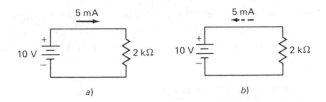

Fig. 1-1. a) *Sens conventionnel.* b) *Sens de déplacement des électrons.*

à la figure 1-1*b*. Pour étudier ce texte, vous pouvez adopter le sens conventionnel ou le sens de déplacement des électrons : les deux sont valides. La présentation des deux sens vous habituera aux représentations habituelles dans l'industrie.

Après la présentation d'un dispositif, nous délaisserons les flèches des courants. Cela vous habituera aux schémas industriels qui représentent les polarités des tensions au lieu des sens des courants. A vous de savoir que les charges circulent du positif au négatif (si vous adoptez le sens conventionnel) ou du négatif au positif (si vous préférez le sens de déplacement des électrons).

1.2. SOURCES DE TENSION

Pour qu'un circuit électronique fonctionne, il doit posséder une source d'énergie. Une source d'énergie est une source de tension ou une source de courant. Dans cette section nous étudierons les sources de tension et dans la suivante les sources de courant.

SOURCE IDÉALE DE TENSION

Une source *idéale* ou parfaite de tension fournit une tension de sortie indépendante de la résistance de charge. Une batterie parfaite à *résistance interne* nulle est l'exemple le plus simple d'une source idéale de tension. La batterie du circuit représenté à la figure 1-2*a,* par exemple, fournit une tension de sortie de 12 V entre les bornes de la résistance de charge de 10 kΩ. Selon la loi d'Ohm, le courant de charge est de 1,2 mA. Si, selon la figure 1-2*b,* on réduit la résistance de charge à 30 Ω, la tension de charge est encore de 12 V mais le courant de charge grimpe à 0,4 A. (Ne cherchez pas votre calculatrice : tous les calculs de cette section se font mentalement).

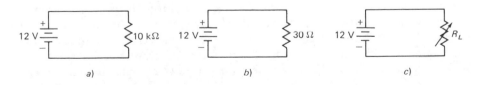

Fig. 1-2. *Source de tension.*

La figure 1-2*c* représente une résistance de charge* réglable (rhéostat). La source idéale de tension fournit toujours 12 V entre les bornes de la résistance de charge, peu importe le réglage de celle-ci. La tension de charge est donc constante, seul le courant de charge varie.

SOURCE RÉELLE DE TENSION

En pratique, une source idéale de tension n'existe pas : elle n'existe que dans notre imagination, comme dispositif théorique. La raison en est simple. Supposons que la résistance de charge du circuit représenté à la figure 1-2*c* tend vers zéro, alors le courant de charge tend vers l'infini. Aucune source réelle de tension ne peut produire un courant infini parce que toute source réelle de tension possède une résistance interne généralement inférieure à 1 Ω. Exemple : la résistance interne d'une pile de lampe de poche est inférieure à 1 Ω, celle d'une batterie d'automobile est inférieure à 0,1 Ω et celle d'une source électronique de tension peut être inférieure à 0,01 Ω.

COURANT DE COURT-CIRCUIT DE CHARGE OU COURANT DE CHARGE COURT-CIRCUITÉE

La résistance interne d'une source réelle de tension est en série avec la résistance de charge. La source de 12 V représentée à la figure 1-3*a,* par exemple, a une résistance interne de 0,06 Ω. Si l'on annule la résistance de charge, alors, selon la loi d'Ohm

$$I = \frac{12 \text{ V}}{0,06 \text{ } \Omega} = 200 \text{ A}$$

Ce courant est le courant maximal de charge que la source réelle de tension peut fournir. Ce courant maximal de charge s'appelle *courant de court-circuit de charge* ou *courant de charge court-circuitée.*

CARACTÉRISTIQUE DU COURANT DE CHARGE

La figure 1-3*b* représente une source réelle de tension composée d'une source idéale de tension V_S en série avec une résistance interne R_S. Selon la loi d'Ohm,

$$I_L = \frac{V_S}{R_S + R_L} \tag{1-1}$$

Lorsque la résistance de charge augmente, le courant de charge diminue. Nous avons obtenu la caractéristique de la figure 1-3*c* en joignant les points qui représentent le courant de charge en fonction de la résistance de charge du circuit représenté à la figure 1-3*a*. Cette caractéristique ne surprend pas. Le courant de charge est de 200 A lorsque la résistance de charge est nulle. Lorsque la résistance de charge tend vers l'infini, le courant de charge tend vers zéro. Remarquer le point intermédiaire auquel la résistance de charge adapte la résistance interne : en ce point le courant de charge égale la moitié du courant de court-circuit.

---

* N.d.T. A la figure 1-2*c,* l'indice *L* est mis pour *Load* (charge).

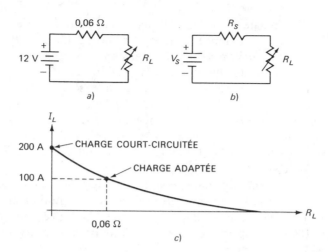

Fig. 1-3. *Courant de charge.*

A la figure 1-4 nous avons représenté I_L en fonction de R_L pour tous les circuits. Si R_L est nul, I_L est maximal et égale V_S/R_S. Si R_L égale R_S, I_L est réduit de moitié et égale $V_S/2R_S$. Si R_L continue à augmenter, I_L diminue et tend vers zéro.

TENSION DE CHARGE

Lorsque la résistance de charge tend vers l'infini (fig. 1-3*b*), la tension de charge tend vers la tension de la source idéale. En voici la preuve. La tension de charge égale

$$V_L = I_L R_L$$

Or $I_L = V_S/(R_S + R_L)$, d'où

$$V_L = \frac{V_S}{R_S + R_L} R_L$$

soit

$$V_L = \frac{R_L}{R_S + R_L} V_S \qquad (1\text{-}2)$$

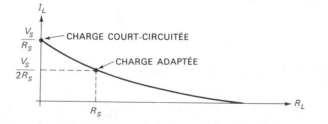

Fig. 1-4. *Courant de charge en fonction de la résistance de charge.*

Observons le dénominateur. Lorsque R_L tend vers l'infini, il *masque* (surclasse ou rend négligeable) la résistance interne. Exemple : lorsque $R_L = 100R_S$, la tension de charge égale environ 99 % de la tension de source. Lorsque R_L égale l'infini (à vide), la tension de charge égale la tension idéale.

La figure 1-5a illustre le masquage d'une grande résistance de charge. Elle représente la caractéristique de l'équation (1-2) pour une source de tension de 12 V et une résistance interne de 0,06 Ω. Lorsque la résistance de charge est nulle (court-circuit), la tension de charge est nulle. Lorsque la résistance de charge égale la résistance interne (0,06 Ω), $V_L = 6$ V parce que la moitié de la tension de source chute entre les bornes de R_S.

A mesure que la résistance de charge continue d'augmenter, la tension de charge tend vers le palier de 12 V. La tension de charge tend asymptotiquement vers 12 V, la tension idéale ou à vide. Remarquer le point de 99 %. En ce point, la résistance de charge égale 100 fois la résistance interne et la tension de charge égale environ 99 % de la tension de source.

La caractéristique de la figure 1-5b représente V_L en fonction de R_L pour tout circuit. Lorsque $R_L = 0$ Ω, $V_L = 0$ V. Lorsque $R_L = R_S$, $V_L = 0,5\,V_S$. Plus la résistance de charge augmente, plus la tension de charge tend vers la tension de la source idéale. Lorsque R_L est supérieure à 100 R_S, V_L est supérieur à 0,99 V_S.

SOURCE SOUTENUE DE TENSION

La résistance de charge est souvent nettement supérieure à la résistance interne d'une source de tension. Autrement dit, la résistance interne est nettement plus petite que la résistance de charge. Dans ce livre, le vocable *source soutenue de tension* désigne une source à résistance interne au plus égale à 1/100 de la résistance de charge, d'où

$$R_s \leqslant 0,01\,R_L$$

Cela revient à dire que R_L est au moins 100 fois plus grand que R_S. Retenir la définition importante suivante d'une source soutenue de tension : une source soutenue de tension fournit une tension de charge comprise entre 99 % et 100 % de la tension d'une source idéale.

Avec la source soutenue de tension, la différence entre la tension de charge et la tension idéale ou à vide est inférieure à 1 % de la tension idéale et est suffisamment petite pour l'ignorer lors du dépannage de l'analyse et de la conception. Le mot « soutenue » rappelle que la source fournit une tension presque idéale à la résistance de charge.

1.3. SOURCES DE COURANT

Une source de tension a une très petite résistance interne. Une *source de courant* est différente : elle possède une très grande résistance interne et elle fournit un courant de sortie indépendant de la résistance de charge.

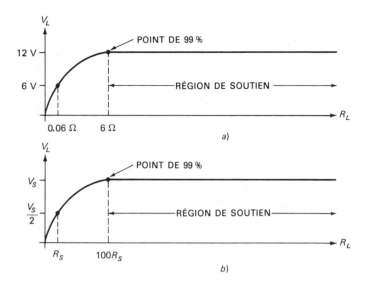

Fig. 1-5. *Tension de charge en fonction de la résistance de charge.*

EXEMPLE HYPOTHÉTIQUE

La combinaison d'une batterie et d'une grande résistance de source, représentée à la figure 1-6*a*, constitue l'exemple le plus simple d'une source de courant. Dans ce circuit, le courant de charge égale

$$I_L = \frac{V_S}{R_S + R_L}$$

Lorsque R_S est nul, le courant égale

$$I_L = \frac{12 \text{ V}}{10 \text{ M}\Omega} = 1,2 \ \mu\text{A}$$

Comme R_S est très grand, le courant de charge égale environ 1,2 μA sur une large gamme de R_L. Lorsque R_L est de 10 kΩ, par exemple,

$$I_L = \frac{12 \text{ V}}{10,01 \text{ M}\Omega} = 1,1988 \ \mu\text{A}$$

Lorsque R_L égale 100 kΩ,

$$I_L = \frac{12 \text{ V}}{10,1 \text{ M}\Omega} = 1,1988 \ \mu\text{A}$$

valeur très voisine de 1,2 μA.

La figure 1-6*b* représente la caractéristique du courant de charge en fonction de la résistance de charge. Comme vous le constatez, le courant de charge est presque constant. Lorsque la résistance de charge est de 100 kΩ, le courant de charge égale 99 % du courant idéal. La caractéristique de la figure 1-6*c* convient pour tous les

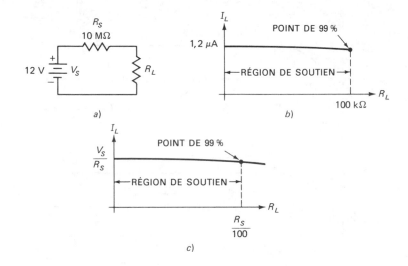

Fig. 1-6. *Source de courant.*

circuits. Point important à saisir : le courant de charge est presque constant tant que R_L est inférieur ou égal à $R_S/100$ ou, si l'on préfère, que R_S est supérieur ou égal à 100 fois R_L.

Se rappeler qu'une *source soutenue de courant* est une source à résistance interne égale à au moins 100 fois la résistance de charge, soit

$$R_S \geqslant 100 \ R_L$$

Selon la figure 1-6c, une source soutenue de courant fournit un courant de charge compris entre 99 % et 100 % du courant idéal ou de charge court-circuitée.

SOURCES PRATIQUES DE COURANT

On construit rarement une source de courant sous la forme d'une combinaison batterie-résistance parce que la grande résistance série ne permet pas de fournir assez de courant pour les applications pratiques. Par contre, on peut connecter des transistors et d'autres dispositifs de manière à obtenir une source soutenue de courant capable de fournir un courant de charge de plusieurs ampères. Nous étudierons davantage les sources pratiques de courant dans les chapitres ultérieurs.

EXEMPLE

La figure 1-7a représente le symbole graphique d'une source idéale de courant à résistance interne infinie utilisé pour le *théorème de Norton* (étudié dans les ouvrages élémentaires d'analyse de circuit). Un tel dispositif n'existe qu'en imagination puisque tous les sources réelles de courant ont une résistance interne très grande mais jamais infinie.

On représente toujours la résistance interne d'une source réelle de courant en parallèle avec la source idéale de courant (fig. 1-7b). Ce branchement en parallèle

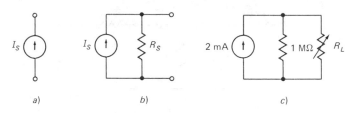

Fig. 1-7. a) *Symbole graphique d'une source de courant.* b) *La résistance interne est en parallèle.* c) *Résistance de charge.*

est nécessaire pour shunter la source de courant en fonctionnement à vide. Supposons, par exemple, qu'on court-circuite (0 Ω) la résistance de charge du circuit représenté à la figure 1-7c. Alors toutes les charges passent par le court-circuit et le courant de charge est de 2 mA. Si la résistance de charge augmente, la source de courant est soutenue jusqu'à une résistance de charge de 10 kΩ; à cette valeur de la résistance de charge, environ 99 % des charges passent par la résistance de charge.

Plus la résistance de charge augmente, plus les charges passent par la résistance interne. Si la résistance de charge est de 1 MΩ, le courant de source se divise en deux parties égales : un courant de 1 mA passe par la résistance interne et un courant de 1 mA passe par la résistance de charge.

Lorsque la résistance de charge devient infinie (fonctionnement à vide), le courant de charge devient nul et tout le courant de 2 mA passe par la résistance interne de la source.

1.4. THÉORÈME DE THÉVENIN

De temps en temps, quelqu'un fait une grande découverte en ingénierie, nous portant tous vers de nouveaux sommets. C'est ce que fit M.L. Thévenin lorsqu'il découvrit un théorème sur les circuits que l'on appela (qui s'en serait douté ?) le *théorème de Thévenin*. Vous avez probablement étudié ce théorème dans un cours élémentaire sur les circuits à courant continu et l'on vous a certainement signalé son importance. Mais on ne peut faire saisir à un débutant toute la richesse d'un théorème. Même si vous répétiez la phrase

LE THÉORÈME DE THÉVENIN EST D'UNE IMPORTANCE CAPITALE

mille fois, vous n'auriez pas encore suffisamment annoncé à la cantonade l'utilité de ce théorème pour quiconque répare, analyse ou conçoit des circuits électroniques.

PRINCIPE

Supposons que quelqu'un vous donne le schéma de la figure 1-8a et vous demande de calculer le courant de charge lorsque R_L égale successivement 1,5 kΩ, 3 kΩ et 4,5 kΩ. Vous pourriez dans un premier mouvement combiner les résistances

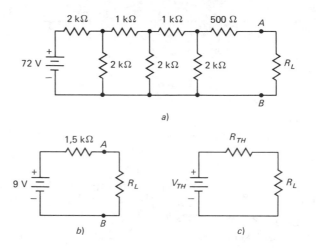

Fig. 1-8. a) *Quatre mailles.* b) *Une maille.* c) *Circuit de Thévenin.*

série et les résistances parallèle et calculer la résistance totale vue par la source; vous calculeriez ensuite le courant total et en repartant dans l'autre sens vers la charge, vous diviseriez le courant jusqu'à obtention de celui de la charge. Une fois le courant de la charge de 1,5 kΩ obtenu, vous répéteriez ce processus fastidieux pour 3 kΩ et 4,5 kΩ.

Vous pourriez aussi résoudre les équations simultanées des mailles de Kirchhoff. En supposant que vous sachiez résoudre les quatre équations des mailles, vous obtiendriez de la sorte la réponse cherchée pour la résistance de charge de 1,5 kΩ. Puis vous répéteriez ce processus pour 3 kΩ et 4,5 kΩ. Après une demi-heure (environ) de dur labeur, vous auriez calculé les trois courants de charge.

Par ailleurs, supposons que l'on vous demande de calculer le courant de charge du circuit de la figure 1-8*b* lorsque R_L égale successivement 1,5 kΩ, 3 kΩ et 4,5 kΩ. En moins de temps qu'il n'en faut pour saisir votre calculatrice, vous calculeriez mentalement le courant de charge

$$I_L = \frac{9 \text{ V}}{3 \text{ k}\Omega} = 3 \text{ mA}$$

pour $R_L = 1,5$ kΩ. Et vous obtiendrez $I_L = 2$ mA pour $R_L = 3$ kΩ et $I_L = 1,5$ mA pour $R_L = 4,5$ kΩ.

Pourquoi l'analyse du deuxième circuit est-elle tellement plus facile que celle du premier ? Parce que le deuxième circuit n'a qu'une maille comparativement aux quatre mailles du premier circuit. L'analyse d'un circuit à une maille est à la portée de chacun, puisqu'elle n'exige que la loi d'Ohm.

C'est ici qu'intervient le théorème de Thévenin. Thévenin découvrit qu'on peut réduire tout circuit à plusieurs mailles comme celui représenté à la figure 1-8*a* à un circuit à une maille comme celui représenté à la figure 1-8*b*. Un circuit peut vous occasionner des cauchemars, mais être malgré tout réductible à une seule maille (voir le problème 1-17 si vous aimez les cauchemars). C'est pourquoi les ingénieurs et les techniciens expérimentés apprécient tant le théorème de Thévenin : il transforme les énormes circuits compliqués en de simples circuits à une maille comme le circuit équivalent représenté à la figure 1-8*c*.

Conseil : pour calculer le courant de charge d'un circuit à plusieurs mailles, *utiliser le théorème de Thévenin,* ou tout au moins considérer qu'il constitue un outil pour calculer ce courant. Le plus souvent, le théorème de Thévenin est l'outil le plus rapide pour calculer un courant de charge, en particulier si la résistance de charge prend diverses valeurs.

Dans ce texte, *appliquer le théorème de Thévenin* à un circuit à plusieurs mailles à une résistance de charge signifie le réduire à un circuit équivalent à une maille à même résistance de charge. Dans le circuit équivalent de Thévenin, la résistance de charge voit une résistance de source en série avec une source de tension. Quoi de plus simple ?

TENSION DE THÉVENIN

Rappelons les notions essentielles du théorème de Thévenin. La *tension de Thévenin* est la tension entre les bornes de la charge lorsqu'on ouvre la résistance de charge. Voilà pourquoi on appelle parfois la tension de Thévenin « tension à vide ».

RÉSISTANCE DE THÉVENIN

La *résistance de Thévenin* est la résistance que l'on voit lorsqu'on regarde le circuit à partir des bornes de la charge après annulation de toutes les sources. Par annulation de toutes les sources, entendre qu'on remplace les sources de tension par des courts-circuits et les sources de courant par des circuits ouverts.

ANALYSE DES CIRCUITS MONTÉS

Pour mesurer la tension de Thévenin d'un circuit monté à plusieurs mailles, procéder comme suit : ouvrir la résistance de charge en débranchant une de ses extrémités ou en la retirant du circuit puis, à l'aide d'un voltmètre, mesurer la tension entre les bornes de la charge. Le voltmètre affiche la tension de Thévenin (en supposant que la charge du voltmètre n'introduit aucune erreur).

Puis, mesurer la résistance de Thévenin comme suit : annuler toutes les sources, c'est-à-dire remplacer les sources de tension par des courts-circuits et ouvrir ou enlever les sources de courant, ensuite à l'aide d'un ohmmètre, mesurer la résistance entre les bornes de la charge. L'ohmmètre affiche la résistance de Thévenin.

A titre d'exemple, considérons le pont de Wheatstone déséquilibré, représenté à la figure 1-9*a*, monté sur une plaquette. Pour appliquer le théorème de Thévenin, ouvrons la résistance de charge et mesurons la tension entre *A* et *B* (les bornes de la charge). Si l'on ne commet aucune erreur de lecture, on relève 2 V. Remplaçons la batterie de 12 V par un court-circuit et mesurons la résistance entre *A* et *B*. On devrait lire 4,5 kΩ. Traçons le circuit équivalent de Thévenin de la figure 1-9*b*, ce qui permet de calculer facilement et rapidement le courant de charge quelle que soit la résistance de charge.

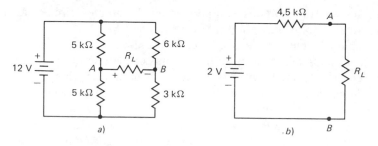

Fig. 1-9. a) *Pont de Wheatstone.* b) *Circuit équivalent de Thévenin.*

ANALYSE DU SCHÉMA DU CIRCUIT

Si le circuit n'est pas monté, il faut utiliser sa matière grise au lieu d'un multimètre pour trouver la tension et la résistance de Thévenin. Considérons le pont de Wheatstone déséquilibré représenté à la figure 1-9a. Ouvrons mentalement la résistance de charge. Remarquons le diviseur de tension de gauche et le diviseur de tension de droite. Celui de gauche fournit 6 V et celui de droite 4 V, comme le montre la figure 1-10a. La tension de Thévenin égale la différence entre ces deux tensions, soit 2 V.

Remplaçons mentalement la batterie de 12 V par un court-circuit (fig. 1-10b). Retraçons le schéma selon deux circuits parallèle (fig. 1-10c). Par un calcul mental simple, on obtient une résistance de Thévenin de 4,5 kΩ.

1.5. THÉORÈME DE NORTON

La révision du théorème de Norton ne prendra que quelques minutes, parce qu'il est fortement apparenté au théorème de Thévenin. Considérons le circuit de Thévenin représenté à la figure 1-11a. Le circuit équivalent de Norton représenté à la figure 1-11b comporte une source idéale de courant en parallèle avec une résistance de source. Remarquer que la source de courant tire un courant V_{TH}/R_{TH} fixe et que la résistance de source égale la résistance de Thévenin.

SENS DU COURANT

La flèche du courant de Norton pointe dans le sens conventionnel du courant parce que Norton était un ingénieur. C'est le premier des nombreux dispositifs dans lesquels la flèche du schéma pointe dans le sens conventionnel du courant.

Si vous préférez le sens de déplacement des électrons, votre entraînement mental inverse commence maintenant : les électrons se déplacent dans le sens contraire à la flèche d'une source de courant. Pour vous faciliter la tâche, imaginez que la tête de la flèche pointe vers la borne positive de la source et que la queue représente la borne négative (fig. 1-11c). Habituellement, les signes + et − ne figurent pas sur les schémas. Aussi devez-vous les porter mentalement lorsque vous voyez le symbole d'une source de courant.

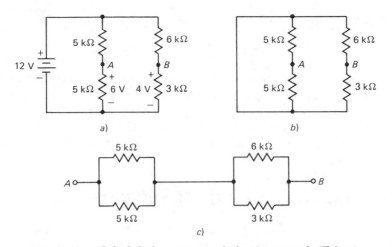

Fig. 1-10. *Calcul de la tension et de la résistance de Thévenin.*

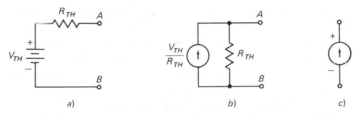

Fig. 1-11. a) *Circuit de Thévenin.* b) *Circuit de Norton.*

RÉSISTANCE DE NORTON

On se souvient facilement de la résistance de Norton, parce qu'elle égale la résistance de Thévenin. Si la résistance de Thévenin est de 2 kΩ, alors la résistance de Norton est aussi de 2 kΩ. La seule différence réside dans le fait que la résistance de Norton est en parallèle avec la source.

EXEMPLE

Remplacer le circuit de Thévenin de la figure 1-12a par son équivalent de Norton. D'abord, court-circuitons les bornes de la charge selon la figure 1-12b et calculons le courant de charge, soit 5 mA. Ce courant de court-circuit de charge égale le courant de Norton. Traçons le circuit équivalent de Norton (fig. 1-12c). Remarquer que le courant de Norton est de 5 mA et que la résistance de Norton est de 2 kΩ, la valeur de résistance de Thévenin.

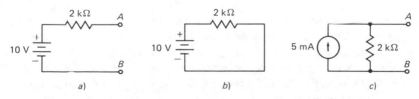

Fig. 1-12. *Déduction du circuit de Norton du circuit de Thévenin.*

1.6. DÉPANNAGE

Le dépannage est un art et une science ; il faut découvrir pourquoi un circuit ne fonctionne pas comme il le devrait. Automatiquement lorsqu'il conçoit ou essaie des circuits électroniques, chaque technicien, chaque ingénieur fait en même temps du dépannage. Dans cet ouvrage, nous dépannerons mentalement des circuits en nous posant des questions du genre « Que vaut la tension de charge si tel ou tel dispositif est court-circuité ? » ou « Que vaut le courant de charge si tel ou tel dispositif est ouvert ? ».

COURTS-CIRCUITS ET CIRCUITS OUVERTS

On *court-circuite* et on *ouvre* certains dispositifs, tels les résistances et les transistors, de nombreuses façons. Si on applique à un dispositif une puissance supérieure à sa puissance limite, on le détruira. Les fabricants de divers dispositifs dressent une liste des valeurs limites sur les fiches signalétiques. Ne prenez pas ces valeurs limites à la légère : si vous les dépassez, vous devrez presque toujours acheter un nouveau dispositif. Le dépassement de la puissance limite brûle parfois l'intérieur du dispositif en laissant un espace vide appelé un circuit ouvert. En d'autres circonstances, la puissance dissipée excessive fait fondre l'intérieur du dispositif et provoque un court-circuit onéreux.

On risque aussi d'établir des courts-circuits et des circuits ouverts indésirables durant l'étanchéisation et le soudage des cartes imprimées. Une goutte indésirable de soudure peut relier deux conducteurs voisins : un tel *pont de soudure* court-circuite tout dispositif entre les deux conducteurs. Par ailleurs, habituellement, une mauvaise connexion par soudure signifie aucune connexion du tout : le dispositif ayant un tel *joint de soudure froide* semble ouvert.

DÉRANGEMENT SUBTIL

Le dérangement le plus fréquent est un dispositif court-circuité ouvert. D'autres dérangements sont plus subtils. L'application momentanée d'une chaleur excessive à une résistance, par exemple, peut faire varier sa valeur de plusieurs « pour cent » de façon permanente. Si la résistance est critique, le circuit ne fonctionnera pas bien après ce choc thermique. Dans ce cas, la localisation de la résistance fautive dans un montage peut être un peu plus difficile.

EXEMPLE

Préparons-nous mentalement aux techniques de dépannage dès à présent. La figure 1-13 représente un diviseur de tension. Si tout va bien, la tension entre le point A et la masse est de 3 V. Envisageons divers dérangements possibles.

Supposons que la résistance R_1 est court-circuitée. Que vaut la tension entre A et la masse ? Dans ce cas, toute la tension de source apparaît entre le point A et la masse. La réponse est donc 9 V.

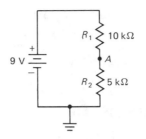

Fig. 1-13. *Dépannage.*

Que vaut la tension entre le point A et la masse, si la résistance R_1 est ouverte ? Dans ce cas, aucun courant ne parcourt R_2. Donc, selon la loi d'Ohm, la tension entre les bornes de R_2 est nulle. La réponse est donc 0 V.

Supposons que la résistance R_2 est court-circuitée. Que vaut la tension entre le point A et la masse ? Un courant traversera la résistance R_2 nulle, mais selon la loi d'Ohm, la tension sera nulle

Autrement dit, la résistance R_2 court-circuitée fait passer de force le point A au potentiel de la masse. La réponse est donc 0 V.

Finalement, supposons que la résistance R_2 est ouverte. Que vaut la tension entre le point A et la masse ? Envisageons ce problème de deux façons. Premièrement, de la façon logique : puisqu'aucun courant ne parcourt R_1, la chute de tension entre les bornes de R_1 est nulle; par conséquent, toute la tension de source doit apparaître entre le point A et la masse et la réponse est donc 9 V.

Si la logique précédente vous échappe, essayons la deuxième méthode basée sur la loi des tensions (ou des mailles) de Kirchhoff. Il vient,

$$IR_1 + V_2 - 9 = 0$$

Dans cette équation, I est le courant de maille. Réarrangeons cette équation sous la forme

$$V_2 = 9 - IR_1$$

Comme la résistance R_2 est ouverte, le courant de maille du circuit de la figure 1-13 est nul et l'équation se réduit à

$$V_2 = 9$$

La réponse est donc 9 V, comme lors du raisonnement logique.

1.7. FACILITÉS D'ÉTUDE

A la fin de chaque chapitre, vous trouverez une large variété de problèmes qui vous aideront à renforcer et à approfondir votre connaissance des sujets traités dans cet ouvrage. Voici une brève description des différents types de problèmes et de leur utilité.

PROBLÈMES SIMPLES

Par conception, cet ensemble préliminaire de problèmes à effectuer à titre de devoir vous aidera à réagir à la matière étudiée de façon quantitative. Vous y calculerez des tensions, des courants et d'autres grandeurs. Ces problèmes sont souvent simples. Vous les résoudrez en quelques minutes voire en quelques secondes. Ils exigeront parfois un peu plus de temps, mais quoi qu'il en soit, ils vous permettront d'analyser les sujets exposés dans le texte.

PROBLÈMES DE DÉPANNAGE

Dans ces problèmes, vous calculerez des tensions, des courants et d'autres grandeurs dans le cas de dérangements d'un circuit. La plupart du temps, les dérangements seront des courts-circuits et des circuits ouverts. Dans certains problèmes, on vous indiquera le dérangement et on vous demandera de dresser une liste de ses causes possibles. Vous trouverez ces problèmes attrayants et même amusants.

PROBLÈMES DE CONCEPTION

Dans ces problèmes, vous concevrez des circuits qui devront répondre à certaines spécifications. Votre créativité et votre sens critique seront mis à l'épreuve. Vous devrez imaginer un circuit qui exécutera la tâche imposée et vous l'analyserez pour voir s'il l'effectue bien. A ce niveau, l'électronique est un art et une science. Il existe parfois plusieurs bonnes façons d'effectuer une même tâche. Si vous en découvrez une, vous avez un circuit. Si vous en découvrez plusieurs, comparez-les aux points de vue simplicité, coût, élégance, etc., puis décidez lequel est le meilleur.

Une fois les résistances et les capacités calculées, vérifiez les valeurs normalisées ou nominales commercialisées listées aux appendices 2 et 3. Choisissez la valeur normalisée ou nominale la plus proche ou celle immédiatement supérieure, selon le type de circuit que vous concevez.

PROBLÈMES DE DÉFI

Si vous possédez bien la matière, ces problèmes vous tenteront. Quelques-uns sont difficiles et requièrent des connaissances supérieures. Vous en résoudrez la plupart même si certains demandent plus de temps. Ils vous permettront de repousser vos limites.

PROBLÈMES A RÉSOUDRE PAR ORDINATEUR

Tôt ou tard vous verrez un ordinateur sur le bureau d'un ingénieur, chez un ami, sur une chaîne de fabrication, etc. Au rythme où leur prix d'achat chute, vous en achèterez peut-être un jour (si ce n'est déjà fait).

Un ordinateur est un outil semblable à une calculatrice de poche. La différence principale est que l'on introduit des instructions dans l'ordinateur pour lui dire comment résoudre un problème. Cette liste d'instructions s'appelle *programme*. Si l'on change de programme, le fonctionnement de l'ordinateur change.

Le langage le plus utilisé pour ordonner à un ordinateur de faire quelque chose est le langage BASIC. A la fin de chaque chapitre vous trouverez quelques problèmes, qui s'expliquent d'eux-mêmes, et qui vous aideront à apprendre le langage BASIC et à programmer un ordinateur. Ces problèmes sont simples et peu nombreux pour que vous n'y consacriez pas trop de temps. Leur but est de vous exposer les rudiments du langage BASIC et non de vous rendre expert en programmation BASIC.

Ces problèmes sont facultatifs. Si vous connaissez le langage BASIC, sautez les premiers. Si vous ne voulez pas étudier le langage BASIC maintenant, délaissez ce dernier ensemble de problèmes.

PROBLÈMES

Simples

1-1. La résistance interne d'une source de tension égale 0,05 Ω. Calculer la chute de tension entre les bornes de la résistance interne lorsque le courant qui la parcourt est de 2 A.

1-2. On court-circuite momentanément une source de tension. Supposer que la tension de source idéale est de 6 V et le courant de court-circuit de 150 A. Calculer la résistance interne de la source.

1-3. Soit le circuit représenté à la figure 1-14. La tension de source idéale et la résistance interne sont respectivement de 9 V et de 0,4 Ω. Supposer que la résistance de charge est nulle et calculer le courant de charge.

1-4. Soit le circuit représenté à la figure 1-14. La tension de source idéale et la résistance interne sont respectivement de 12 V et de 0,5 Ω. Calculer le courant de charge et la tension de charge lorsque la résistance de charge est de 50 Ω.

1-5. Reprendre le problème 1-4 et supposer que R_S est de 5 Ω.

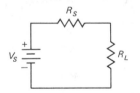

Fig. 1-14.

1-6. Soit le circuit représenté à la figure 1-14. La tension de source idéale et la résistance de charge sont respectivement de 10 V et de 75 Ω. Supposer que la tension de charge est de 9 V et calculer la résistance interne. Est-ce que la source de tension est soutenue ?

1-7. Une source de tension a une résistance interne de 2 Ω. Calculer la résistance de charge admissible minimale pour que la source soit soutenue.

1-8. Soit le circuit représenté à la figure 1-14. La tension de source idéale et la résistance interne sont respectivement de 15 V et de 0,03 Ω. Calculer la gamme de résistance de charge pour que la source soit soutenue.

1-9. On peut régler une résistance de charge de 20 Ω à 200 kΩ. On veut que la source de tension soit soutenue sur toute la gamme de résistance de charge. Calculer la résistance interne.

1-10.   Soit le circuit représenté à la figure 1-15. Le courant de source idéale et la résistance interne sont respectivement de 10 mA et de 100 kΩ. Supposer que la résistance de charge est nulle et calculer le courant de charge.

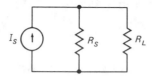

Fig. 1-15.

1-11.   Soit le circuit représenté à la figure 1-15. Le courant de source idéale et la résistance interne sont respectivement de 5 mA et de 250 kΩ. Supposer que la résistance de charge est de 10 kΩ et calculer le courant de charge. Est-ce que la source de courant est soutenue ?

1-12.   Une source de courant a une résistance interne de 150 kΩ. Calculer la gamme de résistance de charge pour que la source de courant soit soutenue.

1-13.   On vous donne une boîte noire avec une résistance de 2 kΩ branchée entre ses bornes de charge. Comment mesurerez-vous sa tension de Thévenin ?

1-14.   La boîte noire du problème 1-13 possède un bouton qui permet d'annuler toutes les sources de tension et de courant interne. Comment mesurerez-vous la résistance de Thévenin ?

1-15.   Soit le circuit représenté à la figure 1-16. Calculer le courant de charge lorsque R_L égale successivement 0 Ω, 1 kΩ, 2 kΩ, 3 kΩ, 4 kΩ, 5 kΩ et 6 kΩ. (Utiliser le théorème de Thévenin.)

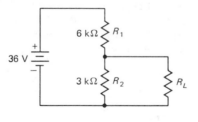

Fig. 1-16.

1-16.   Résoudre le problème 1-15. Le résoudre de nouveau sans recourir au théorème de Thévenin; autrement dit, le résoudre par les méthodes habituelles de la loi d'Ohm et des lois de Kirchhoff, etc. Une fois cela fait, expliquez ce que vous avez appris sur le théorème de Thévenin.

1-17.   Soit le circuit expérimental de laboratoire représenté à la figure 1-17. Un de vos collègues vous met au défi de trouver le circuit de Thévenin qui attaque la résistance de charge. Décrire la méthode expérimentale de mesure de la tension et de la résistance de Thévenin.

1-18.   Un circuit de Thévenin a une tension et une résistance de Thévenin de 10 V et de 5 kΩ. Calculer le courant et la résistance de Norton.

1-19.   Tracer le circuit équivalent de Norton du circuit représenté à la figure 1-16. Supposer que R_L = 16 kΩ et calculer le courant qui parcourt la résistance de Norton.

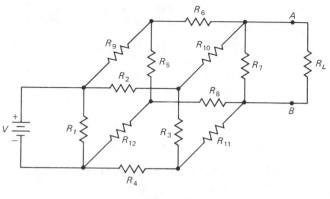

Fig. 1-17.

De dépannage

1-20. Supposer que la tension de charge du circuit représenté à la figure 1-16 est de 36 V. Trouver le défaut de R_1.

1-21. Soit le circuit représenté à la figure 1-16. Supposer que la tension de charge est nulle et que la batterie et la résistance de charge sont correctes. Suggérer deux causes possibles de ce dérangement.

1-22. Soit le circuit représenté à la figure 1-16. Supposer que la tension de charge est nulle et que toutes les résistances sont normales. Trouver la (les) cause(s) possible(s) de ce dérangement.

1-23. Soit le circuit représenté à la figure 1-16. Supposer que la tension de charge égale 12 V. Trouver la cause probable de ce dérangement.

De conception

1-24. A l'aide de la combinaison batterie-résistance décrite à la section 1-3, concevoir une source de courant hypothétique. La source de courant doit respecter les spécifications suivantes : elle doit fournir un courant soutenu de 1 mA pour toute résistance de charge comprise entre 0 Ω et 10 kΩ.

1-25. Concevoir un diviseur de tension (semblable à celui représenté à la figure 1-16) qui respecte les spécifications suivantes : tension de source idéale de 30 V, tension à vide de 15 V et résistance de Thévenin égale ou inférieure à 2 kΩ.

1-26. Concevoir un diviseur de tension semblable à celui représenté à la figure 1-16 pour qu'il fournisse une tension soutenue de 10 V quelle que soit la résistance de charge supérieure à 1 MΩ. Prendre une tension de source idéale de 30 V.

De défi

1-27. Vous disposez d'une batterie de piles D de lampe de poche et d'un multimètre. Décrire une méthode expérimentale de détermination du circuit équivalent de Thévenin de la batterie de piles.

1-28. Vous disposez d'une batterie de piles D de lampe de poche, d'un multimètre et d'une boîte de diverses résistances. Décrire une méthode qui utilise une des résistances pour trouver la résistance de Thévenin de la batterie.

1-29. Calculer le courant de charge du circuit représenté à la figure 1-18 lorsque R_L égale successivement 0, 1 kΩ, 2 kΩ, 3 kΩ, 4 kΩ, 5 kΩ et 6 kΩ.

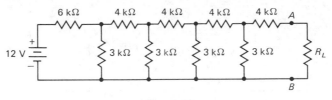

Fig. 1-18.

A résoudre par ordinateur

1-30. L'instruction PRINT est la première instruction BASIC que nous étudierons. Si un ordinateur exécute l'instruction

PRINT "LE SOLEIL BRILLE."

alors son écran affichera

LE SOLEIL BRILLE.

Autrement dit, l'ordinateur affiche les mots suivant l'instruction PRINT : ces mots doivent être entre guillemets.

Qu'affiche l'écran de l'ordinateur lorsque l'ordinateur exécute l'instruction suivante :

PRINT "LA PROGRAMMATION EST FACILE."

1-31. Lorsqu'on programme un ordinateur, on assigne un numéro de ligne à chaque instruction ou commande pour en garder trace. Habituellement, les numéros de ligne sont distants de 10. A titre d'exemple, voici un programme avec ses numéros de ligne :

10 PRINT "LE SOLEIL BRILLE."
20 PRINT "LA PROGRAMMATION EST FACILE."
30 PRINT "JE PEUX APPRENDRE CETTE MATIÈRE."

Si l'on fait exécuter ce programme sur un ordinateur, il exécutera les instructions PRINT. Qu'affichera l'écran de l'ordinateur ?

1-32. Ecrire un programme à trois instructions PRINT portant les numéros de ligne 10, 20 et 30 qui affiche votre prénom et votre nom sur la première ligne, le numéro de votre maison et le nom de votre rue sur la deuxième ligne, et le nom de votre ville et votre code postal sur la troisième ligne.

1-33. L'instruction END commande à un ordinateur d'arrêter le traitement des données. Par exemple,

10 PRINT "LA NORMANDIE EST VERTE."
20 PRINT "LA CALIFORNIE EST MORDORÉE."
30 END

Dans ce programme, l'instruction END arrête l'exécution. Théoriquement, la dernière instruction d'un programme devrait être END, parce que tous les ordinateurs reconnaissent l'instruction END. La plupart des microordinateurs n'exigent pas l'instruction END, ils arrêtent automatiquement l'exécution lorsqu'ils ont exécuté toutes les instructions. Dans ce texte, l'instruction END est facultative.

Ecrire un programme qui affiche le nom et l'adresse de votre école (ou de votre employeur).

Théorie des diodes

Dans ce chapitre, nous commencerons par étudier la théorie des semiconducteurs. Nous traiterons les semiconducteurs d'une façon simple et parfois d'une façon idéalisée pour ne pas recourir aux mathématiques et à la physique supérieures. Dans la partie centrale de ce chapitre, nous étudierons les jonctions *PN*, la clé de voûte d'une diode à semiconducteurs. Le mot « diode » est la contraction de « deux électrodes », dans laquelle « di » est mis pour deux et « ode » pour électrodes. Nous étudierons le fonctionnement d'une diode en prévision de celui du transistor, qui combine deux diodes en un seul dispositif. Nous terminerons ce chapitre par les approximations des diodes. Ces approximations simplifient le dépannage, l'analyse et la conception des circuits à diodes.

2.1. THÉORIE DES SEMICONDUCTEURS

L'étude de cette section augmentera vos connaissances sur les atomes, les électrons et les protons. Vous étudierez comment les atomes de silicium se combinent pour former des cristaux (la pierre angulaire des dispositifs à semiconducteurs).

STRUCTURE ATOMIQUE

Bohr a idéalisé l'atome. Il l'a représenté par un noyau entouré d'électrons en orbites (fig. 2-1 *a*). Le noyau a une charge positive et attire les électrons. Sans la force centrifuge due à leur mouvement, les électrons tomberaient sur le noyau. Un électron se déplace sur une orbite stable juste à la bonne vitesse qui lui confère la force centrifuge nécessaire pour équilibrer l'attraction nucléaire.

Il est difficile de tracer les dessins à trois dimensions comme celui de la figure 2-1 *a* pour les atomes compliqués. Nous représenterons donc les atomes en deux dimensions. Le noyau d'un atome de silicium isolé, par exemple (fig. 2-1 *b*), possède 14 protons. Deux électrons circulent sur la première orbite, huit sur la deuxième et quatre sur l'orbite périphérique ou orbite de *valence*. Les 14 électrons qui tournent neutralisent la charge des 14 protons de sorte, qu'à distance, l'atome est électriquement neutre.

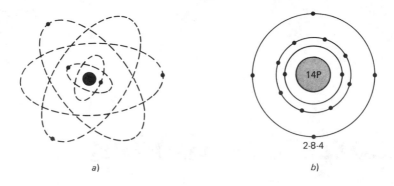

Fig. 2-1. a) *Modèle de Bohr.* b) *Atome de silicium.*

L'orbite périphérique à quatre électrons est particulièrement importante. En raison de ces quatre électrons, le silicium est dit *tétravalent* (du grec « tétra » qui signifie « quatre »). On appelle le noyau et les électrons intérieurs la *charge centrale* d'un atome. La charge centrale est un tout. Rien d'intéressant ne s'y passe. Nous nous intéressons uniquement à l'orbite de valence, l'endroit où a lieu toute l'action des semiconducteurs.

NIVEAUX ÉNERGÉTIQUES

On pourrait croire qu'un électron peut circuler sur une orbite de rayon quelconque, pourvu qu'il se déplace à la bonne vitesse. La physique moderne nous enseigne qu'il n'en est rien et que seules les orbites d'un certain rayon sont permises. A la figure 2-2 *a,* les électrons peuvent circuler sur la première, la deuxième et la troisième orbites et non sur les orbites intermédiaires. Autrement dit, tous les rayons compris entre r_1 et r_2 et tous ceux compris entre r_2 et r_3 sont interdits. (Si vous désirez savoir pourquoi, étudiez la physique quantique.)

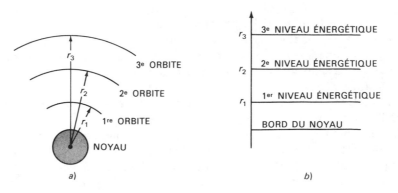

Fig. 2-2. a) *Vue agrandie d'un atome.* b) *Niveaux énergétiques.*

A la figure 2-2 *a,* il faut dépenser une certaine énergie pour faire passer un électron d'une orbite inférieure à une orbite supérieure parce qu'il faut effectuer un certain travail pour surmonter l'attraction du noyau. Par conséquent, plus l'orbite d'un électron est grande, plus son niveau énergétique ou énergie potentielle par rapport au noyau est grande.

Pour simplifier, traçons des horizontales (fig. 2-2 *b*) au lieu des orbites courbes. La première orbite représente le premier niveau énergétique, la deuxième orbite représente le deuxième niveau énergétique, etc. Plus le niveau énergétique est élevé, plus l'orbite de l'électron est grande. Au lieu de parler de rayon orbital, on peut donc parler de niveau énergétique.

Si une énergie extérieure comme la chaleur, la lumière ou un autre rayonnement bombarde un atome, elle augmente l'énergie d'un électron et l'élève à un niveau énergétique supérieur (orbite plus grande). Dans ce cas, on dit que l'atome est en état d'*excitation*. Cet état ne dure pas longtemps, car l'électron excité revient bientôt à son niveau énergétique initial. A mesure qu'il descend, il restitue l'énergie acquise sous forme de chaleur, lumière ou autre rayonnement.

CRISTAUX

Un atome de silicium isolé possède quatre électrons sur son orbite de valence. Pour être chimiquement stable, il devrait en avoir huit sur cette orbite. Il se combinera donc avec d'autres atomes de manière à avoir huit électrons sur son orbite de valence.

Lorsque les atomes de silicium se combinent pour former un solide, ils se disposent en une structure ordonnée appelée *cristal*. On appelle les forces qui maintiennent des atomes ensemble des *liaisons de covalence* (fig. 2-3 *a*). L'atome de silicium se positionne de lui-même entre quatre autres atomes de silicium. Chaque atome avoisinant partage un électron avec l'atome central. L'atome central capte quatre électrons; il en a donc huit sur son orbite de valence.

Les huit électrons n'appartiennent pas exclusivement au noyau central. Celui-ci les partage avec les quatre atomes voisins. Comme les charges centrales adjacentes ont une charge nette positive, elles attirent les électrons partagés en créant ainsi des

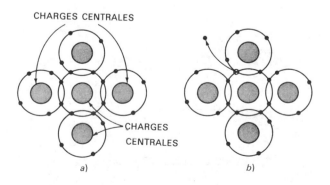

Fig. 2-3. a) *Liaisons de covalence.* b) *Trou.*

forces égales et opposées. Cette tension de sens opposés est la liaison de covalence qui retient les atomes ensemble. (Cette situation ressemble à celle des équipes de lutte de traction à la corde. Tant que les équipes exercent sur la corde des forces égales et opposées, elles restent immobiles et liées.)

TROUS

Lorsqu'une énergie externe élève un électron de valence à un niveau énergétique supérieur (orbite plus grande), l'électron migrateur laisse un vide ou une lacune appelée *trou* dans l'orbite périphérique (fig. 2-3 *b*). Le fonctionnement des diodes et des transistors s'explique en partie par ces trous. Nous en apprendrons davantage sur les trous dans les sections ultérieures.

BANDES D'ÉNERGIE

Lorsqu'on isole un atome de silicium, ses charges commandent l'orbite d'un électron. Mais lorsqu'on combine des atomes de silicium en un cristal, les charges des nombreux atomes adjacents influent sur l'orbite d'un électron. Comme chaque électron a une position différente dans le cristal, chaque électron voit une structure des charges avoisinantes différente. Par conséquent, l'orbite de chaque électron est différente.

La figure 2-4 représente ce qui se produit aux niveaux énergétiques. Tous les électrons qui circulent sur les premières orbites ont des niveaux énergétiques légèrement différents, puisque chacun a son propre environnement de charges. Comme il y a des milliards d'électrons sur les premières orbites, les niveaux énergétiques légèrement différents forment une *bande*. De la même façon, les milliards d'électrons des deuxièmes orbites, tous de niveaux énergétiques différents, forment la deuxième bande d'énergie représentée. Et tous les électrons des troisièmes orbites forment la troisième bande.

Par convention, nous représenterons en grisé (fig. 2-4), les bandes d'énergie pleines ou saturées, autrement dit, celles dans lesquelles des électrons occupent déjà toutes les orbites disponibles. La bande de valence, par exemple, est pleine parce que l'orbite de valence de chaque atome a huit atomes.

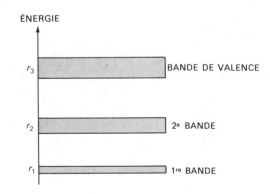

Fig. 2-4. *Bandes d'énergie.*

La figure 2-4 représente les bandes d'énergie d'un cristal de silicium à la température du zéro absolu (− 273°C). A cette température la vibration moléculaire cesse, ce qui signifie que le froid est maximal. Au zéro absolu, le courant est nul.

2.2. CONDUCTION DES CRISTAUX

Chaque atome de cuivre possède un électron libre. Comme cet électron circule sur une orbite extrêmement grande (haut niveau énergétique), il ressent à peine l'attraction du noyau. Dans un morceau de fil de cuivre, les électrons libres appartiennent à une bande d'énergie appelée la *bande de conduction*. Ces électrons libres produisent de grands courants.

Un morceau de silicium est différent. La figure 2-5 *a* représente un barreau de silicium muni d'extrémités métalliques. Une tension externe établit un champ électrique entre les extrémités du cristal. Est-ce qu'un courant circule ? Cela dépend. De quoi ? De la présence d'électrons mobiles dans le cristal.

AU ZÉRO ABSOLU

A la température du zéro absolu, les électrons ne peuvent se déplacer dans le cristal. Les atomes de silicium retiennent fortement tous les électrons de valence parce qu'ils font partie des liaisons de covalence entre les atomes. La figure 2-5 *b* représente le diagramme des bandes d'énergie. Lorsque les trois premières bandes sont pleines, leurs électrons ne se déplacent pas facilement, parce qu'il n'y a pas d'orbite vide. Mais au-delà de la bande de valence il y a la bande de conduction. Si un électron de valence pouvait s'élever dans la bande de conduction, il pourrait se déplacer librement d'un atome au suivant. Mais à la température du zéro absolu la bande de conduction est vide ; autrement dit, aucun courant ne peut circuler dans le cristal de silicium.

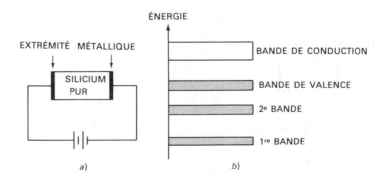

Fig. 2-5. a) *Circuit.* b) *Bandes d'énergie à la température du zéro absolu.*

AU-DESSUS DU ZÉRO ABSOLU

Elevons la température au-dessus du zéro absolu et tout change. L'énergie thermique entrante brise quelques liaisons de covalence; autrement dit, elle projette des électrons de valence dans la bande de conduction. La bande de conduction contient donc un nombre limité d'électrons représentés par les signes moins à la figure 2-6 *a*. Sous l'influence du champ électrique, ces électrons libres migrent vers la gauche et établissent un courant.

La figure 2-6 *b* représente les bandes d'énergie au-dessus du zéro absolu. L'énergie thermique a élevé quelques électrons dans la bande de conduction où ils circulent sur de très grandes orbites. Sur ces orbites de bande de conduction, les atomes retiennent faiblement les électrons qui peuvent donc facilement migrer d'un atome au suivant.

A chaque bombardement d'un électron dans la bande de conduction (fig. 2-6 *b*), un trou apparaît dans la bande de valence. Celle-ci n'est donc plus saturée ou pleine; chaque trou de la bande de valence représente une orbite disponible.

Plus la température est élevée, plus le nombre d'électrons de valence injectés dans la bande de conduction est grand, et plus le courant est grand (fig. 2-6 *a*). A la température ambiante (environ 25 °C), le courant est trop faible pour qu'il soit d'une quelconque utilité. A cette température, un morceau de silicium n'est pas un bon isolant, ni un bon conducteur : il est donc un *semiconducteur.*

COMPARAISON ENTRE LE SILICIUM ET LE GERMANIUM

Au début, on utilisait beaucoup le germanium, un autre élément tétravalent, pour fabriquer des semiconducteurs. Actuellement, on l'utilise rarement dans les nouvelles conceptions. A la température ambiante, un cristal de silicium n'a presque pas d'électrons libres comparativement au cristal de germanium. C'est la raison pour laquelle le silicium a totalement surclassé le germanium dans la fabrication des diodes, des transistors et d'autres dispositifs à semiconducteurs. Dans les sections suivantes nous expliquerons la raison pour laquelle ce manque d'électrons libres dans le silicium pur est un grand avantage.

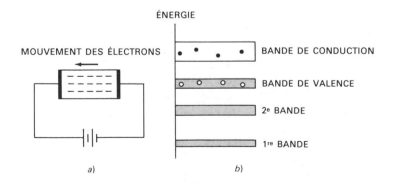

Fig. 2-6.   a) *Flux électronique.* b) *Bandes d'énergie à la température ambiante.*

COURANT DE TROUS

Les trous des semiconducteurs produisent aussi un courant. Les semiconducteurs se distinguent nettement d'un fil de cuivre par ce courant : un semiconducteur offre deux chemins au courant, un par la bande de conduction (grandes orbites) et un autre par la bande de valence (petites orbites). De ce point de vue, un fil de cuivre ressemble à une route à une voie et un semiconducteur à une route à deux voies.

Le courant de la bande de conduction d'un semiconducteur ressemble à celui d'un fil de cuivre. Le courant de la bande de valence est une nouveauté. Observons le trou à l'extrémité droite des atomes représentés à la figure 2-7 *a*. Ce trou attire l'électron de valence en *A* et le capte, si l'énergie de l'électron de valence varie légèrement. Alors le trou initial disparaît et un nouveau apparaît en *A*. Ce nouveau trou attire et capte l'électron de valence en *B*. Lorsque l'électron de valence se déplace de *B* vers *A*, le trou va de *A* vers *B*. Les électrons de valence continuent à se déplacer suivant le chemin indiqué par les flèches et les trous se déplacent dans le sens opposé. Conclusion : les trous des orbites de valence constituent un deuxième chemin pour les électrons à travers le cristal. (Sur ce dessin, nous n'avons pas représenté les orbites beaucoup plus grandes de la bande de conduction sur lesquelles les électrons libres se déplacent.)

Du point de vue des niveaux énergétiques voici ce qui se produit. L'énergie thermique expédie un électron de la bande de valence dans la bande de conduction. Ce départ laisse un trou dans la bande de valence (fig. 2-7 *b*). Une légère variation d'énergie permet à l'électron de valence *A* de se déplacer dans le trou. Si cela se produit, le trou initial disparaît et un nouveau apparaît en *A*. Puis, sous l'action d'une légère variation d'énergie, l'électron de valence en *B* peut de déplacer dans le nouveau trou. De légères variations d'énergie permettent donc aux électrons de valence de se déplacer suivant le chemin indiqué par les flèches. Ce déplacement est équivalent à celui des trous se déplaçant dans la bande de valence suivant le chemin *ABCDEF*.

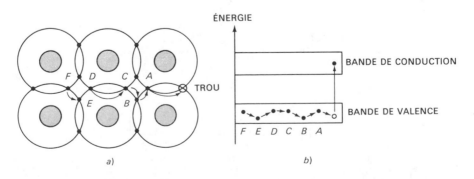

Fig. 2-7. a) *Courant de trous.* b) *Diagramme énergétique du courant de trous.*

PAIRES ÉLECTRON-TROU

L'application d'une tension externe entre les bornes d'un cristal force les électrons à se déplacer. La figure 2-8 *a* représente les deux types d'électrons mobiles : les électrons de la bande de conduction et les électrons de la bande de valence. Si les électrons de valence se déplacent vers la droite, les trous se déplacent vers la gauche.

La plupart des ingénieurs parlent de « mouvement des trous » plutôt que de « mouvement des électrons de valence ». Dans un semiconducteur pur, il y a un trou dans l'orbite de valence d'un certain atome par électron dans la bande de conduction. L'énergie thermique produit donc des paires électron-trou. Les trous se comportent comme des charges positives, d'où leur signe + à la figure 2-8 *b*. (L'effet Hall confirme que les trous se comportent comme des charges positives.) Comme auparavant, nous représentons le déplacement des électrons de la bande de conduction vers la droite. Mais maintenant, nous considérons que les trous (charges positives) se déplacent vers la gauche.

RECOMBINAISON

A la figure 2-8 *b,* chaque signe moins représente un électron de bande de conduction d'une grande orbite et chaque signe plus un trou d'une petite orbite. L'orbite de la bande de conduction d'un atome coupe parfois l'orbite de trous d'un autre, ce qui explique qu'un trou capte souvent un électron de la bande de conduction. Cette fusion d'un électron libre et d'un trou s'appelle une *recombinaison.* Lorsqu'il y a recombinaison, le trou ne se déplace pas : il disparaît.

Dans un semi-conducteur, il y a sans cesse des recombinaisons. Tous les trous devraient donc être comblés à un certain instant, mais l'énergie thermique entrante continue à produire de nouveaux trous en enlevant les électrons de valence dans la bande de conduction. Le temps moyen qui s'écoule entre la création et la disparition d'une paire électron-trou est sa *durée de vie.* Elle varie de quelques nanosecondes à plusieurs microsecondes selon la perfection de la structure du cristal et d'autres facteurs.

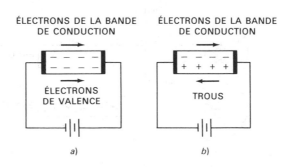

Fig. 2-8. *Les deux chemins du courant.*

2.3. DOPAGE

On appelle un cristal de silicium pur (dans lequel chaque atome est un atome de silicium) un semiconducteur *intrinsèque*. En raison de leur faible nombre, les électrons libres et les trous d'un semiconducteur intrinsèque ne produisent pas un courant assez fort pour la plupart des applications. Par *dopage,* entendre l'ajout d'atomes d'impureté à un cristal pour augmenter le nombre d'électrons libres ou le nombre de trous. Un cristal dopé s'appelle un semiconducteur *extrinsèque*.

SEMICONDUCTEURS DE TYPE *N*

Pour augmenter le nombre d'électrons de la bande de conduction, on ajoute des atomes pentavalents (à cinq électrons dans l'orbite de valence). L'ajout d'atomes pentavalents à un cristal de silicium pur préserve la majorité des atomes de silicium. Mais on trouve ici et là un atome pentavalent entre quatre atomes de silicium (fig. 2-9 *a*). Initialement, l'orbite de valence de l'atome pentavalent possédait cinq électrons. Après formation des liaisons de covalence avec ses quatre voisins, l'atome central a un électron de trop. Comme une orbite de valence ne peut avoir plus de huit électrons, l'électron en surplus doit circuler sur une orbite de bande de conduction.

La figure 2-9 *b* représente les bandes d'énergie d'un cristal dopé par une impureté pentavalente. Le nombre d'électrons de la bande de conduction est très grand; la plupart de ces électrons proviennent du dopage. Les quelques trous sont dus à l'énergie thermique. On appelle les électrons les porteurs *majoritaires* et les trous les porteurs *minoritaires*. On appelle ce type de silicium dopé un semiconducteur de *type N* (*N* est mis pour négatif).

Enfin, on appelle souvent les atomes pentavalents des atomes *donneurs* parce qu'ils produisent des électrons de bande de conduction. L'arsenic, l'antimoine et le phosphore sont des impuretés donneuses.

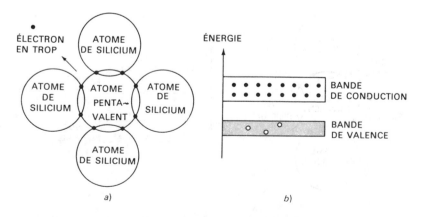

Fig. 2-9. *Dopage par impureté donneuse.*

SEMICONDUCTEURS DE TYPE *P*

Comment doper un cristal pour avoir des trous supplémentaires ? En utilisant une impureté trivalente (à trois électrons sur l'orbite périphérique), tout simplement. Après l'ajout d'une telle impureté, chaque atome trivalent est entouré de quatre atomes de silicium (fig. 2-10 *a*). Comme chaque atome trivalent n'a amené que trois électrons de valence, il ne circulera que sept électrons sur son orbite de valence. Donc, chaque atome trivalent comporte un trou. On contrôle le nombre de trous dans le cristal dopé en dosant l'impureté ajoutée.

On appelle un semiconducteur dopé par une impureté trivalente un semiconducteur de *type P* (*P* est mis pour positif). Selon la figure 2-10 *b*, le nombre de trous d'un semiconducteur de type *P* est nettement supérieur à celui du nombre d'électrons de la bande de conduction. Pour cette raison, dans un semiconducteur de type *P*, les trous sont les porteurs majoritaires et les électrons de la bande de conduction sont les porteurs minoritaires.

On appelle les atomes trivalents des atomes *accepteurs* parce que chaque trou qu'ils apportent accepte un électron lors de la recombinaison. L'aluminium, le bore et la gallium sont des impuretés accepteuses.

RÉSISTANCE EXTRINSÈQUE

Un semiconducteur dopé a encore une résistance appelée résistance *extrinsèque*. Un semiconducteur légèrement dopé a une grande résistance extrinsèque. La résistance extrinsèque diminue à mesure que le dopage augmente. On appelle aussi la résistance extrinsèque une résistance *ohmique* parce qu'elle obéit à la loi d'Ohm; autrement dit, la tension entre les bornes du semiconducteur dopé est proportionnelle au courant qui le traverse.

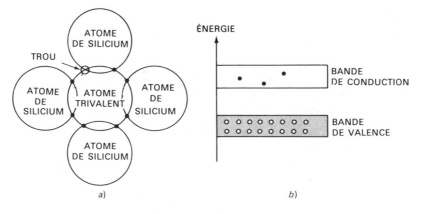

Fig. 2-10. *Dopage par impureté accepteuse.*

2.4. DIODE NON POLARISÉE

On peut fabriquer un cristal moitié de type *P* et moitié de type *N* (fig. 2-11 *a*). La zone de rencontre des régions de type *P* et de type *N* s'appelle une jonction. Un tel cristal *PN* s'appelle une *diode*.

La figure 2-11 *a* représente le cristal *PN* lors de sa formation. Le côté *P* possède un grand nombre de trous (porteurs majoritaires) et le côté *N* un grand nombre d'électrons libres (eux aussi des porteurs majoritaires). La diode représentée à la figure 2-11 *a* est non polarisée : autrement dit, aucune tension externe ne lui est appliquée.

COUCHE D'APPAUVRISSEMENT OU DE DÉPLÉTION

En raison de leur répulsion mutuelle, les électrons libres du côté *N* diffusent ou se répandent dans toutes les directions. Quelques-uns traversent la jonction. Le départ d'un électron libre de la région *N* crée un atome chargé positivement (ion positif) dans la région *N*. L'électron libre qui pénètre dans la région *P* devient un porteur minoritaire. En raison du grand nombre de trous qui l'entourent, la durée de vie de ce porteur minoritaire est brève; peu après son entrée dans la région *P*, il tombe dans un trou. Le trou disparaît et l'atome associé devient chargé négativement (ion négatif).

Chaque électron qui traverse la jonction crée une paire d'ions. La figure 2-11 *b* représente les ions de chaque côté de la jonction. Les signes plus encerclés représentent des ions posififs et les signes moins encerclés des ions négatifs. Les liaisons de covalence fixent les ions dans la structure cristalline et les empêchent de se déplacer comme le font les électrons libres et les trous. A mesure que le nombre d'ions augmente, la région voisine de la jonction s'appauvrit en électrons libres et en trous. Cette région s'appelle la *couche d'appauvrissement* ou de *déplétion*.

BARRIÈRE DE POTENTIEL

Au-delà d'un certain point, la couche d'appauvrissement se comporte comme une barrière qui empêche les électrons libres de traverser la jonction. Suivons (fig. 2-11*b*) un électron libre de la région *N* qui se déplace vers la gauche et qui veut pénétrer dans la région d'appauvrissement. Il heurte une paroi d'ions négatifs qui le repoussent vers la droite. S'il a assez d'énergie il perce la paroi et pénètre dans la région *P* où il tombe dans un trou et crée un autre ion négatif.

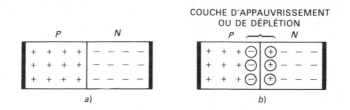

Fig. 2-11. a) *Avant la diffusion.* b) *Après la diffusion.*

L'intensité de la couche d'appauvrissement croît à mesure que les électrons la traversent jusqu'à obtention d'un équilibre. Alors, la répulsion interne de la couche d'appauvrissement empêche les électrons libres de traverser la jonction.

La différence de potentiel entre les extrémités de la couche d'appauvrissement s'appelle la *barrière de potentiel*. A 25 °C, la barrière de potentiel égale environ 0,7 V pour les diodes au silicium. (La barrière de potentiel des diodes au germanium est de 0,3 V.)

2.5. POLARISATION DIRECTE

La figure 2-12a représente le montage d'une source continue entre les bornes d'une diode. On branche la borne positive de la source au matériau de type *P* et la borne négative au matériau de type *N*. On appelle ce mode d'alimentation la *polarisation directe*. Pour s'en souvenir, remarquer qu'on branche + au côté *P* et − au côté *N*.

GRAND COURANT DIRECT

La polarisation directe peut produire un grand courant direct. Pourquoi ? La borne négative de la source repousse les électrons libres de la région *N* vers la jonction. Ces électrons à surplus d'énergie traversent la jonction et tombent dans des trous. Les recombinaisons ont lieu à diverses distances de la jonction, selon la propension qu'a un électron d'éviter de tomber dans un trou, mais la probabilité que les recombinaisons surviennent près de la jonction est grande.

Les électrons libres qui tombent dans des trous deviennent des électrons de valence qui se déplacent vers la gauche via les trous du matériau *P*. Lorsque les électrons de valence atteignent l'extrémité gauche du cristal, ils le quittent et pénètrent dans la borne positive de la source.

Voici l'histoire de la vie d'un électron du circuit représenté à la figure 2-12a, de la borne négative de la batterie à la borne positive :

1. Il quitte la borne négative et pénètre dans l'extrémité droite du cristal.

2. Il traverse la région *N* comme électron libre.

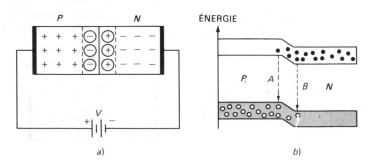

a)   b)

Fig. 2-12. a) *Polarisation directe.* b) *Bandes.*

3. Près de la jonction il se recombine et devient un électron de valence.

4. Il traverse la région *P* comme un électron de valence.

5. Il quitte l'extrémité gauche du cristal et pénètre dans la borne positive de la source.

BANDES D'ÉNERGIE

La figure 2-12*b* représente le courant selon les bandes d'énergie. D'abord, la barrière de potentiel confère aux bandes *P* un peu plus d'énergie qu'aux bandes *N*. Voilà pourquoi les bandes *P* sont plus élevées que les bandes *N*. La polarisation directe pousse les électrons de la bande de conduction dans la région *N* vers la jonction. Dès qu'il pénètre dans la région *P*, chaque électron tombe dans un trou (chemin *A*). Devenu électron de valence, il continue son périple vers l'extrémité gauche du cristal.

Il arrive qu'un électron de bande de conduction tombe dans un trou avant de traverser la jonction. Selon la figure 2-12*b*, un électron de valence peut traverser la jonction de la droite vers la gauche, ce qui crée un trou juste à droite de la jonction. La durée de vie de ce trou est très brève : un électron de bande de conduction y tombe bientôt (chemin *B*).

Quel que soit l'endroit de la recombinaison, le résultat est le même. Un courant permanent d'électrons de bande de conduction se déplace vers la jonction et tombe dans les trous près de la jonction. Les électrons capturés (devenus des électrons de valence) migrent vers la gauche en un courant permanent via les trous de la région *P*. Un flot continu d'électrons traverse donc la diode.

Remarque : Lorsque les électrons libres tombent le long des chemins *A* et *B*, ils passent d'un niveau énergétique supérieur à un niveau inférieur. Lors de cette chute, ils rayonnent de l'énergie sous la forme de chaleur et de lumière. Souvenez-vous de cela. Nous en reparlerons lorsque nous étudierons les diodes électroluminescentes.

2.6. POLARISATION INVERSE

Voir la figure 2-13*a*. Si l'on inverse la polarité de la source continue, on *inverse* aussi *la polarisation* de la diode. Maintenant, la borne + est connectée au côté *N* et la borne — au côté *P*. Quel est l'effet de cette inversion de la polarisation ?

COUCHE D'APPAUVRISSEMENT OU DE DÉPLÉTION

La polarisation inverse de la diode représentée à la figure 2-13*a* éloigne de force les électrons libres de la région *N* de la jonction vers la borne positive de la source ; elle éloigne aussi les trous de la région *P* de la jonction vers la borne négative. En partant, les électrons laissent davantage d'ions positifs près de la jonction. En partant, les trous laissent davantage d'ions négatifs. La couche d'appauvrissement s'élargit donc. Plus la polarisation inverse est grande, plus la couche d'appauvrissement s'élargit. L'élargissement de la couche d'appauvrissement cesse lorsque sa différence de potentiel égale la tension de source.

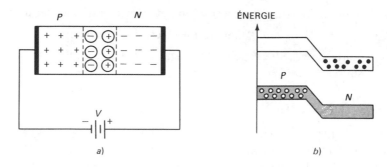

Fig. 2-13. a) *Polarisation inverse.* b) *Bandes d'énergie.*

La figure 2-13*b* représente la même notion d'une autre façon. Lorsqu'on applique la polarisation inverse, les électrons de bande de conduction et les trous s'éloignent de la jonction. La couche d'appauvrissement s'élargit jusqu'à ce que sa différence de potentiel égale la tension de source. A cet instant, les électrons libres et les trous s'arrêtent.

COURANT DE PORTEURS MINORITAIRES

Est-ce qu'un courant circule après que la couche d'appauvrissement a atteint sa nouvelle largeur ? Oui. Un très petit courant circule. En effet, l'énergie thermique crée continûment un nombre limité d'électrons libres et de trous des deux côtés de la jonction. Les porteurs minoritaires créent un petit courant dans le circuit.

Le courant inverse causé par les porteurs minoritaires s'appelle le *courant de saturation*. Son symbole est I_S. Le mot saturation rappelle que l'énergie thermique limite ce courant inverse. Donc, l'augmentation de la tension inverse n'augmente pas le nombre de porteurs minoritaires d'origine thermique. Seule une augmentation de la température peut augmenter I_S. On a découvert expérimentalement que, pour toutes les diodes au silicium, I_S double approximativement pour chaque augmentation de température de 10 °C. Si I_S est de 5 nA (nanoampères) à 25 °C, il sera d'environ 10 nA à 35 °C, de 20 nA à 45 °C, de 40 nA à 55 °C, etc.

Le courant I_S d'une diode au silicium est nettement inférieur à celui d'une diode au germanium. C'est l'une des raisons pour lesquelles le silicium domine dans le domaine des dispositifs à semiconducteurs.

COURANT DE FUITE SUPERFICIELLE

En plus du courant inverse dans le cristal, il existe un petit courant à la surface du cristal. On appelle cette autre composante du courant inverse, le *courant de fuite superficielle*. Son symbole est I_{SL}*. Les impuretés superficielles, qui créent des chemins ohmiques pour le courant, causent I_{SL}. Puisqu'il est d'origine thermique, le courant de fuite superficielle est très petit.

---

* N.d.T. *SL* est mis pour *Surface Leakage* (fuite superficielle).

COURANT INVERSE

Sur les fiches signalétiques des diodes on groupe I_S et I_{SL} en un seul courant appelé le courant inverse I_R*. Habituellement, on le spécifie pour une tension inverse V_R et une température ambiante T_A particulières. Comme I_S est sensible à la température et I_{SL} à la tension, I_R est sensible à la température et à la tension. Le courant I_R d'une 1N914 (une diode très répandue), par exemple, est de 25 nA lorsque la tension inverse $V_R = 20$ V et la température ambiante $T_A = 25\,°$C. Si la tension ou la température augmente ou si ces deux grandeurs augmentent, le courant inverse augmente. Les concepteurs choisissent une diode à courant inverse suffisamment petit pour être ignoré dans une application particulière.

TENSION DE CLAQUAGE

Si l'on augmente la tension inverse, on atteint un point de claquage appelé la tension *de claquage* de la diode. Habituellement, la tension de claquage des diodes de redressement (optimisées pour mieux conduire dans un sens que dans l'autre) est supérieure à 50 V. Une fois la tension de claquage atteinte, la diode conduit fortement. D'où proviennent soudainement les porteurs ? La figure 2-14a représente un électron libre et un trou d'origine thermique dans la couche d'appauvrissement. La polarisation inverse pousse l'électron libre vers la droite. La vitesse de cet électron augmente à mesure qu'il se déplace. Plus la polarisation inverse est grande, plus l'électron se déplace rapidement (autrement dit, son énergie augmente). Au bout d'un bref moment, il entre en collision avec un électron de valence (fig. 2-14b). Si l'électron libre a suffisamment d'énergie, il déloge l'électron de valence : il y a donc maintenant deux électrons libres (fig. 2-14c). Ces deux électrons accélèrent et délogent d'autres électrons de valence jusqu'à ce qu'une avalanche ait lieu. En raison du nombre gigantesque d'électrons libres, la diode représentée à la figure 2-14a conduira fortement et sera détruite par une dissipation excessive de puissance.

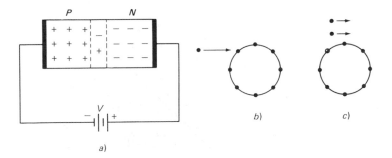

Fig. 2-14. *Claquage.* a) *Porteurs minoritaires de la couche d'appauvrissement.* b) *Un électron libre heurte un électron de valence.* c) *Deux électrons libres.*

---

* N.d.T. R est mis pour *Reverse* (inverse).

On ne permet pas à la plupart des diodes de claquer. Autrement dit, par conception délibérée, la tension inverse entre les bornes d'une diode de redressement est toujours inférieure à sa tension de claquage. Il n'existe pas de symbole normalisé pour la tension de claquage. Voici une liste (incomplète) des divers symboles utilisés sur les fiches signalétiques :

V_{BR} : *voltage breakdown* mis pour tension de claquage

BV   : *breakdown voltage* mis pour tension de claquage

PRV   : *peak reverse voltage* mis pour tension inverse de crête

PIV   : *peak inverse voltage* mis pour tension inverse de crête

V_{RWM} : *voltage reverse working maximum* mis pour tension maximale en fonctionnement inverse

V_{RM} : *voltage reverse maximum* mis pour tension inverse maximale

etc. Certaines de ces tensions sont des tensions limites continues, d'autres des tensions limites alternatives. Consulter les fiches signalétiques.

2.7. DISPOSITIFS LINÉAIRES

Selon la loi d'Ohm, le courant qui circule dans une résistance ordinaire est porportionnel à la tension entre les bornes de la résistance. Donc la représentation graphique du courant dans une résistance en fonction de la tension entre ses bornes est une droite. La figure 2-15 représente la droite de I en fonction de V (caractéristique $I - V$) pour une résistance de 500 Ω. Remarquer les points d'échantillonnage. Le courant est de 1 mA lorsque la tension est de 0,5 V, et il est de 2 mA lorsque la tension est de 1 V. Dans chaque cas, le rapport de la tension au courant égale 500 Ω. L'inversion de la tension n'a aucun effet sur la linéarité de la représentation graphique. Un courant inverse de $- 1$ mA circule lorsque la tension inverse est de $- 0,5$ V : le courant augmente jusqu'à $- 2$ mA lorsque la tension augmente jusqu'à $- 1$ V.

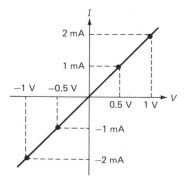

Fig. 2-15. *Courant dans une résistance linéaire en fonction de la tension.*

On appelle souvent une résistance ordinaire un dispositif *linéaire* parce que sa caractéristique $I - V$ est linéaire. Une résistance n'est qu'un exemple de composant linéaire. Nous en verrons d'autres dans les chapitres suivants. On appelle aussi une résistance ordinaire un dispositif *passif* parce qu'elle peut seulement dissiper une puissance et qu'elle ne peut pas en générer. A l'opposé, une batterie est un dispositif *actif* parce qu'elle peut générer une puissance pour un dispositif passif tel une résistance. Au chapitre 5 nous étudierons le transistor, un autre dispositif actif.

2.8. CARACTÉRISTIQUE D'UNE DIODE

La figure 2-16*a* représente le symbole graphique d'une diode de redressement. On appelle le côté *P* l'*anode* et le côté *N* la *cathode*. Comme nous l'avons vu, la polarisation directe produit un grand courant d'électrons allant du côté *N* au côté *P,* ce qui est équivalent à un grand courant conventionnel allant du côté *P* au côté *N*. Pour mémoire, la flèche du symbole de la diode pointe dans le sens d'écoulement facile du courant conventionnel.

Si vous préférez le courant électronique, vous devez raisonner à l'envers ; le sens d'écoulement facile des électrons va à l'opposé de la flèche. Cela peut vous aider à vous souvenir que la flèche pointe dans le sens d'où viennent les électrons libres.

DONNÉES EXPÉRIMENTALES

Le circuit représenté à la figure 2-16*b* permet de mesurer le courant et la tension d'une diode. Avec la polarité de source illustrée, la diode est polarisée en direct. Plus la tension de source est grande, plus le courant de diode est grand. Pour mesurer le courant de diode (à l'aide d'un ampèremètre branché en série) et la tension de diode (à l'aide d'un voltmètre branché en parallèle), faire varier la tension de source. On obtient la caractéristique de la diode dans la région directe en joignant les points portés sur un plan courant-tension (fig. 2-17). Pour obtenir la caractéristique dans la région inverse, inverser la tension de source. Avant le point de claquage, les lectures sont extrêmement petites.

Première chose à remarquer : la diode est un dispositif *non linéaire*. Sa caractéristique n'est pas une belle droite comme celle d'une résistance, mais une courbe de *I* en fonction de *V* fortement non linéaire. Autrement dit, le courant n'est plus proportionnel à la tension. Comme nous le verrons, la non-linéarité de la diode rend ce dispositif très utile.

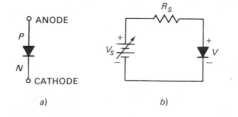

Fig. 2-16. a) *Symbole d'une diode.* b) *Circuit à diode.*

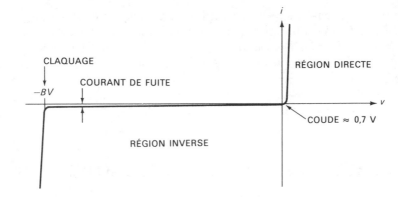

Fig. 2-17. *Caractéristique d'une diode.*

TENSION DE COUDE

Selon la caractéristique représentée à la figure 2-17, dans le cas de polarisation directe, la diode ne conduit pas fortement tant qu'on n'a pas surmonté la barrière de potentiel, et le courant est petit dans les quelques premiers dixièmes de volt. Lorsqu'on tend vers la barrière de potentiel (environ 0,7 V pour une diode au silicium), de nombreux électrons libres et trous commencent à traverser la jonction, et le courant augmente fortement. Au-delà de 0,7 V, une petite augmentation de la tension produit une forte augmentaion du courant.

La tension à laquelle le courant commence à augmenter fortement, s'appelle la *tension de coude.* Pour une diode au silicium, cette tension égale la barrière de potentiel, soit environ 0,7 V. (Celle d'une diode au germanium est de 0,3 V.)

RÉSISTANCE EXTRINSÈQUE OU OHMIQUE DES RÉGIONS *P* ET *N*

Au-dessus de la tension de coude, le courant de diode augmente rapidement. De petites augmentations de la tension de diode produisent de grandes augmentations du courant de diode, parce qu'une fois la barrière de potentiel surmontée, seule la résistance extrinsèque ou ohmique des régions *P* et *N* s'oppose au passage du courant. Cette résistance est linéaire. Autrement dit, une diode possède une résistance fortement non linéaire (à la jonction) et une résistance extrinsèque linéaire (dans les régions *P* et *N* à l'extérieur de la couche d'appauvrissement). Au-dessous de 0,7 V la non-linéarité de la jonction l'emporte et au-dessus de 0,7 V la linéarité de la résistance extrinsèque prend le dessus.

RÉGION INVERSE

Lorsqu'on inverse la polarisation de la diode (fig. 2-17) on obtient un courant inverse (parfois appelé courant *de fuite*) extrêmement petit. Si l'on augmente suffisamment la tension inverse, on atteint la tension de claquage de la diode (de plusieurs centaines de volts pour certaines diodes). On sait qu'une diode de redressement doit toujours fonctionner au-dessous de la tension de claquage. Pour s'en assurer, le concepteur choisit délibérément une diode à tension de claquage supérieure à la tension inverse maximale escomptée en fonctionnement normal.

PUISSANCE ET COURANT LIMITES

On optimise l'action unilatérale d'une diode. On peut dire qu'une diode est un conducteur à sens unique en raison de sa faible résistance directe et de sa grande résistance inverse. Si l'on dépasse la tension inverse de claquage, on détruit la diode.

On peut aussi détruire une diode en dépassant la *puissance limite.* Tout dispositif dissipe une puissance égale au produit de sa tension par son courant. Si cette puissance est trop grande, le dispositif brûlera et ouvrira le circuit ou le court-circuitera. Normalement, la tension de destruction d'une diode est supérieure à la tension de coude d'au moins un volt. La grande chaleur produite par le produit de cette tension et du courant détruit la diode.

Les fabricants de diodes spécifient parfois la puissance limite sur les fiches signalétiques. La puissance limite d'une 1N914, par exemple, est de 250 mW. Mais ils ne précisent le plus souvent que le *courant limite,* plus facile à mesurer et plus pratique pour la conception, qu'une diode supporte.

La fiche signalétique d'une 1N4003, par exemple, ne précise pas la puissance limite, mais elle spécifie un courant direct continu limite de 1 A : un courant permanent supérieur à 1 A détruira une 1N4003 ou réduira sa durée de vie.

Les fiches signalétiques partagent les diodes de redressement en deux classes : les diodes *petits signaux* (de puissance limite inférieure à 0,5 W) et les diodes *de redressement* (de puissance limite supérieure à 0,5 W). La 1N914 est une diode petits signaux puisque sa puissance limite est de 0,25 W et la 1N4003 est une diode de redressement puisque sa puissance limite est de 1 W.

RÉSISTANCE CHUTRICE

Pourquoi monte-t-on presque toujours une résistance en série avec une diode ? Considérons de nouveau le circuit représenté à la figure 2-16b; R_S est une *résistance chutrice.* Plus R_S est grand, plus le courant de diode est petit. Chaque circuit à diode que nous étudierons comportera une résistance chutrice en série avec la diode. Les concepteurs choisissent une résistance R_S qui garde le courant direct maximal inférieur au courant limite de la diode.

Même dans les circuits où l'on ne peut voir de résistance (comme dans le cas d'une boîte noire qui attaque une diode), la résistance de Thévenin qui fait face à la diode peut être suffisamment grande pour garder le courant inférieur au courant limite de la diode. La résistance en série avec la diode doit toujours être assez grande pour que le courant soit inférieur au courant limite.

2.9. DROITE DE CHARGE

Dans cette section, nous étudierons la *droite de charge,* un outil permettant de calculer le courant et la tension exacts de diode. Dans des sections ultérieures nous verrons comment appliquer la méthode de la droite de charge aux transistors et autres dispositifs semiconducteurs.

ÉQUATION DE LA DROITE DE CHARGE

Comment calculer le courant et la tension exacts de la diode du circuit représenté à la figure 2-18 ? La source de tension V_S de ce circuit série polarise la diode en direct *via* la résistance chutrice R_S. La tension de la borne de gauche de la résistance par rapport à la masse égale V_S, la tension de source. La tension de la borne de droite de la résistance par rapport à la masse égale V, la tension de diode.

Par conséquent, la différence de potentiel entre les bornes de la résistance égale $V_S - V$ et le courant égale

$$I = \frac{V_S - V}{R_S} \qquad (2\text{-}1)$$

Ce circuit étant série, ce courant est le même partout.

EXEMPLE

Si l'on connaît la tension de charge et la résistance chutrice, seuls le courant et la tension de diode sont inconnus. Si la tension de source est de 2 V et la résistance chutrice de 100 Ω, alors selon l'équation (2-1),

$$I = \frac{2 - V}{100} \qquad (2\text{-}2)$$

L'équation (2-2) est une relation linéaire entre le courant et la tension. La représentation graphique de cette équation est une droite. Si V est nul, alors

$$I = \frac{2\ \text{V} - 0\ \text{V}}{100\ \Omega} = 20\ \text{mA}$$

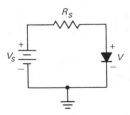

Fig. 2-18. *Analyse d'un circuit par la droite de charge.*

Portons le point (de coordonnées $I = 20$ mA et $V = 0$) sur le plan formé par les axes I et V de la figure 2-19. Ce point appartient à l'axe vertical et s'appelle le *point de saturation* parce qu'il représente le courant maximal.

Voici comment obtenir un autre point. Posons $V = 2$ V. L'équation (2-2) donne

$$I = \frac{2\ V - 2\ V}{100\ \Omega} = 0$$

Le point $I = 0$ et $V = 2$ V appartient à l'axe horizontal. On l'appelle le *point de blocage* ou *de coupure* parce qu'il représente le courant minimal.

Le choix d'autres tensions permet de calculer et de porter d'autres points. L'équation (2-2) étant linéaire, tous les points appartiendront à la droite représentée à la figure 2-19. (Portez d'autres points, si vous ne le croyez pas). On appelle cette droite la *droite de charge*.

POINT Q

La figure 2-19 comporte une droite de charge et la caractéristique d'une diode. Leur point d'intersection représente une solution d'un système de deux équations. Autrement dit, les coordonnées du point Q représentent le courant et la tension de diode pour une tension de source de 2 V et une résistance chutrice de 100 Ω. La lecture de coordonnées de Q donne un courant de diode d'environ 12,5 mA et une tension de diode de 0,75 V. On appelle ce point le *point de fonctionnement*, parce qu'il représente le courant qui parcourt la résistance et la diode.

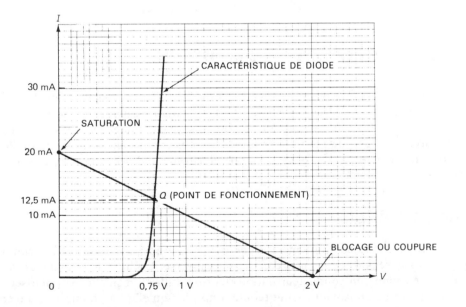

Fig. 2-19. *La droite de charge coupe la caractéristique de la diode au point de fonctionnement.*

AUTRES DROITES DE CHARGE

L'équation (2-1) est linéaire quelles que soient la tension de source et la résistance série. Deux points déterminent une droite; par conséquent, on peut toujours tracer la droite de charge en traçant une droite qui joint les intersections avec les axes vertical et horizontal (les points où la droite coupe les axes vertical et horizontal, ces points sont aussi appelés respectivement l'ordonnée et l'abscisse à l'origine).

La tension étant nulle à l'extrémité supérieure de la droite de charge, l'équation (2-1) donne le courant

$$I = \frac{V_S}{R_S} \text{ (saturation)} \tag{2-3}$$

De la même façon, le courant étant nul à l'extrémité inférieure de la droite de charge, l'équation (2-1) donne la tension

$$V = V_S \text{ (blocage)} \tag{2-4}$$

COMMENT SE RAPPELER LES EXTRÉMITÉS DE LA DROITE DE CHARGE

Soit le circuit représenté à la figure 2-18, où tout commença. Posons $V = 0$. Cela revient à court-circuiter la diode. Calculons le courant qui circule dans le circuit. Visiblement, il vaut V_S/R_S. Ce courant est le courant de saturation, à l'extrémité supérieure de la droite de charge. Posons $I = 0$. Cela revient à ouvrir la diode. Calculons la tension entre les bornes de la diode. Visiblement, elle vaut V_S. Cette tension est la tension de blocage à l'extrémité inférieure de la droite de charge.

2.10. APPROXIMATIONS D'UNE DIODE

Les tolérances types des résistances sont de $\pm$ 5 %, celles des tensions de coude peuvent être de $\pm$ 10 % et celles d'autres dispositifs que nous étudierons vont de $\pm$ 20 % à $\pm$ 50 % ou davantage. Les réponses mathématiques exactes de l'analyse d'un circuit ont peu de poids si les tolérances des composants sont de 5, 10, 20 % ou davantage. L'important dans le monde électronique de chaque jour, ce sont les réponses approximatives.

DIODE IDÉALE

Approximons le comportement d'une diode. Que fait une diode ? Elle conduit bien dans le sens direct et mal dans le sens inverse. En bref, une *diode idéale* se comporte comme un conducteur parfait (tension nulle) lorsqu'elle est polarisée en direct et comme un isolant parfait (courant nul) lorsqu'elle est polarisée en inverse (fig. 2-20a).

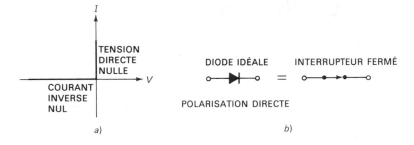

Fig. 2-20. a) *Diode idéale.* b) *Interrupteur équivalent à une diode idéale.*

Dans un circuit, une diode idéale se comporte comme un interrupteur. Lorsqu'elle est polarisée en direct, elle se comporte comme un interrupteur fermé (fig. 2-20b). Lorsqu'elle est polarisée en inverse, l'interrupteur s'ouvre.

Cette approximation extrême d'une diode idéale donne une première notion du fonctionnement d'un circuit à diode, inutile de s'inquiéter de l'effet de la tension de coude ni de celui de la résistance extrinsèque. Cette approximation idéale sera parfois trop imprécise : il faut donc une deuxième et une troisième approximations.

DEUXIÈME APPROXIMATION

Il faut appliquer une tension égale à la tension de coude, d'environ 0,7 V, pour que la diode au silicium se mette à vraiment bien conduire. Si la tension de source est grande, cette tension de 0,7 V ne cause aucun problème. Mais lorsque la tension de source est petite, il faut parfois tenir compte de la tension de coude.

La figure 2-21a représente la caractéristique de la diode en *deuxième approximation*. On y voit qu'aucun courant ne circule jusqu'à l'application d'une tension de 0,7 V entre les bornes de la diode. Alors la diode se met à conduire. Quel que soit le courant direct, nous supposons que la tension de diode est de 0,7 V.

La figure 2-21b représente le circuit équivalent de la deuxième approximation. Dans ce cas, la diode se comporte comme un interrupteur en série avec une batterie de 0,7 V. Si la tension de source est supérieure à 0,7 V, l'interrupteur se ferme et la tension de diode est de 0,7 V. Si la tension de source est inférieure à 0,7 V ou si la tension de source est négative, l'interrupteur s'ouvre.

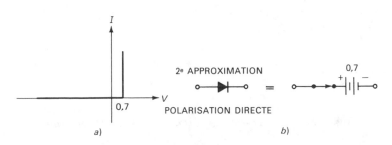

Fig. 2-21. a) *Deuxième approximation.* b) *Le circuit équivalent comprend un interrupteur et une batterie.*

TROISIÈME APPROXIMATION

Dans la *troisième approximation,* nous incluons la résistance extrinsèque r_B*. Comme auparavant, la diode se met à conduire à 0,7 V. Une tension supplémentaire apparaît entre les bornes de la résistance extrinsèque : la tension totale de diode est donc supérieure à 0,7 V. La figure 2-22*a* représente l'effet de r_B. Dès que la diode au silicium conduit, le courant produit une tension entre les bornes de r_B. Plus le courant est grand, plus la tension est grande. Comme r_B est linéaire, la tension augmente linéairement à mesure que le courant croît.

Le circuit équivalent de la troisième approximation est un interrupteur en série, avec une batterie de 0,7 V et une résistance de r_B (fig. 2-22*b*). Une fois que le circuit externe a surmonté la barrière de potentiel, le courant de diode produit une chute *IR* entre les bornes de la résistance extrinsèque. Par conséquent, la tension totale entre les bornes de la diode au silicium égale

$$V_F = 0,7 + I_F r_B \qquad (2\text{-}5)$$

QUELLE APPROXIMATION UTILISER ?

La deuxième approximation est le meilleur compromis pour la plupart des applications pratiques. Nous l'utiliserons dans tout cet ouvrage, sauf indication contraire. Pour résoudre les problèmes à la fin de chaque chapitre, utiliser cette approximation, sauf indication contraire.

EXEMPLE 2-1

A l'aide de la deuxième approximation calculer le courant de diode du circuit représenté à la figure 2-23*a*.

SOLUTION

La diode est polarisée en direct; sa chute de tension est donc de 0,7 V. La tension entre les bornes de la résistance égale la différence entre la tension

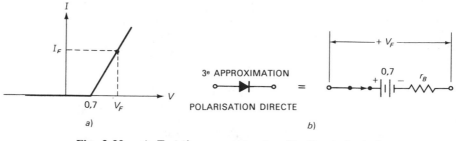

Fig. 2-22.   a) *Troisième approximation.* b) *Circuit équivalent.*

---

* N.d.T. *B* est mis pour *Bulk* (extrinsèque).

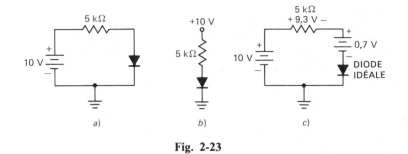

Fig. 2-23

de source et la tension de diode (10 V − 0,7 V), soit 9,3 V. Donc, le courant de diode égale

$$I = \frac{9,3 \text{ V}}{5 \text{ k}\Omega} = 1,86 \text{ mA}$$

Habituellement, les schémas industriels ne représentent pas des circuits complets, comme à la figure 2-23*a*. Ils représentent plutôt des circuits abrégés, comme celui de la figure 2-23*b*. Comme une borne de la source est à la masse, on ne représente habituellement que le potentiel de l'autre borne par rapport à la mase. A la figure 2-23*a,* le potentiel de la borne positive par rapport à la masse est de + 10 V. Lorsqu'on voit un schéma industriel semblable à celui de la figure 2-23*b* avec la tension en un point, il faut toujours se rappeler que le potentiel est par rapport à la masse.

Le circuit équivalent représenté à la figure 2-23*c* illustre la seconde approximation et ses effets. Selon la figure, la chute de tension entre les bornes de la résistance est de 9,3 V et celle entre les bornes de la diode est de 0,7 V.

EXEMPLE 2-2

Calculer le courant qui parcourt la résistance de 1 kΩ du circuit représenté à la figure 2-24*a*.

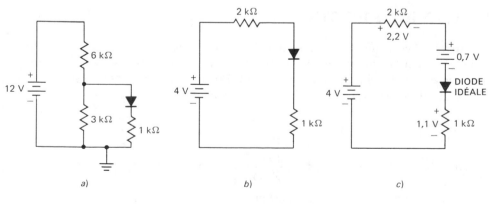

Fig. 2-24

SOLUTION

A quel théorème pense-t-on pour analyser un circuit à plusieurs mailles ? A celui de Thévenin, bien sûr, ou au moins faut-il considérer son utilisation éventuelle. La façon la plus simple d'analyser ce circuit est d'appliquer le théorème de Thévenin au diviseur de tension pour obtenir le circuit équivalent représenté à la figure 2-24*b*. Comme la diode est polarisée en direct, sa chute de tension est de 0,7 V. Le reste de la tension de source apparaît entre les bornes de la résistance totale de 3 kΩ. Par conséquent le courant dans le circuit série égale

$$I = \frac{4 \text{ V} - 0,7 \text{ V}}{3 \text{ k}\Omega} = 1,1 \text{ mA}$$

Si vous ne comprenez pas le raisonnement ci-dessus, écrivez l'équation des tensions de Kirchhoff du circuit représenté à la figure 2-24*b*. Il vient

$$- 4 + 2000I + 0,7 + 1000I = 0$$

D'où $I = 1,1$ mA.

La figure 2-24*c* représente un circuit équivalent. La chute de tension entre les bornes de la résistance supérieure est de 2,2 V, celle entre les bornes de la diode de 0,7 V et celle entre les bornes de la résistance inférieure de 1,1 V.

2.11. RÉSISTANCE EN CONTINU, EN COURANT CONTINU, STATIQUE OU EN RÉGIME STATIQUE D'UNE DIODE

La résistance *en continu, en courant continu, statique* ou *en régime statique* d'une diode égale le rapport de la tension totale de diode divisée par le courant total de diode. Dans le sens direct le symbole littéral de la résistance en courant continu est R_F* et en sens inverse il est R_R**.

RÉSISTANCE DIRECTE

La résistance d'une diode étant non linéaire, sa résistance en courant continu varie en fonction du courant qui la traverse. A titre d'exemples, voici quelques courants et tensions directs pour une diode 1N914 : 10 mA sous 0,65 V, 30 mA sous 0,75 V et 50 mA sous 0,85 V. On a successivement

au premier point, $$R_F = \frac{0,65 \text{ V}}{10 \text{ mA}} = 65 \text{ } \Omega$$

au deuxième point, $$R_F = \frac{0,75 \text{ V}}{30 \text{ mA}} = 25 \text{ } \Omega$$

---

* N.d.T. *F* est mis pour *Forward* (direct).
** N.d.T. L'indice *R* est mis pour *Reverse* (inverse).

au troisième point, $$R_F = \frac{0,85 \text{ V}}{50 \text{ mA}} = 17 \ \Omega$$

Remarquer la décroissance de la résistance en courant continu à mesure que le courant augmente. Dans chaque cas, la résistance directe est faible.

RÉSISTANCE INVERSE

Considérons les courants et tensions inverses suivants d'une diode 1N914 : 25 nA sous 20 V et 5 μA sous 75 V. Il vient successivement

au premier point, $$R_R = \frac{20 \text{ V}}{25 \text{ nA}} = 800 \text{ M}\Omega$$

au deuxième point, $$R_R = \frac{75 \text{ V}}{5 \ \mu\text{A}} = 15 \text{ M}\Omega$$

Remarquer la décroissance de la résistance en courant continu lorsqu'on tend vers la tension de claquage (75 V). La résistance inverse de la diode est encore grande, de l'ordre de plusieurs mégohms.

DÉPANNAGE

On vérifie rapidement l'état d'une diode à l'aide d'un ohmmètre. Pour cela, on mesure la résistance en courant continu de la diode dans un sens, puis on inverse les fils et on mesure de nouveau la résistance en courant continu. Le courant direct dépend du calibre de l'ohmmètre; autrement dit, des calibres différents donnent des mesures différentes. Il faut donc surtout rechercher un rapport résistance inverse sur résistance directe élevé. Quel est l'ordre de grandeur de ce rapport ? Celui des diodes au silicium types utilisées en électronique doit être supérieur à 1 000 sur 1.

L'usage d'un ohmmètre pour vérifier des diodes est un exemple d'essai « oui-non ». On ne désire pas connaître la résistance exacte en courant continu de la diode; on veut simplement savoir si la diode se comporte à peu près comme un conducteur à sens unique ou non — autrement dit, si sa résistance directe est faible et sa résistance inverse élevée. Une diode est défectueuse si sa résistance est extrêmement faible dans les deux sens (diode court-circuitée), si sa résistance est extrêmement élevée dans les deux sens (diode ouverte), et si sa résistance inverse est passablement faible (diode qui fuit).

Habituellement, on effectue cet essai avec la diode hors du circuit. Toutefois, même dans un circuit, l'essai par ohmmètre (couper d'abord l'alimentation) indiquera une résistance plus faible dans un sens que dans l'autre.

Remarque finale : sur les bas calibres, le courant de certains ohmmètres est assez fort pour détruire une diode petits signaux. Il faut donc essayer les diodes petits signaux sur les calibres supérieurs à $R \times 10$. Sur ces calibres élevés, la résistance interne de l'ohmmètre empêche le courant de diode d'être trop grand.

PROBLÈMES

Simples

2-1. Le courant de saturation d'une diode au silicium est de 2 nA à 25 °C. Calculer I_S à 75 °C et à 125 °C.

2-2. A 25 °C, le courant inverse d'une diode au silicium est de 25 nA. La composante de fuite superficielle est de 20 nA. A 75 °C, le courant de fuite superficielle est encore de 20 nA. Calculer le courant inverse total.

2-3. Le courant d'une diode polarisée en direct dans un circuit est de 50 mA. En polarisation inverse, le courant chute à 20 nA. Calculer le rapport du courant direct au courant inverse.

2-4. Calculer la puissance dissipée dans une diode au silicium polarisée en direct, si la tension et le courant de diode sont respectivement de 0,7 V et de 100 mA.

2-5. Tracer la caractéristique *I-V* d'une résistance de 2 kΩ. Noter le point auquel le courant est de 4 mA.

2-6. Tracer la caractéristique *I-V* d'une diode au silicium de tension de coude de 0,7 V et de tension inverse de crête de 50 V. Expliquer chaque partie de la caractéristique.

2-7. Soit la caractéristique *I-V* représentée à la figure 2-25. Calculer la puissance dissipée approximative par la diode lorsque le courant est de 50 mA et de 100 mA.

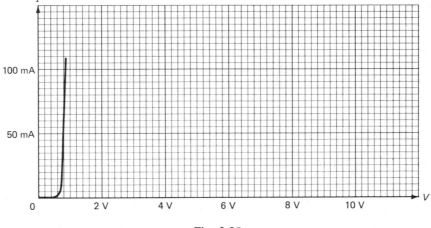

Fig. 2-25.

2-8. Une tension de source de 8 V attaque une diode via une résistance chutrice de 100 Ω. Supposer que la figure 2-25 représente sa caractéristique *I-V* et calculer le courant à l'ordonnée à l'origine de la droite de charge, la tension à l'abscisse à l'origine de la droite de charge, le courant et la tension approximatifs au point *Q* et la puissance dissipée dans la diode.

2-9. Refaire le problème 2-8 pour une résistance chutrice de 200 Ω. Décrire le changement que subit la droite de charge.

2-10. Refaire le problème 2-8 pour une tension de source de 2 V. Décrire le changement subi par la droite de charge.

2-11. Soit le circuit représenté à la figure 2-26*a*. Supposer que la tension de source est de 9 V et la résistance de source de 1 kΩ. Calculer le courant qui circule dans la diode.

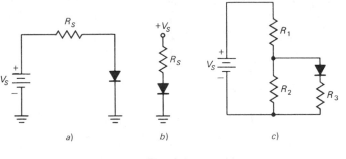

Fig. 2-26.

2-12. Soit le circuit représenté à la figure 2-26*b*. On donne $V_S = 12$ V et $R_S = 47$ kΩ. Calculer le courant de diode.

2-13. Soit le circuit représenté à la figure 2-26*c*. On donne $V_S = 15$ V, $R_1 = 68$ kΩ, $R_2 = 15$ kΩ et $R_3 = 33$ kΩ. Calculer le courant de diode. Est-ce que le diviseur de tension est soutenu ? (Pour la définition du mot « soutenu », voir la section 1-2.)

2-14. Supposer que la tension de source du circuit représenté à la figure 2-26*c* est inversée. Soit $V_S = 100$ V. Calculer la tension inverse entre les bornes de la diode. (Utiliser les mêmes résistances qu'au problème 2-13.)

2-15. Voici quelques diodes, leurs tensions de claquage et leurs courants limites.

Diode	Tension inverse limite de crête	I_{max}
1N914	75 V	200 mA
1N4001	50 V	1 A
1N1185	120 V	35 A

Supposer que la polarité de la source du circuit représenté à la figure 2-26*c* est inversée. On donne $V_S = 200$ V, $R_1 = 10$ kΩ et $R_2 = 10$ kΩ. Laquelle (lesquelles) des diodes ci-dessus claque(ent) si on la (les) monte dans ce circuit ?

2-16. Soit le circuit représenté à la figure 2-26*b*. La tension de source égale 100 V et la résistance de source 220 Ω. Quelle(s) diode(s) du tableau du problème 2-15 convient (conviennent) pour ce circuit ?

2-17. Soit la caractéristique *I-V* représentée à la figure 2-25. Calculer les résistances directes approximatives pour les courants de 10 mA, 50 mA et 100 mA.

2-18. Voici quelques diodes et leurs spécifications dans les pires cas.

Diode	I_F	I_R
1N914	10 mA à 1 V	25 nA à 20 V
1N4001	1 A à 1,1 V	10 μA à 50 V
1N1185	10 A à 0,95 V	4,6 mA à 100 V

Calculer le rapport résistance inverse/résistance directe de chaque diode.

De dépannage

2-19. Supposer que la tension entre les bornes de la diode du circuit représenté à la figure 2-27*a* est de 5 V. Dire si la diode est ouverte ou court-circuitée.

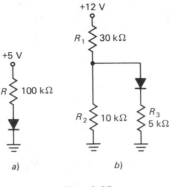

Fig. 2-27

2-20. Supposer que la résistance R du circuit représenté à la figure 2-27*a* est court-circuitée. Calculer la tension de diode et dire ce que devient la diode.

2-21. Soit le circuit représenté à la figure 2-27*a*. On mesure 0 V entre les bornes de la diode, puis on vérifie la tension de source et on relève $+ 5$ V par rapport à la masse. Trouver la (les) cause(s) possible(s) de ce dérangement.

2-22. Soit le circuit représenté à la figure 2-27*b*. On mesure un potentiel de $+ 3$ V à la jonction de R_1 et R_2. (Rappel : on exprime toujours les potentiels par rapport à la masse.) Puis on mesure 0 V à la jonction de la diode et de la résistance de 5 kΩ. Citer quelques causes possibles de ce dérangement.

2-23. Soit le circuit représenté à la figure 2-27*b*. On mesure 0 V à la jonction de R_1 et R_2. Citer quelques causes possibles du dérangement de ce circuit.

De conception

2-24. Soit le circuit de la figure 2-27*a*. Calculer R pour que le courant de diode soit de 10 mA.

2-25. Soit le circuit de la figure 2-27*b*. Calculer R_2 pour que le courant de diode soit de 0,25 mA.

2-26. Retracer le circuit représenté à la figure 2-27*b* tel que : $V_{TH} = 4$ V, $R_3 = 100$ kΩ et le diviseur de tension est soutenu. (Nous avons défini le mot « soutenu » à la section 1-2.)

2-27. Concevoir un circuit semblable à celui représenté à la figure 2-27*b* tel que : $V_S = 25$ V, R_3 varie de 50 à 250 kΩ, $V_{TH} = 5$ V et le diviseur de tension est soutenu.

De défi

2-28. Le courant direct d'une diode au silicium est de 50 mA sous 1 V. Calculer sa résistance extrinsèque par la troisième approximation.

2-29. Soit une diode au silicium de courant inverse de 5 μA à 25 °C et de 100 μA à 100 °C. Calculer le courant de saturation et le courant de fuite superficielle.

2-30. Soit le circuit représenté à la figure 2-27*b*. On coupe l'alimentation et on met la borne supérieure de R_1 à la masse, puis à l'aide d'un ohmmètre on lit la résistance directe et la résistance inverse de la diode. Ces deux résistances sont égales. Que lit l'ohmmètre ?

2-31. On munit certains systèmes, tels les dispositifs anti-vols, les ordinateurs, etc., de batteries de secours pour remplacer la source principale d'alimentation si elle défaillait. Décrire le fonctionnement du circuit représenté à la figure 2-28.

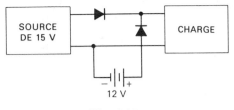

Fig. 2-28.

A résoudre par ordinateur

2-32. L'instruction LET attribue une valeur à une variable. Si l'on exécute le programme

```
10 LET Y = 108
20 LET X = 25
```

l'ordinateur attribue à Y la valeur 108 et rend X égal à 25. Dans la plupart des ordinateurs, on peut omettre le mot LET. Le programme

```
10 Y = 108
20 X = 25
```

attribue encore la valeur 108 à Y et rend encore X égal à 25. Pour afficher la valeur d'une variable, utiliser l'instruction PRINT sans guillemets. Si $Y = 108$, PRINT Y affiche 108 sur l'écran. (Remarque : PRINT "Y" afficherait la lettre Y sur l'écran.) Qu'affiche le programme suivant si on l'exécute :

```
10 R1 = 4700
20 R2 = 6800
30 PRINT R1
40 PRINT R2
```

2-23. Les opérateurs arithmétiques sont $+$, $-$, $*$ et $/$. Ils sont mis pour plus, moins, fois et divisé par. Qu'accomplit le programme suivant ?

```
10 R1 = 4700
20 R2 = 6800
30 RT = R1 + R2
40 PRINT RT
```

2-34. Ecrire un programme qui calcule la résistance équivalente des résistances de 4,7 kΩ et de 6,8 kΩ montées en parallèle. (Suggestion : écrire le produit de R_1 par R_2 sous la forme R1 * R2.)

Circuits à diodes

Pour bien fonctionner, la plupart des circuits électroniques ont besoin d'une tension continue. Comme la tension de secteur est alternative, tout équipement électronique doit d'abord convertir une tension alternative en une tension continue. Dans ce chapitre, nous étudierons les circuits de redressement qui effectuent l'indispensable conversion tension alternative - tension continue. Nous y étudierons aussi les filtres à condensateur en tête, les multiplicateurs dc tension, les limiteurs à diodes, les circuits à diode de niveau, les circuits à diode de fixation de la tension continue et les détecteurs de tension de crête à crête.

3.1. SIGNAL SINUSOÏDAL

Le plus fondamental des signaux électriques est le signal sinusoïdal. On l'utilise souvent pour essayer les circuits électroniques. De plus, on peut exprimer les signaux compliqués sous la forme d'une superposition de plusieurs signaux sinusoïdaux. Dans cette section, nous réviserons brièvement les valeurs des signaux sinusoïdaux nécessaires à notre étude des circuits à diodes.

VALEUR DE CRÊTE

Observons la tension sinusoïdale représentée à la figure 3-1. Elle représente

$$v = V_P \sin \theta \qquad (3\text{-}1)$$

Dans cette formule, v = tension instantanée
V_P = tension de crête*
θ = angle en degrés ou en radians

Remarquons de quelle façon la tension croît de 0 à un maximum positif à 90°, décroît jusqu'à 0 à 180°, passe par un maximum négatif à 270° et revient à 0 à 360°.

Le tableau 3-1 comporte les quelques valeurs instantanées qu'il faut connaître. De la symétrie du signal sinusoïdal, on déduit facilement les valeurs instantanées à 120°, 150°, 180°, 210°, etc. Il faut connaître le tableau 3-1 par cœur. De ces quelques valeurs, on déduit presque toutes les valeurs intermédiaires du signal sinusoïdal.

---

* N.d.T. *P* est mis pour *Peak* (crête).

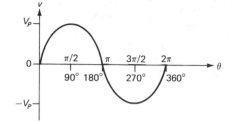

Fig. 3-1. *Tension sinusoïdale.*

Tableau 3-1. Valeurs d'une tension sinusoïdale

θ	v
0°	0
30°	$0,5V_p$
45°	$0,707V_p$
60°	$0,866V_p$
90°	V_p

Selon la figure, V_P est la valeur de crête d'une tension sinusoïdale, la valeur maximale qu'elle atteint. Le signal sinusoïdal a une crête positive à 90° et une crête négative à 270°.

VALEUR DE CRÊTE A CRÊTE

La valeur de crête à crête d'un signal est la différence entre sa valeur maximale et sa valeur minimale, d'où

$$V_{pp} = V_{max} - V_{min} \qquad (3\text{-}2)$$

La valeur de crête à crête de la tension sinusoïdale représentée à la figure 3-1 égale

$$V_{pp} = V_P - (- V_P) = 2\,V_P$$

La valeur de crête à crête d'un signal sinusoïdal égale donc le double de la valeur de crête. Si une tension sinusoïdale a une valeur de crête de 18 V, sa valeur de crête à crête est de 36 V.

VALEUR EFFICACE

Une tension *sinusoïdale* appliquée entre les bornes d'une résistance fait circuler un courant sinusoïdal en phase avec elle dans la résistance. La moyenne de la puissance instantanée (égale au produit tension instantané par courant instantané) sur un cycle donne la puissance dissipée moyenne. Autrement dit, la résistance fournit une quantité de chaleur constante, comme si on appliquait une tension continue entre ses bornes.

Par définition, la tension *efficace* égale la tension continue qui produirait la même quantité de chaleur que la tension sinusoïdale. On démontre dans les cours élémentaires que

$$V_{\text{eff}} = 0{,}707 \ V_P \qquad\qquad (3\text{-}3)$$

On peut démontrer cette relation expérimentalement en fabriquant deux circuits, l'un comportant une source continue qui attaque une résistance et l'autre comportant une source sinusoïdale qui attaque une résistance égale à celle du circuit à courant continu. Si l'on règle la source continue pour produire la même quantité de chaleur que la source sinusoïdale, on mesurera une tension continue égale à 0,707 fois la tension de crête de la tension sinusoïdale. (On démontre aussi que $V_{\text{eff}} = 0{,}707 \ V_P$ à l'aide des mathématiques supérieures.)

TENSION DE SECTEUR

Les sociétés américaines distributrices d'électricité fournissent une tension de secteur de 115 V_{eff} avec une tolérance de $\pm$ 10 pour cent et une fréquence de 60 Hz. La formule (3-3) permet de calculer la tension de crête. Il vient,

$$115 \ V = 0{,}707 \ V_P$$

d'où

$$V_P = \frac{115 \ V}{0{,}707} = 163 \ V$$

(Dans cet ouvrage, nous arrondirons toutes les réponses à trois chiffres, sauf indication contraire.)

Une tension de crête de 163 V donne une tension de crête à crête de 326 V, une tension très dangereuse. Si vous touchez accidentellement les deux côtés du secteur, vous ne l'oublierez jamais (en supposant que vous vous en réchappiez).

VALEUR MOYENNE

La valeur *moyenne* d'un signal sinusoïdal sur un cycle est nulle en raison de la symétrie du signal sinusoïdal : chaque valeur positive de la première alternance est annulée par une valeur négative opposée de la deuxième alternance. L'addition de toutes les valeurs d'un signal sinusoïdal entre 0° et 360° donne donc 0 et, par la suite, une valeur moyenne nulle.

Voici une illustration pratique de ce fait : un voltmètre pour tension continue branché dans un circuit à tension alternative affichera zéro. Pourquoi ? Parce que l'aiguille du voltmètre pour tension continue essaie de dévier positivement et négativement de la même quantité, mais l'inertie de l'équipage mobile l'empêche de se déplacer, aussi affichera-t-elle une tension moyenne nulle. (En supposant une fréquence supérieure à environ 10 Hz, pour que l'aiguille ne puisse suivre les rapides variations.)

3.2. TRANSFORMATEUR

Pourquoi le secteur est-il si dangereux ? Parce que sa résistance de Thévenin tend vers zéro. Autrement dit, il peut fournir des centaines d'ampères. Le courant de plusieurs dizaines d'ampères qu'il peut encore fournir si l'on utilise un disjoncteur dépend des dimensions de ce dernier.

ABAISSEMENT OU ÉLÉVATION DE TENSION

Certains appareils électroniques comportent un transformateur comme celui de la figure 3-2 pour élever ou abaisser la tension de secteur en fonction de l'application. La broche centrale d'une fiche branchée sur une prise de courant met le châssis de l'appareil à la terre : tous les appareils à fiches à trois broches sont au même potentiel de la terre.

Selon la théorie élémentaire du courant alternatif, la relation entre les tensions primaire et secondaire d'un transformateur idéal est

$$\frac{V_2}{V_1} = \frac{N_2}{N_1} \tag{3-4}$$

Dans cette formule, V_1 = tension primaire, efficace ou de crête
V_2 = tension secondaire, efficace ou de crête
N_1 = nombre de spires du primaire
N_2 = nombre de spires du secondaire

Si, dans le circuit représenté à la figure 3-2, le rapport de transformation est de 9/1 ou 9 : 1, alors,

$$\frac{V_2}{115 \text{ V}} = \frac{1}{9}$$

d'où

$$V_2 = \frac{115 \text{ V}}{9} = 12,8 \text{ V}_{\text{eff}}$$

Cette basse tension est beaucoup moins dangereuse que celle de 115 V_{eff} et égale celle exigée habituellement par les circuits à semiconducteurs. De plus, le transformateur isole la charge (tous les circuits à mesurer) du secteur. Autrement dit, la seule liaison avec le secteur est le champ magnétique qui couple le primaire et le secondaire. Cela réduit encore le risque de choc électrique parce qu'il n'y a pas de contact électrique direct avec les deux côtés du secteur.

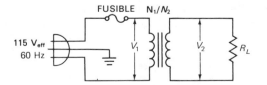

Fig. 3-2. *Le transformateur élève ou abaisse la tension.*

FUSIBLE

La relation entre les courants d'un transformateur idéal est

$$\frac{I_1}{I_2} = \frac{N_2}{N_1} \tag{3-5}$$

Cette relation permet de calculer le pouvoir de coupure du fusible du circuit représenté à la figure 3-2. Si le courant de charge est de 1,5 A_{eff} et le rapport de transformation de 9/1, alors

$$\frac{I_1}{1,5 \text{ A}} = \frac{1}{9}$$

d'où

$$I_1 = \frac{1,5 \text{ A}}{9} = 0,167 \text{ A}_{eff}$$

Le pouvoir de coupure du fusible doit être supérieur à 0,167 A plus 10 pour cent pour tenir compte de l'augmentation du secteur plus environ 10 pour cent pour tenir compte des pertes de transformateur (ces pertes élèvent le courant primaire). Le fusible (à fusion lente pour les surtensions de secteur) à pouvoir de coupure normalisé ou nominal immédiatement supérieur de 0,25 A devrait suffire. La fonction de ce fusible est d'éviter qu'un court-circuit accidentel de la résistance de charge ne cause trop de dégâts.

TRANSFORMATEUR RÉEL

Le transformateur qu'on achète chez un distributeur n'est pas idéal en raison des pertes en puissance produites par les résistances de ses enroulements. De plus, les courants de Foucault du noyau feuilleté augmentent les pertes en puissance. Toutes ces pertes en puissance indésirables font du transformateur réel un dispositif difficile à spécifier entièrement. Les fiches signalétiques des transformateurs précisent rarement le rapport de transformation, les résistances des enroulements et les autres grandeurs. Habituellement, les constructeurs de transformateurs ne précisent que la tension secondaire pour un courant nominal. La fiche signalétique du transformateur industriel F25X, par exemple, ne comporte que les spécifications suivantes : pour une tension primaire efficace de 115 V, la tension secondaire efficace est de 12,6 V lorsque le courant secondaire est de 1,5 A. Si le courant secondaire est inférieur à 1,5 A, la tension secondaire grimpe légèrement en raison d'une chute de tension plus faible entre les bornes du secondaire.

Donc, dans la suite de notre exposé, nous ne préciserons plus le rapport de transformation. Nous n'indiquerons que la tension secondaire. S'il faut connaître le courant primaire, on calcule le rapport de transformation d'un transformateur réel à l'aide de la formule (3-4) et on calcule le courant primaire approximatif à l'aide de la formule (3-5).

3.3. REDRESSEUR A UNE ALTERNANCE OU DEMI-ONDE

La figure 3-3 *a* représente le circuit d'un *redresseur demi-onde*. Durant l'alternance positive de la tension secondaire, la diode est polarisée en direct pour toutes les tensions instantanées supérieures à la tension de coude (d'environ 0,7 V pour les diodes au silicium et d'environ 0,3 V pour les diodes au germanium). D'où l'application d'à peu près une demi-onde sinusoïdale de tension entre les bornes de la résistance de charge. Pour simplifier notre étude, nous utiliserons l'approximation de la diode idéale parce que, habituellement, la tension de crête de source est nettement supérieure à la tension de coude de la diode. Une fois cela admis, la tension redressée de crête égale la tension secondaire de crête, comme le montre la figure 3-3 *b*. Durant l'alternance négative, la diode est polarisée en inverse. Si on délaisse le courant de fuite (le même que le courant inverse), le courant de charge s'annule, ainsi que la tension de charge entre 180° et 360°.

REDRESSEMENT

Remarquer la caractéristique importante suivante d'un redresseur demi-onde : il convertit la tension alternative d'entrée en une tension continue pulsatoire. Autrement dit, la tension de charge est toujours positive ou nulle, selon l'alternance. Donc le courant de charge a toujours le même sens. Cette conversion du courant alternatif en courant continu s'appelle le *redressement*.

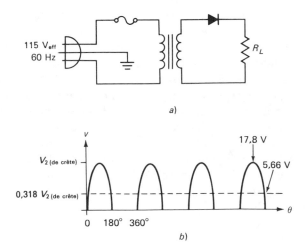

Fig. 3-3.   a) *Redresseur demi-onde.* b) *Sortie redressée.*

TENSION MOYENNE

Si on délaisse la chute de tension entre les bornes de la diode, la valeur moyenne ou en courant continu du signal demi-onde représenté à la figure 3-3 *b* égale

$$V_{cc}* = 0{,}318 \ V_{2 \text{ (de crête)}} \qquad (3\text{-}6)$$

On écrit parfois cette égalité sous la forme

$$V_{cc} = \frac{V_{2 \text{ (de crête)}}}{\pi}$$

Supposons une tension secondaire efficace de 12,6 V. Idéalement, la tension secondaire de crête égale

$$V_{2 \text{ (de crête)}} = \frac{12{,}6 \text{ V}}{0{,}707} = 17{,}8 \text{ V}$$

et la valeur moyenne égale

$$V_{cc} = 0{,}318 \ (17{,}8 \text{ V}) = 5{,}66 \text{ V}$$

La figure 3-3 *b* indique les valeurs de crête et moyenne pour une tension secondaire efficace de 12,6 V.

On appelle la tension moyenne la tension continue, car c'est ce que lit un voltmètre pour tension continue branché entre les bornes de la résistance de charge. Si le redresseur demi-onde fournit une tension de charge de crête de 17,8 V, le voltmètre pour tension continue affichera 5,66 V.

La vérification de la formule (3-6) est facile. Le montage d'un redresseur demi-onde au laboratoire permet de découvrir que la tension moyenne égale 0,318 fois la tension de crête. On peut aussi démontrer mathématiquement cette formule en calculant la moyenne des valeurs d'une onde sinusoïdale de tension redressée.

COURANT LIMITE DE DIODE

La formule (3-6) permet de calculer la tension de charge moyenne ou continue. Si on connaît la résistance de charge, on peut calculer le courant moyen de charge I_{cc}. Le redresseur demi-onde étant un circuit à une seule maille, le courant continu de diode égale le courant continu de charge. Habituellement, sur les fiches signalétiques, I_{cc} est noté I_O. Le concepteur doit donc considérer le courant limite I_O de diode. Cette spécification précise le courant continu qu'une diode supporte.

La fiche signalétique d'une diode 1N4001, par exemple, donne un courant limite I_O de 1 A. Si la tension continue est de 5,66 V et la résistance de charge de 10 Ω, alors le courant continu de charge est de 0,566 A. On peut donc utiliser une 1N4001 dans un redresseur demi-onde parce que son courant limite I_O de 1 A est supérieur au courant moyen redressé de 0,566 A.

---

* N.d.T. cc est mis pour courant continu.

TENSION INVERSE DE CRÊTE

La figure 3-4 représente le redresseur demi-onde lorsque la tension secondaire passe par sa crête négative. On grise, ombre ou fonce la diode pour indiquer qu'elle est bloquée. La diode étant polarisée en inverse, la tension de charge est nulle. Selon la loi des tensions de Kirchhoff, toute la tension secondaire doit apparaître entre les bornes de la diode (comme l'indique la figure). Cette tension inverse maximale s'appelle la *tension inverse de crête* (PIV *). Pour éviter le claquage, la tension inverse de crête doit être inférieure à la tension inverse de crête limite de la diode. Si la tension inverse de crête est de 75 V, la tension inverse de crête limite de la diode doit être supérieure à 75 V.

3.4. REDRESSEUR A DEUX ALTERNANCES, BIPHASÉ OU PLEINE ONDE

La figure 3-5 *a* représente un *redresseur pleine onde*. Durant l'alternance positive de la tension secondaire, la diode du haut est polarisée en direct et la diode du bas est polarisée en inverse : le courant parcourt donc la diode du haut, la résistance de charge et le demi-enroulement du haut (fig. 3-5 *c*). Durant l'alternance négative, le courant parcourt la diode du bas, la résistance de charge et le demi-enroulement du bas (fig. 3-5 *d*). Remarquer que la tension de charge a la même polarité dans les figures 3-5 *c et d* parce que le courant parcourt la résistance de charge dans le même sens, quelle soit la diode en conduction. Voilà pourquoi la tension de charge est le signal redressé à deux alternances ou pleine onde représenté à la figure 3-5 *b*.

EFFET DU SECONDAIRE A PRISE MÉDIANE

Un redresseur pleine onde ressemble à deux redresseurs demi-onde dos à dos dont l'un traite la première alternance et l'autre la deuxième. Comme le secondaire comporte une prise médiane, chaque circuit de diode ne reçoit que la moitié de la

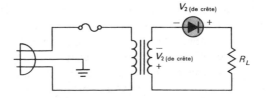

Fig. 3-4. *Tension inverse de crête.*

---

* N.d.T. mis pour *Peak Inverse Voltage.*

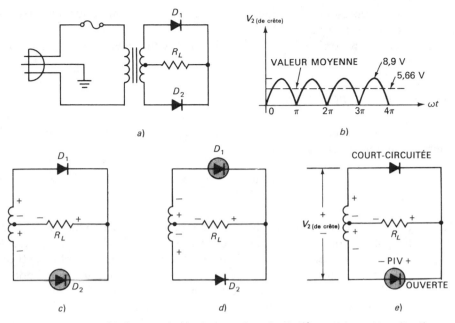

Fig. 3-5. a) *Redresseur pleine onde.* b) *Sortie redressée.* c) *Alternance positive.* d) *Alternance négative,* e) *Tension inverse de crête* (PIV).

tension secondaire. En supposant les diodes idéales, la tension de sortie redressée de crête égale

$$V_{o\,(de\,crête)}{}^* = 0,5\ V_{2\,(de\,crête)} \tag{3-7}$$

TENSION MOYENNE

La valeur moyenne ou continue de la sortie d'un redresseur pleine onde égale le double de la sortie d'un redresseur demi-onde attaqué par la même tension secondaire, d'où

$$V_{cc} = 0,636\ V_{o\,(de\,crête)} \tag{3-8}$$

ou si l'on préfère

$$V_{cc} = \frac{2\ V_{o\,(de\,crête)}}{\pi}$$

A titre d'exemple, supposons que la tension secondaire efficace est de 12,6 V. Comme nous l'avons vu, la tension secondaire de crête est de 17,8 V. Mais en raison de la prise médiane, la tension de crête qui attaque chaque diode n'est que de 8,9 V. Si on délaisse la chute de la diode, la sortie pleine onde a une valeur de crête de 8,9 V et une valeur moyenne

$$V_{cc} = 0,636\ V_{o\,(de\,crête)} = 0,636(8,9\ \text{V}) = 5,66\ \text{V}$$

---

* N.d.T. *o* est mis pour *output* (sortie).

La figure 3-5*b* représente les valeurs de crête et moyenne pour une tension secondaire efficace de 12,6 V.

Comme ci-dessus, on vérifie la formule (3-8) expérimentalement, ou on la prouve mathématiquement. (Voir le problème 3-33).

COURANT LIMITE DES DIODES

Si la tension continue de charge est de 5,66 V et la résistance de charge de 10 Ω, le courant continu de charge égale

$$I_{cc} = \frac{5,66 \text{ V}}{10 \text{ }\Omega} = 0,566 \text{ A}$$

Remarquer le point intéressant suivant : le courant limite I_O de chaque diode ne doit pas être plus grand que la moitié du courant continu de charge, soit 0,283 A. Pourquoi ? Observons attentivement la figure 3-5*a* et remarquons que chaque diode ne conduit que durant une alternance. Donc, le courant qui parcourt une diode est un courant redressé demi-onde. Par conséquent, le courant continu qui parcourt chaque diode égale la moitié du courant continu de charge.

Voici une autre façon de comprendre ce phénomène. Supposons un ampèremètre pour courant continu en série avec chaque diode et un ampèremètre pour courant continu en série avec la résistance de charge. Chaque ampèremètre en série avec une diode mesure 0,283 A et l'ampèremètre en série avec la charge mesure 0,566 A, ce qui est conforme à la loi des courants de Kirchhoff.

FRÉQUENCE

La *période* T d'une forme d'onde répétitive égale le temps entre deux de ses points correspondants ou équivalents consécutifs. La fréquence f égale l'inverse de la période T. Dans le cas d'un redresseur demi-onde, la période du signal de sortie égale celle du signal d'entrée : la fréquence du signal de sortie égale donc celle du signal d'entrée. Autrement dit, on obtient un cycle de sortie par cycle d'entrée. Donc, la fréquence du signal de sortie d'un redresseur demi-onde égale 60 Hz, la fréquence de secteur.

Le redresseur pleine onde est différent. Observons attentivement la figure 3-5*b* et remarquons que la période du signal de sortie égale la moitié de celle du signal d'entrée, parce que le redresseur pleine onde a inversé l'alternance négative de la tension d'entrée. Donc, la fréquence du signal de sortie d'un redresseur pleine onde égale 120 Hz, le double de la fréquence de secteur.

TENSION INVERSE DE CRÊTE

La figure 3-5*e* représente le redresseur pleine onde lorsque la tension secondaire passe par sa crête positive. L'application de la loi des tensions de Kirchhoff à la boucle extérieure donne

$$V_{2 \text{ (de crête)}} - \text{PIV} + 0 = 0$$

Le 0 du premier membre de cette formule représente la tension idéale de la diode du haut. Isolons la tension inverse de crête entre les bornes de la diode du bas. Il vient

$$\text{PIV} = V_{2\,(\text{de crête})}$$

Donc, la PIV limite de chaque diode d'un redresseur pleine onde doit être supérieure à $V_{2\,(\text{de crête})}$.

EXEMPLE 3-1

Soit le circuit représenté à la figure 3-6. Supposer que la tension secondaire efficace est de 40 V et que les diodes sont idéales. Calculer la tension continue de charge ainsi que le courant limite I_O et la PIV limite de chaque diode.

SOLUTION

Remarquons d'abord la mise à la masse de la prise médiane. L'extrémité inférieure de la résistance de charge étant aussi à la masse, le circuit est équivalent au redresseur pleine onde analysé ci-dessus. La tension secondaire efficace étant de 40 V, la tension secondaire de crête égale

$$V_{2\,(\text{de crête})} = \frac{40\ \text{V}}{0,707} = 56,6\ \text{V}$$

Si on néglige la chute entre les bornes de la diode, la tension redressée de crête égale la moitié de cette valeur, d'où

$$V_{\text{o (de crête)}} = 0,5\,(56,6\ \text{V}) = 28,3\ \text{V}$$

et la sortie continue égale

$$V_{\text{cc}} = 0,636\,(28,3\ \text{V}) = 18\ \text{V}$$

La tension inverse de crête (PIV) égale la tension secondaire de crête, qui est de 56,6 V.

Le courant continu de charge égale

$$I_{\text{cc}} = \frac{18\ \text{V}}{68\ \Omega} = 265\ \text{mA}$$

Le courant continu qui parcourt chaque diode égale la moitié de cette valeur, d'où

$$I_O = \frac{265\ \text{mA}}{2} = 132\ \text{mA}$$

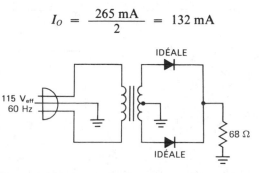

Fig. 3-6. *Prise médiane à la masse.*

Le courant limite I_O de chaque diode doit donc être supérieur à 132 mA.

Finalement, la tension inverse de crête (PIV) entre les bornes de chaque diode d'un redresseur pleine onde est toujours égale à la tension secondaire de crête. Dans ce cas,

$$PIV = 56,6 \text{ V}$$

La PIV limite de chaque diode doit être supérieure à 56,6 V.

3.5. REDRESSEUR EN PONT

Considérons maintenant le *redresseur en pont,* le redresseur le plus répandu parce qu'il combine la pleine tension de crête du redresseur demi-onde et la tension moyenne plus élevée du redresseur pleine onde. La figure 3-7 *a* représente un redresseur en pont. Durant l'alternance positive de la tension secondaire (fig. 3-7 *c*), les diodes D_2 et D_3 sont polarisées en direct; par conséquent la tension de diode a la polarité représentée : moins à gauche et plus à droite. Durant l'alternance négative (fig. 3-7 *d*), les diodes D_1 et D_4 sont polarisées en direct; la tension de charge a de nouveau la polarité moins — plus représentée. Durant les deux alternances, la tension de charge a la même polarité parce que le courant de charge circule dans le même sens quelles que soient les diodes en conduction. Voilà pourquoi la tension de charge est le signal redressé pleine tension représenté à la figure 3-7 *b.*

TENSION MOYENNE

Si on néglige les chutes de tension entre les bornes des diodes représentées à la figure 3-7 *c,* la tension de charge de crête égale

$$V_{o\,(de\ crête)} = V_{2\,(de\ crête)} \tag{3-9}$$

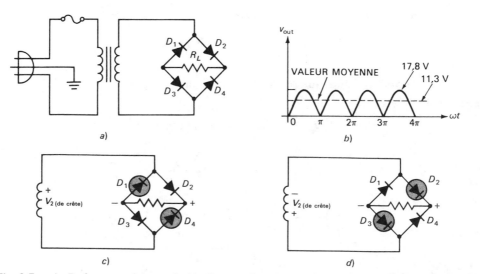

Fig. 3-7. a) *Redresseur pleine onde.* b) *Sortie redressée.* c) *Alternance positive.* d) *Alternance négative.*

Remarquer que la pleine tension secondaire apparaît entre les bornes de la résistance de charge. Pour cette raison (et d'autres encore), le redresseur en pont surclasse le redresseur pleine onde étudié ci-dessus dans lequel seulement la moitié de la tension secondaire atteint la sortie. De plus, la construction d'un transformateur à prise médiane qui produit des tensions égales sur chaque demi-enroulement secondaire est difficile et coûteuse. Le concepteur qui utilise un redresseur en pont élimine la nécessaire précision d'une prise médiane et l'économie qu'il réalise est supérieure au prix des deux diodes supplémentaires.

La sortie du pont étant un signal pleine onde, la valeur moyenne ou continue égale

$$V_{cc} = 0,636 \, V_{o \, (de \, crête)} \tag{3-10}$$

Si la tension secondaire efficace est de 12,6 V, la tension secondaire de crête est de 17,8 V (calculée ci-dessus). Idéalement,

$$V_{o \, (de \, crête)} = 17,6 \, V$$

et

$$V_{cc} = 0,636 \, (17,8 \, V) = 11,3 \, V$$

La figure 3-7 *b* indique ces tensions idéales dans le cas d'une tension secondaire efficace de 12,6 V.

GRANDEURS LIMITES ET FRÉQUENCE

Si la tension continue de charge est de 11,3 V et la résistance de charge de 10 Ω, alors le courant continu de charge est de 1,13 A. Comme chaque diode ne conduit que durant une alternance le courant limite I_O des diodes doit être au moins la moitié du courant continu de charge, soit 0,565 A.

A la figure 3-7 *c,* la diode D_2 est idéalement court-circuitée et la diode D_4 est idéalement ouverte. L'addition des tensions le long de la boucle extérieure donne

$$V_{2 \, (de \, crête)} - PIV + 0 = 0$$

Le 0 du premier membre de cette formule est la tension idéale entre les bornes de D_2. Par conséquent, la tension inverse de crête PIV entre les bornes de D_4 égale

$$PIV = V_{2 \, (de \, crête)}$$

Par un raisonnement semblable, on trouve que les autres diodes doivent supporter une tension inverse de crête égale à la tension secondaire de crête. Donc, la PIV limite des diodes doit être supérieure à $V_{2 \, (de \, crête)}$.

La sortie étant un signal pleine onde, la fréquence de ce dernier égale le double de la fréquence du signal d'entrée, soit 120 Hz.

COMPARAISON

Pour des raisons historiques, on a appelé un redresseur à transformateur à prise médiane un redresseur pleine onde. En pratique, on appelle parfois un redresseur en pont un redresseur en pont pleine onde, mais cela n'est pas nécessaire parce qu'un redresseur en pont fournit toujours une sortie pleine onde ou à deux alternances. Dans cet ouvrage, nous appellerons les trois dispositifs un redresseur

Tableau 3-2.   Redresseurs idéaux de moyenne

	Demi-onde	Pleine onde	Pont
Nombre de diodes	1	2	4
Tension de crête de sortie	$V_{2 \text{ (de crête)}}$	$0,5\ V_{2 \text{ (de crête)}}$	$V_{2 \text{ (de crête)}}$
Tension continue de sortie	$0,318\ V_{o \text{ (de crête)}}$	$0,636\ V_{o \text{ (de crête)}}$	$0,636\ V_{o}$
Courant continu de diode	I_{cc}	$0,5\ I_{cc}$	$0,5\ I_{cc}$
Tension inverse de crête	$V_{2 \text{ (de crête)}}$	$V_{2 \text{ (de crête)}}$	$V_{2 \text{ (de crête)}}$
Fréquence d'ondulation	f_i	$2\ f_i$	$2\ f_i$
Tension continue de sortie	$0,45\ V_{2 \text{ (eff)}}$	$0,45\ V_{2 \text{ (eff)}}$	$0,9\ V_{2 \text{ (eff)}}$

demi-onde ou à une alternance, un redresseur pleine onde, biphasé ou à deux alternances et un redresseur en pont.

Nous avons résumé les redresseurs étudiés ci-dessus au tableau 3-2. On appelle ces dispositifs des *redresseurs de moyenne* parce que leur sortie continue égale la valeur moyenne de l'onde sinusoïdale redressée. Remarquer la dernière ligne du tableau 3-2. Nous l'avons incluse pour le dépannage. Normalement, on mesure la tension secondaire efficace sur un calibre pour tension alternative d'un multimètre flottant (qu'on n'enfiche pas dans une prise de courant). Puis en mesure la tension continue sur un calibre pour tension continue. Comme on le constate sur le tableau 3-2, le redresseur en pont fournit une tension continue de charge égale idéalement à 90 pour cent de la tension secondaire efficace; les autres redresseurs ne produisent une tension continue de charge que de 45 pour cent.

Tout bien pesé, le redresseur en pont est le meilleur compromis pour la plupart des applications; aussi les industriels de l'électronique l'utilisent-ils plus que tout autre.

REDRESSEURS EN PONT ENCAPSULÉS

Les redresseurs en pont sont si répandus que les fabricants les emballent sous forme de modules. Le MDA920-3, par exemple, est un redresseur en pont offert sur le marché. Il comporte quatre diodes hermétiquement scellées interconnectées. Il est encapsulé dans du plastique en un boîtier robuste. Il possède deux broches d'entrée pour la tension secondaire et deux broches de sortie pour la résistance de charge.

DEUXIÈME APPROXIMATION

Pour la plupart des dépannages et des conceptions, la diode idéale est une approximation commode pour les redresseurs. Et cela en raison du fait que la tolérance inhérente à toutes les tensions et à tous les courants est supérieure à $\pm\ 10$ pour cent (dû aux variations de la tension de secteur et aux effets du transformateur).

On exige parfois des réponses plus précises. Pour cela, il faut soustraire de 0,6 à 0,7 V de la tension de crête idéale de charge des redresseurs demi-onde et pleine onde, et soustraire de 1,2 à 1,4 V de la tension de crête de charge des redresseurs en pont. Si la tension secondaire efficace est de 12,6 V, alors la tension de crête idéale de charge d'un redresseur en pont est de 17,8 V. En incluant les chutes de tension des diodes, cela signifie que la tension de crête de sortie est réduite d'environ 1,2 à 1,4 V, de sorte que $V_{o \text{ (de crête)}}$ est compris entre 16,4 et 16,6 V.

La chute de tension de diode n'est significative que si la tension de sortie est faible. Si la tension secondaire de crête d'un redresseur en pont n'est que de 5 V, alors la tension redressée de crête n'est que de 3,6 à 3,8 V. Si par contre la tension secondaire de crête est de 50 V, alors la tension redressée de crête est comprise entre 48,6 et 48,8 V, ce qui est très proche de 50 V.

Pour simplifier les problèmes de fin de chapitre, négliger les chutes de tension entre les bornes des diodes. Autrement dit, pour analyser des redresseurs, toujours utiliser l'approximation des diodes idéales (sauf indication contraire).

3.6. FILTRE A CONDENSATEUR EN TÊTE

Le signal de sortie d'un redresseur de moyenne est une tension continue pulsée ou pulsatoire. L'utilisation de ce type de sortie est limitée à la charge des batteries, aux moteurs à courant continu et à quelques autres applications. La plupart des circuits électroniques ont besoin d'une tension continue constante semblable à la tension fournie par une batterie de piles. Pour convertir un signal à une alternance ou demi-onde et un signal à deux alternances ou pleine onde en une tension continue constante, il faut utiliser un filtre.

FILTRAGE D'UN SIGNAL DEMI-ONDE

La figure 3-8 *a* représente un *filtre à condensateur en tête*. Une source alternative génère une tension sinusoïdale à valeur de crête V_P. Durant la première demi-alternance de la tension de source, la diode est polarisée en direct. Idéalement, la diode ressemble à un interrupteur fermé (fig. 3-8 *b*). Comme la diode connecte la source directement entre les bornes du condensateur, celui-ci se charge jusqu'à la tension de crête V_P.

Immédiatement après la crête positive, la diode s'arrête de conduire, ce qui signifie que l'interrupteur s'ouvre (fig. 3-8 *c*). Pourquoi ? Parce que la tension entre les bornes du condensateur est V_P avec la polarité représentée. Comme la tension de source est légèrement inférieure à V_P, la diode passe en polarisation inverse.

La diode étant maintenant ouverte, le condensateur se décharge dans la résistance de charge. Mais par conception du filtre à condensateur en tête, la constante de temps de décharge (égale au produit de R_L par C) est beaucoup plus grande que la période T du signal d'entrée. Aussi le condensateur ne perd qu'une petite partie de sa charge durant le temps de blocage de la diode (fig. 3-8 *d*).

Lorsque la tension de source atteint de nouveau sa crête, la diode conduit brièvement et recharge le condensateur jusqu'à la tension de crête. Autrement dit, une fois le condensateur chargé durant la première demi-alternance, sa tension est à peu près égale à la tension de crête de source (fig. 3-8 *d*).

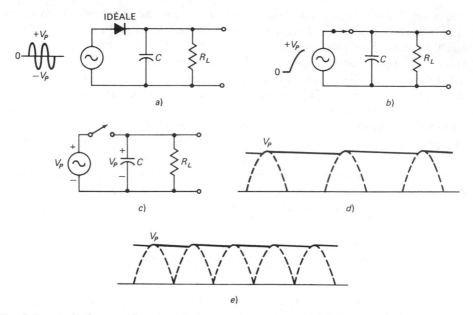

Fig. 3-8. a) *Redresseur de crête.* b) *A une crête positive.* c) *Légèrement au-delà d'une crête positive.* d) *Signal demi-onde de sortie.* e) *Signal pleine onde de sortie.*

Maintenant, la tension de charge est presque une tension continue parfaite. La seule déviation par rapport à une tension continue pure est la petite *ondulation* que causent la charge et la décharge du condensateur. Plus l'ondulation est petite, mieux c'est. On peut diminuer cette ondulation en augmentant la constante de temps de décharge égale à $R_L C$.

FILTRAGE D'UN SIGNAL PLEINE ONDE

On peut aussi diminuer l'ondulation à l'aide d'un redresseur pleine onde ou d'un redresseur en pont; la fréquence d'ondulation est alors de 120 Hz au lieu de 60 Hz. Dans ce cas, le condensateur se charge deux fois plus souvent et son temps de décharge est divisé par deux (fig. 3-8 *e*). Donc, l'ondulation est plus petite et la tension continue de sortie tend davantage vers la tension de crête. A partir de maintenant, nous analyserons davantage le redresseur en pont qui attaque un filtre à condensateur en tête puisque cette configuration est la plus répandue.

ANGLE DE CONDUCTION D'UNE DIODE

L'angle de conduction de chaque diode des redresseurs de moyenne étudiés ci-dessus est de 180º. Entendre par là que chaque diode conduit durant environ 180º du cycle. L'angle de conduction de chaque diode des redresseurs de crête que nous étudions maintenant n'est que de quelques degrés parce que les diodes qui attaquent un filtre à condensateur en tête conduisent brièvement près de la crête et sont bloquées durant le reste du cycle.

CALCUL MATHÉMATIQUE DE L'ONDULATION

Par définition, la capacité

$$C = \frac{Q}{V}$$

Mettons cette expression sous la forme

$$V = \frac{Q}{C}$$

Supposons que la décharge du condensateur commence lorsque $t = T_1$. Alors la tension initiale égale

$$V_1 = \frac{Q_1}{C}$$

Si la décharge se termine à $t = T_2$, la tension finale égale

$$V_2 = \frac{Q_2}{C}$$

L'ondulation de crête à crête égale la différence des tensions précédentes, soit

$$V_1 - V_2 = \frac{Q_1 - Q_2}{C}$$

Pour tirer quelque chose de pratique de cette égalité, divisons ses deux membres par le temps de décharge. Il vient

$$\frac{V_1 - V_2}{T_1 - T_2} = \frac{Q_1 - Q_2}{C(T_1 - T_2)}$$

Si la constante de temps est beaucoup plus grande que la période de l'ondulation, le temps de décharge $T_1 - T_2$ égale approximativement la période T de l'ondulation, d'où

$$\frac{V_1 - V_2}{T} = \frac{Q_1 - Q_2}{CT}$$

La tension de charge étant presque constante, le courant de charge est à peu près constant et la formule précédente se réduit à

$$\frac{V_1 - V_2}{T} = \frac{I}{C}$$

Pour obtenir la formule finale de la tension d'ondulation, représentons l'ondulation de crête à crête $V_1 - V_2$ par V_{ond}. De plus, la fréquence f d'ondulation égale l'inverse de la période T d'ondulation. D'où

$$V_{ond} = \frac{I}{fC} \tag{3-11}$$

Dans cette formule, V_{ond} = tension d'ondulation de crête à crête
$\qquad\qquad\qquad\quad$ I = courant continu de charge
$\qquad\qquad\qquad\quad$ f = fréquence d'ondulation
$\qquad\qquad\qquad\quad$ C = capacité

Nous avons atteint notre but. Utiliser cette formule pour dépanner, analyser ou concevoir un filtre à condensateur en tête (le type le plus répandu actuellement). Mémoriser cette formule.

EXEMPLE

Supposons que le courant continu de charge est d'environ 10 mA et la capacité de 470 μF. Dans le cas d'un redresseur en pont et d'une fréquence de secteur de 60 Hz, l'ondulation de crête à crête de sortie du filtre à condensateur en tête égale

$$V_{ond} = \frac{10 \text{ mA}}{120 \text{ Hz} \times 470 \, \mu\text{F}} = 0,177 \text{ V}$$

Dans les mêmes conditions, mais dans le cas d'un redresseur demi-onde, l'ondulation doublerait, puisque la fréquence d'ondulation ne serait que de 60 Hz.

DIRECTIVES POUR LA CONCEPTION

Lorsqu'on conçoit un filtre à condensateur en tête, il faut choisir un condensateur à capacité suffisamment grande pour avoir une petite ondulation. Mais quand l'ondulation est-elle petite ? Cela dépend de l'encombrement du condensateur que l'on désire utiliser. Plus l'ondulation décroît, plus le condensateur est volumineux et cher.

En guise de compromis entre une petite ondulation et une grande capacité, de nombreux concepteurs utilisent la règle de 10 % qui conseille de choisir un condensateur qui maintient l'ondulation de crête à crête à environ 10 % de la tension de crête. Si la tension de crête est de 15 V, prendre un condensateur qui donnera une ondulation de crête à crête d'environ 1,5 V. Une telle ondulation peut sembler trop grande, mais il n'en est rien. Nous verrons qu'on améliore le filtrage à l'aide d'un dispositif électronique appelé un *régulateur de tension*.

Pour trouver la formule (3-11), nous avons supposé que l'ondulation était petite, mais nous utiliserons quand même cette équation pour calculer une grande ondulation. Même si la réponse contient une certaine erreur, elle reste utile en pratique. Pourquoi ? Parce que le condensateur de filtrage est un condensateur électrolytique de tolérance minimale égale à $\pm$ 20 % : les réponses exactes sont inutiles.

ONDULATION EN DENTS DE SCIE
PLUTÔT QU'ONDULATION EXPONENTIELLE

On applique souvent la sortie d'un filtre à condensateur en tête à un régulateur de tension (étudié au chapitre 19). Cette charge ne se comporte pas comme une résistance. Elle se comporte comme un drain de courant constant, une charge à courant fixe même si sa tension varie. Comme le condensateur de filtrage fournit un courant constant durant sa décharge, l'ondulation est une onde en dents de scie plutôt qu'une onde exponentielle. Donc, la formule (3-11) est plus précise qu'une formule exponentielle lorsque le condensateur de filtrage attaque un régulateur de tension.

TENSION CONTINUE

Idéalement, la tension continue de charge égale la tension de crête. Puisque nous admettons une ondulation de 10 %, utilisons la formule suivante légèrement plus précise

$$V_{cc} = V_{2 \text{ (de crête)}} - \frac{V_{\text{ond}}}{2} \tag{3-12}$$

A titre d'exemple, si $V_{2 \text{ (de crête)}} = 15$ V et $V_{\text{ond}} = 1,5$ V alors

$$V_{cc} = 15 \text{ V} - \frac{1,5 \text{ V}}{2} = 14,25 \text{ V}$$

Avec la règle de conception de 10 %, la tension continue de charge égale 95 % de la tension de crête. La tension de charge est donc très proche de la tension de crête.

GRANDEURS LIMITES DE DIODE

La figure 3-9 *a* représente un redresseur demi-onde qui attaque un filtre à condensateur en tête. Idéalement, la tension continue de charge égale $V_{2 \text{ (de crête)}}$ et produit un courant continu de charge I_{cc}. Le courant moyen ou continu qui circule dans un condensateur étant nul, on tire de la loi des courants de Kirchhoff que le courant continu de diode égale I_{cc}. Autrement dit, le courant limite I_O de la diode d'un redresseur demi-onde doit être supérieur au courant continu de charge.

A la crête négative de la tension secondaire, la diode est polarisée en inverse et une tension inverse de crête apparaît entre ses bornes. L'addition des tensions le long de la maille donne

$$\text{PIV} - V_{2 \text{ (de crête)}} - V_{2 \text{ (de crête)}} = 0$$

d'où

$$\text{PIV} = 2 V_{2 \text{ (de crête)}}$$

Donc, la PIV limite de la diode doit être plus grande que le double de la tension secondaire de crête.

Considérons le redresseur pleine onde et le filtre représentés à la figure 3-9 *b*. Le courant continu de chaque diode égale la moitié du courant continu de charge. Raisonnons comme ci-dessus. Selon la loi des courants de Kirchhoff, la somme des courants continus des diodes égale le courant continu de charge. De plus, la somme des tensions le long de la maille de gauche donne

$$\text{PIV} - V_{2 \text{ (de crête)}} + 0 = 0$$

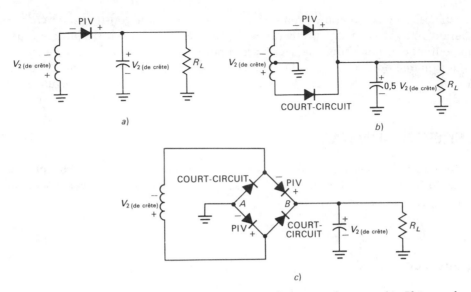

Fig. 3-9. *Tension inverse de crête* (PIV). a) *Demi-onde ou une alternance.* b) *Pleine onde ou deux alternances.* c) *Pont.*

Le 0 du premier membre de cette équation égale la tension idéale de la diode en conduction. Il vient

$$\text{PIV} = V_{2 \text{ (de crête)}}$$

Le même raisonnement s'applique aux autres diodes. Donc, la PIV limite des diodes doit être supérieure à la tension secondaire de crête.

Considérons le pont représenté à la figure 3-9 *c*. La somme des courants continus des diodes au nœud *B* égale le courant continu de charge. Donc, le courant I_O de chacune de ces diodes égale la moitié du courant continu de charge. De la même façon, dans le retour par la masse, la somme des courants continus des diodes au nœud *A* égale le courant continu de charge. Donc le courant I_O de chaque diode égale la moitié du courant de charge. Par conséquent, le courant limite I_O de chaque diode du pont doit être supérieur à $I_{cc}/2$, la moitié du courant continu de charge.

Finalement, la somme des tensions de la maille de gauche (celle qui comprend le nœud *A*)

$$\text{PIV} + 0 - V_{2 \text{ (de crête)}} = 0$$

d'où

$$\text{PIV} = V_{2 \text{ (de crête)}}$$

Par conséquent, la PIV limite de chaque diode du pont doit être supérieure à la tension secondaire de crête.

COMPARAISON

Nous avons résumé au tableau 3-3 les notions principales étudiées. Ces valeurs sont vraies dans le cas de diodes idéales et d'ondulations négligeables. Elles servent de points de départ pour le dépannage et la conception. Les données de ce tableau

Tableau 3-3. Redresseurs idéaux à filtre à condensateur en tête

	Demi-onde	Pleine onde	Pont
Nombre de diodes	1	2	4
Tension continue de sortie	$V_{2\text{ (de crête)}}$	$0{,}5\ V_{2\text{ (de crête)}}$	$V_{2\text{ (de crête)}}$
Courant continu de diode	I_{cc}	$0{,}5\ I_{cc}$	$0{,}5\ I_{cc}$
Tension inverse de crête	$2\ V_{2\text{ (de crête)}}$	$V_{2\text{ (de crête)}}$	$V_{2\text{ (de crête)}}$
Fréquence d'ondulation	f_i	$2\ f_i$	$2\ f_i$
Tension continue de sortie	$1{,}41\ V_{2\text{ (eff)}}$	$0{,}707\ V_{2\text{ (eff)}}$	$1{,}41\ V_{2\text{ (eff)}}$

sont idéales parce que nous n'avons pas tenu compte des effets des ondulations ni des chutes de tension entre les bornes des diodes. Ces deux facteurs réduisent légèrement la tension continue de charge. Dans le cas de redresseurs basse tension, on améliore les réponses en soustrayant de 0,6 à 0,7 V de la tension continue de charge des redresseurs demi-onde et pleine onde et en soustrayant de 1,2 à 1,4 V de la tension continue de charge des redresseurs en pont.

COURANT DE SURCHARGE

Avant la mise sous tension, le condensateur de filtrage n'est pas chargé. Lorsqu'on alimente le circuit, le condensateur ressemble à un court-circuit; le courant initial de charge est donc très grand. On appelle ce jaillissement soudain de courant le *courant de surcharge.*

Dans le pire des cas, on met le circuit sous tension lorsque la tension de secteur est maximale. La tension secondaire est donc $V_{2\text{ (de crête)}}$ et le condensateur n'est pas chargé. Seules la résistance de l'enroulement et la résistance extrinsèque des diodes limitent le courant. Appelons ces résistances la résistance R_{TH} de Thévenin vue du condensateur lorsqu'on regarde en arrière vers le redresseur. Donc, dans le pire des cas

$$I_{\text{de surcharge (max)}} = \frac{V_{2\text{ (de crête)}}}{R_{TH}} \tag{3-13}$$

Supposons que la tension secondaire efficace est de 12,6 V et la résistance de Thévenin en regard du condensateur de 1,5 Ω. Nous avons déjà trouvé que $V_{2\text{ (de crête)}} = 17{,}8$ V. D'où

$$I_{\text{de surcharge (max)}} = \frac{17{,}8\text{ V}}{1{,}5\ \Omega} = 11{,}9\text{ A}$$

Ce courant commence à diminuer dès que le condensateur se charge. Si la capacité du condensateur est très grande, le courant de surcharge reste élevé durant un peu de temps et il peut endommager les diodes.

Explicitons davantage ce problème. La période de la tension secondaire égale

$$T = \frac{1}{f} = \frac{1}{60\text{ Hz}} = 16{,}7\text{ ms}$$

Avec une résistance de Thévenin de 1 Ω, un condensateur de 1000 μF produit une constante de temps de 1 ms. Donc, le condensateur se charge en quelques millisecondes, une fraction d'un cycle. Habituellement, ce temps n'est pas suffisant pour endommager la diode.

Si la capacité est beaucoup plus grande que 1000 μF, la constante de temps devient très grande et il faut plusieurs cycles pour charger complètement le condensateur. Un courant de surcharge trop élevé endommagera la diode ; la chaleur et la formation de gaz dans l'électrolyte endommageront le condensateur.

FICHES SIGNALÉTIQUES

Les fabricants de condensateurs utilisent divers symboles littéraux pour représenter le courant limite de surcharge sur les fiches signalétiques. Lisez attentivement les fiches car cette valeur limite dépend du nombre de cycles nécessaires pour charger le condensateur de filtrage. Le courant limite de surcharge d'une diode 1N4001, par exemple, est de 30 A durant un cycle, de 24 A durant deux cycles, de 18 A durant quatre cycles, etc. Le condensateur de filtrage de la plupart des circuits de cet ouvrage se charge en une fraction de cycle. Tout condensateur de capacité inférieure à 1000 μF se charge en moins d'un cycle.

SUGGESTIONS POUR LA CONCEPTION

Supposons que vous conceviez un redresseur comportant un condensateur de filtrage en tête. Comment traiter le courant de surcharge ? Comme auparavant, prendre un condensateur qui produira une ondulation d'environ 10 % de la tension continue de charge. Si la capacité est inférieure à 1000 μF, on ignore habituellement le courant de surcharge parce qu'il n'endommagera probablement pas les diodes du redresseur d'un circuit ordinaire.

Mais si la capacité du condensateur de filtrage est supérieure à 1000 μF, il faut connaître la résistance de l'enroulement et la résistance extrinsèque pour calculer le courant de surcharge maximal par la formule (3-13). Mesurer la résistance de l'enroulement avec un ohmmètre et estimer la résistance extrinsèque par la formule

$$r_B = \frac{V_F - 0.7}{I_F} \tag{3-14}$$

dans laquelle r_B = résistance extrinsèque
$\quad\quad\quad\quad V_F$ = tension directe
$\quad\quad\quad\quad I_F$ = courant direct

Les fiches signalétiques donnent les valeurs de V_F et I_F. Calculer le courant de surcharge maximal et prendre une diode à courant limite de surcharge supérieur. Autre solution : monter une résistance de surcharge (exemple 3-4).

DÉPANNAGE

Clôturons notre étude du filtre à condensateur en tête en parlant du dépannage. Tout circuit électronique possède un *bloc d'alimentation* composé habituellement d'un redresseur qui attaque un filtre à condensateur en tête suivi d'un régulateur de tension (que nous étudierons plus tard). Le bloc d'alimentation ou, selon le langage courant, l'*alimentation* fournit les tensions continues nécessaires aux transistors et aux autres dispositifs. Si les composants du circuit ne fonctionnement pas convenablement, vérifier d'abord la tension continue de sortie de l'alimentation.

Vérifier le redresseur et le filtre à condensateur en tête comme suit. Mesurer la tension secondaire efficace sur un calibre pour tension alternative d'un multimètre flottant. Utiliser le même multimètre (calibre pour tension continue) pour mesurer la tension continue de charge. Le rapport tension continue sur tension efficace doit être à peu près conforme aux données du tableau 3-2. Sinon, vérifier l'ondulation de la tension continue de charge à l'aide d'un oscilloscope. Une ondulation de crête à crête d'environ 10 % de la tension idéale de charge est raisonnable.

(*Remarque* : selon la conception, le pourcentage de l'ondulation peut être légèrement supérieur ou inférieur à cette valeur.) La fréquence d'ondulation doit être de 120 Hz pour un redresseur pleine onde et un redresseur en pont.

Voici quelques dérangements courants d'un redresseur en pont à filtre à condensateur en tête et leurs symptômes. Si une diode est défectueuse, la tension continue de charge est inférieure à sa valeur normale et la fréquence d'ondulation est de 60 Hz au lieu de 120 Hz. Si le condensateur de filtrage est ouvert, la tension continue de charge est faible et égale à la valeur moyenne au lieu d'être égale à la valeur de crête parce que la sortie est un signal à deux alternances ou pleine onde. Par contre, si le condensateur de filtrage est court-circuité, une ou plusieurs diodes sont détruites et le transformateur est endommagé. Un condensateur de filtrage âgé peut fuir, ce qui diminue la tension continue de sortie. Un éventuel court-circuit des enroulements du transformateur peut diminuer la tension continue de sortie. Et ne pas oublier les tracas habituels : soudures du pont, soudures froides des joints, etc., défectueux.

EXEMPLE 3-2

Soit le circuit représenté à la figure 3-10a. Considérer une tension secondaire efficace de 17,7 V et calculer la tension continue de charge et son ondulation.

SOLUTION

Calculons d'abord la tension secondaire de crête. Il vient

$$V_{2\,(de\ crête)} = \frac{17,7\ V}{0,707} = 25\ V$$

Estimons la tension continue de charge. Prenons

$$V_{cc} = V_{2\,(de\ crête)} = 25\ V$$

Pour cette tension continue de charge estimée, le courant continu de charge égale

$$I_{cc} = \frac{25\ V}{100\ \Omega} = 0,25\ A$$

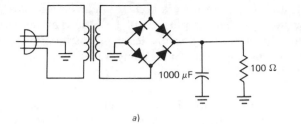

a)

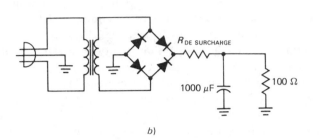

b)

Fig. 3-10.   *Courant de surcharge.*

Calculons l'ondulation de crête à crête. Il vient

$$V_{\text{ond}} = \frac{I}{fC} = \frac{0,25 \text{ A}}{120(1000 \ \mu\text{F})} = 2,08 \text{ V}$$

Raffinons la réponse pour la tension continue de charge estimée d'abord à 25 V. Il vient

$$V_{\text{cc}} = V_{2 \, (\text{de crête})} - \frac{V_{\text{ond}}}{2} = 25 \text{ V} - \frac{2,08 \text{ V}}{2} = 24 \text{ V}$$

En guise de raffinement supplémentaire, incluons les chutes de tension des diodes. Il vient

$$V_{\text{cc}} = 24 \text{ V} - 1,4 \text{ V} = 22,6 \text{ V}$$

et

$$I_{\text{cc}} = \frac{22,6 \text{ V}}{100 \ \Omega} = 0,226 \text{ A}$$

EXEMPLE 3-3

Supposer que les diodes du redresseur représenté à la figure 3-10 *a* sont des 1N4001. Selon leur fiche signalétique le courant direct type est de 1,5 A pour une tension directe de 1 V. Supposer une résistance d'enroulement de 0,8 Ω et calculer le courant de surcharge maximal.

SOLUTION

Selon la formule (3-14) d'estimation approximative de la résistance extrinsèque,

$$r_B = \frac{1 \text{ V} - 0,7 \text{ V}}{1,5 \text{ A}} = 0,2 \ \Omega$$

La résistance extrinsèque totale (de deux diodes) est de 0,4 Ω. D'où

$$I_{\text{de surcharge (max)}} = \frac{V_{2\,(\text{de crête})}}{R_{TH}} = \frac{25\ \text{V}}{0,8\ \Omega + 0,4\ \Omega} = 20,8\ \text{A}$$

La fiche signalétique des 1N4001 donne un courant limite de surcharge de 30 A durant un cycle : le courant de surcharge ne causera donc aucun dégât.

EXEMPLE 3-4

Certains concepteurs insèrent une résistance de surcharge (fig. 3-10 *b*). Cette résistance limite le courant de surcharge puisqu'elle s'ajoute à la résistance d'enroulement et aux résistances extrinsèque. Calculer le courant de surcharge maximal pour une tension secondaire efficace de 17,7 V et une résistance de surcharge de 2 Ω.

SOLUTION

Comme nous l'avons calculé ci-dessus, la tension secondaire de crête est de 25 V. Supposons que nous ne connaissons pas la résistance d'enroulement ni les résistances extrinsèques. En raison de la résistance de surcharge, la résistance de Thévenin est au moins de 2 Ω. Donc, le courant de surcharge maximal égale

$$I_{\text{de surcharge (max)}} = \frac{25\ \text{V}}{2\ \Omega} = 12,5\ \text{A}$$

L'utilisation d'une résistance de surcharge est une excellente façon de limiter le courant de surcharge. Elle évite de s'inquiéter à propos de la résistance d'enroulement (rarement connue) et des résistances extrinsèques (variables selon les diodes). La résistance de surcharge protège le concepteur contre le courant de surcharge maximal.

Ne pas utiliser les résistances de surcharge à l'aveuglette : elles diminuent la tension continue de charge. Comme nous l'avons mentionné, habituellement, le temps du courant de surcharge produit par un condensateur de filtrage de capacité inférieure à 1000 μF n'est pas assez grand pour endommager les diodes d'un redresseur type. Si la capacité est nettement supérieure à 1000 μF, le courant de surcharge créera des difficultés si la résistance de Thévenin est trop petite. Dans ce cas, monter une résistance de surcharge au lieu de prendre de plus grosses diodes.

EXEMPLE 3-5

Concevoir de nouveau le filtre à condensateur en tête du circuit représenté à la figure 3-10 *a* par la règle de 10 %.

SOLUTION

Nous savons que la tension secondaire de crête est de 25 V et que le courant idéal de charge est de 0,25 A (exemple 3-2). Selon la règle de 10 %, prenons un condensateur qui produit une ondulation de crête à crête égale à 10 % de la tension secondaire de crête. Dans ce cas, l'ondulation de crête à crête est de 2,5 V. Selon la formule (3-11),

$$V_{\text{ond}} = \frac{I}{fC}$$

Remplaçons les lettres par les valeurs connues. Il vient

$$2,5 \text{ V} = \frac{0,25 \text{ A}}{(120 \text{ Hz})C}$$

D'où

$$C = \frac{0,25 \text{ A}}{(120 \text{ Hz})(2,5 \text{ V})} = 833 \ \mu\text{F}$$

Le circuit est bien conçu. La capacité normalisée ou nominale immédiatement supérieure à 833 μF est 1000 μF. Rappelons que la tolérance habituelle des condensateurs électrolytiques est de ± 20 %. Aussi le choix d'un condensateur de 1000 μF est-il excellent, puisque sa capacité en fabrication en série varie de 800 μF à 1200 μF.

3.7. FILTRES *RC* ET FILTRES *LC*

La règle de 10 % donne une tension continue de charge dont l'ondulation de crête à crête est d'environ 10 %. Avant 1970, on connectait des filtres passifs entre le condensateur de filtrage et la charge pour abaisser l'ondulation à moins de 1 % dans le but d'obtenir une tension continue presque parfaite et semblable à celle tirée d'une batterie.

FILTRE *RC*

La figure 3-11a représente deux *filtres RC* entre le condensateur en tête et la résistance de charge. Par conception, R est beaucoup plus grand que X_C à la fréquence d'ondulation. Par conséquent, l'ondulation chute dans les résistances en série au lieu de chuter entre les bornes de la résistance de charge. Ordinairement, R égale au moins 10 fois X_C. Donc, chaque cellule divise l'ondulation au moins par 10. Le principal désavantage du filtre RC est la perte en tension continue entre les bornes de chaque résistance R. Le filtre RC ne convient donc que pour les faibles charges (petit courant de charge ou grande résistance de charge).

FILTRE *LC*

Lorsque le courant de charge est grand, les *filtres LC* représentés à la figure 3-11b sont meilleurs que les filtres RC. On veut encore faire chuter l'ondulation dans les composants en série, les bobines dans ce cas. On y parvient en rendant les X_L beaucoup plus grands que les X_C à la fréquence d'ondulation. De cette façon, on abaisse l'ondulation à un très faible niveau. De plus, la chute de tension continue

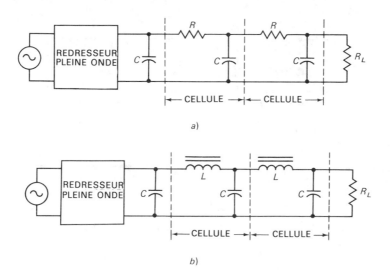

Fig. 3-11. a) *Filtre RC.* b) *Filtre LC.*

dans les bobines est beaucoup plus petite, puisque seules les résistances des enroulements interviennent.

A une certaine époque, le filtre *LC* jouissait de la ferveur populaire. Actuellement, les alimentations ordinaires n'en comportent plus, en raison de l'encombrement et du prix des bobines. Pour les alimentations basse tension, les régulateurs de tension à CI et les filtres actifs, qui diminuent l'ondulation et maintiennent constante la tension continue finale remplacent les filtres *LC*. Nous approfondirons l'étude des régulateurs de tension au chapitre 19.

3.8. MULTIPLICATEURS DE TENSION

Le *multiplicateur de tension* comporte plusieurs redresseurs de crête qui produisent une tension continue égale à un multiple de la tension de crête d'entrée (2 V_P, 3 V_P, 4 V_P...). On utilise ces alimentations pour les dispositifs haute tension bas courant tels les tubes à rayons cathodiques (tube image des téléviseurs, tube des oscilloscopes, tube pour écrans d'ordinateurs).

DOUBLEUR DE TENSION DEMI-ONDE

La figure 3-12 *a* représente un *doubleur de tension*. A la crête de l'alternance négative, la diode D_1 est polarisée en direct et D_2 en inverse. Idéalement, cela charge D_1 jusqu'à la tension de crête V_P selon la polarité représentée à la figure 3-12 *b*. A la crête de l'alternance positive, la diode D_1 est polarisée en inverse et D_2 en direct. La source et C_1 étant en série, C_2 essayera de se charger jusqu'à 2 V_P et y parviendra après plusieurs cycles (fig. 3-12 *c*).

Retraçons le schéma du circuit et branchons une résistance de charge selon la figure 3-12 *d*. Visiblement le dernier condensateur se décharge dans la résistance de

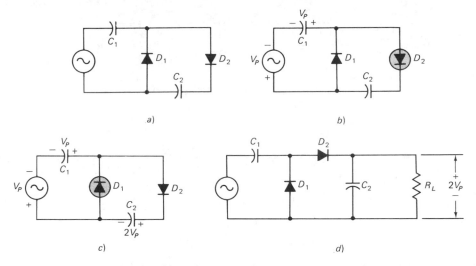

Fig. 3-12. *Doubleur de tension demi-onde ou à une alternance.*

charge. Tant que R_L est grand, la tension de sortie égale $2\,V_P$ (idéalement). Autrement dit, à la condition que la charge soit faible (grande constante de temps), la tension de sortie égale le double de la tension de crête d'entrée. Normalement, cette tension d'entrée provient du secondaire d'un transformateur.

Pour un transformateur donné, la tension de sortie égale le double de celle d'un redresseur de crête standard. Cela est utile lorsqu'on essaye de produire des hautes tensions (d'au moins plusieurs centaines de volts). Pourquoi ? Parce que des tensions secondaires plus élevées exigent de plus gros transformateurs. Les concepteurs préfèrent, jusqu'à un certain point, utiliser des doubleurs de tension plutôt que de plus gros transformateurs.

On appelle un tel dispositif un *doubleur à une alternance* ou *demi-onde* parce que le condensateur de sortie C_2 ne se charge qu'une fois par cycle. La fréquence d'ondulation est donc de 60 Hz. On monte parfois une résistance de surcharge en série avec C_1.

DOUBLEUR DE TENSION PLEINE ONDE

La figure 3-13 représente un doubleur de tension *pleine onde*. Durant l'alternance positive de la source, le condensateur du haut se charge jusqu'à la tension de crête selon la polarité représentée. Durant l'alternance suivante, le condensateur du bas se charge jusqu'à la tension de crête selon la polarité représentée. Si la charge est petite, la tension finale de sortie égale environ $2\,V_P$.

On appelle ce circuit un doubleur de tension pleine onde ou à deux alternances parce qu'un des condensateurs de sortie se charge durant chaque alternance. La fréquence d'ondulation est donc de 120 Hz. Une telle fréquence d'ondulation est avantageuse, car son filtrage est plus facile. Autre propriété du doubleur pleine onde : la PIV limite des diodes doit être supérieure à $2\,V_P$.

Désavantage d'un doubleur pleine onde : l'absence de mise à la masse commune entre l'entrée et la sortie. Autrement dit, si l'on met la borne inférieure de la

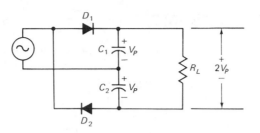

Fig. 3-13. *Doubleur de tension pleine onde ou à deux alternances.*

résistance de charge du circuit représenté à la figure 3-13 à la masse, la source est flottante. La mise à la masse de la résistance de charge du doubleur demi-onde représenté à la figure 3-12*d* met aussi la source à la masse, un avantage dans certaines applications.

TRIPLEUR DE TENSION

Si l'on ajoute une cellule, on obtient le *tripleur de tension* représenté à la figure 3-14*a*. Les deux premiers redresseurs de crête se comportent comme un doubleur. A la crête de l'alternance négative, la diode D_3 est polarisée en direct : C_3 se charge jusqu'à 2 V_P selon la polarité représentée à la figure 3-14*b*. La sortie du tripleur est entre les bornes de C_1 et de C_3.

On branche la résistance de charge entre les bornes de sortie du tripleur. Si la constante de temps est grande, la sortie égale à peu près 3 V_P.

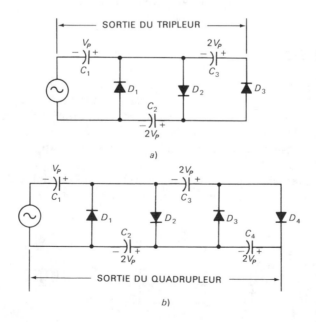

Fig. 3-14. a) *Tripleur de tension.* b) *Quadrupleur de tension.*

QUADRUPLEUR DE TENSION

La figure 3-14 *b* représente un *quadrupleur de tension*. Ce dispositif comporte quatre redresseurs de crête en cascade (l'un après l'autre). Les trois premiers forment un tripleur et le quatrième transforme le tripleur en un quadrupleur. Selon le schéma, le premier condensateur se charge jusqu'à V_P et tous les autres se chargent jusqu'à $2\,V_P$. La sortie du quadrupleur est entre les bornes du branchement série de C_2 et C_4. Comme d'habitude, il faut une grande résistance de charge (grande constante de temps) pour que la sortie égale environ $4\,V_P$.

Théoriquement, on pourrait ajouter indéfiniment des cellules, mais cela empirerait l'ondulation. On en munit donc pas les alimentations basse tension (les plus courantes) de multiplicateurs de tension. Comme nous l'avons précisé ci-dessus, on utilise presque toujours les multiplicateurs de tension pour produire de hautes tensions de l'ordre de plusieurs centaines de volts ou de plusieurs milliers de volts.

3.9.   LIMITEUR

Les diodes des alimentations sont des diodes de redressement à puissance limite supérieure à 0,5 W et optimisées pour la fréquence de 60 Hz. Dans le reste de ce chapitre, nous utiliserons des diodes petits signaux à puissance limite inférieure à 0,5 W (leur courant est de l'ordre du milliampère plutôt que de l'ordre de l'ampère) conçues pour des fréquences supérieures à 60 Hz.

Le premier dispositif petits signaux que nous étudierons est le *limiteur*. Sa fonction consiste à supprimer les tensions de signal supérieures ou inférieures à un niveau spécifié. Ce dispositif est utile pour conformer le signal et aussi pour protéger les dispositifs qui reçoivent le signal.

LIMITEUR POSITIF

La figure 3-15 représente un limiteur positif (parfois appelé écrêteur), un circuit qui supprime les parties positives d'un signal. Comme on le constate, toutes les alternances positives de la tension de sortie sont supprimées. Voici son fonctionnement : durant les alternances positives de la tension d'entrée la diode conduit. Idéalement, la tension de sortie est nulle; en deuxième approximation, elle est d'environ + 0,7 V.

Durant les alternances négatives du cycle, la diode est polarisée en inverse et semble ouverte. Dans de nombreux limiteurs, la résistance de charge R_L vaut au

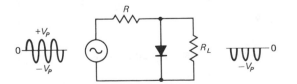

Fig. 3-15. *Limiteur positif.*

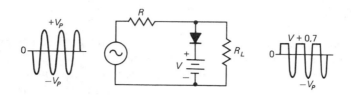

Fig. 3-16. *Limiteur positif polarisé.*

moins 100 fois la résistance série R. Cela soutient la source, et les alternances négatives apparaissent à la sortie. (Pour tout renseignement sur les sources soutenues de tension, voir la section 1-2.)

La figure 3-15 représente la forme d'onde de sortie. Remarquer l'écrêtage imparfait des alternances positives. En deuxième approximation, la chute de tension entre les bornes d'une diode au silicium qui conduit est d'environ 0,7 V. Les premiers 0,7 V servant à surmonter la barrière de potentiel, l'écrêtage du signal de sortie a lieu près de $+ 0,7$ V plutôt qu'à 0 V.

Si l'on inverse la polarité de la diode représentée à la figure 3-15, on obtient un limiteur négatif (parfois appelé ébaseur) qui supprime les alternances négatives. Dans ce cas, l'ébasage a lieu près de $- 0,7$ V.

LIMITEUR POLARISÉ

Le limiteur polarisé représente à la figure 3-16 translate le niveau d'écrêtage à $V + 0,7$. Si la tension d'entrée est supérieure à $V + 0,7$, la diode conduit et la sortie est verrouillée à $V + 0,7$. Si la tension d'entrée est inférieure à $V + 0,7$ la diode s'ouvre et le circuit devient un diviseur de tension. Comme auparavant, la résistance de charge doit être beaucoup plus grande que la résistance série : alors la source est soutenue et toute la tension d'entrée atteint la sortie.

COMBINAISON DE LIMITEURS

On peut combiner un limiteur positif et un limiteur négatif selon la figure 3-17. La diode D_1 conduit lorsque la tension d'entrée dépasse le niveau d'écrêtage positif de $V_1 + 0,7$. De son côté, la diode D_2 conduit lorsque l'entrée est plus négative que le niveau d'écrêtage négatif de $- V_2 - 0,7$. Lorsque le signal d'entrée est grand, c'est-à-dire lorsque V_P est nettement supérieur que les niveaux d'écrêtage, le signal de sortie ressemble à l'onde carrée représentée à la figure 3-17.

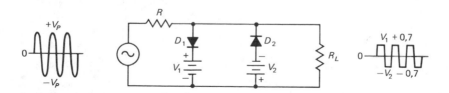

Fig. 3-17. *Combinaison de limiteurs.*

VARIANTES

L'utilisation de batteries pour régler le niveau d'écrêtage n'est pas pratique. On peut utiliser plus de diodes au silicium, puisque chacune décale de 0,7 V. Le circuit, par exemple, représenté à la figure 3-18 *a* comporte deux diodes montées en limiteur positif. Comme chaque diode décale d'environ 0,7 V, le niveau d'écrêtage des deux diodes est d'environ + 1,4 V; la figure 3-18 *b* étend cette notion à quatre diodes; dans ce cas, le niveau d'écrêtage est d'environ + 2,8 V. Cette méthode est avantageuse parce qu'on peut monter autant de diodes qu'on veut et que les diodes sont bon marché.

Les limiteurs servent parfois pour protéger la charge contre une tension excessive. Le circuit, par exemple, représenté à la figure 3-18 *c* illustre une diode 1N914 qui protège une charge (non représentée) contre une trop grande tension d'entrée. La diode 1N914 conduit lorsque l'entrée dépasse + 5,7 V. De cette façon, une grande tension d'entrée destructrice comme + 100 V n'atteint jamais la charge parce que la diode écrête à + 5,7 V, la tension maximale appliquée à la charge.

On appelle souvent le circuit représenté à la figure 3-18 *c* un *circuit à diode de niveau* parce qu'il verrouille ou maintient le signal à un niveau fixe. La diode nivelle littéralement la tension de sortie à + 5,7 V lorsque la tension d'entrée dépasse ce niveau. Habituellement, la diode de niveau sert à protéger une charge.

Les variantes semblables à celles représentée à la figure 3-18 *d* servent à supprimer le décalage de la diode limiteuse D_1. Par conception, on polarise légèrement la diode D_2 en conduction directe de manière qu'elle ait environ 0,7 V entre ses bornes. On applique cette tension de 0,7 V à une résistance de 1 kΩ en série avec D_1 et la résistance de 100 kΩ. La diode D_1 est donc sur le point de conduire. Donc, lorsqu'on entre un signal, la diode D_1 conduit près de 0 V.

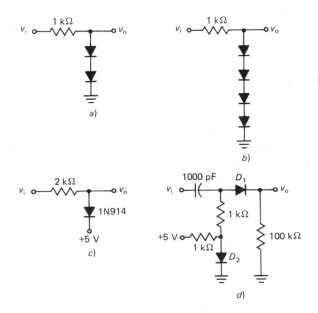

Fig. 3-18. *Limiteurs.* a) *Décalé par deux diodes.* b) *Décalé par quatre diodes.* c) *A diode de niveau.* d) *Polarisé près de zéro.*

3.10. CIRCUIT A DIODE DE FIXATION DE LA TENSION CONTINUE

Le circuit à diode de niveau est une variante du limiteur étudié ci-dessus. Le *circuit à diode de fixation de la tension continue* est différent, ne pas les confondre. Un circuit à diode de fixation de la tension continue ajoute une tension continue au signal. Si le signal d'entrée oscille (varie) de -10 V à $+10$ V, un circuit à diode de fixation positive de la tension continue fournira une sortie qui idéalement oscillera, par exemple, de 0 à $+20$ V. (Un circuit à diode de fixation négative de la tension continue fournirait une sortie entre 0 et -20 V).

CIRCUIT A DIODE DE FIXATION POSITIVE DE LA TENSION CONTINUE

La figure 3-19 *a* représente un circuit à diode de fixation positive de la tension continue. Voici son mode idéal de fonctionnement. Selon la figure 3-19 *b*, la diode conduit durant la première alternance négative de la tension d'entrée. A la crête négative, le condensateur doit être chargé jusqu'à V_P selon la polarité indiquée.

Légèrement au-delà de la crête négative, la diode s'ouvre (fig. 3-19 *c*). Par conception, la constante de temps $R_L C$ est beaucoup plus grande que la période T du signal d'entrée. Aussi le condensateur reste-t-il complètement chargé durant le

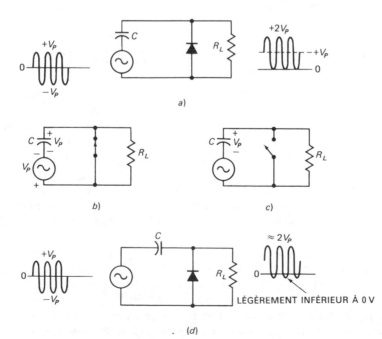

Fig. 3-19. *Circuit à diode de fixation positive de la tension continue.*

temps d'ouverture de la diode. En première approximation, le condensateur se comporte comme une batterie de V_P volts. Voilà pourquoi la tension de sortie du circuit représenté à la figure 3-19 *a* est un signal fixé positivement.

La figure 3-19 *d* représente le schéma du circuit habituel. Comme la diode fait chuter la tension de 0,7 V lorsqu'elle conduit, la tension du condensateur n'atteint pas tout à fait V_P. La fixation positive de la tension continue n'est donc pas parfaite et les crêtes négatives sont de $-0,7$ V.

CIRCUIT A DIODE DE FIXATION NÉGATIVE DE LA TENSION CONTINUE

Que se passe-t-il lorsqu'on retourne la diode du circuit représenté à la figure 3-19 *d*? La polarité de la tension du condensateur s'inverse et le circuit devient un circuit à diode de fixation négative de la tension continue. On utilise souvent ces deux types de circuits. Le circuit à diode de fixation de la tension continue des téléviseurs (appelé *circuit à diode de restauration,* ou *régénérateur de composante continue*), par exemple, ajoute une tension continue au signal vidéo.

POUR SE RAPPELER...

Pour se rappeler le sens de déplacement du niveau continu d'un signal, observer la figure 3-19 *d*. Remarquer que la flèche de la diode pointe vers le haut, dans le sens du décalage du continu. Autrement dit, si la diode pointe vers le haut, on a un circuit à diode de fixation positive de la tension continue. Si la diode pointe vers le bas, on a un circuit à diode de fixation négative de la tension continue.

3.11. DÉTECTEUR DE CRÊTE A CRÊTE

Si l'on monte un circuit à diode de fixation de la tension continue et un détecteur de crête (dispositif identique à un redresseur de crête) en cascade, on obtient le *détecteur de crête à crête* représenté à la figure 3-20. La tension sinusoïdale d'entrée est fixée positivement : la tension de crête d'entrée du détecteur de crête est donc de 2 V_P. Voilà pourquoi la sortie du détecteur de crête est une tension continue égale à 2 V_P.

Comme d'habitude, la constante de temps de décharge $R_L C$ doit être beaucoup plus grande que la période du signal d'entrée. Le respect de cette condition donne une bonne fixation et une bonne détection de crête, et donc une petite ondulation de sortie.

Où se sert-on de détecteurs de crête à crête ? On applique parfois la sortie d'un détecteur de crête à crête à un volmètre pour tension continue. Une telle combinaison se comporte comme un volmètre pour tension alternative de crête à crête. Supposons qu'un signal oscille entre -20 V et $+50$ V. On ne peut mesurer correctement une telle tension avec un volmètre ordinaire pour tension alternative. Si l'on monte un détecteur de crête à crête en amont du volmètre pour tension continue, on lira une tension de crête à crête du signal de 70 V.

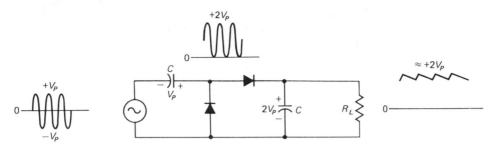

Fig. 3-20. *Détecteur de crête à crête.*

3.12. RETOUR DU COURANT CONTINU

Voici l'un des plus mystifiants phénomènes pouvant survenir dans un laboratoire : on applique une source de signaux à un circuit et pour une certaine raison le circuit ne fonctionne pas, bien que ni lui, ni la source de signaux ne soient défectueux. Considérons l'exemple concret du circuit représenté à la figure 3-21*a* dans lequel une source de signaux sinusoïdaux attaque un redresseur demi-onde. L'oscilloscope utilisé pour observer la sortie n'affiche aucun signal et le redresseur refuse, à tort, de fonctionner. On monte une autre source de signaux sinusoïdaux à la place de la première et, ô suprise !, on relève sur l'oscilloscope un signal demi-onde normal entre les bornes de la charge (fig. 3-21*b*).

Ce phénomène est classique en électronique; il survient tant et plus dans la pratique. Il se produit dans les circuits à diodes, à transistors, dans les circuits intégrés, etc. Si l'on ne comprend pas pourquoi une sorte de source fonctionne et non une autre, on sera troublé et l'on se découragera peut-être chaque fois que ce phénomène se produira.

TYPES DE COUPLAGES OU LIAISONS

La source de signaux représentée à la figure 3-22 *a* est *à couplage capacitif* ou est *couplée capacitivement;* autrement dit, il y a un condensateur sur le trajet du

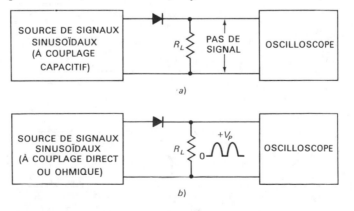

Fig. 3-21. *Problème du retour du courant continu.*

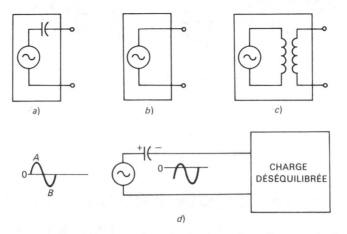

Fig. 3-22.   a) *Source à couplage capacitif.* b) *Source à couplage direct ou ohmique.* c) *Source à couplage par transformateur.* d) *Une charge déséquilibrée cause des courants de charge inégaux.*

signal. De nombreux générateurs commerciaux de signaux comportent un condensateur pour isoler en continu la source de la charge. Le but de ce couplage est de ne laisser passer que le signal alternatif de la source à la charge.

La source *à couplage direct* ou *couplée directement* représentée à la figure 3-22 *b* est différente. Elle ne comporte pas de condensateur : le courant alternatif et le courant continu peuvent donc circuler. Si l'on branche une telle source entre les bornes d'une charge celle-ci peut forcer un courant continu à circuler dans la source. Si ce courant continu n'est pas trop grand, il n'endommagera pas la source. On couple de nombreux générateurs commerciaux de signaux de cette façon directe.

On *couple* parfois une source de signaux *par transformateur* (fig. 3-22 *c*). L'avantage de ce couplage est qu'il laisse passer le signal alternatif et qu'en même temps il fournit un chemin pour le courant continu via le secondaire.

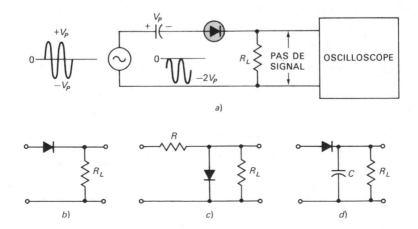

Fig. 3-23.   *Une source à couplage capacitif fixe intempestivement.*

Tous les circuits étudiés dans ce chapitre fonctionnent en couplage direct et en couplage par transformateur. Seules les sources à couplage capacitif peuvent créer des ennuis.

CIRCUITS A DIODES DÉSÉQUILIBRÉS

Par définition, une *charge déséquilibrée* présente une résistance plus grande durant une alternance que durant l'autre. La figure 3-22 *d* représente une charge déséquilibrée. Si le courant est plus grand durant l'alternance positive, le condensateur se charge selon la polarité représentée. Comme nous l'avons vu avec les circuits à diode de fixation de la tension continue, un condensateur chargé déplace le niveau continu du signal.

Nous savons maintenant pour quelle raison un redresseur demi-onde ne fonctionne pas lorsqu'on le connecte à une source à couplage capacitif. Considérons le circuit représenté à la figure 3-23 *a*. Le condensateur se charge jusqu'à V_P durant les premiers cycles. Donc, le signal entrant provenant de la source est fixé négativement, et la diode ne peut conduire après les premiers cycles. D'où l'absence d'affichage sur l'oscilloscope.

Des circuits à diode étudiés ci-dessus, les suivants sont des charges déséquilibrées : le redresseur demi-onde, le limiteur, le détecteur de crête, le circuit à diode de fixation de la tension continue et le détecteur de crête à crête. Les deux derniers fixent la tension continue du signal, aussi fonctionnent-ils bien avec une source à couplage capacitif. Mais le redresseur demi-onde, le limiteur et le détecteur de crête représentés aux figures 3-23 *b, c* et *d* ne fonctionnent pas avec une source à couplage capacitif, en raison de la fixation indésirée de la tension continue.

RETOUR DU COURANT CONTINU

Peut-on remédier à la fixation indésirée de la tension continue ? Oui, en montant une résistance *de retour du courant continu* entre les bornes d'entrée du circuit déséquilibré (fig. 3-24 *a*). Le condensateur se décharge dans la résistance R_D durant le temps d'ouverture de la diode. Autrement dit, toutes les charges qui se déposent sur les plaques du condensateur les quittent durant les alternances négatives.

La valeur de R_D n'est pas critique. L'idée sous-jacente à l'élimination de la fixation indésirée de la tension continue est de garder la résistance de décharge R_D inférieure ou égale à la résistance de charge en série avec la diode. D'où, pour le circuit représenté à la figure 3-24a,

$$R_D \leqslant R_L$$

Lorsque cette condition est remplie, le niveau de la tension continue du signal n'est que légèrement décalé. La même formule s'applique au circuit de la figure 3-24 *b*. (Pour améliorer l'effet, prendre R_D inférieur à un dixième de R_L. Il en résultera une charge hautement équilibrée et un décalage de la tension continue négligeable.)

Le limiteur représenté à la figure 3-24 *c* est légèrement différent. Lorsque la

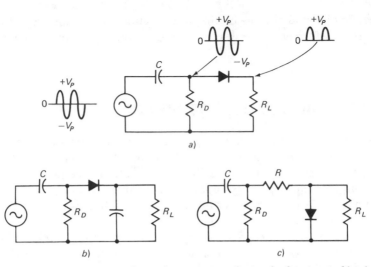

Fig. 3-24. *Le retour du courant continu élimine la fixation indésirée.*

diode conduit, la résistance de charge en série avec la diode égale R au lieu de R_L. Par conséquent, pour le circuit de la figure 3-24c, il faut

$$R_D \leqslant R$$

Si possible, prendre R_D inférieur à un dixième de R.

CIRCUITS A DIODES ÉQUILIBRÉS

Certains circuits à diodes sont des *charges équilibrées*. Un redresseur pleine onde et un redresseur en pont, par exemple, sont des charges équilibrées. Ces dispositifs fonctionnent très bien avec une charge à couplage capacitif. Autrement dit, ils n'ont pas besoin de retour du courant continu parce que les alternances opposées du courant produisent une tension moyenne nulle entre les bornes du condensateur. La figure 3-25 représente une source à couplage capacitif. En supposant des diodes identiques, les alternances du courant sont opposées, la tension entre les bornes du condensateur est nulle et le redresseur en pont fonctionne normalement.

En résumé, on peut obtenir une fixation avec une source à couplage capacitif. Cette fixation indésirée peut survenir dans des circuits à diodes, des circuits à transitors, dans les circuits intégrés, etc. En général, on obtient une fixation indésirée chaque fois qu'un condensateur attaque un dispositif qui ne conduit que durant une partie d'une cycle alternatif. Pour éliminer une telle fixation indésirée, ajouter un chemin de retour du continu.

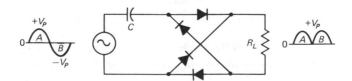

Fig. 3-25. *Un pont est une charge équilibrée.*

PROBLÈMES

Simples

3-1. La tension efficace type de secteur est de 115 V ± 10 %. Calculer la tension de crête aux extrémités de la fourchette de tolérance.

3-2. La tension secondaire efficace du transformateur du circuit représenté à la figure 3-26 *a* est de 30 V. Calculer la tension de crête entre les bornes de la résistance de charge, la tension moyenne et le courant moyen qui circule dans la résistance de charge.

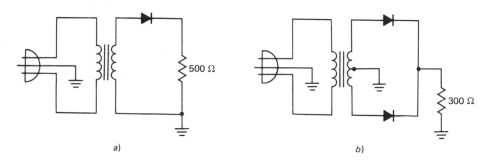

a)   b)

Fig. 3-26.

3-3. Soit les diodes suivantes et le courant I_O limite de chacune.
   a. 1N914 : I_O = 50 mA;
   b. 1N3070 : I_O = 100 mA;
   c. 1N4002 : I_O = 1 A;
   d. 1N1183 : I_O = 35 A.

Supposer que la tension secondaire efficace du transformateur représenté à la figure 3-26*a* est de 115 V. Considérer les diodes ci-dessus et trouver celle(s) qu'on peut utiliser.

3-4. Soit les diodes suivantes et la PIV limite de chacune.
   a. 1N914 : 20 V;
   b. 1N1183 : 50 V;
   c. 1N4002 : 100 V;
   d. 1N3070 : 175 V.

Supposer que la tension secondaire efficace du transformateur représenté à la figure 3-26 *a* est de 60 V et calculer la PIV entre les bornes de la diode. Considérer les diodes ci-dessus et trouver celle(s) qu'on peut utiliser.

3-5. Supposer que la tension secondaire efficace du transformateur représenté à la figure 3-26 *b* est de 40 V. Calculer la tension de crête de charge, la tension continue de charge et le courant continu de charge.

3-6. Supposer que la tension secondaire efficace du transformateur représenté à la figure 3-26 *b* est de 60 V. Considérer les diodes énumérées aux problèmes 3-3 et 3-4 et trouver celle(s) qui a (ont) un courant I_O limite et une PIV limite suffisants pour être utilisée(s).

3-7. Supposer que la tension secondaire efficace du transformateur représenté à la figure 3-26 *b* est de 40 V. Calculer le courant continu de charge, la PIV entre les bornes de chaque diode et le courant redressé moyen qui parcourt chaque diode.

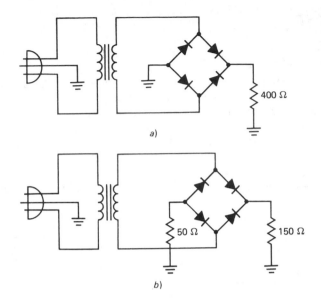

a)

b)

Fig. 3-27.

3-8.   Supposer que la tension secondaire efficace du transformateur représenté à la figure 3-27 *a* est de 30 V. Calculer la tension continue de charge, le courant continu de charge et la PIV entre les bornes de chaque diode.

3-9.   Supposer que la tension secondaire efficace du transformateur représenté à la figure 3-27 *a* est de 60 V. Calculer le courant continu de charge, le courant continu qui parcourt chaque diode et la PIV entre les bornes de chaque diode.

3-10. Supposer que la tension secondaire efficace du transformateur représenté à la figure 3-27 *b* est de 40 V. Calculer les tensions continues des charges, les courants continus des charges, le courant continu qui circule dans chaque diode et la PIV entre les bornes de chaque diode.

3-11. Supposer que les diodes du circuit représenté à la figure 3-27 *a* ont un courant I_O limite de 150 mA et une PIV limite de 75 V. Est-ce que ces diodes conviendront si la tension secondaire efficace est de 40 V ?

3-12. Supposer que les diodes du circuit représenté à la figure 3-27 *b* ont un courant I_O limite de 0,5 A et une PIV limite de 50 V. Est-ce que ces diodes conviendront si la tension secondaire efficace est de 60 V ?

3-13. Un redresseur en pont avec un filtre à condensateur en tête a une tension de crête de sortie de 25 V. Supposer que la résistance de charge est de 220 Ω, que la capacité est de 500 μF et calculer l'ondulation de crête à crête.

3-14. Supposer que la tension secondaire efficace du transformateur représenté à la figure 3-28 *a* est de 21,2 V. Calculer la tension continue de charge si $C = 220$ μF, l'ondulation de crête à crête et le courant I_O limite minimal ainsi que la PIV limite minimale des diodes.

3-15. La figure 3-28 *b* représente une alimentation fractionnée. En raison de la mise à la masse de la prise médiane, les tensions des sorties sont égales et de polarités opposées. Supposer que la tension secondaire efficace est de 17,7 V, et que $C = 500$ μF. Calculer les tensions continues des sorties, l'ondulation de crête à crête, et le courant I_O limite minimal ainsi que la PIV limite minimale des diodes.

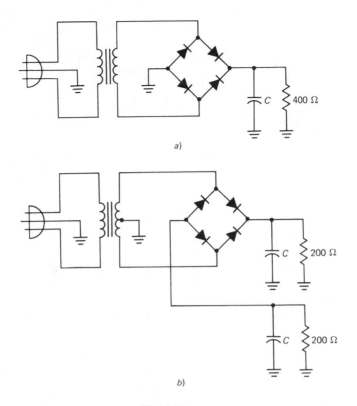

a)

b)

Fig. 3-28.

3-16. On ajoute une résistance de surcharge de 4,7 Ω au circuit représenté à la figure 3-28 *a*. Supposer que la tension secondaire efficace est de 25 V et calculer le courant de surcharge maximal.

3-17. Supposer une résistance de surcharge de 3,3 Ω entre le secondaire et le pont du circuit représenté à la figure 3-28 *b*. Calculer le courant de surcharge maximal si la tension secondaire efficace est de 25 V.

3-18. Considérer le circuit représenté à la figure 3-29 *a*. Calculer la tension idéale de charge et la PIV entre les bornes de chaque diode.

3-19. Soit le circuit représenté à la figure 3-29 *b*. Calculer la tension idéale de charge et la PIV entre les bornes de chaque diode.

3-20. Soit le circuit représenté à la figure 3-29 *c*. Calculer la tension idéale de charge et la PIV entre les bornes de chaque diode et la tension entre les bornes de chaque condensateur.

3-21. Supposer que la tension secondaire efficace du transformateur représenté à la figure 3-30 *a* est de 900 V. Calculer la tension continue idéale de charge et le courant continu de charge. Les deux condensateurs étant en série, la capacité nette de filtrage est de 1 μF. Calculer l'ondulation de crête à crête.

3-22. Une tension sinusoïdale de crête égale à 50 V attaque le circuit représenté à la figure 3-30 *b*. Décrire la tension de sortie.

3-23. L'ampèremètre du circuit représenté à la figure 3-30 *c* a une résistance de 2 kΩ et un courant à pleine échelle de 50 μA. Calculer la tension entre les bornes de l'ampèremètre lorsque son aiguille dévie à pleine échelle. On shunte parfois des

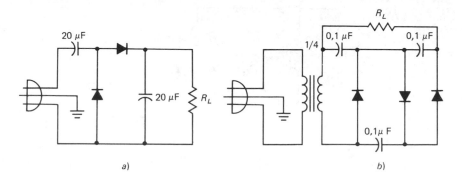

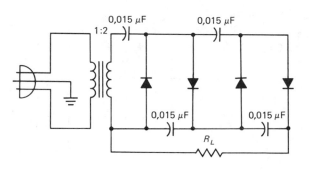

Fig. 3-29.

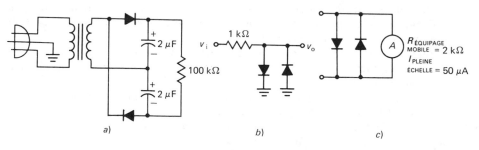

Fig. 3-30.

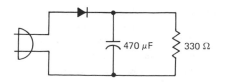

Fig. 3-31.

diodes entre les bornes de l'ampèremètre (fig. 3-30 *c*). Si l'on connecte l'ampèremètre en série avec un circuit de résistance de Thévenin de 1 kΩ, les diodes entre les bornes de l'ampèremètre ont une fonction très utile. Décrire cette fonction.

3-24. La figure 3-31 représente une alimentation parfois utilisée dans les produits grand public bon marché. Calculer l'ondulation de crête à crête et la tension continue de charge. Enoncer l'avantage de ce circuit et son désavantage.

De dépannage

3-25. On mesure une tension efficace de 24 V entre les bornes du secondaire représenté à la figure 3-28 *a* et une tension continue de 21,6 V entre les bornes de la résistance de charge. Suggérer quelques causes possibles de ce dérangement.

3-26. Soit le circuit représenté à la figure 3-28 *a*. On mesure une tension continue de charge quelque peu inférieure à la normale. On observe l'ondulation sur un oscilloscope et l'on découvre que sa fréquence est de 60 Hz. Citer quelques causes possibles de ce dérangement.

3-27. Soit le circuit représenté à la figure 3-28 *a*. Aucune tension n'apparaît à la sortie. Citer quelques causes possibles de ce dérangement.

3-28. Soit le circuit représenté à la figure 3-28 *a*. On vérifie les diodes avec un ohmmètre et l'on s'aperçoit qu'elles sont toutes ouvertes et on les remplace. Que faut-il encore vérifier avant d'alimenter le circuit ?

De conception

3-29. Supposons que l'on conçoit un redresseur en pont avec filtre à condensateur en tête. On veut une tension continue de charge de 15 V et une ondulation de 1 V pour une résistance de charge de 680 Ω. Déterminer la tension efficace que devrait fournir le secondaire lorsque la tension efficace de secteur est de 115 V. Calculer la capacité du condensateur de filtrage, le courant I_O limite minimal et la PIV limite minimale des diodes.

3-30. Concevoir un redredresseur pleine onde utilisant un transformateur à prise médiane de 48 V_{eff} qui produit une ondulation de 10 % entre les bornes du filtre à condensateur en tête à résistance de charge de 330 Ω. Déterminer le courant I_O limite minimal et la PIV limite minimale des diodes.

3-31. L'alimentation fractionnée représentée à la figure 3-28 *b* a une tension secondaire efficace de 25 V. Sélectionner les condensateurs de filtrage à l'aide de la règle de 10 % pour l'ondulation.

3-32. Concevoir une alimentation qui respecte les spécifications suivantes : la tension secondaire efficace est de 12,6 V, une sortie continue est d'environ 17,8 V à 120 mA et une deuxième sortie continue est d'environ 35,6 V à 75 mA. Déterminer le courant I_O limite minimal et la PIV limite minimale des diodes.

De défi

3-33. La tension continue du signal pleine onde représenté à la figure 3-5*b* égale 0,636 fois la tension de crête. Décrire comment obtenir le facteur 0,636 de la valeur moyenne à l'aide d'une calculatrice ou d'une table de sinus.

3-34. La tension secondaire efficace du transformateur représenté à la figure 3-32 est de 25 V. Calculer la tension idéale de sortie lorsque le commutateur est dans la position représentée et dans la position inférieure.

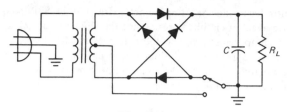

Fig. 3-32.

3-35.   La tension directe d'une diode de redressement est de 1,2 V à 2 A. La résistance du secondaire est de 0,3 Ω et la tension secondaire efficace est de 25 V. Calculer le courant de surcharge maximal.

A résoudre par ordinateur

3-36.   L'instruction INPUT permet d'introduire des données pendant que l'ordinateur exécute un programme. Soit le programme

    10   PRINT "INTRODUIRE R"
    20   INPUT R
    30   PRINT "R ÉGALE"
    40   PRINT R

Lorsqu'il exécute ce programme, l'ordinateur s'arrête à la ligne 20 et attend qu'on introduise la valeur de R. Après l'introduction d'une valeur par clavier, l'ordinateur affiche la valeur de R sur l'écran.

Soit le programme suivant :

    10   PRINT "INTRODUIRE R1"
    20   INPUT R1
    30   PRINT "INTRODUIRE R2"
    40   INPUT R2
    50   RT = R1 + R2
    60   PRINT "LA RÉSISTANCE TOTALE ÉGALE"
    70   PRINT RT

Décrire ce qu'accomplit ce programme.

3-37.   Ecrire un programme qui calcule la résistance équivalente de deux résistances en parallèle introduites par clavier.

3-38.   Ecrire un programme qui calcule l'ondulation de crête à crête. Utiliser trois instructions INPUT pour introduire le courant, la fréquence et la capacité dans l'ordinateur.

Diodes spéciales

Les diodes petits signaux et de redressement sont optimisées pour le redressement. Mais une diode peut effectuer autre chose. Dans ce chapitre, nous étudierons des diodes qui ne redressent pas. Nous étudierons d'abord la diode Zener à propriétés de claquage optimisées. La régulation de tension repose sur les diodes Zener. Nous étudierons aussi les diodes optoélectroniques, les diodes Schottky, les diodes à capacité variable, varicaps ou varactors et d'autres diodes.

4.1. DIODE ZENER

On ne fait jamais fonctionner volontairement les diodes petits signaux et de redressement dans la région de claquage parce que cela les endommagerait. Une *diode Zener* est différente : le fabricant de cette diode au silicium a optimisé son fonctionnement dans la région de claquage. A la différence des autres diodes qui ne fonctionnent jamais dans la région de claquage, les diodes Zener fonctionnent mieux dans cette région. Parfois appelée diode de claquage, la diode Zener est le composant principal du régulateur de tension, un circuit qui maintient la tension de charge presque constante malgré les grandes variations de la tension de secteur et de la résistance de charge.

CARACTÉRISTIQUE *I-V*

La figure 4-1 *a* représente le symbole graphique d'une diode Zener. La figure 4-1 *b* représente un autre symbole d'une diode Zener. Les traits des deux symboles forment un « Z » mis pour Zener. En faisant varier le niveau de dopage des diodes au silicium, on obtient des diodes Zener à tension de claquage comprise entre 2 et 200 V, environ. Ces diodes peuvent fonctionner dans la région directe, dans la région de fuite et dans la région de claquage.

La figure 4-1 *c* représente la caractéristique *I-V* d'une diode Zener. Dans la région directe, elle commence à conduire à environ 0,7 V, comme une diode au silicium ordinaire. Dans la région de fuite (entre zéro et le claquage), le courant de fuite ou courant inverse est petit. Le coude de claquage d'une diode Zener forme presque un angle droit. Il est suivi d'une croissance presque verticale du courant. Remarquer que la tension est presque constante et égale environ V_Z dans presque

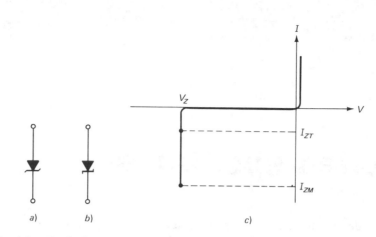

Fig. 4-1. *Diode Zener.* a) *Symbole graphique.* b) *Autre symbole graphique.*
c) *Caractéristique* I-V.

toute la région de claquage. Habituellement, les fabricants de diodes Zener
indiquent la valeur de V_Z sur les fiches signalétiques à une valeur particulière du
courant d'essai I_{ZT}*.

VALEURS LIMITES

La puissance dissipée par une diode Zener égale le produit de sa tension par son
courant, autrement dit

$$P_Z = V_Z I_Z \tag{4-1}$$

Si $V_Z = 12$ V et $I_Z = 10$ mA, alors

$$P_Z = 12 \text{ V} \times 10 \text{ mA} = 120 \text{ mW}$$

Tant que P_Z est inférieur à la puissance limite, la diode Zener peut fonctionner dans
la région de claquage sans être détruite. La puissance limite des diodes Zener
commerciales va de 0,25 W à plus de 50 W.

Les fiches signalétiques indiquent parfois le *courant limite* qu'une diode Zener
peut supporter sans dépasser sa puissance limite. La relation entre le courant limite
et la puissance limite est **

$$I_{ZM} = \frac{P_{ZM}}{V_Z} \tag{4-2}$$

Dans cette formule,

I_{ZM} = courant de Zener limite
P_{ZM} = puissance limite
V_Z = tension Zener

Le courant limite d'une diode Zener de 12 V et de puissance limite de 400 mW, par
exemple, égale

---

* N.d.T. *T* est mis pour *Test* (essai).
** N.d.T. *M* est mis pour Maximum.

$$I_{ZM} = \frac{400 \text{ mW}}{12 \text{ V}} = 33{,}3 \text{ mA}$$

Une telle diode fonctionnant dans la région de claquage ne brûlera pas si une résistance chutrice maintient le courant Zener au-dessous de 33,3 mA.

RÉSISTANCE ZENER

L'augmentation du courant qui circule dans une diode Zener en région de claquage augmente légèrement la tension. On en déduit que la résistance en alternatif, en courant alternatif, dynamique ou en régime dynamique d'une diode Zener est faible. Les fabricants indiquent la *résistance Zener* (souvent appelée impédance Zener) sur les fiches signalétiques au même courant d'essai I_{ZT} de la mesure de V_Z. Le symbole de la résistance Zener à ce courant d'essai est R_{ZT} (ou Z_{ZT}). La fiche signalétique de la diode Zener 1N3020, par exemple, donne $V_{ZT} = 10$ V, $I_{ZT} = 25$ mA et $Z_{ZT} = 7\ \Omega$. En déduire qu'une diode 1N3020 a une tension de 10 V et une résistance Zener de 7 Ω lorsque le courant est de 25 mA.

RÉGULATION DE TENSION

On appelle parfois une diode Zener une diode *régulatrice de tension* parce qu'elle maintient une tension de sortie constante même si le courant qui la parcourt varie. Pour obtenir un fonctionnement normal, il faut polariser la diode Zener en inverse comme le montre la figure 4-2 *a*. De plus, pour produire le claquage, la tension de source V_S doit être supérieure à la tension Zener V_Z de claquage. On monte toujours une résistance série R_S pour limiter le courant Zener au-dessous du courant limite, sinon la diode Zener brûlera comme tout dispositif qui dissipe trop de puissance.

La tension entre les bornes de la résistance série égale la différence entre la tension de source et la tension Zener, soit $V_S - V_Z$. Donc, le courant qui traverse la résistance égale

$$I_S = \frac{V_S - V_Z}{R_S} \tag{4-3}$$

Comme le circuit ne comporte qu'une maille, le courant Zener I_Z égale I_S.

L'équation (4-3) permet de tracer la droite de charge selon la méthode déjà exposée. Si $V_S = 20$ V et $R_S = 1$ kΩ, alors l'équation ci-dessus devient

$$I_Z = \frac{20 - V_Z}{1000}$$

Comme auparavant, on obtient le point de saturation (ordonnée à l'origine) en posant $V_Z = 0$ et en isolant I_Z. On obtient $I_Z = 20$ mA. De la même façon, on obtient le point de blocage (abscisse à l'origine) en posant $I_Z = 0$ et en isolant V_Z. On obtient $V_Z = 20$ V.

On peut aussi déterminer les extrémités de la droite de charge comme suit. Supposons qu'au circuit représenté à la figure 4-2 *a*, $V_S = 20$ V et $R_S = 1$ kΩ, on obtient la droite de charge du haut et le point d'intersection Q_1. La tension entre les bornes de la diode Zener sera légèrement supérieure à la tension de coude au claquage, puisque la caractéristique *I-V* penche légèrement.

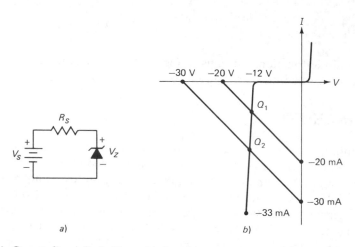

Fig. 4-2. a) *Circuit d'une diode Zener.* b) *Les deux points Q ont à peu près la même tension.*

Pour comprendre la régulation de tension, supposons que la tension de source passe à 30 V. Alors le courant Zener passe à

$$I_Z = \frac{30 - V_Z}{1000}$$

Alors les extrémités de la droite de charge sont 30 mA et 30 V selon la figure 4-2 *b*. Le nouveau point d'intersection est Q_2. Le courant qui traverse la diode Zener en Q_2 est supérieur à celui qui la traverse en Q_1, mais la tension Zener est approximativement la même en ces deux points. Donc, même si la tension de source est passée de 20 à 30 V, la tension Zener égale encore à peu près 12 V. Telle est la notion fondamentale de la régulation de tension : la tension de sortie reste pratiquement constante même lorsque la tension d'entrée varie fortement.

DIODE ZENER IDÉALE

Pour le dépannage et une première ébauche de conception, on peut approximer la région de claquage par une verticale. Alors la tension est constante même si le courant varie; cela revient à ignorer la résistance Zener. La figure 4-3 *a* représente l'approximation idéale d'une diode Zener. On en déduit que dans la région de claquage, une diode Zener idéale se comporte comme une batterie. On peut donc remplacer mentalement une diode Zener d'un circuit par une tension de source V_Z, pourvu que la diode Zener fonctionne dans la région de claquage.

DEUXIÈME APPROXIMATION

Dans la région de claquage, la caractéristique *I-V* n'est pas tout à fait verticale : il existe une résistance Zener. Dans certaines applications il faut tenir compte de cette résistance. Même si la résistance R_Z est petite, elle peut faire varier la tension de quelques dixièmes de volt lorsque le courant varie de façon significative.

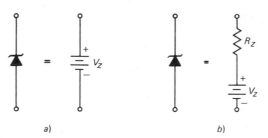

a)   b)

Fig. 4-3. a) *Approximation d'une diode Zener idéale.* b) *Deuxième approximation d'une diode Zener.*

La figure 4-3 *b* montre comment représenter une diode Zener en deuxième approximation. Dans ce cas, une résistance Zener (relativement petite) est en série avec une batterie idéale. La chute de tension entre les bornes de la résistance Zener augmente avec le courant. En Q_1,

$$V_1 = I_1 R_Z + V_Z$$

et en Q_2

$$V_2 = I_2 R_Z + V_Z$$

La variation de tension égale

$$V_2 - V_1 = (I_2 - I_1) R_Z$$

que l'on écrit habituellement sous la forme

$$\Delta V_Z = \Delta I_Z R_Z \qquad (4\text{-}4)$$

dans laquelle,

$$\Delta V_Z = \text{variation de la tension Zener}$$
$$\Delta I_Z = \text{variation du courant Zener}$$
$$R_Z = \text{résistance Zener}$$

Selon la formule (4-4), la variation de la tension Zener égale la variation du courant Zener fois la résistance Zener. Comme habituellement R_Z est petit, la variation de tension est légère.

EXEMPLE 4-1

La tension V_Z de la diode Zener du circuit représenté à la figure 4-4 *a* égale 10 V. Supposer la diode idéale et calculer le courant Zener minimal et le courant Zener maximal.

SOLUTION

La tension appliquée, de 20 à 40 V, est supérieure à la tension de claquage de la diode Zener. Aussi pouvons-nous représenter la diode Zener par la batterie illustrée à la figure 4-4 *b*. Donc la tension de sortie est constante et égale à 10 V, quelle que soit la tension de source comprise entre 20 et 40 V.

Le courant qui circule dans la résistance série égale

$$I_S = \frac{V_S - 10 \text{ V}}{820 \ \Omega}$$

Le circuit n'ayant qu'une maille, la courant Zener égale le courant dans la résistance. D'où le courant Zener minimal égale

$$I_{Z(min)} = \frac{20 \text{ V} - 10 \text{ V}}{820 \text{ }\Omega} = 12,2 \text{ mA}$$

et le courant Zener maximal égale

$$I_{Z(max)} = \frac{40 \text{ V} - 10 \text{ V}}{820 \text{ }\Omega} = 36,6 \text{ mA}$$

Conclusion : Dans un régulateur de tension semblable à celui représenté à figure 4-4*a,* la tension de sortie est constante et égale à 10 V, malgré la variation de la tension de source de 20 à 40 V. Plus la tension de source est grande, plus le courant Zener est grand; mais idéalement la tension de sortie se maintient dur comme fer à 10 V.

EXEMPLE 4-2

Supposer que la diode Zener précédente a une résistance de 7 Ω. A l'aide de la deuxième approximation, calculer la variation de la tension Zener lorsque la tension de source varie de 20 à 40 V.

SOLUTION

La figure 4-4 *c* représente la deuxième approximation de la diode Zener. Comme elle lui est nettement supérieure, la résistance série de 820 Ω masque la résistance Zener de 7 Ω. Autrement dit, R_Z n'a pratiquement aucun effet sur le courant Zener qui variera encore d'environ 12,2 à 36,6 mA lorsque la tension de source augmente de 20 à 40 V.

La tension de sortie varie légèrement lorsque le courant varie. Selon la formule (4-4),

$$\Delta V_Z = (36,6 \text{ mA} - 12,2 \text{ mA}) \times 7 \text{ }\Omega = 0,171 \text{ V}$$

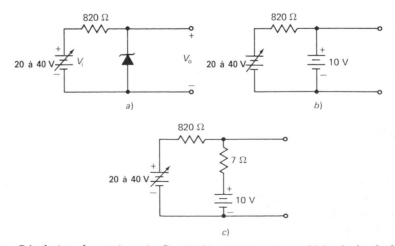

Fig. 4-4. *Régulation de tension.* a) *Circuit.* b) *Approximation idéale de la diode Zener.* c) *Deuxième approximation de la diode Zener.*

Donc la tension Zener nominalement de 10 V augmente de 0,171 V lorsque la tension de source passe de 20 à 40 V. Cet exemple illustre lui aussi la régulation de tension; la tension de sortie ne varie que légèrement, même si la tension d'entrée varie fortement.

4.2. RÉGULATEUR ZENER

La figure 4-5 représente une diode Zener servant à réguler la tension entre les bornes d'une résistance de charge. Ce circuit est légèrement plus compliqué que les circuits à diode Zener étudiés ci-dessus parce qu'il comporte deux mailles. Mais le principe de base est le même : la diode Zener fonctionne dans la région de claquage et maintient la tension de charge presque constante.

TENSION DE THÉVENIN

Pour concevoir ou dépanner un circuit, il faut connaître certaines relations fondamentales entre les courants et les tensions. D'abord, vérifier si la diode Zener fonctionne en région de claquage. En raison de la résistance de charge, la tension de Thévenin qui attaque la diode Zener est inférieure à la tension de source.

Que vaut la tension de Thévenin d'attaque de la diode Zener ? Pour la calculer, représenter le circuit sans diode Zener. Il reste le diviseur de tension formé par les résistances R_S et R_L. Si l'on a bien tracé le circuit, la tension de Thévenin égale

$$V_{TH} = \frac{R_L}{R_S + R_L} V_S \qquad (4\text{-}5)$$

Pour que la diode Zener fonctionne dans la région de claquage, V_{TH} doit être supérieur à V_Z. Telle est la première relation que doit satisfaire tout régulateur Zener.

COURANT DANS LA RÉSISTANCE SÉRIE

Supposer que la diode Zener fonctionne dans la région de claquage. Le courant qui circule dans la résistance série égale

$$I_S = \frac{V_S - V_Z}{R_S} \qquad (4\text{-}6)$$

selon la loi d'Ohm appliquée à la résistance chutrice.

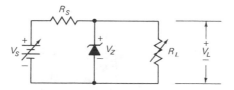

Fig. 4-5. *Régulateur Zener.*

COURANT DE CHARGE

Comme l'effet de la résistance Zener est ordinairement très petit, pratiquement la tension de charge égale

$$V_L \cong V_Z \tag{4-7}$$

(le symbole $\cong$ signifie « égale environ »). D'où, selon la loi d'Ohm, le courant de charge égale

$$I_L = \frac{V_L}{R_L} \tag{4-8}$$

COURANT ZENER

Le circuit ayant deux mailles, le courant se divise en deux à la jonction de la diode Zener et de la résistance de charge. Selon la loi des courants de Kirchhoff,

$$I_S = I_Z + I_L$$

Donc le courant Zener égale

$$I_Z = I_S - I_L \tag{4-9}$$

EXEMPLE

Les équations (4-5) à (4-9) permettent d'analyser sommairement un régulateur Zener. Considérons le circuit représenté à la figure 4-6. Le premier calcul à effectuer est celui de la tension de Thévenin d'attaque de la diode Zener. Il vient

$$V_{TH} = \frac{2\ \text{k}\Omega}{2,82\ \text{k}\Omega}\ 40\ \text{V} = 28,4\ \text{V}$$

Cette tension est suffisante pour faire fonctionner la diode Zener dans la région de claquage parce qu'elle est supérieure à la tension Zener.

Le courant dans la résistance série égale

$$I_S = \frac{40\ \text{V} - 10\ \text{V}}{820\ \Omega} = 36,6\ \text{mA}$$

La tension de charge étant d'environ 10 V, le courant de charge égale

$$I_L = \frac{10\ \text{V}}{2\ \text{k}\Omega} = 5\ \text{mA}$$

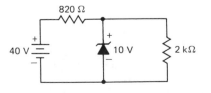

Fig. 4-6.

Le courant Zener égale la différence entre le courant dans la résistance série et le courant de charge. D'où

$$I_Z = 36,6 \text{ mA} - 5 \text{ mA} = 31,6 \text{ mA}$$

ONDULATION ENTRE LES BORNES DE LA RÉSISTANCE DE CHARGE

Soit le circuit de la figure 4-7 *a*. Remarquer qu'un redresseur à filtre à condensateur en tête attaque un régulateur Zener. Il en résulte deux effets. Premièrement, la tension de charge est maintenue approximativement constante, en dépit des variations de la tension redressée de crête causées par les variations de secteur. Deuxièmement, le régulateur Zener réduit l'ondulation de crête à crête. Cela est sensé : c'est une autre façon de dire que la tension de source varie.

De combien réduit-on l'ondulation ? Considérons le circuit de la deuxième approximation de la diode Zener représenté à la figure 4-7 *b*. Au début de la décharge, le courant qui circule dans la résistance série égale

$$I_{S(\text{max})} \cong \frac{V_{S(\text{max})} - V_Z}{R_S}$$

A la fin de la décharge,

$$I_{S(\text{min})} \cong \frac{V_{S(\text{min})} - V_Z}{R_S}$$

La soustraction de ces relations donne

$$I_{S(\text{max})} - I_{S(\text{min})} \cong \frac{V_{S(\text{max})} - V_{S(\text{min})}}{R_S}$$

que l'on écrit habituellement sous la forme

$$\Delta I_S \cong \frac{\Delta V_S}{R_S}$$

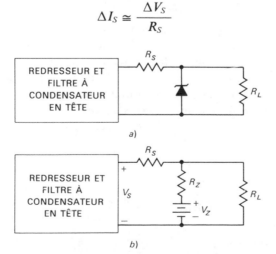

Fig. 4-7. *Effet sur l'ondulation.* a) *Régulateur Zener.* b) *Deuxième approximation.*

Réarrangeons cette relation sous la forme

$$\Delta V_S \cong \Delta I_S R_S$$

Donc, l'ondulation de crête à crête d'entrée égale la variation du courant dans la résistance série multipliée par la résistance série.

Nous avons vu que la variation de la tension Zener égale

$$\Delta V_Z \cong \Delta I_Z R_Z$$

Si telles sont les variations maximales du circuit de la figure 4-7 *b,* alors l'ondulation de crête à crête entre les bornes de la diode Zener égale la variation du courant Zener multipliée par la résistance Zener. Calculons le rapport de l'ondulation de sortie à l'ondulation d'entrée. Il vient

$$\frac{\Delta V_Z}{\Delta V_S} = \frac{\Delta I_Z R_Z}{\Delta I_S R_S}$$

Pour une résistance de charge constante, la variation du courant Zener égale la variation du courant de source. Donc, l'égalité précédente devient

$$\frac{\Delta V_Z}{\Delta V_S} \cong \frac{R_Z}{R_S} \qquad (4\text{-}10)$$

avec, ΔV_Z = ondulation de sortie
$\quad\ \Delta V_S$ = ondulation d'entrée
$\quad\ R_Z$ = résistance Zener
$\quad\ R_S$ = résistance série

L'utilité de cette formule est évidente : elle donne la relation entre les ondulations de sortie et d'entrée. Selon elle, le rapport de l'ondulation de sortie à l'ondulation d'entrée égale le rapport de la résistance Zener à la résistance série. Si la résistance de Zener est de 7 Ω et la résistance série de 700 Ω, alors l'ondulation de sortie égale le centième de l'ondulation d'entrée.

POINT DE DÉCROCHAGE DE ZENER

Pour qu'un régulateur Zener maintienne constante la tension de sortie la diode Zener doit rester dans la région de claquage dans toutes les conditions de fonctionnement; autrement dit, il doit y avoir un courant Zener pour toutes les tensions de source et tous les courants de charge. Le pire cas a lieu lorsque la tension de source est minimale et le courant de charge maximal, parce que le courant Zener chute à un minimum. Dans ce cas,

$$I_{S(\min)} = \frac{V_{S(\min)} - V_Z}{R_{S(\max)}}$$

que l'on réarrange sous la forme

$$R_{S(\max)} = \frac{V_{S(\min)} - V_Z}{I_{S(\min)}} \qquad (4\text{-}11)$$

Comme nous l'avons vu,

$$I_Z = I_S - I_L$$

que l'on récrit, dans le pire cas,

$$I_{Z(\min)} = I_{S(\min)} - I_{L(\max)}$$

Le point critique survient lorsque le courant maximal de charge égale le courant minimal qui traverse la résistance série, soit lorsque

$$I_{L(\max)} = I_{S(\min)}$$

En ce point le courant Zener s'annule et il n'y a plus de régulation.

En remplaçant $I_{S(\min)}$ de la formule (4-11) par $I_{L(\max)}$, on obtient la formule utile

$$R_{S(\max)} = \frac{V_{S(\min)} - V_Z}{I_{L(\max)}} \qquad (4\text{-}12)$$

dans laquelle, $R_{S(\max)}$ = valeur critique de la résistance série
$V_{S(\min)}$ = tension minimale de source
V_Z = tension Zener
$I_{L(\max)}$ = courant maximal de charge

La résistance *critique* $R_{S(\max)}$ est la résistance série maximale admissible. La résistance série R_S doit toujours être inférieure à la résistance critique; sinon la diode ne fonctionne pas au claquage et il n'y a plus de régulation. Dans ce cas, la tension de charge n'est plus constante et l'ondulation devient presque aussi grande que celle d'entrée.

RÉGULATEUR ZENER SOUTENU

Dans cet ouvrage, un régulateur Zener est *soutenu* lorsqu'il satisfait aux deux conditions suivantes :

$$R_Z \leqslant 0{,}01 \ R_S$$
$$R_Z \leqslant 0{,}01 \ R_L$$

S'il respecte la première condition, le régulateur Zener divise les variations de la tension de source, y compris l'ondulation, par au moins 100.

S'il respecte la deuxième condition, le régulateur Zener est une source soutenue de tension pour la charge. Pourquoi ? Parce que, selon le circuit de la figure 4-7 *b*, la résistance de charge voit une tension de Thévenin d'environ V_Z et une résistance de Thévenin d'environ R_Z. La figure 4-8 représente le circuit équivalent de Thévenin du circuit représenté à la figure 4-7 *b*. Si R_Z est égal ou inférieur à 0,01 R_L, alors pour la charge, le régulateur Zener est une source soutenue de tension.

Lors de la conception d'un régulateur Zener, essayer de faire en sorte que le rapport de la résistance série à la résistance de charge égale 100 à 1. Cela garantit

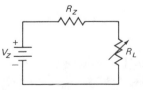

Fig. 4-8. *Circuit équivalent vu par la charge.*

que la diode Zener régule très bien, malgré des variations de source et de charge. Si l'on ne peut satisfaire à cette règle, alors abandonner l'idée de construire un régulateur Zener soutenu, ou inclure un transistor dans le circuit pour avoir un régulateur Zener soutenu (voir le chapitre 8).

COEFFICIENT DE TEMPÉRATURE

Dernier point : l'augmentation de la température *ambiante* fait varier légèrement la tension Zener. L'effet de la température est indiqué sur les fiches signalétiques sous la rubrique *coefficient de température,* égal à la variation en pour cent par variation d'un degré. Lors de la conception, on doit parfois calculer la variation de la tension Zener à la température ambiante maximale.

Le coefficient de température des diodes Zener à tension de claquage inférieure à 5 V est négatif et celui des diodes Zener à tension de claquage supérieure à 6 V est positif. Entre 5 et 6 V, le coefficient de température passe d'une valeur négative à une valeur positive; autrement dit, on peut trouver un point de fonctionnement d'une diode Zener auquel le coefficient de température est nul. Cela est important dans les applications où la tension Zener doit être franche sur une grande gamme de température.

EXEMPLE 4-3

La tension d'entrée et le courant de charge d'un régulateur Zener varient respectivement de 15 à 20 V et de 5 à 20 mA. Supposer que la tension Zener est de 6,8 V et calculer la résistance série.

SOLUTION

Le pire cas survient lorsque la tension de source est minimale et le courant de charge maximal. Selon la formule (4-12), la résistance série critique égale

$$R_{S(max)} = \frac{15\ V - 6,8\ V}{20\ mA} = 410\ \Omega$$

Par conséquent, la résistance série doit être inférieure à 410 Ω pour que la diode Zener fonctionne dans la région de claquage dans les pires conditions.

EXEMPLE 4-4

La figure 4-9 représente un régulateur en tête ou d'entrée (appelé un prérégulateur) attaquant un régulateur de sortie. La source a une grande ondulation qui varie de 35 à 60 V. Calculer la tension et l'ondulation de sortie finale.

SOLUTION

Remarquons d'abord que la tension de sortie du prérégulateur est de 20 V. Cette tension est la tension d'entrée du deuxième régulateur Zener dont la sortie est de 10 V. On veut fournir une entrée bien régulée au deuxième régulateur pour que la sortie finale soit extrêmement bien régulée.

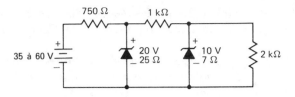

Fig. 4-9. *Prérégulateur attaquant un régulateur de sortie.*

La résistance Zener de la première diode Zener est de 25 Ω. Le rapport de la résistance Zener à la résistance série du prérégulateur égale

$$\frac{R_Z}{R_S} = \frac{25\ \Omega}{750\ \Omega} = 0{,}0333$$

Donc, l'ondulation de sortie du prérégulateur égale

$$\Delta V = 0{,}0333\ (25\ \text{V}) = 0{,}833\ \text{V}$$

La deuxième diode Zener a une résistance Zener de 7 Ω, ce qui donne un rapport de

$$\frac{R_Z}{R_S} = \frac{7\ \Omega}{1000\ \Omega} = 0{,}007$$

L'ondulation de sortie finale égale

$$\Delta V_o = 0{,}007\ (0{,}833\ \text{V}) = 0{,}00583\ \text{V}$$

On utilise fréquemment un prérégulateur lorsqu'on veut une régulation très soutenue en dépit des variations de la tension de source. Dans le montage en cascade de régulateurs Zener (par montage en cascade de régulateurs, entendre que la sortie d'un régulateur est l'entrée du suivant), la réduction globale de l'ondulation égale le produit des rapports des résistances, soit

$$\frac{\Delta V_o}{\Delta V_i} = \frac{R_{Z1}}{R_{S1}} \times \frac{R_{Z2}}{R_{S2}}$$

EXEMPLE 4-5

Qu'accomplit le circuit représenté à la figure 4-10 ?

SOLUTION

Les diodes Zener de la plupart des applications servent de régulateurs de tension et elles fonctionnent dans la région de claquage. Mais il y a quelques

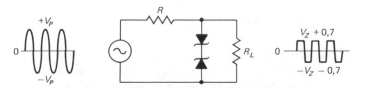

Fig. 4-10. *Combinaison de diodes Zener en un limiteur.*

exceptions. On utilise parfois des diodes Zener dans des conformateurs de signaux tels les limiteurs. Le circuit représenté à la figure 4-10 en est un exemple.

Remarquer la connexion dos à dos de deux diodes Zener. Durant les alternances positives, la diode du haut se met à conduire à environ 0,7 V et celle du bas entre dans la région de claquage à V_Z. Donc, lorsque la tension d'entrée dépasse $V_Z + 0,7$, la sortie est écrêtée comme le montre la figure.

Le phénomène inverse à lieu durant les alternances négatives. La diode du bas conduit et celle du haut est en région de claquage. Donc, la sortie est presque une onde carrée. Plus l'onde sinusoïdale d'entrée est grande, meilleure est l'onde carrée de sortie.

Le circuit représenté à la figure 4-10 est une autre façon de construire le limiteur combiné étudié au chapitre 3. Le choix de tensions Zener différentes permet d'écrêter une tension au niveau désiré, quel qu'il soit.

4.3. DISPOSITIFS OPTOÉLECTRONIQUES

L'*optoélectronique* combine l'optique et l'électronique. Ce domaine particulièrement exaltant comprend de nombreux dispositifs basés sur l'action d'une jonction *PN*. Les diodes électroluminescentes, les photodiodes, les coupleurs optoélectroniques, en particulier, sont des dispositifs optoélectroniques.

DIODE ÉLECTROLUMINESCENTE

Les électrons libres d'une diode polarisée en direct traversent la jonction et se recombinent avec des trous. Comme ces électrons passent d'un haut niveau énergétique à un bas niveau énergétique, ils rayonnent de l'énergie. Les diodes ordinaires rayonnent cette énergie sous forme de chaleur. Mais les *diodes électroluminescentes* (DEL) rayonnent cette énergie sous forme de lumière. Les DEL remplacent les lampes à incandescence dans de nombreuses applications, en raison de leur basse tension, de leur longue durée de vie et leur commutation saturation-blocage rapide.

Les diodes ordinaires sont en silicium, une substance opaque qui bloque le passage de la lumière. Les DEL sont différentes : elles comportent du gallium, de l'arsenic et du phosphore, des substances qui rayonnent du rouge, du vert, du jaune, du bleu, de l'orange et de l'infrarouge (invisible). Les DEL qui produisent un rayonnement visible servent dans les appareils de mesure, les calculatrices, etc. On utilise des DEL à rayonnement infrarouge dans des systèmes d'alarme et dans des zones où le rayonnement invisible est nécessaire.

TENSION ET COURANT DE DEL

La chute de tension type entre les bornes d'une DEL varie de 1,5 à 2,5 V pour des courants qui varient de 10 à 50 mA. La chute de tension exacte dépend du courant, de la couleur, de la tolérance, etc., des DEL. Sauf indication contraire, utiliser une chute nominale de 2 V pour dépanner ou analyser les circuits à DEL de cet ouvrage. Pour concevoir, consulter les fiches signalétiques parce que la tolérance de la tension des DEL est grande.

La figure 4-11 *a* représente le symbole graphique d'une DEL, les flèches orientées vers l'extérieur symbolisent la lumière rayonnée. Accordons à la DEL une chute de tension de 2 V, alors le courant de DEL égale

$$I = \frac{10 \text{ V} - 2 \text{ V}}{680 \, \Omega} = 11,8 \text{ mA}$$

Ordinairement, le courant de DEL varie de 10 à 50 mA parce que cette gamme fournit la lumière nécessaire pour la plupart des applications.

DIRECTIVES POUR LA CONCEPTION

La luminosité d'une DEL dépend du courant. Idéaiement, la meilleure façon de commander la luminosité est d'attaquer la DEL par une source de courant. Après la source de courant, vient une grande tension d'alimentation et une grande résistance série. Dans ce cas, le courant de DEL égale

$$I = \frac{V_S - V_{DEL}}{R_S}$$

Plus la tension de source est grande, plus l'effet de la tension V_{DEL} est petit. Autrement dit, une grande tension V_S masque la variation de la tension dc la DEL.

Une TIL222, par exemple, est une DEL verte de chute minimale de 1,8 V et de chute maximale de 3 V pour un courant d'environ 25 mA. Si l'on attaque une TIL222 par une source de 20 V et une résistance de 750 Ω, le courant varie de 22,7 à 24,3 mA. Donc la luminosité est pratiquement la même pour toutes les TIL222. Si l'on utilise une source de 5 V et une résistance de 120 Ω, le courant varie de 16,7 à 26,7 mA et la luminosité varie fortement. Donc, pour que la luminosité des DEL soit presque constante, utiliser une tension d'alimentation et une résistance série aussi grandes que possible.

AFFICHEUR SEPT SEGMENTS

La figure 4-11 *b* représente un afficheur *sept segments* à sept DEL rectangulaires (de A à G). On appelle chaque DEL un segment, parce que chacune forme une

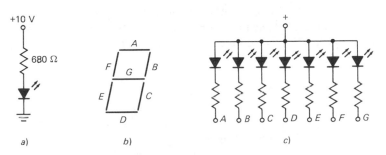

Fig. 4-11. a) *Circuit d'une DEL.* b) *Afficheur sept segments.* c) *Schéma.*

partie du caractère à afficher. La figure 4-11 *c* représente le schéma de l'afficheur sept segments; les résistances série externes limitent les courants à des niveaux de sécurité. On forme un chiffre de 0 à 9 en mettant à la masse une ou plusieurs résistances. La mise à la masse de A, B et C, par exemple, donne le chiffre 7 et celle de A, B, C, D et G donne 3.

Ce dispositif affiche également les majuscules A, C, E et F et les minuscules b et d. Les microprocesseurs didactiques comportent souvent des afficheurs sept segments qui reproduisent tous les chiffres de 0 à 9 plus A, b, C, d, E et F.

PHOTODIODE

Comme nous l'avons vu, le flux de porteurs minoritaires est une composante du courant inverse d'une diode. L'existence de ces porteurs est due à l'énergie thermique qui continue à déloger des électrons de valence de leurs orbites, ce qui crée des électrons libres et des trous. La durée de vie des porteurs minoritaires est brève, mais tant qu'ils existent, ils contribuent au courant inverse.

L'énergie lumineuse qui bombarde une jonction *PN* déloge des électrons de valence. Autrement dit, la quantité de lumière qui frappe la jonction commande le courant inverse d'une diode. On appelle *photodiode* une diode à sensibilité à la lumière optimisée. La lumière traverse une fenêtre percée dans le boîtier jusqu'à la jonction. La lumière d'entrée produit des électrons libres et des trous. Plus la lumière est intense, plus le nombre de porteurs minoritaires et le courant inverse sont grands.

La figure 4-12 représente le symbole graphique d'une photodiode. Les flèches dirigées vers l'intérieur représentent la lumière d'entrée. Fait à signaler, la source et la résistance série polarisent la photodiode en inverse. Le courant inverse augmente avec la lumière. Le courant inverse des photodiodes types est de quelques dizaines de microampères.

La photodiode est un exemple de *photodétecteur,* un dispositif électronique qui convertit la lumière d'entrée en un signal électrique. Nous étudierons d'autres photodétecteurs dans des chapitres ultérieurs.

COUPLEUR OPTOÉLECTRONIQUE

Le *coupleur optoélectronique* (aussi appelé isolant optoélectronique ou isolant à couplage optique) combine une DEL et un photodétecteur dans un même boîtier. La figure 4-13 représente un coupleur optoélectronique à DEL à l'entrée et photodiode à la sortie. La tension V_1 de source et la résistance série R_1 font circuler un courant dans la DEL. La lumière émise par la DEL bombarde la photodiode

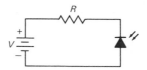

Fig. 4-12. *Photodiode.*

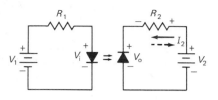

Fig. 4-13. *Coupleur optoélectronique.*

et fait circuler un courant inverse I_2. La somme des tensions le long de la maille de sortie donne

$$V_o - V_2 + I_2 R_2 = 0$$

D'où

$$V_o = V_2 - I_2 R_2$$

Remarquer que la tension de sortie dépend du courant inverse I_2. Si la tension d'entrée V_1 varie, la quantité de lumière varie. Donc, la tension de sortie varie en fonction de la tension d'entrée. D'où le nom de coupleur optoélectronique attribué à la combinaison d'une DEL et d'une photodiode : ce dispositif couple un signal d'entrée au circuit de sortie.

Le coupleur optoélectronique offre l'avantage important suivant : il isole électriquement le circuit de sortie du circuit d'entrée. Le faisceau lumineux est le seul contact entre l'entrée et la sortie. La résistance d'isolement entre les deux circuits peut s'élever à plusieurs milliers de mégohms. Un tel isolement est très pratique dans les applications haute tension où les potentiels de deux circuits diffèrent parfois de plusieurs milliers de volts.

4.4. DIODE SCHOTTKY

Aux basses fréquences une diode ordinaire se bloque facilement lorsqu'on passe de la polarisation directe à la polarisation inverse. Lorsque la fréquence augmente, la diode atteint un point auquel elle ne se bloque pas assez vite pour empêcher la circulation d'un courant perceptible durant l'alternance inverse. Dans cette section nous étudierons la cause de ce problème et nous y trouverons un remède.

ACCUMULATION OU STOCKAGE DE CHARGE

La figure 4-14 *a* représente une diode polarisée en direct et la figure 4-14 *b* représente les bandes d'énergie. Selon la figure 4-14 *b*, des électrons de bande de conduction traversent la jonction et circulent dans la région *P* avant de se recombiner (trajet *A*). De la même façon, des trous traversent la jonction et circulent dans la région *N* avant de se recombiner (trajet *B*). Si la durée de vie égale 1 μs, il existe des électrons libres et des trous durant un temps moyen de 1 μs avant la recombinaison.

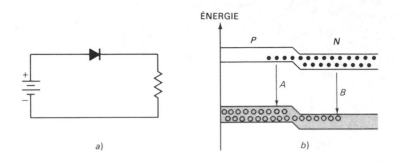

Fig. 4-14. a) *Diode polarisée en direct.* b) *Stockage ou accumulation de charge dans les bandes d'énergie.*

En raison de la durée de vie des porteurs minoritaires, les différentes bandes d'énergie proches de la jonction stockent temporairement la charge d'une diode polarisée en direct. Plus le courant direct est grand, plus la charge accumulée est grande. On appelle ce phénomène l'accumulation ou le stockage de charge.

TEMPS DE RÉCUPÉRATION INVERSE, DE DÉSTOCKAGE OU DE RECOUVREMENT

Le stockage de charge est important lorsqu'on essaie de commuter une diode de la conduction au blocage. Pourquoi ? Parce que si l'on polarise brusquement une diode en inverse, les porteurs de charge stockés circulent dans le sens inverse durant un petit laps de temps. Plus leur durée de vie est grande, plus le temps de contribution de ces porteurs de charge au courant inverse est grand.

La figure 4-15 *a* représente le passage brusque de la polarisation directe d'une diode à la polarisation inverse. Durant un bref laps de temps le courant inverse est grand, en raison de la charge stockée (fig. 4-15 *b*). Le courant inverse demeure grand jusqu'à ce que les porteurs de charge stockés traversent la jonction ou se recombinent.

Le temps que prend une diode polarisée en direct pour se bloquer s'appelle le *temps de récupération inverse, de déstockage* ou *de recouvrement t_{rr}*.* Les conditions

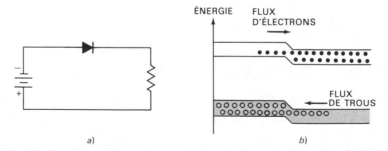

Fig. 4-15. a) *Diode polarisée en inverse.* b) *Les porteurs de charge stockés circulent durant un petit laps de temps en sens inverse.*

---

* N.d.T. *rr* est mis pour *reverse recovery* (récupération inverse).

de mesure de t_{rr} varient d'un fabricant à un autre. On admet que t_{rr} égale le temps que prend le courant inverse pour chuter à 10 % du courant direct. Le t_{rr} d'une 1N4148, par exemple, est de 4 ns. Si l'on polarise brusquement en inverse une telle diode polarisée en direct parcourue par un courant de 10 mA, il faudra environ 4 ns pour que le courant inverse chute à 1 mA.

Le temps de récupération inverse des diodes petits signaux est si bref qu'on ne remarque même pas son effet aux fréquences inférieures à environ 10 MHz. Ne tenir compte de t_{rr} qu'aux fréquences nettement supérieures à 10 MHz.

EFFET SUR LE REDRESSEMENT

Quel effet le temps de récupération inverse a-t-il sur le redressement ? Observons le redresseur demi-onde représenté à la figure 4-16 *a*. Selon la figure 4-16*b,* aux basses fréquences, la sortie qui est le signal redressé demi-onde classique se comporte bien.

Selon la figure 4-16 *c,* lorsque la fréquence atteint plusieurs mégahertz, le signal de sortie commence à dévier de sa forme normale. On remarque une conduction appréciable au commencement de l'alternance inverse : le temps de récupération inverse est devenu une partie significative de la période. Si $t_{rr} = 4$ ns et la période 50 ns, le début de l'alternance inverse ondule (fig. 4-16 *c*).

ÉLIMINATION DU STOCKAGE DE CHARGE

Quel est le remède au temps de récupération inverse ? Une diode *Schottky.* Un côté de la jonction de cette diode à usage spécial est en or, argent ou platine et l'autre est en silicium dopé type *N* (fig. 4-17 *a*). Les orbites des électrons libres du côté *N* d'une diode Schottky non polarisée sont plus petites que celles des électrons libres du côté du métal. Cette différence des orbites s'apelle la barrière de Schottky.

Si la diode est polarisée en direct, les électrons libres du côté *N* acquièrent assez d'énergie pour circuler sur de plus grandes orbites. Donc, les électrons libres traversent la jonction et pénètrent dans le métal, ce qui produit un grand courant direct. Comme il n'y a pas de trous dans le métal, il n'y a pas stockage de charge ni de temps de récupération inverse.

La figure 4-17 *b* représente le symbole graphique d'une diode Schottky. Pour s'en souvenir, remarquer que les traits forment un S rectangulaire. En raison de l'absence de stockage de charge, une diode Schottky se bloque plus rapidement qu'une diode ordinaire. Une diode Schottky redresse facilement des fréquences

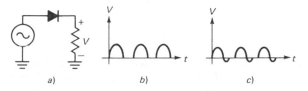

a)   b)   c)

Fig. 4-16.   a) *Redresseur demi-onde ou à une alternance.* b) *Sortie normale.*
              c) *Sortie déformée par la charge stockée.*

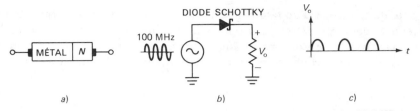

Fig. 4-17. *Diode Schottky.* a) *Structure.* b) *Circuit.* c) *Sortie à 100 MHz.*

supérieures à 300 MHz. Exemple : le signal de source de fréquence de 100 MHz (fig. 4-17 *b*) redressé a la belle allure de la demi-onde représentée à la figure 4-17 *c*.

On utilise surtout les diodes Schottky dans les calculateurs numériques. La vitesse des calculateurs dépend de la vitesse de commutation de leurs diodes et transistors. C'est ici qu'excelle la diode Schottky. Comme elle ne stocke pas de charge, elle est devenue le composant principal du TTL Schottky de faible puissance, un groupe de dispositifs numériques très utilisé.

CHUTE DE TENSION DIRECTE

Dernier point : en sens direct, la tension de coude d'une diode de Schottky est d'environ 0,25 V. D'où son utilisation fréquente dans les redresseurs basse tension, puisqu'il suffit de soustraire 0,25 V au lieu de 0,7 V en deuxième approximation. Les alimentations basse tension comportent souvent des diodes Schottky au lieu de diodes au silicium.

4.5. DIODE A CAPACITÉ VARIABLE, VARICAP, VARACTOR OU DIODE D'ACCORD

On utilise fréquemment les *diodes à capacité variable* (aussi appelées *varicaps*, *varactors* ou *diodes d'accord*) dans les téléviseurs, les récepteurs FM et dans d'autres appareils de télécommunications. Etudions davantage cette diode au silicium à usage spécial.

CAPACITÉ D'UNE DIODE

La résistance inverse d'une diode petits signaux est de plusieurs mégohms. Aux basses fréquences, la diode est à peu près ouverte. Aux hautes fréquences, il faut tenir compte d'un autre chemin pour le courant.

Considérons la figure 4-18 *a*. La couche d'appauvrissement est entre la région *P* et la région *N*. Une diode au silicium polarisée en inverse ressemble à un condensateur dont les plaques sont les régions *P* et *N*, et le diélectrique la couche d'appauvrissement. Le circuit externe charge ce condensateur en retirant des électrons de valence au côté *P* et en ajoutant des électrons libres au côté *N*. Cela revient à retirer des électrons d'une plaque d'un condensateur et à les déposer sur l'autre.

On appelle cette capacité de diode la capacité *de transition* (de la région P à la région N) de symbole C_T. On appelle aussi cette capacité la capacité de la couche d'appauvrissement, la capacité de barrière ou la capacité de jonction. La capacité de transition est utile parce qu'elle diminue à mesure que la couche d'appauvrissement augmente, lorsque la tension inverse augmente. Cela revient à écarter les plaques d'un condensateur. La tension commande la capacité de transition.

CIRCUIT ÉQUIVALENT

La figure 4-18 *b* représente le circuit équivalent d'une diode polarisée en inverse. Une grande résistance inverse R_R est en parallèle avec la capacité de transition C_T. Aux basses fréquences, la capacité est négligeable et la diode semble ouverte parce que R_R tend vers l'infini. Aux hautes fréquences, la capacité commandée par tension prend le dessus. La courbe de la figure 4-18 *c* représente la variation de la capacité en fonction de la tension inverse.

Le branchement d'une diode à capacité variable en parallèle avec une bobine donne un circuit résonnant de fréquence d'accord

$$f_r = \frac{1}{2 \pi \sqrt{LC}}$$

La syntonisation d'une station radiophonique, d'un canal ou d'une chaîne de télévision, etc., repose sur ce principe. Nous en reparlerons.

CAPACITÉ DE RÉFÉRENCE, PLAGE D'ACCORD, GAMME DE TENSION

Les *diodes à capacité variable* sont des diodes au silicium optimisées pour cette propriété. Comme la tension commande la capacité, elles remplacent les condensateurs accordés mécaniquement dans de nombreuses applications (téléviseurs, autoradios, etc.). Les fiches signalétiques des diodes à capacité variable donnent la capacité de référence mesurée à une tension inverse particulière, ordinairement − 4 V. La capacité de référence donnée par la fiche signalétique d'une 1N5142, par exemple, est de 15 pF à − 4 V.

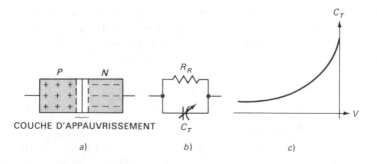

Fig. 4-18. *Diode à capacité variable.* a) *Structure.* b) *Circuit équivalent.* c) *Capacité de transition en fonction de la tension inverse.*

Les fiches signalétiques donnent aussi une plage d'accord et une gamme de tension. La fiche signalétique d'une diode 1N5142, par exemple, donne une capacité de référence de 15 pF, une plage d'accord de 3 : 1 ou 3/1 pour une gamme de tension allant de − 4 à − 60 V. La capacité décroît donc de 15 à 5 pF lorsque la tension varie de − 4 à − 60 V.

JONCTIONS ABRUPTES ET JONCTIONS HYPERABRUPTES

La plage d'accord d'une diode à capacité variable dépend du niveau de dopage. La figure 4-19 *a* représente le profil de dopage d'une diode à *jonction abrupte* (le type ordinaire de diode). Remarquer que le dopage est uniforme des deux côtés de la jonction : les trous et les électrons libres sont également répartis. La plage d'accord d'une diode à jonction abrupte est comprise entre 3/1 et 4/1.

Pour augmenter la plage d'accord, la jonction de certaines diodes à capacité variable est *hyperabrupte*. Voir son profil à la figure 4-19 *b*. Selon le tracé de ce profil, la densité des porteurs de charge augmente lorsqu'on tend vers la jonction. La concentration accrue rétrécit la couche d'appauvrissement et augmente la capacité. De plus, les variations de tension inverse affectent davantage la capacité. La plage d'accord d'une diode à capacité variable hyperabrupte d'environ 10/1 suffit pour syntoniser un récepteur de radio AM sur toute sa gamme de fréquence (de 535 à 1605 kHz).

Le symbole graphique à la figure 4-19 *c* représente les diodes à capacité variable à jonction abrupte et hyperabrupte.

4.6. AUTRES DIODES

Voici un bref exposé sur quelques autres diodes qu'il faut connaître. Au besoin, nous approfondirons cet exposé dans les chapitres ultérieurs.

DIODES A COURANT CONSTANT
OU DE RÉGULATION DE COURANT

Ces diodes fonctionnent à l'opposé des diodes Zener. Au lieu de fixer la tension, elles fixent le courant. Aussi appelées diodes de régulation de courant, elles fixent le courant qui les parcourt lorsque la tension varie. La diode 1N5305, par exemple, à courant constant, a un courant type de 2 mA sur une gamme de tension allant de 2 à 100 V.

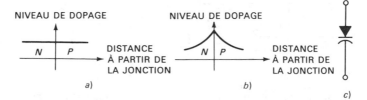

Fig. 4-19.   a) *Profil de dopage abrupt.* b) *Profil de dopage hyperabrupt.* c) *Symbole graphique.*

Par définition, on appelle *dynamique de tension* (ou simplement *dynamique*) d'une source de courant la gamme de tension sur laquelle elle peut fonctionner. La dynamique d'une 1N5305, par exemple, est de 98 V puisqu'elle peut fonctionner normalement entre 2 et 100 V.

DIODES A RÉCUPÉRATION PAR ÉCHELONS

La figure 4-20 *a* représente le profil inhabituel de dopage d'une diode à *récupération par échelons*. Selon le tracé de ce profil, la densité des porteurs décroît près de la jonction. Cette répartition exceptionnelle des porteurs donne une récupération abrupte. La figure 4-20 *b* représente le symbole graphique d'une diode à récupération par échelons. Durant les alternances positives, la diode conduit comme toute autre diode au silicium. Durant les alternances négatives, un courant inverse dû à la charge stockée circule durant un court laps de temps et s'annule brusquement. La figure 4-20 *c* représente la tension de sortie résultante. Tout se passe comme si la diode s'ouvrait brusquement. D'où le nom de diode de commutation rapide souvent attribué à la diode à récupération par échelons.

Selon le *théorème de Fourier* (étudié dans des cours de base), toute onde périodique non sinusoïdale est équivalente à la superposition de composantes sinusoïdales appelées harmoniques. Les fréquences de ces harmoniques sont f, $2f$, $3f$, ..., nf. La fréquence f est la fréquence fondamentale de l'onde et est égale à l'inverse de la période ($f = 1/T$).

L'onde de sortie de la figure 4-20 *c* est riche en harmoniques. On peut la filtrer pour obtenir une onde sinusoïdale de fréquence plus élevée. D'où l'utilisation de diodes à récupération par échelons dans les multiplicateurs de fréquence, des circuits à fréquence de sortie multiple de la fréquence d'entrée. La période de l'onde représentée à la figure 4-20 *c* étant de 0,1 μs, par exemple, sa fréquence fondamentale est de 10 MHz (fréquence d'entrée). On élimine le deuxième harmonique (20 MHz), le troisième harmonique (30 MHz) ou tout autre harmonique par des circuits résonnants.

DIODES UNITUNNEL

Normalement, la tension de claquage des diodes Zener est supérieure à 2 V. L'augmentation appropriée du niveau de dopage amène l'effet Zener près de zéro

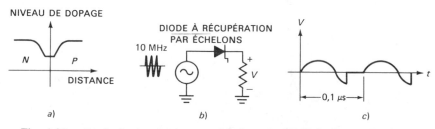

Fig. 4-20. *Diode à récupération par échelons.* a) *Profil de dopage.* b) *Circuit.* c) *Sortie à pointe acérée.*

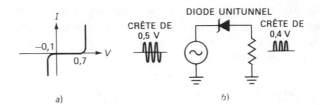

Fig. 4-21. *Diode unitunnel.* a) *Caractéristique I-V.* b) *Redresseur.*

(fig. 4-21 *a*). La conduction directe débute encore à environ + 0,7 V, mais la conduction inverse (claquage) débute maintenant à environ − 0,1 V.

On appelle une diode à caractéristique *I-V* semblable à celle représentée à la figure 4-21 *a* une diode *unitunnel* parce qu'elle conduit mieux en sens inverse qu'en sens direct. A titre d'exemple, la figure 4-21 *b* représente une onde sinusoïdale de crête de 0,5 V qui attaque une diode unitunnel. (Remarquer que le symbole d'une diode unitunnel est le même que celui d'une diode Zener.) La tension de 0,5 V ne suffit pas pour faire conduire la diode en sens direct, mais elle suffit pour la placer dans la région de claquage dans le sens inverse. La sortie est donc un signal demi-onde de crête égale à 0,4 V.

On utilise parfois des diodes unitunnel pour redresser des petits signaux à crête comprise entre 0,1 et 0,7 V.

DIODES TUNNEL

L'augmentation appropriée du niveau de dopage d'une diode unitunnel amène le claquage à 0 V et déforme la caractéristique directe selon la figure 4-22 *a*. La figure 4-22 *b* représente le symbole graphique d'une telle diode appelée diode *tunnel* ou Esaki. Selon la figure 4-22 *a*, la diode conduit dès le début de la polarisation directe. Le courant passe par un maximum I_P (courant de crête) lorsque la tension de diode passe par V_P. Puis le courant diminue et passe par un minimum I_V de vallée à la tension V_V.

On appelle la région entre les points de crête et de vallée la région à *résistance négative*, parce que si la tension y croît, le courant décroît. La résistance négative des diodes tunnel est utile dans les oscillateurs haute fréquence. Ces dispositifs convertissent une alimentation continue en une alimentation alternative : ils créent un signal sinusoïdal. Nous reparlerons des oscillateurs.

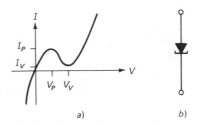

Fig. 4-22. *Diode tunnel.* a) *Caractéristique I-V.* b) *Symbole graphique.*

VARISTORS

Les éclairs, les dérangements de secteur, la commutation des charges réactives, etc., polluent la tension de secteur en lui superposant des creux, des pointes et autres grandeurs transitoires sur la tension efficace normale de 115 V. Les creux de tension sont des chutes sérieuses de durée maximale de quelques microsecondes. Les pointes de tension sont de brèves surtensions de 500 V à plus de 2 000 V. Dans certains appareils on monte des filtres entre le secteur et le primaire du transformateur pour éliminer les dérangements créés par les transitoires de secteur.

Pour filtrer le secteur on utilise un *varistor* (aussi appelé un suppresseur de transitoires) entre autres dispositifs. Ce dispositif à semiconducteurs ressemble aux diodes Zener dos à dos à haute tension de claquage dans les deux sens. Le varistor V130LA2, par exemple, a une tension de claquage de 184 V (équivalente à la tension efficace de 130 V) et un courant de crête limite de 400 A. Le montage d'un varistor entre les bornes du primaire élimine les pointes. Le varistor écrête toutes les pointes au niveau 184 V et protège l'équipement.

PROBLÈMES

Simples

4-1. On applique une tension de 15 V entre les bornes d'une diode Zener et un courant de 20 mA la traverse. Calculer la puissance dissipée.

4-2. La puissance limite et la tension Zener d'une diode Zener sont respectivement de 5 W et 20 V. Calculer I_{ZM}.

4-3. La résistance Zener d'une diode Zener est de 5 Ω. Supposer que le courant varie de 10 à 20 mA et calculer la variation de tension entre les bornes de la diode Zener.

4-4. Supposer qu'une variation de 2 mA du courant qui traverse une diode Zener produit une variation de tension de 15 mV et calculer la résistance Zener.

4-5. La tension Zener et la puissance limite de la diode Zener représentée à la figure 4-23 *a* sont respectivement de 15 V et 0,5 W. Supposer que $V_S = 40$ V et calculer R_S minimal qui évite de détruire la diode Zener.

4-6. Utiliser les données du problème 4-5, sauf $R_S = 2$ kΩ. Calculer le courant Zener et la puissance dissipée par la diode Zener.

4-7. Soit le circuit représenté à la figure 4-23 *a* dans lequel $V_Z = 18$ V, $Z_{ZT} = 2$ Ω, $R_S = 68$ Ω et $V_Z = 27$ V. Calculer le courant Zener. Trouver la variation de la tension de charge si V_S augmente jusqu'à 40 V.

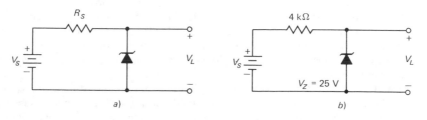

Fig. 4-23.

4-8. Considérer le circuit représenté à la figure 4-23 *b* et calculer la tension de source minimale qui maintient la diode Zener dans la région de claquage.

4-9. La tension de source du circuit représenté à la figure 4-23 *b* varie de 40 à 60 V. Supposer que la résistance Zener de la diode Zener est de 10 Ω et calculer la variation de la tension de charge.

4-10. Considérer le circuit représenté à la figure 4-24 *a* et calculer la valeur approximative du courant Zener pour chacune des résistances de charge suivantes.
   a. $R_L = 100$ kΩ;
   b. $R_L = 10$ kΩ;
   c. $R_L = 1$ kΩ.

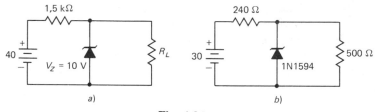

Fig. 4-24.

4-11. Supposer que l'ondulation de crête à crête de la source du circuit représenté à la figure 4-24 *a* est de 4 V. Calculer l'ondulation de sortie pour une résistance Zener de 10 Ω.

4-12. Calculer à quelle résistance de charge R_L le régulateur Zener représenté à la figure 4-24 a cessé de fonctionner.

4-13. Considérer le circuit représenté à la figure 4-24 *a* et calculer la valeur critique de la résistance série pour une résistance de charge de 1 kΩ.

4-14. Supposer que R_L du circuit représenté à la figure 4-24 *a* varie de l'infini à 1 kΩ. Poser $Z_{ZT} = 10$ Ω et calculer la variation de la tension de charge sur cette gamme.

4-15. Considérer la diode Zener 1N1594 du circuit représenté à la figure 4-24 *b* de $V_Z = 12$ V et $R_Z = 1,4$ Ω. Calculer la tension de charge et le courant Zener. Trouver l'ondulation de sortie si l'ondulation d'entrée est de 5 V de crête à crête.

4-16. Soit les mêmes données qu'au problème 4-15, mais considérer que la résistance de charge varie de l'infini à 500 Ω. Calculer le courant Zener minimal, le courant Zener maximal et la variation de la tension de charge.

4-18. Soit un régulateur Zener de $V_Z = 15$ V, de V_S variable de 22 à 40 V et de R_L variable de 1 à 50 kΩ. Calculer la valeur critique de la résistance série.

4-19. Tracer la caractéristique *I-V* d'une diode Zener et expliquer toutes ses particularités fondamentales.

4-20. On monte deux régulateurs Zener en cascade. Le premier a une résistance série de 680 Ω et une résistance Zener de 10 Ω. La résistance série et la résistance Zener du second sont respectivement de 1,2 kΩ et 6 Ω. Supposer une ondulation de crête à crête de la source de 9 V et calculer l'ondulation de sortie.

4-21. Soit le circuit représenté à la figure 4-25. Supposer que la tension continue de charge est de 25 V et calculer le courant de DEL pour $R_1 = 1$ kΩ.

4-22. La tension secondaire efficace du circuit représenté à la figure 4-25 est de 12,6 V. Négliger les chutes de tension des diodes de redressement et calculer le courant de DEL pour $R_1 = 1$ kΩ.

4-23. Soit la DEL du circuit représenté à la figure 4-25. Sa chute de tension minimale est de 1,5 V et sa chute de tension maximale de 2,3 V. Supposer une tension de charge de 10 V et une résistance R_1 de 470 Ω et calculer les courants minimal et maximal de DEL.

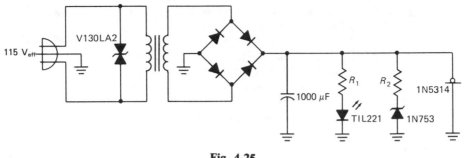

Fig. 4-25.

4-24. Soit l'afficheur sept segments des figures 4-11 *b* et *c*. Déterminer les segments qui doivent s'illuminer pour afficher

    a. le chiffre 4;

    b. le chiffre 9;

    c. la lettre A;

    d. la lettre d.

4-25. Soit le coupleur optoélectronique représenté à la figure 4-13. On donne $V_2 = 20$ V et $R_2 = 47$ kΩ. Supposer que I_2 varie de 2 à 10 μA et calculer la variation de tension entres les bornes de la photodiode.

4-26. La tension secondaire efficace du circuit représenté à la figure 4-25 n'est que de 3,6 V. Supposer qu'on remplace les diodes par des diodes Schottky. Calculer la tension idéale de crête de charge. Calculer la tension de crête de charge après soustraction de la chute de tension des diodes Schottky. Dire l'avantage qu'offrent les diodes Schottky dans ce circuit.

4-27. Une bobine a une inductance de 20 μH. Une diode à capacité variable ou varactor a une capacité de référence de 30 pF et une plage d'accord de 3/1. Supposer la bobine et le varactor montés en parallèle. Calculer la fréquence de résonance minimale et la fréquence de résonance maximale.

4-28. Une diode à courant constant a un courant de 1,5 mA sur une gamme de tension allant de 2 à 150 V. Déterminer sa dynamique.

4-29. Un multiplicateur de fréquence comporte une diode à récupération par échelons. La période du signal redressé de sortie est de 0,04 μs. Calculer la fréquence du cinquième harmonique.

De dépannage

4-30. Considérer le circuit représenté à la figure 4-24 *a* et calculer la tension de charge lorsque

    a. la diode Zener est court-circuitée;

    b. la diode Zener est ouverte;

    c. la résistance série est ouverte;

    d. la résistance de charge est court-circuitée.

    Déterminer ce que deviennent la tension de charge et la diode Zener si la résistance série est court-circuitée.

4-31. La 1N1594 du circuit représenté à la figure 4-24 *b* a une tension Zener de 12 V et une résistance Zener de 1,4 Ω. On mesure une tension de charge d'environ 20 V. Trouver le composant défectueux et justifier sa réponse.

4-32. Soit les données du problème 4-31, mais cette fois on mesure une tension de 30 V entre les bornes de la charge et un ohmmètre indique que la diode Zener est brûlée. Dire ce qu'il faut vérifier avant de remplacer la diode Zener.

4-33. La DEL du circuit représenté à la figure 4-25 ne s'allume pas. Trouver la (les) cause(s) possible(s) de ce dérangement parmi les suivantes :

a. La V130LA2 est ouverte;

b. La masse entre les deux diodes de gauche du pont est ouverte;

c. Le condensateur de filtrage est ouvert;

d. Le condensateur du filtre est court-circuité;

e. La résistance de charge est ouverte;

f. La résistance de charge est court-circuitée.

De conception

4-34. Choisir la résistance série d'un régulateur Zener qui respecte les spécifications suivantes : la tension de source varie de 30 à 50 V, le courant de charge varie de 10 à 50 mA et la tension de charge est de 12 V.

4-35. Concevoir un régulateur Zener à tension de charge de 6,8 V, à tension de source de 20 V ± 20 % et à courant de charge de 30 mA ± 50 %.

4-36. L'ondulation de crête à crête d'entrée d'un régulateur Zener est de 4 V. La tension de source est de 30 V, la résistance de source de 1 kΩ et la résistance de charge de 820 Ω. La tension de charge doit être de 12 V. Spécifier une diode Zener qui donnera un régulateur Zener soutenu.

4-37. La TIL312 est un afficheur sept segments semblable à celui du circuit représenté à la figure 4-11 *c*. La chute de tension de chaque segment est comprise entre 1,5 et 2 V à 20 mA. On peut choisir une alimentation de 5 V ou une alimentation de 12 V. Concevoir un afficheur sept segments, commandé par des interrupteurs, qui consomme au plus de 140 mA.

De défi

4-38. Soit le circuit représenté à la figure 4-25. La tension secondaire efficace est de 12,6 V lorsque la tension efficace de secteur est de 115 V. Durant le jour, ce secteur varie de ± 10 %. Tenir compte de la tension de coude des diodes au silicium de 0,7 V. La tolérance des résistances est de ± 5 %. La 1N753 a une tension Zener de 6,2 V ± 10 % et une résistance Zener de 7 Ω. Supposer que $R_2 = 560$ Ω et calculer le courant Zener maximal possible durant la journée.

4-39. Soit le circuit représenté à la figure 4-25. La tension secondaire efficace est de 12,6 V et la chute de tension entre les bornes de chaque diode est de 0,7 V. Le courant constant de la diode 1N5314 est de 4,7 mA. Le courant de DEL est de 15,6 mA et le courant Zener de 21,7 mA. La tolérance du condensateur du filtre est de ± 20 %. Calculer l'ondulation maximale possible.

4-40. La figure 4-26 représente une partie du système d'éclairage d'un vélo. Calculer la tension entre les bornes du condensateur du filtre en deuxième approximation.

A résoudre par ordinateur

4-41. L'instruction GOTO permet de réexécuter une partie d'un programme. Voici un exemple de programme à instruction GOTO.

```
10   PRINT "INTRODUIRE LA PUISSANCE LIMITE"
20   INPUT PZM
30   PRINT "LA PUISSANCE LIMITE ÉGALE"
40   PRINT PZM
50   GOTO 10
```

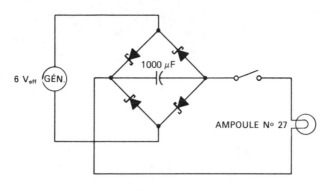

Fig. 4-26.

Voici ce qui se produit. L'ordinateur demande qu'on introduise la valeur de P_{ZM}. Après introduction de cette valeur, l'ordinateur affiche la valeur de P_{ZM}. L'instruction GOTO ramène de force l'ordinateur à la ligne 10. L'ordinateur réexécute le programme. L'ordinateur affiche sur l'écran chaque nouvelle valeur de P_{ZM} introduite par clavier et revient à la ligne 10.

Dire ce qu'accomplit le programme

```
10   PRINT "INTRODUIRE LA PUISSANCE LIMITE"
20   INPUT PZM
30   PRINT "INTRODUIRE LA TENSION ZENER"
40   INPUT VZ
50   IZM = PZM/VZ
60   PRINT "LE COURANT LIMITE ÉGALE"
70   PRINT IZM
80   GOTO 10.
```

4-42. Ecrire un programme qui affiche la valeur du courant Zener après introduction des valeurs de V_S, V_Z, R_S et R_L. Inclure une instruction GOTO pour réexécuter le programme.

4-43. Ecrire un programme qui affiche la valeur critique de la résistance série d'un régulateur Zener après introduction des valeurs de $V_{S(min)}$, V_Z et $I_{L(max)}$. La dernière instruction sera un GOTO qui forcera l'ordinateur à réexécuter le programme.

Transistors bipolaires

Avant 1950, tout équipement électronique comportait des tubes à vide, ces lampes luminescentes qui dominaient autrefois l'industrie électronique. Le filament chauffant d'un tube à vide consommait quelques watts. Aussi tout équipement à tubes à vide comportait-il une alimentation volumineuse et le concepteur devait tenir compte de la grande chaleur dissipée. Les anciens appareils électroniques étaient lourds et massifs.

Puis, en 1951, Shockley inventa le premier transistor à jonction. Ce dispositif révolutionnaire changea toutes les règles du jeu. Cette découverte emballa les esprits et chacun prédit de multiples applications à ce nouveau dispositif. Les prédictions les plus audacieuses n'effleurèrent pas les réalisations de la nouvelle ère.

L'impact du transistor sur l'électronique fut énorme. Il généra l'industrie des semiconducteurs de plusieurs milliards de dollars et permit d'inventer toutes sortes de dispositifs connexes tels les circuits intégrés, les dispositifs optoélectroniques et les microprocesseurs. Presque tous les appareils électroniques conçus actuellement comportent des dispositifs à semiconducteurs.

Les ordinateurs évoluèrent le plus. Pratiquement, le transistor ne changea pas l'industrie des ordinateurs : il la créa. Avant 1950, un ordinateur occupait une salle entière et coûtait des millions de dollars. De nos jours un meilleur ordinateur tient sur un bureau et coûte quelques milliers de dollars (allégés par l'inflation).

5.1. NOTIONS FONDAMENTALES

La figure 5-1 *a* représente un semiconduteur *NPN*. La fonction de l'*émetteur* fortement dopé est d'émettre ou d'injecter des électrons dans la base. La *base* est légèrement dopée et très étroite; elle conduit la plupart des électrons injectés par l'émetteur dans le *collecteur*. Le niveau de dopage du collecteur est moyen et compris entre le fort dopage de l'émetteur et le dopage léger de la base. Le collecteur recueille ou collecte les électrons provenant de la base, d'où son nom. Le collecteur est la plus large des trois régions; il dissipe plus de chaleur que l'émetteur et la base.

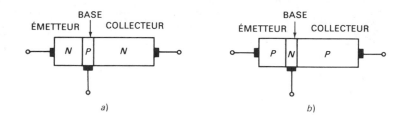

Fig. 5-1. *Les trois régions des transistors.* a) *Transistor NPN.* b) *Transistor PNP.*

DIODE ÉMETTEUR ET DIODE COLLECTEUR

Le transistor représenté à la figure 5-1 *a* comporte deux jonctions, une entre l'émetteur et la base et une entre la base et le collecteur. Le transistor ressemble donc à deux diodes. On appelle la diode de gauche la diode émetteur-base ou simplement la *diode émetteur* et la diode de droite, la diode collecteur-base ou la *diode collecteur.*

La figure 5-1 *b* représente l'autre possibilité, celle du transistor *PNP.* Le transistor *PNP* est le complément du transistor *NPN;* les porteurs majoritaires de l'émetteur sont des trous au lieu d'électrons libres. Les courants et les tensions d'un transistor *PNP* sont donc opposés aux courants et aux tensions d'un transistor *NPN.* Pour éviter toute confusion, nous nous limiterons au transistor *NPN* au début de notre étude.

TRANSISTOR NON POLARISÉ

La diffusion des électrons libres à travers la jonction produit deux couches d'appauvrissement ou de déplétion (fig. 5-2 *a*). La barrière de potentiel de chaque couche d'appauvrissement est d'environ 0,7 V à 25°C dans le cas d'un transistor au silicium (0,3 V dans le cas d'un transistor au germanium). Comme pour les diodes, nous insisterons sur les transistors au silicium, beaucoup plus utilisés que les transistors au germanium. Les tensions limites, les courants limites et la sensibilité thermique des transistors au silicium sont respectivement plus grandes, plus grands et plus petite que les grandeurs correspondantes des transistors au germanium. L'étude suivante porte sur les transistors au silicium, sauf indication contraire.

En raison du niveau de dopage différent des trois régions, les largeurs des couches d'appauvrissement ou de déplétion sont différentes. Plus une région est fortement dopée, plus la concentration en ions près de la jonction est grande. Donc, la couche de déplétion ne pénètre que légèrement la région de l'émetteur (fortement dopé), mais elle pénètre fortement la base (légèrement dopée). L'autre couche de déplétion s'étend fortement dans la base et pénètre moins la région du collecteur. La figure 5-2 *b* illustre ces notions. La couche de déplétion de l'émetteur est étroite et celle du collecteur est large. Le grisé des couches de déplétion indique le manque de porteurs majoritaires.

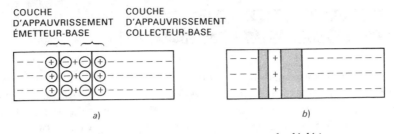

Fig. 5-2. *Couches d'appauvrissement ou de déplétion.*

POLARISATION D'UN TRANSISTOR

La batterie de gauche du circuit représenté à la figure 5-3 *a* polarise la diode émetteur en direct et celle de droite polarise la diode collecteur en direct. Les électrons libres (porteurs majoritaires) pénètrent dans l'émetteur et le collecteur du transistor, passent à la base qu'ils quittent par le fil commun. Les deux diodes étant polarisées en direct, le courant émetteur et le courant collecteur sont grands.

La figure 5-3 *b* représente une autre façon de polariser un transistor. Les deux diodes sont polarisées en inverse. Dans ce cas, le courant est petit et ne comprend que deux types de porteurs minoritaires : ceux d'origine thermique et ceux de fuite superficielle. La composante d'origine thermique dépend de la température et double à peu près à chaque augmentation de la température ambiante dc 10 °C. La composante de fuite superficielle augmente avec la tension. Habituellement, les courants inverses sont négligeables.

Rien d'inhabituel ne survient dans les circuits représentés aux figures 5-3 *a* et *b*. Le courant est grand lorsque les deux diodes sont polarisées en direct, et pratiquement nul lorsque les deux diodes sont polarisées en inverse. On polarise rarement les transistors des circuits linéaires de cette façon.

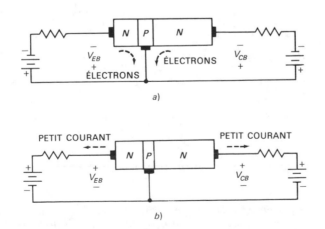

Fig. 5-3. a) *Polarisation des deux diodes en direct.* b) *Polarisation des deux diodes en inverse.*

5.2. POLARISATION DIRECTE ET POLARISATION INVERSE

Polarisons la diode émetteur en direct et la diode collecteur en inverse, et l'inattendu survient. Dans le circuit représenté à la figure 5-4 *a,* nous escomptons un grand courant émetteur parce que la diode émetteur est polarisée en direct, mais nous n'escomptons pas un grand courant collecteur parce que la diode collecteur est polarisée en inverse. Toutefois, le courant collecteur est presque aussi grand que le courant émetteur.

EXPLICATION SOMMAIRE

Voici une brève explication de l'obtention d'un grand courant collecteur dans le circuit représenté à la figure 5-4 *a.* Lorsqu'on applique une polarisation directe à la diode émetteur, les électrons de l'émetteur n'ont pas encore pénétré dans la base

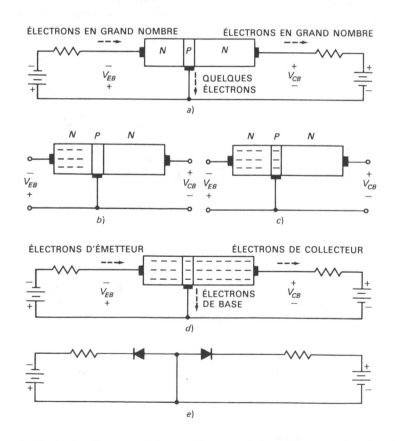

Fig. 5-4. a) *Diode émetteur polarisée en direct et diode collecteur polarisée en inverse.* b) *L'émetteur a un grand nombre d'électrons libres.* c) *Injection d'électrons libres dans la base.* d) *Des électrons libres passent de la base au collecteur.* e) *Deux diodes discrètes montées dos à dos ne forment pas un transistor.*

(fig. 5-4 *b*). Selon la figure 5-4 *c*, si V_{EB} est plus grand que la barrière de potentiel (comprise entre 0,6 et 0,7 V dans le cas de transistors au silicium), de nombreux électrons d'émetteur pénètrent dans la base. Deux trajets sont offerts aux électrons de base : vers le bas de la base étroite, et de là dans le conducteur externe de la base ou à travers la jonction collecteur et de là dans le collecteur. La composante courant base vers le bas s'appelle *courant de recombinaison*. Elle est petite parce que la base légèrement dopée ne comporte que quelques trous.

Deuxième notion fondamentale de l'effet transistor : la base est très étroite. La base du transistor du circuit représenté à la figure 5-4 *c* fourmille d'électrons de bande de conduction injectés, ce qui entraîne une diffusion dans la couche d'appauvrissement du collecteur. Le champ de la couche d'appauvrissement pousse les électrons libres ayant pénétrés dans cette couche dans le collecteur (fig. 5-4 *d*). Les électrons du collecteur passent alors au conducteur externe du collecteur comme le montre la figure.

Dernière illustration de l'effet transistor. La figure 5-4 *d* représente un flux permanent d'électrons quittant la borne négative de la source et entrant dans l'émetteur. La tension de polarisation directe V_{EB} force les électrons d'émetteur à pénétrer dans la base. L'étroite base légèrement dopée accorde une durée de vie assez grande à presque tous ces électrons pour qu'ils diffusent dans la couche de déplétion du collecteur. Alors, le champ de la couche de déplétion pousse un flux permanent d'électrons dans le collecteur. Ces électrons quittent le collecteur, entrent dans le conducteur externe du collecteur et pénètrent dans la borne positive de la source de tension. Dans la plupart des transistors, plus de 95 % des électrons injectés par l'émetteur passent au collecteur et moins de 5 % tombent dans les trous de la base et passent au conducteur externe de la base.

A ce propos, ne croyez pas que le montage dos à dos de deux diodes discrètes, représenté à la figure 5-4 *e*, forme un transistor. Chaque diode possède deux régions dopées : le circuit global comporte donc quatre régions dopées. Ce montage ne fonctionne pas en transistor parce que la base n'est pas la même que celle d'un transistor. L'effet transistor repose sur la base légèrement dopée située entre l'émetteur fortement dopé et le collecteur moyennement dopé. La durée de vie des électrons libres qui passent de la base au collecteur est brève. Si la base est étroite, les électrons libres peuvent atteindre le collecteur. Le montage dos à dos de deux diodes discrètes donne quatre régions dopées au lieu de trois et ne donne pas une base étroite entre un émetteur et un collecteur.

POINT DE VUE ÉNERGÉTIQUE

Pour mieux comprendre l'effet transistor, considérons son diagramme énergétique. La polarisation en direct de la diode émetteur de la figure 5-5 permet à quelques électrons libres de passer de l'émetteur à la base. Autrement dit, les orbites de quelques électrons de l'émetteur sont maintenant assez grandes pour les orbites disponibles de la base. Les électrons d'émetteur peuvent donc diffuser de la bande de conduction de l'émetteur à celle de la base.

Dès qu'ils pénètrent dans la bande de conduction de la base, les électrons deviennent des porteurs minoritaires parce qu'ils sont dans une région *P*. La densité de porteurs minoritaires de la base est maintenant plus grande. Dans presque

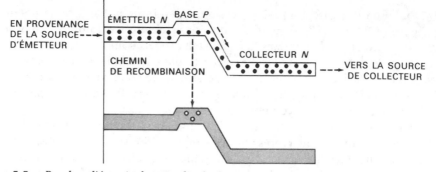

Fig. 5-5. *Bandes d'énergie lorsque la diode émetteur est polarisée en direct et la diode collecteur est polarisée en inverse.*

n'importe quel transistor, la durée de vie de plus de 95 % de ces porteurs minoritaires est assez grande pour qu'ils diffusent dans la couche de déplétion du collecteur et descendent l'écart énergétique du collecteur. A mesure qu'ils descendent, ils rayonnent de l'énergie, principalement sous forme de chaleur. Le collecteur doit dissiper cette chaleur. Voilà pourquoi il est habituellement la plus large des trois régions dopées. Moins de 5 % des électrons injectés par l'émetteur tombent le long du chemin de recombinaison représenté à la figure 5-5; ceux qui se recombinent deviennent des électrons de valence et passent au conducteur externe de base via les trous de base.

En résumé :

1. La polarisation directe de la diode émetteur commande le nombre d'électrons libres injectés dans la base. Plus la tension V_{BE} est grande, plus le nombre d'électrons injectés est grand.

2. La polarisation inverse de la diode collecteur influe peu sur le nombre d'électrons qui pénètrent dans le collecteur. L'augmentation de V_{CB} augmente la pente de l'écart énergétique mais ne change pas de façon significative le nombre d'électrons libres qui arrivent à la couche d'appauvrissement du collecteur.

RAPPORT ALPHA EN CONTINU, EN COURANT CONTINU, STATIQUE OU EN RÉGIME STATIQUE

Dire que plus de 95 % des électrons injectés atteignent le collecteur revient à dire que le courant collecteur égale presque le courant émetteur. Le *rapport alpha en continu, en courant continu, statique* ou *en régime statique* d'un transistor indique la proximité des valeurs de ces deux courants. Par définition,

$$\alpha_{cc}{}^* = \frac{I_C}{I_E} \tag{5-1}$$

Si l'on mesure $I_C = 4,9$ mA et $I_E = 5$ mA, alors

$$\alpha_{cc} = \frac{4,9 \text{ mA}}{5 \text{ mA}} = 0,98$$

---

* N.d.T. cc est mis pour courant continu.

Plus la base est étroite et légèrement dopée, plus α_{cc} est grand. Idéalement, si tous les électrons injectés passent au collecteur, $\alpha_{cc} = 1$. De nombreux transistors ont un rapport α_{cc} supérieur à 0,99 et presque tous ont un rapport α_{cc} supérieur à 0,95. Voilà pourquoi on approxime α_{cc} par 1 dans la plupart des analyses.

RÉSISTANCE DE RÉTRÉCISSEMENT DE BASE

Comme deux couches de déplétion ou d'appauvrissement pénètrent la base, les trous de base sont confinés au canal étroit du semiconducteur de type *P* représenté à la figure 5-6. La résistance de cet étroit canal s'appelle la *résistance de rétrécissement de base* r'_b. L'augmentation de la tension de polarisation inverse V_{CB} de la diode collecteur diminue la largeur du canal *P* et augmente r'_b.

Le courant de recombinaison de la base doit descendre le long de r'_b. Cela produit une tension. Nous analyserons l'importance de cette tension plus loin. Pour l'instant, sachons simplement que la résistance r'_b existe et qu'elle dépend de la largeur du canal *P* de la figure 5-6 et du dopage de la base. Dans de rares cas, r'_b grimpe jusqu'à 1 000 Ω. Ordinairement r'_b est compris entre 50 et 150 Ω. L'effet de r'_b est important dans les circuits haute fréquence. Aux basses fréquences, habituellement, r'_b a peu d'effet. Voilà pourquoi nous négligerons l'effet de r'_b jusqu'aux chapitres ultérieurs.

TENSIONS DE CLAQUAGE

Comme les deux moitiés d'un transistor sont des diodes, l'application d'une tension inverse trop grande sur une diode peut provoquer le claquage. La tension de claquage dépend de la largeur de la couche de déplétion et des niveaux de dopage. En raison du fort niveau de dopage, la basse tension de claquage BV_{BE}* de la diode émetteur est comprise entre 5 et 30 V. La diode collecteur étant moins dopée, sa tension de claquage BV_{CE} est plus grande et comprise, en gros, entre 20 et 300 V.

Pour avoir l'effet transistor normal, la diode collecteur doit être polarisée en inverse. Si la tension V_{CB} est trop grande, la diode collecteur entre en claquage et une dissipation de puissance excessive peut l'endommager. Dans la plupart des

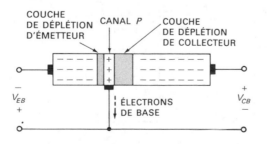

Fig. 5-6. *Résistance de rétrécissement de base.*

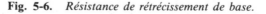

* Rappel : *BV* est mis pour *Breakdown Voltage* (tension de claquage).

applications, il faut donc garder la tension collecteur inférieure à la tension limite BV_{CE} spécifiée sur les fiches signalétiques des fabricants. La diode émetteur de certains transistors est parfois polarisée temporairement en inverse, mais la tension inverse ne doit jamais excéder la tension limite BV_{BE}.

5.3. MONTAGE A ÉMETTEUR COMMUN

Soit le circuit représenté à la figure 5-7 *a*. L'émetteur et les deux sources de tension sont reliés au point commun illustré. D'où le nom de montage à *émetteur commun* (EC) attribué à ce circuit. Nous avons d'abord étudié le montage à *base commune* (BC), ainsi appelé parce que la base et les deux sources de tension sont reliées à un point commun, représenté à la figure 5-4 *a*.

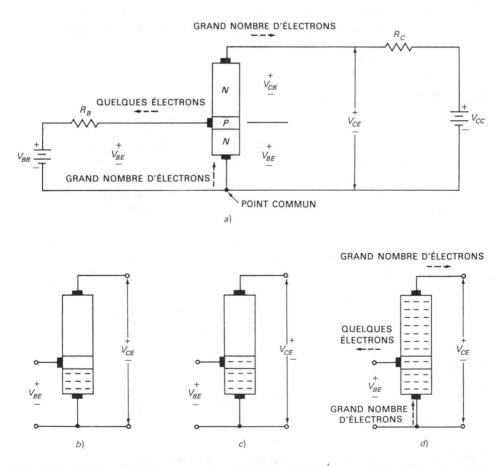

Fig. 5-7. *Montage à émetteur commun.* a) *Circuit réel.* b) *Électrons libres d'émetteur.* c) *Les électrons libres entrent dans la base.* d) *Les électrons libres diffusent dans le collecteur.*

FONCTIONNEMENT EN ÉMETTEUR COMMUN

Le fonctionnement d'un transistor en montage EC (fig. 5-7 *a*) est le même qu'un montage BC (fig. 5-4 *a*). Les électrons libres se déplacent de la même façon qu'auparavant. Autrement dit, l'émetteur fourmille d'électrons libres (fig. 5-7 *b*). Lorsque V_{BE} est supérieur à environ 0,7 V, l'émetteur injecte ces électrons dans la base (fig. 5-7 *c*). L'étroite base légèrement dopée accorde encore à presque tous les électrons une durée de vie assez grande pour qu'ils diffusent dans la couche d'appauvrissement. La diode collecteur étant polarisée en inverse, le champ de la couche d'appauvrissement pousse les électrons dans le collecteur d'où ils sortent et se rendent à la source externe de tension (fig. 5-7 *d*).

GAIN BÊTA EN CONTINU, EN COURANT CONTINU, STATIQUE OU EN RÉGIME STATIQUE

Le rapport α_{cc} lie le courant collecteur au courant émetteur. Le *gain bêta en continu, en courant continu, statique* ou *en régime statique* lie le courant collecteur au courant base d'un transistor. Par définition,

$$\beta_{cc} = \frac{I_C}{I_B} \tag{5-2}$$

Si l'on mesure un courant collecteur de 5 mA et un courant base de 0,05 mA, alors

$$\beta_{cc} = \frac{5 \text{ mA}}{0,05 \text{ mA}} = 100$$

Moins de 5 % des électrons injectés par l'émetteur de presque tous les transistors se recombinent avec les trous de la base pour produire I_B; par conséquent, β_{cc} est presque toujours plus grand que 20. Habituellement, il est compris entre 50 et 300. Quelques transistors ont un gain β_{cc} de 1 000.

Dans le système d'analyse par les paramètres *h,* on désigne le gain en courant continu par h_{FE} au lieu de le désigner par β_{cc}. D'où

$$\beta_{cc} = h_{FE} \tag{5-2 a}$$

Retenez cette relation, parce que les fabricants désignent le gain en courant continu par h_{FE} sur les fiches signalétiques. Sur la fiche signalétique du transistor 2N3904, par exemple, on relève un gain en courant h_{FE} minimal de 100 et un gain en courant h_{FE} maximal de 300. Donc, β_{cc} varie de 100 à 300. Nous traiterons ces paramètres *h* en détail au chapitre 9.

RELATION ENTRE α_{cc} ET β_{cc}

Selon la loi des courants de Kirchhoff,

$$I_E = I_C + I_B \tag{5-3}$$

Donc, le courant émetteur égale la somme du courant collecteur et du courant base. Toujours se rappeler que le courant émetteur est le plus grand des trois courants, que le courant collecteur lui est presque aussi grand et que le courant base est nettement plus petit.

Divisons les deux membres de la formule (5-3) par I_C. Il vient

$$\frac{I_E}{I_C} = 1 + \frac{I_B}{I_C}$$

D'où

$$\frac{1}{\alpha_{cc}} = 1 + \frac{1}{\beta_{cc}}$$

Réarrangeons cette relation sous la forme

$$\beta_{cc} = \frac{\alpha_{cc}}{1 - \alpha_{cc}} \tag{5-4}$$

Si $\alpha_{cc} = 0,98$, alors

$$\beta_{cc} = \frac{0,98}{1 - 0,98} = \frac{0,98}{0,02} = 49$$

Il faut parfois exprimer α_{cc} en fonction de β_{cc}. On tire de la formule (5-4)

$$\alpha_{cc} = \frac{\beta_{cc}}{\beta_{cc} + 1} \tag{5-5}$$

Si $\beta_{cc} = 100$, alors

$$\alpha_{cc} = \frac{100}{100 + 1} = \frac{100}{101} = 0,99$$

RÉGION ACTIVE

En résumé, pour qu'un transistor fonctionne de façon linéaire, il faut que
1. la diode émetteur soit polarisée en direct;
2. la diode collecteur soit polarisée en inverse;
3. la tension entre les bornes de la diode collecteur soit inférieure à la tension de claquage.

Si ces conditions sont satisfaites, le transistor est un dispositif actif, parce qu'il amplifie un signal d'entrée et sort un signal plus grand. Nous approfondirons ce sujet dans les chapitres ultérieurs.

DEUX CIRCUITS ÉQUIVALENTS

Pour se rappeler les notions fondamentales de l'effet transistor, observons le circuit équivalent à courant conventionnel représenté à la figure 5-8a. Désignons la tension entre les bornes de la couche d'appauvrissement d'émetteur par V_{BE}. Lorsque V_{BE} est supérieur à environ 0,7 V, l'émetteur injecte des électrons dans la base. Comme nous l'avons vu, le courant de la diode émetteur commande le courant collecteur. Voilà pourquoi la source de courant collecteur force un courant $\alpha_{cc} I_E$ à circuler dans le circuit du collecteur. Dans le circuit équivalent représenté

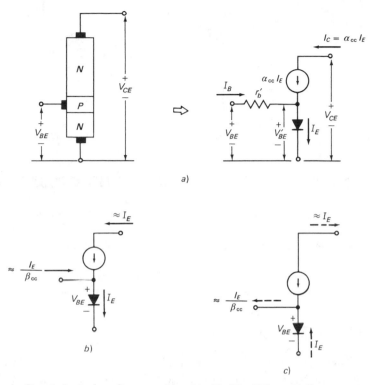

Fig. 5-8. a) *Circuit équivalent d'un transistor.* b) *Modèle d'Ebers-Moll.* c) *Modèle à courants d'électrons.*

à la figure 5-8 *a*, on suppose que la tension V_{CE} est supérieure à environ 1 V mais inférieure à la tension de claquage. Autrement dit le transistor du circuit équivalent fonctionne dans la région active.

La tension interne V'_{BE} diffère de la tension appliquée V_{BE} par la chute de tension entre les bornes de r'_b. D'où

$$V_{BE} = V'_{BE} + I_B r'_b$$

Si la chute $I_B r'_b$ est petite, V_{BE} égale environ V'_{BE}.

CIRCUITS PRATIQUES

La figure 5-8 *b* représente le circuit équivalent habituel d'un transistor employé par les utilisateurs du courant de sens conventionnel. Si vous préférez le courant électronique, utilisez le circuit équivalent représenté à la figure 5-8 *c*. On appelle modèle d'*Ebers-Moll* le circuit équivalent d'un transistor à diode émetteur en série avec la source de courant collecteur.

Pour utiliser le modèle d'Ebers-Moll,

1. poser $V_{BE} = 0,7$ V pour les transistors au silicium (prendre 0,3 V dans le cas de transistors au germanium);
2. négliger la tension $I_B r'_b$;
3. poser $I_C = I_E$ puisque α_{cc} tend vers 1;
4. poser $I_B = I_E/\beta_{cc}$ puisque I_C est presque égal à I_E.

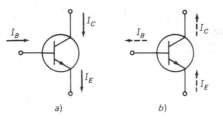

Fig. 5-9. *Courants d'un transistor;* a) *conventionnels,* b) *électroniques.*

SOURCE DE COURANT DÉPENDANTE OU COMMANDÉE

On utilise beaucoup plus le montage EC que le montage BC parce qu'un petit courant d'entrée (base) commande un grand courant de sortie (collecteur). Si $\beta_{cc} = 200$, un petit courant base produit un courant collecteur 200 fois plus grand. De plus, le courant de sortie semble sortir d'une source de courant. Le transistor est donc une source de courant dépendante ou commandée. Le courant base commande la source de courant.

SYMBOLE GRAPHIQUE

La figure 5-9 *a* représente le symbole graphique d'un transistor *NPN* à courants conventionnels. La figure 5-9 *b* représente le même symbole à courants électroniques. L'émetteur a une flèche et le collecteur n'en a pas. Nous utiliserons souvent ce symbole dans les chapitres suivants. Comme les schémas industriels ne représentent pas le sens des courants, nous ne les représenterons pas dans les futurs schémas. Vous devez vous souvenir des sens des courants pour la suite de l'étude de cet ouvrage, aussi mémorisez le symbole graphique et le sens préféré des courants. De plus, souvenez-vous que :

1. Le courant collecteur égale la somme du courant collecteur et du courant base, soit

$$I_E = I_C + I_B$$

2. Le courant collecteur égale environ le courant émetteur, soit

$$I_C \cong I_E$$

3. Le courant base est nettement inférieur aux deux autres, soit

$$I_B \ll I_C$$
$$I_B \ll I_E$$

5.4. CARACTÉRISTIQUES D'UN TRANSISTOR

Les caractéristiques qui lient les courants et les tensions d'un transistor représentent graphiquement son fonctionnement. Ces caractéristiques *I-V* sont plus compliquées que celles d'une diode, parce qu'on inclut l'effet du courant base.

CARACTÉRISTIQUES DE COLLECTEUR

On tire les données nécessaires au tracé des caractéristiques du collecteur en montage EC d'un circuit semblable à celui représenté à la figure 5-10 *a* ou on trace ces caractéristiques à l'aide d'un traceur de caractéristiques de transistor. Dans les deux cas, on fait varier les alimentations V_{BB} et V_{CC} pour établir différentes tensions et courants dans le transistor. Chronologiquement, on règle une valeur de I_B que l'on maintient fixe tout en faisant varier V_{CC}. La mesure de I_C et V_{CE} permet de tracer la caractéristique de I_C en fonction de V_{CE}. Pour tracer la caractéristique représentée à la figure 5-10 *b*, on a réglé I_B à 10 μA puis on a fait varier V_{CC} et l'on a mesuré I_C et V_{CE} résultants.

La caractéristique représentée à la figure 5-10 *b* ne cache rien de mystérieux. Elle est la réplique graphique de nos explications. Lorsque $V_{CE} = 0$, la diode collecteur n'est pas polarisée en inverse : le courant collecteur est donc si petit qu'on peut le négliger. Lorsque V_{CE} varie entre 0 et environ 1 V, le courant collecteur monte très rapidement et devient presque constant. Cela est conforme au principe de la polarisation en inverse de la diode collecteur. Il faut une tension d'environ 0,7 V pour polariser la diode collecteur en inverse; une fois ce niveau atteint, le collecteur recueille tous les électrons qui atteignent sa couche d'appauvrissement.

Au-dessus du coude la valeur exacte de V_{CE} n'est pas importante parce que la pente raide de la caractéristique du collecteur ne permet pas au courant collecteur d'augmenter de façon appréciable. La légère augmentation du courant collecteur lorsque V_{CE} augmente est due à l'augmentation de la largeur de la couche d'appauvrissement qui capture quelques électrons de base supplémentaires avant qu'ils ne tombent dans des trous (recombinaison plus petite). Comme le gain β_{cc} est d'environ 100, le courant collecteur égale environ 100 fois le courant base.

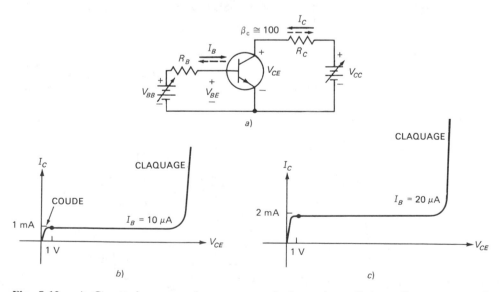

Fig. 5-10. a) *Circuit de mesure du courant et de la tension collecteur d'un transistor de* $\beta_{cc} = 100$. b) *Caractéristique pour* $I_B = 1$ μA. c) *Caractéristique pour* $I_B = 2$ μA.

Si l'on augmente trop V_{CE}, la diode collecteur entre en claquage et le transistor ne fonctionne plus normalement. Alors le transistor ne se comporte plus comme une source de courant. La gamme de tension collecteur-émetteur sur laquelle le transistor se comporte comme une source de courant s'appelle la dynamique de la tension du transistor ou simplement la dynamique du transistor. A la figure 5-10 *b*, la dynamique du transistor égale la gamme de tension V_{CE} allant de 1 V à la tension de claquage. Le maintien du fonctionnement du transistor dans sa région active le fera se comporter comme une source de courant dépendante ou commandée. A l'extérieur de cette gamme, le transistor ne fonctionne plus normalement.

Le réglage de I_B à 20 μA et la mesure de I_C et de V_{CE} donnent la caractéristique représentée à la figure 5-10 *c*. Cette caractéristique a même allure que celle de la figure 5-10 *b* à l'exception près qu'au-delà du coude le courant collecteur égale environ 2 mA. Une augmentation de V_{CE} produit encore une petite augmentation du courant collecteur parce que la couche d'appauvrissement plus large capture quelques électrons supplémentaires de la base. Une tension collecteur trop grande fait encore passer le collecteur en claquage.

A la figure 5-11, nous avons tracé plusieurs caractéristiques de collecteur pour diverses valeurs de I_B sur le même système d'axes. Comme nous avons utilisé un transistor à β_{cc} d'environ 100, le courant collecteur est environ 100 fois plus grand que le courant base en tout point de la région active. On appelle parfois ces caractéristiques les *caractéristiques statiques du collecteur* parce qu'on ne porte que des courants et des tensions continus.

Remarquer la caractéristique du bas lorsque le courant base est nul. Le petit courant collecteur est le courant de fuite de la diode collecteur. Habituellement, le courant de fuite des transistors au silicium est si petit qu'on l'ignore dans la plupart des applications. Le courant de fuite d'un transistor 2N3904, par exemple, de seulement 50 nA est si petit qu'on ne verrait pas la courbe du bas à la figure 5-11.

Remarquer que la tension de claquage décroît à mesure que le courant croît. Autrement dit, la dynamique de la tension d'un transistor diminue à mesure que le courant collecteur croît. Il faut donc dans ce cas éviter que le transistor n'entre en claquage. Alors le transistor continuera à fonctionner dans la région active.

La plupart des fabricants ne représentent pas les caractéristiques du collecteur sur les fiches signalétiques. Pour obtenir celles de transistors particuliers, utiliser

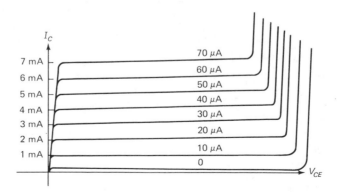

Fig. 5-11. *Réseau de caractéristiques d'un transistor à $\beta_{cc} = 100$.*

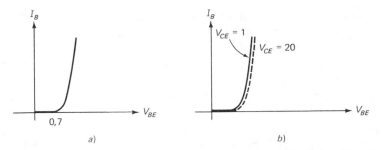

Fig. 5-12. *Caractéristiques de base.* a) *Caractéristique idéale;* b) *Effet Early.*

un traceur de courbes. Cet appareil affiche les caractéristiques de collecteur semblables à celles de la figure 5-11. Vous remarquerez que la tension de coude, le gain β_{cc}, la tension de claquage, etc., diffèrent selon les transistors et aussi d'un transistor à un autre de même numéro de référence.

CARACTÉRISTIQUES DE BASE

La figure 5-12 *a* représente une caractéristique du courant base en fonction de la tension base-émetteur. Comme la cellule base-émetteur d'un transistor est une diode, on s'attend à ce que cette caractéristique ressemble à celle d'une diode. C'est ce qu'on obtient à peu près parce qu'il y a plus de variables dans un transistor que dans une diode.

Aux hautes tensions collecteur, le collecteur recueille quelques électrons supplémentaires. Cela diminue le courant base. La figure 5-12 *b* illustre cette notion. La caractéristique de la plus grande tension V_{CE} a un courant base légèrement inférieur pour une même tension V_{BE}. Ce phénomène, connu sous le nom d'*effet Early,* provient de la réaction interne du transistor de la diode collecteur à la diode émetteur. L'écart entre les caractéristiques représentées à la figure 5-12 *b* est tellement petit qu'on ne le relève pas sur un oscilloscope. Voilà pourquoi on ignore l'effet Early dans toutes les analyses préliminaires. (L'analyse sophistiquée par les paramètres *h,* exposée au chapitre 9, tient compte de l'effet Early.)

CARACTÉRISTIQUES DU GAIN EN COURANT

Le gain β_{cc} d'un transistor, aussi appelé le *gain en courant,* varie fortement. La figure 5-13 représente la variation type de β_{cc}. A température constante, β_{cc}

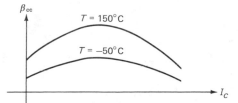

Fig. 5-13. *Variation de β_{cc} en fonction du courant collecteur et de la température.*

augmente jusqu'à un maximum lorsque le courant collecteur augmente. Si I_C continue à augmenter, β_{cc} diminue. Selon le transistor, β_{cc} varie du simple au triple sur la gamme utile de courant du transistor.

La variation de la température ambiante influe sur β_{cc}. Selon la figure 5-13, β_{cc} augmente en fonction de la température pour un courant collecteur donné. Selon le type de transistor, β_{cc} varie du simple au triple sur une grande gamme de température.

Dans le pire des cas, lorsque le courant collecteur et la température varient fortement, β_{cc} varie de 1 à 9. Se souvenir de cela, parce que toute application qui exige une valeur précise de β_{cc} est vouée à l'échec dès le départ. Un bon concepteur n'utilise que des dispositifs qui ne dépendent pas exagérément de la valeur exacte de β_{cc}. Nous verrons comment concevoir des circuits relativement insensibles aux variations de β_{cc}.

BLOCAGE ET CLAQUAGE

Le courant base de la plus inférieure des caractéristiques de collecteur représentées à la figure 5-11 est nul. Avoir $I_B = 0$ revient à *ouvrir le conducteur de la base* (fig. 5-14 *a*). On désigne le courant collecteur pour le conducteur base ouverte par I_{CEO}, l'indice *CEO* est mis pour *collector to emitter with open base* (collecteur-émetteur avec base ouverte). Les composantes de I_{CEO} sont les porteurs d'origine thermique et le courant de fuite superficielle.

La figure 5-14 *b* représente la caractéristique pour $I_B = 0$. A un certain instant, la tension collecteur atteint la tension de claquage notée BV_{CEO}. L'indice *CEO* est mis pour *collector to emitter with open base* (collecteur-émetteur avec base ouverte). Pour que le transistor fonctionne normalement, maintenir V_{CE} plus petit que BV_{CEO}. La plupart des fiches signalétiques des transistors donnent BV_{CEO} parmi les valeurs limites. Selon le type de transistor, la tension de claquage est inférieure à 20 V ou supérieure à 200 V.

Un bon concepteur utilise un coefficient de sécurité pour garder V_{CE} bien au-dessous de BV_{CEO}. Pousser un transistor aux valeurs limites diminue sa durée de vie. On utilise fréquemment un coefficient de sécurité de 2 (V_{CE} est alors inférieur à la moitié de BV_{CEO}). Certains concepteurs prudents utilisent un coefficient de sécurité de 10 (V_{CE} est alors inférieur au dixième de BV_{CEO}).

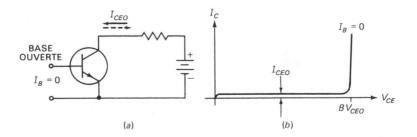

Fig. 5-14. *Courant de blocage et tension de claquage.*

TENSION DE SATURATION DU COLLECTEUR

La figure 5-15 représente une des caractéristiques de collecteur. Les commentaires ci-dessous s'appliquent à toute caractéristique de collecteur. La première partie de la caractéristique (celle comprise entre l'origine et le coude) s'appelle la région *de saturation*. La partie horizontale de la caractéristique s'appelle la région *active*. Pour se comporter comme une source de courant dépendante ou commandée, le transistor doit fonctionner dans cette région. Il faut absolument éviter la troisième partie de la caractéristique, celle du *claquage*.

Dans la région de saturation, la diode collecteur entre en polarisation directe. L'effet transistor n'a pas lieu : le transistor se comporte comme une petite résistance ohmique et non comme une source de courant. Une augmentation supplémentaire du courant base ne donne pas une augmentation supplémentaire du courant collecteur. Habituellement, dans la région de saturation, la tension collecteur-émetteur est seulement de quelques dixièmes de volt, selon le courant collecteur.

Pour que le transistor fonctionne dans la région active, il faut que la diode collecteur soit polarisée en inverse. Pour cela, il faut que la tension V_{CE} soit supérieure à environ 1 V. A titre documentaire, de nombreuses fiches signalétiques donnent $V_{CE(\text{sat})}$, la valeur de V_{CE} en un point de la région de saturation. Ordinairement, $V_{CE(\text{sat})}$ est seulement de quelques dixièmes de volt. Pour que le transistor fonctionne normalement, la tension V_{CE} doit être supérieure à la tension $V_{CE(\text{sat})}$.

VALEURS LIMITES DES TRANSISTORS

Les transistors petits signaux dissipent au maximum un demi-watt; les transistors de puissance dissipent au minimum un demi-watt. Lorsqu'on consulte la fiche signalétique d'un transistor quel qu'il soit, commencer par lire les valeurs limites des courants, des tensions et d'autres grandeurs du transistor.

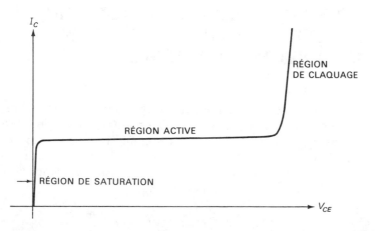

Fig. 5-15. *Une ces caractéristiques de collecteur montrant la région de saturation, la région active ou de fonctionnement normal et la région de claquage.*

Les valeurs limites d'un 2N3904, par exemple, sont

V_{CEO}	40 V
V_{CBO}	60 V
V_{EBO}	6 V
I_C	200 mA en continu
P_D	310 mW

Toutes les tensions limites sont des tensions inverses de claquage. La première tension limite est V_{CEO}, la tension collecteur-émetteur avec base ouverte. V_{CBO} est la tension collecteur-base avec émetteur ouvert. V_{EBO} est la tension émetteur-base avec collecteur ouvert. I_C est le courant continu collecteur limite. Selon cette valeur limite, le 2N3904 peut manipuler un courant permanent maximal de 200 mA.

P_D, la dernière valeur limite, représente la puissance limite du transistor. La formule

$$P_D = V_{CE}I_C \qquad (5\text{-}6)$$

donne la puissance dissipée par un transistor.

Un transistor 2N3904 de $V_{CE} = 20$ V et $I_C = 10$ mA, par exemple, dissipe une puissance

$$P_D = 20 \text{ V} \times 10 \text{ mA} = 200 \text{ mW}$$

Cette puissance est inférieure à la puissance limite de 310 mW. Comme pour la tension de claquage, un bon concepteur utilise un coefficient de sécurité qui confère une longue durée de vie au transistor. Utiliser un coefficient de sécurité égal ou supérieur à 2. Si la puissance limite est de 310 mW, l'utilisation d'un coefficient de sécurité de 2, par exemple, donnera une puissance dissipée inférieure à 155 mW. (On doit munir certains transistors d'un radiateur ou dissipateur thermique, une masse métallique fixée au transistor, pour éviter un échauffement excessif. Nous approfondirons ce sujet au chapitre 10.)

5.5. DROITE DE CHARGE EN CONTINU, EN COURANT CONTINU, STATIQUE OU EN RÉGIME STATIQUE

On peut tracer la droite de charge sur les caractéristiques de collecteur pour mieux voir le fonctionnement du transistor et voir dans quelle région il fonctionne. La méthode utilisée pour tracer cette droite ressemble à celle vue dans le cas d'une diode. Soit le circuit représenté à la figure 5-16 *a*. La tension d'alimentation V_{CC} polarise en inverse la diode collecteur *via* R_C. La tension entre les bornes de R_C égale $V_{CC} - V_{CE}$. Donc, le courant qui la traverse égale

$$I_C = \frac{V_{CC} - V_{CE}}{R_C} \qquad (5\text{-}7)$$

Cette relation est l'équation de la droite de charge statique.

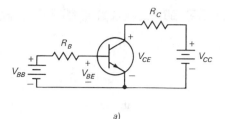

a)

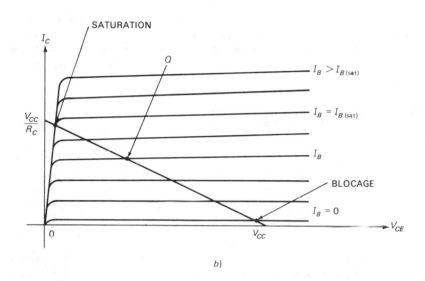

b)

Fig. 5-16. a) *Polarisation de la base.* b) *Droite de charge statique.*

EXEMPLE

Supposons que la tension d'alimentation est de 10 V et que la résistance de collecteur est de 5 kΩ. Alors, l'équation de la droite de charge statique est

$$I_C = \frac{10 - V_{CE}}{5\,000} \tag{5-8}$$

Pour calculer l'extrémité supérieure (ordonnée à l'origine) de la droite de charge, posons $V_{CE} = 0$. Il vient

$$I_C = \frac{10 - 0}{5\,000} = 2 \ \text{mA}$$

Pour calculer l'extrémité inférieure (abscisse à l'origine) de la droite de charge, posons $I_C = 0$ et isolons V_{CE}. Il vient

$$V_{CE} = 10 \ \text{V}$$

Pour obtenir l'ordonnée à l'origine de la droite de charge, on peut court-circuiter mentalement les bornes collecteur-émetteur du circuit représenté à la figure 5-16 *a* et calculer le courant collecteur résultant qui vaut V_{CC}/R_C. Pour obtenir l'abscisse à l'origine de la droite de charge, on peut ouvrir mentalement ces bornes et calculer la tension collecteur-émetteur résultante qui vaut V_{CC}.

DROITE DE CHARGE STATIQUE QUELCONQUE

De l'équation (5-7) on tire les deux formules

$$I_C = \frac{V_{CC}}{R_C} \qquad \text{(ordonnée à l'origine)} \qquad (5\text{-}9)$$

et

$$V_{CE} = V_{CC} \qquad \text{(abscisse à l'origine)} \qquad (5\text{-}10)$$

A la figure 5-16 *b* nous avons superposé la droite de charge statique sur les caractéristiques de collecteur. L'ordonnée à l'origine (intersection avec l'axe de I_C) égale V_{CC}/R_C et l'abscisse à l'origine (intersection avec l'axe de V_{CE}) égale V_{CC}. L'intersection de la droite de charge statique avec le courant base calculé est le point Q^* du transistor (aussi appelé le point de fonctionnement ou le point de repos).

BLOCAGE ET SATURATION

Le point d'intersection de la droite de charge avec la caractéristique $I_B = 0$ s'appelle le *point de blocage* ou *de coupure*. En ce point, le courant de base est nul et le courant collecteur est si petit qu'on peut le négliger (seul le courant de fuite I_{CEO} circule). Au blocage, la diode émetteur émerge de la polarisation directe et l'effet transistor n'a plus lieu. En approximation serrée, la tension collecteur-émetteur égale l'abscisse à l'origine de la droite de charge, d'où

$$V_{CE\,(\text{blocage})} \cong V_{CC}$$

Le point d'intersection de la droite de charge et de la caractéristique $I_B = I_{B\,(\text{sat})}$ s'appelle le *point de saturation*. En ce point, le courant base égale $I_{B\,(\text{sat})}$ et le courant collecteur passe par un maximum. A la saturation, la diode collecteur émerge de la polarisation inverse et de nouveau l'effet transistor ne se produit plus. En approximation serrée, le courant collecteur à la saturation égale l'ordonnée à l'origine de la droite de charge, d'où

$$I_{C\,(\text{sat})} \cong \frac{V_{CC}}{R_C}$$

A la figure 5-16 *b*, $I_{B\,(\text{sat})}$ représente le courant base qui produit la saturation. Si le courant base est inférieur à $I_{B\,(\text{sat})}$, le transistor fonctionne dans la région active quelque part entre la saturation et le blocage. Le point de fonctionnement appartient donc à la droite de charge statique. D'autre part, si le courant base est supérieur à $I_{B\,(\text{sat})}$, le courant collecteur égale environ V_{CC}/R_C, la valeur maximale possible. Graphiquement, il s'ensuit que l'intersection de la droite de charge avec tout courant base supérieur à $I_{B\,(\text{sat})}$ produit le point de saturation représenté à la figure 5-16 *b*.

DYNAMIQUE

D'un seul coup d'œil, la droite de charge statique définit la dynamique (gamme de tension V_{CE} active) d'un transistor. La dynamique du transistor à droite de

---

* N.d.T. Q vient du mot latin *Quies* (repos).

charge représentée à la figure 5-16 *b* va d'environ 0 à V_{CC}. Le transistor se comporte donc comme une source de courant tout le long de la droite de charge statique à l'exception des points de saturation et de blocage où le transistor n'agit plus comme une source de courant.

5.6. TRANSISTOR INTERRUPTEUR

La façon la plus simple d'utiliser un transistor est de l'utiliser en interrupteur. Un tel transistor fonctionne au point de saturation et au point de blocage et nulle part ailleurs sur la droite de charge. Un transistor saturé se comporte comme un interrupteur fermé du collecteur à l'émetteur. Un transistor bloqué se comporte comme un interrupteur ouvert.

COURANT BASE

La figure 5-17 *a* représente le circuit analysé jusqu'à présent, la figure 5-17 *b* est sa représentation habituelle. L'addition des tensions le long de la maille d'entrée donne

$$I_B R_B + V_{BE} - V_{BB} = 0$$

Isolons I_B. Il vient

$$I_B = \frac{V_{BB} - V_{BE}}{R_B} \tag{5-11}$$

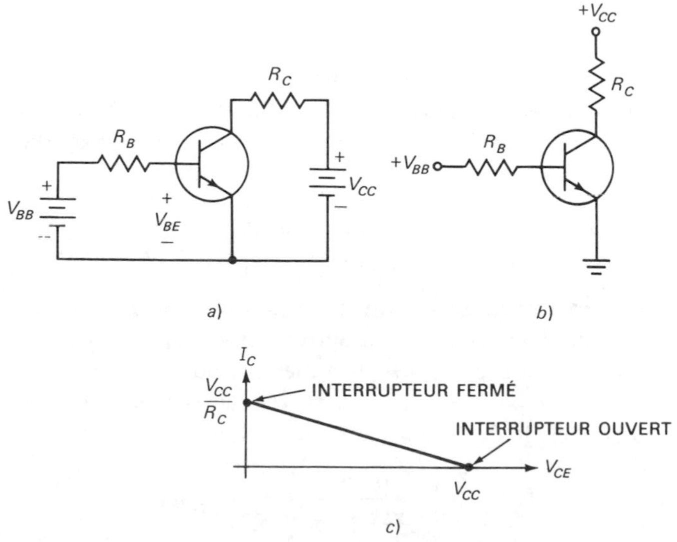

Fig. 5-17. a) *Circuit à transistor interrupteur.* b) *Représentation habituelle.* c) *Droite de charge statique.*

Telle est la loi d'Ohm pour la résistance de base. Supposons que $V_{BB} = 5$ V et $R_B = 1$ MΩ. Alors

$$I_B = \frac{5\text{ V} - 0,7\text{ V}}{1\text{ M}\Omega} = \frac{4,3\text{ V}}{1\text{ M}\Omega} = 4,3\ \mu\text{A}$$

Si le courant base est supérieur ou égal à $I_{B\,(\text{sat})}$, le point de fonctionnement Q est confondu avec l'ordonnée à l'origine de la droite de charge (fig. 5-17 *c*). Dans ce cas, le transistor se comporte comme un interrupteur fermé. D'autre part, si le courant base est nul, le transistor fonctionne à l'abscisse à l'origine de la droite de charge et se comporte comme un interrupteur ouvert.

DIRECTIVES POUR LA CONCEPTION

Par *saturation douce,* entendre qu'on sature tout juste le transistor; autrement dit, le courant base est juste suffisant pour faire fonctionner le transistor à l'ordonnée à l'origine de la droite de charge. On ne peut garantir la saturation douce en fabrication en série, en raison de la variation de β_{cc} et de $I_{B\,(\text{sat})}$. Ne comptez pas sur la saturation douce dans un circuit à transistor interrupteur.

Par *saturation dure,* entendre que le courant base est suffisant pour saturer le transistor pour toutes les valeurs de β_{cc} rencontrées dans la fabrication en série. Dans le pire cas de température et de courant, presque tous les transistors petits signaux au silicium ont un gain β_{cc} supérieur à 10. D'où le conseil suivant pour la saturation dure : prendre un courant base égal environ au *dixième* du courant collecteur de saturation. De cette façon, l'on aura toujours la saturation dure pour toutes les conditions de fonctionnement. Si le courant collecteur à l'ordonnée à l'origine de la droite de charge est de 10 mA, alors le courant base est de 1 mA. On sera alors à la saturation quels que soient le transistor, les courants, les températures, etc.

Sauf indication contraire, nous utiliserons la règle du rapport 10/1 lorsque nous concevrons un circuit à transistor interrupteur. Mais ce rapport ne constitue qu'une directive. Si les résistances normalisées ou nominales donnent un rapport I_C/I_B légèrement supérieur à 10, presque tout transistor petits signaux sera en saturation dure.

EXEMPLE

La figure 5-18 *a* représente un circuit à transistor interrupteur attaqué par un échelon de tension. Lorsque la tension d'entrée est nulle, le transistor est bloqué. Dans ce cas, le transistor se comporte comme un interrupteur ouvert. Si aucun courant ne traverse la résistance de collecteur, la tension de sortie égale + 15 V.

Si la tension d'entrée est de + 5 V, le courant base égale

$$I_B = \frac{5\text{ V} - 0,7\text{ V}}{3\text{ k}\Omega} = 1,43\text{ mA}$$

Imaginons le transistor court-circuité entre le collecteur et l'émetteur. Alors, idéalement, la tension de sortie s'annule et le courant de saturation égale

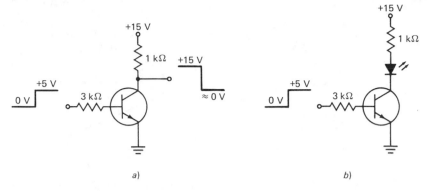

Fig. 5-18. *Exemple de transistors interrupteurs.*

$$I_{C(\text{sat})} = \frac{15 \text{ V}}{1 \text{ k}\Omega} = 15 \text{ mA}$$

Ce courant vaut environ 10 fois le courant base, une valeur amplement suffisante pour placer presque tout transistor petits signaux en saturation dure. Alors le transistor se comporte comme un interrupteur fermé et V_o est presque nul.

La figure 5-18 *b* représente une légère variante de cette conception. Le transistor s'appelle un *pilote de DEL* parce qu'il commande la DEL. Si la tension d'entrée est basse, le transistor est bloqué et la DEL est obscure. Si la tension d'entrée est haute, le transistor est saturé et la DEL illumine. Si la chute de tension de la DEL est de 2 V, alors le courant de DEL égale

$$I_{C(\text{sat})} \cong \frac{15 \text{ V} - 2 \text{ V}}{1 \text{ k}\Omega} = 13 \text{ mA}$$

5.7. TRANSISTOR SOURCE DE COURANT

Le pilote de DEL représenté à la figure 5-18 *b* fonctionne bien tant que la tension d'alimentation du collecteur est grande. Mais aux faibles tensions d'alimentation, la tolérance de la chute de tension de la DEL affecte la luminosité. Si $V_{CC} = 5$ V, une variation de la DEL de 1,5 à 2,5 V modifie fortement la luminosité de la DEL. Plus la tension V_{CC} est grande comparativement à la tension V_{DEL}, moins le courant de la DEL est sensible aux variations de V_{DEL}. La meilleure façon de piloter une DEL est d'utiliser une source de courant : on fixe alors le courant de la DEL peu importe la chute de tension entre ses bornes. Dans cette section nous étudierons une autre utilisation fondamentale d'un transistor : en source de courant.

RÉSISTANCE D'ÉMETTEUR

Le circuit représenté à la figure 5-19 *a* comprend une résistance R_E entre l'émetteur et le point commun. Le courant émetteur parcourt cette résistance et y produit une chute de tension $I_E R_E$. L'addition des chutes de tension le long de la maille de sortie donne

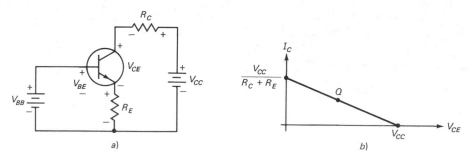

Fig. 5-19. *Transistor source de courant.* a) *Circuit.* b) *Droite de charge statique.*

$$V_{CE} + I_E R_E - V_{CC} + I_C R_C = 0$$

Comme le courant collecteur égale environ le courant émetteur, récrivons l'équation précédente sous la forme

$$I_C \cong \frac{V_{CC} - V_{CE}}{R_C + R_E} \qquad (5\text{-}12)$$

Telle est l'équation de la droite de charge statique. Elle est presque identique à celle de la droite de charge vue ci-dessus, mais son dénominateur comporte le terme R_E.

La figure 5-19 *b* représente la droite de charge statique. Calculons son ordonnée à l'origine comme suit. Court-circuitons mentalement les bornes collecteur-émetteur de la figure 5-19 *a*. Alors R_C et R_E sont en série et le courant collecteur égale $V_{CC}/(R_C + R_E)$. Ouvrons mentalement les bornes collecteur-émetteur. Alors la tension de source apparaît entre les bornes collecteur-émetteur et $V_{CE} = V_{CC}$.

A la différence du transistor interrupteur, le transistor représenté à la figure 5-19 *a* fonctionne dans la région active en un point Q appartenant à la droite de charge représentée à la figure 5-19 *b*. On peut dans ce circuit obtenir un courant collecteur virtuellement insensible aux variations de β_{cc}.

RÉGLAGE DU COURANT ÉMETTEUR

Pour comprendre comment régler le courant collecteur à une valeur fixe, additionnons les tensions le long de la maille d'entrée du circuit représenté à la figure 5-19 *a*. Il vient

$$V_{BE} + I_E R_E - V_{BB} = 0$$

Isolons I_E. Il vient

$$I_E = \frac{V_{BB} - V_{BE}}{R_E} \qquad (5\text{-}13)$$

$V_{BB} - V_{BE}$ égale la tension entre les bornes de la résistance d'émetteur. La formule (5-13) est donc le résultat de l'application de la loi d'Ohm à la résistance d'émetteur.

Le courant collecteur étant presque égal au courant émetteur, utilisons la formule (5-13) pour calculer la valeur approximative du courant collecteur. Si $V_{BB} = 2$ V et $R_E = 100$ Ω, alors

$$I_E = \frac{2\text{ V} - 0,7\text{ V}}{100\text{ Ω}} = 13\text{ mA}$$

Donc, le courant collecteur égale environ 13 mA. Remarque importante : le courant collecteur ne dépend pas de β_{cc} puisque celui-ci n'apparaît pas dans la formule (5-13). On peut changer de transistor sans cesse : le courant collecteur restera voisin de 13 mA.

LE COURANT ÉMETTEUR EST FIXE

La figure 5-20 *a* représente le schéma habituel du transistor source de courant. La tension base V_{BB} étant donnée, on fixe le courant émetteur en choisissant R_E. On utilise cette technique dans de nombreuses applications car elle protège le transistor contre les variations de β_{cc}. En effet, si β_{cc} varie, alors le courant base varie, mais le courant collecteur ne varie pratiquement pas, parce que le circuit représenté à la figure 5-20 *a* fixe le courant émetteur. Le montage d'une *résistance d'émetteur* stabilise le courant collecteur. Plus la résistance R_E est grande, plus le courant collecteur est stable.

Le fonctionnement de transistor interrupteur représenté à la figure 5-20 *b* est tout à fait différent. Dans ce cas, V_{BB} et R_B fixent le courant base. On règle le courant base fixe à un niveau suffisamment élevé pour attaquer le transistor interrupteur en saturation dure. Ne pas essayer de faire fonctionner le transistor dans la région active, parce que les variations de β_{cc} déplaceraient le point de fonctionnement sur toute la droite de charge. *L'émetteur* d'un transistor interrupteur *est mis à la masse;* cela distingue un transistor interrupteur.

NOTION SUR L'ASSERVISSEMENT

On représente parfois la tension entre les bornes de la résistance d'émetteur représentée à la figure 5-20 *a* par V_E. Cette tension égale la tension de source de la base moins la chute de tension entre les bornes base-émetteur, d'où

$$V_E = V_{BB} - V_{BE}$$

Comme V_{BE} est fixe à environ 0,7 V, V_E suivra les variations de V_{BB}. Si V_{BB} monte de 2 V à 10 V, V_E montera de 1,3 V à 9,3 V. Cette action de suivre un maître s'appelle un *asservissement*. L'émetteur d'un transistor source de courant est asservi à la tension d'entrée à 0,7 V près. On dit aussi qu'il suit l'entrée à 0,7 V.

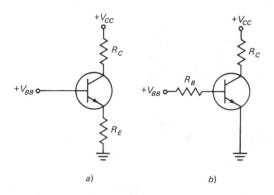

Fig. 5-20. a) *Transistor source de courant.* b) *Transistor interrupteur.*

Remarquons de nouveau la différence entre le transistor source de courant et le transistor interrupteur représentés à la figure 5-20 *b*. L'émetteur d'un transistor interrupteur étant à la masse, il n'est pas asservi à la tension d'entrée : il reste au potentiel de la masse quelle que soit la tension d'entrée.

SOURCE DE TENSION ET SOURCE DE COURANT

Le type de source d'attaque de la base d'un transistor permet aussi de distinguer un transistor source de courant d'un transistor interrupteur. Dans le circuit représenté à la figure 5-20 *a*, on applique directement la tension de source à la base : il n'y a pas de résistance de base. La tension de source attaque donc la base. La chute de tension V_{BE} étant petite, presque toute la tension de source apparaît entre les bornes de la résistance d'émetteur. Il s'ensuit un courant émetteur fixe et un point *Q* solidement ancré dans la région active.

D'autre part, en raison de la résistance de base du transistor interrupteur représenté à la figure 5-20 *b*, l'alimentation de base se comporte davantage comme une source de courant, parce que presque toute la tension V_{BB} chute entre les bornes de la résistance de base. Alimenter la base par une source de courant convient très bien aux transistors interrupteurs parce que la saturation dure masque les variations de β_{cc}.

TENSIONS UTILES

Pour dépanner un circuit semblable à celui représenté à la figure 5-20 *a*, il faut mesurer les tensions du transistor par rapport à la masse, parce que le fil de référence ou commun de la plupart des voltmètres électroniques est à la masse. La tension émetteur V_E suit la tension base V_{BB} à 0,7 V : il faut donc lire une tension émetteur

$$V_E = V_{BB} - 0,7 \tag{5-14}$$

Le courant collecteur parcourt la résistance de collecteur et y produit une chute de tension $I_C R_C$: il faut donc lire une tension collecteur-masse

$$V_C = V_{CC} - I_C R_C \tag{5-15}$$

Les indices simples de V_C, V_E et V_B précisent qu'il s'agit des tensions d'un transistor par rapport à la masse. Les doubles indices de V_{BE}, V_{CE} et V_{CB} précisent qu'il s'agit de tensions entre deux bornes d'un transistor. On obtient une tension à double indice en soustrayant les tensions correspondantes à indice simple. Pour calculer V_{CE}, par exemple, soustraire V_E de V_C :

$$V_{CE} = V_C - V_E \tag{5-16}$$

Pour calculer V_{CB}, soustraire V_B de V_C :

$$V_{CB} = V_C - V_B \tag{5-17 a}$$

Pour calculer V_{BE}, soustraire V_E de V_B :

$$V_{BE} = V_B - V_E \tag{5-17 b}$$

EXEMPLE 5-1

Calculer le courant de DEL du circuit représenté à la figure 5-21 *a*.

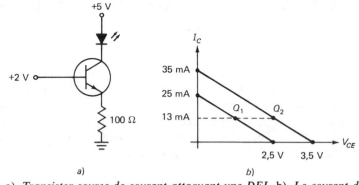

Fig. 5-21. a) *Transistor source de courant attaquant une DEL.* b) *Le courant de DEL reste constant pour deux tensions différentes de DEL.*

SOLUTION

Comme l'émetteur suit l'entrée à 0,7 V, la tension entre les bornes de la résistance d'émetteur est de 1,3 V et le courant émetteur égale

$$I_E = \frac{1{,}3 \text{ V}}{100 \ \Omega} = 13 \text{ mA}$$

Le courant de DEL égale environ 13 mA.

Remarquer que nous n'avons pas inclus la chute de tension entre les bornes de la DEL dans ces calculs parce que le transistor se comporte comme une source de courant et non comme un interrupteur.

EXEMPLE 5-2

On veut fabriquer le circuit représenté à la figure 5-21 *a* en série. La chute de tension entre les bornes de la DEL peut varier de 1,5 V à 2,5 V. Tracer les droites de charge et porter les points *Q* pour la basse chute de tension et la haute chute de tension entre les bornes de la DEL.

SOLUTION

L'addition des tensions le long de la maille du collecteur donne
$$V_{CE} + I_E R_E - V_{CC} + V_{DEL} = 0$$
Le courant collecteur étant approximativement égal au courant émetteur, il vient

$$I_C \cong \frac{V_{CC} - V_{DEL} - V_{CE}}{R_E}$$

D'où

$$I_C \cong \frac{5 - V_{DEL} - V_{CE}}{100}$$

L'équation de la droite de charge dans le cas de la petite chute de tension V_{DEL} de 1,5 V est

$$I_C \cong \frac{3{,}5 - V_{CE}}{100}$$

A l'autre extrémité $V_{DEL} = 2,5$ V et l'équation de la droite de charge est

$$I_C \cong \frac{2,5 - V_{CE}}{100}$$

La figure 5-21 *b* représente les droites de charge pour les basse et haute chutes de tension de DEL. Quelle que soit la chute de tension de DEL, le transistor se comporte comme une source de courant parce que le point de fonctionnement *Q* est dans la région active pour les basse et haute chutes de tension de DEL. Toutes les DEL illuminent du même éclat, quelle que soit la chute de tension, parce que le courant est constant.

5.8.   AUTRES DISPOSITIFS OPTOÉLECTRONIQUES

Comme nous l'avons vu, les porteurs minoritaires d'origine thermique et la fuite superficielle produisent un petit courant collecteur dans un transistor à base ouverte. L'exposition de la jonction collecteur à la lumière donne un *phototransistor,* un transistor plus sensible à la lumière qu'une photodiode.

PRINCIPE DU PHOTOTRANSISTOR

La figure 5-22 *a* représente un transistor à base ouverte. Comme nous l'avons vu, un petit courant collecteur circule dans ce transistor. Oublions la composante due à la fuite superficielle et considérons les porteurs d'origine thermique produits dans la diode collecteur. Imaginons qu'une source idéale de courant en parallèle avec la jonction collecteur-base d'un transistor idéal (fig. 5-22*b*) produit ce courant inverse dû aux porteurs.

Comme le conducteur de base est ouvert, tout le courant inverse passe dans la base du transistor. Il en résulte le courant collecteur

$$I_{CEO} = \beta_{cc} I_R$$

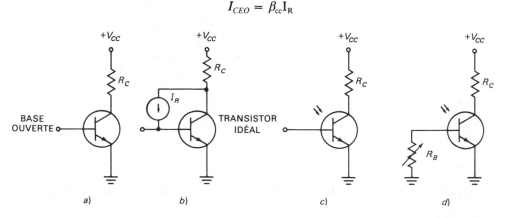

Fig. 5-22.   a) *Transistor à base ouverte.* b) *Source de courant inverse en parallèle avec la diode collecteur.* c) *Phototransistor.* d) *Réglage de la sensibilité à la lumière.*

Donc, le courant collecteur égale le produit courant inverse original fois β_{cc}. La diode collecteur est sensible à la lumière et à la chaleur. La lumière traverse la fenêtre du phototransistor et bombarde la jonction collecteur-base. Si la lumière augmente, I_R et I_{CEO} augmentent.

PHOTOTRANSISTOR ET PHOTODIODE

Le gain en courant β_{cc} est la principale différence entre un phototransistor et une photodiode. Si la même lumière bombarde ces deux dispositifs, le courant produit par le phototransistor égale β_{cc} fois celui produit par la photodiode. Le grand avantage du phototransistor sur la photodiode est sa plus grande sensibilité.

La figure 5-22 c représente le symbole graphique d'un phototransistor. Remarquer la base ouverte. Les phototransistors fonctionnent habituellement de cette façon. On règle la sensibilité par une résistance variable de retour par la base (fig. 5-22 d), mais on laisse habituellement la base ouverte pour maximiser la sensibilité à la lumière.

La contrepartie d'une meilleure sensibilité est une moindre vitesse. Les phototransistors sont plus sensibles que les photodiodes, mais ils ne commutent pas de la saturation au blocage aussi rapidement que les photodiodes. Le courant de sortie type d'une photodiode est de quelques microampères et le temps de commutation saturation-blocage d'une photodiode est de quelques nanosecondes. Par contre, le courant de sortie type d'un phototransistor est de quelques milliampères mais le temps de commutation saturation-blocage d'un phototransistor est de plusieurs microsecondes.

COUPLEUR OPTOÉLECTRONIQUE

La figure 5-23 représente une DEL attaquant ou pilotant un phototransistor. Ce coupleur optoélectronique est beaucoup plus sensible que l'exemple à DEL-photodiode donné plus haut. Le principe est simple. Toute variation de V_S fait varie le courant de DEL, ce qui fait varier le courant du phototransistor. Cela fait varier la tension entre les bornes collecteur-émetteur. Par conséquent, une tension de signal est transmise du circuit d'entrée au circuit de sortie.

Répétons que le grand avantage du coupleur optoélectronique est l'*isolement électrique* qu'il offre entre les circuits d'entrée et de sortie. Autrement dit, le point de référence du circuit d'entrée est différent de celui du circuit de sortie. Aucun chemin conducteur ne relie donc les deux circuits. On peut en conséquence mettre

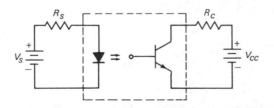

Fig. 5-23. *Coupleur optoélectronique à DEL et phototransistor.*

un circuit à la masse et laisser flotter l'autre. On peut aussi relier le circuit d'entrée, par exemple, au chassis et ne pas relier le point de référence du circuit de sortie à la masse.

EXEMPLE 5-3

Le coupleur optoélectronique 4N24 représenté à la figure 5-24 *a* isole du secteur et détecte les *passages à zéro* ou *par zéro* de la tension de secteur. Calculer la tension de crête de sortie du coupleur à l'aide de la caractéristique de transfert représentée à la figure 5-24 *b*.

SOLUTION

Le redresseur en pont applique un courant pleine onde à la DEL. Si l'on néglige les chutes de tension entre les bornes des diodes, le courant de crête qui parcourt la DEL égale

$$I_{\text{DEL}} \cong \frac{1{,}414(115 \text{ V})}{16 \text{ k}\Omega} = 10{,}2 \text{ mA}$$

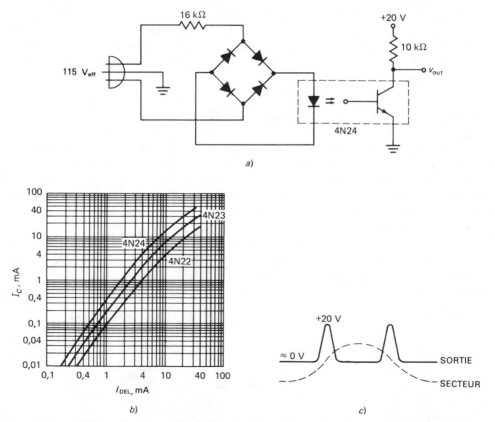

a)

b)   c)

Fig. 5-24.   a) *Détecteur de passage à zéro.* b) *Caractéristiques statiques de coupleurs optoélectroniques.* c) *Sortie de détecteur.*

Le courant de saturation du phototransistor égale

$$I_{C(sat)} \cong \frac{20\ V}{10\ k\Omega} = 2\ mA$$

La figure 5-24 *b* représente les caractéristiques statiques du courant du phototransistor en fonction du courant de DEL pour trois coupleurs optoélectoniques différents. Dans le cas d'un 4N24 (courbe du haut), un courant I_{DEL} de 10,2 mA produit un courant I_C d'environ 15 mA lorsque la résistance de charge est nulle. Le courant du phototransistor représenté à la figure 5-24 *a* n'atteint jamais 15 mA parce que le courant de saturation du phototransistor est de 2 mA. Autrement dit, le courant de DEL est plus que suffisant pour produire la saturation. Le courant de crête de DEL étant de 10,2 mA, le transistor est saturé et la tension de sortie est à peu près nulle (fig. 5-24 *c*) durant une grande partie du cycle.

La tension de secteur passe par zéro du négatif au positif ou du positif au négatif lorsqu'elle change de polarité. A un zéro, le courant de DEL s'annule. A cet instant, le phototransistor s'ouvre et la tension de sortie croît jusqu'à environ 20 V, comme le montre la figure 5-24 *c*. Comme on le voit, la tension de sortie est voisine de zéro durant une grande partie du cycle. Aux passages à zéro, elle croît rapidement jusqu'à 20 V puis revient à la ligne de base.

Le circuit représenté à la figure 5-24 *a* est commode parce qu'il isole du secteur sans transformateur. Le photocoupleur isole et détecte les passages à zéro, une propriété intéressante lorsqu'on veut synchroniser un autre circuit à la fréquence de la tension de secteur.

5.9. DÉPANNAGE

De nombreux dérangements peuvent survenir dans un transistor. Comme il contient deux diodes, le dépassement d'une tension de claquage, d'un courant limite ou d'une puissance limite peut endommager une diode ou les deux. Voici quelques dérangements : court-circuits, coupures, courants de fuite élevés, gain β_{cc} réduit, etc.

ESSAIS HORS CIRCUIT

On peut effectuer ces essais à l'aide d'un ohmmètre. Commencer par mesurer la résistance entre le collecteur et l'émetteur. Cette résistance doit être très élevée dans les deux sens parce que les diodes collecteur et émetteur sont dos à dos en série. Un court-circuit collecteur-émetteur dû au dépassement de la puissance limite est le dérangement le plus fréquent. Si la résistance est de zéro à quelques milliers d'ohms dans les deux sens, le transistor est court-circuité et il faut le remplacer.

Si la résistance collecteur-émetteur est très grande (de plusieurs mégohms) dans les deux sens, on peut lire les résistances inverse et directe de la diode collecteur (bornes collecteurs-base) et la diode émetteur (bornes base-émetteur). Il faut que le rapport résistance inverse/résistance directe de chaque diode soit supérieur à 1000/1 (transistor au silicium) sinon le transistor est défectueux.

Le transistor qui passe avec succès les essais d'un ohmmètre peut néanmoins être défectueux parce que cet appareil ne vérifie chaque jonction du transistor qu'en régime continu. Pour déceler de plus subtils défauts (un courant de fuite excessif, un gain β_{cc} faible ou une tension de claquage insuffisante, par exemple), utiliser un traceur de courbes. Les transistors-mètres commerciaux permettent de vérifier le courant de fuite, β_{cc} et d'autres grandeurs.

ESSAIS EN CIRCUIT

Les essais en circuit les plus simples sont les mesures des tensions de transistor par rapport à la masse. Commencer par exemple, par mesurer la tension collecteur V_C et la tension émetteur V_E. La différence $V_C - V_E$ doit être supérieure à 1 V et inférieure à V_{CC}. Si cette différence est inférieure à 1 V, le transistor est court-circuité, et si elle est égale à V_{CC}, le transistor est ouvert.

Habituellement, l'essai ci-dessus révèle un éventuel dérangement en régime continu. Pour vérifier V_{BE}, mesurer la tension base V_B et la tension émetteur V_E. La différence V_{BE} de ces mesures doit être de 0,6 à 0,7 V pour les transistors petits signaux fonctionnant en région active et d'au moins 1 V pour les transistors de puissance en raison de la chute additionnelle $I_B r'_b$. Si la différence V_{BE} est inférieure à 0,6 V, la diode émetteur n'est pas polarisée en direct. Le défaut réside dans le transistor ou dans les composants de polarisation.

Vérifier le blocage comme suit. Court-circuiter les bornes base-émetteur avec un cavalier. Cela supprime la polarisation directe de la diode émetteur et bloque de force le transistor. La tension collecteur-masse doit égaler la tension d'alimentation du collecteur. Sinon le transistor ou la circuiterie est défectueuse.

Effectuer les essais ci-dessus sur les transistors interrupteurs et sur les transistors source de courant. Dans des chapitres ultérieurs nous étudierons les amplificateurs à transistors et leurs dérangements.

5.10. CIRCUITS DISCRETS ET CIRCUITS INTÉGRÉS

Dans les chapitres suivants, nous analyserons toutes sortes de circuits à transistors. Nous insisterons d'abord sur les *circuits discrets,* ceux obtenus par soudage de composants distincts tels des résistances, diodes et transistors.

Les *circuits intégrés* sont différents. La figure 5-25 représente une *puce,* un petit morceau de matériau semiconducteur qui sert de monture au circuit intégré. Nous avons indiqué des dimensions types : elles sont souvent plus petites et parfois plus grandes. Les techniques sophistiquées de photogravure permettent de fabriquer, sur la surface de la puce, des circuits comprenant de nombreux transistors, résistances, diodes et autres composants. Le réseau fini est si petit qu'il faut utiliser un

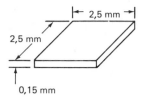

Fig. 5-25. *Puce à semiconducteurs.*

microscope pour voir les connexions. Un tel circuit s'appelle un circuit intégré (CI).

Le mot « puce » a une deuxième signification. Il désigne tout le circuit intégré, boîtier et broches externes compris. Le LM741, par exemple, est une puce à huit broches extérieures auxquelles on applique les tensions d'alimentation, les signaux d'entrée, etc. Nous étudierons le 741 dans un chapitre ultérieur. Pour l'instant, retenons que les composants des circuits discrets sont distincts et reliés par soudage, et que ceux des circuits intégrés sont connectés atomiquement lors de la fabrication.

PROBLÈMES

Simples

5-1. Supposer que seulement 2 % des électrons injectés dans la base se recombinent avec les trous de la base et qu'un million d'électrons pénètrent dans l'émetteur par microseconde. Calculer, le nombre d'électrons qui sortent, par microseconde, par le conducteur de la base et par le conducteur du collecteur.

5-2. Supposer que le courant émetteur est de 6 mA et le courant collecteur de 5,75 mA. Calculer le courant base et α_{cc}.

5-3. Un transistor a un courant I_C de 100 mA et un courant I_B de 0,5 mA. Calculer α_{cc} et β_{cc}.

5-4. Un transistor a un gain β_{cc} de 150. Supposer que le courant collecteur est de 45 mA et calculer le courant base.

5-5. Un transistor de puissance 2N5067 a une résistance r'_b de 10 Ω. Calculer la chute $I_B r'_b$ lorsque I_B égale 1 mA, 10 mA et 50 mA.

5-6. Le gain type β_{cc} d'un transistor 2N3298 est de 90. Supposer un courant émetteur de 10 mA. Calculer le courant collecteur approximatif et le courant base approximatif.

5-7. Le gain β_{cc} d'un transistor est de 400. Supposer que le courant collecteur égale 50 mA et calculer le courant base.

5-8. La figure 5-26 *a* représente une caractéristique de collecteur. Calculer β_{cc} au point *A* et au point *B*.

5-9. Tracer les caractéristiques de collecteur d'un transistor de spécifications suivantes : $V_{CE(sat)} < 1$ V, $\beta_{cc} = 200$, $V_{CEO} = 40$ V et $I_{CEO} = 50$ nA. Tracer six caractéristiques réparties entre $I_B = 0$ et le courant I_B nécessaire pour produire un courant collecteur de 50 mA. Indiquer la région de saturation, la région active, la région de claquage et la région de blocage.

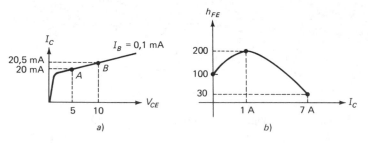

Fig. 5-26.

5-10. Le gain β_{cc} d'un transistor 2N5346 varie selon la courbe représentée à la figure 5-26 *b*. Supposer $I_C = 1$ mA et calculer β_{cc}. Calculer le courant base lorsque $I_C = 1$ A puis 7 A.

5-11. La figure 5-27 *a* représente un transistor à conducteur de base ouvert. Supposer que l'on mesure une tension V_{CE} de 9 V et déterminer I_{CEO}. Supposer que la résistance de collecteur passe de 10 Ω à 10 kΩ (fig. 5-27 *b*), que I_{CEO} reste fixe et calculer V_{CE}.

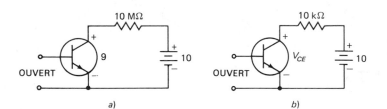

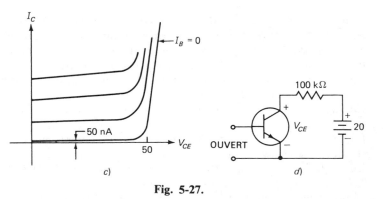

Fig. 5-27.

5-12. La figure 5-27 *c* représente les caractéristiques de collecteur d'un transistor. On utilise ce transistor dans le circuit représenté à la figure 5-27 *d*. Calculer V_{CE} et BV_{CEO}. Est-ce que le transistor du circuit représenté à la figure 5-27 *d* est dans la région de claquage ?

5-13. Un transistor a un courant collecteur de 10 mA et une tension collecteur-émetteur de 12 V. Calculer la puissance qu'il dissipe.

5-14. La puissance limite d'un transistor 2N3904 est de 310 mW à la température ambiante de 25 °C. Supposer une tension collecteur-émetteur de 10 V et calculer le courant maximal que peut supporter ce transistor sans dépasser la puissance limite.

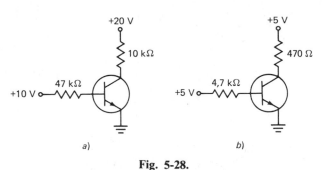

Fig. 5-28.

5-15. Tracer la droite de charge du réseau représenté à la figure 5-28 *a*. Calculer le courant de saturation et la tension de blocage.

5-16. Considérer la droite de charge du circuit représenté à la figure 5-28 *b*. Calculer le courant collecteur maximal possible. Supposer que l'on coupe la tension base et calculer V_{CE}.

5-17. Soit le transistor du circuit représenté à la figure 5-28 *a*. Calculer le courant base et la tension collecteur-émetteur. Est-ce que le transistor fonctionne en saturation dure ?

5-18. Soit le circuit représenté à la figure 5-28 *a*. Supposer que l'on branche une DEL en série avec la résistance de 10 kΩ. Calculer le courant de DEL et commenter la luminosité de la DEL.

5-19. Soit le circuit représenté à la figure 5-28 *b*. Calculer le courant base, le courant collecteur et la tension collecteur-émetteur.

5-20. Tracer la droite de charge du circuit représenté à la figure 5-29 *a*. Calculer le courant collecteur de saturation et la tension de blocage.

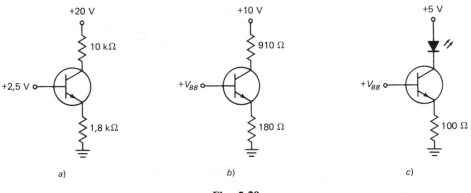

Fig. 5-29.

5-21. Considérer le circuit illustré à la figure 5-29 *a*. Calculer le courant collecteur, la tension entre le collecteur et la masse et la tension collecteur-émetteur.

5-22. Considérer le circuit représenté à la figure 5-29 *b*. Calculer le courant collecteur maximal possible. Supposer que $V_{BB} = 2$ V et calculer la tension collecteur-masse.

5-23. Soit le circuit illustré à la figure 5-29 *b*. Supposer que $V_{BB} = 10$ V et calculer la tension collecteur-émetteur.

5-24. Soit le circuit représenté à la figure 5-29 *c*. Supposer que $V_{BB} = 5$ V. Calculer le courant de DEL et la tension collecteur-masse.

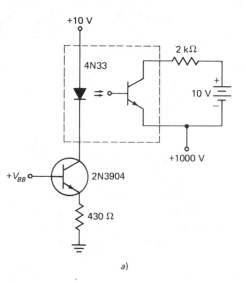

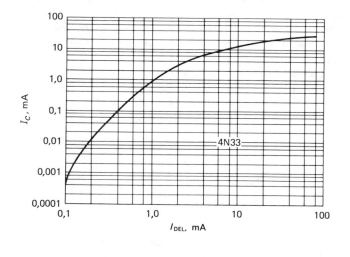

b)

Fig. 5-30.

5-25. La figure 5-30 *a* représente un coupleur optoélectronique 4N33 isolant un circuit basse tension (l'entrée) d'un circuit haute tension (point de référence à + 1 000 V). La figure 5-30 *b* représente la caractéristique de transfert d'un 4N33 à phototransistor non saturé.

   a. Déterminer le courant maximal possible du phototransistor.

   b. Supposer que $V_{BB} = + 5$ V. Calculer le courant de DEL et la tension collecteur-émetteur du phototransistor.

   c. Supposer que $V_{BB} = 0$. Calculer la tension collecteur-émetteur du phototransistor.

De dépannage

5-26. La tension collecteur-masse du circuit représenté à la figure 5-28 *a* est de + 20 V. Trouver la cause probable de ce dérangement parmi les suivantes :
a. bornes collecteur-émetteur court-circuitées;
b. résistance de 10 kΩ ouverte;
c. résistance de 47 kΩ ouverte;
d. bornes collecteur-base court-circuitées.

5-27. La tension collecteur-masse du circuit représenté à la figure 5-29 *a* est d'environ 3 V. Trouver la (les) cause(s) possible(s) de ce dérangement parmi les suivantes :
a. la résistance de 10 kΩ est court-circuitée;
b. la résistance de 1 kΩ est ouverte;
c. les bornes base-émetteur sont court-circuitées;
d. les bornes collecteur-émetteur sont court-circuitées.

5-28. Lorsqu'on supprime la tension base du circuit représenté à la figure 5-28 *b*, la tension collecteur-émetteur est presque nulle. Citer quelques causes possibles de ce dérangement.

5-29. Dire si la DEL du circuit représenté à la figure 5-29 *c* est allumée ou éteinte lorsque
a. les bornes collecteur-émetteur sont court-circuitées;
b. la résistance de 100 kΩ est ouverte;
c. les bornes collecteur-émetteur sont ouvertes;
d. il y a une soudure froide sur la borne de la résistance de 100 Ω mise à la masse.

De conception

5-30. Reprendre la conception du transistor interrupteur représenté à la figure 5-28 *a* pour obtenir un courant collecteur de saturation de 5 mA.

5-31. Reprendre la conception de la source de courant représentée à la figure 5-29 *c* pour avoir un courant de DEL d'environ 35 mA pour une tension de V_{BB} de 5 V.

5-32. Concevoir un transistor interrupteur semblable à celui représenté à la figure 5-28 *a* pour que $V_{CC} = 15$ V, $V_{BB} = 0$ ou 15 V et $I_{C(\text{sat})} = 5$ mA.

5-33. Concevoir un pilote de DEL semblable à celui représenté à la figure 5-29 *c* pour que $V_{CC} = 10$ V, $V_{BB} = 0$ ou 10 V et $I_{\text{DEL}} = 20$ mA.

De défi

5-34. Si $V_{BB} = V_{CC}$ dans un transistor interrupteur, une règle rapide de conception pour fonctionner en saturation dure est d'avoir

$$\frac{R_B}{R_C} = 10$$

Démontrer mathématiquement que cette relation est à peu près correcte.

5-35. La figure 5-31 *a* représente le montage *Darlington* de deux transistors.
a. Calculer la tension entre les bornes de la résistance de 100 Ω.
b. Supposer que le gain β_{cc} du deuxième transistor est de 150 et calculer le courant collecteur approximatif du premier transistor.
c. Supposer que le gain β_{cc} du premier transistor est de 100 et celui du deuxième transistor de 150. Calculer le courant base du premier transistor.

5-36. Soit le circuit représenté à la figure 5-31 *b*. Calculer le courant de DEL lorsque
a. $V_{BB} = 0$;
b. $V_{BB} = 10$ V.

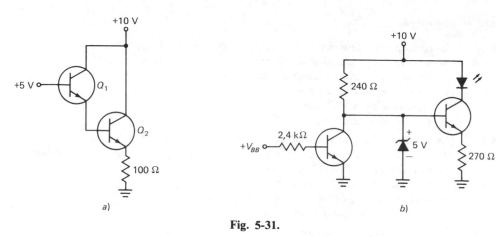

Fig. 5-31.

A résoudre par ordinateur

5-37. Une ligne à plusieurs instructions comprend plusieurs instructions séparées par un deux-points. Exemple :

10   PRINT "INTRODUIRE VCC" : INPUT VCC
20   END

Après avoir affiché "INTRODUIRE VCC" sur l'écran, l'ordinateur attend qu'on introduise V_{CC}.

Voici un autre programme à lignes à plusieurs instructions.

10   PRINT "INTRODUIRE VCC" : INPUT VCC
20   PRINT "INTRODUIRE RC" : INPUT RC
30   IC = VCC/RC : IB = 0.1 ∗ IC
40   PRINT "INTRODUIRE VBB" : INPUT VBB
50   RB = (VBB − 0.7)/IB
60   PRINT "LA RÉSISTANCE DE BASE ÉGALE" : PRINT RB
70   GOTO 10

Que calcule l'ordinateur à la ligne 30 ? Qu'est censé faire l'ordinateur ?

5-38. Considérer un transistor source de courant et écrire un programme qui demandera d'introduire la tension V_{BB} et le courant I_C désiré, puis affichera la valeur de R_E.

5-39. Si rien ne suit une instruction PRINT, l'ordinateur affichera un espace vide sur l'écran. Cela permet d'insérer des espaces entre les lignes imprimées. Le programme

10   PRINT "1. TRANSISTOR INTERRUPTEUR"
20   PRINT "2. SOURCE DE COURANT"
30   PRINT
40   PRINT "INTRODUIRE LE CHOIX"
50   INPUT C

par exemple, fera afficher

1.   TRANSISTOR INTERRUPTEUR
2.   SOURCE DE COURANT

INTRODUIRE LE CHOIX
?

L'ordinateur attend qu'on introduise *C*.

Le programme ci-dessus illustre comment créer un menu, une liste d'options proposée sur l'écran à l'opérateur. Ecrire un menu dont les options sont 1. TRANSISTOR INTERRUPTEUR, 2. SOURCE DE COURANT, 3. BÊTA CC, 4. PUISSANCE DISSIPÉE, 5. COURANT DE SATURATION.

Circuits de polarisation d'un transistor

Dans les circuits numériques, le transistor se comporte comme un interrupteur et dans les circuits linéaires il se comporte comme une source de courant. Le transistor source de courant qui pilote une DEL est un dispositif linéaire. Un *amplificateur,* un dispositif qui augmente l'amplitude d'un signal, est aussi un dispositif linéaire. Le principe consiste à appliquer un petit signal alternatif à l'entrée d'un transistor et à recueillir un plus grand signal alternatif de même fréquence. Les amplificateurs sont essentiels pour les récepteurs radio, les téléviseurs et les autres appareillages de communication.

Avant d'appliquer un signal alternatif à un transistor, il faut déterminer un point Q de fonctionnement près du point milieu de la droite de charge statique. Le signal alternatif d'entrée produit des fluctuations au-dessus et au-dessous de ce point Q. Pour que le dispositif demeure linéaire, la diode émetteur doit rester en polarisation directe et la diode collecteur doit rester en polarisation inverse. Autrement dit, les fluctuations du courant et de la tension ne doivent pas saturer le transistor ni le bloquer.

Dans ce chapitre, nous étudierons les diverses façons de polariser un transistor pour qu'il fonctionne linéairement. Pour cela, régler le point Q près du point milieu de la droite de charge statique. Dans le chapitre suivant, nous étudierons ce qui se passe lorsqu'on applique un signal alternatif au transistor.

6.1. POLARISATION DE BASE

La figure 6-1 *a* représente un exemple de *polarisation de base* (aussi appelée polarisation fixe). Habituellement, l'alimentation de base est la même que l'alimentation de collecteur; autrement dit, $V_{BB} = V_{CC}$. Dans ce cas, on ramène les résistances de base et de collecteur à la borne positive de l'alimentation du collecteur selon la figure 6-1 *b*.

Dans les deux cas, cette façon de polariser un transistor en fonctionnement linéaire est la pire parce qu'elle rend le point Q instable. Comme nous l'avons vu au chapitre précédent, β_{cc} peut varier dans le rapport de 9/1 selon le courant et la température. On ne peut donc stabiliser Q en un point auquel on pourrait se fier

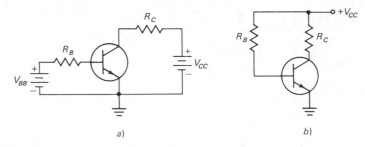

Fig. 6-1. *Saturation de base.* a) *Circuit complet.* b) *Schéma simplifié.*

en fabrication en série. Donc, nous n'utiliserons jamais la polarisation de base dans les circuits linéaires.

On utilise surtout la polarisation de base dans les circuits numériques. Dans ces circuits, le transistor commute entre le blocage et la saturation. Dans ce cas, on surmonte les variations de β_{cc} par la saturation dure.

6.2. POLARISATION PAR RÉACTION D'ÉMETTEUR

La figure 6-2 *a* représente une première tentative de compenser la variation de β_{cc}. Habituellement, les alimentations de base et de collecteur sont égales, et on dessine le schéma selon la figure 6-2 *b*. Dans les deux cas, on essaie d'utiliser la tension entre les bornes de la résistance d'émetteur pour contrebalancer la variation de β_{cc}. Si β_{cc} augmente, le courant collecteur augmente lui aussi. Cela augmente la tension d'émetteur, diminue la tension entre les bornes de la résistance de base et réduit le courant base. Cette diminution du courant base entraîne une diminution du courant collecteur, ce qui contrebalance partiellement l'augmentation initiale de β_{cc}.

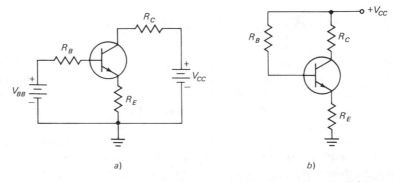

Fig. 6-2. *Polarisation par réaction d'émetteur.* a) *Circuit complet.* b) *Schéma simplifié.*

OBSERVATION PRATIQUE

La *polarisation par réaction d'émetteur* repose sur le courant collecteur accru qui produit une plus grande tension entre les bornes de la résistance d'émetteur, ce qui diminue le courant base et donc le courant collecteur. Le principe semble bon, mais le transistor ne fonctionne pas très bien avec les valeurs pratiques de résistance. Pour avoir un bon rendement, la résistance d'émetteur doit être aussi grande que possible. C'est ici que le bât blesse. La résistance d'émetteur doit être relativement petite pour éviter la saturation du collecteur. L'analyse mathématique ci-dessous le démontre.

Par « réaction » entendre qu'une grandeur de sortie (courant collecteur) fait varier une grandeur d'entrée (courant base). La résistance d'émetteur est l'élément de réaction parce qu'elle est commune aux circuits d'entrée et de sortie.

DROITE DE CHARGE EN CONTINU, EN COURANT CONTINU, STATIQUE OU EN RÉGIME STATIQUE

L'addition des tensions le long de la maille du collecteur du circuit représenté à la figure 6-2 *b* donne

$$V_{CE} + I_E R_E - V_{CC} + I_C R_C = 0$$

Comme I_E égale environ I_C, réarrangeons cette équation sous la forme

$$I_C \cong \frac{V_{CC} - V_{CE}}{R_C + R_E} \tag{6-1}$$

On voit maintenant que l'ordonnée à l'origine de la droite de charge représente un courant de saturation égal à $V_{CC}/(R_C + R_E)$ et l'abscisse à l'origine représente une tension de coupure égale à V_{CC}.

EFFET DE β_{cc}

L'addition des tensions le long de la maille de la base donne

$$V_{BE} + I_E R_E - V_{CC} + I_B R_B = 0$$

Or $I_E \cong I_C$ et $I_B = I_C/\beta_{cc}$; donc l'équation ci-dessus devient

$$I_C \cong \frac{V_{CC} - V_{BE}}{R_E + R_B/\beta_{cc}} \tag{6-2}$$

On utilise la polarisation par réaction d'émetteur pour masquer la variation de β_{cc}. Pour cela, prendre la résistance R_E beaucoup plus grande que R_B/β_{cc}. Mais pratiquement, si l'on prend la résistance R_E suffisamment grande pour masquer l'effet de β_{cc}, on sature le transistor. Donc, la polarisation par réaction d'émetteur est presque aussi sensible à la variation de β_{cc} que la polarisation de base. La polarisation par réaction d'émetteur n'est donc pas la forme de polarisation préférée, aussi éviterons-nous de l'utiliser. Pour voir l'inefficacité du circuit contre la variation de β_{cc}, se reporter à l'exemple 6-1.

SATURATION

Si $R_B = \beta_{cc} R_C$, la relation (6-2) devient

$$I_C = \frac{V_{CC} - V_{BE}}{R_E + R_C}$$

Ce courant I_C est légèrement inférieur au courant de saturation $V_{CC}/(R_E + R_C)$ trouvé plus tôt. D'où la conclusion : une résistance de base légèrement inférieure à $\beta_{cc} R_C$ fait saturer un transistor polarisé par réaction d'émetteur.

EXEMPLE 6-1

Calculer le courant collecteur de saturation du transistor représenté à la figure 6-3 *a* et le courant collecteur pour $\beta_{cc} = 100$ et $\beta_{cc} = 300$.

SOLUTION

Le courant collecteur de saturation égale

$$I_{C(sat)} = \frac{15\ V}{910\ \Omega + 100\ \Omega} = 14,9\ mA$$

Lorsque $\beta_{cc} = 100$, l'équation (6-2) donne

$$I_C = \frac{15\ V - 0,7\ V}{100\ \Omega + 430\ k\Omega/100} = 3,25\ mA$$

et lorsque $\beta_{cc} = 300$, elle donne

$$I_C = \frac{15\ V - 0,7\ V}{100\ \Omega + 430\ k\Omega/300} = 9,33\ mA$$

La droite de charge statique et les deux points Q représentés à la figure 6-3 *b* résument les calculs. Remarquer que la variation du simple au triple de β_{cc} produit une variation voisine du simple au triple du courant collecteur. Cette variation est inacceptable. Le choix d'autres grandeurs pour le circuit montre que la polarisation par réaction d'émetteur reste trop sensible aux variations de β_{cc} pour devenir le circuit de polarisation préféré.

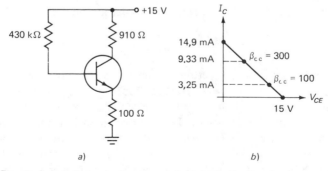

Fig. 6-3. a) *Circuit à transistor à émetteur polarisé.* b) *Droite de charge statique à deux points de fonctionnement.*

6.3. POLARISATION PAR RÉACTION DE COLLECTEUR

La figure 6-4 *a* représente la *polarisation par réaction de collecteur* (aussi appelée polarisation automatique). On ramène la résistance de base au collecteur plutôt qu'à l'alimentation, c'est ce qui diffère la polarisation par réaction de collecteur de la polarisation de base.

RÉACTION

Voici comment la réaction fonctionne. Supposons que la température du circuit représenté à la figure 6-4 *a* augmente. Donc β_{cc} augmente. Cela augmente le courant collecteur et donc diminue la tension collecteur-émetteur (la chute de tension entre les bornes de R_C est plus grande). Alors la tension entre les bornes de la résistance de base diminue. Donc le courant base diminue. Le courant base plus petit contrebalance l'augmentation originale du courant collecteur. La polarisation par réaction de collecteur est donc plus avantageuse que la polarisation par réaction d'émetteur.

DROITE DE CHARGE EN CONTINU, EN COURANT CONTINU, STATIQUE OU EN RÉGIME STATIQUE

L'addition des tensions le long de la maille du collecteur donne

$$V_{CE} - V_{CC} + (I_C + I_B) R_C = 0$$

I_B étant beaucoup plus petit que I_C dans la région active, négligeons I_B et réarrangeons cette équation sous la forme

$$I_C \cong \frac{V_{CC} - V_{CE}}{R_C} \tag{6-3}$$

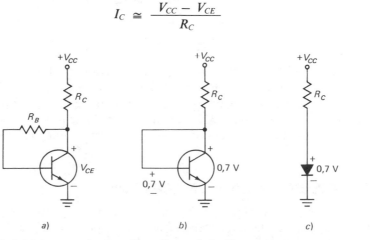

Fig. 6-4. *Polarisation par réaction de collecteur.* a) *Circuit.* b) *Base court-circuitée au collecteur.* c) *Circuit équivalent lorsque $R_B = 0$.*

On voit immédiatement que l'ordonnée à l'origine de la droite de charge représente un courant de saturation égal à V_{CC}/R_C et l'abscisse à l'origine représente une tension de blocage égale à V_{CC}.

EFFET DE β_{cc}

L'addition des tensions le long de la maille de la base donne
$$V_{BE} - V_{CC} + (I_C + I_B) R_C + I_B R_B = 0$$
d'où

$$V_{BE} - V_{CC} + I_C R_C + I_B R_B \cong 0$$

Or $I_B = I_C/\beta_{cc}$, d'où selon l'équation précédente

$$I_C \cong \frac{V_{CC} - V_{BE}}{R_C + R_B/\beta_{cc}} \tag{6-4}$$

La polarisation par réaction de collecteur est parfois plus efficace que la polarisation par réaction d'émetteur. Bien que le transistor soit encore sensible à la variation de β_{cc}, on utilise ce type de polarisation. Il offre l'avantage de la simplicité (seulement deux résistances) et d'une meilleure réponse en fréquence (étudiée plus loin). L'exemple 6-3 montre que la polarisation par réaction de collecteur surmonte efficacement la variation de β_{cc}.

CAS PARTICULIER

L'impossibilité de saturer le transistor est un autre avantage de la polarisation par réaction de collecteur sur la polarisation d'émetteur. A mesure qu'on diminue la résistance de base, le point de fonctionnement se déplace vers le point de saturation sur la droite de charge statique, mais il ne l'atteint jamais, si petite que soit la résistance de base.

La résistance de base du circuit de polarisation par réaction de collecteur représenté à la figure 6-4 *b* est nulle. Remarquer que V_{CE} ne peut être inférieure à 0,7 V, la chute de tension entre les bornes base-émetteur. Le courant collecteur égale

$$I_C \cong \frac{V_{CC} - 0,7}{R_C} \tag{6-5}$$

Cette valeur est légèrement inférieure à V_{CC}/R_C, l'ordonnée à l'origine de la droite de charge statique : on ne peut donc saturer le transistor.

La figure 6-4 *c* représente le circuit équivalent dans le cas d'une résistance de base nulle. Un transistor à base court-circuitée au collecteur se comporte comme une diode. Cette notion est importante dans les circuits intégrés. Nous verrons pourquoi.

DIRECTIVES POUR LA CONCEPTION

Dans cet ouvrage, nous réglons habituellement le point Q près du point milieu de la droite de charge statique. Dans le cas de la polarisation par réaction de collecteur, il faut que

$$R_B = \beta_{cc} R_C \tag{6-6}$$

La façon la plus simple de voir que, si cette égalité est satisfaite, alors le point Q est près du point milieu de la droite de charge statique, consiste à remplacer R_B par $\beta_{cc}R_C$ dans l'équation (6-4). Il vient

$$I_C = \frac{V_{CC} - V_{BE}}{R_C + \beta_{cc}R_C/\beta_{cc}} = \frac{V_{CC} - V_{BE}}{2R_C}$$

Ce rapport égale environ la moitié de V_{CC}/R_C, le courant de saturation. Le respect de la formule (6-6) place donc Q près du point milieu de la droite de charge. Sauf indication contraire, nous concevrons des circuits de polarisation par réaction de collecteur en respectant l'égalité $R_B = \beta_{cc}R_C$.

EXEMPLE 6-2

Concevoir un circuit de polarisation à Q centré par réaction de collecteur tel que $V_{CC} = 15$ V, $R_C = 1$ kΩ et $\beta_{cc} = 200$.

SOLUTION

Il faut que la résistance de base
$$R_B = 200 \times 1 \text{ k}\Omega = 200 \text{ k}\Omega$$
La figure 6-5 *a* représente le circuit.

EXEMPLE 6-3

Considérer le circuit représenté à la figure 6-5 *a* et calculer le courant collecteur lorsque β_{cc} égale successivement 100 et 300.

SOLUTION

Lorsque $\beta_{cc} = 100$, l'équation (6-4) donne

$$I_C = \frac{15 \text{ V} - 0,7 \text{ V}}{1 \text{ k}\Omega + 200 \text{ k}\Omega/100} = 4,77 \text{ mA}$$

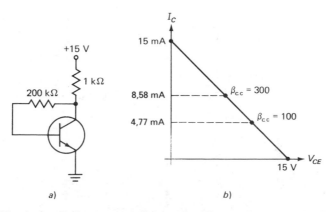

Fig. 6-5. a) *Circuit de polarisation par réaction de collecteur.* b) *Droite de charge statique à deux points Q.*

Lorsque $\beta_{cc} = 300$,

$$I_C = \frac{15 \text{ V} - 0,7 \text{ V}}{1 \text{ k}\Omega + 200 \text{ k}\Omega/300} = 8,58 \text{ mA}$$

La figure 6-5 *b* représente la droite de charge statique et les points de fonctionnement. Lorsque β_{cc} varie du simple au triple, le courant collecteur double à peine. Le point Q n'est pas figé, mais il se comporte mieux qu'en polarisation par réaction d'émetteur. De plus, le transistor ne peut se saturer, si grand que devienne β_{cc}. Voilà pourquoi, on utilise parfois la polarisation par réaction de collecteur dans les amplificateurs petits signaux.

6.4. POLARISATION PAR DIVISEUR DE TENSION

La figure 6-6 *a* représente le circuit de *polarisation par diviseur de tension* (aussi appelé circuit universel de polarisation). Cette polarisation est la plus utilisée dans les circuits linéaires. L'appellation « par diviseur de tension » provient du diviseur de tension formé par R_1 et R_2. La tension entre les bornes de R_2 polarise la diode émetteur en direct.

COURANT ÉMETTEUR

Voici comment obtenir la polarisation par diviseur de tension. Ouvrir mentalement le conducteur de base du transistor de la figure 6-6 *a*. Puis regarder le diviseur de tension non chargé pour obtenir la tension de Thévenin

$$V_{TH} = \frac{R_2}{R_1 \text{ q } R_2} V_{CC} \qquad (6\text{-}7)$$

Rebrancher mentalement le conducteur de base. Si le diviseur de tension est soutenu, plus de 99 % de la tension de Thévenin attaque la base. Autrement dit, le circuit se ramène à celui représenté à la figure 6-6 *b* et le transistor se comporte

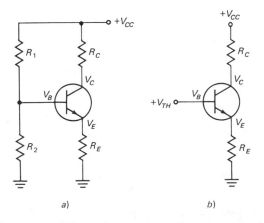

a)   *b)*

Fig. 6-6. *Polarisation par diviseur de tension.* a) *Circuit complet.* b) *Schéma simplifié.*

comme une source de courant commandée ou dépendante étudiée au chapitre 5. L'émetteur étant assujetti à la base, il vient

$$I_E = \frac{V_{TH} - V_{BE}}{R_E} \qquad (6\text{-}8)$$

Le courant collecteur approxime cette valeur.

Remarquer que la formule du courant émetteur ne contient pas β_{cc}. Le circuit est donc insensible à la variation de β_{cc} et le point Q est fixe. Voilà pourquoi on préfère la polarisation par diviseur de tension dans les circuits linéaires à transistors. Vous la verrez presque partout.

DIVISEUR SOUTENU DE TENSION

L'usage d'un tel diviseur donne un circuit bien conçu. Voici comment concevoir un diviseur soutenu de tension. L'application du théorème de Thévenin au réseau de la figure 6-6 *a* donne le circuit équivalent représenté à la figure 6-7 dans lequel

$$R_{TH} = \frac{R_1 R_2}{R_1 + R_2} \qquad (6\text{-}9)$$

qu'on écrit plus simplement

$$R_{TH} = R_1 \parallel R_2 \qquad (6\text{-}10)$$

Dans cette égalité, les barres parallèles sont mises pour « en parallèle avec ». La formule (6-10) se lit « R_{TH} égale R_1 en parallèle avec R_2 ». L'addition des tensions le long de la maille de base du circuit représenté à la figure 6-7 donne

$$V_{BE} + I_E R_E - V_{TH} + I_B R_{TH} = 0$$

Or $I_B \cong I_E/\beta_{cc}$. Donc l'équation précédente se réduit à

$$I_E \cong \frac{V_{TH} - V_{BE}}{R_E + R_{TH}/\beta_{cc}} \qquad (6\text{-}11)$$

Si R_E égale $100 \times R_{TH}/\beta_{cc}$, alors R_E est grand par rapport à R_{TH}/β_{cc} et l'on obtient

$$I_E = \frac{V_{TH} - V_{BE}}{R_E}$$

Dans cet ouvrage, par circuit de polarisation par diviseur *soutenu* de tension entendre un circuit tel que

$$R_{TH} \leqslant 0{,}01 \beta_{cc} R_E \qquad (6\text{-}12)$$

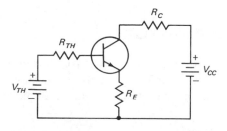

Fig. 6-7. *Circuit équivalent pour polarisation par diviseur de tension.*

Il faut respecter la règle de 100/1 pour le gain β_{cc} minimal rencontré dans toutes les conditions. Si le gain β_{cc} d'un transistor varie de 80 à 400, utiliser la valeur inférieure (80).

Habituellement, R_2 est plus petit que R_1 et la formule (6-12) devient

$$R_2 \leqslant 0,01 \, \beta_{cc} R_E \qquad (6\text{-}13)$$

Cela est une évaluation prudente parce que le respect de la formule (6-13) entraîne le respect de la formule (6-12). Pour des raisons de commodité, nous utiliserons la formule (6-13) pour concevoir des diviseurs soutenus de tension.

DIVISEUR FERME DE TENSION

La petitesse éventuelle des résistances R_1 et R_2 d'un diviseur soutenu de tension soulève d'autres problèmes (étudiés plus loin). Dans ce cas, de nombreux concepteurs utilisent la formule de compromis

$$R_{TH} \leqslant 0,1 \beta_{cc} R_E \qquad (6\text{-}14)$$

La formule

$$R_2 \leqslant 0,1 \beta_{cc} R_E \qquad (6\text{-}15)$$

est encore intéressante.

Dans la pire éventualité, le respect de cette formule donne un courant collecteur égal à environ 10 % du courant idéal collecteur donné par la formule (6-8).

Dorénavant, nous qualifierons de « ferme » tout diviseur de tension qui respecte la formule (6-15). Habituellement, nous essayerons de concevoir un diviseur soutenu de tension. Pour des raisons (impédance d'entrée) que nous verrons plus tard, nous ferons parfois un compromis et nous concevrons un diviseur ferme de tension pour obtenir un meilleur environnement.

DROITE DE CHARGE EN CONTINU, EN COURANT CONTINU, STATIQUE OU EN RÉGIME STATIQUE

Additionnons les tensions le long de la maille de collecteur du circuit représenté à la figure 6-7 et isolons I_C. Il vient

$$I_C = \frac{V_{CC} - V_{CE}}{R_C + R_E} \qquad (6\text{-}16)$$

Visiblement, l'ordonnée à l'origine représente un courant de saturation égal à $V_{CC}/(R_C + R_E)$ et l'abscisse à l'origine représente une tension de blocage égale à V_{CC}.

TENSIONS D'UN TRANSISTOR

Pour dépanner, il faut parfois mesurer les tensions d'un transistor par rapport à la masse. La tension collecteur-masse V_C égale la tension d'alimentation moins la chute de tension entre les bornes de la résistance de collecteur, d'où

$$V_C = V_{CC} - I_C R_C \qquad (6\text{-}17)$$

La tension émetteur-masse égale

$$V_E = I_E R_E \qquad (6\text{-}18)$$

On a aussi

$$V_E = V_{TH} - V_{BE}$$

parce que l'émetteur suit la base à une chute V_{BE}. Dans le cas d'un diviseur de tension soutenu, la tension base-masse égale

$$V_B = V_{TH} \qquad (6\text{-}19)$$

DIRECTIVES DE CONCEPTION

La figure 6-8 représente un amplificateur. Un condensateur applique le signal alternatif à l'amplificateur et un autre l'en sort. Pour le courant continu, les condensateurs sont ouverts. Une petite tension alternative d'entrée attaque la base, et une tension alternative amplifiée sort du collecteur. Nous analyserons cet amplificateur en profondeur au chapitre 8. Dans le présent chapitre, nous apprendrons à concevoir des amplificateurs à point Q stable.

Dans cet ouvrage, sauf indication contraire, nous utiliserons la règle du dixième qui rend la tension émetteur approximativement égale au dixième de la tension d'alimentation, soit

$$V_E = 0.1\, V_{CC} \qquad (6\text{-}20)$$

Cette règle de conception convient pour la plupart des circuits mais se rappeler qu'elle n'est qu'une directive. Certains concepteurs ne l'utilisent pas. Ne vous étonnez pas de trouver des tensions émetteur différentes du dixième de la tension d'alimentation

Commençons par calculer la résistance R_E nécessaire pour avoir le courant collecteur spécifié. Il vient

$$R_E = \frac{V_E}{I_E} \qquad (6\text{-}21)$$

Positionnons le point Q à peu près au milieu de la droite de charge statique. Dans ces cas, une tension d'environ $0.5\, V_{CC}$ apparaît entre les bornes collecteur-émetteur et environ $0.4\, V_{CC}$ apparaît entre les bornes de la résistance de collecteur : d'où

$$R_C = 4R_E \qquad (6\text{-}22)$$

Concevons un diviseur soutenu de tension à l'aide de la règle de 100/1. Il vient

$$R_2 \leqslant 0.01\, \beta_{cc} R_E$$

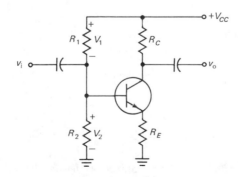

Fig. 6-8. *Amplificateur.*

Si vous préférez un diviseur ferme de tension, appliquez la règle de 10/1. Vous aurez

$$R_2 \leqslant 0,1 \; \beta_{cc} R_E$$

Finalement, calculons R_1 selon la règle de la proportionnalité. Il vient

$$R_1 = \frac{V_1}{V_2} \, R_2 \qquad\qquad (6\text{-}23)$$

EXEMPLE 6-4

Le diviseur de tension du circuit représenté à la figure 6-9 *a* est soutenu. Tracer la droite de charge statique et représenter le point Q.

SOLUTION

Ouvrons mentalement le transistor du collecteur à l'émetteur. Toute la tension d'alimentation apparaît entre les bornes collecteur-émetteur. L'abscisse à l'origine de la droite de charge représente donc une tension de blocage de 30 V.

Court-circuitons mentalement le transistor du collecteur à l'émetteur. Visiblement, R_C est en série avec R_E et le courant collecteur de saturation égale

$$I_{C(\text{sat})} = \frac{30 \text{ V}}{3\;000 \; \Omega + 750 \; \Omega} = 8 \text{ mA}$$

Cette valeur représente l'ordonnée à l'origine de la droite de charge statique.

La tension de Thévenin produite par le diviseur soutenu, de tension égale

$$V_{TH} = \frac{1\;000}{6800 + 1000} \; 30 \text{ V} = 3{,}85 \text{ V}$$

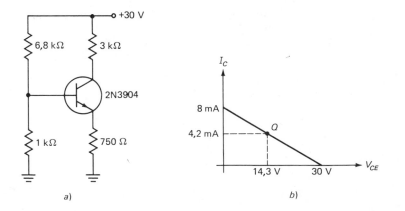

Fig. 6-9. a) *Circuit à transistor polarisé par diviseur de tension.* b) *Droite de charge statique et point Q.*

Le courant émetteur égale

$$I_E \cong \frac{3{,}85 \text{ V} - 0{,}7 \text{ V}}{750 \ \Omega} = 4{,}2 \text{ mA} \cong I_C$$

La tension collecteur égale
$$V_C = 30 \text{ V} - (4{,}2 \text{ mA}) \ (3 \text{ k}\Omega) = 17{,}4 \text{ V}$$
La tension émetteur égale
$$V_E = 3{,}85 \text{ V} - 0{,}7 \text{ V} = 3{,}15 \text{ V}$$
D'où la tension collecteur-émetteur égale
$$V_{CE} = V_C - V_E = 17{,}4 \text{ V} - 3{,}15 \text{ V} = 14{,}3 \text{ V}$$

La figure 6-9 *b* représente la droite de charge statique et le point *Q*. Visiblement, le point *Q* est près du point milieu de la droite de charge statique.

EXEMPLE 6-5

La figure 6-10 représente un amplificateur à deux étages. (Un étage comprend un transistor, ses résistances de polarisation, incluant R_C et R_E). Calculer la tension continue émetteur et la tension continue collecteur de chaque étage.

SOLUTION

En courant continu, les condensateurs sont ouverts. On peut donc analyser chaque étage séparément parce que les tensions et les courants continus n'interagissent pas. Les étages sont identiques parce que leurs résistances sont égales. Dans chaque étage, la tension entre les bornes de la résistance de 1 kΩ du diviseur de tension est de 2,27 V. La tension émetteur est inférieure de 0,7 V d'où

$$V_E = 1{,}57 \text{ V}$$

Le courant émetteur égale

$$I_E \cong \frac{1{,}57 \text{ V}}{120 \ \Omega} = 13{,}1 \text{ mA}$$

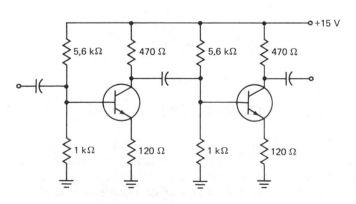

Fig. 6-10. *Amplificateur à deux étages.*

En approximation serrée, $I_C = 13,1$ mA et
$$V_C \cong 15 \text{ V} - (13,1 \text{ mA})(470 \text{ }\Omega) = 8,84 \text{ V}$$

EXEMPLE 6-6

Concevoir un circuit de polarisation par diviseur de tension tel que $V_{CC} = 20$ V, $I_C = 5$ mA et β_{cc} varie de 80 à 400.

SOLUTION

La tension émetteur devrait être d'environ le dixième de la tension d'alimentation, d'où $V_E = 2$ V. Comme le courant collecteur de repos imposé est de 5 mA, la résistance d'émetteur nécessaire égale

$$R_E = \frac{2 \text{ V}}{5 \text{ mA}} = 400 \text{ }\Omega$$

La résistance normalisée ou nominale la plus proche est de 390 Ω. Pour fonctionner près du point milieu de la droite de charge statique, la résistance de collecteur doit être d'environ le quadruple de la résistance d'émetteur, d'où
$$R_C = 4(390 \text{ }\Omega) = 1560 \text{ }\Omega$$
La résistance normalisée ou nominale la plus proche est de 1,6 kΩ.

La tension base est de 0,7 V supérieure à la tension émetteur, d'où $V_B = 2,7$ V. Cette tension est celle entre les bornes de R_2. La tension entre les bornes de R_1 égale
$$V_1 = V_{CC} - V_2 = 20 \text{ V} - 2,7 \text{ V} = 17,3 \text{ V}$$
Pour que le diviseur de tension soit soutenu, il faut
$$R_2 \leqslant 0,01(80)(390) = 312 \text{ }\Omega$$
La résistance normalisée ou nominale la plus proche est de 300 Ω, d'où
$$R_2 = 300 \text{ }\Omega$$
et
$$R_1 = \frac{V_1}{V_2} R_2 = \frac{17,3 \text{ V}}{2,7 \text{ V}} (300 \text{ }\Omega) = 1922 \text{ }\Omega$$

La résistance normalisée ou nominale la plus proche est de 2 kΩ. Donc, nous prendrons
$$R_E = 390 \text{ }\Omega$$
$$R_C = 1,6 \text{ k}\Omega$$
$$R_1 = 2 \text{ k}\Omega$$
$$R_2 = 300 \text{ }\Omega$$

6.5.   POLARISATION D'ÉMETTEUR

La figure 6-11 *a* représente la *polarisation d'émetteur* parfois utilisée lorsqu'on dispose d'une alimentation fractionnée (tension positive et négative). La figure 6-11 *b* représente le schéma simplifié du circuit.

Voici la méthode d'analyse d'un circuit de polarisation d'émetteur. Si R_B est suffisamment petit, la tension base est presque nulle. La tension émetteur lui est inférieure de la chute V_{BE}. Donc, la tension entre les bornes de la résistance d'émetteur égale $V_{EE} - V_{BE}$ et le courant émetteur égale

$$I_E \cong \frac{V_{EE} - V_{BE}}{R_E} \qquad (6\text{-}24)$$

Comme β_{cc} n'apparaît pas dans cette formule, le point Q est fixe. Lorsqu'on dispose d'une alimentation fractionnée, on polarise l'émetteur. Cela fixe le point Q, comme la polarisation par diviseur de tension.

Pour bien concevoir un circuit de polarisation d'émetteur il faut prendre une petite résistance R_B. Petite d'accord, mais de quel ordre de petitesse ? Par un développement semblable à celui donné pour la polarisation par diviseur de tension, on obtient la formule exacte suivante du courant émetteur

$$I_E = \frac{V_{EE} - V_{BE}}{R_E + R_B/\beta_{cc}}$$

Remarquer sa ressemblance avec l'équation (6-11). Dans une application soutenue, R_E égale au moins 100 fois R_B/β_{cc}. D'où

$$R_B \cong 0.01\,\beta_{cc}R_E \qquad (6\text{-}25)$$

Pour dépanner un circuit de polarisation d'émetteur, il faut estimer les tensions du transistor par rapport à la masse. La tension collecteur égale

$$V_C = V_{CC} - I_C R_C \qquad (6\text{-}26)$$

Dans une application soutenue, la tension base est presque nulle et la tension émetteur est d'environ $-\,0.7$ V.

EXEMPLE 6-7

Soit le circuit représenté à la figure 6-11 *b*. On donne $R_C = 5.1$ kΩ, $R_E = 10$ kΩ et $R_B = 6.8$ kΩ. Supposer une alimentation fractionnée de $+\,15$ V et $-\,15$ V et calculer la tension collecteur par rapport à la masse.

SOLUTION

Supposons une application soutenue. La base est donc pratiquement à la masse. La tension émetteur étant inférieure au potentiel de la masse de la chute V_{BE}, vaut $-\,0.7$ V. Le courant émetteur égale

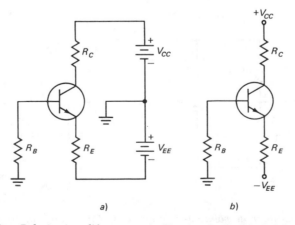

Fig. 6-11. *Polarisation d'émetteur.* a) *Circuit complet.* b) *Schéma simplifié.*

$$I_E = \frac{15 \text{ V} - 0,7 \text{ V}}{10 \text{ k}\Omega} = 1,43 \text{ mA}$$

La tension collecteur égale

$$V_C = 15 - (1,43 \text{ mA})(5,1 \text{ k}\Omega) = 7,71 \text{ V}$$

6.6. DÉPLACEMENT DE LA MASSE

La masse est un point de référence qu'on peut déplacer à loisir. Exemple : la figure 6-12 *a* représente le circuit de polarisation par réaction de collecteur et la figure 6-12 *b* représente le même circuit mais dans celui-ci on ne compte pas sur la masse pour conduire le courant. La suppression de la masse du circuit représenté à la figure 6-12 *b* donne le circuit flottant représenté à la figure 6-12 *c*. Les tensions et les courants du transistor de ce circuit isolé sont les mêmes qu'avant; le même courant émetteur circule et la même tension collecteur-émetteur existe.

Dans le même ordre d'idée, on peut mettre la borne positive de l'alimentation à la masse (fig. 6-12 *d*). Et finalement on peut tracer le circuit selon la figure 6-12 *e*. Les tensions par rapport à la masse des circuits représentés aux figures 6-12 *a* à *e* diffèrent . $V_E = 0$ à la figure 6-12 *a* et $V_E = -20$ V à la figure 6-12 *e*.

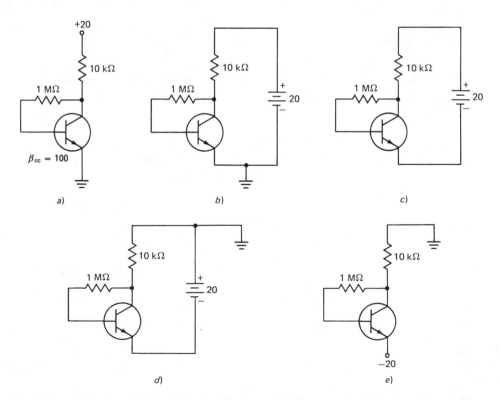

Fig. 6-12. *Relocalisation du point mis à la masse.* a) *Circuit original;* b) *Première modification.* c) *Circuit flottant.* d) *Borne positive de l'alimentation mise à la masse.* e) *Circuit final.*

L'important c'est que les trois courants de transistor $(I_E,\ I_C$ et $I_B)$ et les trois tensions de transistor $(V_{BE},\ V_{CE}$ et $V_{CB})$ soient les mêmes dans les circuits représentés aux figures 6-12 *a* à *e*. Se rappeler qu'un circuit fonctionne avec la borne négative de l'alimentation à la masse (fig. 6-12 *a*), sans borne de l'alimentation à la masse (fig. 6-12 *c*) et avec la borne positive de l'alimentation à la masse (fig. 6-12*e*).

6.7. CIRCUITS A TRANSISTORS *PNP*

La figure 6-13 *a* représente un transistor *PNP*. Puisque les diodes émetteur et collecteur pointent dans des sens opposés, tous les courants et toutes les tensions sont inversés. Donc, pour polariser en direct la diode émetteur d'un transistor *PNP*, la polarité de V_{BE} doit être négative comme le montre la figure 6-13 *a*. Pour polariser la diode collecteur en inverse V_{CB} doit avoir la polarité positive indiquée. La figure 6-13 *b* représente les sens des courants conventionnels et la figure 6-13 *c* les sens des courants électroniques ou de déplacement des électrons.

CIRCUITS COMPLÉMENTAIRES

On appelle le transistor *PNP* le *complément* du transistor *NPN*. Par complément, entendre que toutes les tensions et tous les courants sont opposés à celles et ceux d'un transistor *NPN*. Chaque circuit à transistor *NPN* a un circuit complémentaire à transistor *PNP*. Pour trouver le circuit complémentaire à transistor *PNP* :

1) remplacer le transistor *NPN* par un transistor *PNP*.
2) inverser toutes les tensions et tous les courants.

A titre d'exemple, la figure 6-14 *a* représente un circuit de polarisation d'un transistor *NPN* par réaction de collecteur. La tension collecteur est positive par rapport à la masse. Pour obtenir le circuit complémentaire à transistor *PNP* représenté à la figure 6-14 *b*, nous avons simplement remplacé le transistor *NPN* par un transistor *PNP* et pris les compléments des tensions.

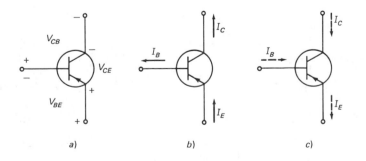

Fig. 6-13. a) *Transistor PNP. b) Courants conventionnels.* c) *Courants électroniques ou de déplacements des électrons.*

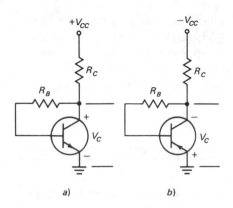

Fig. 6-14. *Circuits complémentaires.*

REPRÉSENTATION RENVERSÉE DES TRANSISTORS *PNP*

Lorsque l'alimentation est positive on renverse habituellement la représentation des transistors *PNP*. La figure 6-15 *a* représente un amplificateur à transistor *PNP* polarisé par réaction de collecteur. La figure 6-15 *b* représente le même circuit à alimentation flottante. La mise à la masse de la borne négative de l'alimentation donne le circuit représenté à la figure 6-15 *c*. L'orientation d'un transistor dans

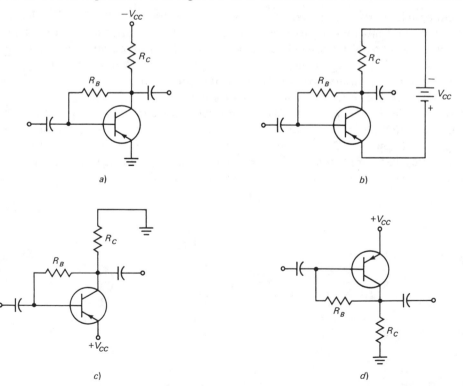

Fig. 6-15. *Représentation renversée d'un circuit à transistor PNP.* a) *Circuit original.* b) *Circuit flottant.* c) *Déplacement de la masse.* d) *Version renversée.*

l'espace n'importe pas; il fonctionne aussi bien si on le renverse selon la figure 6-15 *d*. Le courant collecteur de ce circuit est égal aux courants collecteur des circuits représentés aux figures 6-15 *a, b* et *c*.

Le renversement des transistors *PNP* surprend un peu au début, mais on s'y habitue rapidement. Il clarifie les circuits à transistors *NPN* et *PNP*. Utilisez ce mode de représentation en vogue dans l'industrie.

EXEMPLE 6-8

Soit le réseau représenté à la figure 6-16. Calculer la tension émetteur et la tension collecteur de chaque étage.

SOLUTION

Nous avons déjà analysé cet amplificateur à deux étages (exemple 6-5). La seule différence réside dans le montage de transistors *PNP* renversés au lieu de transistors *NPN*. La tension entre les bornes de la résistance de 1 kΩ de chaque étage est de 2,27 V. La tension entre les bornes de la résistance d'émetteur, encore inférieure de 0,7 V est de 1,57 V. Le courant émetteur égale encore

$$I_E = \frac{1,57 \text{ V}}{120 \text{ } \Omega} = 13,1 \text{ mA}$$

Un courant de 13,1 mA traverse chaque résistance de collecteur. Donc, la tension collecteur-masse de chaque étage égale
$$V_C = (13,1 \text{ mA})(470 \text{ } \Omega) = 6,16 \text{ V}$$

La tension émetteur-masse de chaque étage égale
$$V_E = 15 \text{ V} - 1,57 \text{ V} = 13,4 \text{ V}$$

On appelle souvent la ligne d'alimentation et la ligne de masse d'un circuit de tracé semblable à celui du circuit représenté à la figure 6-16 le *rail d'alimentation* et le *rail de masse*. Les résistances de 1 kΩ et de 120 Ω sont tournées vers le rail d'alimentation tandis que les résistances de 5,6 kΩ et de 470 Ω sont tournées vers le rail de masse.

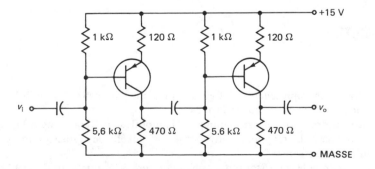

Fig. 6-16. *Amplificateur à deux étages et transistors PNP.*

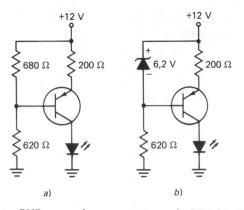

Fig. 6-17. a) *Le transistor PNP source de courant attaque la DEL.* b) *La diode Zener produit la source soutenue.*

EXEMPLE 6-9

Calculer le courant de DEL du circuit représenté à la figure 6-17 *a*.

SOLUTION

Supposons que le diviseur de tension est soutenu, alors la tension entre les bornes de la résistance de 680 Ω est de 6,28 V. La tension entre les bornes de la résistance d'émetteur étant inférieure de 0,7 V est de 5,58 V. Donc, le courant émetteur égale

$$I_E = \frac{5,58 \text{ V}}{200 \text{ Ω}} = 27,9 \text{ mA}$$

Donc le courant de DEL est d'environ 27,9 mA. Voilà une excellente façon de fournir un courant via une DEL. Le circuit à transistor *PNP* renversé présente l'avantage de pouvoir mettre une borne de la DEL à la masse.

La figure 6-17 *b* représente un circuit semblable à diode Zener. Le courant de DEL est sensiblement le même. En raison de l'extrême petitesse de la résistance Zener, ce circuit est une source de courant très soutenue.

PROBLÈMES

Simples

6-1. Le transistor représenté à la figure 6-18 a un paramètre h_{FE} de 80. Calculer la tension entre le collecteur et la masse.

6-2. Tracer la droite de charge statique de l'amplificateur représenté à la figure 6-18.

6-3. Calculer la valeur approximative de β_{cc} à laquelle le transistor représenté à la figure 6-18 se sature.

6-4. Supposer que le transistor représenté à la figure 6-18 a un gain β_{cc} de 125. Calculer la tension base, la tension émetteur et la tension collecteur, par rapport à la masse.

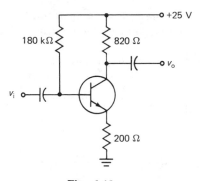

Fig. 6-18.

6-5. Soit l'amplificateur représenté à la figure 6-19. Supposer que $V_{CC} = 10$ V et calculer la tension collecteur de chaque étage.

6-6. Soit l'amplificateur représenté à la figure 6-19. Supposer que $V_{CC} = 15$ V et calculer la puissance dissipée par chaque transistor.

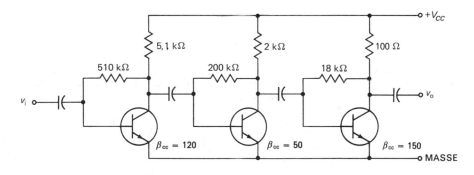

Fig. 6-19.

6-7. Soit l'amplificateur représenté à la figure 6-20. Supposer que la tension d'alimentation est de 10 V et calculer la tension émetteur-masse de chaque étage.

6-8. Considérer l'amplificateur représenté à la figure 6-20. Supposer que $V_{CC} = 15$ V et calculer le courant collecteur de saturation de chaque étage.

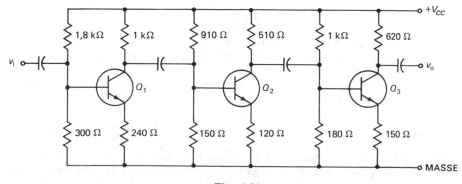

Fig. 6-20.

6-9.   Soit l'amplificateur représenté à la figure 6-20. Prendre $V_{CC} = 20$ V. Analyser complètement ce réseau, autrement dit calculer V_B, V_E, V_C, I_C et P_D (puissance dissipée) de chaque étage.

6-10.   Considérer chaque étage de l'amplificateur représenté à la figure 6-21. Calculer le courant collecteur et la tension collecteur-masse.

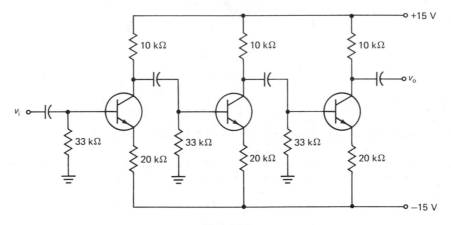

Fig. 6-21.

6-11.   Calculer la puissance dissipée par chaque transistor représenté à la figure 6-21.

6-12.   Soit le circuit représenté à la figure 6-22 *a*. Calculer le courant collecteur et les tensions V_B, V_E, V_C par rapport à la masse.

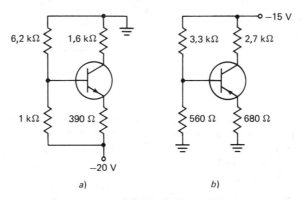

Fig. 6-22.

6-13.   Soit le circuit représenté à la figure 6-22*b*. Calculer V_B, V_E et V_C.

6-14.   Soit l'amplificateur représenté à la figure 6-23. Calculer V_B, V_E, V_C de chaque étage et la puissance dissipée par chaque transistor.

6-15.   On remplace la diode Zener du circuit représenté à la figure 6-17 *b* par une autre diode Zener à $V_Z = 4,7$ V. Calculer le courant de DEL.

De dépannage

6-16.   Soit l'amplificateur représenté à la figure 6-20. Supposer que $V_{CC} = 20$ V. Dire si la tension collecteur de Q_1 augmente, diminue ou reste la même pour chaque dérangement suivant :

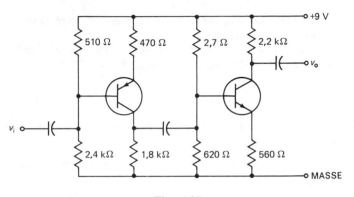

Fig. 6-23.

a) Résistance de 1,8 kΩ ouverte.
b) Court-circuit collecteur-émetteur de Q_1.
c) Résistance de 240 Ω ouverte.
d) Résistance de 240 Ω court-circuitée.
e) Résistance de 300 Ω court-circuitée.
f) Résistance de 1 kΩ ouverte.
g) Résistance de 910 Ω ouverte.

6-17. Examiner l'étage de Q_3 de l'amplificateur représenté à la figure 6-20 lors que $V_{CC} = 20$ V. Dire si la tension collecteur-masse est plus grande, plus petite ou normale pour chaque dérangement suivant :
a) Résistance de 1 kΩ ouverte.
b) Résistance de 1 kΩ court-circuitée.
c) Résistance de 180 Ω ouverte.
d) Résistance de 180 Ω court-circuitée.
e) Résistance de 620 Ω ouverte.
f) Résistance de 620 Ω court-circutée.
g) Court-circuit collecteur-émetteur de Q_3.
h) Ouverture collecteur-émetteur de Q_3.
i) Résistance de 150 Ω ouverte.
j) Résistance de 150 Ω court-circuitée.

6-18. Supposer que la tension d'alimentation de l'amplificateur représenté à la figure 6-20 est de 15 V. Voici les mesures des tensions :
Premier étage : $V_E = 1,5$ V et $V_C = 8,9$ V.
Deuxième étage : $V_E = 0$ V et $V_C = 15$ V.
Troisième étage : $V_E = 1,6$ V et $V_C = 8,6$ V.
Citer trois dérangements possibles.

6-19. Supposer que la tension collecteur du premier étage de l'amplificateur représenté à la figure 6-23 est de 0 V. Citer quelques dérangements possibles.

De conception

6-20. Concevoir un étage polarisé par réaction de collecteur tel que $V_{CC} = 20$ V, $I_C = 5$ mA et $\beta_{cc} = 150$.

6-21. Concevoir un amplificateur à deux étages polarisés par diviseurs soutenus de tension. La tension d'alimentation est de 15 V et le courant collecteur au point de repos doit être de 1,5 mA pour chaque étage. Supposer que le paramètre h_{FE} est de 125.

6-22. Concevoir de nouveau l'amplificateur à deux étages du problème 6-21 pour avoir des diviseurs fermes de tension.

6-23. Concevoir un circuit à transistor *PNP* source de courant semblable à celui représenté à la figure 6-17 *b* tel que $V_{CC} = 15$ V, $V_Z = 7,5$ V et $I_C = 40$ mA.

De défi

6-24. Soit le circuit représenté à la figure 6-24 *a*. Supposer que les diodes sont au silicium et calculer V_E, I_C et V_C.

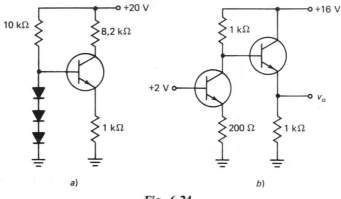

a)   b)

Fig. 6-24.

6-25. La figure 6-24 *b* représente un exemple de couplage direct entre étages. Calculer v_o. Supposer que v_i passe de 2 V à 3 V et calculer v_o.

6-26. Par définition, la dynamique de la tension de sortie est la gamme maximale de tension que peut parcourir la sortie lorsque l'entrée varie. Calculer la dynamique de la tension de sortie de l'amplificateur représenté à la figure 6-24 *b*.

A résoudre par ordinateur

6-27. L'instruction ON ... GOTO ... permet de se brancher à différentes lignes d'un programme. A titre d'exemple, considérer le segment de programme.
10   PRINT "INTRODUIRE LE CHOIX : 1, 2 OU 3"
20   INPUT C
30   ON C GOTO 500, 1000, 1500
Si on introduit 1 pour C, l'ordinateur se branche à la ligne 500. Si on introduit 2, il se branche à la ligne 1000. Un 3 l'envoie à la ligne 1500.
Considérer le programme
10   PRINT "1. POLARISATION PAR RÉACTION D'ÉMETTEUR"
20   PRINT "2. POLARISATION PAR RÉACTION DE COLLECTEUR"
30   PRINT "3. POLARISATION PAR DIVISEUR DE TENSION"
40   PRINT "4. POLARISATION D'ÉMETTEUR"
50   PRINT
60   PRINT "INTRODUIRE LE CHOIX"
70   INPUT C
80   ON C GOTO 5000, 6000, 7000, 8000
a) Que fait l'ordinateur si l'on introduit 2 ?
b) A quelle ligne l'ordinateur se branche-t-il si l'on choisit la polarisation par diviseur de tension ?

6-28. Considérer le programme suivant.

```
10   PRINT "INTRODUIRE VCC" : INPUT VCC
20   PRINT "INTRODUIRE RE" : INPUT RC
30   PRINT "INTRODUIRE RB" : INPUT RB
40   PRINT "INTRODUIRE BÊTA CC" : INPUT BCC
50   NUM = VCC − 0.7 : DEN = RC + RB/BCC
60   IC = NUM/DEN
70   PRINT "LE COURANT COLLECTEUR ÉGALE" : PRINT IC
```

Quelle sorte de polarisation de transistor l'ordinateur analyse-t-il ? Qu'affichera l'ordinateur ?

6-29. Ecrire un programme qui affiche V_B, V_E, V_C, I_C et P_D d'un étage polarisé par diviseur de tension.

6-30. Ecrire un programme qui calcule le courant collecteur pour la polarisation par réaction d'émetteur, la polarisation par réaction de collecteur, la polarisation par diviseur de tension et la polarisation d'émetteur. Ce programme doit contenir un menu semblable à celui du programme du problème 6-28.

Amplificateurs à émetteur commun

Une fois le transistor polarisé et le point Q voisin du point milieu de la droite de charge statique, on peut appliquer un petit signal alternatif à la base. Cela produit des fluctuations dans le courant collecteur de même allure et de même fréquence. Si l'entrée est une onde sinusoïdale de fréquence 1 kHz, la sortie sera une onde sinusoïdale agrandie de fréquence 1 kHz. On dit qu'un amplificateur est linéaire (ou haute fidélité) s'il ne change pas l'allure du signal. Tant que l'amplitude du signal est petite, le transistor n'utilise qu'une petite partie de la droite de charge et le fonctionnement est linéaire.

Si le signal d'entrée est trop grand, les fluctuations le long de la droite de charge saturent ou bloquent le transistor. Cela supprime les crêtes de l'onde sinusoïdale et l'amplificateur n'est plus linéaire. Une telle sortie écoutée sur un haut-parleur semble pénible en raison de la grossière distorsion du signal.

Dans ce chapitre, nous présenterons les notions nécessaires pour analyser les amplificateurs petits signaux. Nous présenterons d'abord les condensateurs de couplage, des dispositifs qui permettent de transmettre des signaux alternatifs à l'entrée et à la sortie d'un étage à transistor sans changer la tension continue de polarisation. Une fois les condensateurs de couplage compris, nous étudierons l'application du théorème de superposition aux amplificateurs petits signaux. Nous terminerons ce chapitre par un modèle de transistor en alternatif de dépannage et conception rapides des amplificateurs élémentaires.

7.1. CONDENSATEURS DE COUPLAGE ET CONDENSATEURS DE DÉCOUPLAGE

Un *condensateur de couplage* transmet un signal alternatif d'un point à un autre. Le condensateur représenté à la figure 7-1 *a*, par exemple, transmet la tension alternative appliquée au point A au point B. Pour que cette transmission ait lieu, la réactance capacitive X_C doit être petite comparativement aux résistances série.

Le circuit à gauche du point A de la figure 7-1 *a* est une source et une résistance ou le circuit équivalent de Thévenin de quelque chose plus compliqué. La

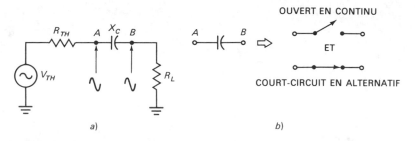

Fig. 7-1. a) *Condensateur de couplage entre la source et la charge.* b) *Circuit équivalent du condensateur de couplage.*

résistance R_L est une résistance de charge ou la résistance équivalente d'un réseau plus complexe. Peu importe les circuits sur les côtés du condensateur tant qu'on peut réduire le réseau à la maille représentée, le courant alternatif parcourt une résistance totale égale à $R_{TH} + R_L$.

Selon la théorie élémentaire des circuits, le courant alternatif qui circule dans un circuit RC à une maille égale

$$I = \frac{V}{\sqrt{R^2 + X_C^2}} \qquad (7\text{-}1)$$

Dans cette égalité, R est la résistance totale de la maille. Dans le circuit représenté à la figure 7-1 *a*, $R = R_{TH} + R_L$. A mesure que la fréquence croît, X_C décroît jusqu'à devenir beaucoup plus petite que R. Alors le courant passe par un maximum égal à V/R. Autrement dit, le condensateur transmet convenablement le signal de *A* à *B* lorsque $X_C \ll R$.

COUPLAGE SOUTENU

La capacité d'un condensateur de couplage dépend de la plus petite fréquence qu'on veut transmettre. Nous utiliserons la règle

$$X_C \leqslant 0,1 \ R \qquad (7\text{-}2)$$

à la plus petite fréquence d'entrée de l'amplificateur. Selon cette règle, la réactance capacitive du condensateur de couplage doit être inférieure ou égale au dixième de la résistance totale série. Respecter la règle de 10/1 signifie que le courant alternatif diminue de moins de 1 % à la plus basse fréquence. Pour s'en assurer, portons la pire valeur, $X_C = 0,1 \ R$, dans l'équation (7-1). Il vient

$$I = \frac{V}{\sqrt{R^2 + (0,1 \ R)^2}} = \frac{V}{1,005 \ R} = 0,995 \ \frac{V}{R}$$

Le courant alternatif ne diminue donc que de 0,5 % à la plus basse fréquence. Nous appellerons tout condensateur de couplage qui satisfait à la règle de 10/1 un *condensateur de couplage soutenu.*

Considérons l'exemple suivant. Supposons que nous devons concevoir un étage à transistor pour la gamme d'audiofréquence allant de 20 Hz à 20 kHz. Si le condensateur de couplage d'entrée voit une résistance totale série de 10 kΩ, alors

X_C doit être égal ou inférieur à 1 kΩ à la plus petite fréquence, 20 Hz. Procédons comme suit :

$$X_C = \frac{1}{2\,\pi f C} = \frac{1}{2\,\pi\,(20\ \text{Hz})\ C} = 1\ \text{k}\Omega$$

Isolons C. Il vient

$$C = \frac{1}{2\,\pi\,(20\ \text{Hz})\,(1\ \text{k}\Omega)} = 7{,}96\ \mu\text{F}$$

Telle est la capacité minimale nécessaire pour un couplage soutenu. En pratique, nous utiliserons un condensateur de 10 μF, la valeur nominale ou normalisée immédiatement supérieure (voir l'appendice 3). Ce condensateur rend le couplage soutenu pour toutes les fréquences supérieures à 20 Hz.

La figure 7-1 *b* représente le circuit équivalent d'un condensateur de couplage qui se comporte comme un interrupteur ouvert pour le courant continu et comme un court-circuit pour le courant alternatif. Donc, le condensateur de couplage bloque le courant continu (cc) et laisse passer le courant alternatif (ca). Cela permet de transmettre un signal alternatif d'un étage à un autre sans déranger la polarisation en courant continu de chaque étage.

MASSE EN ALTERNATIF OU EN COURANT ALTERNATIF

Un *condensateur de découplage* ressemble à un condensateur de couplage, mais il couple un point non à la masse à un point à la masse, comme le montre la figure 7-2 *a*. La tension V_{TH} et la résistance R_{TH} sont seules selon la figure ou sont un circuit de Thévenin. Le condensateur n'y voit aucune différence. Il voit une résistance totale R_{TH}. On peut encore appliquer les formules (7-1) et (7-2) parce que le circuit RC a une maille. La seule différence est $R = R_{TH}$.

Idéalement, le condensateur représenté à la figure 7-2 *b* se comporte comme un court-circuit pour un signal alternatif. Pour un signal alternatif, le point A est à la masse. Voilà pourquoi nous avons appelé le point A une masse en alternatif ou en courant alternatif. Le condensateur de découplage ne dérange pas la tension continue en A puisqu'il est ouvert pour le continu. Par contre, il fait du point A un point de masse en alternatif.

Sauf indication contraire, tous les condensateurs de couplage et tous les condensateurs de découplage sont soutenus. Entendre par là qu'ils se comportent à peu près comme des dispositifs ouverts pour le courant continu et comme des

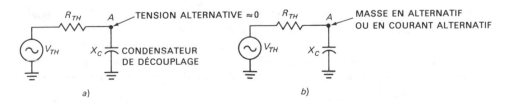

Fig. 7-2. *Condensateur de découplage.*

dispositifs court-circuités pour le courant alternatif. Retenez cela parce que nous utiliserons tant et plus les expressions *ouvert en continu* ou *en courant continu* et *court-circuité en alternatif* ou *en courant alternatif.*

7.2. APPLICATION DU THÉORÈME DE SUPERPOSITION AUX AMPLIFICATEURS

Dans un amplificateur à transistors, la source continue établit les courants et les tensions de repos. La source alternative fait fluctuer ces courants et tensions. La façon la plus simple d'analyser un amplificateur est de diviser l'analyse en deux parties : une analyse en continu et une analyse en alternatif. Autrement dit, on peut utiliser le *théorème de superposition* pour analyser les amplificateurs à transistors.

CIRCUITS ÉQUIVALENTS EN ALTERNATIF OU EN COURANT ALTERNATIF ET CIRCUITS ÉQUIVALENTS EN CONTINU OU EN COURANT CONTINU

Voici les étapes de l'application du théorème de superposition aux circuits à transistors :

1. Annuler la source alternative; autrement dit, court-circuiter une source de tension et ouvrir une source de courant. Ouvrir tous les condensateurs. Le circuit qui reste s'appelle le *circuit équivalent en continu* ou *en courant continu.* Il permet de calculer tous les courants continus et toutes les tensions continues désirés.

2. Annuler la source continue; autrement dit, court-circuiter une source de tension et ouvrir une source de courant. Court-circuiter tous les condensateurs de couplage et de découplage. Le circuit qui reste s'appelle le *circuit équivalent en alternatif* ou *en courant alternatif.* Il permet de calculer les courants alternatifs et les tensions alternatives.

3. Le courant total de toute branche du circuit égale la somme du courant continu et du courant alternatif de cette branche. La tension totale entre les bornes de toute branche égale la somme de la tension continue et de la tension alternative entre les bornes de cette branche.

Appliquons le théorème de superposition à l'amplificateur à transistor représenté à la figure 7-3 *a.* D'abord, court-circuitons la source de tension alternative et ouvrons tous les condensateurs. Il reste le circuit représenté à la figure 7-3 *b.* Ce circuit est le circuit équivalent en continu, le seul qui importe pour les courants continus et les tensions continues. Il permet de calculer le courant de repos et la tension de repos.

Puis, court-circuitons la source de tension continue; court-circuitons tous les condensateurs de couplage et de découplage. La figure 7-3 *c* représente le circuit

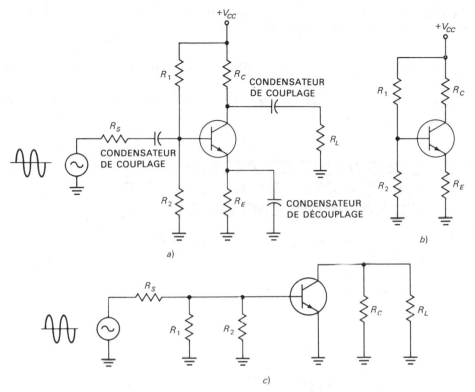

Fig. 7-3. *Théorème de superposition.* a) *Vrai circuit.* b) *Circuit équivalent en continu.* c) *Circuit équivalent en alternatif.*

équivalent en alternatif qui reste. Remarquons la mise à la masse en courant alternatif de l'émetteur par le condensateur de découplage entre les bornes de R_E. Remarquons aussi que la mise en court-circuit de l'alimentation continue met une borne de R_1 et R_C à la masse. Autrement dit, le point d'alimentation continue est une masse en alternatif parce que son impédance interne tend vers zéro. Le circuit équivalent en alternatif représenté à la figure 7-3 c permet de calculer tous les courants alternatifs et toutes les tensions alternatives désirés.

NOTATION

Pour distinguer le continu de l'alternatif, on représente les grandeurs continues par des majuscules. Aussi utiliserons-nous

I_E, I_C et I_B pour les courants continus,

V_E, V_C et V_B pour les tensions continues par rapport à la masse,

V_{BE}, V_{CE} et V_{CB} pour les tensions continues entre bornes.

Et on représente les grandeurs alternatives par des minuscules. Aussi utiliserons-nous

i_e, i_c et i_b pour les courants alternatifs,

v_e, v_c et v_b pour les tensions alternatives par rapport à la masse,

v_{be}, v_{ce} et v_{cb} pour les tensions alternatives entre bornes.

On utilise aussi un signe moins pour indiquer que deux tensions sinusoïdales sont déphasées de 180°. Ainsi, l'égalité

$$v_o = - v_i$$

signifie que la tension de sortie est déphasée de 180° par rapport à la tension d'entrée.

Habituez-vous à ces notations dès à présent parce que nous les utiliserons dans le reste de cet ouvrage.

7.3. RÉSISTANCE EN ALTERNATIF OU EN COURANT ALTERNATIF DE LA DIODE ÉMETTEUR

Pour déterminer le point Q, nous avons mentalement remplacé le transistor représenté à la figure 7-4 *a* par le circuit équivalent représenté à la figure 7-4 *b* (modèle d'Ebers-Moll). Jusqu'à présent nous avons approximé V_{BE} par 0,7 V. Dans cette section, nous étudierons le modèle d'Ebers-Moll en alternatif.

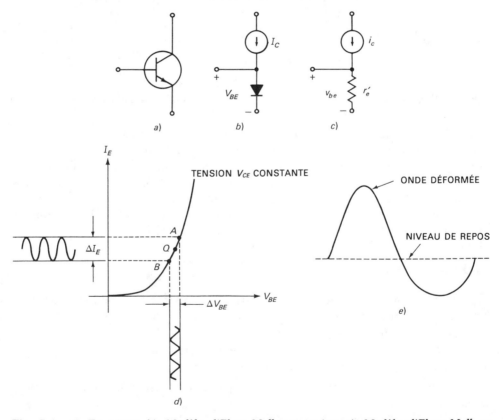

Fig. 7-4. a) *Transistor.* b) *Modèle d'Ebers-Moll en continu.* c) *Modèle d'Ebers-Moll en alternatif.* d) *La variation de la tension base-émetteur fait varier le courant émetteur.* e) *Distorsion due à un grand signal.*

RÉSISTANCE EN ALTERNATIF
OU EN COURANT ALTERNATIF D'ÉMETTEUR

La figure 7-4 *d* représente la caractéristique de diode de I_E en fonction de V_{BE}. En l'absence de signal alternatif, le transistor fonctionne au point Q disposé habituellement près du point milieu de la droite de charge statique. Lorsqu'un signal alternatif attaque le transistor, le courant et la tension émetteur varient. Si le signal est petit, le point de fonctionnement dévie sinusoïdalement de Q à une crête positive de courant en *A,* puis à une crête négative de courant en *B* et il revient à Q, et ce cycle se répète. D'où les variations sinusoïdales de I_E et V_{BE} représentées.

Si le signal est petit, les crêtes *A* et *B* sont proches de Q et le fonctionnement est à peu près linéaire. Autrement dit, l'arc de *A* à *B* est presque une droite. Les variations de tension et de courant sont donc à peu près proportionnelles. Cela revient à dire que, pour le signal alternatif, la diode semble une résistance

$$r'_e = \frac{\Delta V_{BE}}{\Delta I_E} \qquad (7\text{-}3)$$

Dans cette égalité, r'_e = résistance en alternatif d'émetteur,

ΔV_{BE} = petite variation de la tension base-émetteur,

ΔI_E = variation correspondante du courant émetteur.

Comme les variations d V_{BE} et I_E équivalent à une tension et à un courant alternatifs, on écrit souvent la formule (7-3) sous la forme

$$r'_e = \frac{v_{be}}{i_e} \qquad (7\text{-}4)$$

Dans cette égalité, r'_e = résistance en alternatif d'émetteur,

v_{be} = tension alternative entre les bornes base-émetteur,

i_e = courant alternatif émetteur.

Si $v_{be} = 10 \text{ mV}$ et $i_e = 0,4 \text{ mA}$, alors

$$r'_e = \frac{10 \text{ mV}}{0,4 \text{ mA}} = 25 \ \Omega$$

La figure 7-4 *c* représente le modèle d'Ebers-Moll en alternatif. Nous l'utiliserons pour analyser le circuit équivalent en alternatif d'un amplificateur. Dans ce modèle, on remplace la diode base-émetteur par une résistance en alternatif d'émetteur.

ORDRE DE PETITESSE

Supposons que la variation base-émetteur représentée à la figure 7-4 *d* est sinusoïdale. Si le signal est petit, la variation du courant émetteur sera elle aussi sinusoïdale. Mais si le signal d'entrée est grand, le courant émetteur n'est plus sinusoïdal parce que la caractéristique de diode n'est pas linéaire. Selon la figure 7-4 *e*, si le signal est trop grand, le courant émetteur est étiré durant l'alternance positive et comprimé durant l'alternance négative. Une telle onde déformée ne sonne pas comme le signal d'entrée lorsqu'elle attaque un haut-parleur.

Nous analyserons mathématiquement la distorsion non linéaire dans un chapitre ultérieur. D'ici là, il nous faut des précisions sur l'ordre de petitesse que doit avoir un signal pour amplificateur petits signaux. Dorénavant, nous considérerons qu'un signal est petit si l'excursion de crête à crête du courant émetteur est inférieure à 10 % du courant émetteur de repos. Si $I_E = 10$ mA, nous aurons un fonctionnement en petit signal si l'excursion de crête à crête est inférieure à 1 mA. L'usage de cette règle de 10/1 maintient la distorsion à un bas niveau dans la plupart des applications.

FORMULE DE r'_e

Comme r'_e est le rapport de la variation de V_{BE} à la variation de I_E, sa valeur dépend de la position du point Q. Plus l'ordonnée de Q est grande, plus r'_e est petit, parce qu'une même variation de la tension base-émetteur produit une plus grande variation du courant émetteur. La pente de la caractéristique de diode du point Q détermine la valeur de r'_e. A l'appendice 1, nous montrons comment trouver cette pente par le calcul infinitésimal et nous démontrons que

$$r'_e = \frac{25 \text{ mV}}{I_E} \qquad (7\text{-}5)$$

Si le point Q a un courant I_E de 1 mA, alors

$$r'_e = \frac{25 \text{ mV}}{1 \text{ mA}} = 25 \,\Omega$$

Pour le point Q d'ordonnée plus grande à $I_E = 5$ mA, il vient

$$r'_e = \frac{25 \text{ mV}}{5 \text{ mA}} = 5 \,\Omega$$

Donc r'_e diminue à mesure que l'ordonnée de Q augmente. Les formules de polarisation du chapitre 6 permettent de calculer I_E. La connaissance de I_E permet de trouver la résistance correspondante r'_e. Retenons que r'_e est une grandeur en alternatif qui dépend d'une grandeur continue (I_E). Cela signifie que le point Q détermine r'_e.

L'équation (7-5) est valide à la température ambiante, soit environ 25°C. La résistance r'_e augmente d'environ 1 % par augmentation de 3°C. De plus, la formule (7-5) est valide dans le cas d'une jonction *PN* rectangulaire. Comme l'allure de la caractéristique de diode est différente dans le cas d'une jonction non rectangulaire, la valeur de r'_e diffère quelque peu de celle donnée par la formule (7-5). Quoi qu'il en soit, la formule $r'_e = 25$ mV/I_E est un excellent point de départ pour le dépannage et la conception préliminaire des amplificateurs petits signaux pour tout transistor. Pour obtenir des réponses plus précises, nous utiliserons les paramètres *h* (chapitre 9).

7.4. BÊTA EN ALTERNATIF OU EN COURANT ALTERNATIF

La figure 7-5 représente la caractéristique type de I_C en fonction de I_B. Par définition, β_{cc} égale le rapport du courant continu collecteur I_C au courant continu base I_B. Comme la caractéristique n'est pas linéaire, β_{cc} dépend de la position du point Q. Voilà pourquoi sur les fiches signalétiques, on donne β_{cc} pour un courant I_C particulier.

Le *bêta en alternatif* (de symbole β_{ca} ou simplement β) est une grandeur petits signaux qui dépend de la position du point Q. A la figure 7-5, par définition,

$$\beta = \frac{\Delta I_C}{\Delta I_B} \qquad (7\text{-}6)$$

ou, puisque les courants alternatifs sont les mêmes que les variations des courants totaux

$$\beta = \frac{i_c}{i_b} \qquad (7\text{-}7)$$

Graphiquement, β égale la pente de la caractéristique au point Q. Voilà pourquoi on a des β différents en des Q différents.

Sur les fiches signalétiques, le symbole de β est h_{fe}*. Remarquer que l'indice de h_{fe} est constitué de lettres minuscules et que celui de h_{FE} est constitué de lettres majuscules. Donc, lors de la lecture des fiches de données, ne pas confondre les gains en courants continu et alternatif. Par définition, h_{FE} égale le rapport I_C/I_B aussi noté β_{cc}. Par ailleurs, h_{fe} égale le rapport i_c/i_b aussi noté β.

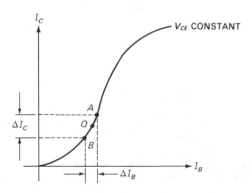

Fig. 7-5. *La caractéristique du courant continu collecteur en fonction du courant continu base n'est pas linéaire.*

---

* N.d.T. *h* est mis pour *hybrid* (hybride), *f* pour *forward* (direct). On ajoute *e* comme dans *emitter* (émetteur) pour préciser que le montage est à émetteur commun.

7.5. AMPLIFICATEUR A ÉMETTEUR A LA MASSE

La figure 7-6 *a* représente un amplificateur à émetteur commun. Comme l'émetteur est découplé à la masse, on appelle souvent cet amplificateur un *amplificateur à émetteur à la masse*. Entendre par là que l'émetteur est à la masse en alternatif et non à la masse en continu. L'application d'un petit signal sinusoïdal à la base fait varier le courant base. En raison de β, le courant collecteur est un signal sinusoïdal amplifié de même fréquence que celle du signal base. Le courant sinusoïdal collecteur parcourt la résistance de collecteur et produit une tension amplifiée de sortie.

INVERSION DE PHASE

En raison des fluctuations alternatives du courant collecteur, la tension de sortie du circuit représenté à la figure 7-6 *a* dévie sinusoïdalement au-dessus et au-dessous de la tension de repos. Remarquer l'inversion de la tension alternative de

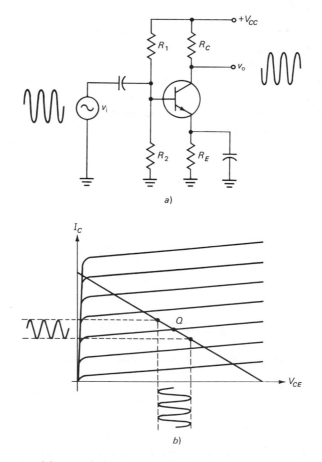

Fig. 7-6. a) *Amplificateur à émetteur à la masse.* b) *Droite de charge dynamique.*

sortie par rapport à la tension alternative d'entrée. Entendre par là que la tension de sortie est déphasée de 180° par rapport à la tension d'entrée. Durant l'alternance positive de la tension d'entrée le courant base augmente et donc le courant collecteur augmente lui aussi. Résultat : la chute de tension entre les bornes de la résistance de collecteur augmente, la tension collecteur diminue, et l'on obtient la première alternance négative de la tension de sortie. Réciproquement, durant l'alternance négative de la tension d'entrée, le courant collecteur diminue et la chute de tension entre les bornes de la résistance de collecteur diminue donc elle aussi. Donc la tension collecteur-masse augmente et l'on obtient l'alternance positive de la tension de sortie.

ACTION SUR LA DROITE DE CHARGE

La figure 7-6 *b* représente la droite de charge dynamique et le point *Q*. La tension alternative d'entrée fait varier alternativement le courant base. D'où les variations sinusoïdales représentées du point *Q*. Pour obtenir un fonctionnement petits signaux, il faut que l'excursion de crête à crête du courant collecteur soit inférieure à 10 % du courant collecteur de repos. (Cela maintient la distorsion à un niveau acceptable pour la plupart des applications.)

Dans le cas de grand signal, le point de fonctionnement dévie davantage sur la droite de charge. Si le signal est trop grand, le transistor se sature et se bloque. Cela supprime les crêtes positives et négatives du signal. Dans certaines applications on désire écrêter, mais le transistor d'un amplificateur linéaire doit toujours fonctionner dans la région active. Il ne peut donc se saturer ni se bloquer durant le cycle. De plus, dans le cas d'un amplificateur simple comme celui représenté à la figure 7-6 *a,* le courant collecteur de crête à crête doit être inférieur à 10 % du courant de repos pour éviter la distorsion non linéaire décrite ci-dessus.

GAIN EN TENSION

Le gain en tension *A* d'un amplificateur est le rapport de la tension alternative de sortie à la tension alternative d'entrée, soit

$$A = \frac{v_o}{v_i} \qquad (7-8)$$

Si l'on mesure une tension alternative de 250 mV et une tension alternative d'entrée de 2,5 mV, alors le gain en tension égale

$$A = \frac{250 \text{ mV}}{2,5 \text{ mV}} = 100$$

Pour dépanner un amplificateur il est bon de savoir à peu près ce que devrait être le gain en tension. Voici comment obtenir une formule simple du gain en tension de l'amplificateur représenté à la figure 7-6 *a*. Remplaçons le circuit donné par son circuit équivalent en alternatif. Pour cela, court-circuitons la source d'alimentation en tension à la masse et court-circuitons tous les condensateurs qui se comportent comme des courts-circuits en alternatif dans un amplificateur bien conçu.

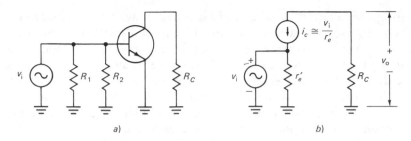

Fig. 7-7. a) *Circuit équivalent en alternatif de l'amplificateur à émetteur à la masse.* b) *Modèle d'Ebers-Moll en alternatif du transistor.*

La figure 7-7 *a* représente le circuit équivalent en alternatif. La résistance R_C de collecteur est à la masse parce que le point de source d'alimentation en tension est un court-circuit en alternatif. La résistance R_1 est elle aussi à la masse et en parallèle avec R_2 et la diode émetteur. En raison du circuit parallèle du côté d'entrée, v_i apparaît directement entre les bornes de la diode émetteur. D'où le circuit équivalent en alternatif représenté à la figure 7-7 *b*. Comparer ce circuit simplifié avec l'amplificateur original représenté à la figure 7-6 *a*. Dans les deux circuits, la tension entre les bornes de r'_e égale v_i. Pénétrez-vous de cette notion avant de poursuivre votre étude.

La polarité plus-moins de la tension d'entrée du circuit de la figure 7-7 *b* indique l'alternance positive de la tension d'entrée. Selon la loi d'Ohm, le courant alternatif émetteur égale

$$i_e = \frac{v_i}{r'_e}$$

Le courant collecteur est approximativement égal au courant émetteur, d'où

$$i_c \cong i_e$$

Ce courant alternatif collecteur parcourt la résistance de collecteur et produit une tension de sortie

$$v_o \cong - i_e R_C$$

Le signe moins indique l'inversion de phase. Donc, durant l'alternance positive de la tension d'entrée le courant collecteur augmente, ce qui produit l'alternance négative de la tension de sortie. Comme $i_e = v_i/r'_e$, la formule précédente devient

$$v_o \cong \frac{- v_i R_C}{r'_e}$$

D'où le gain en tension égale

$$A = \frac{v_o}{v_i} \cong - \frac{R_C}{r'_e} \tag{7-9}$$

Quelle formule simple et élégante ! Elle précise que le gain en tension est le rapport de la résistance de collecteur à la résistance en alternatif d'émetteur. On peut donc calculer rapidement le gain approximatif en tension d'un amplificateur à émetteur à la masse. Puis on mesure les tensions d'entrée et de sortie de l'amplificateur monté et on vérifie si le gain en tension mesuré égale le gain en tension théorique. Si R_C = 4,7 kΩ et r'_e = 26 Ω, alors le gain en tension égale

$$A = - \frac{4700}{25} = - 188$$

Une tension base de cet amplificateur de 1 mV produit une tension de sortie de 188 mV. (Les tensions sont efficaces, de crête, de crête à crête, etc., pourvu que l'entrée et la sortie soient consistantes.)

RAPPORT DE RÉSISTANCES

La formule (7-9) est logique. Comme à peu près le même courant circule dans R_C et r'_e, le rapport des tensions doit être égal au rapport des résistances. Donc, puisque $i_c \cong i_e$, pratiquement le même courant circule dans R_C et r'_e. La tension de sortie v_o apparaît entre les bornes de R_C, et la tension d'entrée v_i apparaît entre les bornes de r'_e. Donc le rapport de tension v_o/v_i doit égaler le rapport de résistances R_C/r'_e.

EXEMPLE 7-1

Un oscilloscope à couplage direct affiche le signal total (composantes continue et alternative incluses). La figure 7-8 représente les tensions base, émetteur et collecteur d'un amplificateur à émetteur à la masse. Expliquer ce que représentent ces tensions.

SOLUTION

En premier lieu, le signal alternatif d'entrée est une petite tension sinusoïdale. Cette tension traverse le condensateur de couplage d'entrée et apparaît à la base. Le niveau de repos de la tension base est de 1,8 V puisque ce niveau égale la tension continue de sortie du diviseur de tension, en effet

$$V_B = \frac{2,2 \text{ k}\Omega}{10 \text{ k}\Omega + 2,2 \text{ k}\Omega} \cdot 10 \text{ V} = 1,8 \text{ V}$$

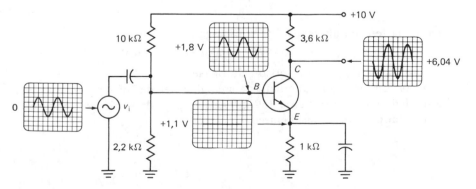

Fig. 7-8. *Composantes continue et alternatives vues par un oscilloscope à couplage direct.*

La tension totale d'entrée à la base égale la tension continue de 1,8 V plus la petite tension alternative de source. Supposons que le condensateur de couplage est soutenu. Donc, toute la tension alternative de source apparaît à la base.

Remarquons que la tension continue émetteur est de 1,1 V parce que l'émetteur est asservi à 0,7 V de la tension continue d'entrée. Aucun signal alternatif n'apparaît ici parce que le condensateur de découplage d'émetteur met l'émetteur à la masse. Donc, le condensateur de découplage soutenu court-circuite le signal alternatif à la masse. Cela revient à dire qu'aucun courant alternatif ne traverse R_E parce que le condensateur de découplage court-circuite tout le courant alternatif. Voilà pourquoi nous ne voyons aucun signal alternatif à l'émetteur. Le courant continu émetteur égale

$$I_E = \frac{1,1\text{ V}}{1\text{ k}\Omega} = 1,1\text{ mA}$$

Une tension alternative amplifiée et inversée apparaît au collecteur. Son niveau de repos est de 6,04 V; en effet

$$V_C = 10\text{ V} - (1,1\text{ mA})\,(3,6\text{ k}\Omega) = 6,04\text{ V}$$

EXEMPLE 7-2

Soit l'amplificateur représenté à la figure 7-8. Supposer que le signal alternatif de crête d'entrée est de 1 mV. Calculer la tension alternative de crête de sortie.

SOLUTION

Selon l'exemple précédent, le courant continu émetteur est de 1,1 mA. Donc, la résistance en alternatif émetteur égale

$$r'_e = \frac{25\text{ mV}}{1,1\text{ mA}} = 22,7\ \Omega$$

Le gain en tension égale

$$A = -\frac{3,6\text{ k}\Omega}{22,7\ \Omega} = -159$$

Donc, la tension alternative de sortie égale

$$v_o = Av_i = -159\,(1\text{ mV}) = -159\text{ mV}$$

Le signe moins rappelle l'inversion de phase.

Conclusion : un signal alternatif de crête d'entrée de 1 mV donne un signal alternatif de crête de sortie de 159 mV et le signal de sortie est déphasé de 180° par rapport au signal d'entrée.

7.6. MODÈLE EN ALTERNATIF OU EN COURANT ALTERNATIF D'UN ÉTAGE A ÉMETTEUR COMMUN

Le défi apparaît lorsqu'on monte plusieurs étages amplificateurs en cascade. Le gain total peut atteindre plusieurs milliers. Mais pour pouvoir analyser un amplificateur à plusieurs étages, nous avons besoin d'un circuit équivalent simple en courant alternatif d'un étage. Pour obtenir un tel modèle, il faut calculer l'*impédance d'entrée* et l'*impédance de sortie*.

IMPÉDANCE D'ENTRÉE

La source alternative qui attaque un amplificateur doit lui fournir un courant alternatif. Habituellement, moins l'amplificateur tire de courant de la source, mieux c'est. L'impédance d'entrée d'un amplificateur détermine le courant que celui-ci tire de la source alternative.

Dans la gamme normale de fréquence d'un amplificateur, les condensateurs de couplage et de découplage se comportent comme des courts-circuits en courant alternatif, et toutes les autres réactances sont négligeables. Alors, par définition, l'impédance en courant alternatif d'entrée égale

$$z_i = \frac{v_i}{i_i} \qquad (7\text{-}10)$$

Dans cette égalité, v_i et i_i sont des valeurs de crête, de crête à crête ou des valeurs efficaces.

Lorsqu'elle regarde un amplificateur à émetteur à la masse, la source de tension alternative voit les résistances de polarisation en parallèle avec la diode émetteur (fig. 7-9 *a*). Les courants conventionnels i_i, i_2 et i_b circulent respectivement dans R_1, R_2 et la base. (Si vous utilisez le sens de déplacement des électrons, inversez toutes les flèches.) On représente l'impédance de la base par $z_{i\,(base)}$. On a

$$z_{i\,(base)} = \frac{v_i}{i_b}$$

Selon la loi d'Ohm,

$$v_i = i_e r'_e$$

Or $i_e \cong i_c = \beta i_b$. D'où

$$v_i \cong \beta i_b r'_e$$

Alors, élégamment, il vient

$$z_{i\,(base)} \cong \frac{\beta i_b r'_e}{i_b} = \beta r'_e$$

Retenons que nous n'avons là que l'impédance d'entrée de la base du transistor. Cette impédance ne comprend pas l'effet des résistances externes de polarisation

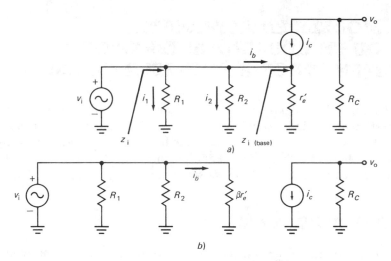

Fig. 7-9. *Impédance d'entrée et impédance de sortie.*

connectées à la base. Donc, l'impédance d'entrée de la base d'un amplificateur à émetteur à la masse égale le gain en courant alternatif fois la résistance en courant alternatif d'émetteur.

Pourquoi l'impédance d'entrée de la base n'est-elle pas égale à r'_e? La source de tension alternative regarde la base et ne doit fournir que le courant base. Dans le transistor, le courant collecteur s'additionne au courant base pour produire le courant émetteur qui traverse r'_e. Comme le courant base est β fois plus petit que le courant émetteur, l'impédance d'entrée de la base est β fois plus grande que r'_e.

Pour mettre ce point en évidence, certains utilisent le circuit équivalent représenté à la figure 7-9 *b*. Ce circuit produit le même effet que celui représenté à la figure 7-9 *a*. Alors, la source de tension alternative voit le circuit parallèle constitué de R_1, R_2 et $\beta r'_e$. Le courant base qui traverse $\beta r'_e$ est amplifié pour obtenir un courant collecteur βi_b.

En résumé, un amplificateur à émetteur à la masse a une impédance d'entrée

$$z_i \cong R_1 \parallel R_2 \parallel \beta r'_e \qquad (7\text{-}11)$$

Cette valeur est l'impédance totale d'entrée parce qu'elle comprend les résistances de polarisation et l'impédance de la base du transistor.

IMPÉDANCE DE SORTIE

Accomplissons une chose intéressante au côté sortie de l'amplificateur: appliquons-lui le théorème de Thévenin. La tension de Thévenin apparaissant à la sortie du circuit représenté à la figure 7-9 *b* égale

$$v_o = Av_i$$

L'impédance de Thévenin est la combinaison parallèle de R_C et de l'impédance interne de la source de courant collecteur. Dans le modèle d'Ebers-Moll la source de courant collecteur est idéale; donc, son impédance interne est infinie. Cette approximation suffit pour un calcul préliminaire. D'où l'impédance de Thévenin égale

$$z_o \cong R_C$$

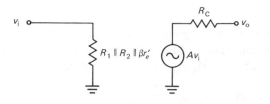

Fig. 7-10. *Modèle en courant alternatif d'un amplificateur à émetteur à la masse.*

MODÈLE SIMPLE EN COURANT ALTERNATIF

Le circuit représenté à la figure 7-10 résume notre propos sur les impédances d'entrée et de sortie d'un amplificateur à émetteur à la masse. On y voit une impédance d'entrée $R_1 \parallel R_2 \parallel \beta r'_e$. C'est ce que voit aussi la source de tension alternative d'entrée. Sur le côté sortie, on voit une source de tension alternative Av_i en série avec une impédance de sortie R_C. Une fois qu'on y est habitué, ce modèle simple d'un amplificateur à émetteur à la masse permet d'analyser rapidement des étages en cascade.

EXEMPLE 7-3

La figure 7-11 *a* représente l'amplificateur à émetteur à la masse analysé à l'exemple 7-2. Supposer que β du transistor est de 150 et calculer la tension alternative de sortie.

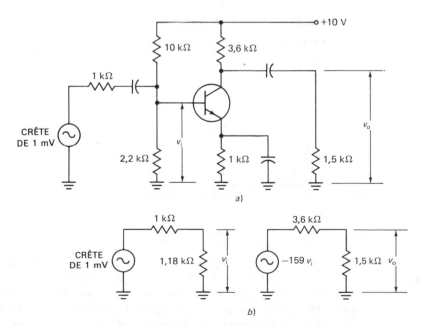

Fig. 7-11. a) *Résistance de sources et de charge connectées à un amplificateur à émetteur à la masse.* b) *Circuit équivalent en courant alternatif.*

SOLUTION

Le circuit représenté à la figure 7-11 *a* comporte deux éléments nouveaux. Premièrement, la source de tension alternative a une impédance de 1 kΩ. Par conséquent une partie du signal de source chutera entre les bornes de cette résistance avant d'atteindre la base. Sur le côté sortie, le condensateur transmet le signal alternatif à une résistance de charge de 1,5 kΩ. Cela produit un changement ou un effet de charge. Prévoyons un signal de sortie inférieur au précédent.

Pour voir les effets de l'impédance de la source et de la résistance de charge, remplaçons l'amplificateur par son modèle en courant alternatif. Calculons d'abord l'impédance d'entrée de la base. Il vient

$$z_{i \text{ (base)}} = \beta r'_e = 150\,(22,7\ \Omega) = 3,4\ \text{k}\Omega$$

Puis, calculons l'impédance d'entrée de l'amplificateur. Il vient

$$z_i = R_1 \parallel R_2 \parallel \beta r'_e = 10\ \text{k}\Omega \parallel 3,4\ \text{k}\Omega$$
$$= 1,18\ \text{k}\Omega$$

Nous avions trouvé un gain en tension sans charge de − 159. L'impédance de sortie égale R_C. Nous pouvons donc nous représenter mentalement le circuit selon la figure 7-11 *b*.

Regardons les deux diviseurs de tension. Le diviseur de tension d'entrée réduit le signal à la base. Il vient

$$v_i = \frac{1,18\ \text{k}\Omega}{2,18\ \text{k}\Omega}\ 1\ \text{mV} = 0,541\ \text{mV}$$

La tension de Thévenin de sortie égale

$$A v_i = -\,159\,(0,541\ \text{mV}) = -\,86\ \text{mV}$$

Telle est la sortie non chargée. La vraie sortie apparaît entre les bornes de la résistance de 1,5 kΩ. Il vient

$$v_o = \frac{1,5\ \text{k}\Omega}{5,1\ \text{k}\Omega}\ (-\,86\ \text{mV}) \cong -\,25\ \text{mV}$$

Donc, la tension de crête de sortie égale 25 mV.

7.7. AMPLIFICATEUR STABILISÉ

Idéalement, r'_e égale 25 mV/I_E. Comme nous l'avons souligné, r'_e dépend de la température et du type de jonction. De ce fait, la résistance r'_e d'un transistor peut varier du simple ou double pour différentes températures et différents transistors. Toute variation de r'_e fera varier le gain en tension d'un amplificateur à émetteur à la masse. Dans certaines applications, on admet une variation du gain en tension. Dans un récepteur radio à transistors, par exemple, on contrebalance la variation du gain en tension en réglant la puissance. Mais dans de nombreuses applications, le gain en tension doit être le plus stable possible.

COMMENT STABILISER

De nombreux concepteurs insèrent une résistance r_E en série avec l'émetteur (fig. 7-12 a). L'émetteur n'est plus à la masse en courant alternatif. De ce fait, le courant alternatif émetteur parcourt r_E et applique une tension alternative à l'émetteur. Si r_E est beaucoup plus grand que r'_e, presque tout le signal alternatif d'entrée apparaît à l'émetteur. Autrement dit, l'émetteur est *asservi* à la base pour l'alternatif et le continu.

La figure 7-12 b représente le circuit équivalent en courant alternatif; r_E étant en série avec r'_e, la résistance totale égale $r_E + r'_e$. La tension alternative d'entrée apparaît entre les bornes de cette résistance et produit un courant émetteur

$$i_e = \frac{v_\mathrm{i}}{r_E + r'_e}$$

On stabilise la diode émetteur en rendant r_E beaucoup plus grand que r'_e.

EFFET DE LA STABILISATION
SUR LE GAIN EN TENSION

La tension alternative de sortie du circuit représenté à la figure 7-12 b égale

$$v_\mathrm{o} = i_c R_C$$

La tension alternative entre les bornes de $r_E + r'_e$ égale

$$v_\mathrm{i} = i_c (r_E + r'_e)$$

Par conséquent, le rapport de v_o à v_i égale

$$\frac{v_\mathrm{o}}{v_\mathrm{i}} = \frac{- i_c R_C}{i_e (r_E + r'_e)}$$

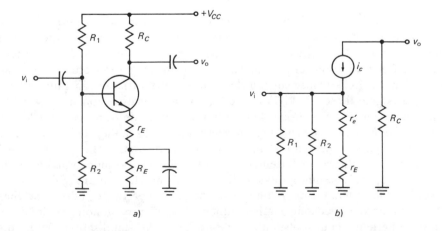

Fig. 7-12. a) *Amplificateur stabilisé.* b) *Circuit équivalent en courant alternatif.*

Or $i_c \cong i_e$, d'où

$$A \cong - \frac{R_C}{r_E + r'_e} \qquad (7\text{-}12)$$

Selon cette formule nous apprenons que, premièrement, la résistance de stabilisation diminue le gain en tension et que, deuxièmement, la variation de r'_e affecte moins le gain en tension. Supposons que r'_e augmente de 25 Ω à 50 Ω sur une grande gamme de température. Si $R_C = 10$ kΩ et $r_E = 510$ Ω, le gain maximal en tension égale

$$A = - \frac{10\ 000}{510 + 25} = - 18,7$$

et le gain minimal en tension égale

$$A = - \frac{10\ 000}{510 + 50} = - 17,9$$

La diminution du gain en tension est inférieure à 5 % alors que r'_e croît de 100 %.

Sans stabilisation, le gain faiblit fortement. Si, dans le même cas que ci-dessus on n'utilise pas de résistance de stabilisation, le gain en tension varie de

$$A = - \frac{10\ 000}{25} = - 400$$

à

$$A = - \frac{10\ 000}{50} = - 200$$

Le gain en tension est beaucoup plus grand, mais il décroît de $- 400$ à $- 200$.

EFFET DE LA STABILISATION SUR LA DISTORSION

Autre avantage de la stabilisation de la diode émetteur : une distorsion moindre. La non-linéarité de la diode émetteur déforme le signal des amplificateurs grands signaux. Comme $r'_e = 25$ mV$/I_E$, toute variation substantielle de I_E fait fortement varier r'_e. Cette variation de r'_e fait varier le gain en tension d'un amplificateur grands signaux non stabilisé sur tout le cycle et cette variation du gain en tension déforme le signal de sortie. Voilà pourquoi un amplificateur non stabilisé n'utilise qu'une petite partie de la droite de charge pour éviter de trop déformer le signal. La stabilisation de la diode émetteur permet d'utiliser davantage la droite de charge tout en ne dépassant pas un niveau acceptable de distorsion. Le signal sinusoïdal d'entrée d'un amplificateur fortement stabilisé apparaît presque entièrement entre les bornes de la résistance de stabilisation. Donc, le courant collecteur sera sinusoïdal et le restera même si l'on utilise une grande partie de la droite de charge.

Nous étudierons les détails mathématiques de la distorsion non linéaire dans un chapitre ultérieur. Pour l'instant, retenons ceci : la stabilisation de la diode émetteur diminue fortement la distorsion produite par la diode émetteur parce que le signal alternatif apparaît presque entièrement entre les bornes de la résistance de stabilisation. Cette résistance étant linéaire, on peut utiliser presque toute la droite de charge et n'avoir qu'une faible distorsion.

ORDRE DE GRANDEUR DE LA STABILISATION

Si l'on stabilise trop peu, le gain en tension varie fortement en fonction de la température et lors du remplacement du transistor. De plus, on est restreint à un fonctionnement petits signaux. Une stabilisation légère ou nulle convient très bien dans certaines applications. Dans d'autres applications, il faut stabiliser la diode émetteur. Si l'on stabilise trop fort, la distorsion est presque nulle mais le gain en tension est si faible qu'il est pratiquement inutile. Une bonne stabilisation tient compte de tous ces facteurs. Retenir que le montage en cascade de deux étages stabilisés donne le même gain en tension qu'un étage non stabilisé. En résumé, tout dépend de l'application.

L'ÉMETTEUR SUIT LA BASE

L'émetteur d'un amplificateur stabilisé est asservi à la base pour le courant alternatif et le courant continu. Voilà pourquoi la tension continue émetteur est à 0,7 V de la tension continue base et que la tension alternative émetteur égale environ la tension alternative base. Retenir cela pour les dépannages. Retenir aussi que le bas de r_E doit être à la masse en courant alternatif. Un condensateur de découplage ouvert est un dérangement fréquent; cela diminue le gain en tension parce que l'addition de R_E à r_E donne un amplificateur surstabilisé à très faible gain.

MODÈLE EN ALTERNATIF OU EN COURANT ALTERNATIF D'UN AMPLIFICATEUR STABILISÉ

La tension alternative d'entrée du circuit représenté à la figure 7-12 *b* apparaît entre les bornes de r_E et r'_e en série. Selon la loi d'Ohm,

$$v_i = i_e(r_E + r'_e)$$

Or $i_e \cong i_c = \beta i_b$. Donc, cette relation devient

$$\frac{v_i}{i_b} \cong \beta(r_E + r'_e)$$

soit

$$z_{i\,(\text{base})} \cong \beta(r_E + r'_e) \qquad (7\text{-}13)$$

Voilà un autre avantage de la stabilisation. L'impédance d'entrée de la base d'un amplificateur stabilisé est beaucoup plus grande. Si $\beta = 150$, $r_E = 510\,\Omega$ et $r'_e = 25\,\Omega$, alors

$$z_{i\,(\text{base})} = 150\,(510\,\Omega + 25\,\Omega) = 80,3\text{ k}\Omega$$

(Si la résistance r_E était nulle, il n'y aurait pas de stabilisation et l'impédance d'entrée de la base ne serait que de 3,75 kΩ.) Si la source alternative a une

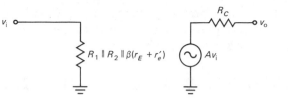

Fig. 7-13. *Modèle en alternatif ou en courant alternatif d'un amplificateur stabilisé.*

résistance, une plus grande partie du signal atteint l'entrée d'un amplificateur stabilisé que dans le cas d'un amplificateur non stabilisé.

La figure 7-13 représente le modèle en courant alternatif d'un amplificateur stabilisé. L'impédance d'entrée est la combinaison parallèle de R_1, R_2 et $\beta(r_E + r'_e)$. Le gain en tension égale $- R_C/(r_E + r'_e)$. L'impédance de sortie égale R_C. Ce modèle en courant alternatif permet d'analyser les amplificateurs stabilisés d'un amplificateur à plusieurs étages.

EXEMPLE 7-4

La figure 7-14 représente un amplificateur stabilisé. Expliquer les tensions.

SOLUTION

Pour le courant continu, le circuit est identique à celui de l'amplificateur à émetteur à la masse étudié à l'exemple 7-1. Donc, la tension continue base est encore de 1,8 V, la tension continue émetteur encore de 1,1 V et la tension continue collecteur encore de 6,04 V. Remarquer que la résistance totale en courant continu d'émetteur est encore de 1 kΩ; donc, r'_e est encore de 22,7 Ω.

Passons aux différences. La tension alternative de source est plus grande, 100 mV au lieu de 1 mV. On applique encore ce signal à la base. En raison de l'asservissement, presque toute la tension de 100 mV apparaît entre les bornes de la résistance de stabilisation. La borne inférieure de la résistance

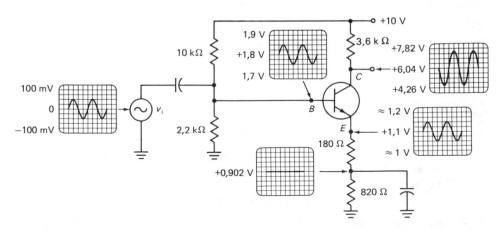

Fig. 7-14. *Composantes continue et alternatives vues sur un oscilloscope à couplage direct.*

de stabilisation est à la masse en courant alternatif. Voilà pourquoi un oscilloscope afficherait une horizontale (pas de signal alternatif) à + 0,902 V. La tension alternative collecteur est amplifiée et inversée comme auparavant.

EXEMPLE 7-5

Calculer la tension alternative de sortie du circuit représenté à la figure 7-14.

SOLUTION

Le gain en tension égale

$$A = -\frac{3\,600}{180 + 22,7} = -17,8$$

Donc, la tension alternative de sortie égale

$$v_0 = -17,8\,(100\,\text{mV}) = -1,78\,\text{V}$$

Donc, la tension de crête de sortie est de 1,78 V. Par conséquent, l'excursion de crête à crête le long de la droite de charge égale au double de cela est de 3,56 V. La distorsion amoindrie qui accompagne la stabilisation (aussi appelée réaction locale, contre-réaction ou réaction négative) permet ce fonctionnement grands signaux.

EXEMPLE 7-6

Supposer que le condensateur de découplage du circuit représenté à la figure 7-14 est ouvert. Que devient le gain en tension ?

SOLUTION

Le condensateur de découplage étant ouvert, il vient

$$r_E = 180\,\Omega + 820\,\Omega = 1000\,\Omega$$

parce que la borne inférieure de la résistance de 180 Ω n'est plus à la masse en courant alternatif. Dans ce cas, la stabilisation devient énorme et le gain en tension chute. En effet

$$A = -\frac{3600}{1000 + 22,7} = -3,52$$

La tension alternative de sortie

$$v_0 = -3,52\,(100\,\text{mV}) = -352\,\text{mV}$$

chute elle aussi.

Pour dépanner un amplificateur de sortie nettement inférieure à la normale, vérifier d'abord le condensateur de découplage. Normalement, un oscilloscope à couplage direct branché entre les bornes du condensateur de découplage devrait afficher une horizontale au bon niveau de tension continue (+ 0,92 V à la figure 7-14). Si l'oscilloscope affiche un signal alternatif d'excursion de crête à crête presque aussi grande que la tension alternative émetteur, alors le condensateur de découplage est ouvert.

EXEMPLE 7-7

Soit le circuit représenté à la figure 7-15. Supposer que $\beta = 150$ et calculer la tension alternative de sortie.

SOLUTION

Selon la formule (7-13), l'impédance d'entrée de la base égale

$$z_{i\ (base)} = 150\,(180 + 22,7) = 30,4 \text{ k}\Omega$$

L'impédance d'entrée de l'amplificateur égale

$$z_i = 10 \text{ k}\Omega \parallel 2,2 \text{ k}\Omega \parallel 30,4 \text{ k}\Omega = 1,7 \text{ k}\Omega$$

Nous avons trouvé ci-dessus que le gain en tension sans charge de la base au collecteur est de $-17,8$. La figure 7-15 *b* représente donc le modèle en courant alternatif de l'amplificateur.

La tension d'entrée qui atteint l'amplificateur égale

$$v_i = \frac{1700}{2700}\,(100 \text{ mV}) = 63 \text{ mV}$$

La tension de Thévenin de sortie égale

$$Av_i = -17,8\,(63 \text{ mV}) = -1,12 \text{ V}$$

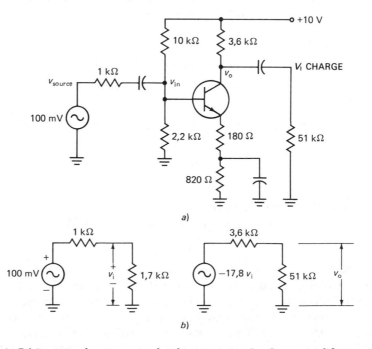

a)

b)

Fig. 7-15. a) *Résistances de source et de charge connectées à un amplificateur stabilisé.*
b) *Circuit équivalent en courant alternatif.*

Telle est la tension de sortie sans charge. La vraie tension alternative de sortie apparaît au collecteur et entre les bornes de la résistance de charge. Elle égale

$$v_i = \frac{51\,000}{54\,600}\,(-1,12\;\text{V}) = -1,05\;\text{V}$$

La tension de crête de sortie est donc de 1,05 V.

7.8.　ÉTAGES EN CASCADE

Si vous avez compris toute la matière exposée jusqu'ici, vous comprendrez facilement les étages à émetteur commun en cascade. Le principe consiste à utiliser la sortie amplifiée d'un étage comme entrée pour l'étage suivant. On peut donc de cette façon construire un amplificateur à plusieurs étages à très grand gain total en tension.

La figure 7-16 *a* représente un amplificateur à deux étages à transistors émetteur commun en cascade. Une source de tension alternative de résistance R_S attaque l'entrée de l'amplificateur. L'étage à émetteur à la masse amplifie le signal. On applique le signal amplifié à l'entrée de l'étage suivant à émetteur commun. On amplifie une deuxième fois le signal et l'on obtient une sortie finale nettement supérieure au signal de source.

La figure 7-16 *b* représente le modèle en courant alternatif de l'amplificateur à deux étages. L'impédance d'entrée de chaque étage est la combinaison parallèle de R_1, R_2 et $\beta r'_e$. Le gain en tension de chaque étage sans charge égale $-R_C/r'_e$ et l'impédance de sortie de chaque étage égale R_C. L'analyse est donc simple et se

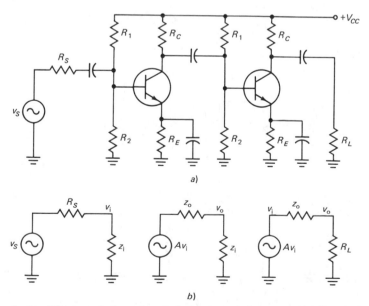

Fig. 7-16.　a) *Amplificateur à deux étages à émetteur à la masse.* b) *Circuit équivalent en courant alternatif.*

ramène à calculer z_i, A et z_o de chaque étage; puis à calculer la tension de sortie finale par l'analyse des effets de source et de charge. Appliquer cette méthode, peu importe le nombre d'étages, et même si certains de ceux-ci sont des amplificateurs stabilisés.

EXEMPLE 7-8

Chaque transistor du circuit représenté à la figure 7-17 *a* a un gain β de 150. Calculer la tension alternative de sortie.

SOLUTION

Tous les étages sont identiques. A l'exemple 7-3, nous avons analysé de tels étages à émetteur commun et nous avons trouvé $r'_e = 22,7$ Ω, $z_i = 1,18$ kΩ, $A = -159$ et $z_o = 3,6$ kΩ. La figure 7-17 *b* représente le modèle en courant alternatif de cet amplificateur à deux étages. La tension alternative d'entrée du premier étage égale

$$v_i = \frac{1,18}{1 + 1,18} \ 1 \ \text{mV} = 0,541 \ \text{mV}$$

La tension alternative de Thévenin de sortie du premier étage égale

$$Av_i = -159(0,541 \ \text{mV}) = -86 \ \text{mV}$$

L'entrée alternative du deuxième étage égale

$$v_i = \frac{1,18}{3,6 + 1,18} \ (-86 \ \text{mV}) = -21,2 \ \text{mV}$$

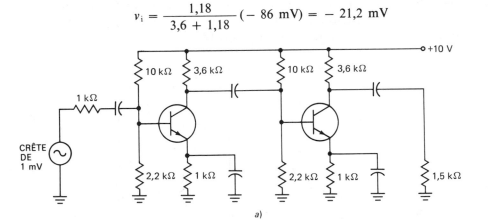

a)

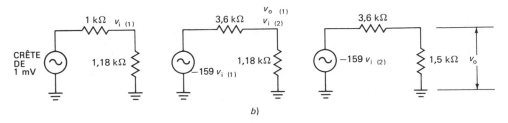

b)

Fig. 7-17. a) *Résistances de source et de charge connectées à un amplificateur à deux étages.*
b) *Circuit équivalent en courant alternatif.*

La tension alternative de Thévenin de sortie du deuxième étage égale

$$Av_i = -159(-21,2 \text{ mV}) = 3,37 \text{ V}$$

et la tension alternative de sortie finale égale

$$v_o = \frac{1,5}{3,6 + 1,5}\, 3,37 \text{ V} = 0,991 \text{ V}$$

Remarquons qu'en raison de l'inversion du gain de chacun des deux étages, le signal de sortie final est en phase avec le signal d'entrée. Si l'on applique une tension sinusoïdale de crête de 1 mV, on obtient une tension sinusoïdale de mêmes fréquence et phase mais de crête de 991 mV. Le gain en tension de la source à la sortie finale de l'amplificateur à deux étages est de 991.

PROBLÈMES

Simples

7-1. La fréquence de la source de tension alternative du circuit représenté à la figure 7-18 *a* varie de 100 Hz à 200 kHz. Calculer la capacité du condensateur de couplage pour avoir un couplage soutenu sur cette gamme.

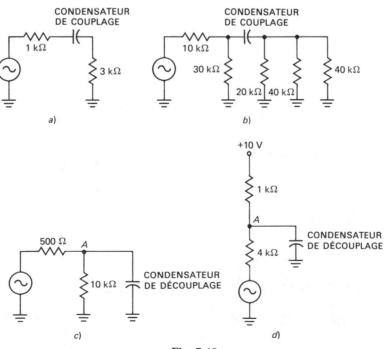

Fig. 7-18.

7-2. Soit le circuit représenté à la figure 7-18 *b*. On veut que le couplage par condensateur soit soutenu pour toutes les fréquences comprises entre 510 Hz et 1 MHz. Calculer la capacité du condensateur.

7-3. On veut que le point *A* de découplage du circuit représenté à la figure 7-18 *c* soit à la masse en courant alternatif pour toutes les fréquences supérieures à 20 Hz. Calculer la capacité du condensateur de découplage.

7-4. On veut que le point *A* du circuit représenté à la figure 7-18 *d* soit à la masse en courant alternatif de 20 Hz à 210 kHz. Calculer la capacité du condensateur de découplage.

7-5. Tracer le circuit équivalent en courant continu de l'amplificateur représenté à la figure 7-19 *a*; nommer les trois courants continus en notation normalisée puis tracer le circuit équivalent en courant alternatif.

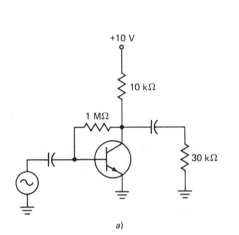

a)

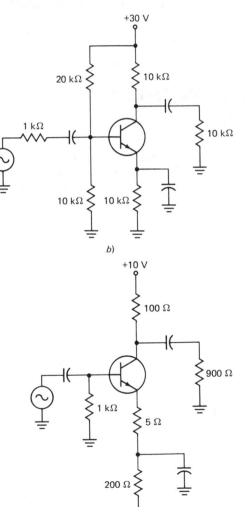

b)

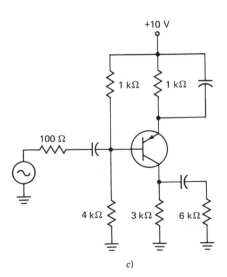

c)

d)

Fig. 7-19.

7-6. Tracer les circuits équivalents en courants continu et alternatif de l'amplificateur représenté à la figure 7-19*b*.

7-7. Tracer les circuits équivalents en courants continu et alternatif de l'amplificateur *PNP* renversé représenté à la figure 7-19 *c*.

7-8. Tracer les circuits équivalents en courants continu et alternatif de l'amplificateur représenté à la figure 7-19 *d*.

7-9. A l'aide de la formule (7-5) calculer la résistance r'_e pour chaque courant continu émetteur suivants : 0,01 mA, 0,05 mA, 0,1 mA, 0,5 mA, 1 mA et 10 mA.

7-10. Calculer la résistance r'_e de l'amplificateur représenté à la figure 7-19 *b*.

7-11. Calculer la résistance r'_e de l'amplificateur *PNP* représenté à la figure 7-19 *c*.

7-12. Supposer que le gain β_{cc} du transistor de l'amplificateur représenté à la figure 7-19 *a* est de 100 et calculer r'_e.

7-13. Soit l'amplificateur représenté à la figure 7-20 *a*. Supposer que $v_i = 1$ mV et calculer v_o.

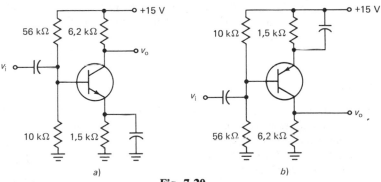

Fig. 7-20.

7-14. Soit l'amplificateur représenté à la figure 7-20 *b*. Supposer que $v_i = 2$ mV et calculer v_o.

7-15. La tolérance des résistances de l'amplificateur représenté à la figure 7-20 *a* est de ± 5 %. Calculer les gains en question maximal et minimal.

7-16. Soit l'amplificateur représente à la figure 7-19 *b*. Supposer que $\beta = 125$ et que la tension efficace de la source est de 5 mV. Calculer la tension alternative de sortie.

7-17. Soit l'amplificateur représenté à la figure 7-19 *c*. Supposer que la tension de crête de la source est de 2,5 mV et que $\beta = 210$. Calculer la tension alternative de sortie.

7-18. Supposer qu'on insère une résistance de stabilisation de 100 Ω dans l'amplificateur représenté à la figure 7-19 *b*. Calculer l'impédance d'entrée de l'étage si $\beta = 175$. Calculer la tension alternative de sortie lorsque la tension efficace de la source est de 1 mV.

7-19. Soit l'amplificateur représenté à la figure 7-19 *d*. Calculer la tension alternative de sortie lorsque la tension de crête d'entrée est de 10 mV.

7-20. On insère une résistance variable de stabilisation dans l'amplificateur représenté à la figure 7-20 *a*. Supposer qu'on puisse régler r_E de 0 à 100 Ω et calculer les gains en tension minimal et maximal.

7-21. Le gain β de chaque transistor de l'amplificateur représenté à la figure 7-21 est de 100. Supposer que la tension de crête de la source est de 10 V et calculer la tension alternative de sortie.

7-22. Soit l'amplificateur représenté à la figure 7-21. Le gain β du premier transistor est de 125 et celui du second vaut 90. Supposer que la tension efficace de la source est de 15 μV et calculer la tension alternative de sortie.

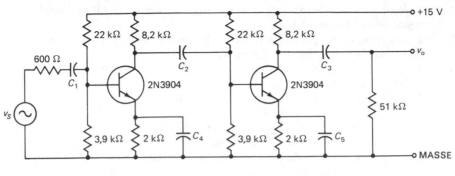

Fig. 7-21.

7-23. On ajoute une résistance de stabilisation de 200 Ω à chaque étage de l'amplificateur représenté à la figure 7-21. Supposer que le gain β de chaque transistor vaut 170 et que la tension de crête de la source est de 1 mV. Calculer la tension alternative de sortie.

De dépannage

7-24. Dire si la tension alternative de sortie de l'amplificateur représenté à la figure 7-21 croît, décroît ou reste la même pour chaque dérangement suivant :
   a. condensateur C_3 ouvert,
   b. condensateur C_3 court-circuité,
   c. condensateur C_4 ouvert,
   d. utilisation par erreur d'un résistance de 12 kΩ au lieu d'une résistance de 8,2 kΩ dans le premier étage.

7-25. Supposer que le condensateur C_5 de l'amplificateur représenté à la figure 7-21 s'ouvre et que chaque transistor a un gain β de 80. Calculer la tension alternative de sortie lorsque la tension de crête d'entrée est de 1 mV.

7-26. Soit l'amplificateur représenté à la figure 7-21. On lmesure une tension alternative de sortie de 200 mV lorsque la tension alternative de la source est d'1 mV. Puis on mesure une tension alternative d'entrée du deuxième étage de 57 mV. Quel est le dérangement le plus probable ? Comment le vérifier sur un oscilloscope ?.

7-27. Soit l'amplificateur représenté à la figure 7-21. Décrire les symptômes des dérangements suivants :
   a. condensateur C_1 ouvert;
   b. condensateur C_2 court-circuité;
   c. condensateur C_3 ouvert;
   d. condensateur C_4 ouvert;
   e. condensateur C_5 court-circuité;
   f. résistance de 8,2 kΩ du premier étage ouverte;
   g. résistance de 8,2 kΩ du deuxième étage court-circuitée.

De conception

7-28. Supposer que le gain β de chaque transistor de l'amplificateur représenté à la figure 7-21 est de 125. Choisir C_1, C_2 et C_3 pour obtenir un couplage soutenu pour toutes les fréquences supérieures à 20 Hz.

7-29. Concevoir un étage d'amplificateur stabilisé semblable à celui représenté à la figure 7-12 *a* tel que $V_{CC} = 15$ V, $I_C = 10$ mA, $h_{FE} = 300$, $h_{fe} = 250$, $z_i \geqslant 500$ Ω et $A = 27,5$.

7-30. Concevoir un amplificateur à deux étages et résistances de stabilisation tel que $V_{CC} = 10$ V, $R_S = 1$ kΩ, $R_L = 10$ kΩ, $\beta = 125$ et de sortie efficace de 1 V pour une entrée efficace de 1 mV.

De défi

7-31. Démontrer que le gain en tension de Thévenin d'un étage à émetteur à la masse est d'environ 16 V_{CC}. Ignorer la dimension volts. Autrement dit, un étage à émetteur à la masse a un gain en tension sans charge de 160 pour une alimentation de 10 V, de 320 pour une alimentation de 20 V, de 480 pour une alimentation de 30 V, etc.

7-32. Chaque transistor de l'amplificateur représenté à la figure 7-22 a un paramètre h_{FE} de 100 et un paramètre h_{fe} de 100. Calculer
a. l'impédance d'entrée de la base de Q_2,
b. l'impédance d'entrée de la base de Q_1,
c. l'impédance d'entrée de l'amplificateur.

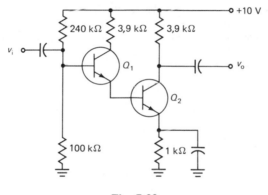

Fig. 7-22.

A résoudre par ordinateur

7-33. L'instruction REM (abréviation de *reminder,* mémento) sert d'aide-mémoire au programmeur. L'ordinateur ignore tous les mots d'une ligne qui suivent une instruction REM. Considérer le programme
10 REM CALCUL DU GAIN EN TENSION DE THÉVENIN
20 PRINT "INTRODUIRE IE" : INPUT IE
30 PRINT "INTRODUIRE RC" : INPUT RC
40 RPE = 0.025/IE
50 A = RC/RPE
60 PRINT "LE GAIN EN TENSION ÉGALE" : PRINT A
Dans ce programme, l'ordinateur ignore les mots "CALCUL DU GAIN EN TENSION DE THÉVENIN". La seul fonction de l'instruction REM est de rappeler ce qu'accomplit le programme. Des instructions REM judicieusement disposées dans des programmes compliqués permettent au programmeur de se

rafraîchir la mémoire et l'aident à comprendre des programmes écrits il y a plusieurs jours ou plusieurs mois.

Que fait l'ordinateur qui exécute le programme ci-dessus ?

7-34.   Soit le programme

```
10   REM CALCUL DE L'IMPÉDANCE D'ENTRÉE
20   PRINT "INTRODUIRE R1" : INPUT R1
30   PRINT "INTRODUIRE R2" : INPUT R2
40   PRINT "INTRODUIRE BÊTA EN ALTERNATIF" : INPUT BETA
50   PRINT "INTRODUIRE R PRIME E" : INPUT RPE
60   REM CALCUL DE ZI (BASE)
70   ZB = BETA * RPE
80   REM CALCUL DE L'ADMITTANCE
90   YI = 1/R1 + 1/R2 + 1/ZB
100  ZI = 1/YI
110  PRINT "L'IMPÉDANCE D'ENTRÉE ÉGALE" : PRINT ZI
```

Expliquer ce que fait l'ordinateur aux lignes 70, 90 et 100.

7-35.   On donne, R_1 R_2, β, r'_e et r_E. Ecrire un programme qui affiche l'impédance d'entrée d'un étage d'amplificateur stabilisé.

7-36.   Ecrire un programme qui calcule la tension alternative de sortie de l'amplificateur représenté à la figure 7-21. Supposer que les deux étages sont identiques. Introduire V_{CC}, R_1, R_2, R_E, R_C, v_S, R_S, R_L et β à l'aide d'instructions INPUT. Le programme doit calculer le courant continu émetteur, r'_e, etc., et comporter une instruction PRINT finale pour afficher v_0.

Amplificateur à collecteur commun et amplificateur à base commune

Si l'on branche une source à haute impédance à une charge de basse impédance, presque tout le signal alternatif chute entre les bornes de l'impédance interne de la source. Une façon de contourner ce problème est de monter un émetteur suiveur ou émettodyne entre la source à haute impédance et la charge de basse impédance. L'émetteur suiveur élève le niveau d'impédance et diminue l'affaiblissement du signal. Dans ce chapitre, en plus des amplificateurs à émetteurs suiveurs nous étudierons les amplificateurs de Darlington, les types de couplages entre étages, les régulateurs de tension perfectionnés et les amplificateurs à base commune.

8.1. AMPLIFICATEUR A COLLECTEUR COMMUN

La figure 8-1 *a* représente un amplificateur *à collecteur commun* (CC). La résistance R_C étant nulle, le collecteur est à la masse en alternatif. D'où le nom d'amplificateur à *collecteur à la masse* aussi attribué à ce dispositif. Lorsqu'une tension continue V_i attaque la base, une tension continue V_o apparaît entre les bornes de la résistance d'émetteur.

PRINCIPE

Un amplificateur à collecteur commun ressemble à un amplificateur à émetteur commun fortement stabilisé, à résistance de collecteur court-circuitée et à sortie tirée de l'émetteur au lieu du collecteur. L'émetteur étant asservi à la base, la tension continue de sortie égale

$$V_o = V_i - V_{BE} \tag{8-1}$$

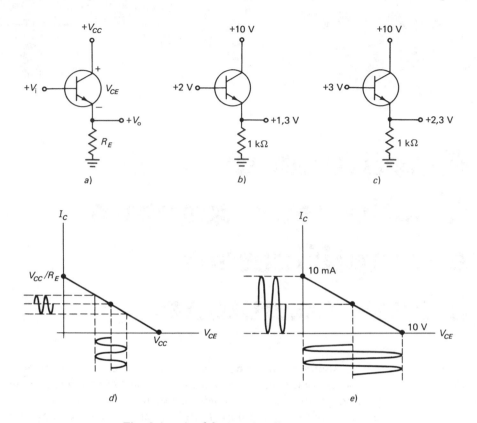

Fig. 8-1. *Amplificateur à collecteur commun.*

On appelle aussi ce dispositif un amplificateur *à émetteur suiveur* parce que la tension continue émetteur suit la tension continue base. Si, dans l'amplificateur représenté à la figure 8-1 *b,* $V_i = 2$ V, alors $V_o = 1,3$ V. Si V_i augmente jusqu'à 3 V, alors V_o croît jusqu'à 2,3 V (fig. 8-1 *c*). La variation de V_o est donc en phase avec celle de V_i.

RELATION DE PHASES

Dans l'amplificateur représenté à la figure 8-1 *a,*

$$V_{CE} = V_{CC} - V_o$$

Si V_o augmente, V_{CE} diminue. Donc la tension V_{CE} est déphasée par rapport aux tensions V_o et V_i. Les figures 8-1 *b* et *c* illustrent ces déphasages. Lorsque V_i augmente d'1 V, V_o augmente d'1 V mais V_{CE} décroît d'1 V.

DROITE DE CHARGE EN CONTINU, EN COURANT CONTINU, STATIQUE OU EN RÉGIME STATIQUE

L'addition des tensions continues le long de la maille du collecteur de l'amplificateur représenté à la figure 8-1 *a* donne

$$V_{CE} + I_E R_E - V_{CC} = 0$$

Comme le courant collecteur égale environ le courant émetteur, il vient

$$i_c = \frac{V_{CC} - V_{CE}}{R_E} \qquad (8\text{-}2)$$

Cette relation est l'équation de la droite de charge statique représentée à la figure 8-1 *d*.

Lorsque la tension d'entrée comporte une composante alternative et une composante continue, la droite de charge dynamique ou en alternatif est la même que la droite de charge statique ou en continu en raison des fluctuations sinusoïdales de I_C et V_{CE} représentées à la figure 8-1 *d*. Si le signal d'entrée est assez grand pour utiliser toute la droite de charge dynamique, le transistor se sature et se bloque aux crêtes. Cela limite l'excursion de la tension de sortie à la valeur de crête à crête de V_{CC} représente à la figure 8-1 *e*.

GAIN EN TENSION

La figure 8-2 *a* représente un amplificateur à émetteur suiveur attaqué par une petite tension alternative. La figure 8-2 *b* représente le circuit équivalent en courant alternatif. La tension alternative de sortie égale

$$v_o = i_e R_E$$

Comme la tension alternative d'entrée égale

$$v_i = i_e(R_E + r'_e)$$

le rapport de v_o à v_i égale

$$A = \frac{v_o}{v_i} \text{ f } \frac{R_E}{R_E + r'_e} \qquad (8\text{-}3)$$

Dans la plupart des amplificateurs à émetteur suiveur, R_E masque r'_e et le gain en tension égale environ 1, d'où

$$A \cong 1$$

Si $R_E = 5{,}1$ kΩ et $r'_e = 25$ Ω, la formule (8-3) donne un gain en tension

$$A = \frac{5100 \ \Omega}{5125 \ \Omega} = 0{,}995$$

Remarquer que la tension de sortie est à moins d'1 % de la tension d'entrée.

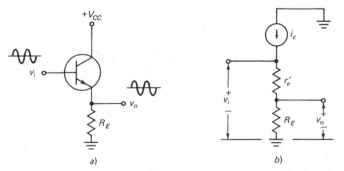

Fig. 8-2. a) *Amplificateur à émetteur suiveur.* b) *Circuit équivalent en courant alternatif.*

PETITE DISTORSION

Par nature, l'amplificateur à émetteur suiveur est un amplificateur à petite distorsion. Comme la résistance d'émetteur n'est pas découplée, la stabilisation est extrêmement forte et la non-linéarité de la diode émetteur est presque éliminée.

Comme le gain en tension égale environ 1, la tension de sortie est une réplique de la tension d'entrée. Si l'onde sinusoïdale d'entrée est parfaite, l'onde sinusoïdale de sortie est presque parfaite.

EXEMPLE 8-1

La figure 8-3 représente un amplificateur à émetteur suiveur polarisé par diviseur de tension. Calculer les tensions continues et expliquer les formes de signaux.

SOLUTION

La tension continue de Thévenin de sortie du diviseur de tension égale

$$V_{TH} = \frac{10 \text{ k}\Omega}{20 \text{ k}\Omega} \ 10 \text{ V} = 5 \text{ V}$$

Donc, la tension émetteur de repos égale

$$V_E = 5 \text{ V} - 0,7 \text{ V} = 4,3 \text{ V}$$

Le collecteur étant directement relié à la tension d'alimentation, il vient

$$V_C = 10 \text{ V}$$

Le signal de source est une onde sinusoïdale de niveau continu de 0 V. Ce niveau est appliqué à la base de l'amplificateur à émetteur suiveur. Le niveau continu ou de repos à la base est de + 5 V. Donc, la tension d'entrée base égale le niveau continu de + 5 V plus le signal alternatif fourni par la source. L'émetteur étant asservi à la base, sa tension égale une tension continue de +4,3 V plus un signal alternatif de sortie approximativement égal au signal alternatif d'entrée.

Remarquer que la tension collecteur ne comprend pas le signal alternatif, parce que l'alimentation de tension est un point de masse en courant

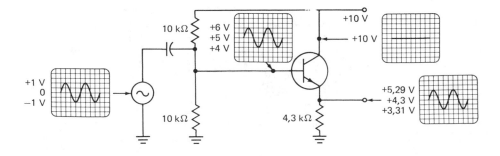

Fig. 8-3. *Composantes continue et alternatives d'un amplificateur à suiveur émetteur vues par un oscilloscope.*

alternatif. Voilà pourquoi l'alimentation positive consiste en une source de tension continue et en une petite impédance d'alimentation. Idéalement, l'impédance d'alimentation est nulle, donc la tension au point d'alimentation est constante et ne comporte donc pas de composante alternative.

EXEMPLE 8-2

Calculer le gain en tension de l'amplificateur représenté à la figure 8-3. Supposer que la tension alternative de crête d'entrée est de 1 V et calculer la tension de sortie.

SOLUTION

Le courant continu émetteur égale

$$I_E = \frac{4,3 \text{ V}}{4,3 \text{ k}\Omega} = 1 \text{ mA}$$

et la résistance en courant alternatif de la diode émetteur égale

$$r'_e = \frac{25 \text{ mV}}{1 \text{ mA}} = 25 \text{ }\Omega$$

Le gain en tension égale

$$A = \frac{4300}{4300 + 25} = 0,994$$

La tension de crête de sortie égale

$$v_o = 0,994(1 \text{ V}) = 0,994 \text{ V}$$

Cette valeur est si proche de la tension d'entrée qu'on ne peut distinguer v_i de v_o sur un oscilloscope. Dans presque tout amplificateur à émetteur suiveur, la tension alternative de sortie est presque égale à la tension alternative d'entrée.

8.2. MODÈLE EN ALTERNATIF OU EN COURANT ALTERNATIF D'UN AMPLIFICATEUR A ÉMETTEUR SUIVEUR

Pour calculer les effets des résistances de source et de charge, il faut un circuit équivalent pratique en alternatif d'un amplificateur à émetteur suiveur. Dans cette section, nous déterminerons un modèle simple en courant alternatif d'un amplificateur à émetteur suiveur.

IMPÉDANCE D'ENTRÉE

Une source de tension alternative comprenant une résistance R_S attaque l'amplificateur à émetteur suiveur représenté à la figure 8-4 *a*. En raison des résistances de polarisation et de l'impédance d'entrée de la base, une partie du signal alternatif se perd entre les bornes de la résistance de source. La question est de savoir combien l'on perd.

Déterminons d'abord l'impédance d'entrée de la base. L'amplificateur à émetteur suiveur étant un amplificateur fortement stabilisé son impédance d'entrée égale

$$z_{i(base)} = \beta(R_E + r'_e)$$

Dans de nombreux amplificateurs à émetteur suiveur, R_E masque r'_e et l'égalité précédente devient

$$z_{i(base)} = \beta R_E \tag{8-4}$$

Remarquer que l'amplificateur à émetteur suiveur multiplie l'impédance par β. Si $\beta = 200$ et $R_E = 4,3$ kΩ, alors

$$z_{i(base)} = 200(4,3 \text{ k}\Omega) = 860 \text{ k}\Omega$$

On voit que l'impédance d'entrée de la base est très grande.

L'impédance totale d'entrée d'un amplificateur à émetteur suiveur égale la combinaison parallèle des résistances de polarisation et de l'impédance d'entrée de la base, d'où

$$z_i = R_1 \parallel R_2 \parallel \beta R_E \tag{8-5 a}$$

Si le diviseur de tension pour polarisation est soutenu, βR_E vaut au moins 100 fois $R_1 \parallel R_2$ et la formule précédente devient simplement

$$z_i = R_1 \parallel R_2 \tag{8-5 b}$$

Donc, pratiquement, l'impédance d'entrée d'un amplificateur type à émetteur suiveur égale la résistance équivalente de la combinaison parallèle des résistances de polarisation, comme le montre la figure 8-4 b. Comme une partie du signal de source chute entre les bornes de R_S, la tension d'entrée qui attaque la base est inférieure à la tension de source.

IMPÉDANCE DE SORTIE

Pour obtenir le modèle en courant alternatif d'un amplificateur à émetteur suiveur, il faut appliquer le théorème de Thévenin au circuit représenté à la figure 8-4 b. La tension de Thévenin égale v_i. La résistance de Thévenin égale $R_S \parallel R_1 \parallel R_2$. La figure 8-4 c représente le circuit équivalent en alternatif de l'amplificateur représenté à la figure 8-4 a. L'addition des tensions alternatives le long de la maille donne

$$i_e r'_e + i_e R_E - v_i + i_b(R_S \parallel R_1 \parallel R_2) = 0$$

Isolons i_e sachant que $i_b = i_c/\beta \cong i_e/\beta$. Il vient

$$i_e \cong \frac{v_i}{R_E \text{ q } r'_e + (R_S \parallel R_1 \parallel R_2)/\beta}$$

La figure 8-4 d représente le circuit équivalent pour ce courant de sortie. La résistance d'émetteur R_E est attaquée par une source de tension alternative. L'impédance de sortie en courant alternatif d'émetteur égale

$$z_{o(émetteur)} = r'_e + \frac{R_S \parallel R_1 \parallel R_2}{\beta} \tag{8-6}$$

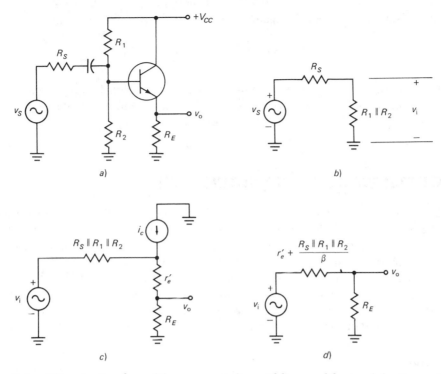

Fig. 8-4. *Détermination du modèle en courant alternatif d'un amplificateur à émetteur suiveur.*

Remarquer la division de la résistance en alternatif de Thévenin de sortie par β. D'où la petitesse de l'impédance de sortie. Si $r'_e = 25\,\Omega$, $R_S = 10\,\text{k}\Omega$, $R_1 = 10\,\text{k}\Omega$, $R_2 = 10\,\text{k}\Omega$ et $\beta = 200$. Alors

$$R_S \parallel R_1 \parallel R_2 = 10\,\text{k}\Omega \parallel 10\,\text{k}\Omega \parallel 10\,\text{k}\Omega = 3{,}33\,\text{k}\Omega$$

et

$$z_{o(\text{émetteur})} = 25\,\Omega + \frac{3{,}33\,\text{k}\Omega}{200} = 41{,}7\,\Omega$$

On voit que l'impédance de sortie d'émetteur est très petite.

Habituellement, on applique le signal alternatif de sortie d'un amplificateur à émetteur suiveur à une résistance de charge. Le circuit équivalent de Thévenin du côté sortie serait donc commode. La tension de sortie sans charge du circuit représenté à la figure 8-4 *d* égale

$$v_o = Av_i$$

avec

$$A = \frac{R_E}{R_E + r'_e + (R_S \parallel R_1 \parallel R_2)/\beta}$$

Habituellement, la résistance R_E masque les autres termes du dénominateur. D'où

$$A \cong 1$$

Par conséquent, la tension de Thévenin égale environ v_i.

La résistance de Thévenin égale

$$z_0 = R_E \parallel \left(r'_e + \frac{R_S \parallel R_1 \parallel R_2}{\beta} \right)$$

Comme d'ordinaire R_E est suffisamment grand pour qu'on l'ignore, l'impédance approximative de sortie d'un amplificateur à émetteur suiveur égale

$$z_0 = r'_e + \frac{R_S \parallel R_1 \parallel R_2}{\beta}$$

MODÈLE EN COURANT ALTERNATIF

La figure 8-5 *a* représente le modèle en courant alternatif d'un amplificateur à émetteur suiveur. Son impédance d'entrée est z_i, sa source de sortie Av_i et son impédance de sortie z_0. L'application des approximations vues ci-dessus à ce modèle le simplifie en le circuit équivalent représenté à la figure 8-5 *b*. La précision de ce modèle en courant alternatif simplifié est suffisante pour la plupart des dépannages et la plupart des conceptions. Dans ce modèle, nous approximons l'impédance d'entrée par $R_1 \parallel R_2$ et le gain en tension de Thévenin ou sans charge par 1. Donc, la tension de Thévenin de sortie égale la tension d'entrée.

EXEMPLE 8-3

Soit la source de tension alternative d'impédance de sortie de 3,6 kΩ représentée à la figure 8-6 *a*. La tension efficace de 100 mV de la source attaque un amplificateur à émetteur suiveur. Calculer la tension alternative de sortie.

SOLUTION

L'impédance approximative d'entrée de l'étage égale

$$z_i = R_1 \parallel R_2 = 10 \text{ k}\Omega \parallel 10 \text{ k}\Omega = 5 \text{ k}\Omega$$

L'impédance de sortie égale

$$R_S \parallel R_1 \parallel R_2 = 3,6 \text{ k}\Omega \parallel 10 \text{ k}\Omega \parallel 10 \text{ k}\Omega = 2,09 \text{ k}\Omega$$

Or, selon un calcul antérieur, $r'_e = 25 \ \Omega$. D'où

$$z_{0 \text{ (émetteur)}} = 25 \ \Omega + \frac{2,09 \text{ k}\Omega}{100} = 45,9 \ \Omega$$

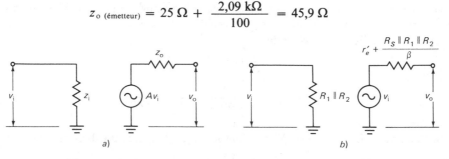

Fig. 8-5. *Amplificateur à émetteur suiveur.* a) *Modèle en courant alternatif.* b) *Modèle simplifié.*

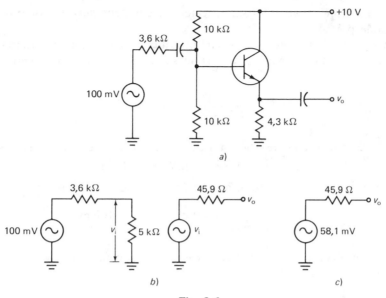

Fig. 8-6.

L'impédance exacte de sortie égale la combinaison parallèle de 45,9 Ω et de 4,3 kΩ, la valeur de R_E. Comme la résistance R_E dépasse nettement 45,9 Ω, ignorons-la et approximons l'impédance de sortie par

$$z_o \cong 45,9 \ \Omega$$

La figure 8-6 *b* représente l'amplificateur à émetteur suiveur remplacé par son modèle en courant alternatif. La tension d'entrée de l'amplificateur à l'émetteur suiveur égale

$$v_i = \frac{5 \ k\Omega}{8,6 \ k\Omega} \ 100 \ mV = 58,1 \ mV$$

Le gain en tension étant d'environ 1, la tension de sortie finale égale environ 58,1 mV.

La figure 8-6 *c* représente le circuit équivalent de Thévenin du côté sortie de l'amplificateur à émetteur suiveur. La tension de source de Thévenin est de 58,1 mV et l'impédance de Thévenin est de 45,9 Ω.

EXEMPLE 8-4

Calculer la tension alternative de sortie de l'amplificateur à deux étages représenté à la figure 8-7 *a*.

SOLUTION

Nous connaissons déjà le premier étage : c'est l'amplificateur à émetteur commun analysé au chapitre 7. Selon des calculs antérieurs,

$$A = -159$$
$$z_i = 1,18 \ k\Omega$$
$$z_o = 3,6 \ k\Omega$$

Le deuxième étage est l'amplificateur à émetteur suiveur analysé dans l'exemple précédent.

La figure 8-7 *b* représente le circuit équivalent en courant alternatif de l'amplificateur à deux étages. La tension alternative d'entrée du premier étage égale

$$v_1 = \frac{1,18 \text{ k}\Omega}{2,18 \text{ k}\Omega} \ 2 \text{ mV} = 1,08 \text{ mV}$$

La tension alternative de Thévenin de sortie du premier étage égale
$$Av_1 = - 159 \ (1,08 \text{ mV}) = - 172 \text{ mV}$$

La tension d'entrée de l'amplificateur émetteur suiveur égale

$$v_2 = \frac{5 \text{ k}\Omega}{8,6 \text{ k}\Omega} \ (- 172 \text{ mV}) = - 100 \text{ mV}$$

Le gain en tension de l'amplificateur émetteur suiveur étant d'environ 1, la tension finale égale

$$v_\text{o} = - 100 \text{ mV}$$

Remarquer l'amélioration de la tension et du soutien. La tension et la résistance de Thévenin de la source d'attaque de l'amplificateur à deux étages sont respectivement de 2 mV et d'1 kΩ. La tension et la résistance de Thévenin de l'étage de sortie de l'amplificateur sont respectivement de 100 mV et de 45,9 kΩ. Le premier étage augmente la tension et le deuxième diminue l'impédance.

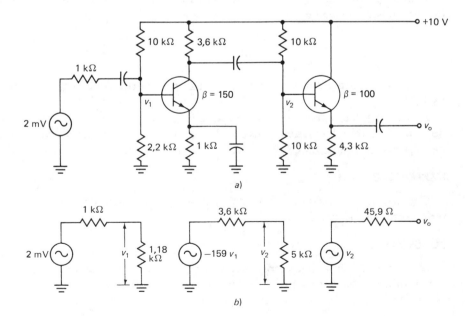

Fig. 8-7. *Amplificateur à étage à émetteur commun et étage à collecteur commun.*

8.3. AMPLIFICATEUR DE DARLINGTON

L'amplificateur de *Darlington* est un dispositif à transistors très répandu. Il comprend des étages à émetteur suiveur montés en cascade. La figure 8-8 représente une paire type d'étages à émetteur suiveur montés en cascade. Le gain total en tension est proche de l'unité. Le résultat principal est une très grande augmentation de l'impédance d'entrée et une très grande diminution de l'impédance de sortie.

ANALYSE EN CONTINU OU EN COURANT CONTINU

D'abord, le premier transistor a une chute V_{BE} et le deuxième transistor une autre chute V_{BE}. Comme d'habitude, on applique la tension de Thévenin fournie par le diviseur de tension à la base d'entrée. En raison des deux chutes V_{BE}, le courant continu émetteur du deuxième étage égale

$$I_{E2} = \frac{V_{TH} - 2\,V_{BE}}{R_E} \tag{8-7}$$

Le courant continu émetteur du premier étage égale le courant continu base du deuxième étage. Donc,

$$I_{E1} \cong \frac{I_{E2}}{\beta_{cc}} \tag{8-8}$$

ANALYSE EN ALTERNATIF
OU EN COURANT ALTERNATIF

Si l'on ignore r'_{e2}, l'impédance d'entrée du deuxième étage égale

$$z_{i(2)} \cong \beta_2\,R_E$$

Dans cette relation, β_2 est le gain bêta en courant alternatif du deuxième transistor. L'émetteur du premier transistor voit cette impédance. Si l'on ignore r'_{e1}, l'impédance d'entrée de la base du premier transistor égale

$$z_{i(1)} = \beta_1\,\beta_2\,R_E$$

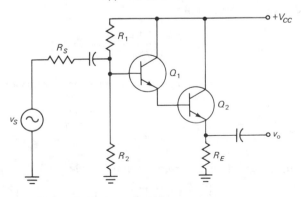

Fig. 8-8. *Amplificateur de Darlington.*

Cette impédance d'entrée est extrêmement élevée en raison du produit des gains bêta en courant alternatif. Donc, l'impédance approximative d'entrée de l'amplificateur de Darlington égale

$$z_i = R_1 \parallel R_2$$

Cette formule est la même qu'auparavent, mais cette fois on peut prendre des résistances R_1 et R_2 plus grandes.

Calculons maintenant l'impédance de sortie de l'amplificateur de Darlington. Comme auparavant, l'impédance de Thévenin en courant alternatif d'entrée égale

$$r_{th} = R_S \parallel R_1 \parallel R_2$$

L'impédance de sortie du premier étage égale

$$z_{o(1)} = r'_{e1} + \frac{r_{th}}{\beta_1}$$

L'impédance de sortie du deuxième étage égale

$$z_{o(2)} = r'_{e2} + \frac{r'_{e1} + r_{th}/\beta_1}{\beta_2} \tag{8-9}$$

Dans ces relations, $z_{o(2)}$ = impédance de sortie de Darlington

r'_{e1} = résistance en courant alternatif de la première diode émetteur

r'_{e2} = résistance en courant alternatif de la deuxième diode émetteur

r_{th} = $R_S \parallel R_1 \parallel R_2$

β_1 = bêta en courant alternatif du premier transistor

β_2 = bêta en courant alternatif du deuxième transistor

Cette impédance de sortie peut être très petite.

EXEMPLE

Une source alternative de tension efficace de 1 V et d'impédance de 3,6 kΩ attaque l'amplificateur de Darlington représenté à la figure 8-9 *a*. Pour simplifier l'analyse, prendre $\beta_{cc} = \beta = 100$ pour les deux transistors. Le courant continu émetteur du deuxième étage égale

$$I_{E2} = \frac{5\,V - 1,4\,V}{360\,\Omega} = 10\,mA$$

Par conséquent, la résistance en courant alternatif de la deuxième diode émetteur égale

$$r'_{e2} = \frac{25\,mV}{10\,mA} = 2,5\,\Omega$$

Le courant continu émetteur du premier étage égale

$$I_{E1} = \frac{10\,mA}{100} = 0,1\,mA$$

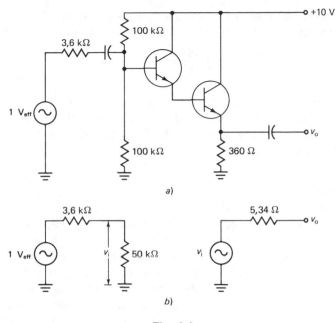

a)

b)

Fig. 8-9.

Donc, la résistance en courant alternatif de la première diode émetteur égale

$$r'_{e1} = \frac{25 \text{ mV}}{0,1 \text{ mA}} = 250 \ \Omega$$

L'impédance approximative d'entrée de la base du premier transistor égale

$$z_{i(1)} \cong 100 \ (100) \ (360 \ \Omega) = 3,6 \ \text{M}\Omega$$

Cette impédance étant beaucoup plus grande que les résistances de polarisation, l'impédance approximative d'entrée de l'amplificateur de Darlington égale

$$z_i = 100 \ \text{k}\Omega \parallel 100 \ \text{k}\Omega = 50 \ \text{k}\Omega$$

L'impédance de Thévenin en courant alternatif d'entrée égale

$$r_{th} = 3,6 \ \text{k}\Omega \parallel 100 \ \text{k}\Omega \parallel 100 \ \text{k}\Omega = 3,36 \ \text{k}\Omega$$

Donc, l'impédance de sortie du premier émetteur égale

$$z_{o(1)} = 250 \ \Omega + \frac{3,36 \ \text{k}\Omega}{100} = 284 \ \Omega$$

Si l'on ignore la résistance de 360 Ω, l'impédance de sortie du deuxième émetteur égale

$$z_{o(2)} = 2,5 \ \Omega + \frac{284 \ \Omega}{100} = 5,34 \ \Omega$$

La figure 8-9 *b* résume les calculs.

Comme l'impédance d'entrée est beaucoup plus grande qu'auparavant, presque toute la tension alternative de source atteint l'entrée de l'amplificateur. Il vient

$$v_i = \frac{50 \text{ k}\Omega}{53,6 \text{ k}\Omega} \ 1 \text{ V} = 0,933 \text{ V}$$

Le gain en tension égale environ 1. Par conséquent, la sortie finale est une source de tension de 0,933 V et d'impédance de 5,34 Ω. Une telle source sera soutenue pour toutes les charges supérieures à 534 Ω et ferme pour toutes les charges supérieures à 53,4 Ω.

ISOLEMENT

Comme nous l'avons vu, l'impédance d'entrée est augmentée et l'impédance de sortie diminuée. En raison de ce fait, les amplificateurs à émetteurs suiveurs et les amplificateurs de Darlington servent à isoler les sources à haute impédance des charges de basse impédance. Si l'on applique directement un signal d'une source à haute impédance à une charge de basse impédance, on perdra presque toute la tension alternative entre les bornes de l'impédance de source. Le montage d'un amplificateur à émetteurs suiveurs ou d'un amplificateur de Darlington entre la source et la charge évite un affaiblissement excessif du signal et rend la source assez soutenue pour qu'elle attaque la plupart des résistances de charge.

Retenez ce principe d'isolement d'une source à haute impédance d'une charge de basse impédance. Sinon, vous affaiblirez toujours la tension de signal lorsque vous appliquerez des circuits à haute impédance à des charges de basse impédance.

PAIRE DE DARLINGTON

Les fabricants de transistors montent parfois deux transistors connectés en paire de Darlington dans un seul boîtier de transistor. Ce dispositif à trois pôles se comporte comme un seul transistor à β extrêmement élevé. Un 2N2785, par exemple, est un transistor *NPN* de Darlington connecté selon la figure 8-10 *a*. La fiche signalétique de ce dispositif indique un gain β minimal de 2000 et un gain β maximal de 20 000.

On peut aussi connecter les transistors *PNP* selon la paire de Darlington représentée à la figure 8-10 *b*. Ce montage se comporte comme un seul transistor *PNP* à gain équivalent

$$\beta = \beta_1 \beta_2$$

DARLINGTON PHOTOÉLECTRIQUE

Si l'on ouvre la base du premier transistor d'une paire de Darlington, il circule un petit courant collecteur produit par des porteurs d'origine thermique. L'exposition de la première jonction collecteur à la lumière donne un *Darlington photoélectrique,* un dispositif β fois plus sensible à la lumière qu'un phototransistor. La figure 8-10 *c* représente le symbole graphique d'un Darlington photoélectrique.

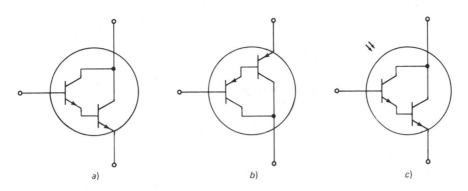

Fig. 8-10. a) *Darlington NPN.* b) *Darlington PNP.* c) *Darlington photoélectrique.*

8.4. TYPES DE COUPLAGES

Il existe plusieurs façons de transmettre un signal de la sortie d'un étage à l'entrée de l'étage suivant. On le fait à l'aide de condensateurs, de tranformateurs, par couplage direct et par d'autres méthodes. Cette section traite des types de couplages.

COUPLAGE *RC*

La figure 8-11 *a* représente un couplage *résistance-condensateur* (*RC*), la technique la plus répandue de transmission du signal d'un étage au suivant. Le signal développé entre les bornes de la résistance de collecteur de chaque étage est transmis à la base de l'étage suivant. Les étages en cascade amplifient le signal et le gain total égale le produit des gains particuliers.

Les condensateurs de couplage laissent passer le courant alternatif et bloquent le courant continu. Les étages sont isolés au point de vue courant continu, ce qui est nécessaire pour empêcher l'interaction en continu et le déplacement des points *Q*. Cette technique présente un désavantage : les condensateurs de couplage imposent une fréquence inférieure limite.

Les condensateurs de découplage des émetteurs à la masse sont indispensables. Sans eux, le gain en tension de chaque étage serait perdu. De plus, ils imposent une limite inférieure à la réponse en fréquence. Autrement dit, à une certaine valeur de la fréquence décroissante les condensateurs de découplage ne se comportent plus comme des courts-circuits en courant alternatif. A cette fréquence, la réaction locale fait décroître le gain en tension et le gain total de l'amplificateur chute fortement.

L'amplificateur à couplage *RC* convient particulièrement bien pour amplifier des signaux alternatifs de fréquence supérieure à environ 10 Hz. Le couplage *RC* est la façon la plus commode et la moins coûteuse de fabriquer un amplificateur à plusieurs étages discrets (à résistances, condensateurs et transistors distincts et assemblés par soudage).

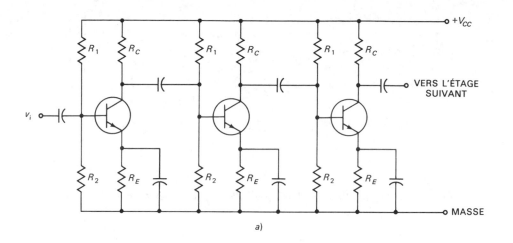

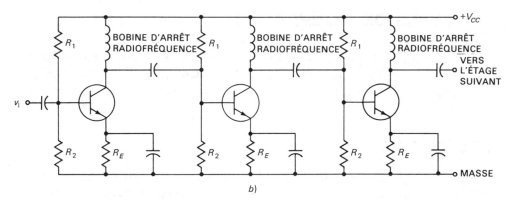

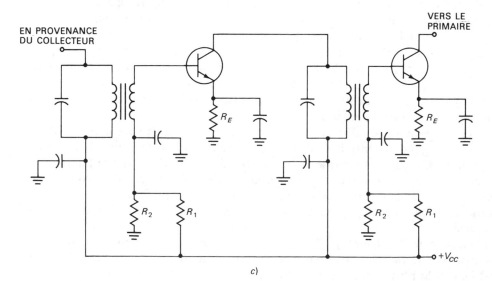

Fig. 8-11.   *Amplificateurs.* a) *A couplage* RC. b) *A couplage par impédance.* c) *A couplage par transformateur.*

COUPLAGE PAR IMPÉDANCE

Aux hautes fréquences, on utilise parfois le *couplage par impédance*. Dans ce cas, on monte une bobine au lieu de chaque R_C du circuit représenté à la figure 8-11 *a,* ce qui donne le circuit représenté à la figure 8-11 *b*. Lorsque la fréquence augmente, X_L tend vers l'infini et chaque bobine semble ouverte. Autrement dit, les bobines laissent passer le courant continu mais bloquent le courant alternatif. De telles bobines s'appellent des *bobines d'arrêt radiofréquence*.

L'avantage du couplage par impédance est qu'on ne perd pas de puissance dans les résistances des collecteurs : les bobines qui les remplacent dissipent une très faible puissance. Le désavantage des bobines d'arrêt radiofréquence est leur prix relativement élevé et la chute de leur impédance à basse fréquence. Le couplage par impédance ne convient qu'aux *radiofréquences* (RF). Ces fréquences sont supérieures à 20 kHz.

COUPLAGE PAR TRANSFORMATEUR

La figure 8-11 *c* représente un *couplage par transformateur*. Les résistances R_1 et R_2 constituent le diviseur de tension de polarisation. Le condensateur de découplage au bas de chaque primaire fournit une masse en courant alternatif; cela évite l'inductance de conducteur qui revient au point d'alimentation en courant continu. Le condensateur de découplage au bas de chaque secondaire donne une masse en courant alternatif, cela élimine l'affaiblissement en puissance du signal dans les résistances de polarisation. On transmet le signal d'un étage au suivant par un transformateur.

A une certaine époque, on utilisait beaucoup ce type de couplage dans les *amplificateurs audio* (20 Hz à 20 kHz) malgré le prix élevé et l'encombrement des transformateurs. Depuis l'invention du transistor, l'amplificateur à émetteur suiveur et l'amplificateur de Darlington ont remplacé les transformateurs dans la plupart des applications audio.

On utilise encore des transformateurs dans les *amplificateurs radiofréquence* ou RF. La fréquence des signaux RF des récepteurs radio AM, par exemple, va de 535 à 1 605 kHz. La fréquence des canaux 2 à 13 des téléviseurs va de 54 à 216 MHz. A ces fréquences supérieures, les transformateurs sont plus petits et meilleur marché. Habituellement on shunte un condensateur entre les bornes d'un enroulement ou des deux pour obtenir la résonance à une certaine fréquence. Chaque primaire de l'amplificateur représenté à la figure 8-11 *c,* par exemple, comporte un condensateur d'accord entre ses bornes. La fonction de ce condensateur est d'éliminer toutes les fréquences sauf la fréquence de résonance et ses proches. (La syntonisation d'une station radiophonique ou d'un canal de télévision repose sur le phénomène d'accord.)

COUPLAGE DIRECT

Au-dessous d'environ 10 Hz, les condensateurs de couplage et les condensateurs de découplage sont déraisonnablement volumineux, électriquement et physiquement. Pour découpler une résistance d'émetteur de 100 Ω à 10 Hz, il faut un condensateur d'environ 1 590 μF. Plus la résistance ou la fréquence est petite ou plus les deux sont petites, plus la capacité du condensateur est grande.

Le *couplage direct* élimine la barrière basse fréquence. Ce couplage sans condensateur de couplage ni condensateur de découplage transmet le courant continu et le courant alternatif. Il n'y a donc pas de limite inférieure de fréquence ; l'amplificateur amplifie tous les signaux, aussi faible que soit leur fréquence, y compris les signaux continus ou de fréquence nulle. La section suivante traite de couplage direct en profondeur.

8.5.   COUPLAGE DIRECT

Il existe diverses applications à couplage direct. Dans cette section, nous étudierons quelques amplificateurs élémentaires à couplage direct.

AMPLIFICATEUR A UNE ALIMENTATION

La figure 8-12 représente un amplificateur à deux étages à couplage direct : il ne comporte pas de condensateur de couplage ni de condensateur de découplage. De la tension d'entrée de repos de + 1,4 V il chute environ 0,7 V entre les bornes de la première diode émetteur et il reste + 0,7 V entre les bornes de la résistance de 680 Ω. Il s'ensuit un courant collecteur d'environ 1 mA. Ce courant de 1 mA produit une chute de tension de 27 V entre les bornes de la résistance collecteur. Donc la tension du premier collecteur par rapport à la masse est d'environ + 3 V.

En accordant 0,7 V pour la deuxième diode émetteur, il reste 2,3 V entre les bornes de la résistance de 2,4 kΩ. Il en résulte un courant collecteur d'environ 1 mA, une chute de tension d'environ 24 V entre les bornes de la résistance de collecteur et une tension d'environ + 6 V entre le deuxième collecteur et la masse.

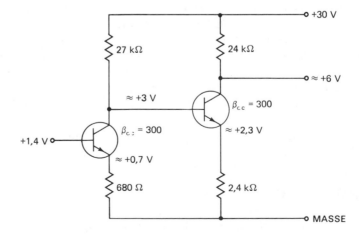

Fig. 8-12. *Amplificateur à couplage direct.*

Donc, une tension de repos d'entrée de + 1,4 V donne une tension de repos de sortie de + 6 V.

Le grand gain β_{cc} permet de négliger l'effet de charge de la deuxième base sur le premier collecteur. Comme le premier étage est fortement stabilisé on peut ignorer r'_e. Alors le gain en tension du premier étage égale

$$A_1 = -\frac{27\,000}{680} \cong -40$$

Le gain en tension du deuxième étage égale

$$A_2 = -\frac{24\,000}{2\,400} = -10$$

Et le gain total égale

$$A = A_1 A_2 = (-40)(-10) = 400$$

L'amplificateur à deux étages multipliera une tension alternative d'entrée (toute variation de la tension d'entrée) par 400. Si la tension d'entrée varie de + 5 mV, la variation de la tension de sortie finale égale

$$v_o = Av_i = 400\,(5\,\text{mV}) = 2\,\text{V}$$

En raison des deux étages inverseurs, la sortie finale passe de + 5 V à + 8 V.

Voici le principal désavantage du couplage direct. La tension V_{BE} de transistor varie avec la température. Cette variation fait varier le courant et la tension collecteur. Le couplage direct transmet la variation de tension d'un étage au suivant et le dernier étage sort la variation de tension amplifiée. Cette variation indésirée s'appelle la *dérive*. L'ennui c'est qu'on ne peut distinguer la dérive d'une pure variation du signal d'entrée.

ENTRÉE SERVANT DE MASSE DE RÉFÉRENCE

Pour que l'amplificateur à deux étages représenté à la figure 8-12 fonctionne convenablement, il faut une tension de repos d'entrée de + 1,4 V. Dans la plupart des applications, l'entrée doit servir de masse de référence. Alors la tension de repos d'entrée est de 0 V.

La figure 8-13 représente un étage à entrée servant de masse de référence. Cet étage est un montage Darlington *PNP* avec la base d'entrée ramenée à la masse *via* la source du signal d'entrée. Donc, la tension du premier émetteur est d'environ + 0,7 V au-dessus de la masse et celle du deuxième émetteur est d'environ + 1,4 V au-dessus de la masse. Cette tension de + 1,4 V polarise le deuxième étage qui fonctionne comme nous l'avons décrit.

La tension V_{CE} de repos du premier transistor n'est que de 0,7 V et la tension V_{CE} de repos du deuxième transistor n'est que de 1,4 V. Mais les deux transistors fonctionnent dans la région active parce que la tension $V_{CE\,(sat)}$ des transistors de petite puissance n'est que d'environ 0,1 V. De plus, le signal d'entrée étant ordinairement de quelques millivolts, ces transistors continuent à fonctionner dans la région active dans le cas d'un petit signal.

Retenir que l'entrée du *PNP* sert de masse de référence. On utilise beaucoup ce montage dans les amplificateurs audio intégrés.

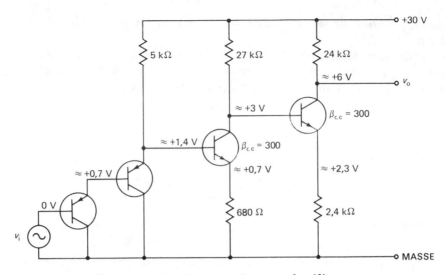

Fig. 8-13. *Entrée servant de masse de référence.*

AMPLIFICATEUR A DEUX ALIMENTATIONS

Lorsqu'on dispose d'une *alimentation fractionnée* (tension positive et tension négative), l'entrée et la sortie peuvent servir de masses de référence. La figure 8-14 représente un tel amplificateur. Le courant émetteur I_E du premier étage à émetteur polarisé est d'environ 1 mA. Il s'ensuit une tension d'environ + 3 V au premier collecteur. La soustraction de la chute V_{BE} de la deuxième diode émetteur laisse + 2,3 V au deuxième émetteur.

Le courant émetteur du deuxième étage est d'environ 1 mA. Ce courant parcourt la résistance de collecteur et produit une tension d'environ + 6 V du collecteur à

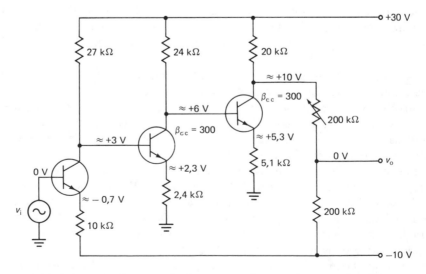

Fig. 8-14. *Amplificateur à alimentation fractionnée et couplage direct.*

la masse. La tension de + 5,3 V entre les bornes de la résistance d'émetteur du dernier étage donne un courant d'environ 1 mA. La tension du dernier collecteur par rapport à la masse est d'environ + 10 V.

Le diviseur de tension de sortie réfère la sortie à la masse. Lorsqu'on règle la résistance du haut à 200 kΩ, la tension de sortie finale est d'environ 0 V. Ce réglage élimine les erreurs causées par les tolérances des résistances ou les différences entre les tensions V_{BE} d'un transistor à un autre, par exemple.

Que vaut le gain total en tension ? Le gain en tension du premier étage est d'environ 3, celui du deuxième d'environ 10, celui du troisième d'environ 4 et le diviseur de tension multiplie par environ 0,5. Par conséquent,

$$A = 3\,(10)\,(4)\,(0,5) = 60$$

DERNIER POINT

Tel est le principe du couplage direct. On ne monte pas de condensateur de couplage ni de condensateur de découplage. On transmet donc le courant continu et le courant alternatif d'un étage au suivant. Par conséquent, l'amplificateur n'a pas de limite inférieure de fréquence : il amplifie toutes les fréquences jusqu'à zéro. Là résident la force et la faiblesse du couplage direct : c'est un bon couplage parce qu'il permet d'amplifier des signaux d'entrée de très basse fréquence, y compris les signaux continus, et c'est un mauvais couplage parce qu'il amplifie des entrées indésirées, telles les très petites variations de la tension d'alimentation ou les variations de transistor.

Dans des chapitres ultérieurs, nous étudierons *l'amplificateur différentiel,* un dispositif à deux transistors couplés directement devenu le principal composant des circuits intégrés linéaires. En particulier, cet amplificateur élimine partiellement la dérive. D'où son immense succès. Nous en reparlerons plus en profondeur.

EXEMPLE 8-5

La figure 8-15 *a* représente un amplificateur à émetteur commun couplé directement à un amplificateur émetteur suiveur. Calculer la tension de sortie.

SOLUTION

Nous avons déjà analysé le premier étage. Selon nos calculs

$$A \quad = -159$$
$$z_i \quad = 1,18 \text{ k}\Omega$$
$$z_o \quad = 3,6 \text{ k}\Omega$$
$$V_C \quad = 6,04 \text{ V}$$

Remarquer que la tension continue base du deuxième étage provient du collecteur du premier étage. Par conséquent, le courant continu émetteur du deuxième étage égale

$$I_E = \frac{6,04 \text{ V} - 0,7 \text{ V}}{4,3 \text{ k}\Omega} = 1,24 \text{ mA}$$

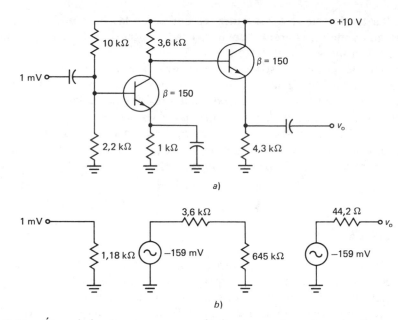

Fig. 8-15. *Étage à émetteur commun couplé directement à un étage à collecteur commun.*

et la résistance en courant alernatif de la diode émetteur égale

$$r'_e = \frac{25 \text{ mV}}{1,24 \text{ mA}} = 20,2 \text{ } \Omega$$

Comme le deuxième étage ne comporte pas de résistance de polarisation, son impédance d'entrée égale

$$z_i = \beta R_E = 150 \, (4,3 \text{ k}\Omega) = 645 \text{ k}\Omega$$

L'impédance de sortie du deuxième étage égale

$$z_o = 20,2 \text{ } \Omega + \frac{3,6 \text{ k}\Omega}{150} = 44,2 \text{ } \Omega$$

La figure 8-15 *b* illustre les calculs. Le premier étage se comporte comme une source soutenue de tension alternative pour le deuxième étage. Donc, presque toute la tension collecteur de 159 mV du premier transistor atteint la base du deuxième transistor. Voilà pourquoi l'étage à émetteur suiveur se comporte comme une source de 159 mV d'impédance de sortie de seulement 44,2 Ω.

8.6. AMÉLIORATION DE LA RÉGULATION DE TENSION

Un amplificateur à émetteur suiveur améliore la performance d'un régulateur Zener. La figure 8-16 *a* représente un *suiveur Zener*, un dispositif qui combine un

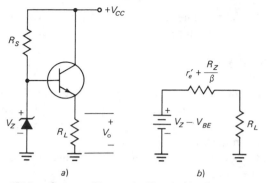

Fig. 8-16. *Suiveur Zener.* a) *Circuit.* b) *Circuit équivalent.*

régulateur Zener et un amplificateur à émetteur suiveur. Voici son mode de fonctionnement. La tension Zener est l'entrée de la base. Par conséquent, la tension continue de sortie égale

$$V_o = V_Z - V_{BE} \qquad (8\text{-}10)$$

Cette tension fixe de sortie égale la tension Zener moins la chute V_{BE} de transistor. Si la tension d'alimentation varie, la tension Zener et donc la tension de sortie demeurent à peu près constantes. Ce dispositif se comporte donc comme un régulateur de tension.

DEUX AVANTAGES

Le suiveur Zener présente deux avantages sur un régulateur Zener ordinaire. D'une part, le courant continu qui traverse R_S égale la somme du courant Zener et du courant base, qui égale

$$I_B = \frac{I_L}{\beta_{cc}} \qquad (8\text{-}11)$$

Comme le courant base est beaucoup plus petit que le courant de charge, on peut utiliser une plus petite diode Zener. Si l'on essaie de fournir des ampères à une résistance de charge, un régulateur Zener ordinaire requiert une diode Zener capable de manipuler des ampères. D'autre part, la diode Zener du régulateur perfectionné représenté à la figure 8-16 *a* ne doit manipuler que des dizaines de milliampères en raison de la réduction par β_{cc}.

Dans le cas d'un régulateur Zener ordinaire, la résistance de charge voit une impédance de sortie d'environ R_Z, l'impédance Zener. Mais dans le cas d'un suiveur Zener, l'impédance de sortie égale

$$z_o \cong r'_e + \frac{R_Z}{\beta} \qquad (8\text{-}12)$$

D'où le circuit équivalent de sortie représenté à la figure 8-16 *b*. Un tel circuit maintient la tension de charge presque constante parce que la source paraît soutenue.

Les deux avantages d'un suiveur Zener, une charge moindre sur la diode Zener et une plus petite impédance de sortie, permettent de concevoir des régulateurs de tension soutenus. Le rôle fondamental de l'amplificateur à émetteur suiveur est d'augmenter l'aptitude du régulateur Zener à manipuler du courant. Le suiveur Zener multiplie le courant de charge par β_{cc}.

RÉGULATEURS SÉRIE

La figure 8-17 représente le schéma habituel d'un suiveur Zener, V_i est la tension d'entrée non régulée. La tension Zener attaque la base d'un amplificateur à émetteur suiveur, par conséquent, la tension continue de sortie est à une chute de tension V_{BE} de la tension Zener.

Si l'on conçoit un tel dispositif, il faut tenir compte de la puissance dissipée dans le transistor. Cette puissance égale

$$P_D = V_{CE}\, I_C \tag{8-13}$$

Selon le schéma de la figure 8-17, la tension collecteur-émetteur égale la différence entre la tension d'entrée et la tension de sortie. D'où

$$V_{CE} = V_i - V_o$$

Le courant collecteur égale à peu près le courant émetteur. D'où

$$I_C \cong I_E$$

Le suiveur Zener est un exemple de régulateur de tension série. Les bornes collecteur-émetteur étant en série avec la charge, le courant de charge doit passer par le transistor que l'on appelle dès lors un *transistor de passage**. Les régulateurs série sont simples, aussi sont-ils très utilisés.

La puissance dissipée par le transistor de passage constitue le principal désavantage du régulateur série. Le transistor de passage ne s'échauffe pas trop si le courant de charge n'est pas trop grand. Mais si le courant de charge est grand, la grande puissance que doit dissiper le transistor élève la température interne de l'équipement. Dans certains cas, il faut installer un ventilateur pour évacuer cette chaleur. Pour éviter cela, on préfère parfois un régulateur à découpage (nous en reparlerons).

EFFETS DE LA TEMPÉRATURE

L'instant de mentionner l'effet de la température sur V_{BE} est arrivé. Lorsque la température de l'émetteur augmente, V_{BE} diminue. Habituellement, les fiches

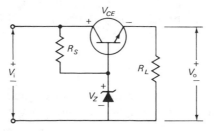

Fig. 8-17. *Schéma d'un suiveur Zener mettant le transistor de passage en évidence.*

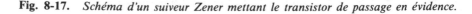

* N.d.T. Aussi appelé *transistor ballast* par certains auteurs.

signalétiques précisent la façon dont varie V_{BE} en fonction de la température. La tension V_{BE} varie en fonction du courant collecteur, du transistor particulier et d'autres facteurs. On admet que V_{BE} décroît d'environ 2 mV par augmentation d'1°C. A titre d'exemple, supposons que V_{BE} est de 0,7 V lorsque la température de l'émetteur est de 25°C. Si la température de l'émetteur monte à 75°C, V_{BE} décroît de 100 mV et passe à 0,6 V.

Quelle importance cela a-t-il ? La tension de sortie d'un régulateur Zener égale

$$V_o = V_Z - V_{BE}$$

Lorsque la température monte de 25°C à 75°C, V_{BE} décroît d'environ 100 mV. Si le coefficient de température de la diode Zener est nul, la tension régulée de sortie diminue d'environ 0,1 V. Cette variation est relativement petite, mais il faut tenir compte de ces effets lors de la conception. Pour de plus amples renseignements sur la variation de V_{BE} en fonction de la température, consulter les fiches signalétiques du transistor particulier utilisé.

EXEMPLE 8-6

Le transistor de passage du circuit représenté à la figure 8-18 a un gain β_{cc} de 80. Calculer le courant qui traverse la diode Zener.

SOLUTION

Le courant qui traverse la résistance chutrice série égale

$$I_S = \frac{20\,V - 10\,V}{680\,\Omega} = 14,7\,mA$$

Calculons le courant base. La tension de charge égale

$$V_o = V_Z - V_{BE} = 10\,V - 0,7\,V = 9,3\,V$$

Le courant de charge égale

$$I_E = \frac{V_o}{R_L} = \frac{9,3\,V}{15\,\Omega} = 0,62\,A$$

Le courant base égale

$$I_B = \frac{I_E}{\beta_{cc}} = \frac{0,62\,A}{80} = 7,75\,mA$$

Le courant Zener égale

$$I_Z = 14,7\,mA - 7,75\,mA = 6,95\,mA$$

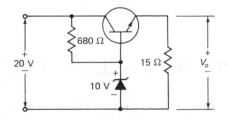

Fig. 8-18.

Remarquer la petitesse du courant Zener par rapport au courant de charge. Voilà le point crucial du circuit. Le montage d'un simple régulateur Zener capable de manipuler des milliampères en cascade avec un amplificateur émetteur suiveur donne un courant de charge de plusieurs centaines de milliampères.

Nous avons utilisé β_{cc} dans ces calculs parce que nous recherchions le courant continu ou total qui traverse la diode Zener.

EXEMPLE 8-7

Calculer la puissance dissipée dans le transistor représenté à la figure 8-18. Supposer que $R_Z = 7\ \Omega$ et que $\beta = 100$, et calculer l'impédance de sortie vue par la résistance de charge.

SOLUTION

La puissance dissipée par le transistor de passage égale

$$P_D = (20\ \text{V} - 9,3\ \text{V})\,(0,62\ \text{A}) = 6,63\ \text{W}$$

Cette puissance n'est pas trop élevée. Dans certaines applications à courant de charge nettement plus grand, la puissance dissipée par le transistor de passage est très grande.

Dans l'exemple précédent, nous avons calculé que le courant est de 0,62 A. Donc la résistance en courant alternatif de la diode émetteur égale

$$r'_e = \frac{25\ \text{mV}}{0,62\ \text{A}} = 0,04\ \Omega$$

Selon la formule (8-12), l'impédance de sortie

$$z_o \cong 0,04\ \Omega + \frac{7}{100} = 0,11\ \Omega$$

On en déduit que la source est soutenue pour toutes les résistances de charge supérieures à 11 Ω.

Pour calculer z_o, nous avons utilisé β parce que l'impédance de sortie est une grandeur en courant alternatif qui indique ce qui se produit lorsque le courant et la tension varient. Ainsi, si la résistance de charge varie de 15 Ω à 14 Ω, le courant de charge varie de 0,62 A à 0,664 A, soit une augmentation de 0,044 A. Dans ce cas, la tension de charge décroît de

$$\Delta V_L = (0,044\ \text{A})\,(0,11\ \Omega) = 4,84\ \text{mV}$$

8.7. AMPLIFICATEUR A BASE COMMUNE

La figure 8-19 *a* représente un amplificateur *à base commune*. Comme la base est à la masse, on appelle aussi ce dispositif un amplificateur *à base à la masse*. On règle le point Q par la polarisation d'émetteur, ce que l'on reconnaît immédiate-

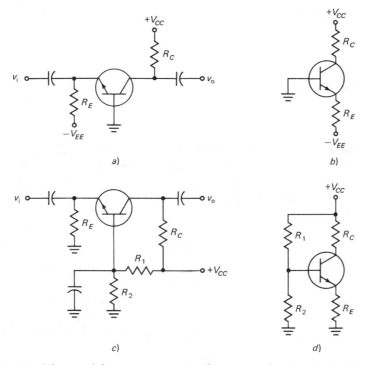

Fig. 8-19. *Amplificateur à base commune.* a) *Alimentation fractionnée.* b) *Circuit équivalent en courant continu à émetteur polarisé.* c) *Une alimentation.* d) *Circuit équivalent en courant continu polarisé par diviseur de tension;*

ment lorsqu'on trace le schéma du circuit équivalent en courant continu selon la figure 8-19 *b*. Donc, le courant continu émetteur égale

$$I_E = \frac{V_{EE} - V_{BE}}{R_E} \qquad (8\text{-}14)$$

La figure 8-19 *c* représente un amplificateur à base commune polarisé par diviseur de tension. On reconnaît la polarisation par diviseur de tension en traçant le schéma du circuit équivalent en courant continu selon la figure 8-19 *d*.

Dans les deux amplificateurs, la base est une masse en courant alternatif. Le signal d'entrée attaque l'émetteur et l'on tire le signal de sortie du collecteur. La figure 8-20 *a* représente le circuit équivalent en courant alternatif d'un amplificateur à base commune durant l'alternance positive de la tension d'entrée. Nous avons omis les résistances de polarisation, parce que leur effet sur l'impédance d'entrée est négligeable. L'impédance d'entrée d'un amplificateur à base commune égale

$$z_i \cong r'_e \qquad (8\text{-}15)$$

La tension de sortie égale

$$v_o = i_c R_C$$

La tension de sortie est en phase avec la tension d'entrée. Comme la tension d'entrée égale

$$v_i = i_e r'_e$$

le gain en tension égale

$$\frac{v_o}{v_i} = \frac{i_c \, R_C}{i_e \, r'_e}$$

Or $i_c \cong i_e$, donc cette relation devient

$$A \cong \frac{R_C}{r'_e} \tag{8-16}$$

Selon la formule (8-16), la valeur absolue du gain en tension d'un amplificateur à base commune égale celle d'un amplificateur à émetteur commun non stabilisé, seule la phase est différente. Si $R_C = 2\,500\ \Omega$ et $r'_e = 25\ \Omega$, alors le gain en tension d'un amplificateur à base commune est de 100, alors que celui d'un amplificateur à émetteur commun est de -100.

Idéalement, la source de courant collecteur représentée à la figure 8-20 *a* a une impédance interne infinie. Par conséquent, l'impédance de sortie d'un amplificateur à base commune égale

$$z_o \cong R_C \tag{8-17}$$

La figure 8-20 *b* représente le modèle en courant alternatif d'un amplificateur à base commune. La grande différence entre cet amplificateur et celui à émetteur commun est l'extrêmement petite impédance d'entrée. On n'utilise pas autant

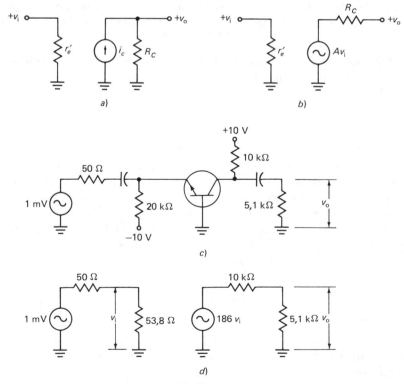

Fig. 8-20.

l'amplificateur à base commune parce que, en particulier, son impédance d'entrée est petite. La source de tension alternative qui attaque un amplificateur à base commune voit une impédance d'entrée

$$z_i \cong r'_e$$

très faible. Si $I_E = 1$ mA, l'impédance d'entrée d'un amplificateur à base commune n'est que de 25 Ω. Si la source de tension alternative n'est pas soutenue, on perd la plus grande partie du signal entre les bornes de la résistance de source.

L'impédance d'entrée d'un amplificateur à base commune est si petite qu'elle surcharge la plupart des sources de signal. Voilà pourquoi on n'utilise pas souvent un amplificateur discret à base commune aux basses fréquences ; on l'utilise surtout dans les applications haute fréquence (au-dessus de 10 MHz) où les impédances de source sont souvent petites. L'amplificateur à base commune intégré (nous traiterons les circuits intégrés dans un chapitre ultérieur) sert souvent de composant dans les amplificateurs différentiels.

EXEMPLE 8-8

Calculer la tension alternative de sortie du circuit représenté à la figure 8-20 c.

SOLUTION

Le courant continu émetteur égale

$$I_E = \frac{10\text{ V} - 0,7\text{ V}}{20\text{ k}\Omega} = 0,465\text{ mA}$$

et la résistance en courant alternatif d'émetteur égale

$$r'_e = \frac{25\text{ mV}}{0,465\text{ mA}} = 53,8\ \Omega$$

Donc

$$z_i = 53,8\ \Omega$$

Le gain en tension sans charge égale

$$A = \frac{10\ 000}{53,8} = 186$$

et l'impédance de sortie égale

$$z_o = 10\text{ k}\Omega$$

La figure 8-20 *d* représente le circuit équivalent en courant alternatif. La tension d'entrée égale

$$v_i = \frac{53,8\ \Omega}{50\ \Omega + 53,8\ \Omega}\ (1\text{ mV}) = 0,518\text{ mV}$$

La tension de sortie sans charge égale

$$Av_i = 186\ (0,518\text{ mV}) = 96,3\text{ mV}$$

La vraie tension de sortie égale

$$v_o = \frac{5,1 \text{ k}\Omega}{10 \text{ k}\Omega + 5,1 \text{ k}\Omega} (96,3 \text{ mV}) = 32,5 \text{ mV}$$

PROBLÈMES

Simples

8-1. Le paramètre h_{FE} du transistor de l'amplificateur représenté à la figure 8-21 égale 160. Calculer les grandeurs continues V_B, V_E, V_C, I_E, I_C et I_B.

8-2. Tracer la droite de charge statique de l'amplificateur représenté à la figure 8-21.

8-3. Supposer que β du transistor de l'amplificateur représenté à la figure 8-21 égale 125 et calculer la tension de sortie.

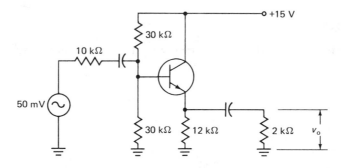

Fig. 8-21.

8-4. Soit l'amplificateur représenté à la figure 8-21. On donne $h_{fe} = 150$. Dire ce que l'on voit si l'on observe l'émetteur à l'aide d'un oscilloscope couplé en direct. On devrait voir une tension continue et une tension alternative.

8-5. Soit l'amplificateur représenté à la figure 8-22. Supposer que β_{cc} de chaque transistor égale 80 et calculer les grandeurs continues V_B, V_E, V_C, I_E, I_C et I_B de chaque étage.

8-6. Tracer la droite de charge statique de chaque étage de l'amplificateur représenté à la figure 8-22.

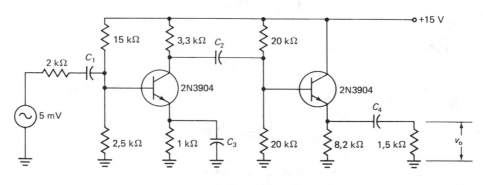

Fig. 8-22.

8-7. Supposer que chaque transistor de l'amplificateur représenté à la figure 8-22 a un gain β de 175. Calculer la tension de sortie.

8-8. Soit l'amplificateur représenté à la figure 8-22. Supposer que le paramètre h_{fe} de chaque transistor égale 90 et calculer la tension de sortie.

8-9. Chaque transistor de l'amplificateur représenté à la figure 8-23 a un gain β_{cc} de 120. Calculer le courant continu collecteur du deuxième transistor, le courant continu collecteur du premier transistor et le courant continu base du premier transistor.

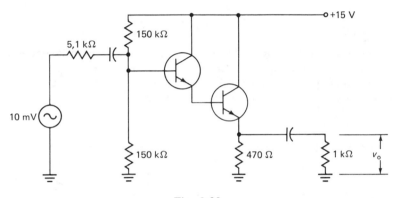

Fig. 8-23.

8-10. Supposer que le gain β des deux transistors de l'amplificateur représenté à la figure 8-23 égale 100 et calculer la tension de sortie.

8-11. Soit l'amplificateur représenté à la figure 8-23. Le paramètre h_{fe} du premier transistor vaut 150 et celui du second égale 90. Calculer la tension alternative de sortie.

8-12. Soit l'amplificateur représenté à la figure 8-24. Chaque transistor a un gain β_{cc} de 115. Calculer les grandeurs continues V_B, V_E, V_C, I_E, I_C et I_B de chaque étage.

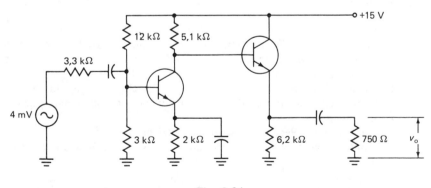

Fig. 8-24.

8-13. Supposer que le gain β de chaque transistor de l'amplificateur représenté à la figure 8-24 égale 135 et calculer la tension de sortie.

8-14. Soit l'amplificateur représenté à la figure 8-24. Supposer que le gain β du premier transistor est de 250, que celui du deuxième transistor est de 200 et calculer v_o.

8-15. Soit le suiveur Zener représenté à la figure 8-25. On donne $\beta_{cc} = 120$ et $R_Z = 6\ \Omega$. Calculer le courant Zener et l'impédance de sortie du suiveur Zener.

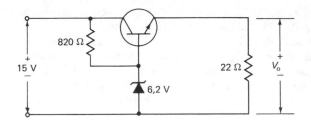

Fig. 8-25.

8-16. On remplace le transistor du suiveur Zener représenté à la figure 8-25 par un transistor de Darlington. Calculer la tension de sortie.

8-17. Supposer que le paramètre h_{FE} du transistor de l'amplificateur représenté à la figure 8-26 égale 75 et calculer V_B, V_E, V_C, I_E, I_C et I_B.

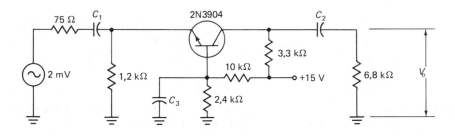

Fig. 8-26.

8-18. Calculer v_o de l'amplificateur représenté à la figure 8-26.

De dépannage

8-19. Soit l'amplificateur représenté à la figure 8-21. On décide d'observer v_{be} sur un oscilloscope. On applique la sonde du conducteur du signal à la base et la sonde du conducteur de référence à l'émetteur et l'on découvre que le circuit ne fonctionne pas. Dire pourquoi.

8-20. Soit l'amplificateur représenté à la figure 8-22. Dire si la tension alternative de sortie augmente, diminue ou demeure la même pour chaque dérangement suivant :
   a. C_3 ouvert;
   b. court-circuit collecteur-émetteur du deuxième transistor;
   c. montage par erreur d'une résistance de 3,9 kΩ au lieu d'une résistance de 3,3 kΩ;
   d. C_1 court-circuité.

8-21. Supposer que le condensateur C_3 de l'amplificateur représenté à la figure 8-22 est ouvert et que le gain β de chaque transistor égale 100. Calculer la tension alternative de sortie.

8-22. Soit l'amplificateur représenté à la figure 8-24. La tension de sortie n'est que de 100 mV. On mesure une tension alternative d'environ 0,9 V au premier collecteur. Dire à quel étage le dérangement réside.

8-23. Soit le suiveur Zener représenté à la figure 8-25. La tension de sortie est très basse. Trouver la (les) cause(s) possible(s) de ce dérangement parmi les suivantes :

a. bornes collecteur-émetteur court-circuitées;
b. diode Zener ouverte;
c. bornes collecteur-émetteur ouvertes;
d. résistance de 820 Ω ouverte.

De conception

8-24. Concevoir un amplificateur à émetteur suiveur tel que $V_{CC} = 15$ V, $I_C = 2$ mA, $\beta = 100$, $z_i \geqslant 10$ kΩ et $z_o \leqslant 112$ Ω.

8-25. Concevoir un amplificateur de Darlington tel que $V_{CC} = 20$ V, $z_i = 100$ kΩ et $z_o \leqslant 10$ Ω.

8-26. Concevoir un suiveur Zener tel que $V_{CC} = 15$ V, $V_o = 5,5$ V et $I_L = 0,5$ A.

De défi

8-27. La figure 8-27 *a* représente un *déphaseur multiple* à deux sorties. Tracer la droite de charge statique. Calculer les grandeurs continues V_B, V_E, V_C, I_E, I_C et I_B.

8-28. On attaque l'amplificateur représenté à la figure 8-27 *a* par un signal d'entrée de tension de crête à crête de 5 mV. Calculer les deux tensions alternatives de sortie et dire la fonction de ce circuit.

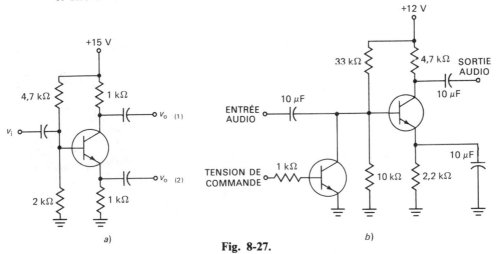

Fig. 8-27.

8-29. La figure 8-27 *b* représente un *silencieux de recherche*. Le niveau de la tension de commande est bas ou haut, de 0 V ou de + 5 V. Supposer que la tension d'entrée audio est 10 mV de crête à crête et calculer la tension de sortie audio lorsque le niveau de la tension de commande est bas et haut. Décrire la fonction de ce circuit.

A résoudre par ordinateur

8-30. Les instructions STOP et CONT permettent de placer des points d'arrêt dans un programme, puis de reprendre l'exécution. Le programme ci-dessous comporte un point d'arrêt à la ligne 80.

```
10   PRINT "INTRODUIRE RS" : INPUT RS
20   PRINT "INTRODUIRE R1" : INPUT R1
30   PRINT "INTRODUIRE R2" : INPUT R2
40   PRINT "INTRODUIRE BÊTA EN ALTERNATIF" : INPUT BETA
50   PRINT "INTRODUITE R PRIME E" : INPUT RPE
```

```
60   Y = RS + R1 + R2
70   Z = 1/Y
80   STOP
90   ZO = RPE + Z/BETA
100  PRINT "ZO = " : INPUT ZO
```

Une fois les données demandées introduites, l'ordinateur s'arrête à la ligne 80 et affiche

BREAK AT 80

Puis il attend qu'on introduise CONT mis pour continue. Alors l'exécution reprend à la ligne 90. On utilise surtout les points d'arrêt pour mettre les *programmes au point* (on dit aussi « *déboguer* » *les programmes*).

Le programme comporte une erreur ou « bogue ». Pour le mettre au point, il faut corriger l'erreur. Citer l'erreur et dire comment la corriger.

8-31. Les entrées d'un programme pour amplificateur à émetteur suiveur sont R_S, R_1, R_2, R_E, V_{CC} et β. Ecrire un programme qui calcule l'impédance d'entrée et l'impédance de sortie de cet amplificateur.

8-32. Ecrire un programme qui calcule l'impédance d'entrée et l'impédance de sortie d'un amplificateur de Darlington.

Paramètres hybrides ou *h*

Les paramètres hybrides (*h*) permettent d'analyser mathématiquement et de façon poussée les circuits linéaires à transistors. Ils constituent l'outil suprême pour calculer le gain en tension, l'impédance d'entrée et l'impédance de sortie exacts d'un amplificateur à transistors. L'analyse par les paramètres *h* étant très longue, n'utiliser cette méthode qu'à deux conditions : la conception de l'amplificateur requiert la plus grande précision possible et l'on dispose d'un ordinateur. Celui-ci n'est pas absolument nécessaire, mais il élimine l'ennui et les erreurs humaines propres à l'analyse et à la conception à l'aide des paramètres *h*.

9.1. QUATRE SYSTÈMES DE PARAMÈTRES

On peut appliquer le théorème de Thévenin et le théorème de Norton aux quadripôles semblables à celui représenté à la figure 9-1. L'application d'une tension v_1 entre les bornes du dipôle d'entrée fait circuler un courant conventionnel i_1. Nous utiliserons le courant conventionnel dans ce chapitre, parce que la méthode des paramètres *h* est surtout utilisée par les scientifiques et les ingénieurs. Une tension alternative de sortie v_2 apparaît entre les bornes du dipôle de sortie et un courant alternatif de sortie i_2 circule. Par définition, un courant conventionnel qui entre dans un dipôle est positif. Un courant conventionnel qui sort d'un dipôle est négatif.

PARAMÈTRES *z*

L'application du théorème de Thévenin aux deux dipôles d'un quadripôle ne comportant que des éléments linéaires donne le modèle en courant alternatif représenté à la figure 9-1 *b*. Si l'on regarde chaque dipôle, on voit à chaque fois une impédance en série avec une source de tension. Les équations de Kirchhoff de ce modèle en courant alternatif sont

$$v_1 = z_{11}i_1 + z_{12}i_2$$
$$v_2 = z_{21}i_1 + z_{22}i_2$$

On appelle les coefficients de ce système d'équations des *paramètres z*.

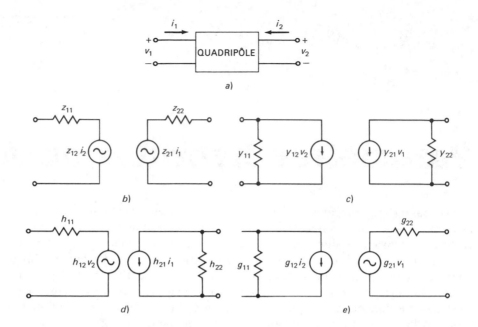

Fig. 9-1. a) *Quadripôle.* b) *Paramètres z.* c) *Paramètres y.* d) *Paramètres h.* e) *Paramètres g.*

PARAMÈTRES y

L'application du théorème de Norton aux deux dipôles d'un quadripôle linéaire donne le circuit équivalent représenté à la figure 9-1 *c*. Si l'on regarde chaque dipôle, on voit à chaque fois une admittance shuntée par une source de courant. Les équations de Kirchhoff de ce modèle en courant alternatif sont

$$i_1 = y_{11}v_1 + y_{12}v_2$$
$$i_2 = y_{21}v_1 + y_{22}v_2$$

On appelle les coefficients de ces équations des *paramètres y*. Nous avons analysé le fonctionnement en haute fréquence des transistors par la méthode des paramètres *y*.

PARAMÈTRES h

L'application du théorème de Thévenin au dipôle d'entrée et du théorème de Norton du dipôle de sortie donne le modèle hybride représenté à la figure 9-1 *d*. Le dipôle d'entrée comprend l'impédance h_{11} en série avec la source de tension $h_{12}v_2$. Le dipôle de sortie comprend la source de courant $h_{21}i_1$ shuntée par l'admittance h_{22}. Les équations de Kirchhoff du modèle hybride sont

$$v_1 = h_{11}i_1 + h_{12}v_2$$
$$i_2 = h_{21}i_1 + h_{22}v_2$$

On appelle les coefficients de ces équations des paramètres hybrides ou simplement des *paramètres h*. Nous avons analysé le fonctionnement en basse fréquence des amplificateurs à émetteur commun, collecteur commun ou base commune par la méthode des paramètres *h*.

PARAMÈTRES *g*

L'application du théorème de Norton au dipôle d'entrée et du théorème de Thévenin au dipôle de sortie donne le modèle en courant alternatif représenté à la figure 9-1 *e*. Le dipôle d'entrée comprend une admittance shuntée par une source de courant. Le dipôle de sortie comprend une source de tension en série avec une impédance. Les équations de Kirchhoff sont

$$i_1 = g_{11}v_1 + g_{12}i_2$$
$$v_2 = g_{21}v_1 + g_{22}i_2$$

On appelle les coefficients de ces équations des *paramètres g*.

9.2. SIGNIFICATION DES PARAMÈTRES *h*

Des quatre méthodes d'analyse décrites ci-dessus, celles des paramètres *h* convient le mieux pour analyser le fonctionnement en basse fréquence des amplificateurs à transistors. Par conséquent, dans le reste de ce chapitre, nous porterons notre attention sur les paramètres *h*.

La figure 9-2 *a* représente le *modèle hybride* et les tensions et courants des dipôles. On considère que les tensions de polarités plus — moins représentées sont positives. On considère que les courants indiqués qui entrent dans les dipôles sont positifs. Les équations de Kirchhoff du modèle hybride déjà données sont

$$v_1 = h_{11}i_1 + h_{12}v_2 \qquad (9\text{-}1)$$
$$i_2 = h_{21}i_1 + h_{22}v_2 \qquad (9\text{-}2)$$

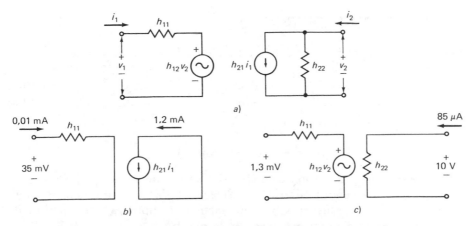

Fig. 9-2. a) *Modèle hybride.* b) *Sortie court-circuitée.* c) *Entrée ouverte.*

IMPÉDANCE D'ENTRÉE h_{11}

Pour découvrir ce que représente h_{11} et h_{21}, procédons comme suit. Supposons que la sortie est court-circuitée pour le courant alternatif. Alors $v_2 = 0$ et les équations du modèle hybride se réduisent à

$$v_1 = h_{11}i_1 \qquad (9\text{-}3)$$
$$i_2 = h_{21}i_1 \qquad (9\text{-}4)$$

La première équation donne

$$h_{11} = \frac{v_1}{i_1} \text{ (sortie court-circuitée)} \qquad (9\text{-}5)$$

h_{11} étant le rapport d'une tension à un courant est une impédance. Si $v_1 = 35$ mV et $i_1 = 0,01$ mA,

$$h_{11} = \frac{35 \text{ mV}}{0,01 \text{ mA}} = 3,5 \text{ k}\Omega$$

Donc, h_{11} est l'*impédance d'entrée* d'un quadripôle à sortie court-circuitée (fig. 9-2 *b*).

GAIN EN COURANT h_{21}

L'équation (9-4) donne

$$h_{21} = \frac{i_2}{i_1} \text{ (sortie court-circuitée)} \qquad (9\text{-}6)$$

h_{21} étant le rapport du courant de sortie au courant d'entrée est le *gain en courant* avec sortie court-circuitée. Si $i_2 = 1,2$ mA et $i_1 = 0,01$ mA, alors

$$h_{21} = \frac{1,2 \text{ mA}}{0,01 \text{ mA}} = 120$$

Donc, h_{21} est le gain en courant d'un quadripôle à sortie court-circuitée (fig. 9-2 *b*).

GAIN EN TENSION INVERSE h_{12}

Que représente h_{12} et h_{22} ? Si l'entrée est ouverte, $i_1 = 0$ et les équations (9-1) et (9-2) se réduisent à

$$v_1 = h_{12}v_2 \qquad (9\text{-}7)$$
$$i_2 = h_{22}v_2 \qquad (9\text{-}8)$$

La première équation donne

$$h_{12} = \frac{v_1}{v_2} \text{ (entrée ouverte)} \qquad (9\text{-}9)$$

h_{21} étant le rapport de la tension d'entrée à la tension de sortie s'appelle le *gain en tension inverse* avec entrée ouverte. Autrement dit, l'application d'un signal au dipôle de sortie et la mesure du signal de réaction au dipôle d'entrée permet de calculer le gain en tension inverse avec entrée ouverte.

Si la tension d'attaque du dipôle de sortie est de 10 V et la tension au dipôle d'entrée de seulement 1,3 mV, alors

$$h_{12} = \frac{1,3 \text{ mV}}{10 \text{ V}} = 1,3(10^{-4})$$

Le gain en tension inverse très petit montre que le quadripôle ne fonctionne pas très bien en sens inverse. Retenons que h_{12} est le gain en tension inverse avec entrée ouverte (fig. 9-2 c).

ADMITTANCE DE SORTIE h_{22}

Finalement, l'équation (9-8) donne

$$h_{22} = \frac{i_2}{v_2} \text{ (entrée ouverte)} \tag{9-10}$$

h_{22} étant le rapport du courant de sortie à la tension de sortie est l'*admittance de sortie* avec entrée ouverte. Si $i_2 = 85 \ \mu A$ et $v_2 = 10$ V, alors

$$h_{22} = \frac{85 \ \mu A}{10 \text{ V}} = 8,5 \ \mu S$$

(Remarque : S est mis pour siemens). A la figure 9-2 c, h_{22} est une admittance.

MESURE DES PARAMÈTRES h

Nous avons résumé au tableau 9-1 la signification de chaque paramètre h et la condition requise : h_{11} est l'impédance d'entrée avec sortie court-circuitée, h_{21} le gain en courant avec sortie court-circuitée, h_{12} le gain en tension inverse avec entrée ouverte et h_{22} l'admittance de sortie avec entrée ouverte.

Comme il est facile, en courant alternatif, de court-circuiter la sortie d'un amplificateur à transistor et d'ouvrir l'entrée, habituellement, les fabricants mesurent et spécifient les caractéristiques petits signaux d'un transistor à l'aide des paramètres h. Les paramètres d'un 2N3904 à émetteur commun et courant collecteur d'1 mA sont

$$h_{11} = 3,5 \text{ k}\Omega$$
$$h_{12} = 1,3(10^{-4})$$
$$h_{21} = 120$$
$$h_{22} = 8,5 \ \mu S$$

h_{22} égale la pente des caractéristiques de collecteur vues par un traceur de courbes. Considérer deux points sur la partie presque horizontale d'une caractéristique de collecteur. Le rapport de la variation du courant à la variation de la tension égale h_{22}. Plus les caractéristiques de collecteur sont horizontales, plus l'admittance de sortie h_{22} est petite, cela revient à dire que l'impédance de la source de courant collecteur est plus grande.

9.3. FORMULES D'ANALYSE

La figure 9-3 *a* représente une source de tension v_S d'impédance r_S attaquant un quadripôle à sortie connectée à la résistance de charge r_L.

Tableau 9-1. Paramètres *h*

Paramètre	Signification	Equation	Condition
h_{11}	Impédance d'entrée	v_1/i_1	Sortie court-circuitée
h_{12}	Gain en tension inverse	v_1/v_2	Entrée ouverte
h_{21}	Gain en courant	i_2/i_1	Sortie court-circuitée
h_{22}	Admittance de sortie	i_2/v_2	Entrée ouverte

L'impédance r_S est la résistance en courant alternatif de Thévenin; la résistance de charge r_L est la résistance équivalente de charge en courant alternatif connectée entre les bornes de sortie. La connaissance des paramètres *h* d'un transistor permet de calculer le gain en courant, le gain en tension, l'impédance d'entrée et l'impédance de sortie exacts. Dans l'exemple de cette section, nous utiliserons un 2N3904 à émetteur commun, courant de repos d'1 mA et paramètres *h* suivants :

$$h_{11} = 3,5 \text{ k}\Omega$$
$$h_{12} = 1,3(10^{-4})$$
$$h_{21} = 120$$
$$h_{22} = 8,5 \ \mu\text{S}$$

GAIN EN COURANT

Pour le quadripôle représenté à la figure 9-3 *a*,

$$A_i = \frac{i_2}{i_1} \tag{9-11}$$

dans cette formule
$$A_i = \text{gain en courant}$$
$$i_2 = \text{courant alternatif de sortie}$$
$$i_1 = \text{courant alternatif d'entrée}$$

Remarquer que i_1 et i_2 sont les courants lorsque la charge n'est pas nulle; ces courants diffèrent de ceux obtenus lorsque la sortie est court-circuitée. L'équation (9-2) permet de récrire la formule (9-11) sous la forme

$$A_i = \frac{h_{21}i_1 + h_{22}v_2}{i_1} = h_{21} + h_{22}\frac{v_2}{i_1}$$

Selon le circuit représenté à la figure 9-3 *a*,

$$v_2 = -\ i_2 r_L$$

D'où par substitution,

$$A_i = h_{21} - h_{22}\frac{i_2 r_L}{i_1} = h_{21} - A_i h_{22} r_L$$

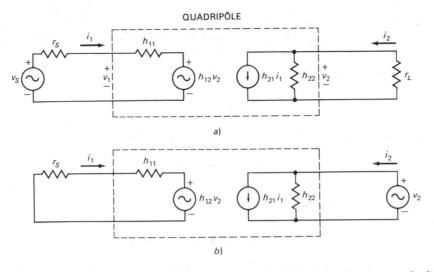

Fig. 9-3.   a) *Quadripôle avec résistance de source et résistance de charge.* b) *Attaque du dipôle de sortie pour déterminer l'impédance de sortie.*

D'où

$$A_i = \frac{h_{21}}{1 + h_{22}r_L} \qquad (9\text{-}12)$$

Si $h_{21} = 120$, $h_{22} = 8,5\ \mu S$ et $r_L = 3,6\ k\Omega$, alors

$$A_i = \frac{120}{1 + 8,5(10^{-6})(3,6)10^{3}} = 116$$

Dans cet exemple, nous avons utilisé les paramètres h d'un transistor 2N3904 à courant continu collecteur d'1 mA. On voit que le gain en courant d'un 2N3904 chargé est légèrement inférieur à celui avec sortie court-circuitée (116 au lieu de 120).

Tenons compte de l'impédance de sortie de la source de courant. Dans les chapitres précédents, nous avons supposé que la source de courant collecteur était idéale. Incluons l'impédance de source par l'intermédiaire de l'admittance de sortie h_{22}. L'inverse de h_{22} égale

$$\frac{1}{h_{22}} = \frac{1}{8,5\ \mu S} = 118\ k\Omega$$

Donc, une admittance de sortie de 8,5 μS égale une impédance de sortie de 118 kΩ. Cette impédance shunte une partie du courant de sortie de la source de courant. Voilà pourquoi le gain en courant est légèrement plus petit.

GAIN EN TENSION

Selon le quadripôle représenté à la figure 9-3 a,

$$A_v = \frac{v_2}{v_1}$$

Dans cette formule, A_v = gain en tension
v_2 = tension alternative de sortie
v_1 = tension alternative d'entrée

Selon l'équation (9-1),

$$A_v = \frac{v_2}{h_{11}i_1 + h_{12}v_2} = \frac{-i_2 r_L}{h_{11}i_1 - h_{12}i_2 r_L}$$

La division du numérateur et du dénominateur par i_2 donne

$$A_v = \frac{-r_L}{h_{11}/A_i - h_{12}r_L}$$

La formule (9-12) permet de récrire cette égalité sous la forme

$$A_v = \frac{-h_{21}r_L}{h_{11} + (h_{11}h_{22} - h_{12}h_{21})r_L} \qquad (9\text{-}13)$$

Considérons les paramètres h d'un 2N3904 donnés ci-dessus et une résistance de charge de 3,6 kΩ. Il vient

$$h_{11}h_{22} - h_{12}h_{21} = 3,5(10^3)8,5(10^{-6}) - 1,3(10^{-4})120$$
$$= 0,0142$$

et

$$A_v = \frac{-120(3600)}{3500 + (0,0142)(3600)} = -121,7$$

Le signe moins indique une inversion de phase.

IMPÉDANCE D'ENTRÉE

L'impédance d'entrée d'un quadripôle chargé égale

$$z_i = \frac{v_1}{i_1} = \frac{h_{11}i_1 + h_{12}v_2}{i_1} = h_{11} + \frac{h_{12}v_2}{i_1}$$

Or $v_2 = -i_2 r_L$ d'où

$$z_i = h_{11} - \frac{h_{12}i_2 r_L}{i_1} = h_{11} - A_i h_{12} r_L$$

La formule (9-12) permet de récrire cette égalité sous la forme

$$z_i = h_{11} - \frac{h_{12}h_{21}r_L}{1 + h_{22}r_L} \qquad (9\text{-}14)$$

Considérons les paramètres h d'un 2N3904 donnés ci-dessus et une résistance de charge de 3,6 kΩ. Il vient

$$z_i = 3,5 \text{ k}\Omega - \frac{1,3(10^{-4})(120)(3,6 \text{ k}\Omega)}{1 + 8,5(10^{-6})(3600)} = 3,45 \text{ k}\Omega$$

IMPÉDANCE DE SORTIE

Pour calculer l'impédance de sortie, annulons la tension de source (figure 9-3 *b*). Puis appliquons une tension v_2 entre les bornes de sortie. Le rapport de v_2 à i_2 donne l'impédance de sortie du quadripôle. Il vient

$$z_0 = \frac{v_2}{i_2} = \frac{v_2}{h_{21}i_1 + h_{22}v_2} \tag{9-15}$$

L'application de la loi d'Ohm au dipôle d'entrée donne

$$i_1 = \frac{-h_{12}v_2}{r_S + h_{11}}$$

Remplaçons *i* de la formule (9-15) par le deuxième membre de cette égalité. Il vient

$$z_0 = \frac{r_S + h_{11}}{(r_S + h_{11})h_{22} - h_{12}h_{21}} \tag{9-16}$$

Considérons les paramètres *h* donnés ci-dessus et une résistance de source d'1 kΩ. Il vient

$$z_0 = \frac{1\ k\Omega + 3,5\ k\Omega}{(4,5\ k\Omega)(8,5)(10^{-6}) - 1,3(10^{-4})(120)} = 199\ k\Omega$$

9.4. ANALYSE D'UN AMPLIFICATEUR A ÉMETTEUR COMMUN

Un transistor est un quadripôle. Ses paramètres sont h_i, h_r, h_f et h_o. On a

$$h_i = h_{11}$$
$$h_r = h_{12}$$
$$h_f = h_{21}$$
$$h_o = h_{22}$$

Dans ces égalités, h_i = impédance d'entrée avec sortie court-circuitée

       h_r = gain en tension inverse avec entrée ouverte

       h_f = gain en courant direct avec sortie court-circuitée

       h_o = admittance de sortie avec entrée ouverte

Pour se souvenir des indices, voici leur signification

       i   est mis pour *input* (entrée)

       r   est mis pour *reverse* (inverse)

       f   est mis pour *forward* (direct)

       o   est mis pour *output* (sortie)

Les paramètres *h* d'un transistor dépendent de l'élément commun : émetteur, collecteur ou base. Pour distinguer l'élément commun, on ajoute l'indice *e* pour émetteur commun, *c* pour collecteur commun et *b* pour base commune. Nous avons résumé au tableau 9-2 la notation habituelle des paramètres *h* de transistor. Les paramètres d'un transistor à émetteur commun sont h_{ie}, h_{re}, h_{fe} et h_{oe}. La fiche signalétique d'un transistor N3904 donne les paramètres h suivants pour un courant collecteur de repos d'1 mA :

$$h_{ie} = 3,5 \text{ k}\Omega$$
$$h_{re} = 1,3(10^{-4})$$
$$h_{fe} = 120$$
$$h_{oe} = 8,5 \ \mu S$$

Tableau 9-2.   Notation des paramètres h

Générale	Emetteur commun	Collecteur commun	Base commune
h_{11}	h_{ie}	h_{ic}	h_{ib}
h_{12}	h_{re}	h_{rc}	h_{rb}
h_{21}	h_{fe}	h_{fc}	h_{fb}
h_{22}	h_{oe}	h_{oc}	h_{ob}

FORMULES

On écrit habituellement les formules à paramètres h, trouvées ci-dessus, d'un amplificateur à émetteur commun comme suit

$$A_i = \frac{h_{fe}}{1 + h_{oe}r_L} \tag{9-17}$$

$$A_v = \frac{-h_{fe}r_L}{h_{ie} + (h_{ie}h_{oe} - h_{re}h_{fe})r_L} \tag{9-18}$$

$$z_i = h_{ie} - \frac{h_{re}h_{fe}r_L}{1 + h_{oe}r_L} \tag{9-19}$$

$$z_o = \frac{r_S + h_{ie}}{(r_S + h_{ie})h_{oe} - h_{re}h_{fe}} \tag{9-20}$$

VARIATION DES PARAMÈTRES h

Les paramètres h varient en fonction du point Q. La figure 9-4 a représente la caractéristique type de h_{ie} d'un 2N3904 ; h_{ie} décroît lorsque le courant collecteur de repos croît. A 1 mA, h_{ie} égale environ 3,5 kΩ.

A la section 5-4 nous avons étudié l'effet Early. Rappelons-le. Lorsque la tension collecteur augmente, le courant base diminue. Donc, le circuit de sortie influe sur le circuit d'entrée. Le gain en tension inverse h_{re} est une mesure de l'effet Early. La figure 9-4 b représente la variation de h_{re} d'un transistor 2N3904. Remarquer que le gain en tension inverse passe par un minimum à environ 2 mA. L'augmentation de h_{re} au-dessous et au-dessus de cette valeur du courant collecteur indique une augmentation de l'effet Early.

Nous avons précisé au chapitre 7 que $h_{fe} = \beta$. La figure 9-4 c représente la variation de h_{fe}. Remarquer que h_{fe} augmente lorsque I_C varie de 0,1 mA à 10 mA. Bien que cela n'apparaisse pas, h_{fe} passe par un maximum pour un courant plus grand.

Finalement, la figure 9-4 d représente la variation de h_{oe} en fonction du courant collecteur de repos. L'admittance de sortie h_{oe} augmente lorsque le niveau du

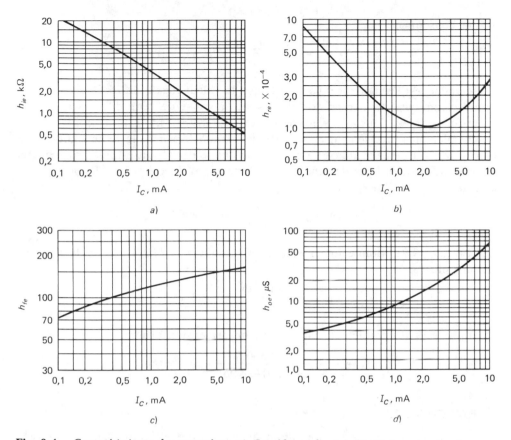

Fig. 9-4. *Caractéristiques des paramètres.* a) *Impédance d'entrée.* b) *Gain en tension inverse.*
c) *Gain en courant direct.* d) *Admittance de sortie.*

courant augmente. Cela revient à dire que l'impédance de sortie de la source de courant diminue lorsque le courant augmente.

RÉSISTANCE EN COURANT ALTERNATIF DE LA DIODE ÉMETTEUR

Nous savons que $\beta = h_{fe}$ et que le paramètre h_{ie} est l'impédance d'entrée d'un transistor à émetteur commun avec sortie court-circuitée pour le courant alternatif. Selon notre étude d'un amplificateur à émetteur commun, $z_{i(base)} = \beta r'_e$. Donc

$$h_{ie} \cong \beta r'_e = h_{fe} r'_e$$

et

$$r'_e \cong \frac{h_{ie}}{h_{fe}} \qquad (9\text{-}21)$$

Cette formule est intéressante parce qu'elle lie r'_e aux paramètres h donnés sur les fiches signalétiques. Les paramètres h_{ie} et h_{fe} d'un transistor 2N3904, par exemple, sont respectivement de 3,5 kΩ et 120 à $I_C = 1$ mA.

Par conséquent,

$$r'_e = \frac{3,5 \text{ k}\Omega}{120} = 29,2 \ \Omega$$

Cette valeur est légèrement plus grande que la valeur idéale de 25 Ω. La jonction non rectangulaire d'un transistor 2N3904 est la cause de cette différence.

Jusqu'à présent nous avons estimé r'_e égal à 25 mV/I_E. La formule (9-21) permet de calculer plus précisément r'_e à l'aide des paramètres h de la fiche signalétique d'un transistor petits signaux. Cette formule donne des réponses plus précises que les méthodes simplifiées des chapitres antérieurs. Si I_C = 1 mA et R_C = 5 kΩ, le gain idéal en tension égale

$$A_v = - \frac{5000 \ \Omega}{25 \ \Omega} = - 200$$

La formule (9-21) donne une meilleure résistance r'_e : 29,2 Ω. D'où le gain en tension plus précis

$$A_v = - \frac{5000 \ \Omega}{29,2 \ \Omega} = - 171$$

La formule (9-18) permet de calculer le gain en tension exact

$$A_v = \frac{- 120(5000)}{3500 + (0,0142)(5000)} = - 168$$

EXEMPLE 9-1

Calculer le gain en tension, l'impédance d'entrée et l'impédance de sortie de l'amplificateur représenté à la figure 9-5 *a* à l'aide des paramètres *h*.

SOLUTION

Le courant continu émetteur est d'environ 1 mA, d'où les paramètres *h* types suivants d'un 2N3904 :

$$h_{ie} = 3,5 \text{ k}\Omega$$
$$h_{fe} = 120$$
$$h_{re} = 1,3 \ (10^{-4})$$
$$h_{oe} = 8,5 \ \mu\text{S}$$

Ces paramètres ne s'appliquent qu'au transistor. Aussi avant d'utiliser la méthode des paramètres *h* il faut déterminer le circuit équivalent de Thévenin de la base (fig. 9-5 *b*). Remarquons que r_S égale 643 Ω. La résistance de charge en courant alternatif r_L égale la combinaison parallèle de 3,6 kΩ et de 1,5 kΩ, soit 1,06 kΩ.

Le transistor représenté à la figure 9-5 *b* se comporte maintenant comme un quadripôle avec les paramètres *h* précédents. D'où, selon la formule (9-18), le gain en tension égale

$$A_v = \frac{- 120 \ (1060)}{3500 + (0,0142) \ (1060)} = - 36,2$$

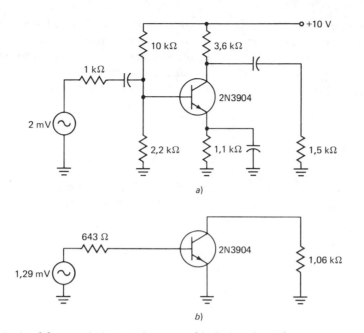

Fig. 9-5. a) *Amplificateur à émetteur commun.* b) *Circuit équivalent en courant alternatif.*

Selon la formule (9-19),

$$z_i = 3,5 \text{ k}\Omega - \frac{1,3 \, (10^{-4}) \, (120) \, (1,06 \text{ k}\Omega)}{1 + 8,5 \, (10^{-6}) \, (1060)} = 3,48 \text{ k}\Omega$$

Selon la formule (9-20),

$$z_0 = \frac{643 \, \Omega + 3500 \, \Omega}{(4143) \, (8,5) \, (10^{-6}) - 1,3 \, (10^{-4}) \, (120)} = 211 \text{ k}\Omega$$

9.5. ANALYSE D'UN AMPLIFICATEUR A COLLECTEUR COMMUN

Pour analyser un amplificateur à émetteur suiveur, il faut utiliser les paramètres h du transistor à collecteur commun, à savoir h_{ic}, h_{rc} et h_{oc}. La substitution de ces paramètres dans les formules trouvées ci-dessus donne

$$A_i = \frac{h_{fe}}{1 + h_{oc} \, r_L} \qquad (9\text{-}22)$$

$$A_v = \frac{-h_{fc} \, r_L}{h_{ic} + (h_{ic} \, h_{oc} - h_{rc} \, h_{fc}) \, r_L} \qquad (9\text{-}23)$$

$$z_i = h_{ic} - \frac{h_{rc} \, h_{fc} \, r_L}{1 + h_{oc} \, r_L} \qquad (9\text{-}24)$$

$$z_0 = \frac{r_S + h_{ic}}{(r_S + h_{ic}) \, h_{oc} - h_{rc} \, h_{fe}} \qquad (9\text{-}25)$$

Ces formules permettent de calculer le gain en tension, l'impédance d'entrée et l'impédance de sortie exacts d'un amplificateur à émetteur suiveur.

Mais il y a un petit problème. Habituellement, les fiches signalétiques ne donnent que les paramètres h du transistor à émetteur commun le plus répandu. Aussi faut-il utiliser les formules suivantes de conversion tirées d'ouvrages plus poussés :

$$h_{ic} = h_{ie} \tag{9-26}$$
$$h_{rc} = 1 - h_{re} \tag{9-27}$$
$$h_{fc} = -(1 + h_{fe}) \tag{9-28}$$
$$h_{oc} = h_{oe} \tag{9-29}$$

Ces formules et les paramètres h d'un transistor à émetteur commun permettent de calculer les paramètres h d'un transistor à collecteur commun.

EXEMPLE 9-2

Calculer le gain en courant, le gain en tension, l'impédance d'entrée et l'impédance de sortie de l'amplificateur à émetteur suiveur représenté à la figure 9-6 *a*.

SOLUTION

Le courant collecteur de repos d'un transistor 2N3904 est d'environ 1 mA; donc ses paramètres typiques en montage à émetteur commun sont

$$h_{ie} = 3,5 \text{ k}\Omega$$
$$h_{re} = 1,3\,(10^{-4})$$
$$h_{fe} = 120$$
$$h_{oe} = 8,5 \ \mu\text{S}$$

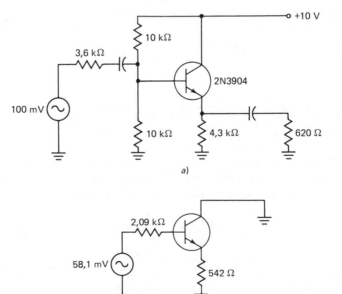

Fig. 9-6. a) *Amplificateur à collecteur commun.* b) *Circuit équivalent en courant alternatif.*

D'où, selon les formules (9-26) à (9-29),

$$h_{ic} = 3,5 \text{ k}\Omega$$
$$h_{rc} = 1 - 1,3 \, (10^{-4}) \cong 1$$
$$h_{fc} = -(1 + 120) = -121$$
$$h_{oc} = 8,5 \, \mu\text{S}$$

L'application du théorème de Thévenin au circuit de base et la combinaison des résistances de sortie donnent le circuit équivalent en courant alternatif représenté à la figure 9-6 *b*. Les formules (9-22) à (9-25) donnent

$$A_i = \frac{-121}{1 + 8,5 \, (10^{-6}) \, (542)} = -120$$

$$h_{ic} \, h_{oc} - h_{rc} \, h_{fc} = 3,5 \, (10^3) \, (8,5) \, (10^{-6}) - (-121) = 121$$

$$A_v = \frac{(121) \, (542)}{3\,500 + (121) \, (542)} = 0,949$$

$$z_i = 3,5 \text{ k}\Omega - \frac{(-121) \, (542)}{1 + 8,5 \, (10^{-6}) \, (542)} = 68,8 \text{ k}\Omega$$

$$z_o = \frac{2,09 \text{ k}\Omega + 3,5 \text{ k}\Omega}{(5\,590) \, (8,5) \, (10^{-6}) + 121} = 46,2 \, \Omega$$

9.6. ANALYSE D'UN AMPLIFICATEUR A BASE COMMUNE

Pour analyser un amplificateur à base commune, il faut utiliser les paramètres *h* d'un transistor à base commune h_{ib}, h_{rb}, h_{fb} et h_{ob}. Les formules fondamentales deviennent

$$A_i = \frac{h_{fb}}{1 + h_{ob} \, r_L} \tag{9-30}$$

$$A_v = \frac{-h_{fb} \, r_L}{h_{ib} + (h_{ib} \, h_{ob} - h_{rb} \, h_{fb}) \, r_L} \tag{9-31}$$

$$z_i = h_{ib} - \frac{h_{rb} \, h_{fb} \, r_L}{1 + h_{ob} \, r_L} \tag{9-32}$$

$$z_o = \frac{r_S + h_{ib}}{(r_S + h_{ib}) \, h_{ob} - h_{rb} \, h_{fb}} \tag{9-33}$$

Pour convertir les paramètres d'un transistor à émetteur commune en paramètres d'un transistor à base commune, utiliser les formules suivantes de conversion tirées d'ouvrages plus poussés :

$$D = (1 + h_{fe}) \, (1 - h_{re}) + h_{ie} \, h_{oe} \tag{9-34}$$

$$h_{ib} = \frac{h_{ie}}{D} \tag{9-35}$$

$$h_{rb} = \frac{h_{ie} \, h_{oe} - h_{re} \, (1 + h_{fe})}{D} \tag{9-36}$$

$$h_{fb} = \frac{-f_{fe}(1 - h_{re}) - h_{ie} h_{oe}}{D} \tag{9-37}$$

$$h_{ob} = \frac{h_{oe}}{D} \tag{9-38}$$

EXEMPLE 9-3

Calculer A_i, A_v, z_i et z_o de l'amplificateur à base commune représenté à la figure 9-7 a.

SOLUTION

Le courant collecteur de repos est d'environ 1 mA. Nous pouvons donc utiliser les paramètres d'un transistor à émetteur commun donnés ci-dessus. Selon la formule (9-34),

$$D = (1 + 120)(1 - 0,000\ 13) + 3500\ (8,5)\ (10^{-6}) = 121$$

Selon les formules (9-35) à (9-38),

$$h_{ib} = \frac{3500}{121} = 28,9\ \Omega$$

$$h_{rb} = \frac{3500\ (8,5)\ (10^{-6}) - 1,3\ (10^{-4})\ (1 + 120)}{121} = 1,16\ (10^{-4})$$

$$h_{fb} = \frac{-120\ (1 - 0,000\ 13) - 3500\ (8,5)\ (10^{-6})}{121} = -0,992$$

$$h_{ob} = \frac{8,5\ \mu S}{121} = 0,0702\ \mu S$$

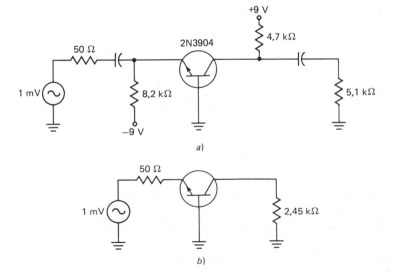

Fig. 9-7. a) *Amplificateur à base commune.* b) *Circuit équivalent en courant alternatif.*

L'application du théorème de Thévenin au dipôle d'entrée et la combinaison des résistances de charge donnent le circuit équivalent en courant alternatif représenté à la figure 9-7 *b*. Selon les formules (9-30) à (9-33),

$$A_i = \frac{-\,0,992}{1 + 7,02\,(10^{-8})\,(2450)} = -\,0,992$$

$$h_{ib}\,h_{ob} - h_{rb}\,h_{fb} = 28,9\,(7,02)\,(10^{-8}) - 1,16\,(10^{-4})\,(-\,0,992)$$
$$= 1,17\,(10^{-4})$$

$$A_v = \frac{(0,992)\,(2450)}{28,9 + (1,17)\,(10^{-4})\,(2450)} = 83,3$$

$$z_i = 28,9\ \Omega - \frac{1,16\,(10^{-4})\,(-\,0,992)\,(2450)}{1 + 7,02\,(10^{-8})\,(2450)} = 29,2\ \Omega$$

$$z_o = \frac{50\ \Omega + 28,9\ \Omega}{(78,9)\,(7,02)\,(10^{-8}) - 1,16\,(10^{-4})\,(-\,0,992)} = 654\ \text{k}\Omega$$

9.7. OBSERVATIONS PRATIQUES

Considérons l'aspect mathématique des paramètres *h*. Utiliser les paramètres *h* prend beaucoup de temps et risque d'entraîner des erreurs. C'est pourquoi on ne les utilise pas souvent pour le dépannage et la conception. Les paramètres *h* prennent trop de temps, sauf si l'on a un ordinateur.

Si l'on a un ordinateur, une autre difficulté surgit. Les fiches signalétiques ne précisent pas toujours les paramètres *h* d'un transistor. Si elles fournissent les caractéristiques des paramètres comme celles apparaissant aux figures 9-4 *a* à *d*, se rappeler qu'il s'agit de valeurs typiques situées quelque part entre les paramètres minimal et maximal d'un transistor typique. En plus des valeurs typiques données ci-dessus, la fiche signalétique d'un transistor 2N3904, par exemple, précise les valeurs minimales et maximales suivantes des paramètres *h* pour un courant collecteur d'1 mA.

Paramètre	Min	Max
h_{ie}	1 kΩ	10 kΩ
h_{re}	0,5 (10^{-4})	8 (10^{-4})
h_{fe}	100	400
h_{oe}	1 μS	40 μS

Considérons l'étalement des paramètres. La fiche signalétique ne garantit pas que tous les paramètres passent par un minimum ou un maximum au même instant. Donc, on ne connaît pas les paramètres *h* exacts d'un transistor fabriqué en série ni leurs valeurs dans la pire éventualité. Les formules sont exactes, mais inutiles sans des paramètres *h* exacts. Pour la fabrication en série, de nombreux concepteurs et conceptrices utilisent les paramètres *h* types fournis par les fiches signalétiques et incluent une contre-réaction pour stabiliser l'amplificateur à transistors. (Nous étudierons la contre-réaction dans un chapitre ultérieur.)

PROBLÈMES

Simples

9-1. Les paramètres h d'un transistor 2N4401 à courant collecteur de repos de 2 mA sont

$$h_{ie} = 3 \text{ k}\Omega$$
$$h_{re} = 0,45 \, (10^{-4})$$
$$h_{fe} = 225$$
$$h_{oe} = 23 \; \mu\text{S}$$

Supposer que $r_S = 600 \; \Omega$ et $r_L = 2$ kΩ. Calculer A_i, A_v, z_i et z_o pour un étage à émetteur commun.

9-2. Un transistor 2N3904 a un courant collecteur de repos de 5 mA. On l'utilise dans un amplificateur à émetteur commun avec $r_S = 430 \; \Omega$ ετ $r_L = 1$ kΩ. Calculer A_i, A_v, z_i et z_o.

9-3. A l'aide des caractéristiques des paramètres représentées à la figure 9-4 calculer r'_e pour les courants collecteur 0,1 mA, 0,2 mA, 0,5 mA, 1 mA, 2 mA, 5 mA et 10 mA.

9-4. Calculer A_i et A_v du deuxième étage de l'amplificateur représenté à la figure 9-8.

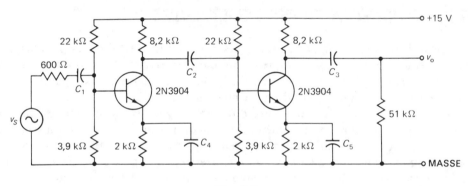

Fig. 9-8.

9-5. Calculer A_i et A_v du premier étage de l'amplificateur représenté à la figure 9-8.
9-6. Calculer z_i et z_o du deuxième transistor de l'amplificateur représenté à la figure 9-8.
9-7. Calculer A_i et A_v du deuxième étage de l'amplificateur représenté à la figure 9-9.
9-8. Calculer z_i et z_o du deuxième transistor de l'amplificateur représenté à la figure 9-9.

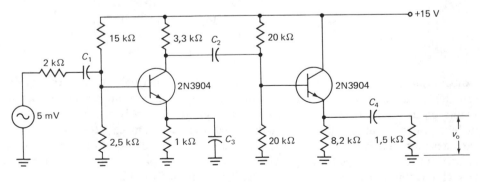

Fig. 9-9.

9-9. Calculer les paramètres h d'un 2N3904 à collecteur commun à courant collecteur de repos de 2 mA.

9-10. Calculer A_i et A_v de l'amplificateur à base commune représenté à la figure 9-10.

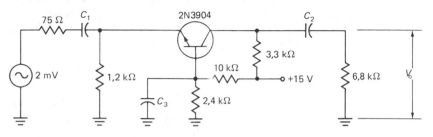

Fig. 9-10.

9-11. Calculer les paramètres h d'un 2N3904 à base commune lorsque le courant collecteur de repos est de 5 mA.

De dépannage

9-12. Les trois bornes du deuxième transistor représenté à la figure 9-8 sont court-circuitées. Calculer la tension continue collecteur par rapport à la masse et la tension continue base. Dire s'il y a un signal alternatif à la charge finale.

9-13. On ne relève aucun signal alternatif entre les bornes de la résistance de charge finale représentée à la figure 9-8. Trouver la (les) cause(s) possible(s) de ce dérangement parmi les suivantes :
a. C_1 court-circuité
b. C_4 ouvert
c. C_2 ouvert
d. C_5 ouvert
e. C_3 court-circuité.

9-14. La tension alternative de sortie de l'amplificateur représenté à la figure 9-10 est nulle. Trouver la (les) cause(s) possible(s) de ce dérangement parmi les suivantes :
a. C_1 ouvert
b. la résistance de 1,2 kΩ est court-circuitée
c. C_3 court-circuité
d. la résistance de 12 kΩ est court-circuitée.

De conception

9-15. A l'aide des paramètres h d'un transistor 2N3904 concevoir un amplificateur à émetteur commun tel que $V_{CC} = 15$ V, $I_C = 2$ mA et $A_v = 100$.

9-16. Modifier l'amplificateur représenté à la figure 9-5 pour que $A_v = 50$.

De défi

9-17. A l'aide des paramètres h calculer le gain total en tension de l'amplificateur représenté à la figure 9-8.

9-18. Calculer le gain total en courant de l'amplificateur à deux étages représenté à la figure 9-8.

9-19.   Calculer les paramètres h d'un 2N3904 à collecteur commun pour les courants collecteur 0,1 mA, 0,2 mA, 0,5 mA, 1 mA, 2 mA, 5 mA et 10 mA.

9-20.   Un amplificateur de Darlington comporte une paire de 2N3904. Supposer que le courant collecteur I_C du premier transistor est de 0,1 mA et celui du second de 10 mA. Calculer l'impédance d'entrée de la première base lorsque la résistance de charge vue par le deuxième émetteur est de 100 Ω.

A résoudre par ordinateur

9-21.   L'instruction IF ... THEN permet d'effectuer des branchements conditionnels. Considérer la partie suivante d'un programme :

```
 10   PRINT "INTRODUIRE HIE" : INPUT HIE
 20   PRINT "INTRODUIRE HRE" : INPUT HRE
 30   PRINT "INTRODUIRE HFE" : INPUT HFE
 40   PRINT "INTRODUIRE HOE" : INPUT HOE
 50   PRINT "1. ANALYSE D'UN AMPLIFICATEUR A ÉMETTEUR
      COMMUN"
 60   PRINT "2. ANALYSE D'UN AMPLIFICATEUR A COLLECTEUR
COMMUN"
 70   PRINT "3. ANALYSE D'UN AMPLIFICATEUR A BASE COMMUNE"
 80   PRINT "INTRODUIRE SON CHOIX"
 90   INPUT C
100   IF C = 2 THEN GOTO 1000
110   IF C = 3 THEN GOTO 2000
120   STOP
```

Après introduction par clavier des paramètres h d'un transistor à émetteur commun, l'ordinateur affiche sur l'écran un menu de types d'analyses. En choisir un. Après la ligne 100, l'ordinateur se branche sur la ligne 1000 si et seulement si C égale 2. Si C n'égale pas 2, l'ordinateur passe à la ligne 110 et se branche sur la ligne 2000 si C = 3, sinon il passe à la ligne 120.

L'instruction IF ... THEN ordonne d'effectuer un branchement conditionnel. L'ordinateur se branche si certaines conditions sont remplies. Sinon il passe à la ligne suivante.

Considérer le programme ci-dessus.

a. Est-ce que l'ordinateur se branche lorsqu'on choisit l'analyse d'un amplificateur à émetteur commun ?

b. Est-ce que l'ordinateur se branche sur la ligne 1000 lorsqu'on choisit l'analyse d'un amplificateur à collecteur commun ?

c. Est-ce que l'ordinateur se branche sur la ligne 1000 lorsqu'on choisit l'analyse d'un amplificateur à base commune ?

9-22.   Ecrire un programme semblable au précédent dont une partie à partir de la ligne 1000 convertira les paramètres h d'un transistor à émetteur commun en paramètres h d'un transistor à collecteur commun. L'instruction GOTO 110 terminera cette partie. Une autre partie, à partir de la ligne 2 000, convertira les paramètres h d'un transistor à émetteur commun en paramètres h d'un transistor à base commune. L'instruction GOTO 120 terminera cette partie.

9-23.   Ecrire un programme qui calcule A_i, A_v, z_i et z_o d'un amplificateur à émetteur commun.

Amplificateurs de puissance classe A et classe B

Après plusieurs étages de gain en tension, l'excursion du signal couvre toute la droite de charge. Tout gain supplémentaire doit être un gain en courant. Donc, les derniers étages d'un amplificateur doivent amplifier la puissance au lieu de la tension. Dans ces étages, les courants collecteur sont beaucoup plus grands parce que les résistances de charge sont plus petites. Dans le cas d'un récepteur radio AM type, la résistance de charge finale, l'impédance du haut-parleur, est de 3,2 Ω. Donc, l'étage final doit produire un courant d'attaque de cette basse impédance assez fort.

Comme nous l'avons vu au chapitre 5, la puissance limite des transistors petits signaux est inférieure à un demi-watt et celle des transistors de puissance est supérieure à un demi-watt. Habituellement, on utilise des transistors petits signaux près de l'entrée des systèmes parce que le signal est petit et des transistors de puissance près de la sortie des systèmes parce que le signal est grand.

Dans ce chapitre, nous étudierons les droites de charge dynamique, la dynamique du signal alternatif de sortie, les classes de fonctionnement et d'autres sujets relatifs aux amplificateurs de puissance.

10.1. DROITE DE CHARGE EN ALTERNATIF, EN COURANT ALTERNATIF, DYNAMIQUE OU EN RÉGIME DYNAMIQUE D'UN AMPLIFICATEUR A ÉMETTEUR COMMUN

Tout amplificateur voit deux charges : une charge statique ou en courant continu et une charge dynamique ou en courant alternatif. Donc, tout amplificateur a deux droites de charge : une droite de charge statique ou en courant continu et une droite de charge dynamique ou en courant alternatif. Dans des chapitres antérieurs, nous avons analysé les circuits de polarisation à l'aide de la droite de charge statique. Dans ce chapitre, nous analyserons le fonctionnement grands signaux à l'aide de la droite de charge dynamique.

DROITE DE CHARGE STATIQUE ET DROITE DE CHARGE DYNAMIQUE

La figure 10-1 *b* représente le circuit équivalent en courant continu de l'amplificateur à émetteur commun représenté à la figure 10-1 *a*. La figure 10-1 *c* représente la droite de charge statique de ce circuit équivalent en courant continu. Rappelons que le courant de saturation statique égale $V_{CC}/(R_C + R_E)$ et que la tension de blocage égale V_{CC}.

Lorsqu'un signal attaque le transistor représenté à la figure 10-1 *a*, les condensateurs se comportent comme des courts-circuits en courant alternatif. C'est pourquoi le transistor voit une résistance de source et une résistance de charge différentes. En effet, la résistance en courant alternatif de Thévenin d'attaque de la base égale

$$r_B = R_S \parallel R_1 \parallel R_2$$

et la résistance de charge en courant alternatif vue par le collecteur est

$$r_C = R_C \parallel R_L$$

La figure 10-1 *d* représente le circuit équivalent en courant alternatif. La figure 10-1 *c* représente la droite de charge dynamique de ce circuit équivalent en

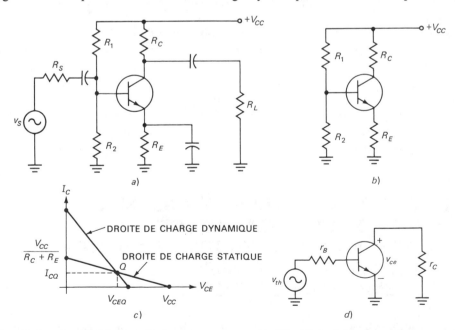

Fig. 10-1. a) *Amplificateur à émetteur commun.* b) *Circuit équivalent en courant continu.* c) *Droite de charge statique et droite de charge dynamique.* d) *Circuit équivalent en courant alternatif.*

courant alternatif. En l'absence de signal le transistor fonctionne au point Q représenté à la figure 10-1 *c*. En présence de signal, le point de fonctionnement dévie sur la droite de charge dynamique plutôt que sur la droite de charge statique parce que la résistance de charge en courant alternatif diffère de la résistance de charge en courant continu.

Pour distinguer le point Q dans l'étude qui suit, nous appellerons le courant collecteur de repos I_{CQ} et la tension collecteur-émetteur de repos V_{CEQ} (fig. 10-1 *c*).

SATURATION ET BLOCAGE DYNAMIQUES

Selon la figure 10-1 *c*, le point de saturation et le point de blocage de la droite de charge dynamique diffèrent de ceux de la droite de charge statique. Voici comment obtenir l'ordonnée à l'origine et l'abscisse à l'origine de la droite de charge dynamique. Selon la figure 10-1 *d*, la somme des tensions alternatives le long de la maille du collecteur égale

$$v_{ce} + i_c \, r_c = 0$$

d'où

$$i_c = - \frac{v_{ce}}{r_C} \tag{10-1}$$

Le courant alternatif collecteur égale

$$i_c = \Delta \, I_C = I_C - I_{CQ}$$

La tension alternative collecteur égale

$$v_{ce} = \Delta \, V_{CE} = V_{CE} - V_{CEQ}$$

Remplaçons i_c et v_{ce} de la formule (10-1) par ces expressions. Il vient après arrangement

$$I_C = I_{CQ} + \frac{V_{CEQ}}{r_C} - \frac{V_{CE}}{r_C} \tag{10-2}$$

Telle est l'équation de la droite de charge dynamique. On calcule les intersections avec les axes (ordonnée à l'origine et abscisse à l'origine) de la façon habituelle. A la saturation du transistor, $V_{CE} = 0$ et l'équation (10-2) donne

$$I_{C \, (sat)} = I_{CQ} + \frac{V_{CEQ}}{r_C} \quad \text{(ordonnée à l'origine)} \tag{10-3}$$

Dans cette égalité, $I_{C \, (sat)}$ = courant de saturation dynamique
I_{CQ} = courant continu collecteur
V_{CEQ} = tension continue collecteur-émetteur
r_C = résistance en courant alternatif vue par le collecteur

Au blocage du transistor, $I_C = 0$ et la tension de blocage dynamique égale

$$V_{CE \, (blocage)} = V_{CEQ} + I_{CQ} \, r_C \quad \text{(abscisse à l'origine)} \tag{10-4}$$

La figure 10-2 représente la droite de charge dynamique, le courant de saturation et la tension de blocage. On qualifie cette *droite de dynamique* parce qu'elle représente tous les points de fonctionnement dynamique. Le point de fonctionnement du transistor à un instant quelconque du cycle alternatif appartient à la droite de charge dynamique, la variation à partir du point Q détermine son emplacement.

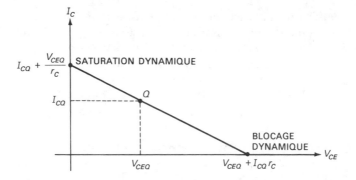

Fig. 10-2. *Droite de charge dynamique d'un amplificateur à émetteur commun.*

DYNAMIQUE DU SIGNAL ALTERNATIF DE SORTIE

La droite de charge dynamique permet de comprendre le fonctionnement en grands signaux. Durant l'alternance positive de la tension alternative de source, la tension collecteur varie du point Q vers le point de saturation. Durant l'alternance négative, la tension collecteur varie du point Q vers le point de blocage. Si le signal alternatif est assez grand, il y a écrêtage à une crête ou aux deux crêtes du signal.

La *dynamique du signal alternatif de sortie* est la tension alternative de crête à crête non écrêtée maximale qu'un amplificateur peut produire. Dans le cas représenté à la figure 10-3, la dynamique de la tension alternative de sortie est de 2 V. Si l'on essaie d'obtenir plus de 2 V de crête à crête, le signal de sortie sera écrêté.

La dynamique du signal alternatif de sortie d'un amplificateur donne le grand signal limite. À partir de maintenant, nous représenterons la dynamique du signal alternatif de sortie d'un amplificateur par PP. Par définition, PP égale la tension alternative de crête à crête (ou de pic à pic, pour mémoire) non écrêtée maximale qu'un amplificateur peut produire. Dans le cas représenté à la figure 10-3, PP de l'amplificateur égale 2 V.

La tension de blocage dynamique égalant $V_{CEQ} + I_{CQ}r_C$, L'excursion positive maximale à partir du point Q égale

$$V_{CEQ} + I_{CQ}r_C - V_{CEQ} = I_{CQ}r_C$$

La tension de saturation dynamique étant idéalement nulle, l'excursion négative maximale à partir du point Q égale

$$0 - V_{CEQ} = -V_{CEQ}$$

Donc, la dynamique du signal alternatif de sortie d'un amplificateur à émetteur commun égale la plus petite des deux valeurs approchées suivantes

$$PP \cong 2I_{CQ}r_C \tag{10-5}$$

et

$$PP \cong 2V_{CEQ} \tag{10-6}$$

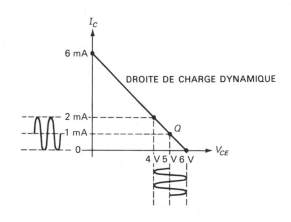

Fig. 10-3. *Dynamique du signal alternatif de sortie.*

EXEMPLE 10-1

Le transistor 2N3904 représenté à la figure 10-4 *a* présente les limites suivantes : $I_C = 200$ mA et $V_{CEO} = 40$ V. Calculer la dynamique du signal alternatif de sortie et montrer qu'on ne dépasse pas ces limites durant un cycle alternatif.

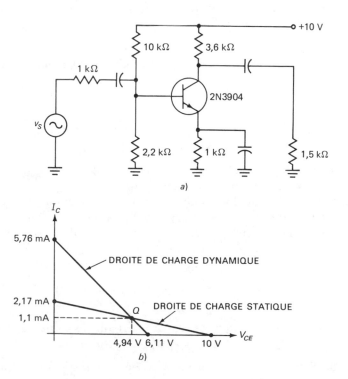

Fig. 10-4.

SOLUTION

La tension continue base fournie par le diviseur de tension
$$V_B = 1,8 \text{ V}$$
Par conséquent, le courant continu émetteur égale

$$I_E = \frac{1,1 \text{ V}}{1 \text{ k}\Omega} = 1,1 \text{ mA}$$

Comme le courant collecteur égale à peu près le courant émetteur, le courant collecteur de repos égale
$$I_{CQ} \cong 1,1 \text{ mA}$$
La tension continue collecteur-émetteur produite par ce courant égale
$$V_{CE} = 10 \text{ V} - (1,1 \text{ mA})(4600 \ \Omega) = 4,94 \text{ V}$$
D'où
$$V_{CEQ} = 4,94 \text{ V}$$
Le courant de saturation statique égale

$$\frac{V_{CC}}{R_C + R_E} \ f \ \frac{10 \text{ V}}{4,6 \text{ k}\Omega} = 2,17 \text{ mA}$$

et la tension de blocage statique est de 10 V. La figure 10-4 *b* représente la droite de charge statique.

Considérons le circuit équivalent en courant alternatif. La résistance de charge en courant alternatif égale
$$r_C = 3,6 \text{ k}\Omega \parallel 1,5 \text{ k}\Omega = 1,06 \text{ k}\Omega$$
Selon la formule (10-3), le courant de saturation dynamique égale

$$I_{C(\text{sat})} = 1,1 \text{ mA} + \frac{4,94 \text{ V}}{1,06 \text{ k}\Omega} = 5,76 \text{ mA}$$

Selon la formule (10-4), la tension de blocage dynamique égale
$$V_{CE \, (\text{blocage})} = 4,94 \text{ V} + (1,1 \text{ mA})(1,06 \text{ k}\Omega) = 6,11 \text{ V}$$
Cette ordonnée et cette abscisse à l'origine apparaissent sur la droite de charge dynamique représentée à la figure 10-4 *b*.

Nous avons tout ce qu'il nous faut. La figure 10-4 *b* donne les coordonnées du point *Q*, la saturation et le blocage statiques, la saturation et le blocage dynamiques et la dynamique du signal alternatif de sortie. L'excursion maximale de la tension positive égale
$$I_{CQ}r_C = (1,1 \text{ mA})(1,06 \text{ k}\Omega) = 1,17 \text{ V}$$
Cette valeur est inférieure à l'excursion maximale négative égale à
$$-V_{CEQ} = -4,94 \text{ V}$$
Par conséquent, la dynamique du signal alternatif de sortie égale
$$\text{PP} = 2(1,17 \text{ V}) = 2,34 \text{ V}$$

Telle est la tension de crête à crête non écrêtée maximale que l'amplificateur à émetteur commun représenté à la figure 10-4 *a* peut produire.

Considérons les limites du transistor. Le plus grand courant collecteur en tout point d'un cycle du signal alternatif est inférieur à 5,76 mA, le courant de saturation dynamique indiqué à la figure 10-4 *b*. Nous sommes donc loin du courant limite de 200 mA d'un 2N3904. Par ailleurs, la plus grande tension collecteur-émetteur à tout instant d'un cycle du signal alternatif est inférieure à 6,11 V, la tension de blocage dynamique (figure 10-4 *b*). Nous sommes donc nettement au-dessous de la tension de claquage de 40 V.

10.2. DROITE DE CHARGE DYNAMIQUE DES AUTRES AMPLIFICATEURS

L'amplificateur à émetteur suiveur, l'amplificateur à base commune et l'amplificateur stabilisé ont leur propre droite de charge dynamique. Nous les examinerons dans cette section parce qu'elles permettent de calculer la dynamique du signal alternatif de sortie.

AMPLIFICATEUR A ÉMETTEUR SUIVEUR

La figure 10-5 *a* représente un amplificateur à émetteur suiveur. Comme on tire le signal alternatif de sortie de l'émetteur, la résistance de charge en courant alternatif égale

$$r_E = R_E \parallel R_L$$

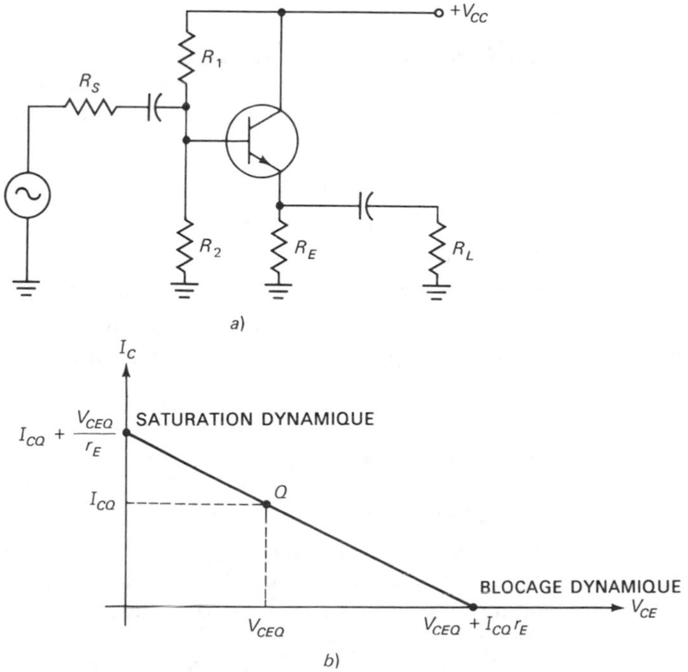

Fig. 10-5. a) *Amplificateur à émetteur suiveur.* b) *Droite de charge dynamique.*

Cette résistance en courant alternatif charge l'amplificateur à émetteur suiveur.

Par un développement mathématique presque identique à celui de l'amplificateur à émetteur commun, on démontre que le courant de saturation dynamique égale

$$I_{C(\text{sat})} = I_{CQ} + \frac{V_{CEQ}}{r_E} \tag{10-7}$$

et que la tension de blocage dynamique égale

$$V_{CE(\text{blocage})} = V_{CEQ} + I_{CQ}r_E \tag{10-8}$$

La figure 10-5 *b* représente la droite de charge dynamique d'un amplificateur à émetteur suiveur. Remarquer que les formules du courant de saturation dynamique et de la tension de blocage dynamique sont identiques à celles trouvées antérieurement à l'exception près qu'on utilise r_E au lieu de r_C parce que la résistance de charge en courant alternatif est maintenant r_E au lieu de r_C. Les formules (10-7) et (10-8) permettent de voir si l'on excède le courant et la tension de claquage limites du transistor.

La dynamique du signal alternatif de sortie d'un amplificateur à émetteur suiveur est le moindre de

$$\text{PP} \cong 2I_{CQ}r_E \tag{10-9}$$

et

$$\text{PP} \cong 2V_{CEQ} \tag{10-10}$$

Ces formules donnent la tension alternative de crête à crête non écrêtée maximale qu'un amplificateur à émetteur suiveur peut sortir.

AMPLIFICATEUR A BASE COMMUNE

La résistance de charge en courant alternatif d'un amplificateur à base commune égale

$$r_C = R_C \parallel R_L$$

La droite de charge dynamique d'un amplificateur à base commune se confond presque avec celle d'un amplificateur à émetteur commun. On peut donc analyser le fonctionnement en grands signaux d'un amplificateur à base commune à l'aide de la droite représentée à la figure 10-2. La dynamique du signal alternatif de sortie est à peu près la même que celle d'un amplificateur à émetteur commun.

AMPLIFICATEUR STABILISÉ

Soit l'amplificateur stabilisé représenté à la figure 10-6*a*. Le transistor voit une résistance de charge en courant alternatif égale à $r_C + r_E$. Le développement mathématique qui donne l'équation de la droite de charge dynamique est presque identique à celui donné plus haut. Le courant de saturation dynamique égale

$$I_{C(\text{sat})} = I_{CQ} + \frac{V_{CEQ}}{r_C + r_E} \tag{10-11}$$

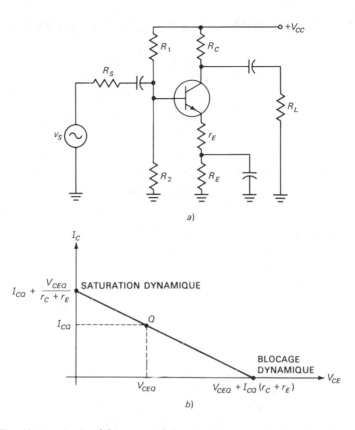

Fig. 10-6. a) *Amplificateur stabilisé.* b) *Droite de charge dynamique.*

et la tension de blocage dynamique égale

$$V_{CE\,(\text{blocage})} = V_{CEQ} + I_{CQ}(r_c + r_E) \qquad (10\text{-}12)$$

La figure 10-6 *b* représente la droite de charge dynamique. Comme le transistor voit une résistance en courant alternatif de $r_C + r_E$, on utilise cette expression au lieu de r_C. Les formules (10-11) et (10-12) permettent de voir si l'on dépasse les valeurs limites du transistor durant un cycle alternatif.

La tension alternative de sortie apparaît entre les bornes de r_C; la tension alternative de réaction qui apparaît entre les bornes de r_E ne sert qu'à la stabilisation. Comme la tension alternative total apparaît entre les bornes de $r_C + r_E$, la tension alternative de sortie égale $r_C/(r_C + r_E)$ fois la tension alternative totale. Donc la dynamique du signal alternatif de sortie d'un amplificateur stabilisé est le moindre de

$$PP \cong 2I_{CQ}r_C \qquad (10\text{-}13)$$

et

$$PP \cong 2V_{CEQ}\frac{r_C}{r_C + r_E} \qquad (10\text{-}14)$$

DYNAMIQUE MAXIMALE DU SIGNAL ALTERNATIF DE SORTIE

Dans les chapitres précédents, nous avons réglé le point Q près du point milieu de la droite de charge statique. Cela simplifiait les choses. Le réglage du point Q plus haut que le point milieu de la droite de charge statique permet d'augmenter la dynamique du signal alternatif de sortie : la figure 10-7 illustre ce fait. Q_1 est le point milieu Q de la droite de charge statique.

Q_2 est un point Q plus haut que Q_1 sur la droite de charge statique. On voit qu'un point Q plus élevé augmente la tension alternative non écrêtée de sortie. Donc, si l'on désire, lors de la conception d'un amplificateur grands signaux, une dynamique maximale du signal alternatif de sortie, positionner le point Q plus haut que le point milieu de la droite de charge statique.

On essaie d'égaler les excursions de tension dans les deux sens (figure 10-8). Cela maximise l'excursion sur la droite de charge dynamique durant chaque alternance et la dynamique du signal alternatif de sortie. Pour obtenir des excursions égales dans les deux sens, il faut que

$$I_{CQ}r_C = V_{CEQ} \text{ (étage à émetteur commun)} \qquad (10\text{-}15)$$

$$I_{CQ}r_E = V_{CEQ} \text{ (étage à collecteur commun)} \qquad (10\text{-}16)$$

$$I_{CQ}r_C = V_{CEQ}\,\frac{r_C}{r_C + r_E}\,\text{(étage stabilisé)} \qquad (10\text{-}17)$$

La plupart des concepteurs et conceptrices agissent de *façon empirique*. Essayer un courant collecteur, vérifier si la formule est presque satisfaite et si nécessaire recommencer jusqu'à ce que la réponse soit assez proche. Cette méthode empirique (ou par approximations successives) permet de positionner subtilement le point Q optimal. (On peut aussi trouver ce point graphiquement et à l'aide d'un ordinateur).

EXEMPLE 10-2

Soit un amplificateur stabilisé. On donne $I_{CQ} = 5$ mA, $V_{CEQ} = 10$ V, $R_C = 1$ kΩ, $R_L = 3$ kΩ et $r_E = 120$ Ω. Calculer le courant de saturation dynamique, la tension de blocage dynamique et la dynamique du signal alternatif de sortie.

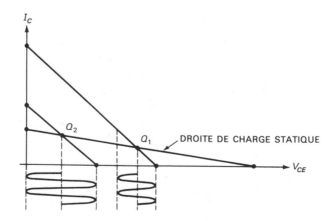

Fig. 10-7. *Augmentation de la dynamique du signal alternatif de sortie.*

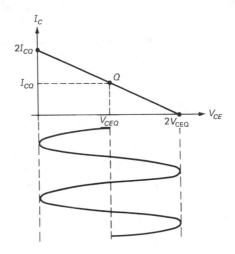

Fig. 10-8. *Point Q optimal pour sortie maximale.*

SOLUTION

Le collecteur voit une résistance en courant alternatif égale à

$$r_C = 1 \text{ k}\Omega \parallel 3 \text{ k}\Omega = 750 \ \Omega$$

Le transistor voit une résistance totale en courant alternatif égale à

$$r_C + r_E = 750 \ \Omega + 120 \ \Omega = 870 \ \Omega$$

Or $I_{CQ} = 5$ mA et $V_{CEQ} = 10$ V. Donc, le courant de saturation dynamique égale

$$I_{c(\text{sat})} = 5 \text{ mA} + \frac{10 \text{ V}}{870 \ \Omega} = 16,5 \text{ mA}$$

et la tension de blocage dynamique égale

$$V_{CE(\text{blocage})} = 10 \text{ V} + (5 \text{ mA})(870 \ \Omega) = 14,4 \text{ V}$$

La dynamique du signal alternatif de sortie est le moindre de

$$PP = 2(5 \text{ mA})(750 \ \Omega) = 7,5 \text{ V}$$

et

$$PP = 2(10 \text{ V})\frac{750}{870} = 17,2 \text{ V}$$

Donc, la dynamique du signal alternatif de sortie est de 7,5 V de crête à crête.

EXEMPLE 10-3

Placer le point Q optimal sur les droites de charge représentées à la figure 10-4 *a* pour maximiser la dynamique du signal alternatif de sortie.

SOLUTION

Selon la figure 10-4 *b,* le point Q optimal est quelque part entre 1,1 mA et 2,17 mA. Prenons le courant approximativement à mi-chemin entre ces valeurs, soit

$$I_{CQ} = 1,64 \text{ mA}$$

L'excursion positive maximale égale

$$I_{CQ}r_C = (1,64 \text{ mA}) (1,06 \text{ k}\Omega) = 1,74 \text{ V}$$

L'excursion négative maximale égale

$$V_{CEQ} = 10 \text{ V} - (1,64 \text{ mA})(4,6 \text{ k}\Omega) = 2,46 \text{ V}$$

L'excursion positive est encore plus petite que l'excursion négative; essayons un point Q plus élevé.

Pour ce deuxième essai, prenons I_{CQ} à mi-chemin entre 1,64 mA et 2,17 mA, soit

$$I_{CQ} = 1,91 \text{ mA}$$

L'excursion positive maximale égale

$$I_{CQ}r_C = (1,91 \text{ mA})(1,06 \text{ k}\Omega) = 2,02 \text{ V}$$

L'excursion négative maximale égale

$$V_{CEQ} = 10 \text{ V} - (1,91 \text{ mA})(4,6 \text{ k}\Omega) = 1,21 \text{ V}$$

Maintenant, l'excursion positive est supérieure à l'excursion négative. Donc, il faut abaisser le point Q sur la droite de charge statique.

Pour le troisième essai, prenons I_{CQ} à mi-chemin entre 1,91 mA et 1,64 mA, soit

$$I_{CQ} = 1,78 \text{ mA}$$

L'excursion positive maximale égale

$$I_{CQ}r_C = (1,78 \text{ mA})(1,06 \text{ k}\Omega) = 1,89 \text{ V}$$

L'excursion négative maximale égale

$$V_{CEQ} = 10 \text{ V} - (1,78 \text{ mA})(4,6 \text{ k}\Omega) = 1,81 \text{ V}$$

Cette fois, les excursions positive et négative sont presque égales. Donc, les coordonnées du point Q optimal sont un courant continu collecteur d'environ 1,78 mA et une tension collecteur-émetteur de 1,81 V. En ce point Q, la dynamique maximale du signal alternatif de sortie est d'environ

$$PP = 2(1,81 \text{ V}) = 3,62 \text{ V}$$

Originellement, PP de cet amplificateur valait 2,34 V. Nous l'avons donc nettement amélioré.

Il n'est pas toujours nécessaire de trouver le point Q optimal. Dans les cas des amplificateurs petits signaux, par exemple, le point milieu de la droite de charge statique convient très bien parce qu'on n'utilise qu'une petite partie de la droite de charge dynamique. Pour des raisons pratiques, nous continuerons à régler le point Q au milieu de la droite de charge statique. Puis nous vérifierons la dynamique du signal alternatif de sortie pour voir si l'excursion de crête à crête suffit pour l'application en question. Sinon, il faut modifier l'amplificateur en prenant une résistance R_E plus petite pour maximiser la dynamique du signal alternatif de sortie.

10.3. FONCTIONNEMENT EN CLASSE A

Par *fonctionnement en classe A,* entendre que le transistor fonctionne tout le temps dans la région active. Donc, le courant collecteur circule durant les 360° d'un cycle alternatif. Dans cette section, nous étudierons les propriétés qu'il faut connaître pour dépanner et concevoir un amplificateur classe A.

GAIN EN TENSION AVEC CHARGE

Soit l'amplificateur à émetteur commun représenté à la figure 10-9 *a*. Une tension alternative v_i attaque la base. On tire une tension alternative v_o de sortie. Le gain en tension sans charge égale

$$A = -\frac{R_C}{r'_e}$$

Dans des chapitres précédents, on appliquait le théorème de Thévenin au circuit de sortie pour trouver la tension alternative entre les bornes de R_L.

Mais on peut faire autrement. Comme le collecteur voit une résistance en courant alternatif

$$r_C = R_C \parallel R_L$$

la formule

$$A_v = -\frac{r_C}{r'_e} \tag{10-18}$$

donne directement le *gain en tension avec charge.*

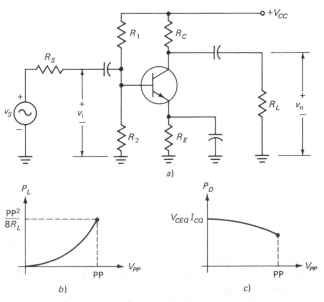

a)

b)

c)

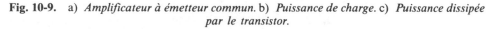

Fig. 10-9. a) *Amplificateur à émetteur commun.* b) *Puissance de charge.* c) *Puissance dissipée par le transistor.*

Cette formule de rechange de calcul du gain en tension permet de calculer les effets de R_L sans appliquer le théorème de Thévenin au circuit de sortie. Si $R_C = 10 \text{ k}\Omega$, $R_L = 30 \text{ k}\Omega$ et $r'_e = 50 \ \Omega$, alors

$$A_v = - \frac{10 \text{ k}\Omega \parallel 30 \text{ k}\Omega}{50 \ \Omega} = -150$$

GAIN EN COURANT

Selon le circuit représenté à la figure 10-9 *a*, le *gain en courant* d'un transistor égale le rapport du courant alternatif collecteur au courant alternatif base. Donc,

$$A_i = \frac{i_c}{i_b} \tag{10-19}$$

Dans cette formule, A_i = gain en courant
  i_c = courant alternatif collecteur
  i_b = courant alternatif base.

Comme nous l'avons vu au chapitre 9, A_i dépend de l'impédance de sortie de la source de courant collecteur et de la résistance de charge. Dans la plupart des amplificateurs, la formule

$$A_i \cong \beta \tag{10-20}$$

donne une bonne approximation et une erreur négligeable.

GAIN EN PUISSANCE

Selon l'amplificateur représenté à la figure 10-9 *a*, la puissance d'entrée à la base en alternatif égale

$$p_i = v_i i_b$$

La puissance de sortie du collecteur en alternatif égale

$$p_o = - v_o i_c$$

L'inversion de phase rend le signe moins nécessaire. On appelle le rapport p_o/p_i le *gain en puissance* et on le représente par A_p. Il vient

$$A_p = \frac{p_o}{p_i} = - \frac{v_o i_c}{v_i i_b}$$

Or $A_v = v_o/v_i$ et $A_i = i_c/i_b$. D'où

$$A_p = - A_v A_i \tag{10-21}$$

Dans cette formule, A_p = gain en puissance
  A_v = gain en tension
  A_i = gain en courant

Cette formule est de bonne dimension : le gain en puissance égale moins le produit du gain en tension par le gain en courant.

Si, dans un amplificateur à émetteur commun, $r_C = 7500 \ \Omega$, $r'_e = 50 \ \Omega$ et $\beta = 125$, alors le gain en tension égale

$$A_v = - \frac{7500 \ \Omega}{50 \ \Omega} = -150$$

le gain en courant égale

$$A_i = 125$$

et le gain en puissance égale

$$A_p = -(-150)(125) = 18\ 750$$

Donc, une puissance d'entrée en alternatif de 1 μW donne une puissance de sortie en alternatif de 18 750 μW ou 18,75 mW.

PUISSANCE DE CHARGE

La charge d'un amplificateur est un haut-parleur, un moteur ou un autre dispositif. Il importe de savoir quelle puissance en alternatif atteint la résistance de charge. Selon la figure 10-9 *a*, la puissance en alternatif dans la résistance de charge R_L égale

$$P_L = \frac{V_L^2}{R_L} \tag{10-22}$$

Dans cette formule, P_L = puissance de charge en alternatif
V_L = tension efficace de charge
R_L = résistance de charge

Cette formule est commode lorsqu'on mesure la tension alternative de charge à l'aide d'un voltmètre type gradué en valeurs efficaces.

On observe souvent la tension alternative de sortie sur un oscilloscope. Dans ce cas, la formule de tension de crête à crête au lieu de celle de tension efficace est commode. Or,

$$V_L = 0,707 V_P$$

et

$$V_P = \frac{V_{PP}}{2}$$

D'où

$$V_L = 0,707 V_P = \frac{0,707 V_{PP}}{2}$$

Remplaçons V_L dans la formule (10-22) par le dernier membre de cette double égalité. Il vient

$$P_L = \frac{V_{PP}^2}{8 R_L} \tag{10-23}$$

Cette formule est commode lorsqu'on mesure la tension de crête à crête sur un oscilloscope.

PUISSANCE MAXIMALE DE CHARGE EN ALTERNATIF OU EN RÉGIME ALTERNATIF

Quelle puissance maximale de charge peut-on tirer en régime alternatif d'un amplificateur à émetteur commun fonctionnant en classe A ? La dynamique PP du signal alternatif de sortie égale la tension non écrêtée maximale de sortie. Donc, la formule (10-23) devient

$$P_{L(\max)} = \frac{\mathrm{PP}^2}{8R_L} \qquad (10\text{-}24)$$

Telle est la puissance de charge maximale en régime alternatif qu'un amplificateur classe A peut produire sans écrêtage.

La figure 10-9 *b* représente la variation de la puissance de charge en fonction de la tension de crête à crête de charge. Cette courbe est une parabole en carré de la tension. La puissance de charge passe par un maximum lorsque la tension de crête à crête de charge égale la dynamique du signal alternatif de sortie.

PUISSANCE DISSIPÉE PAR UN TRANSISTOR

Lorsqu'aucun signal n'attaque un amplificateur, la *puissance dissipée* par un transistor égale le produit de la tension continue par le courant continu, d'où

$$P_{DQ} = V_{CEQ} I_{CQ} \qquad (10\text{-}25)$$

Dans cette formule, P_{DQ} = puissance dissipée de repos
$\qquad\qquad\qquad\ \ V_{CEQ}$ = tension collecteur-émetteur de repos
$\qquad\qquad\qquad\ \ I_{CQ}$ = courant collecteur de repos.

Cette puissance dissipée ne doit pas dépasser la puissance limite du transistor. Si elle la dépasse, on risque d'endommager le transistor. Si $V_{CEQ} = 10\ \mathrm{V}$ et $I_{CQ} = 5\ \mathrm{mA}$, alors

$$P_{DQ} = (10\ \mathrm{V})(5\ \mathrm{mA}) = 50\ \mathrm{mW}$$

La puissance limite d'un transistor 2N3904 est de 310 mW pour une température ambiante de 25 °C. Donc, un transistor 2N3904 dissipera facilement une puissance de repos de 50 mW à la température ambiante de 25 °C.

La figure 10-9 *c* représente la variation de la puissance dissipée par un transistor en fonction de la tension de crête à crête de charge. P_D passe par un maximum lorsqu'on n'applique pas de signal. La puissance P_D diminue la tension de crête à crête de charge augmente. La puissance limite d'un transistor doit être supérieure à P_{DQ}, la puissance dissipée de repos. On a

$$P_{D(\max)} = P_{DQ} \qquad (10\text{-}26)$$

Donc, le concepteur doit s'assurer que la puissance P_{DQ} est inférieure à la puissance limite du transistor à utiliser puisque la puissance dissipée maximale égale P_{DQ}.

La formule (10-26) n'est vraie qu'en classe A. Autrement dit, la puissance n'est maximale lorsqu'on n'applique pas de signal qu'en classe A. Dans les autres classes étudiées ci-dessous, le transistor dissipe plus de puissance lorsqu'un signal est présent.

COURANT D'ALIMENTATION OU COURANT CONSOMMÉ

Quinconque conçoit une alimentation doit connaître le courant requis par les différents étages. La source de tension continue V_{CC} d'un amplificateur comme celui représenté à la figure 10-9 *a* doit fournir un courant continu au diviseur de tension et un courant continu au circuit collecteur. Le diviseur de tension supposé soutenu fournit un courant continu

$$I_1 = \frac{V_{CC}}{R_1 + R_2} \tag{10-27}$$

Le circuit de collecteur consomme un courant continu

$$I_2 = I_{CQ} \tag{10-28}$$

La moyenne des variations sinusoïdales du courant collecteur d'un amplificateur classe A est nulle. Par conséquent, qu'on applique un signal alternatif ou qu'on n'en applique pas, la source continue doit fournir un courant moyen

$$I_S = I_1 + I_2 \tag{10-29}$$

Tel est le courant continu consommé total. La puissance totale en continu fourni à un amplificateur égale le produit de la tension continue de source par le courant continu consommé. D'où

$$P_S = V_{CC}I_S \tag{10-30}$$

RENDEMENT PAR ÉTAGE

On désire parfois comparer le rendement d'un amplificateur à celui d'un autre. Pour cela, on utilise la formule

$$\eta = \frac{P_{L(\text{max})}}{P_S} \times 100\,\% \tag{10-31}$$

du *rendement par étage*. Dans cette formule,

η = rendement par étage
$P_{L(\text{max})}$ = puissance maximale de charge en alternatif
P_S = puissance d'entrée en continu.

Si $P_{L(\text{max})} = 50$ mW et $P_S = 400$ mW, le rendement par étage égale

$$\eta = \frac{50 \text{ mW}}{400 \text{ mW}} \times 100\,\% = 12,5\,\%$$

Donc, 12,5 % de la puissance d'entrée en continu atteint la sortie sous forme de puissance de charge en alternatif.

CONCLUSION

Nous avons porté au tableau 10-1 les plus importantes formules de fonctionnement en classe A. Ces formules servent au dépannage et à la conception des amplificateurs classe A. La première donnée est le courant collecteur de saturation. Remarquer que cette formule s'applique à tous les types d'étages : à émetteur commun, à collecteur commun, à base commune, et stabilisé. Dans un étage à émetteur commun, r_E est nul et la formule se réduit à $I_{CQ} + V_{CEQ}/r_C$. Dans un étage à collecteur commun, r_C est nul et la formule devient $I_{CQ} + V_{CEQ}/r_E$.

Tableau 10-1.   Formules classe A

Grandeur	Formule	Commentaire
$I_{C\,(\text{sat})}$	$I_{CQ} + V_{CEQ}/(r_C + r_E)$	S'applique à tous les étages
$V_{CE\,(\text{blocage})}$	$V_{CEQ} + I_{CQ}/(r_C + r_E)$	S'applique à tous les étages
PP	$2\,I_{CQ}\,r_C$ ou $2\,V_{CEQ}$	Prendre le moindre, s'applique aux étages à émetteur commun et aux étages à base commune
PP	$2\,I_{CQ}\,r_E$ ou $2\,V_{CEQ}$	Prendre le moindre, s'applique aux étages à collecteur commun
PP	Formules (10-13) et (10-14)	Etage stabilisé
P_L	V_L^2/R_L	Tension efficace
P_L	$V_{PP}^2/8\,R_L$	Tension de crête à crête
$P_{L\,(\text{max})}$	$\text{PP}^2/8\,R_L$	Puissance non déformée maximale de sortie
P_{DQ}	$V_{CEQ}\,I_{CQ}$	Puissance dissipée maximale par le transistor
P_S	$V_{CC}\,I_S$	Alimentation
η	$P_{L\,(\text{max})}$	Rendement par étage, multiplier par 100 %

Nous avons précisé la dynamique du signal alternatif de sortie des étages à émetteur commun, à collecteur commun et à base commune. La formule de l'amplificateur stabilisé est trop compliquée, voir les formules (10-13) et (10-14). Vous devriez comprendre les autres données. Sinon, reportez-vous aux démonstrations et calculs *ad hoc*.

EXEMPLE 10-4

La figure 10-10 *a* représente l'amplificateur à émetteur commun déjà analysé. La figure 10-10 *b* représente les droites de charge statique et dynamique. Supposer que $\beta = 150$ et calculer A_v, A_i, A_p, $P_{L\,(\text{max})}$, I_S, P_S et β.

SOLUTION

Selon des calculs antérieurs, $r_C = 1{,}06$ kΩ et $r'_e = 22{,}7$ Ω. Donc, le gain en tension avec charge égale

$$A_v = -\frac{1060\,\Omega}{22{,}7\,\Omega} = -46{,}7$$

Le gain en courant égale

$$A_i = 150$$

Le gain en puissance égale

$$A_p = (46{,}7)(150) = 7005$$

Selon la figure 10-10 *b,* la dynamique du signal alternatif de sortie égale
$$\text{PP} = 2(6{,}11\text{ V} - 4{,}94\text{ V}) = 2{,}34\text{ V}$$

Donc, la tension de crête à crêtre non écrêtée maximale de charge est de 2,34 V. Par conséquent, la puissance maximale de charge égale

$$P_{L\,(\text{max})} = \frac{(2{,}34\text{ V})^2}{8(1500\,\Omega)} = 456\ \mu\text{W}$$

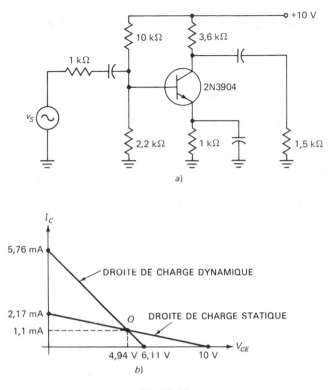

Fig. 10-10.

Au point Q de la figure 10-10 b, $V_{CEQ} = 4,94$ V et $I_{CQ} = 1,1$ mA. D'où

$$P_{D(\text{max})} = (4,94 \text{ V})(1,1 \text{ mA}) = 5,43 \text{ mW}$$

Le courant continu consommé par les résistances de polarisation du transistor représenté à la figure 10-10 a égale

$$I_1 = \frac{10 \text{ V}}{10 \text{ k}\Omega + 2,2 \text{ k}\Omega} = 0,82 \text{ mA}$$

Le courant continu consommé par le collecteur égale

$$I_2 = 1,1 \text{ mA}$$

Donc, le courant continu total consommé égale

$$I_S = 0,82 \text{ mA} + 1,1 \text{ mA} = 1,92 \text{ mA}$$

La puissance d'entrée en continu égale

$$P_S = (10 \text{ V})(1,92 \text{ mA}) = 19,2 \text{ mW}$$

Finalement, le rendement de l'étage égale

$$\eta = \frac{456 \ \mu\text{W}}{19,2 \text{ mW}} \times 100 \ \% = 2,38 \ \%$$

10.4. FONCTIONNEMENT EN CLASSE B

Leurs circuits de polarisation étant les plus simples et les plus stables en classe A, les transistors des circuits linéaires fonctionnent souvent dans cette classe. Mais le fonctionnement en classe A d'un transistor n'est pas le plus rentable. Dans certaines applications, comme les systèmes alimentés par pile(s), le courant d'alimentation et le rendement par étage sont des éléments importants lors de la conception. Voilà pourquoi, on a mis au point d'autres classes de fonctionnement.

Par *fonctionnement en classe B* d'un transistor, entendre que le courant collecteur ne circule que durant 180° du cycle alternatif. Donc, le point Q est voisin du point de blocage de la droite de charge statique et du point de blocage de la droite de charge dynamique. Les avantages du fonctionnement en classe B sont une puissance dissipée par le transistor plus petite et une consommation moindre de courant.

AMPLIFICATEUR PUSH-PULL

Un transistor classe B supprime une alternance. Donc, pour éviter la déformation que cette suppression entraîne, il faut monter deux transistors en *push-pull*. Alors un transistor conduit durant une alternance et l'autre conduit durant l'autre alternance. Le montage push-pull ou symétrique donne un amplificateur classe B de faible distorsion, de grande puissance de charge et de rendement élevé.

La figure 10-11 *a* illustre un amplificateur à émetteurs suiveurs push-pull classe B particulier. Ce montage d'un transistor *NPN* à émetteur suiveur et d'un transistor *PNP* à émetteur suiveur est dit complémentaire, push-pull ou symétrique. Pour en comprendre le fonctionnement, analysons d'abord le circuit équivalent en courant continu représenté à la figure 10-11 *b*. On choisit les résistances de polarisation pour placer le point Q au blocage. Cela polarise la diode émetteur de chaque transistor entre 0,6 V et 0,7 V, juste ce qu'il faut pour bloquer la diode émetteur. Idéalement,

$$I_{CQ} = 0$$

Remarquer la symétrie du circuit. Comme les résistances de polarisation sont égales, les tensions de polarisation des diodes émetteur sont égales. Donc, la moitié de la tension d'alimentation chute à chaque transistor. Donc

$$V_{CEQ} = \frac{V_{CC}}{2}$$

DROITE DE CHARGE STATIQUE

Soit le circuit représenté à la figure 10-11 *b*. Comme il n'y a pas de résistance en courant continu dans les circuits des collecteurs ni dans ceux des émetteurs, le courant continu de saturation est infini. Donc, la droite de charge statique est verticale (fig. 10-11 *c*). Vous avez raison, c'est dangereux. La plus grande difficulté de conception d'un amplificateur classe B c'est de stabiliser le point Q au blocage.

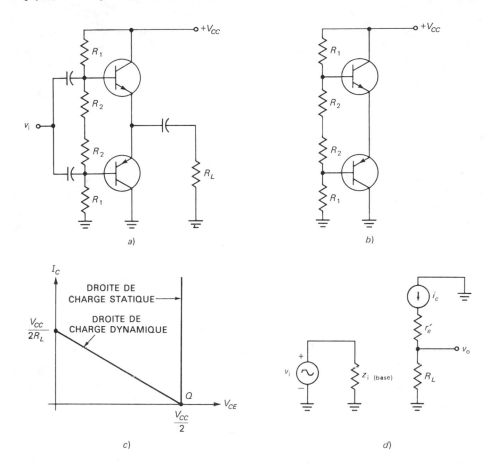

Fig. 10-11. a) *Amplificateur à émetteurs suiveurs push-pull classe B.* b) *Circuit équivalent en courant continu.* c) *Droites de charge.* d) *Circuit équivalent en courant alternatif.*

Toute diminution significative de V_{BE} en fonction de la température fait monter le point Q sur la droite de charge statique vers des courants dangereusement élevés. Pour l'instant, supposons que le point Q est fermement fixé au blocage (fig. 10-11 *c*).

DROITE DE CHARGE DYNAMIQUE

La droite de charge dynamique est identique à celle déterminée plus haut. Le courant alternatif de saturation d'un transistor à émetteur suiveur égale

$$I_{C \text{ (sat)}} = I_{CQ} + \frac{V_{CEQ}}{r_E}$$

et la tension alternative de blocage égale

$$V_{CE \text{ (blocage)}} = V_{CEQ} + I_{CQ}\, r_E$$

Dans le cas de l'amplificateur à émetteurs suiveurs classe B représenté à la figure 10-11 *a*, $I_{CQ} = 0$, $V_{CEQ} = V_{CC}/2$ et $r_E = r_L$. Donc le courant alternatif de saturation et la tension alternative de blocage égalent respectivement

$$I_{C\,(\text{sat})} = \frac{V_{CC}}{2\,R_L} \tag{10-32}$$

$$V_{CE\,(\text{blocage})} = \frac{V_{CC}}{2} \tag{10-33}$$

La figure 10-11 *c* représente la droite de charge dynamique. Lorsqu'un transistor conduit, son point de fonctionnement monte sur la droite de charge dynamique, le point de fonctionnement de l'autre transistor reste au blocage. La tension du transistor qui conduit peut varier du blocage à la saturation. L'autre transistor se comporte de la même façon durant l'autre alternance. Donc, la dynamique du signal alternatif de sortie d'un amplificateur push-pull classe B qui égale

$$\text{PP} \cong V_{CC} \tag{10-34}$$

est supérieure à celle d'un amplificateur classe A. Une alimentation de 10 V permet de construire un amplificateur à émetteurs suiveurs push-pull classe B de dynamique du signal alternatif de sortie égale à 10 V.

ANALYSE EN COURANT ALTERNATIF

La figure 10-11 *d* représente le circuit équivalent en courant alternatif du transistor qui conduit. Il est presque identique à un transistor à émetteur suiveur classe A. Le gain en tension avec charge égale

$$A_v = \frac{R_L}{R_L + r'_e} \tag{10-35}$$

L'impédance d'entrée de la base avec charge égale

$$z_{i\,(\text{base})} \cong \beta(R_L + r'_e) \tag{10-36}$$

et l'impédance de sortie égale

$$z_o = r'_e \text{ q } \frac{r_B}{\beta} \tag{10-37}$$

Le gain en courant A_i est encore proche de β et le gain en puissance égale

$$A_p = A_v A_i \tag{10-38}$$

ACTION GLOBALE

Nous comprenons à peu près ce qu'effectue l'amplificateur représenté à la figure 10-11 *a*. Durant l'alternance positive de la tension d'entrée le transistor du haut conduit et celui du bas est bloqué. Le transistor du haut se comporte comme un transistor à émetteur suiveur ordinaire : donc, la tension de sortie égale environ la tension d'entrée. L'impédance de sortie est très faible parce que l'émetteur suit.

Durant l'alternance négative de la tension d'entrée, le transistor du haut est bloqué et le transistor du bas conduit. Le transistor du bas se comporte comme un transistor à émetteur suiveur ordinaire et produit une tension de charge approximativement égale à la tension d'entrée.

Maintenant, l'action globale est limpide. Le transistor du haut traite l'alternance positive de la tension d'entrée et le transistor du bas s'occupe de l'alternance négative. Durant chaque alternance, la source voit une grande impédance d'entrée à chaque base et la charge voit une petite impédance de sortie.

DISTORSION DE CROISEMENT, DE RECOUVREMENT OU DE PASSAGE A OU PAR ZÉRO

La figure 10-12 *a* représente le circuit équivalent en courant alternatif d'un amplificateur à émetteurs suiveurs push-pull classe B. Supposons qu'on ne polarise pas les diodes émetteur. Alors, la tension alternative d'entrée doit monter jusqu'à environ 0,7 V pour surmonter la barrière de potentiel. Voilà pourquoi aucun courant ne parcourt Q_1 lorsque le signal est inférieur à 0,7 V. Il se produit la même chose durant l'autre alternance : aucun courant ne parcourt Q_2 jusqu'à ce que la tension alternative d'entrée soit plus négative que − 0,7 V. Voilà pourquoi la sortie d'un amplificateur à émetteurs suiveurs push-pull classe B ressemble au tracé de la figure 10-12 *b* si on ne polarise pas les diodes émetteur.

Le signal est déformé. Ce n'est plus une onde sinusoïdale en raison de l'écrêtage ou de la suppression entre les alternances. Comme l'écrêtage a lieu entre l'instant où un transistor passe à l'état bloqué et l'instant où l'autre devient conducteur, on appelle cette déformation la *distorsion de croisement, de recouvrement* ou *de passage à ou par zéro*. Pour éliminer la distorsion de croisement, il faut appliquer une légère polarisation directe à chaque diode émetteur. On placera donc le point *Q* légèrement au-dessus du point de blocage, comme le montre la figure 10-12 *c*. Un courant I_{CQ} compris entre 1 % et 5 % de $I_{C\,(sat)}$ suffit pour éliminer la distorsion de croisement.

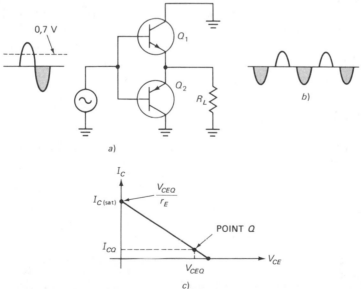

Fig. 10-12. a) *Circuit équivalent en courant alternatif d'un amplificateur classe B.* b) *Distorsion de croisement de recouvrement ou de passage à ou par zéro.* c) *Droite de charge dynamique avec polarisation d'entretien.*

Rigoureusement parlant, nous sommes en classe AB. Autrement dit, le courant collecteur de chaque transistor circule durant plus de 180° mais durant moins de 360°. Mais ce fonctionnement étant plus proche de la classe B que de la classe A, on appelle habituellement un tel circuit un amplificateur classe B.

DISTORSION NON LINÉAIRE OU HARMONIQUE

Comme nous l'avons vu, un amplificateur classe A grands signaux étire une alternance et comprime l'autre. La stabilisation, le remède, ramène la *distorsion non linéaire* ou *harmonique* à un niveau acceptable. L'amplificateur à émetteurs suiveurs push-pull classe B diminue encore davantage cette distorsion parce que les deux alternances ont la même allure. Il subsistera une certaine distorsion non linéaire nettement inférieure toutefois à celle de la classe A.

La distorsion diminue parce que tous les harmoniques d'ordre pair s'annulent. Les fréquences des harmoniques sont des multiples de la fréquence d'entrée. Si $f_i = 1$ kHz, la fréquence du deuxième harmonique égale 2 kHz, celle du troisième harmonique égale 3 kHz, etc. Un amplificateur classe A grands signaux produit tous les harmoniques de fréquences f_i, $2f_i$, $3f_i$, $4f_i$, $5f_i$, ...; un amplificateur push-pull classe B ne produit que les harmoniques d'ordre impair de fréquences f_i, $3f_i$, $5f_i$, ... Voilà pourquoi la distorsion des amplificateurs push-pull classe B est plus petite. (Le chapitre 22 traite des harmoniques en détail et explique pourquoi les harmoniques d'ordre pair s'annulent en fonctionnement push-pull.)

10.5. FORMULES DES PUISSANCES EN CLASSE B

La puissance de charge, la puissance dissipée par transistor, le courant consommé ou d'alimentation, le rendement par étage d'un amplificateur à émetteurs suiveurs push-pull classe B sont très différents des grandeurs correspondantes d'un amplificateur classe A. Les formules suivantes des puissances servent pour dépanner et concevoir des amplificateurs classe B.

PUISSANCE DE CHARGE

La puissance de charge en alternatif d'un amplificateur push-pull classe B égale

$$P_L = \frac{V_{PP}^2}{8\,R_L} \tag{10-39}$$

Dans cette formule, P_L = puissance de charge en alternatif
$\qquad\qquad\quad V_{PP}$ = tension de crête à crête de charge
$\qquad\qquad\quad R_L$ = résistance de charge.

Cette formule est utile lorsqu'on mesure la tension de crête à crête de charge avec un oscilloscope.

Calculons maintenant la puissance maximale de charge. La figure 10-13 *a* représente la droite de charge dynamique idéale d'un transistor à émetteur suiveur push-pull classe B. Elle est idéale parce qu'elle ignore $V_{CE\,(sat)}$ et I_{CQ}. Dans un

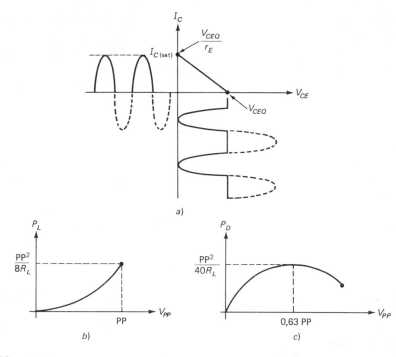

Fig. 10-13. a) *Courant et tension en classe B.* b) *Puissance de charge.* c) *Puissance dissipée par transistor.*

amplificateur réel, le point de saturation dynamique ne touche pas tout à fait l'axe vertical et le point Q est légèrement au-dessus du blocage. La figure 10-13 a représente les formes de signaux non écrêtées maximales de courant et de tension qu'un transistor à émetteur suiveur d'un amplificateur push-pull classe B peut donner; l'autre transistor produit les alternances en tirets. Comme la dynamique du signal alternatif de sortie égale la tension de crête à crête, la puissance maximale de charge égale

$$P_{L \text{ (max)}} = \frac{PP^2}{8 R_L} \tag{10-40}$$

Selon la figure 10-13 a, PP égale 2 V_{CEQ}. D'où l'autre formule

$$P_{L \text{ (max)}} = \frac{V_{CEQ}^2}{2 R_L} \tag{10-41}$$

La figure 10-13 b représente la variation de la puissance de charge en fonction de la tension de crête à crête de charge. Aucune surprise : la puissance de charge augmente jusqu'à un maximum lorsque la tension de crête à crête de charge égale la dynamique du signal de sortie alternative.

PUISSANCE DISSIPÉE PAR TRANSISTOR

En l'absence de signal, les transistors d'un amplificateur push-pull classe B sont au ralenti parce que seul un petit courant d'entretien les traverse. D'où la petite puissance dissipée par transistor. Mais en présence d'un signal, la grande excursion du courant de chaque transistor augmente fortement la puissance dissipée.

La puissance dissipée par transistor dépend de la longueur du segment utilisé sur la droite de charge dynamique. Dans le pire cas, la dissipation est maximale lorsqu'on utilise 63 % de la droite de charge dynamique. Selon l'appendice 1, la puissance dissipée maximale par transistor égale

$$P_{D\,(max)} = \frac{PP^2}{40\,R_L} \tag{10-42}$$

La figure 10-13 *c* représente la variation de la puissance dissipée par transistor en fonction de la tension de crête à crête de charge. P_D est maximal lorsque la tension de crête à crête de charge égale 0,63 PP. Si le niveau de signal continue à croître, la puissance dissipée par transistor décroît. Comme la puissance dissipée maximale égale $PP^2/40\,R_L$, la puissance limite de chaque transistor d'un amplificateur classe B doit être supérieure à $PP^2/40\,R_L$.

COURANT D'ALIMENTATION OU COURANT CONSOMMÉ

Le courant continu d'alimentation d'un amplificateur push-pull classe B tel celui représenté à la figure 10-11 *a* égale

$$I_S = I_1 + I_2 \tag{10-43}$$

Dans cette formule, I_1 = courant continu parcourant les résistances de polarisation

I_2 = courant continu parcourant le collecteur du haut.

En l'absence de signal, $I_2 = I_{CQ}$ et le courant consommé ou d'alimentation est petit. Mais en présence d'un signal, le courant d'alimentation augmente parce que le courant collecteur du haut est grand.

Si l'on utilise toute la droite de charge dynamique, alors le courant de crête demi-onde sinusoïdale du transistor du haut égale

$$I_{C\,(sat)} = \frac{V_{CEQ}}{R_L}$$

Comme nous l'avons vu au chapitre 3, la valeur moyenne ou continue d'un courant demi-onde égale

$$I_2 = 0,318\ I_{C\,(sat)}$$

$$I_2 = \frac{0,318\ V_{CEQ}}{R_L} \tag{10-44}$$

Cela permet de calculer le courant d'alimentation collecteur maximal.

La puissance en continu fournie au circuit égale

$$P_S = V_{CC}\,I_S \tag{10-45}$$

Cela s'applique à tout amplificateur push-pull classe B à une alimentation V_{CC}. En l'absence de signal, la puissance en continu est petite, parce que le courant consommé est minimal. Mais lorsqu'un signal occupe toute la droite de charge dynamique, la puissance en continu fournie à l'amplificateur est maximale.

Tableau 10-2. Formules classe B

Grandeur	Formule	Commentaire
$I_{C \text{ (sat)}}$	$I_{CQ} + V_{CC}/2\,R_L$	Amplificateur à émetteurs suiveurs, une alimentation
$V_{CE \text{ (blocage)}}$	$V_{CC}/2$	Amplificateur à émetteurs suiveurs, une alimentation
PP	V_{CC}	Amplificateur à émetteurs suiveurs, une alimentation
P_L	V_L^2/R_L	Tension efficace
P_L	$V_{PP}^2/8\,R_L$	Tension de crête à crête
$P_{L \text{ (max)}}$	$PP^2/8\,R_L$	Puissance non déformée maximale de sortie
$P_{D \text{ (max)}}$	$PP^2/40\,R_L$	Puissance dissipée maximale par transistor
P_S	$V_{CC}\,I_S$	Alimentation
η	$P_{L \text{ (max)}}/P_{S \text{ (max)}}$	Rendement par étage, multiplier par 100 %

RENDEMENT PAR ÉTAGE

Le rendement par étage égale

$$\eta = \frac{P_{L \text{ (max)}}}{P_{S \text{ (max)}}} \times 100\,\% \qquad (10\text{-}46)$$

Comme nous le verrons dans l'exemple ci-dessous, le rendement par étage d'un amplificateur classe B est supérieur à celui par étage d'un amplificateur classe A parce que sa puissance de sortie est plus grande pour une plus petite puissance en continu fournie par l'alimentation. On démontre que le rendement maximal d'un étage push-pull classe B est de 78,5 %. Le rendement maximal d'un étage classe A est de 25 % (couplage *RC*) ou 50 % (couplage par transformateur). Le rendement classe B est supérieur dans les deux cas.

CONCLUSION

Nous avons porté au tableau 10-2 les plus importantes formules du fonctionnement classe B. Les données sont claires. En cas de difficulté, reportez-vous aux démonstrations et aux calculs *ad hoc*.

EXEMPLE 10-5

La figure 10-14 représente la droite de charge dynamique d'un amplificateur à émetteurs suiveurs push-pull classe B. On donne $R_L = 100\,\Omega$. Calculer la dynamique du signal de sortie et la puissance maximale de charge.

SOLUTION

Selon la figure 10-14, l'excursion maximale de tension durant chaque alternance est de 15 V. Donc, la dynamique du signal alternatif de sortie égale

$$PP = 2\,(15\,V) = 30\,V$$

Telle est la tension de crête à crête non écrêtée maximale que l'amplificateur peut fournir. La puissance maximale de charge égale

$$P_{L \text{ (max)}} = \frac{(30\,V)^2}{8\,(100\,\Omega)} = 1,13\,W$$

EXEMPLE 10-6

Un amplificateur push-pull classe B a une tension d'alimentation de 30 V, un courant de polarisation d'1 mA et un courant collecteur de repos d'1 mA. La figure 10-14 représente sa droite de charge dynamique. Calculer le courant d'alimentation en l'absence de signal, le courant d'alimentation à signal maximal ou plein signal et le rendement par étage.

SOLUTION

En l'absence de signal, le courant d'alimentation égale

$$I_S = 1 \text{ mA} + 1 \text{ mA} = 2 \text{ mA}$$

A plein signal, on utilise toute la droite de charge dynamique, et le courant collecteur moyen du transistor du haut croît jusqu'à

$$I_2 = 0,318 \,(150 \text{ mA}) = 47,7 \text{ mA}$$

Donc, le courant d'alimentation à plein signal égale

$$I_S = 1 \text{ mA} + 47,7 \text{ mA} = 48,7 \text{ mA}$$

Calculons le rendement par étage. Selon l'exemple 10-5, la puissance maximale de charge en alternatif égale

$$P_L = 1,13 \text{ W}$$

La puissance maximale en continu fournie par étage égale

$$P_S = (30 \text{ V}) \,(48,7 \text{ mA}) = 1,46 \text{ W}$$

Donc, le rendement par étage égale

$$\eta = \frac{1,13 \text{ W}}{1,46 \text{ W}} = 77,4 \,\%$$

Remarquer que ce rendement est nettement supérieur à celui d'un étage classe A. Ce rendement supérieur est l'une des raisons pour lesquelles on monte souvent un amplificateur push-pull classe B près de la fin d'un système. Le rendement étant plus élevé la puissance de charge sera elle aussi plus élevée qu'en classe A.

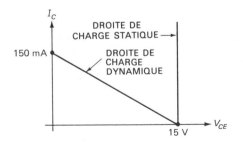

Fig. 10-14.

10.6. POLARISATION D'UN AMPLIFICATEUR CLASSE B

Comme nous l'avons mentionné, le *hic* de la conception d'un amplificateur classe B c'est de stabiliser le point Q près du point de blocage. Cette section traite de ce problème et de sa solution.

POLARISATION PAR DIVISEURS DE TENSION

La figure 10-15 *a* représente la polarisation par diviseurs de tension d'un amplificateur push-pull classe B. Les deux transistors doivent être complémentaires. Alors, leurs caractéristiques de V_{BE}, leurs valeurs limites, etc., sont similaires. Les transistors 2N3904 et 2N3906 sont complémentaires; le premier est un transistor *NPN* et le deuxième un *PNP;* leurs caractéristiques de V_{BE}, leurs valeurs limites, etc., sont similaires. Il existe de telles paires complémentaires pour presque n'importe quel amplificateur push-pull classe B.

Les courants émetteur et collecteur de l'amplificateur représenté à la figure 10-15 *a* sont approximativement égaux. Les transistors complémentaires étant montés en série, chaque transistor fait chuter la moitié de la tension d'alimentation. Pour éviter la distorsion de croisement, de recouvrement ou de passage à ou par zéro, on règle le point Q légèrement au-dessus du point de blocage avec la tension V_{BE} correcte quelque part entre 0,6 V et 0,7 V selon le type de transistor, la température et d'autres facteurs. Selon les fiches signalétiques, une augmentation

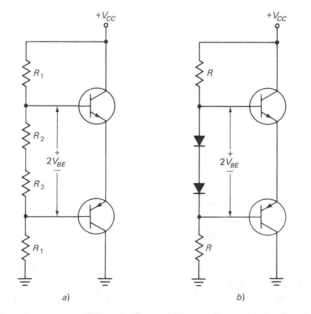

Fig. 10-15. a) *Polarisation par diviseurs de tension d'un amplificateur classe B.* b) *Polarisation par diodes.*

de V_{BE} de 60 mV multiplie le courant émetteur par 10. D'où la grande difficulté de trouver des résistances nominales ou normalisées qui donnent la tension V_{BE} correcte. Il faut presque toujours monter une résistance réglable pour obtenir le point Q correct.

La résistance réglable ne règle pas le problème de la température. Comme nous l'avons vu au chapitre 8, pour un courant collecteur donné, V_{BE} décroît d'environ 2 mV par accroissement de température d'1°C. Autrement dit, la tension V_{BE} nécessaire pour obtenir un courant collecteur particulier décroît lorsque la température croît. Les diviseurs de tension représentés à la figure 10-15 *a* fournissent une tension soutenue d'attaque à chaque diode émetteur. Donc, lorsque la température augmente, la tension fixe appliquée à chaque diode émetteur fait croître le courant collecteur. Si la tension V_{BE} nécessaire décroît de 60 mV, le courant collecteur décuple (devient 10 fois plus grand) parce que la tension de polarisation fixe est trop grande de 60 mV.

La *dérive* ou *glissement thermique* est le grand danger. Lorsque la température monte, le courant collecteur augmente. Donc le point Q monte sur la droite de charge statique verticale. Comme le courant collecteur augmente, la température du transistor augmente et la tension V_{BE} correcte diminue. Le point Q « dérive » ou « glisse » vers le haut de la droite de charge statique jusqu'à ce qu'une puissance excessive détruise le transistor. L'existence ou l'absence d'un glissement ou d'une dérive thermique dépend des propriétés thermiques du transistor, de son refroidissement et du type de radiateur ou dissipateur thermique utilisé (étudié plus loin).

POLARISATION PAR DIODES

La figure 10-15 *b* représente une façon d'éviter le glissement thermique. Les diodes de compensation ou compensatrices fournissent la tension de polarisation aux diodes émetteur. Pour cela, les caractéristiques des diodes doivent être adaptées aux caractéristiques de V_{BE} des transistors. Alors, toute augmentation de la température diminue la tension de polarisation fournie par les diodes compensatrices. Supposons qu'une tension de polarisation de 0,65 V établit un courant collecteur de repos de 2 mA. Si la température monte de 30°C, la tension entre les bornes de chaque diode compensatrice chute d'environ 60 mV. Comme la tension V_{BE} nécessaire diminue aussi d'environ 60 mV, le courant collecteur de repos reste à environ 2 mA.

MIROIR DE COURANT

On polarise la diode par un *miroir de courant,* une technique largement répandue dans les circuits intégrés linéaires. Considérons le miroir représenté à la figure 10-16 *a,* le courant base est nettement inférieur au courant qui traverse la résistance et la diode. Donc, le courant de la résistance et le courant de la diode sont approximativement égaux. Si la caractéristique de la diode est identique à celle de la tension V_{BE} du transistor, le courant de la diode égale le courant émetteur. Comme le courant collecteur est presque égal au courant émetteur, le courant

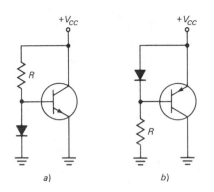

Fig. 10-16. a) *Miroir de courant NPN.* b) *Miroir de courant PNP.*

collecteur égale à peu près le courant de la résistance de polarisation, soit sous forme mathématique

$$I_C \cong I_R \tag{10-47}$$

Selon cet important résultat, on peut régler le courant collecteur en réglant le courant de la résistance. Ce circuit est un miroir : le courant de la résistance se reflète dans le circuit de collecteur. D'où le nom de *miroir de courant* attribué au circuit représenté à la figure 10-16 *a.*

La figure 10-16 *b* représente un miroir de courant *PNP.* Selon un raisonnement analogue, le courant qui traverse le collecteur égale approximativement le courant qui traverse la résistance de polarisation. Si la caractéristique de la tension V_{BE} de transistor est adaptée à la caractéristique de la diode, le courant collecteur égale à peu près le courant de la résistance.

La polarisation par diodes d'un amplificateur push-pull classe B à émetteurs suiveurs (fig. 10-15 *b*) repose sur deux miroirs de courant. La moitié supérieure du circuit est un miroir *NPN* et la moitié inférieure est un miroir *PNP.* La polarisation par diodes est insensible aux variations de température si les caractéristiques des diodes sont adaptées aux caractéristiques des tension V_{BE} des transistors sur une large gamme de température, ce qu'on n'obtient pas facilement avec des circuits discrets en raison des tolérances de leurs composants. Par contre, on réalise facilement la polarisation par diodes à l'aide de circuits intégrés parce que, les diodes et les transistors étant sur la même puce, leurs caractéristiques sont presque identiques.

EXEMPLE 10-7

Calculer le courant collecteur de repos de chaque transistor représenté à la figure 10-17 *a.*

SOLUTION

Cet amplificateur comprend un miroir *NPN* en série avec un miroir *PNP.* Le courant qui parcourt les résistances de polarisation égale

$$I_R = \frac{30\,\text{V} - 1{,}4\,\text{V}}{2\,(4{,}7\,\text{k}\Omega)} = 3{,}04\,\text{mA}$$

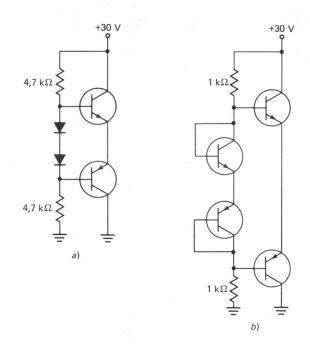

Fig. 10-17.   a) *Polarisation par diodes.* b) *Transistors connectés en diodes.*

Si les caractéristiques des diodes sont adaptées à celles des tensions V_{BE}, le courant collecteur de chaque transistor est d'environ 3,04 mA.

EXEMPLE 10-8

Calculer le courant collecteur de chaque transistor représenté à la figure 10-17 *b*.

SOLUTION

Rappelons la polarisation par réaction de collecteur. Lorsque la résistance de base s'annule, un transistor polarisé par réaction de collecteur se comporte comme une diode. L'amplificateur représenté à la figure 10-17 *b* se comporte de cette façon. Au lieu d'utiliser des diodes ordinaires, nous utilisons des transistors connectés en diodes. Le courant qui traverse les résistances égale

$$I_R = \frac{30\ \text{V} - 1,4\ \text{V}}{2\ \text{k}\Omega} = 14,3\ \text{mA}$$

Donc, le courant collecteur de chaque transistor égale environ 14,3 mA.

On utilise des transistors connectés en diodes parce que l'adaptation des caractéristiques des diodes à celles des tensions V_{BE} est plus facile lorsqu'on utilise des diodes et des transistors de même type, ce qui a toujours lieu avec les circuits intégrés.

10.7. AMPLIFICATEUR D'ATTAQUE OU DE PILOTAGE D'UN AMPLIFICATEUR CLASSE B

Dans notre étude de l'amplificateur push-pull classe B à émetteurs suiveurs, les condensateurs servaient à transmettre le signal alternatif à l'amplificateur. Ce n'est pas la meilleure façon d'attaquer ou de piloter un amplificateur classe B. Il est plus facile d'utiliser un *amplificateur d'attaque* ou *de pilotage à émetteur commun* à couplage direct (fig. 10-18 *a*). Le transistor Q_2 est une source de courant qui fournit le courant continu de polarisation *via* les diodes. On règle le courant continu émetteur qui parcourt R_4 en réglant R_2; donc Q_2 alimente en courant continu *via* les diodes de compensation. En raison des miroirs de courant, le courant de repos est le même dans les collecteurs de Q_3 et Q_4.

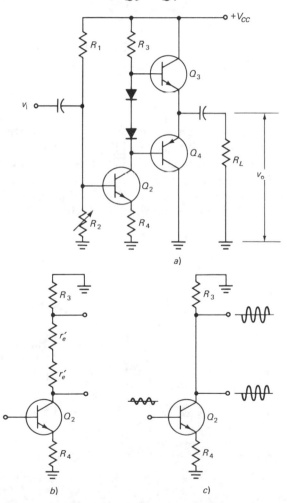

Fig. 10-18. *Amplificateur d'attaque d'un amplificateur à émetteurs suiveurs push-pull classe B.*
a) Circuit. b) Circuit équivalent en courant alternatif. c) Circuit équivalent simplifié.

Lorsqu'un signal alternatif attaque l'entrée, Q_2 se comporte comme un amplificateur stabilisé. Le signal alternatif amplifié et inversé au collecteur de Q_2 attaque les bases de Q_3 et Q_4. Durant l'alternance positive, Q_3 conduit et Q_4 est bloqué. Durant l'alternance négative, Q_3 est bloqué et Q_4 conduit. Comme le condensateur de couplage de sortie est un court-circuit en courant alternatif, le signal alternatif est appliqué à la résistance de charge.

La figure 10-18 b représente le circuit équivalent en courant alternatif de l'amplificateur d'attaque à émetteur commun. Nous avons remplacé les diodes (transistors connectés en diodes) par leurs résistances d'émetteur en courant alternatif. Dans tout circuit pratique, r'_e vaut au plus le centième de R_3 d'où le circuit équivalent en courant alternatif simplifié représenté à la figure 10-18 c. Visiblement l'amplificateur d'attaque est un amplificateur stabilisé dont le gain en tension sans charge égale

$$A = - \frac{R_3}{R_4}$$

Habituellement, l'impédance $z_{i \text{ (base)}}$ des transistors classe B est très grande. Donc, le gain en tension avec charge de l'amplificateur d'attaque est presque égal à son gain en tension sans charge.

EXEMPLE 10-9

La figure 10-19 représente un amplificateur complet à trois étages : un amplificateur petits signaux (Q_1), un amplificateur grands signaux classe A (Q_2) et un amplificateur à émetteurs suiveurs push-pull classe B (Q_3 et Q_4). Les tensions continues approximatives de tous les nœuds apparaissent sur le schéma. Calculer le courant de repos de Q_3 et celui de Q_4. Supposer que $\beta = 120$ et calculer le gain en tension avec charge de l'amplificateur d'attaque.

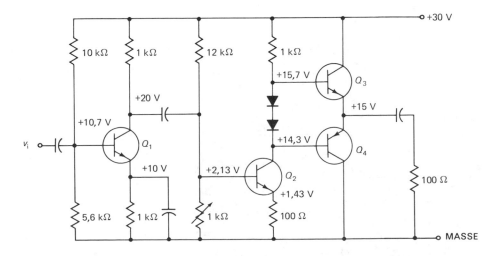

Fig. 10-19. *Amplificateur complet comprenant un étage petits signaux à émetteur commun, un étage d'attaque de la classe B et un étage push-pull de sortie.*

SOLUTION

La tension entre les bornes de la résistance d'émetteur de l'amplificateur d'attaque est de + 1,43 V. Donc, le courant continu émetteur de Q_2 égale

$$I_E = \frac{1,43 \text{ V}}{100 \ \Omega} = 14,3 \text{ mA}$$

Le courant collecteur de Q_2 est d'environ 14,3 mA. Comme ce courant polarise les miroirs de courant, les courants collecteur de repos de Q_3 et Q_4 sont d'environ 14,3 mA. Prenons

$$I_{CQ} = 14,3 \text{ mA}$$

L'impédance d'entrée de la base du transistor qui conduit (on dit aussi qu'il est en conduction) égale

$$z_{i \text{ (base)}} \cong 120 \ (100 \ \Omega) = 12 \text{ k}\Omega$$

Dans le circuit équivalent en courant alternatif, cette impédance d'entrée est en parallèle avec la résistance de collecteur de Q_2. En raison de la résistance de stabilisation, le gain en tension avec charge de l'amplificateur d'attaque égale environ $- r_C/r_E$. D'où

$$A_v \cong - \frac{1 \text{ k}\Omega \parallel 12 \text{ k}\Omega}{100 \ \Omega} = - 9,23$$

Ce gain est presque égal au gain en tension sans charge qui vaut

$$A \cong - \frac{1 \text{ k}\Omega}{100 \ \Omega} = - 10$$

10.8. AUTRES AMPLIFICATEURS CLASSE B

L'amplificateur à émetteurs suiveurs push-pull classe B est l'amplificateur classe B le plus utilisé. Ses avantages sont une faible distorsion, une grande dynamique du signal alternatif de sortie et un rendement par étage élevé. Mais il existe d'autres amplificateurs classe B intéressants.

ALIMENTATION FRACTIONNÉE

Lorsqu'on dispose d'une *alimentation fractionnée* (tensions positive et négative opposées et égales), on peut référer l'entrée et la sortie à la masse (figure 10-20). Les alimentations étant opposées et égales, V_{CEQ} de chaque transistor égale V_{CC}. Donc, la tension de sortie de repos est nulle. Voilà pourquoi on peut directement transmettre le signal à la résistance de charge. La tension de repos entre les diodes de compensation étant nulle elle aussi, cela détermine une borne d'entrée à la masse, nécessaire dans certaines applications.

Pour le signal alternatif, les diodes se comportent comme des petites résistances r'_e. L'impédance $z_{i(\text{base})}$ de chaque transistor étant très grande, presque tout le signal alternatif d'entrée passe aux bases des transistors classe B via les diodes.

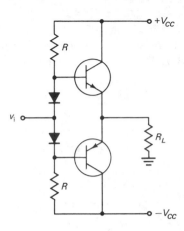

Fig. 10-20. *Amplificateur à alimentation fractionnée.*

Autre avantage d'un amplificateur à alimentation fractionnée : sa grande dynamique de signal alternatif de sortie. Comme la tension V_{CEQ} de chaque transistor égale V_{CC}, la dynamique du signal alternatif de sortie égale

$$PP = 2V_{CC}$$

Cette dynamique élevée permet à l'amplificateur de fournir une plus grande puissance de charge non déformée.

COMPENSATION PAR THERMISTANCES

Au lieu d'utiliser des miroirs de courant pour compenser un amplificateur à émetteurs suiveurs push-pull classe B, on peut utiliser des *thermistances* (résistances qui décroissent lorsque la température augmente). Les thermistances compensent comme suit. Les résistances encerclées représentées à la figure 10-21 sont des

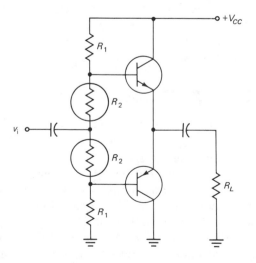

Fig. 10-21. *Les thermistances compensent les variations de température.*

thermistances. On règle le point Q légèrement au-dessus du point de blocage pour la valeur de R_2 à la température ambiante. Lorsque la température augmente, la tension V_{BE} nécessaire décroît d'environ 2 mV par degré. Comme les résistances des thermistances diminuent elles aussi, les tensions appliquées aux diodes émetteur sont plus petites. Des thermistances bien choisies compensent approximativement les augmentations de température.

DARLINGTON ET SZIKLAI

On utilise des paires de Darlington (fig. 10-22 *a*) lorsque l'amplificateur à émetteurs suiveurs push-pull classe B n'est pas assez soutenu pour la résistance de charge. Nous avons vu que chaque paire de Darlington se comporte comme un transistor à gain en courant très élevé. Donc, l'impédance d'entrée de la base augmente et l'impédance de sortie de l'émetteur diminue. Comme chaque paire de Darlington a deux chutes V_{BE}, il faut utiliser quatre diodes de compensation (fig. 10-22 *a*). Un tel amplificateur fournit une grande puissance de charge en alternatif.

Il est parfois plus facile de concevoir un amplificateur push-pull classe B avec un seul type de transistor de sortie, *NPN* ou *PNP*. La figure 10-22 *b* représente un amplificateur push-pull classe B comprenant une paire de Darlington en haut et une *paire de Sziklai* en bas. La paire de Sziklai, parfois appelée une paire complémentaire de Darlington, se comporte comme un transistor *PNP* à gain en courant très élevé. Remarquer que trois diodes de compensation suffisent. Mais tel

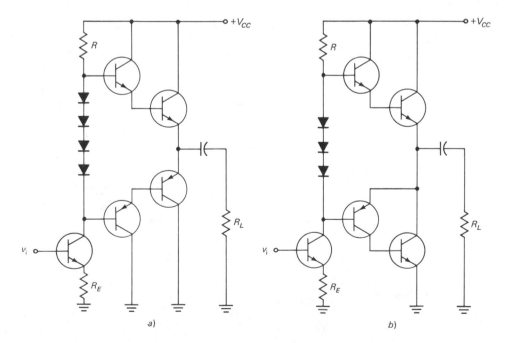

Fig. 10-22. a) *Les paires de Darlington augmentent la puissance de charge.* b) *Etage de Darlington et de Sziklai de sortie.*

n'est pas le principal avantage de ce montage. Les deux transistors *NPN* de sortie constituent le principal avantage de ce circuit lors de sa conception : il est plus facile d'adapter deux transistors de puissance de même type.

AMPLIFICATEUR A ÉMETTEUR COMMUN A COUPLAGE PAR TRANSFORMATEUR

Les transistors complémentaires ont démodé les transformateurs dans la plupart des applications audio. Mais on rencontre encore parfois l'amplificateur à émetteurs communs push-pull classe B représenté à la figure 10-23. Remarquer que les deux transistors sont des *NPN*. Une diode suffit pour polariser ces transistors légèrement au-dessus du point de blocage. Si la caractéristique de la diode s'adapte approximativement aux caractéristiques des tensions V_{BE} des transistors, le courant collecteur de repos ne varie pas trop en fonction de la température.

On transmet le signal alternatif d'entrée aux bases par un transformateur. En raison du mode de fonctionnement du transformateur, les signaux qui attaquent les bases sont de même amplitude et de phases opposées. Donc, durant l'alternance positive, le transistor du haut conduit et celui du bas est bloqué, alors que durant l'alternance négative le transistor du haut est bloqué et celui du bas conduit.

Durant l'alternance positive, le transistor du haut conduit via le demi-enroulement supérieur de sortie du transformateur. Durant l'alternance négative, le transistor du bas conduit via le demi-enroulement inférieur. Dans chaque cas, le signal alternatif est transmis à la résistance de charge par transformateur.

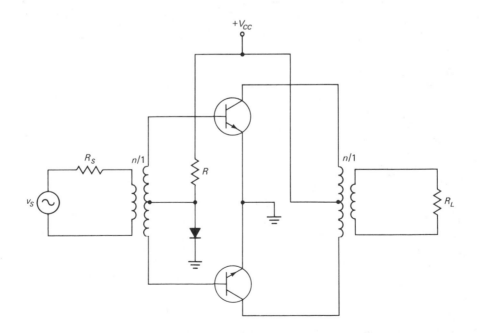

Fig. 10-23. *Amplificateur push-pull couplé par transformateur.*

INVERSEUR DE PHASE

Les deux bases de l'amplificateur représenté à la figure 10-23 reçoivent des signaux alternatifs déphasés de 180° l'un par rapport à l'autre. Cela est nécessaire parce que les deux transistors sont du même type *(NPN)*. Un transformateur est un dispositif coûteux et volumineux pour produire deux signaux déphasés. Il est plus pratique d'utiliser un *inverseur de phase* comme celui représenté à la figure 10-24 pour l'amplificateur d'attaque d'entrée.

Remarquer que l'inverseur de phase est un amplificateur fortement stabilisé. Comme la résistance d'émetteur égale la résistance de collecteur, le gain en tension sans charge de l'inverseur de phase égale 1. De plus, l'émetteur asservi produit un signal en phase tandis que le collecteur produit un signal inversé. Donc, les signaux de sortie sont de même amplitude mais de phases opposées, exactement le type d'attaque nécessaire pour l'amplificateur représenté à la figure 10-23. Donc, on peut remplacer le transformateur d'entrée par un inverseur de phase.

Retenons l'inverseur de phase. On l'utilise chaque fois qu'il faut attaquer un amplificateur qui nécessite deux signaux d'entrée égaux et opposés.

10.9. PUISSANCE LIMITE D'UN TRANSISTOR

La température de la jonction de collecteur limite la puissance dissipée P_D admissible. Selon le type de transistor, une température de jonction appartenant à la gamme allant de 150°C à 200°C détruira le transistor. Les fiches signalétiques représentent cette température maximale de jonction par $T_{J(max)}$. La fiche signalétique d'un 2N3904, par exemple, donne une température $T_{J(max)}$ de 150°C et celle d'un 2N3719 donne une température $T_{J(max)}$ de 200°C.

TEMPÉRATURE AMBIANTE

La chaleur produite à la jonction traverse le boîtier (métallique ou de plastique) de transistor et rayonne dans l'air ambiant. La température de cet air, appelée la température *ambiante,* normalement voisine de 25°C est plus forte par temps chaud. La température ambiante est parfois nettement supérieure à cette valeur dans les composants d'un équipement électronique.

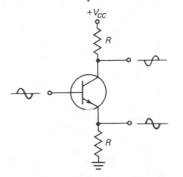

Fig. 10-24. *Inverseur de phase.*

COEFFICIENT DE RÉDUCTION

Les fiches signalétiques donnent souvent la puissance $P_{D(\text{max})}$ d'un transistor à la température ambiante de 25°C. La puissance $P_{D(\text{max})}$ d'un 2N1936, par exemple, est de 4 W à la température ambiante T_A de 25°C. Donc, la puissance dissipée de repos d'un transistor 2N1936, par exemple, d'un amplificateur classe A peut monter jusqu'à 4 W. Tant que la température ambiante est égale ou inférieure à 25°C, la puissance dissipée par le transistor est inférieure à sa puissance limite.

Que faire si la température ambiante est supérieure à 25°C ? Réponse : il faut diminuer (réduire) la puissance limite. Les fiches signalétiques donnent parfois une *courbe de réduction* semblable à celle représentée à la figure 10-25. Visiblement, la puissance limite diminue lorsque la température ambiante augmente. A la température ambiante de 100°C, par exemple, la puissance limite est de 2 W. Remarquer la décroissance linéaire de la puissance limite lorsque la température croît.

Certaines fiches signalétiques ne donnent pas une courbe de réduction semblable à celle représentée à la figure 10-25, mais précisent un *coefficient de réduction* $D*$. Le coefficient de réduction d'un 2N1936, par exemple, est de 26,7 mW/°C. Donc, il faut soustraire 26,7 mW par degré de température ambiante au-delà de 25°C. Sous forme mathématique,

$$\Delta P = D(T_A - 25°\text{C}) \qquad (10\text{-}48)$$

Dans cette formule, ΔP = diminution de la puissance limite

$\qquad\qquad\qquad D$ = coefficient de réduction

$\qquad\qquad\qquad T_A$ = température ambiante

Si la température ambiante monte jusqu'à 75°C, il faut réduire la puissance limite de

$$\Delta P = 26,7 \text{ mW} \times (75 - 25) = 1,34 \text{ W}$$

La puissance limite étant de 4 W à 25°C, la nouvelle puissance limite égale

$$P_{D(\text{max})} = 4 \text{ W} - 1,34 \text{ W} = 2,66 \text{ W}$$

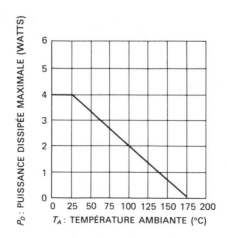

Fig. 10-25. *Courbe de réduction de puissance en fonction de la température ambiante.*

* N.d.T. D est mis pour *Derating* (réduction).

Ce résultat est conforme à la courbe de réduction représentée à la figure 10-25.

Peu importe qu'on obtienne la puissance limite réduite par une courbe semblable à celle représentée à la figure 10-25 ou par une formule comme la formule (10-48), l'essentiel est de savoir que la puissance limite diminue lorsque la température ambiante augmente. Rien n'assure qu'un amplificateur qui fonctionne bien à 25°C fonctionnera aussi bien sur une grande gamme de température. Lors de la conception d'un amplificateur, il faut tenir compte de la gamme de température de fonctionnement et réduire la puissance limite de tous les transistors selon la plus grande température ambiante escomptée.

DISSIPATEURS THERMIQUES OU RADIATEURS

Pour augmenter la puissance limite d'un transistor on peut, par exemple, évacuer la chaleur le plus vite possible. Telle est la fonction d'un *dissipateur thermique* ou *radiateur* (une masse métallique). L'augmentation de la surface d'un boîtier de transistor permet à la chaleur de s'échapper plus facilement dans l'air ambiant. La figure 10-26 *a* représente un type de dissipateur thermique. La grande surface de rayonnement des ailettes d'un tel dissipateur placé sur un boîtier de transistor permet à la chaleur de rayonner beaucoup plus rapidement.

La figure 10-26 *b* représente un dissipateur thermique en forme de languette d'attache, qui sert de chemin d'évacuation de la chaleur hors du transistor. On fixe la languette au châssis de l'équipement électronique. Le châssis étant un gros dissipateur thermique, le transistor lui transmet facilement sa chaleur.

On connecte directement le collecteur de gros transistors de puissance au boîtier (fig. 10-26 *c*) pour maximiser l'évacuation de la chaleur et l'on fixe le boîtier au châssis. On place une mince rondelle de mica entre le boîtier de transistor et le châssis pour éviter la mise à la masse du collecteur. Le but visé est d'augmenter la puissance limite, pour une même température ambiante, en évacuant plus rapidement la chaleur du transistor. On fixe parfois le transistor à un gros dissipateur thermique à ailettes; ce dispositif est encore plus efficace.

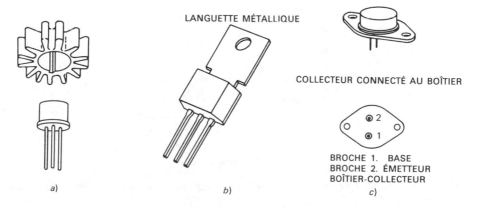

LANGUETTE MÉTALLIQUE

COLLECTEUR CONNECTÉ AU BOÎTIER

2
1

BROCHE 1. BASE
BROCHE 2. ÉMETTEUR
BOÎTIER-COLLECTEUR

a)   b)   c)

Fig. 10-26. a) *Dissipateur ou radiateur capuchon.* b) *Transistor à languette de rayonnement ou de dissipation.* c) *Transistor de puissance à collecteur connecté au boîtier.*

TEMPÉRATURE DU BOÎTIER

La chaleur qui sort du transistor traverse le boîtier et pénètre dans le dissipateur thermique d'où elle rayonne dans l'air ambiant. La température du boîtier T_C* est légèrement supérieure à celle, T_S**, du dissipateur laquelle est légèrement supérieure à la température ambiante T_A.

Les fiches signalétiques des gros transistors de puissance donnent les courbes de réduction pour la température du boîtier et non pour la température ambiante. La figure 10-27 représente la courbe de réduction pour un transistor 2N5877. La puissance limite est de 150 W à la température du boîtier de 25°C, puis elle décroît linéairement avec la température et s'annule lorsque la température du boîtier est de 200°C.

On dispose parfois du coefficient de réduction au lieu de la courbe de réduction. Alors, la formule

$$\Delta P = D(T_C - 25°C) \qquad (10\text{-}49)$$

dans laquelle, ΔP = diminution de la puissance limite

D = coefficient de réduction

T_C = température du boîtier

donne la diminution de la puissance limite.

ANALYSE THERMIQUE

Pour utiliser la courbe de réduction d'un gros transistor de puissance, et déterminer sa puissance limite, il faut connaître la température du boîtier dans le pire cas. Pour calculer la température du boîtier, il faut connaître la science de l'écoulement de la chaleur, la thermodynamique.

La *résistance thermique* θ est la résistance à l'écoulement de la chaleur entre deux points de température. La figure 10-28 a, par exemple, représente la température d'un boîtier, celle de son radiateur et une température ambiante. La chaleur circule

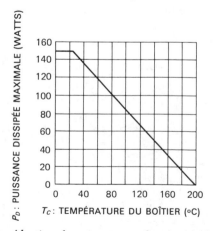

Fig. 10-27. *Courbe de réduction de puissance en fonction de la température du boîtier.*

---

* N.d.T. C est mis pour *Case* (boîtier).

** N.d.T. S est mis pour *Sink* (dissipateur).

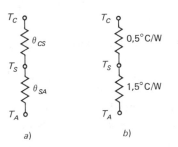

Fig. 10-28. *Résistances thermiques.*

du boîtier au radiateur puis à l'air ambiant. Lorsqu'elle circule du boîtier au radiateur, la chaleur rencontre la résistance thermique θ_{CS} et lorsqu'elle circule du radiateur à l'air ambiant, elle traverse la résistance thermique θ_{SA}. Selon la taille du radiateur, le nombre d'ailettes, le fini et d'autres facteurs, θ_{CS} varie de 0,2°C/W à 1°C/W et θ_{SA} varie de 1°C/W à 100°C/W. La figure 10-28 *b* représente les résistances thermiques dans le cas d'un radiateur pour lequel, selon la figure signalétique, $\theta_{CS} = 0,5°C/W$ et $\theta_{SA} = 1,5°C/W$.

La puissance dissipée P_D par un transistor égale son débit d'évacuation de la chaleur. Les grandeurs thermodynamiques débit d'écoulement de la chaleur, résistance thermique et différence de température sont analogues aux grandeurs électriques respectives courant, résistance et tension :

$$P_D \qquad \rightarrow \text{ courant}$$
$$\theta \qquad \rightarrow \text{ résistance}$$
$$T_1 - T_2 \qquad \rightarrow \text{ tension}$$

T_1 et T_2 représentent les températures en deux points quelconques. En vertu de cette analogie, en thermodynamique, la loi d'Ohm s'écrit

$$P_D = \frac{T_1 - T_2}{\theta} \tag{10-50}$$

L'addition des résistances thermiques en série représentées à la figure 10-28 *a* donne la résistance thermique totale entre le boîtier et l'air ambiant. Il vient

$$\theta_{CA} = \theta_{CS} + \theta_{SA}$$

La formule (10-50) devient

$$P_D = \frac{T_C - T_A}{\theta_{CS} + \theta_{SA}}$$

Isolons la température du boîtier. Il vient

$$T_C = T_A + P_D(\theta_{CS} + \theta_{SA}) \tag{10-51}$$

Dans cette formule, T_C = température du boîtier
T_A = température ambiante
P_D = puissance dissipée par le transistor
θ_{CS} = résistance thermique entre le boîtier et le radiateur
θ_{SA} = résistance thermique entre le radiateur et l'air ambiant

Cette formule donne la température du boîtier d'un transistor de puissance.

EXEMPLE 10-10

Un transistor 2N5877 doit fonctionner sur une gamme de température ambiante allant de 0°C à 70°C. Les résistances thermiques de ce transistor et de son radiateur sont $\theta_{CS} = 0,5°C/W$ et $\theta_{SA} = 1,5°C/W$. Supposer que ce transistor dissipe au plus 30 W et calculer la température maximale de son boîtier. A l'aide de la courbe de réduction de la figure 10-27 déterminer la puissance limite du 2N5877 à cette température maximale du boîtier.

SOLUTION

La température du boîtier est maximale lorsque la température ambiante est de 70°C. Selon la formule (10-51),

$$T_C = 70°C + (30 \text{ W})(0,5°C/W + 1,5°C/W) = 130°C$$

Donc, la température du boîtier est de 130°C lorsque le transistor dissipe 30 W. Selon la courbe de réduction représentée à la figure 10-27, la puissance limite du 2N5877 égale

$$P_{D(\max)} = 60 \text{ W}$$

En résumé, la température ambiante maximale est de 70°C et la température maximale du boîtier est de 130°C. La puissance dissipée de 30 W par le transistor est nettement inférieure à la puissance limite de 60 W à la température maximale.

PROBLÈMES

Simples

10-1. Soit l'amplificateur représenté à la figure 10-29 *a*. Supposer que $\beta_{cc} = 100$. Tracer la droite de charge dynamique et calculer la dynamique du signal alternatif de sortie.

10-2. Soit l'amplificateur représenté à la figure 10-29 *b*. Tracer la droite de charge dynamique et calculer la dynamique du signal alternatif de sortie.

10-3. Calculer la dynamique du signal alternatif de sortie de l'amplificateur représenté à la figure 10-29 *c*.

10-4. Soit l'amplificateur représenté à la figure 10-29 *d*. Tracer la droite de charge dynamique et calculer la dynamique du signal alternatif de sortie.

10-5. Soit l'amplificateur représenté à la figure 10-30. Calculer la dynamique du signal alternatif de sortie du premier étage et tracer la droite de charge dynamique du deuxième étage.

10-6. Soit l'amplificateur représenté à la figure 10-29 *b*. Prendre $\beta = 125$ et calculer A_v, A_i, A_p, $P_{L(\max)}$, P_{DQ}, I_S, P_S et η.

10-7. Reprendre le problème 10-6 pour l'amplificateur représenté à la figure 10-29 *d*.

10-8. Calculer le courant continu total d'alimentation de l'amplificateur représenté à la figure 10-30.

10-9. Calculer le rendement du deuxième étage de l'amplificateur représenté à la figure 10-30.

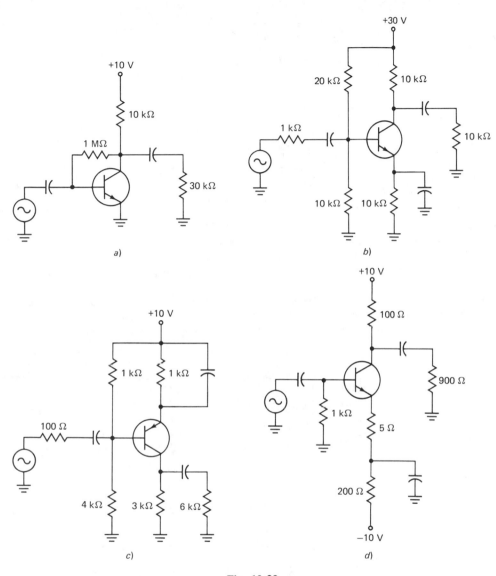

Fig. 10-29.

10-10. La droite de charge dynamique d'un amplificateur push-pull classe B à émetteurs suiveurs indique un courant de saturation dynamique de 250 mA et une tension de blocage dynamique de 10 V. Calculer la dynamique du signal alternatif de sortie. Supposer que la résistance de charge est de 50 Ω et calculer la puissance maximale de charge. Calculer la puissance dissipée maximale du transistor.

10-11. Démontrer que la formule

$$P_{D(\max)} = 0{,}2 P_{L(\max)}$$

donne la puissance dissipée maximale par transistor d'un amplificateur push-pull classe B.

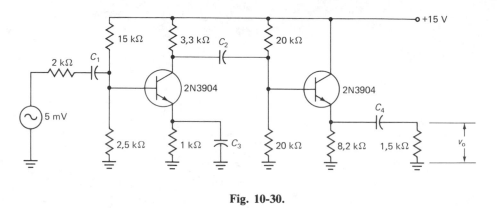

Fig. 10-30.

10-12. Tracer la droite de charge dynamique de l'amplificateur représenté à la figure 10-31 *a*. Calculer la dynamique du signal alternatif de sortie et la puissance maximale de charge. Calculer la puissance dissipée maximale par transistor dans le pire cas.

10-13. Soit l'amplificateur représenté à la figure 10-31 *a*. On règle R pour obtenir une tension V_{BE} de 0,68 V et un courant I_{CQ} de 20 mA. Calculer le courant d'alimentation par étage en l'absence de signal, le courant d'alimentation à plein signal et le rendement par étage.

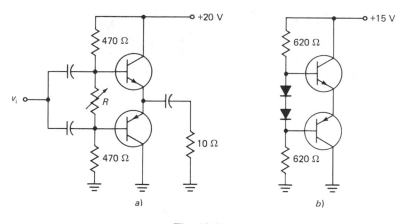

Fig. 10-31.

10-14. On règle R de l'amplificateur représenté à la figure 10-31 *a* pour avoir $V_{BE} = 0,66$ V et $I_{CQ} = 5$ mA. Supposer que la température du transistor monte de 25 °C à 55 °C et calculer la nouvelle valeur de I_{CQ}.

10-15. Soit l'amplificateur représenté à la figure 10-31 *b*. Calculer le courant qui traverse les résistances de polarisation. Supposer que les caractéristiques des diodes sont adaptées aux caractéristiques de V_{BE} et calculer I_{CQ}.

10-16. Soit l'amplificateur représenté à la figure 10-31 *b*. Supposer que la tension d'alimentation passe de 15 V à 25 V et calculer I_{CQ}.

10-17. Soit l'amplificateur représenté à la figure 10-32. Calculer la résistance R pour laquelle $V_{CEQ} = 10$ V à chaque transistor de sortie. (Prendre une chute de 0,7 V pour chaque diode de compensation).

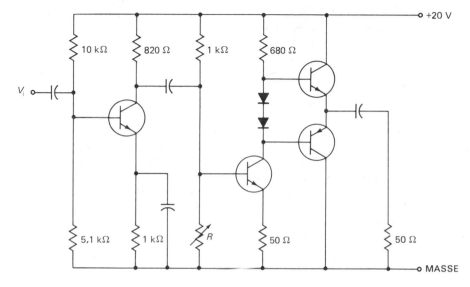

Fig. 10-32.

10-18. Supposer que les chutes entre les bornes des transistors de sortie de l'amplificateur représenté à la figure 10-32 sont égales et calculer la tension en chaque nœud de l'amplificateur.

10-19. Calculer les valeurs approximatives de $P_{L(\text{max})}$ et $P_{D(\text{max})}$ de l'étage de sortie de l'amplificateur représenté à la figure 10-32.

10-20. Calculer I_{CQ} de l'étage de sortie de l'amplificateur représenté à la figure 10-32.

10-21. Calculer le courant continu d'alimentation maximal de l'amplificateur représenté à la figure 10-32.

10-22. Un transistor 2N3904 a une puissance limite de 310 mW à la température ambiante de 25°C. Supposer que le coefficient de réduction est de 2,81 mW/°C et calculer la puissance limite à la température ambiante de 70°C.

10-23. La figure 10-25 représente la courbe de réduction d'un transistor. Supposer que la gamme de température ambiante va de 0°C à 70°C et calculer la puissance limite dans le pire cas.

10-24. La fiche signalétique d'un transistor 2N3055 donne une puissance limite de 115 W pour une température de boîtier de 25°C. Supposer que le coefficient de réduction est de 0,657 W/°C et calculer $P_{D(\text{max})}$ lorsque la température du boîtier est de 90°C.

10-25. Un transistor doit fonctionner sur une gamme de température ambiante allant de 0°C à 80°C. Les résistances thermiques de ce transistor et de son radiateur sont $\theta_{CS} = 0,3$°C/W et $\theta_{SA} = 2,3$°C/W. Supposer que la puissance dissipée par ce transistor est de 40 W et calculer la température maximale du boîtier.

De dépannage

10-26. On construit l'amplificateur représenté à la figure 10-31 *a*. On règle *R* pour obtenir un courant I_{CQ} de 20 mA. Cinq minutes plus tard, on revérifie l'amplificateur et l'on découvre que le transistor du haut a été détruit. Expliquer ce qui s'est produit et comment régler ce problème.

10-27. L'amplificateur représenté à la figure 10-30 ne fonctionne pas. De plus, le courant d'alimentation d'environ 5,6 mA relevé par un ampèremètre monté en série avec l'alimentation de 15 V est trop grand. Trouver la (les) cause(s) possible(s) de ce dérangement parmi les suivantes :

a) Le condensateur C_1 est court-circuité;

b) Le condensateur C_3 est court-circuité;

c) Les bornes collecteur-émetteur du premier étage sont court-circuitées;

d) Le condensateur C_4 est ouvert.

10-28. On essaie de polariser les transistors 2N3904 et 2N3906 de l'amplificateur représenté à la figure 10-31 *b* à l'aide de deux diodes 1N914. On relève un courant I_{CQ} de 25 mA. Décrire la cause de ce dérangement.

10-29. A plein signal la tension de crête à crête entre les bornes de la charge de 50 Ω de l'amplificateur représenté à la figure 10-32 est nulle. Trouver la (les) causes(s) possible(s) de ce dérangement parmi les suivantes :

a) Le condensateur de couplage d'entrée est court-circuité;

b) La tension d'alimentation est seulement de 15 V;

c) La résistance de charge est ouverte;

d) La résistance de charge est court-circuitée.

De conception

10-30. Soit l'amplificateur représenté à la figure 10-29 *b*. Déterminer le point *Q* optimal pour obtenir la dynamique maximale du signal alternatif de sortie.

10-31. Concevoir de nouveau le diviseur de tension du deuxième étage de l'amplificateur représenté à la figure 10-30 pour obtenir la dynamique maximale du signal alternatif de sortie.

10-32. Soit l'amplificateur représenté à la figure 10-31 *b*. Supposer que les caractéristiques des diodes sont adaptées aux caractéristiques de V_{BE}. Choisir les résistances pour que $I_{CQ} = 5$ mA.

10-33. Concevoir un amplificateur semblable à celui représenté à la figure 10-32 tel que $V_{CC} = 9$ V et $R_L = 3{,}2$ Ω.

De défi

10-34. Démontrer que le rendement maximal par étage d'un amplificateur push-pull classe B à émetteurs suiveurs est de 78,6 %.

10-35. On ne polarise pas les transistors de l'amplificateur push-pull classe B à émetteurs suiveurs représenté à la figure 10-33 *a* par des diodes ni d'aucune autre façon. Expliquer pourquoi il n'y a pas de distorsion de croisement.

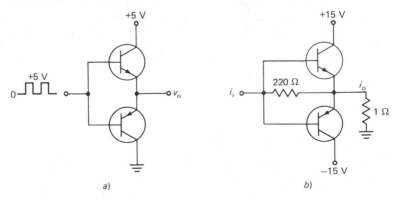

Fig. 10-33.

10-36. L'amplificateur représenté à la figure 10-33 *b* est un amplificateur de courant. Supposer que les transistors entrent en conduction lorsque $V_{BE} = 0,7$ V et calculer le courant de source en ce point. Prendre $\beta_{CC} = 80$ et calculer le courant de charge lorsque le courant de source est de 5 mA. Dire à quoi sert un tel circuit.

A résoudre par ordinateur

10-37. L'initiale des variables types des microordinateurs va de la lettre A à la lettre Z. Le deuxième caractère est une lettre ou un chiffre de 1 à 9. Exemples de bonnes variables : P, D3, R4 et PS. On peut utiliser plus de caractères, mais l'ordinateur n'identifie que les deux premiers. Donc, l'ordinateur ne distingue pas ICQ de ICSAT. Trouver les variables parmi les noms suivants :

a. PS;

b. 5 WQ;

c. R;

d. ICQ;

e. VCEQ.

10-38. Un sous-programme est un programme niché dans un programme plus vaste. Lors de l'exécution de ce plus vaste programme, on peut exécuter les sous-programmes tant et plus. Les instructions GOSUB et RETURN permettent d'utiliser un sous-programme quand on le veut. Le programme ci-dessous calcule le courant de saturation dynamique et la tension de blocage dynamique d'un amplificateur à émetteur commun.

```
10   PRINT "INTRODUIRE ICQ" : INPUT ICQ
20   PRINT "INTRODUIRE VCEQ" : INPUT VCEQ
30   PRINT "INTRODUIRE RC" : INPUT RC
40   PRINT "INTRODUIRE RL" : INPUT RL
50   GOSUB 1000
60   PRINT "LE COURANT DE SATURATION ÉGALE" : PRINT ISAT
70   PRINT "LA TENSION DE BLOCAGE ÉGALE" : PRINT VBLOC
80   STOP
     .
     .
     .
1000  Y = 1/RC + 1/RL
1010  R = 1/Y
1020  ISAT = ICQ + VCEQ/R
1030  VBLOC = VCEQ + ICQ*R
1040  RETURN
```

Après introduction de I_{CQ}, V_{CEQ}, R_C et R_L, l'ordinateur rencontre l'instruction GOSUB 1000, qui passe la main au sous-programme localisé à la ligne 1000. Le sous-programme va des lignes 1000 à 1040. Un sous-programme se termine toujours par l'instruction RETURN, qui repasse la main au programme principal. L'ordinateur reprend l'exécution du programme principal à la ligne 60.

Dire que l'ordinateur calcule aux lignes 1020 et 1030 et ce qu'il affiche sur l'écran.

10-39. Considérer le sous-programme

```
2000  PS = ICQ*R
2010  NS = VCEQ
2020  IF PS < NS THEN GOTO 2050
2030  PP = 2*NS
2040  GOTO 2060
2050  PP = 2*PS
```

2060   RETURN

Dire ce que l'ordinateur calcule aux lignes 2000 et 2030. Supposer que PS est plus petit que NS et trouver la valeur de PP à la fin du sous-programme.

10-40.   Ecrire un sous-programme, semblable à celui du problème 10-38, pour calculer la dynamique du signal alternatif de sortie d'un amplificateur classe A à émetteur suiveur. Commencer le sous-programme à la ligne 3000.

10-41.   Ecrire un programme qui introduit la puissance limite à 25°C, le coefficient de réduction et la température ambiante. Terminer le programme en lui faisant afficher la nouvelle puissance limite.

Amplificateurs classe C et autres

Un amplificateur classe C peut fournir une plus grande puissance de charge qu'un amplificateur classe B. Toutefois, pour amplifier une onde sinuoïdale, il faut accorder l'amplificateur à la fréquence de l'onde sinuoïdale. Voilà pourquoi l'amplificateur classe C à résonance est un amplificateur bande étroite; il ne peut amplifier que les signaux de fréquence égale ou voisine à la fréquence de résonance. Pour ne pas utiliser de grosses bobines ni d'énormes condensateurs dans l'amplificateur à résonance, on fait toujours fonctionner les amplificateurs classe C aux radiofréquences (RF). Les radiofréquences sont supérieures à 20 kHz. Donc, même si le rendement des amplificateurs classe C est supérieur à celui des amplificateurs de toutes les autres classes, on n'utilise la classe C que dans les applications RF à bande étroite.

Dans ce chapitre, en plus de la classe C, nous étudierons le fonctionnement des amplificateurs classes D, E, F et S. La classe D est importante dans les émetteurs. Ces appareils émettent des signaux RF que captent les récepteurs. La classe S est importante dans les régulateurs à découpage (étudiés au chapitre 19).

11.1. FONCTIONNEMENT EN CLASSE C

Par *fonctionnement en classe C,* entendre que le courant collecteur circule durant moins de 180° du cycle alternatif. Donc, le courant collecteur d'un amplificateur classe C est fortement non sinusoïdal puisqu'il est pulsatoire ou pulsé. Pour éviter la distorsion que provoquerait une charge résistive pure, un amplificateur classe C attaque toujours un circuit résonnant parallèle. La tension de sortie est sinusoïdale.

AMPLIFICATEUR A RÉSONANCE

La figure 11-1*a* représente une façon de construire un amplificateur classe C. Le circuit résonnant parallèle est accordé sur la fréquence du signal d'entrée. Si le facteur de qualité (*Q*) du circuit résonnant est élevé, la résonance parallèle se produit pour

$$f_r \cong \frac{1}{\pi \sqrt{LC}} \tag{11-1}$$

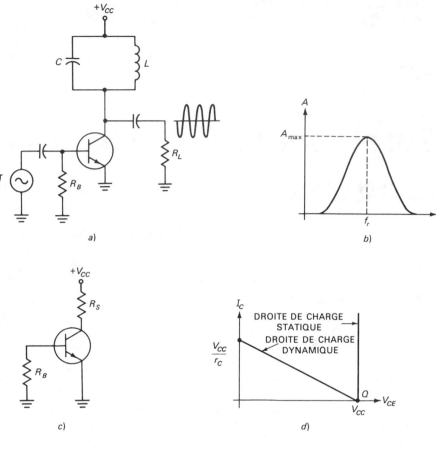

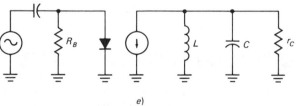

Fig. 11-1. a) *Amplificateur classe C à résonance.* b) *Réponse en fréquence.* c) *Circuit équivalent en courant continu.* d) *Droites de charge.* e) *Circuit équivalent en courant alternatif pour Q supérieur à 10.*

Dans cette formule, f_r = fréquence de résonance
L = inductance
C = capacité

A la fréquence de résonance, l'impédance du circuit résonnant parallèle est très grande et purement résistive. (Cette approximation est exacte si le facteur Q du circuit est supérieur à 10, une condition habituellement remplie dans les circuits RF accordés ou à résonance). Lorsque le circuit est accordé, la tension entre les bornes de R_L est maximale et sinusoïdale.

La figure 11-1 *b* représente la variation du gain en tension en fonction de la fréquence. Le gain en tension passe par un maximum $A_{\max}$ lorsque la fréquence égale f_r. Au-dessous et au-dessus de la fréquence de résonance, le gain en tension diminue. Plus le facteur Q du circuit est élevé, plus le gain chute rapidement sur chaque côté de la fréquence de résonance.

PAS DE POLARISATION

La figure 11-1 *c* représente le circuit équivalent en courant continu. Remarquer qu'on ne polarise pas le transistor. Donc le point Q se confond avec le point de blocage sur la droite de charge statique. Comme la polarisation statique est nulle, la tension V_{BE} est nulle. Donc aucun courant collecteur ne circule jusqu'à ce que le signal d'entrée soit supérieur à environ 0,7 V. Remarquer aussi que la résistance de collecteur en courant continu est R_S. C'est la résistance en courant continu de la bobine RF, de quelques ohms habituellement.

DROITE DE CHARGE STATIQUE ET DROITE DE CHARGE DYNAMIQUE

La résistance R_S est si petite que la droite de charge statique est presque verticale (figure 11-1 *d*). Il n'y a aucun danger de dérive ou de glissement thermique, puisque le seul courant de transistor est celui de fuite. Donc le point Q se confond avec le point de blocage.

L'équation de la droite de charge dynamique est identique à celle trouvée au chapitre 10. Dans le cas d'un amplificateur à émetteur commun

$$I_{C(\text{sat})} = I_{CQ} + \frac{V_{CEQ}}{r_C}$$

et

$$V_{CE(\text{blocage})} = V_{CEQ} + I_{CQ}r_C$$

Dans l'amplificateur classe C représenté à la figure 11-1 *a*, $I_{CQ} = 0$ et $V_{CEQ} = V_{CC}$. Donc, les formules précédentes se réduisent à

$$I_{C(\text{sat})} = \frac{V_{CC}}{r_C} \tag{11-2}$$

et

$$V_{CE(\text{blocage})} = V_{CC} \tag{11-3}$$

La figure 11-1 *d* représente la droite de charge dynamique. Lorsque le transistor conduit, son point de fonctionnement se déplace vers le haut de la droite de charge dynamique. Comme auparavant, le collecteur voit la résistance r_C en courant alternatif. Par conséquent, le courant de saturation dynamique d'un amplificateur classe C égale V_{CC}/r_C et l'excursion maximale de tension égale V_{CC}.

CIRCUIT ÉQUIVALENT EN COURANT ALTERNATIF

Si le facteur Q d'un circuit résonnant est supérieur à 10, on peut utiliser le circuit équivalent approximatif en courant alternatif représenté à la figure 11-1 *e*. Dans ce circuit équivalent, la résistance série de la bobine est concentrée dans la résistance de collecteur. Dans un amplificateur classe C, le condensateur d'entrée fait partie d'un circuit de fixation négative de la tension continue. Donc, la tension est fixée négativement sur le côté entrée d'un amplificateur classe C. Sur le côté sortie, la source de courant collecteur attaque un circuit résonnant parallèle. La tension de crête à crête de charge passe par un maximum à la résonance.

Selon la théorie élémentaire des circuits électriques, la *bande passante* d'un circuit résonnant égale

$$B = f_2 - f_1 \qquad (11\text{-}4)$$

Dans cette formule, f_1 = fréquence inférieure à demi-puissance
f_2 = fréquence supérieure à demi-puissance

La bande passante dépend de la fréquence de résonance et du facteur Q du circuit selon la formule

$$B = \frac{f_r}{Q} \qquad (11\text{-}5)$$

dans laquelle, B = bande passante
f_r = fréquence de résonance
Q = facteur de qualité de tout le circuit.

Donc, un grand facteur Q produit une petite bande passante et par conséquent un accord pointu. Le facteur Q des amplificateurs classe C est presque toujours supérieur à 10. Dans ce cas, la bande passante est inférieure à 10 % de la fréquence de résonance. D'où le nom d'*amplificateurs bande étroite* attribué aux amplificateurs classe C. La sortie d'un amplificateur bande étroite est une grande tension sinusoïdale à la résonance entourée d'une rapide chute au-dessus et au-dessous de la résonance.

PLONGÉE DU COURANT A LA RÉSONANCE

Habituellement, le facteur Q d'un amplificateur à résonance est supérieur à 10, cela permet d'utiliser le circuit équivalent en courant alternatif représenté à la figure 11-1 *e*. Dans ce circuit équivalent, la résistance série de la bobine est concentrée dans la résistance r_C de collecteur. Nous avons donc une bobine idéale en parallèle avec un condensateur idéal. Lorsque ce circuit entre en résonance, la source de courant collecteur voit une impédance de charge en courant alternatif purement résistive, et le courant collecteur est minimal. Au-dessus et au-dessous de la résonance, l'impédance de charge en courant alternatif décroît et le courant collecteur croît.

Supposons que la fréquence de résonance est de 5 MHz. Lorsque la fréquence d'entrée est de 5 MHz, le circuit résonnant parallèle entre en résonance et le courant collecteur est minimal. Si la fréquence d'entrée est inférieure à 5 MHz, le circuit résonnant parallèle est inductif et le courant collecteur augmente. Si la fréquence d'entrée est supérieure à 5 MHz, le circuit résonnant parallèle est capacitif et le courant collecteur augmente.

Pour accorder un circuit résonnant parallèle à la fréquence d'entrée, on peut rechercher une *plongée du courant continu* d'alimentation de l'amplificateur. Pour cela, on monte un ampèremètre pour courant continu en série avec l'alimentation V_{CC}. Lorsque le circuit résonnant entre en résonance, le courant relevé plonge à un minimum. Cela indique que l'amplificateur entre en résonance à la fréquence d'entrée.

RÉSISTANCE EN COURANT ALTERNATIF DE COLLECTEUR

Toute bobine possède une résistance série R_S. Sur les schémas, cette résistance série n'apparaît jamais sous la forme d'un composant distinct. Mais il faut se souvenir qu'elle existe (fig. 11-2 *a*). Le facteur de qualité Q de la bobine égale

$$Q_L = \frac{X_L}{R_S} \tag{11-6}$$

Dans cette formule, Q_L = facteur de qualité de la bobine
X_L = réactance inductive
R_S = résistance de la bobine

Retenir que ce facteur de qualité est celui de la bobine seule. Le facteur Q de tout le circuit est plus petit parce qu'il inclut l'effet de la résistance de charge et celui de la résistance de la bobine.

Selon la théorie élémentaire des circuits, on peut remplacer la résistance série de la bobine par une *résistance parallèle R_P* (fig. 11-2 *b*). On a

$$R_P = Q_L X_L \tag{11-7}$$

Si Q_L est supérieur à 10, l'erreur de cette formule est inférieure à 1 %.

A la figure 11-2 *b* il importe de remarquer que la résistance parallèle R_P représente toutes les pertes de la bobine : le circuit équivalent ne comporte plus de résistance série R_S. Donc, à la résonance, X_L et C_C s'annulent et il ne reste que R_P en parallèle avec R_L. Alors, à la résonance, le collecteur voit la résistance en courant alternatif

$$r_C = R_P \, /\!/ \, R_L \tag{11-8}$$

Le facteur Q *de tout le circuit* égale

$$Q = \frac{r_C}{X_L} \tag{11-9}$$

Ce facteur Q est inférieur au facteur Q_L de la bobine.

En pratique, le facteur Q de la bobine des amplificateurs classe C est habituellement d'au moins 50 et celui du circuit d'au moins 10. Le facteur Q total

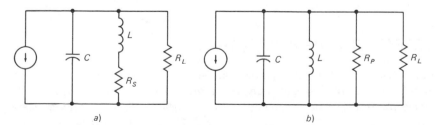

Fig. 11-2. a) R_S *représente les pertes de la bobine.* b) R_P *représente les pertes de la bobine.*

étant d'au moins 10, l'amplificateur est à bande étroite. le facteur Q de la bobine étant d'au moins 50, presque toute la puissance de charge en alternatif est fournie à la résistance de charge, seule une petite partie de la puissance est perdue dans la résistance de la bobine.

FIXATION DE LA TENSION CONTINUE

Examinons de près la fixation de la tension continue du côté entrée. Considérons le circuit représenté à la figure 11-3 *a*. Le signal d'entrée charge le condensateur de couplage jusqu'à approximativement V_P avec la polarité représentée. Durant l'alternance positive, la diode émetteur conduit brièvement aux crêtes ; cela restitue la charge du condensateur perdue durant le cycle. La résistance R_B constitue le seul chemin de décharge durant l'alternance négative. Si la période T du signal d'entrée est nettement inférieure à la constante de temps $R_B C$, le condensateur ne perd qu'une petite partie de sa charge.

Pour remplacer la charge perdue du condensateur, la tension base doit dévier légèrement au-dessus de 0,7 V pour faire conduire brièvement la diode émetteur à chaque crête positive (fig. 11-3 *a*). Donc, l'angle de conduction de la base et de circulation du courant collecteur est nettement inférieur à 180°. Voilà pourquoi le courant collecteur est un train d'impulsions étroites (fig. 11-3 *b*).

COEFFICIENT D'UTILISATION

La brève conduction de la diode émetteur à chaque crête positive donne les étroites impulsions du courant collecteur. D'où la commodité, qu'offre le *coefficient d'utilisation*. Par définition,

$$D = \frac{W}{T} \tag{11-10}$$

Dans cette formule, $D* =$ coefficient d'utilisation
          W = largeur d'impulsion
          T = période des impulsions

Le coefficient d'utilisation d'une impulsion de 0,2 μs et de période de 1,6 μs affichée par un oscilloscope égale

$$D = \frac{0,2\ \mu s}{1,5\ \mu s} = 0,125$$

soit 12,5 %.

FILTRAGE DES HARMONIQUES

Nous avons vu que toute onde non sinusoïdale est composée d'une onde fondamentale de fréquence f, d'un deuxième harmonique de fréquence $2f$, d'un troisième harmonique de fréquence $3f$, etc. Considérons le circuit représenté à la

---

* N.d.T. D est mis pour *Duty cycle* (coefficient d'utilisation).

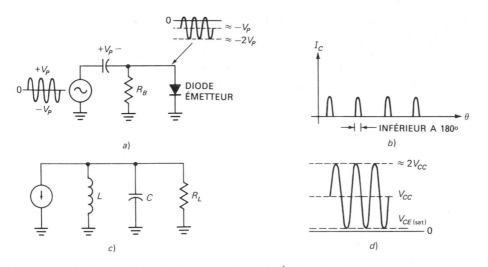

Fig. 11-3. a) *Fixation négative de tension base.* b) *Étroites impulsions du courant collecteur.* c) *Circuit équivalent en courant alternatif.* d) *Tension collecteur.*

figure 11-3 *c*. La source de courant collecteur attaque le circuit résonnant parallèle avec le courant non sinusoïdal représenté à la figure 11-3 *b*. Si le circuit résonnant entre en résonance à la fréquence fondamentale *f*, alors tous les harmoniques sont éliminés et la tension de charge est une onde sinusoïdale de fréquence égale à la fréquence fondamentale (figure 11-3 *d*). Nous avons vu que l'excursion maximale de tension le long de la droite de charge dynamique est d'environ V_{CC}. Par conséquent, à plein signal, la tension de charge dévie d'environ $V_{CE(\text{sat})}$ à $2V_{CC}$. Comme la tension $V_{CE(\text{sat})}$ est presque nulle, la dynamique du signal alternatif de sortie d'un amplificateur classe C égale

$$\text{PP} \cong 2V_{CC} \tag{11-11}$$

L'amplificateur classe C est plutôt inhabituel. D'abord, sa fixation négative du signal d'entrée donne des impulsions de courant fortement déformées. Puis son circuit résonnant à facteur *Q* élevé rétablit la fréquence fondamentale. On agit de cette façon pour améliorer le rendement par étage. Le courant d'alimentation est plus petit puisqu'il n'y a pas de résistances de polarisation. De plus, en raison des étroites impulsions de courant, la puissance dissipée par le transistor est inférieure à celle des amplificateurs classes A et B. Un courant d'alimentation moindre entraîne un rendement par étage plus élevé. Nous verrons que le rendement d'un amplificateur classe C tend vers 100 %.

DÉPANNAGE

Voici un excellent essai pour dépanner un amplificateur classe C. Comme le signal du côté entrée est fixé négativement, on peut mesurer la tension moyenne entre les bornes de la diode émetteur à l'aide d'un voltmètre pour tension continue. Si le circuit fonctionne convenablement, on relèvera une tension négative à peu près égale à la tension de crête du signal d'entrée. (En effet, la tension continue représentée à la figure 11-3 *a* est d'environ $- V_P$). Pour effectuer cet essai sur un amplificateur classe C, utiliser un voltmètre de grande impédance afin de ne pas charger le circuit ni de changer la constante de temps.

Cet essai est utile lorsqu'on n'a pas d'oscilloscope. Si on en a un, il vaut mieux, relever la tension entre les bornes de la diode émetteur. Si le circuit fonctionne bien, on relèvera une forme d'onde fixée négativement.

EXEMPLE 11-1

Expliquer les formes d'ondes représentées à la figure 11-4.

SOLUTION

La tension alternative de crête à crête du signal de source est de 10 V. Comme cette source est à la masse, la tension moyenne de ce signal est de 0 V. On fixe négativement le signal à la base du transistor. La tension continue base est de − 4,3 V parce que la tension doit dévier jusqu'à environ + 0,7 V pour faire conduire la diode émetteur à chaque crête positive. Remarquons que la tension de crête à crête du signal fixé est de 10 V, la même que celle du signal de source.

Le signal collecteur est inversé en raison du montage à émetteur commun. La tension continue ou moyenne collecteur est de + 15 V, la tension d'alimentation. (Nous avons vu que le point Q se confond avec le point de blocage, d'où une tension de repos de + V_{CC}).

Nous retrouvons le même signal inversé entre les bornes de la résistance de charge, à l'exception près qu'on le considère par rapport à la masse, parce que le condensateur laisse passer l'alternatif et bloque le continu. Donc, on ne relève qu'une tension alternative entre les bornes de la résistance de charge.

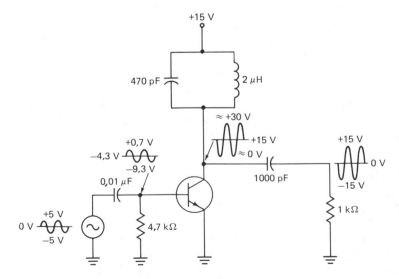

Fig. 11-4. *Amplificateur classe C à résonance.*

EXEMPLE 11-2

Le facteur Q de la bobine de l'amplificateur représenté à la figure 11-4 est de 50. Calculer la fréquence de résonance, le courant de saturation dynamique, la tension de blocage dynamique, la bande passante et la dynamique du signal alternatif de sortie.

SOLUTION

La fréquence de résonance égale

$$f_r = \frac{1}{2\pi \sqrt{(2\ \mu\text{H})\ (470\ \text{pF})}} = 5{,}19\ \text{MHz}$$

Donc, la réactance inductive égale

$$X_L = 2\ \pi(5{,}19\ \text{MHz})(2\ \mu\text{H}) = 65{,}2\ \Omega$$

Selon la formule (11-7),

$$R_P = 50(65{,}2\ \Omega) = 3{,}26\ \text{k}\Omega$$

La résistance de charge en courant alternatif r_C égale la résistance équivalente de R_P en parallèle avec R_L, d'où

$$r_C = 3{,}26\ \text{k}\Omega \parallel 1\ \text{k}\Omega = 765\ \Omega$$

Le courant de saturation dynamique égale

$$I_{C(\text{sat})} = \frac{15\ \text{V}}{765\ \Omega} = 19{,}6\ \text{mA}$$

et la tension de blocage dynamique égale

$$V_{CE(\text{blocage})} = 15\ \text{V}$$

La facteur Q de tout le circuit égale

$$Q = \frac{765\ \Omega}{65{,}2} = 11{,}7$$

La bande passante égale

$$B = \frac{5{,}19\ \text{kHz}}{11{,}7} = 0{,}444\ \text{kHz}$$

Selon la formule (11-11), la dynamique du signal alternatif de sortie égale

$$PP \cong 2(15\ \text{V}) = 30\ \text{V}$$

11.2. RELATIONS DE PUISSANCE EN CLASSE C

La puissance de charge, la puissance dissipée par transistor, le courant d'alimentation et le rendement par étage d'un amplificateur classe C diffèrent de ceux des amplificateurs classe A et B. L'angle de conduction étant inférieur à 180°, l'analyse mathématique des relations de puissance des amplificateurs classe C est très compliquée et dépasse le cadre de cet ouvrage. Dans cette section, nous décrirons brièvement les relations de puissance d'un amplificateur classe C sans les démontrer *.

PUISSANCE DE CHARGE

La puissance de charge en alternatif d'un amplificateur classe C égale

$$P_L = \frac{V_{PP}^2}{8\,R_L} \tag{11-12}$$

Dans cette formule, P_L = puissance de charge en alternatif
V_{PP} = tension de crête à crête de charge
R_L = résistance de charge

Cette formule est utile lorsqu'on mesure la tension de charge avec un oscilloscope.

La *puissance de charge est maximale* lorsqu'on utilise toute la droite de charge dynamique. Comme PP égale la valeur non écrêtée maximale de V_{PP}, la puissance maximale de charge égale, en fonction de la dynamique du signal alternatif de sortie,

$$P_{L(\text{max})} = \frac{PP^2}{8\,R_L} \tag{11-13}$$

On attaque presque toujours assez durement les amplificateurs classe C pour utiliser toute la droite de charge dynamique. Donc, la puissance de charge et le rendement par étage sont maximaux.

PUISSANCE DISSIPÉE PAR LE TRANSISTOR

La figure 11-5 *a* représente la tension idéale collecteur-émetteur d'un amplificateur classe C à transistor. Le circuit résonnant parallèle élimine tous les harmoniques et donne une tension sinusoïdale de fréquence égale à la fréquence fondamentale f_r. La tension maximale étant d'environ 2 V_{CC}, la tension limite V_{CEO} du transistor doit être supérieure à 2 V_{CC}.

La figure 11-5 *b* représente le courant collecteur d'un amplificateur classe C. L'angle de conduction ϕ est inférieur à 180°. Remarquer que le courant collecteur maximal égale $I_{C(\text{sat})}$. Le courant de crête limite du transistor doit être supérieur à $I_{C(\text{sat})}$. Le tracé en tirets représente la partie du cycle durant laquelle le transistor est bloqué.

On détermine la *puissance dissipée* par le transistor par le calcul infinitésimal. Selon la figure 11-5 *c,* elle varie en fonction de l'angle de conduction. Remarquer que la puissance dissipée augmente en fonction de l'angle de conduction jusqu'à 180º, le cas de la classe B. En ce point, la puissance dissipée est maximale et égale $PP^2/40r_C$. Par mesure de prudence, on utilise, lors de la conception, un transistor

---

* Pour l'analyse mathématique des amplificateurs classe C, consulter H.L. Krauss, C.W. Bostian et F.H. Raab, *Solid State Radio Engineering,* John Wiley & Sons, New York, pp. 394-428.

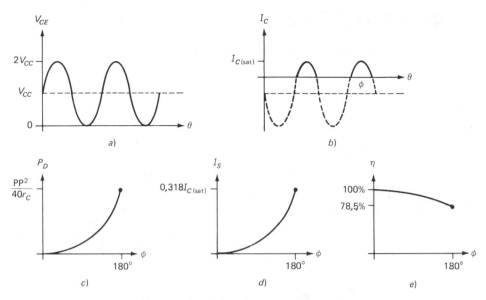

Fig. 11-5. a) *Tension collecteur idéale.* b) *Courant collecteur.* c) *Puissance dissipée par le transistor.* d) *Courant continu d'alimentation.* e) *Rendement par étage.*

de puissance limite supérieure à $PP^2/40r_C$. Dans les conditions normales, l'angle de conduction est inférieur à 180° et le transistor fonctionne nettement au-dessous de sa puissance limite.

COURANT CONSOMMÉ OU D'ALIMENTATION

Selon la figure 11-5 *b*, le courant continu ou moyen collecteur dépend de l'angle de conduction. Pour un angle de conduction de 180°, le courant moyen est de $0,318\ I_{C(sat)}$. Pour de plus petits angles de conduction, le courant moyen est inférieur à cela (fig. 11-5 *d*). Ce courant continu ou moyen est le seul *courant consommé* d'un amplificateur classe C. La puissance en continu fournie au circuit égale

$$P_S = V_{CC}I_S \tag{11-14}$$

Dans cette formule, P_S = puissance en continu fournie par l'alimentation
V_{CC} = tension d'alimentation
I_S = courant continu consommé

Cette puissance se dissipe dans la charge, le transistor et la bobine. Négligeons la petite puissance en alternatif dans l'amplificateur. Il vient

$$P_S = P_L + P_D + P_{(bobine)} \tag{11-15}$$

Dans cette formule, P_S = puissance en continu fournie par l'alimentation
P_L = puissance de charge en alternatif
P_D = puissance dissipée dans le transistor
$P_{(bobine)}$ = puissance perdue dans la bobine.

Selon la formule (11-15), toute la puissance en continu qui entre dans le circuit doit en sortir sous la forme d'une puissance de charge ou d'une puissance perdue dans le transistor et dans la bobine.

RENDEMENT PAR ÉTAGE

Le *rendement par étage* d'un amplificateur classe C égale

$$\eta = \frac{P_{L(\text{max})}}{P_S} \times 100\,\% \tag{11-16}$$

Dans un amplificateur classe C, presque tout la puissance fournie par l'alimentation est convertie en puissance de charge en alternatif; les pertes dans le transistor et la bobine sont si petites qu'on peut les ignorer. Voilà pourquoi le rendement par étage d'un amplificateur classe C est si élevé.

La figure 11-5 *e* représente la variation du rendement optimal par étage en fonction de l'angle de conduction. Lorsque l'angle est de 180°, le rendement par étage est de 78,5 %, le rendement maximal théorique d'un amplificateur classe B. Lorsque l'angle de conduction décroît, le rendement par étage augmente. Selon la courbe, le rendement maximal d'un amplificateur classe C est de 100 %, valeur approchée aux très petits angles de conduction.

ATTAQUE PLEIN SIGNAL

Pour obtenir un rendement élevé, on applique un signal alternatif d'entrée suffisamment grand pour attaquer l'amplificateur classe C sur toute la droite de charge dynamique. Alors, l'excursion de crête à crête de la tension de sortie est d'environ 2 V_{CC}. Dans ce cas, l'amplificateur classe C est le plus efficace de tous les amplificateurs, quelle que soit leur classe, parce qu'il fournit une plus grande puissance de charge pour une alimentation donnée que tout autre amplificateur, quelle que soit sa classe. Retenir qu'on n'obtient ce rendement que dans une bande étroite.

CONCLUSION

Nous avons dressé au tableau 11-1 les formules les plus importantes d'un amplificateur RF à résonance classe C. Il est essentiel de remarquer que le facteur Q de ces formules inclut la bobine et la charge. Ce facteur Q est inférieur à celui de la bobine. Le facteur Q du circuit de la plupart des amplificateurs RF à résonance est supérieur à 10 pour avoir une bande étroite. Remarquer aussi le coefficient de sécurité de la puissance dissipée maximale par transistor.

EXEMPLE 11-3

Calculer la puissance maximale de charge et la perte de la bobine de l'amplificateur représenté à la figure 11-4. Supposer que le transistor dissipe une puissance de 7,5 mW et calculer le courant d'alimentation et le rendement par étage.

SOLUTION

$V_{CC} = 15$ V, d'où

$$PP = 2(15\text{ V}) = 30\text{ V}$$

Tableau 11-1. Formules de la classe C

Grandeur	Formule	Commentaire
f_r	$1/2\pi\sqrt{LC}$	Fréquence de résonance de l'étage RF à résonance
B	f_r/Q	Q du circuit, inclut la charge et la bobine
Q	r_C/X_L	résistance équivalente de la charge et de la bobine
$I_{C(\text{sat})}$	V_{CC}/r_C	résistance équivalente de la charge et de la bobine en parallèle
$V_{CE(\text{blocage})}$	V_{CC}	tension de blocage
PP	$2V_{CC}$	dynamique du signal alternatif de sortie
P_L	V_L^2/R_L	tension efficace
P_L	$V_{\text{pp}}^2/8R_L$	tension de crête à crête
$P_{L(\text{max})}$	$PP^2/8R_L$	puissance de sortie non déformée maximale
$P_{D(\text{max})}$	$PP^2/40r_C$	inclut le coefficient de sécurité, voir le texte
P_S	V_{CC}/I_S	alimentation
η	$P_{L(\text{max})}/P_S$	rendement par étage, multiplier par 100 %

et

$$P_{L(\text{max})} = \frac{(30\ \text{V})^2}{8(1000\ \Omega)} = 113\ \text{mW}$$

Selon un calcul antérieur, la résistance parallèle de la bobine est de 3,26 kΩ. Donc la perte de puissance dans la bobine égale

$$P_{(\text{bobine})} = \frac{(30\ \text{V})^2}{8(3260\ \Omega)} = 34,5\ \text{mW}$$

Selon la formule (11-15),

$$P_S = 113\ \text{mW} + 7,5\ \text{mW} + 34,5\ \text{mW} = 155\ \text{mW}$$

Donc le courant d'alimentation égale

$$I_S = \frac{155\ \text{mW}}{15\ \text{V}} = 10,3\ \text{mA}$$

et le rendement par étage égale

$$\eta = \frac{113\ \text{mW}}{155\ \text{mW}} = 72,9\ \%$$

11.3. MULTIPLICATEURS DE FRÉQUENCE

On utilise un amplificateur à résonance classe C pour son grand gain en puissance et aussi à titre de *multiplicateur de fréquence*. Dans ce dernier cas, le principe est d'accorder le circuit résonnant parallèle à un harmonique ou multiple de la fréquence d'entrée. La figure 11-6 *a* représente d'étroites impulsions de courant attaquant un amplificateur à résonance. La fréquence fondamentale de ces

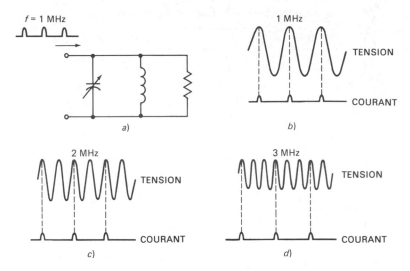

Fig. 11-6. *Multiplicateurs de fréquence.* a) *Des impulsions de courant attaquent le circuit résonnant parallèle.* b) *Accord sur la fondamentale.* c) *Accord sur le deuxième harmonique.* d) *Accord sur le troisième harmonique.*

impulsions est d'1 MHz. Dans un amplificateur ordinaire classe C à résonance, on accorde le circuit résonnant à la fréquence fondamentale. Alors chaque impulsion de courant recharge le condensateur une fois par cycle de sortie (fig. 11-6 *b*).

Supposons qu'on rende la fréquence de résonance du circuit résonnant parallèle égale à 2 MHz, le deuxième harmonique d'1 MHz. Alors le condensateur et la bobine échangent leurs énergies à la fréquence de 2 MHz et produisent une tension de charge de fréquence de 2 MHz (fig. 11-6 *c*). Dans ce cas, les impulsions de courant d'1 MHz rechargent le condensateur un cycle de sortie sur deux. Cela contrebalance les pertes en puissance de la bobine et de la charge.

Si l'on accorde le circuit résonnant sur 3 MHz, le troisième harmonique d'1 MHz, la fréquence du signal de sortie est de 3 MHz (fig. 11-6 *d*). Dans ce cas, les impulsions de courant d'1 MHz rechargent le condensateur un cycle de sortie sur trois. Si le facteur Q du circuit résonnant est grand, la tension de charge est presque une onde sinusoïdale parfaite.

La figure 11-7 représente un type de multiplicateur de fréquence. La fréquence du signal d'entrée est f. On fixe négativement ce signal à la base. Le courant collecteur résultant est un train d'impulsions étroites de courant de fréquence fondamentale f. En accordant le circuit résonnant parallèle sur le n^e harmonique, on obtient une tension de charge de fréquence nf. (Remarque : n est un nombre entier.)

Les impulsions de courant représentées à la figure 11-7 rechargent le condensateur un cycle de sortie sur n. Voilà pourquoi la puissance de charge décroît lorsqu'on accorde sur les harmoniques plus élevés. Plus n est élevé, plus la puissance de charge est petite. En raison de la diminution du rendement aux harmoniques supérieurs, on ne se sert habituellement d'un multiplicateur de fréquence classe C à résonance semblable à celui représenté à la figure 11-7 qu'aux

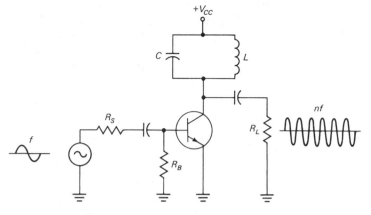

Fig. 11-7. *Multiplicateur de fréquence.*

harmoniques inférieurs tels le deuxième ou le troisième. Pour *n* supérieur à 3, on utilise habituellement des dispositifs à semiconducteurs à rendement plus élevé, comme la diode à récupération par échelons (étudiée au chapitre 4).

11.4. FONCTIONNEMENT EN CLASSE D

On utilise souvent l'*amplificateur classe D* dans les émetteurs, en raison de son rendement élevé. Les transistors de cet amplificateur fonctionnent comme des interrupteurs et non comme des sources de courant. La puissance dissipée par un interrupteur étant idéalement nulle, le rendement par étage d'un amplificateur classe D tend vers 100 %. Les deux transistors push-pull interrupteurs d'un amplificateur classe D fournissent une onde carrée que l'on filtre pour récupérer la fréquence fondamentale.

CIRCUIT

La figure 11-8 *a* représente un type d'amplificateur classe D. C'est un montage push-pull de deux transistors complémentaires à émetteurs communs. Un transformateur RF transmet le signal d'entrée à chaque base. Durant l'alternance positive de la tension d'entrée, le transistor du haut est bloqué et celui du bas est saturé. Durant l'alternance négative, le transistor du haut est saturé et celui du bas est bloqué. Donc, la tension d'attaque de l'amplificateur à résonance alterne entre 0 et $+ V_{CC}$.

CONVENTION DE POINTS

Rappelons la signification des points des transformateurs. Chaque borne pointée d'un enroulement d'un transformateur a la même phase que les autres bornes pointées. Durant l'alternance positive de la tension d'entrée de l'amplificateur

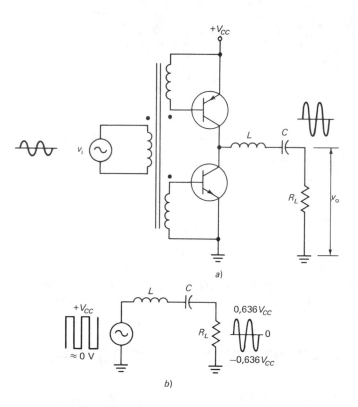

Fig. 11-8. *Amplificateur classe D.*

représenté à la figure 11-8 *a,* la borne pointée du primaire est positive. Au même instant, la borne pointée du secondaire du haut est positive et la borne pointée du secondaire du bas est positive. Voilà pourquoi le transistor du haut est bloqué et celui du bas saturé.

LES TRANSISTORS SE COMPORTENT COMME DES INTERRUPTEURS

Le rendement d'un amplificateur classe D est très élevé parce que chaque transistor est saturé durant presque 180° d'un cycle. Chaque transistor se comporte donc comme un interrupteur et non comme une source de courant. La puissance dissipée par un transistor saturé égale

$$P_D = V_{CE \text{ (sat)}} I_{c \text{ (sat)}} \tag{11-17}$$

Cette puissance est petite parce que la tension $V_{CE \text{ (sat)}}$ est presque nulle. Idéalement, la puissance dissipée par un transistor bloqué est nulle. Donc, la puissance dissipée moyenne par transistor sur un cycle est très petite et le rendement par étage tend vers 100 %.

CIRCUIT ÉQUIVALENT EN COURANT ALTERNATIF

La figure 11-8 *b* représente le circuit équivalent en courant alternatif du côté sortie. L'attaque du circuit résonnant série est un signal carré d'excursion de crête à crête égale à V_{CC}. Ce signal d'attaque non sinusoïdal contient une composante de fréquence fondamentale f et des harmoniques. Comme nous le verrons au chapitre 22, on peut décomposer cette tension collecteur carrée et écrire

$$v_c = 0{,}636 \ V_{CC}(\sin\theta + \frac{\sin 3\ \theta}{3} + \frac{\sin 5\ \theta}{5} + \cdots)$$

Si le facteur Q est élevé, le circuit résonnant série transmet la composante de fréquence fondamentale et bloque les harmoniques. Donc, la tension de charge est presque une onde sinusoïdale parfaite. Il vient

$$v_o = 0{,}636 \ V_{CC}\sin\ \theta$$

Idéalement, la valeur de crête de la tension sinusoïdale égale $0{,}636 \ V_{CC}$.

11.5. FONCTIONNEMENT EN CLASSE S

Comme nous l'avons vu au chapitre 8, la simplicité du régulateur de tension série explique sa vogue. La puissance dissipée par le transistor de passage est son principal désavantage. Lorsque le courant de charge est grand, la plupart des concepteurs préfèrent utiliser un régulateur à découpage, même si ce dispositif est plus compliqué. Le *fonctionnement* des régulateurs de découpage *est du type classe S,* l'objet de cette section.

SIGNAL D'ENTRÉE

La figure 11-9 *a* représente le train d'impulsions du signal d'entrée d'un amplificateur classe S. La largeur et la période des impulsions sont respectivement W et T. Par conséquent, le coefficient d'utilisation D égale W/T. On sait que la valeur moyenne d'un signal rectangulaire égale l'aire sous une impulsion divisée par la période; d'où sous forme mathématique

$$\text{valeur moyenne} = \frac{\text{aire}}{\text{période}}$$

Selon la figure 11-9 *a,*

$$\text{tension moyenne} = \frac{WV_{CC}}{T}$$

Or, $D = W/T$, donc cette formule devient

$$V_{cc} = DV_{CC} \tag{11-18}$$

Selon cette formule, la valeur moyenne d'un train d'impulsions rectangulaires égale le coefficient d'utilisation fois la tension d'alimentation. Si $D = 0{,}1$ et $V_{CC} = 20$ V, alors $V_{cc} = 2$ V.

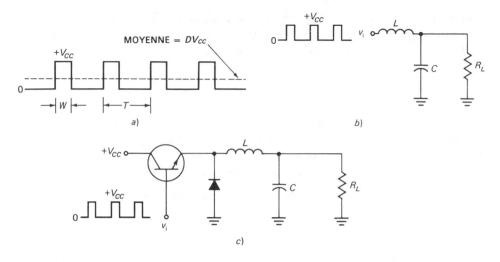

Fig. 11-9. a) *Valeur moyenne des impulsions rectangulaires.* b) *Les impulsions rectangulaires attaquent le filtre LC, qui produit la tension continue de sortie.* c) *Amplificateur classe S.*

FILTRE *LC*

La fréquence d'ondulation de 120 Hz rend le *filtre LC* désuet dans la plupart des alimentations, mais on l'utilise beaucoup dans les amplificateurs classe S parce qu'ils fonctionnent à des fréquences nettement plus élevées, comme 20 kHz. A ces fréquences supérieures, le filtre *LC* transmet très bien la composante continue et bloque parfaitement la composante alternative.

La figure 11-9 *b* représente une tension rectangulaire d'attaque d'un filtre *LC*. Si, à la fréquence fondamentale, X_L est beaucoup plus grand que X_C, les variations alternatives du signal chutent entre les bornes de la bobine. Donc, la sortie entre les bornes de la résistance de charge est une tension continue à petite ondulation. La tension continue égale DV_{CC} puisque ce produit est la valeur moyenne du signal d'entrée.

Si $W = 10\ \mu s$, $T = 50\ \mu s$, $V_{CC} = 15$ V, $L = 10$ mH et $C = 1,5\ \mu F$, alors le coefficient d'utilisation égale

$$D = \frac{10\ \mu s}{50\ \mu s} = 0,2$$

et la fréquence fondamentale égale

$$f = \frac{1}{50\ \mu s} = 20\ \text{kHz}$$

On appelle souvent cette fréquence fondamentale la *fréquence de commutation* ou *de découpage*. La réactance inductive égale

$$X_L = 2\ \pi\,(20\ \text{kHz})\,(10\ \text{mH}) = 1,26\ \text{k}\Omega$$

et la résistance capacitive égale

$$X_C = \frac{1}{2\ \pi\,(20\ \text{kHz})\,(1,5\ \mu F)} = 5,31\ \Omega$$

Comme X_L est beaucoup plus grand que X_C, presque toute la variation alternative chute entre les bornes de la bobine. La tension de sortie finale est donc la tension continue

$$V_{cc} = (0,2)\,(15\text{ V}) = 3\text{ V}$$

avec une petite ondulation.

AMPLIFICATEUR

La figure 11-9 *c* représente un modèle d'amplificateur classe S. Le transistor est un émetteur suiveur attaqué par un train d'impulsions. En raison de la chute V_{BE}, la tension d'attaque du filtre *LC* est un train d'impulsions d'amplitude égale à $V_{CC} - V_{BE}$. Si, à la fréquence de commutation, la réactance X_L est beaucoup plus grande que la réactance X_C, la sortie est la tension continue

$$V_{cc} = D\,(V_{CC} - V_{BE}) \qquad (11\text{-}19)$$

Plus le coefficient d'utilisation est grand, plus la sortie continue est grande.

Un régulateur à découpage comporte un amplificateur classe S. On régule la sortie continue en faisant varier le coefficient d'utilisation. De plus, comme le transistor est bloqué ou saturé, il dissipe une puissance nettement inférieure à celle d'un régulateur série. Un transistor saturé dissipe une puissance

$$P_D = V_{CE\,(sat)}\,I_{cc} \qquad (11\text{-}20)$$

La tension $V_{CE\,(sat)}$ étant presque nulle, la puissance dissipée est très petite.

Donc, un régulateur à découpage présente deux avantages sur un régulateur série. D'abord, le montage d'un transistor plus petit facilite l'évacuation de la chaleur. En deuxième lieu, la température de l'alimentation est plus petite puisqu'on dissipe moins de chaleur.

RÉACTION INDUITE

Remarquer que dans l'amplificateur représenté à la figure 11-9 *c* nous avons monté une diode pour la *réaction induite*. On sait que le courant d'une bobine ne varie pas instantanément. Lorsque le transistor se bloque brusquement, le courant de la bobine continue à passer par la diode. Sans cette diode, la grande tension inverse auto-induite (réaction induite) entre les bornes de la bobine ferait claquer la diode émetteur.

Retenir ceci : lorsqu'on utilise un transistor interrupteur pour attaquer une bobine, il faut monter une diode de passage du courant de la bobine lorsque le transistor se bloque ; sinon la réaction induite détruira probablement le transistor.

11.6. AUTRES CLASSES

Les classes A, B, C, D et S sont les plus importantes. Les amplificateurs non accordés ou large bande sont souvent classe A ou B. Les amplificateurs à résonance ou bande étroite sont souvent classe C ou D. L'amplificateur classe S sert surtout dans les régulateurs à découpage. Dans cette section, nous étudierons brièvement deux autres classes.

CLASSE E

La figure 11-10 *a* représente un *amplificateur classe E*. La réactance de la bobine d'arrêt radiofréquence est si grande qu'on peut considérer qu'elle est ouverte. Le mot « arrêt » rappelle qu'elle arrête tout le courant alternatif. Le transformateur transmet un signal sinusoïdal assez grand à la base du transistor pour saturer celui-ci durant environ 180°. Le condensateur C_1 se charge lorsque le transistor se bloque. La bobine L et le condensateur C_2 sont accordés pour entrer en résonance avec C_1. Il en résulte une tension de sortie finalement sinusoïdale. L'amplificateur classe E permet d'optimiser les grandeurs et d'avoir un rendement par étage d'environ 100 %.

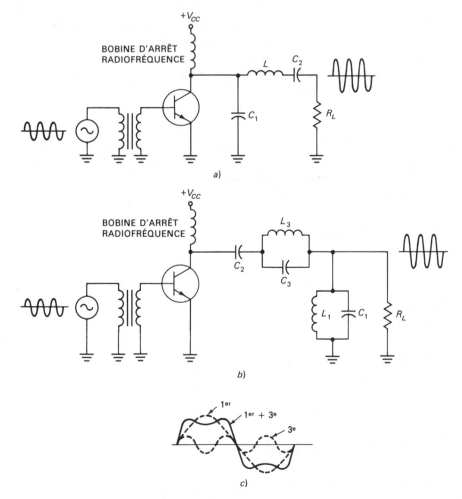

Fig. 11-10. a) *Amplificateur classe E.* b) *Amplificateur classe F.*

CLASSE F

La figure 11-10 *b* représente un *amplificateur classe F*. Le condensateur C_2 est un condensateur de couplage. Le circuit résonnant parallèle composé de L_3 et C_3 est accordé sur la fréquence du troisième harmonique et le circuit résonnant constitué de L_1 et C_1 est accordé sur la fréquence fondamentale. Si $f = 5$ MHz, le circuit résonnant parallèle de troisième harmonique est accordé sur 15 MHz et le circuit résonnant parallèle de premier harmonique est accordé sur 5 MHz.

Comme le circuit résonnant parallèle de sortie entre en résonance à la fréquence fondamentale, la tension entre les bornes de la résistance de charge est presque sinusoïdale à cette fréquence. De plus, comme le circuit résonnant parallèle de troisième harmonique est en série avec la charge, le signal entre les bornes du transistor égale la somme des signaux sinusoïdaux de premier et troisième harmoniques (fig. 11-10 *c*). Visiblement, la somme des tensions des harmoniques ressemble davantage à une onde carrée qu'à une onde sinusoïdale. Donc, le transistor tend à se comporter comme un interrupteur à faible puissance dissipée et rendement par étage élevé.

PROBLÈMES

Simples

11-1. La bobine d'arrêt radiofréquence de l'amplificateur représenté à la figure 11-11 est ouverte pour le courant alternatif à la fréquence de résonance du circuit résonnant parallèle. Supposer que le facteur Q de la bobine du circuit résonnant est de 60 et calculer la fréquence de résonance, le courant de saturation dynamique, la tension de blocage dynamique, la bande passante et la dynamique du signal alternatif de sortie.

11-2. Calculer la constante de temps du circuit de fixation négative représenté à la figure 11-11. Supposer que le circuit résonnant parallèle est accordé sur la fréquence d'entrée et déterminer la période du signal d'entrée.

11-3. Supposer que la valeur de crête à crête du signal d'entrée du circuit représenté à la figure 11-11 est de 10 V et calculer la tension continue entre les bornes de la diode émetteur.

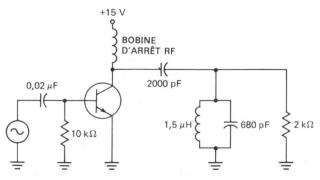

Fig. 11-11.

11-4. Supposer que le facteur Q de la bobine du circuit résonnant représenté à la figure 11-11 est de 75 et calculer la puissance maximale de charge et la puissance maximale de la bobine. Supposer que le transistor dissipe une puissance de 5 mW et calculer le courant d'alimentation ainsi que le rendement par étage.

11-5. Soit l'amplificateur représenté à la figure 11-11. Supposer que le circuit résonnant est accordé sur la fréquence de troisième harmonique du signal d'entrée et calculer la fréquence d'entrée.

11-6. Considérer l'amplificateur représenté à la figure 11-11 et calculer la réactance capacitive du condensateur de 2000 pF à la fréquence de résonance du circuit résonnant parallèle.

11-7. Soit l'amplificateur représenté à la figure 11-11. Supposer que l'inductance de la bobine d'arrêt radiofréquence est de 2 mH et calculer sa réactance inductive à la fréquence de résonance.

11-8. Supposer que le transistor de l'amplificateur représenté à la figure 11-11 conduit durant 30° du cycle alternatif et calculer le coefficient d'utilisation.

11-9. La figure 11-12 représente une variante de l'amplificateur classe D; il comporte deux transistors *NPN* au lieu d'une paire complémentaire. Calculer la fréquence de résonance.

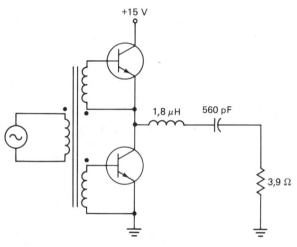

Fig. 11-12.

11-10. La tension $V_{CE\,(sat)}$ des transistors d'un amplificateur classe D est d'1 V. Supposer que $I_{C\,(sat)} = 1{,}92$ A et calculer la puissance dissipée par le transistor qui conduit. Supposer que le courant de fuite est nul et calculer la puissance dissipée moyenne par transistor sur un cycle alternatif.

11-11. Considérer l'amplificateur représenté à la figure 11-12. Calculer la tension alternative de crête à crête de charge et la puissance de charge.

11-12. Considérer une tension rectangulaire semblable à celle représentée à la figure 11-9 *a*. On donne $W = 15\ \mu s$, $T = 56\ \mu s$ et $V_{CC} = 15$ V. Calculer la valeur continue.

11-13. La largeur des impulsions du signal d'entrée de l'amplificateur classe S représenté à la figure 11-13 est de 18 μs. Supposer que la fréquence de commutation est de 20 kHz et calculer la tension continue de charge.

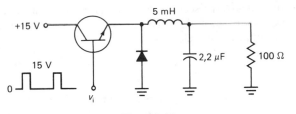

Fig. 11-13.

11-14. Soit l'amplificateur représenté à la figure 11-13. On veut une fréquence de commutation de 20 kHz. Calculer les réactances X_L et X_C du filtre *LC*.

11-15. Soit l'amplificateur représenté à la figure 11-13. Supposer que la fréquence de commutation est de 20 kHz et que la largeur des impulsions est de 19 μs. Calculer le courant qui traverse la diode lorsque le transistor est bloqué.

De dépannage

11-16. Soit l'amplificateur représenté à la figure 11-11. La tension continue entre la base et la masse est nulle. Citer quelques causes possibles de ce dérangement.

11-17. Soit l'amplificateur représenté à la figure 11-12. La tension de charge est nulle. Un oscilloscope affiche une tension de crête à crête d'attaque de la borne gauche de la bobine de 15 V. Trouver la (les) cause(s) possible(s) de ce dérangement parmi les suivantes :
a. bobine court-circuitée ;
b. bobine ouverte ;
c. condensateur court-circuité ;
d. condensateur ouvert ;
e. résistance de charge court-circuitée ;
f. résistance de charge ouverte.

11-18. On ne relève aucune tension continue entre les bornes de la résistance de charge de l'amplificateur représenté à la figure 11-13. Trouver la (les) cause(s) possible(s) de ce dérangement parmi les suivantes :
a. diode ouverte ;
b. bobine court-circuitée ;
c. bobine ouverte ;
d. condensateur court-circuité ;
e. condensateur ouvert.

De conception

11-19. Considérer l'amplificateur représenté à la figure 11-11 et choisir la résistance de base qui produira une constante de temps de décharge de 100 μs.

11-20. Reprendre la conception de l'amplificateur classe C représenté à la figure 11-11 pour avoir une fréquence de résonance de 3,5 MHz et une bande passante inférieure à 350 kHz. Supposer que le facteur Q de la bobine du circuit résonnant parallèle est de 50.

11-21. Concevoir un amplificateur classe C semblable à celui représenté à la figure 11-11 tel que : PP = 20 V, f_r = 1 MHz, Q de la bobine du circuit résonnant égale 60, R_L = 1,8 kΩ et B = 100 kHz.

11-22. Soit l'amplificateur représenté à la figure 11-12. Choisir L et C pour avoir une fréquence de résonance de 1,5 MHz. On veut que la bande passante soit inférieure à 150 kHz. Supposer que $Q_{\text{bobine}} = 55$.

De défi

11-23. La figure 11-14 représente le couplage par transformateur vers la résistance de charge finale. Calculer la résistance de charge reflétée vue par le collecteur. Supposer que la bobine a une réactance X_L de 100 Ω et un facteur Q de 50. Calculer le facteur Q de l'amplificateur.

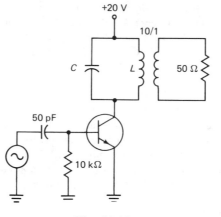

Fig. 11-14.

11-24. Calculer la puissance maximale de charge de l'amplificateur représenté à la figure 11-14.

A résoudre par ordinateur

11-25. L'instruction ON ... GOSUB passe la main à un sous-programme. Exemple :

```
10   PRINT "1. CLASSE C"
20   PRINT "2. CLASSE D"
30   PRINT "3. CLASSE S"
40   PRINT : PRINT "INTRODUIRE SON CHOIX"
50   INPUT X
60   ON X GOSUB 1000, 2000, 3000
70   STOP
```

La variable X égale 1, 2 ou 3. Après exécution de la ligne 60, l'ordinateur passe au premier, au deuxième ou au troisième sous-programme. Supposer que X = 2 et dire à quelle ligne l'ordinateur se branche. Supposer qu'on choisit la classe S et dire à quelle ligne l'ordinateur se branche.

11-26. La fonction SQR permet d'extraire la racine carrée d'un nombre. Exemple de programme à fonction SQR :

```
10   PRINT "INTRODUIRE L" : INPUT L
20   PRINT "INTRODUIRE C" : INPUT C
30   X = SQR (L*C)
```

```
40   DEN = 2 * 3.1416 * X
50   FR = 1/DEN
60   PRINT "LA FRÉQUENCE DE RÉSONANCE ÉGALE" : PRINT FR
```

Dire ce qui se passe à la ligne 30 et ce qu'affiche l'ordinateur.

11-27. On donne L, C, $Q_{(bobine)}$, et R_L d'un circuit résonnant parallèle. Ecrire un programme qui fera afficher la fréquence de résonance et la bande passante.

Transistors à effet de champ à jonction JFET* ou transistors FET à jonction

Le transistor *bipolaire* est le composant essentiel de l'électronique linéaire. Son fonctionnement repose sur deux types de charges, les trous et les électrons. D'où son qualificatif bipolaire. Le transistor bipolaire convient le mieux pour de nombreuses applications linéaires. Mais le transistor *unipolaire* convient le mieux pour certaines applications. Le fonctionnement d'un transistor unipolaire dépend d'un seul type de charge, les trous ou les électrons.

Le *transistor à effet de champ à jonction* est un exemple de transistor unipolaire. Dans ce chapitre, nous étudierons les notions fondamentales des FET à jonction, la polarisation des FET à jonction, les amplificateurs et les interrupteurs analogiques à FET à jonction. Les FET à jonction sont des dispositifs commandés par tension par opposition aux transistors bipolaires qui sont commandés par courant.

12.1. NOTIONS FONDAMENTALES

La figure 12-1 *a* représente un FET à jonction à canal *N*, un barreau de silicium dopé d'un matériau semiconducteur de type *N* à deux îlots d'un matériau de type *P* noyés dans ses flancs. La partie inférieure du dispositif s'appelle la *source* parce que les électrons libres pénètrent dans le dispositif par cet endroit. La partie supérieure s'appelle le *drain* parce que les électrons libres quittent le dispositif par cet endroit. Les deux régions *P* sont connectées intérieurement et s'appellent la *grille*. Remarquer le petit espace entre les régions *P*. Les électrons libres doivent passer par cet étroit canal lorsqu'ils migrent de la source au drain. La largeur du canal est importante : elle détermine le courant qui traverse le FET à jonction.

---

* N.d.T. JFET est mis pour *Jonction Field-Effect Transistor*.

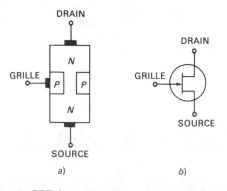

Fig. 12-1.   a) *FET à jonction à canal N.* b) *Symbole graphique.*

SYMBOLE GRAPHIQUE

La figure 12-1 *b* représente le symbole graphique d'un FET à jonction *à canal N.* Le mince trait vertical représente le canal *N;* on relie la source et le drain à ce trait. Comme la grille et le canal forment une diode *PN,* la flèche de la grille pointe vers le canal.

Il existe un FET à jonction *à canal P.* Il comprend un barreau de silicium dopé *P* à îlots de matériau de type *N* noyés dans ses flancs. Le symbole graphique d'un FET à jonction à canal *P* ressemble à celui d'un FET à jonction à canal *N,* mais la flèche de la grille pointe vers l'extérieur. Dans le reste de ce chapitre, nous étudierons le FET à jonction à canal *N.* Le fonctionnement du FET à jonction à canal *P* est complémentaire; autrement dit, toutes les tensions et tous les courants sont inversés.

POLARISATION D'UN FET A JONCTION

La figure 12-2 *a* représente les polarités normales de polarisation d'un FET à jonction à canal *N.* On branche une alimentation positive V_{DD} entre le drain et la source. Un courant d'électrons libres circule donc de la source vers le drain. Puisque les électrons doivent passer par le canal, le courant drain dépend de la largeur du canal.

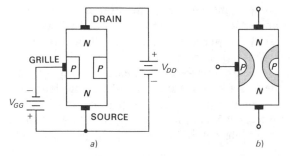

Fig. 12-2.   a) *Polarisation d'un FET à jonction.* b) *Les couches de déplétion ou d'appauvrissement contrôlent ou commandent la largeur du canal.*

Remarquer l'alimentation négative V_{GG} branchée entre la grille et la source. Telle est la norme pour toutes les applications du FET à jonction. On polarise toujours la grille d'un FET à jonction en inverse pour empêcher tout courant grille. Cette polarisation inverse crée des couches de déplétion ou d'appauvrissement autour des régions P (fig. 12-2 *b*) et rétrécit le canal conducteur. Plus la tension grille est négative, plus le canal est étroit du fait que les couches d'appauvrissement se rapprochent.

TENSION DE BLOCAGE GRILLE-SOURCE

Lorsque la tension grille est suffisamment négative, les couches de déplétion se touchent et le canal conducteur se pince (disparaît). Cela bloque le courant drain. Le symbole de la tension grille qui bloque le courant drain est $V_{GS \text{ (blocage)}}$. La tension $V_{GS \text{ (blocage)}}$ typique d'un transistor 2N5951, par exemple, est de $-3,5$ V. Sur les fiches signalétiques, on appelle parfois la tension $V_{GS \text{ (blocage)}}$ la *tension de pincement*.

COURANT GRILLE DE FUITE

la jonction grille-source étant une diode au silicium polarisée en inverse, seul un très petit courant inverse la traverse. Idéalement, le courant grille est nul. Donc, tous les électrons libres provenant de la source vont au drain. Autrement dit, le courant drain égale le courant source. Le seul courant significatif d'un FET à jonction est le courant source-drain noté I_D et habituellement appelé le courant drain.

GRANDE RÉSISTANCE D'ENTRÉE

L'une des grandes différences entre un FET à jonction et un transistor bipolaire est son impédance d'entrée aux basses fréquences. Comme la grille ne tire presque aucun courant inverse, la résistance d'entrée d'un FET à jonction s'élève à plusieurs dizaines ou plusieurs centaines de mégohms. On préfère donc utiliser un FET à jonction au lieu d'un transistor bipolaire dans les applications où il faut une très grande résistance d'entrée. Mais une grande résistance d'entrée restreint le contrôle du courant de sortie. Donc, la tension d'entrée d'un FET à jonction doit fortement varier pour que le courant de sortie varie. Voilà pourquoi le gain en tension d'un amplificateur à FET à jonction est beaucoup plus petit que celui d'un amplificateur à transistor bipolaire.

CARACTÉRISTIQUES DE DRAIN

La figure 12-3 représente un réseau de caractéristiques de drain d'un FET à jonction. Remarquer leur ressemblance avec les caractéristiques des transistors bipolaires. Elles comportent une région de saturation, une région active, une région de claquage et une région de blocage. Partons de $V_{GS} = 0$, appelée la tension grille court-circuitée parce que cela revient à court-circuiter la grille à la source. Lorsque $V_{GS} = 0$, le courant drain croît rapidement jusqu'à $V_{DS} = 4$ V. Au-delà de

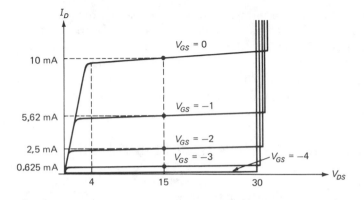

Fig. 12-3. *Réseau de caractéristiques de drain.*

$V_{DS} = 4$ V, la caractéristique du courant drain s'aplanit et devient presque horizontale. Entre 4 V et 30 V, le courant drain est presque constant et le FET à jonction se comporte comme une source de courant d'environ 10 mA. Lorsque V_{DS} dépasse 30 V, le FET à jonction entre en région de claquage. Donc, la région active de ce FET à jonction va de 4 V à 30 V.

Le symbole I_{DSS}* représente le courant drain-source avec grille court-circuitée. Le courant I_{DSS} est le courant maximal qu'un FET à jonction peut produire. A la figure 12-3, $I_{DSS} = 10$ mA pour $V_{DS} = 15$ V. Les caractéristiques de drain d'un FET à jonction étant presque horizontales, I_{DSS} égale environ 10 mA dans la région active.

Pour diminuer le courant drain il suffit de rendre la tension grille plus négative. Selon la figure 12-3, lorsque $V_{GS} = -1$ V, le courant drain chute à 5,62 mA. Lorsque $V_{GS} = 2$ V, le courant drain égale 2,5 mA. Lorsque $V_{GS} = -3$ V, le courant drain chute à 0,625 mA. Et lorsque $V_{GS} = -4$ V, le courant drain est à peu près nul. La caractéristique du bas représente la région de blocage. Donc, $V_{GS \text{ (blocage)}} = -4$ V.

Remarquer la région de saturation représentée à la figure 12-3. Lorsque le FET à jonction est saturé, la tension V_{DS} est comprise entre 0 et 4 V selon la droite de charge. Remarquer que la tension maximale de saturation (4 V) égale la valeur absolue de la tension de blocage grille-source (− 4 V). Cette propriété commune à tous les FET à jonction permet d'utiliser $V_{GS \text{ (blocage)}}$ comme la valeur approximative de la tension maximale de saturation. La tension $V_{GS \text{ (blocage)}}$ d'un transistor 2N5457, par exemple, égale − 2 V. Donc, la tension maximale V_{DS} dans la région de saturation est d'environ 2 V.

CARACTÉRISTIQUE DE TRANSCONDUCTANCE

La *caractéristique de transconductance* d'un FET à jonction est la caractéristique du courant de sortie en fonction de la tension d'entrée, soit de I_D en fonction de V_{GS}. Le relevé des valeurs de I_D et V_{GS} des caractéristiques de la figure 12-3 permet

---

* N.d.T. *Current Drain to Source with Shorted Gate.*

de tracer la caractéristique de transconductance représentée à la figure 12-4 *a*. En général, la caractéristique de transconductance de tout FET à jonction a même allure que celle tracée à la figure 12-4 *b*.

La caractéristique de transconductance représentée à la figure 12-4 *b* est une partie de parabole. Son équation est

$$I_D = I_{DSS} \left[1 - \frac{V_{GS}}{V_{GS \text{ (blocage)}}} \right]^2 \tag{12-1}$$

Cette équation est vraie pour tous les FET à jonction parce qu'elle découle de l'action des couches de déplétion ou d'appauvrissement *.

De nombreuses fiches signalétiques ne donnent pas les caractéristiques de drain ni celles de transconductance, mais donnent I_{DSS} et $V_{GS \text{ (blocage)}}$. Le remplacement de ces valeurs dans l'équation (12-1) permet de calculer le courant drain pour toute tension grille. Si le courant I_{DSS} et la tension $V_{GS \text{ (blocage)}}$ d'un FET à jonction égalent respectivement 4 mA et -2 V, la substitution dans l'équation donne

$$I_D = 0,004 \left(1 - \frac{V_{GS}}{-2} \right)^2$$

ou

$$I_D = 0,004 \left(1 + \frac{V_{GS}}{2} \right)^2$$

Cette formule permet de calculer le courant drain pour toute tension grille-source.

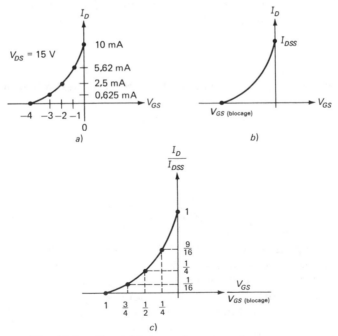

Fig. 12-4. *Caractéristiques de transconductance.*

_____

* Pour la démonstration mathématique de cette équation, consulter L.J. Sevin, *Field effect Transistors,* New York, McGraw-Hill Book Company, 1965, pp. 1-23.

La figure 12-4 *c* représente la caractéristique normalisée de transconductance pour tout FET à jonction. On peut tracer sa propre caractéristique de transconductance à l'aide des trois points intérieurs représentés à la figure 12-4 *c*. Supposons que $I_{DSS} = 12$ mA et $V_{GS \text{ (blocage)}} = -4$ V. Lorsque $V_{GS} = -1$ V,

$$I_D = \frac{9}{16} \ (12 \ \text{mA}) = 6,75 \ \text{mA}$$

Lorsque $V_{GS} = -2$ V,

$$I_D = \frac{1}{4} \ (12 \ \text{mA}) = 3 \ \text{mA}$$

Lorsque $V_{GS} = -3$ V,

$$I_D = \frac{1}{16} \ (12 \ \text{mA}) = 0,75 \ \text{mA}$$

On peut maintenant porter cinq points et les joindre par une caractéristique continue. (La fiche signalétique donne deux points — le point de saturation et le point de blocage — et nous en avons calculé trois). On trace la caractéristique de la transconductance de cette façon, si la fiche signalétique ne la donne pas.

Dernier point : on appelle parfois parabole une courbe quadratique. Voilà pourquoi on appelle souvent les FET à jonction des dispositifs quadratiques. Nous verrons que le fait d'être quadratique confère au FET à jonction un autre avantage sur le transistor bipolaire.

EXEMPLE 12-1

Le symbole littéral du courant grille de fuite est I_{GSS}. La fiche signalétique d'un 2N5951, par exemple, donne un courant I_{GSS} typique de 5 pA à 20 V. Calculer la résistance d'entrée en courant continu.

SOLUTION

La résistance d'entrée égale

$$R_{GS} = \frac{20 \ \text{V}}{5 \ \text{pA}} = 4 \ (10^{12}) \ \Omega$$

Voilà le principal avantage d'un FET à jonction sur un transistor bipolaire. La résistance d'entrée en courant continu est très élevée. Cette propriété rend le FET à jonction particulièrement utile à l'entrée des voltmètres électroniques, des oscilloscopes et d'autres appareils auxquels il faut une grande résistance d'entrée pour éviter qu'ils chargent le circuit sous essai.

EXEMPLE 12-2

La fiche signalétique d'un 2N5951 donne $I_{DSS} = 10$ mA et $V_{GS \text{ (blocage)}} = -3,5$ V. Calculer le courant drain pour $V_{GS} = -1$ V, -2 V et -3 V.

SOLUTION

Lorsque $V_{GS} = -1$ V, l'équation (12-1) donne

$$I_D = 0{,}01 \left(1 - \frac{-1}{-3{,}5}\right)^2 = 5{,}1 \ \text{mA}$$

Lorsque $V_{GS} = -2$ V,

$$I_D = 0{,}01 \left(1 - \frac{-2}{-3{,}5}\right)^2 = 1{,}84 \ \text{mA}$$

Lorsque $V_{GS} = -3$ V,

$$I_D = 0{,}01 \left(1 - \frac{-3}{-3{,}5}\right)^2 = 0{,}204 \ \text{mA}$$

12.2. POLARISATION DE GRILLE

La figure 12-5 *a* est un exemple de polarisation de grille (semblable à la polarisation de base d'un transistor bipolaire). La figure 12-5 *b* représente un schéma simplifié. C'est la pire façon de régler le point Q d'un amplificateur linéaire

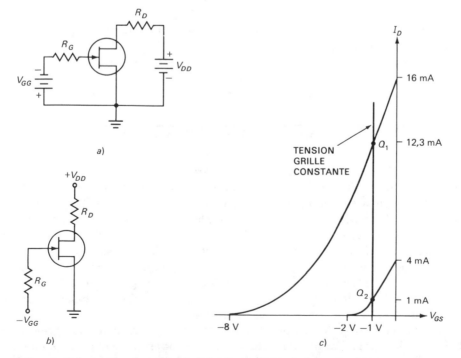

Fig. 12-5. a) *Polarisation de grille.* b) *Schéma simplifié.* c) *Le point Q varie excessivement dans le cas de la polarisation de grille.*

à FET à jonction. Voici pourquoi. Les valeurs minimales et maximales des paramètres d'un FET à jonction sont très écartées. Prenons comme exemple les paramètres d'un 2N5459 :

	I_{DSS}	$V_{GS \text{ (blocage)}}$
Minimum	4 mA	– 2 V
Maximum	16 mA	– 8 V

D'où l'écartement entre les caractéristiques de transconductance minimale et maximale représentées à la figure 12-5 *c*. La tension appliquée à la grille polarisée est constante. Cette tension grille constante rend le point *Q* hautement sensible au FET à jonction particulier utilisé.

Considérons la caractéristique représentée à la figure 12-5 *c*. Prenons $V_{GS} = -1$ V et traçons une verticale par $V_{GS} = -1$ V. En fabrication en série, le point *Q* d'un 2N5459 à grille polarisée est compris entre Q_1 et Q_2. Le courant drain en Q_1 égale

$$I_D = 0,016 \left(1 - \frac{1}{8}\right)^2 = 12,3 \text{ mA}$$

Tandis que celui en Q_2 égale seulement

$$I_D = 0,004 \left(1 - \frac{1}{2}\right)^2 = 1 \text{ mA}$$

La variation du courant drain est si grande dans la polarisation de grille qu'on ne peut obtenir un point *Q* fixe.

12.3. POLARISATION AUTOMATIQUE

La figure 12-6 *a* représente le circuit de *polarisation automatique,* une autre façon de polariser un FET à jonction. Remarquer qu'on n'applique une alimentation qu'au drain; on n'en applique pas à la grille. On veut que la tension entre les bornes de la résistance de source R_S produise la tension inverse grille-source. C'est une forme de réaction locale semblable à celle utilisée avec les transistors bipolaires. Rappelons le fonctionnement de cette réaction. Lorsque le courant drain augmente, la chute de tension entre les bornes de R_S augmente, parce que le produit $I_D R_S$ augmente. L'augmentation de la tension inverse grille-source qui s'ensuit rétrécit le canal et diminue le courant drain. L'effet global contrebalance partiellement l'augmentation originale du courant drain.

Par contre, lorsque le courant drain diminue, la tension inverse grille-source diminue et le canal s'élargit. Alors plus d'électrons libres passent et le courant drain augmente. Cela contrebalance partiellement la diminution originale du courant drain.

TENSION GRILLE-SOURCE

La grille étant polarisée en inverse dans le circuit représenté à la figure 12-6 *a*, un courant grille négligeable traverse R_G et, par conséquent, la tension grille par rapport à la masse est nulle :

$$V_G = 0$$

La tension source par rapport à la masse égale le produit du courant drain par la résistance de source :

$$V_S = I_D R_S$$

La tension grille-source égale la différence entre la tension grille et la tension source :

$$V_{GS} = V_G - V_S = 0 - I_D R_S$$

soit

$$V_{GS} = - I_D R_S \tag{12-2}$$

Donc, la tension grille-source égale l'opposé de la tension entre les bornes de la résistance de source. Plus le courant drain est grand, plus la tension grille-source est négative.

DROITE DE POLARISATION AUTOMATIQUE

Ecrivons la formule (12-2) sous la forme

$$I_D = \frac{- V_{GS}}{R_S} \tag{12-3}$$

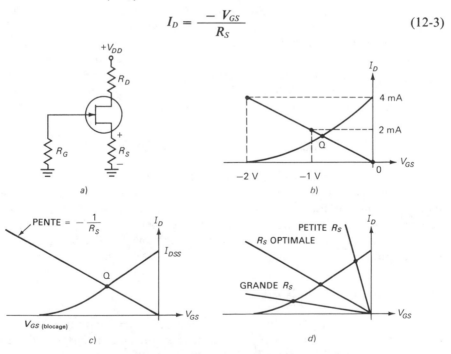

Fig. 12-6. a) *Polarisation automatique.* b) *Droite de polarisation automatique.* c) *La droite de polarisation automatique coupe la caractéristique de transconductance au point Q.* d) *Effet de différentes résistances de polarisation.*

La représentation graphique de cette équation s'appelle la *droite de polarisation automatique*. Si $R_S = 500\ \Omega$, l'équation de la droite de polarisation automatique est

$$I_D = \frac{-V_{GS}}{500\ \Omega}$$

Lorsque $V_{GS} = 0$,

$$I_D = \frac{0}{500\ \Omega} = 0$$

Lorsque $V_{GS} = -1\ V$, le courant drain égale

$$I_D = \frac{1\ V}{500\ \Omega} = 2\ mA$$

Lorsque $V_{GS} = -2\ V$,

$$I_D = \frac{2\ V}{500\ \Omega} = 4\ mA$$

Visiblement, le courant drain augmente linéairement en fonction de V_{GS}.

La figure 12-6 *b* représente la caractéristique de transconductance lorsque $I_{DSS} = 4\ mA$ et $V_{GS(\text{blocage})} = -2\ V$. La droite représentative de I_D en fonction de V_{GS} pour une résistance de source de 500 Ω également tracée à la figure 12-6 *b* est la droite de polarisation automatique. Le point Q est le point d'intersection de la caractéristique de transconductance avec la droite de polarisation automatique. Remarquer que le courant drain au point Q est légèrement inférieur à 2 mA.

Tout FET à jonction à polarisation automatique a une caractéristique de transconductance et une droite de polarisation automatique similaires à celles représentées à la figure 12-6 *c*. La pente de la droite de polarisation automatique égale $-1/R_S$ parce que cette droite est la représentation graphique de la loi d'Ohm pour la résistance R_S. Seul le point d'intersection Q vérifie la loi d'Ohm et appartient à la caractéristique de transconductance.

EFFET DE LA RÉSISTANCE DE SOURCE

La figure 12-6 *d* représente la variation du point Q, en fonction de la résistance de source. Lorsque la résistance R_S est grande, le point Q est au bas de la caractéristique de transconductance et le courant drain est petit. Lorsque la résistance R_S est petite, le point Q est en haut de la caractéristique de transconductance et le courant drain est grand. Entre ces extrêmes, une résistance R_S optimale règle le point Q près du point milieu de la caractéristique de transconductance.

ANALYSE GRAPHIQUE

Lorsque la fiche signalétique d'un FET à jonction comporte une caractéristique de transconductance (parfois appelée caractéristique de transfert), on détermine le point Q du FET à jonction polarisé comme suit :

1) choisir un courant drain convenable;

2) multiplier ce courant par R_S;

3) porter le courant drain et la tension V_{GS} correspondante;

4) tracer une droite passant par l'origine et le point porté;

5) relever les coordonnées du point Q.

Supposons que $R_S = 470\ \Omega$ et que la fiche signalétique du FET à jonction donne la caractéristique de transconductance représentée à la figure 12-7. La première étape consiste à choisir un courant drain convenable. Prenons le courant drain égal à la moitié de I_{DSS}, soit 5 mA. Alors la chute de tension correspondante entre les bornes de R_S égale

$$V_S = (5\ \text{mA})(470\ \Omega) = 2{,}35\ \text{V}$$

D'où $V_{GS} = -2{,}35$ V. Une fois le point porté et la droite de polarisation automatique tracée on relève les coordonnées approximatives suivantes au point Q:

$$I_D = 4{,}3\ \text{mA}$$
$$V_{GS} = -2\ \text{V}$$

CONCEPTION GRAPHIQUE

Pour concevoir un circuit de polarisation automatique, tracer une droite de polarisation automatique qui coupe la caractéristique de transconductance près du point milieu de celle-ci. Puis relever les coordonnées du point Q. Le rapport de la tension au courant drain donne R_S. D'où

$$R_S = \frac{-V_{GS}}{I_D} \qquad (12\text{-}4)$$

CONCEPTION RAPIDE

Voici une autre façon de calculer la résistance R_S du circuit de polarisation automatique. La droite de polarisation automatique représentée à la figure 12-8 *a* passe par le point de coordonnées I_{DSS} et $V_{GS\,\text{(blocage)}}$. Chaque point de la droite de

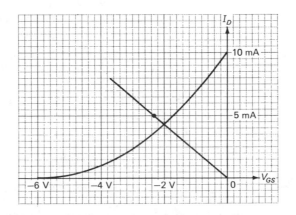

Fig. 12-7. *Caractéristique de transconductance.*

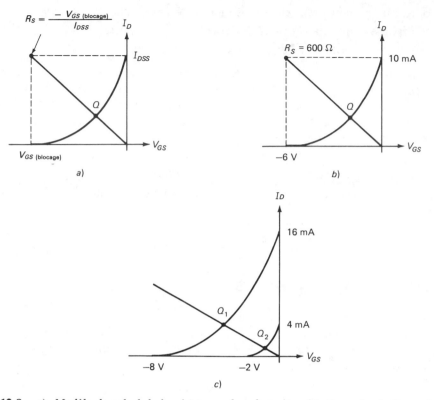

Fig. 12-8. a) *Modèle de calcul de la résistance de polarisation.* b) *Exemple.* c) *Caractéristiques minimale et maximale de transconductance.*

polarisation automatique satisfait à la loi d'Ohm. Donc, au point supérieur la résistance de source

$$R_S = \frac{-V_{GS(\text{blocage})}}{I_{DSS}} \qquad (12\text{-}5)$$

Si on respecte cette égalité, le point Q du FET à jonction polarisé automatiquement est près du point milieu de la caractéristique de transconductance.

Si $V_{GS(\text{blocage})} = -6$ V et $I_{DSS} = 10$ mA,

$$R_S = \frac{6 \text{ V}}{10 \text{ mA}} = 600 \ \Omega$$

La résistance nominale ou normalisée la plus proche est de 620 Ω. La figure 12-8 *b* représente la caractéristique de transconductance et la droite de polarisation automatique pour une résistance de source de 600 Ω. Le point Q est près du point milieu de la caractéristique de transconductance.

TOLÉRANCES

I_{DSS} et $V_{GS(\text{blocage})}$ varient fortement. Aussi la résistance de source résulte d'un compromis en fabrication en série. Si la fiche signalétique du FET à jonction retenu donne les caractéristiques minimale et maximale de transconductance, tracer une droite de polarisation automatique qui coupe les deux courbes de manière à obtenir un point Q près du point milieu de chaque caractéristique de transconductance.

Supposons qu'une fiche signalétique donne les caractéristiques minimale et maximale de transconductance représentées à la figure 12-8 c. Tracer une droite de polarisation automatique qui passe à peu près par le point milieu de chaque caractéristique de transconductance. Puis, relever la tension et le courant pour chaque point Q. Finalement, prendre la plus grande des deux résistances R_S égales à $- V_{GS}/I_D$.

Si la fiche signalétique ne donne pas les caractéristiques minimale et maximale de transconductance, calculer les résistances R_S minimale et maximale par la formule (12-5). La fiche signalétique d'un 2N5486, par exemple, donne

	I_{DSS}	$V_{GS\,(blocage)}$
Minimal	8 mA	$- 2$ V
Maximal	20 mA	$- 6$ V

Selon la formule (12-5),

$$R_S = \frac{2\text{ V}}{8\text{ mA}} = 250\ \Omega$$

et

$$R_S = \frac{6\text{ V}}{20\text{ mA}} = 300\ \Omega$$

La résistance moyenne égale 275 Ω. La résistance nominale ou normalisée la plus proche est de 270 Ω. Cette résistance devrait donner un point Q près du point milieu de chaque caractéristique de transconductance.

EXEMPLE 12-3

La figure 12-9 représente la caractéristique de transconductance d'un 2N5457. On veut polariser automatiquement ce FET à jonction. Calculer le courant et la tension de repos pour $R_S = 100\ \Omega$ et $R_S = 1$ kΩ. Calculer la résistance de source par la formule (12-5).

SOLUTION

Prenons un courant drain de 5 mA. Selon la formule (12-5),
$$V_{GS} = (- 5\text{ mA})(100\ \Omega) = - 0,5\text{ V}$$

Portons ce point et traçons la droite qui le joint à l'origine. Cela donne la droite supérieure de polarisation automatique représentée à la figure 12-9. Les coordonnées de Q_1 donnent les valeurs de repos cherchées, à savoir,
$$I_D \cong 3,33\text{ mA}$$
$$V_{GS} \cong - 0,32\text{ V}$$

Pour $R_S = 1$ kΩ, prenons un courant drain de 2,5 mA. Il vient
$$V_{GS} = (- 2,5\text{ mA})(1\text{ k}\Omega) = - 2,5\text{ V}$$

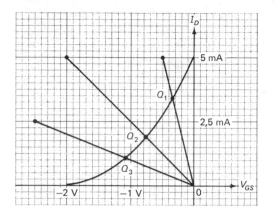

Fig. 12-9. *Caractéristique de transconductance et trois droites de polarisation automatique.*

Portons ce point et traçons la droite qui le joint à l'origine. Cela donne la droite inférieure de polarisation automatique représentée à la figure 12-9. Les coordonnées de Q_3 sont

$$I_D \cong 1,2 \ \text{mA}$$
$$V_{GS} \cong -1,1 \ \text{V}$$

La formule (12-5) de conception rapide permet de tracer la droite centrale de polarisation automatique. Les coordonnées de Q_2 sont

$$I_D \cong 1,9 \ \text{mA}$$
$$V_{GS} \cong -0,75 \ \text{V}$$

D'où la résistance de source

$$R_S = \frac{0,75 \ \text{V}}{1,9 \ \text{mA}} = 395 \ \Omega$$

12.4. POLARISATION PAR DIVISEUR DE TENSION ET POLARISATION DE SOURCE

La polarisation automatique est une façon de stabiliser le point Q. Dans cette section, nous étudierons deux autres méthodes de polarisation semblables à celles de polarisation des transistors bipolaires.

POLARISATION PAR DIVISEUR DE TENSION

La figure 12-10 *a* représente une des meilleures façons de polariser un FET à jonction. Elle repose sur le même principe que la *polarisation d'un transistor bipolaire par diviseur de tension.* La tension de Thévenin appliquée à la grille égale

$$V_{TH} = \frac{R_2}{R_1 + R_2} \ V_{DD} \qquad (12\text{-}6)$$

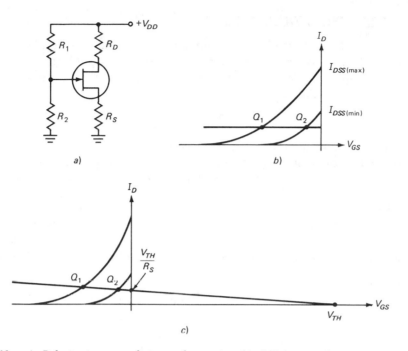

Fig. 12-10. a) *Polarisation par diviseur de tension.* b) *Idéalement, le courant drain est constant.* c) *Le courant drain augmente légèrement.*

Telle est la tension continue grille par rapport à la masse. Compte tenu de V_{GS}, la tension source par rapport à la masse égale

$$V_S = V_{TH} - V_{GS} \tag{12-7}$$

Donc, le courant drain,

$$I_D = \frac{V_{TH} - V_{GS}}{R_S} \tag{12-8}$$

et la tension continue drain par rapport à la masse égale

$$V_D = V_{DD} - I_D R_D \tag{12-9}$$

Selon l'équation (12-8), si V_{TH} est beaucoup plus grand que V_{GS}, le courant drain est presque constant pour tout FET à jonction (figure 12-10 b).

Mais il y a un problème. Dans un transistor bipolaire, V_{BE} égale environ 0,7 V et varie peu d'un transistor à l'autre. Par contre, dans un FET à jonction, V_{GS} peut varier de plusieurs volts d'un FET à jonction à l'autre. Les tensions types d'alimentation rendent difficilement la tension V_{TH} beaucoup plus grande que V_{GS}. Voilà pourquoi un diviseur de tension polarise moins bien un FET à jonction qu'un transistor bipolaire.

La représentation graphique de l'équation (12-8) donne la droite de polarisation représentée à la figure 12-10 c. Remarquer la légère augmentation du courant drain de Q_2 à Q_1. Plus la tension V_{TH} est grande, plus la droite de polarisation est horizontale. Mais la tension V_{TH} a une limite. Donc, même si elle constitue une nette amélioration, la polarisation par diviseur de tension ne stabilise pas le point Q autant que nous le voulons.

POLARISATION DE SOURCE

La figure 12-11 *a* représente la *polarisation de source* (semblable à la *polarisation d'émetteur*). Le but visé est de masquer les variations de V_{GS}. Comme preque toute la tension V_{SS} apparaît entre les bornes de R_S, le courant drain égale environ V_{SS}/R_S. La valeur exacte égale

$$I_D = \frac{V_{SS} - V_{GS}}{R_S} \qquad (12\text{-}10)$$

Pour que la polarisation de source fonctionne bien, la tension V_{SS} doit être beaucoup plus grande que V_{GS}. La gamme type de tension V_{GS} va de -1 V à -5 V. Le masquage parfait n'est donc pas possible avec des tensions types d'alimentation.

EXEMPLE 12-4

Soit le circuit représenté à la figure 12-11 *b*. Supposer que les tensions V_{GS} minimale et maximale égalent respectivement -1 V et -5 V et calculer les courants drain respectifs. Calculer la tension drain par rapport à la masse.

SOLUTION

Le diviseur de tension donne une tension de Thévenin de 15 V. Le courant drain minimal égale

$$I_D = \frac{15\ \text{V} - (-1\ \text{V})}{7,5\ \text{k}\Omega} = 2,13\ \text{mA}$$

Le courant drain maximal égale

$$I_D = \frac{15\ \text{V} - (-5\ \text{V})}{7,5\ \text{k}\Omega} = 2,67\ \text{mA}$$

Lorsque $I_D = 2,13$ mA, la tension drain égale
$$V_D = 30\ \text{V} - (2,13\ \text{mA})(4,7\ \text{k}\Omega) = 20\ \text{V}$$

Lorsque $I_D = 2,67$ mA, la tension drain égale
$$V_D = 30\ \text{V} - (2,67\ \text{mA})(4,7\ \text{k}\Omega) = 17,5\ \text{V}$$

Entre Q_2 et Q_1 le courant drain augmente légèrement et la tension drain diminue légèrement. Conclusion : la polarisation par diviseur de tension stabilise presque le point Q.

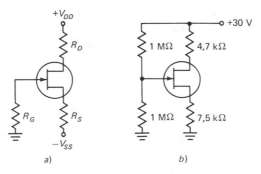

Fig. 12-11. a) *Polarisation de source.* b) *Exemple de polarisation par diviseur de tension.*

12.5. POLARISATION PAR SOURCE DE COURANT

On peut stabiliser le point Q des FET à jonction. Il faut produire un courant drain indépendant de V_{GS}. La polarisation par diviseur de tension et la polarisation de source tentent d'y parvenir en masquant les variations de V_{GS}. Mais comme nous l'avons déjà mentionné, il est difficile de masquer complètement les variations de V_{GS} avec des tensions typiques d'alimentation parce que V_{GS} peut être de plusieurs volts. Dans cette section, nous étudierons deux circuits qui masquent vraiment V_{GS}.

DEUX ALIMENTATIONS

La figure 12-12 *a* représente la *polarisation par source de courant* lorsqu'on dispose d'une source positive et d'une source négative. Le transistor bipolaire étant à émetteur polarisé, son courant collecteur égale

$$I_C = \frac{V_{EE} - V_{BE}}{R_E} \tag{12-11}$$

Le transistor bipolaire se comporte comme une source de courant continu. Aussi égalise-t-il de force le courant drain du FET à jonction au courant collecteur du transistor bipolaire. D'où

$$I_D = I_C$$

La figure 12-12 *b* illustre l'efficacité de la polarisation par source de courant. Comme I_C est constant, les deux points Q ont la même valeur de courant drain. Donc, la source de courant élimine l'influence de V_{GS}. La tension V_{GS} diffère d'un point Q à l'autre, mais elle n'influe pas sur le courant drain.

UNE ALIMENTATION

Le circuit à une alimentation positive représenté à la figure 12-13 *a* donne un courant drain constant. Le transistor bipolaire est polarisé par diviseur de tension.

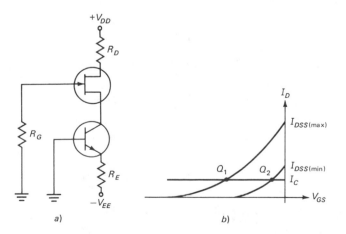

Fig. 12-12. a) *Polarisation par source de courant.* b) *Le courant drain est constant.*

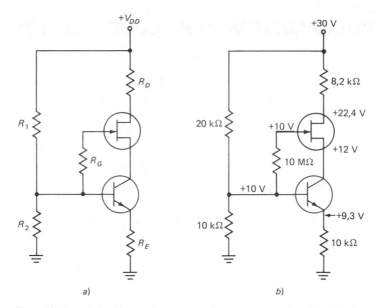

Fig. 12-13. *Polarisation par source de courant et une alimentation.*

Si le diviseur de tension est soutenu les courants émetteur et collecteur sont constants pour tous les transistors bipolaires. Donc, le courant drain du FET à jonction égale le courant collecteur du transistor bipolaire.

EXEMPLE 12-5

Supposer que $V_{GS} = -2$ V et calculer tous les courants et toutes les tensions du circuit représenté à la figure 12-13 *b*.

SOLUTION

Le diviseur de tension donne une tension de Thévenin de 10 V. Donc, le courant émetteur égale

$$I_E = \frac{10 \text{ V} - 0,7 \text{ V}}{10 \text{ k}\Omega} = 0,93 \text{ mA}$$

Donc, le courant drain égale environ 0,93 mA. La tension continue drain par rapport à la masse égale

$$V_D = 30 \text{ V} - (0,93 \text{ mA})(8,2 \text{ k}\Omega) = 22,4 \text{ V}$$

Le courant grille étant négligeable, la tension continue grille par rapport à la masse égale la tension de Thévenin de sortie du diviseur, d'où

$$V_G = 10 \text{ V}$$

La tension V_{GS} étant de -2 V, la tension continue source par rapport à la masse égale

$$V_S = 10 \text{ V} - (-2 \text{ V}) = 12 \text{ V}$$

12.6. TRANSCONDUCTANCE

Avant d'analyser les amplificateurs à FET à jonction, il faut étudier une grandeur dynamique ou en alternatif appelée transconductance et notée g_m*. Mathématiquement,

$$g_m = \frac{\Delta I_D}{\Delta V_{GS}} \qquad (12\text{-}12)$$

Les variations de I_D et V_{GS} égalent le courant et la tension alternatifs. Donc,

$$g_m = \frac{i_d}{v_{gs}} \qquad (12\text{-}13)$$

Cette formule petits signaux est exacte pour les variations infinitésimales. Nous approximerons g_m par la formule (12-13) chaque fois que la valeur de crête á crête de i_d est inférieure à 10 % du courant drain au point Q.

Si les valeurs de crête à crête sont $i_d = 0,2$ mA et $v_{gs} = 0,1$ V, alors

$$g_m = \frac{0,2 \text{ mA}}{0,1 \text{ V}} = 2(10^{-3}) \text{ S} = 2000 \ \mu\text{S}$$

Remarque : S est le symbole de l'unité *siemens* anciennement appelée *mho*. La conductance, d'unité S, égale le rapport du courant à la tension.

Le mho apparaît encore sur la plupart des fiches signalétiques au lieu du siemens, et le symbole g_{fs} au lieu de g_m. La fiche signalétique du 2N5451, par exemple, donne une transconductance de g_{fs} de 2000 μmhos pour un courant drain de 1 mA. Cela revient à dire que la transconductance g_m d'un 2N5451 est de 2000 μS à 1 mA.

SIGNIFICATION GRAPHIQUE

La figure 12-14 *a* donne la signification de g_m en fonction de la caractéristique de transconductance. Entre les points *A* et *B,* une variation de V_{GS} génère une variation de I_D. Le rapport de la variation de I_D à celle de V_{GS} égale g_m entre *A* et *B*. Si l'on prend une autre paire de points *C* et *D* plus haut sur la caractéristique, la variation de I_D est plus grande pour une variation donnée de V_{GS}. Donc, la transconductance g_m est plus grande à mesure qu'on s'élève sur la caractéristique. En bref, g_m indique la commande qu'exerce la tension grille sur le courant drain. Plus la transconductance g_m est grande, plus la tension grille commande le courant drain.

Habituellement, les fiches signalétiques des FET à jonction donnent la caractéristique de variation de g_m en fonction du courant drain de repos. Une fois le courant continu drain d'un amplificateur à FET à jonction calculé, on obtient g_m pour ce courant drain de repos sur cette caractéristique.

---

* N.d.T. On sait déjà que le symbole *g* désigne la conductance, l'indice *m* est mis pour mutuelle.

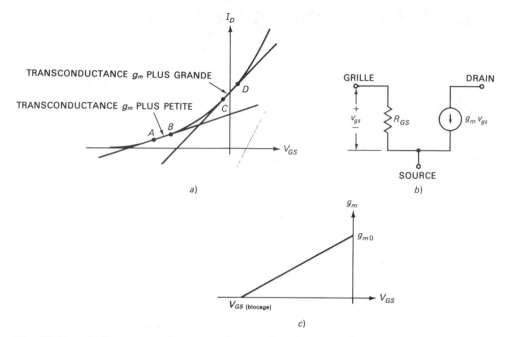

Fig. 12-14. a) *La transconductance augmente à mesure que le courant drain augmente.* b) *Circuit équivalent en courant alternatif d'un FET à jonction.* c) *Variation de la transconductance en fonction de la tension grille-source.*

MODÈLE SIMPLE A FET A JONCTION

La figure 12-14 *b* représente un circuit équivalent simple en courant alternatif d'un FET à jonction. Une très grande résistance R_{GS}, de plusieurs dizaines ou centaines de mégohms, apparaît entre la grille et la source. Le drain d'un FET à jonction se comporte comme une source de courant égal à $g_m v_{gs}$. La connaissance de g_m et de v_{gs} permet de calculer le courant alternatif drain.

Ce modèle est une première approximation parce qu'il n'inclut pas la résistance interne r_{ds} de la source de courant, ni les capacités du FET à jonction, etc. Aux basses fréquences, ce modèle simple en courant alternatif sert au dépannage et à la conception préliminaire.

VALEUR DE LA TRANSCONDUCTANCE

Si $V_{GS} = 0$, g_m passe par un maximum. Sur les fiches signalétiques, on note cette valeur maximale g_{m0} ou g_{fs0}. Nous démontrons à l'appendice 1 la relation utile suivante entre g_m en un point Q et la transconductance g_m maximale :

$$g_m = g_{m0} \left[1 - \frac{V_{GS}}{V_{GS(\text{blocage})}} \right] \qquad (12\text{-}14)$$

Remarquer que g_m décroît linéairement à mesure que la tension V_{GS} devient plus négative (figure 12-14 *c*). Cette propriété est utile dans la commande automatique de gain que nous étudierons.

VALEUR PRÉCISE DE $V_{GS\text{(blocage)}}$

Selon l'appendice 1,

$$V_{GS\text{(blocage)}} = \frac{-2I_{DSS}}{g_{m0}} \qquad (12\text{-}15)$$

La mesure précise de $V_{GS\text{(blocage)}}$ est très difficile. Mais on mesure I_{DSS} et g_{m0} avec une grande précision. On mesure donc I_{DSS} et g_{m0}, puis on calcule $V_{GS\text{(blocage)}}$.

12.7. AMPLIFICATEUR A SOURCE COMMUNE

La figure 12-15 *a* représente un amplificateur à source commune. L'application d'un petit signal alternatif à la grille fait varier la tension grille-source. Cela donne un courant drain sinusoïdal. On sort une tension alternative amplifiée parce qu'un courant alternatif traverse la résistance de drain

INVERSION DE PHASE

Lorsque la tension grille-source augmente, le courant drain augmente et la tension drain diminue. Comme l'alternance positive de la tension d'entrée produit l'alternance négative de la tension de sortie, l'amplificateur à source commune inverse la phase.

GAIN EN TENSION

La figure 12-15 *b* représente le circuit équivalent en courant alternatif d'un amplificateur à source commune. Du côté entrée, R_1 est en parallèle avec R_2; la résistance interne R_{GS} est assez grande pour qu'on l'ignore. La tension alternative de sortie égale

$$v_o = - g_m v_{gs} R_D$$

Le signe moins du deuxième membre indique l'inversion de phase. La tension alternative d'entrée égale

$$v_i = v_{gs}$$

parce qu'on branche directement la source de tension alternative entre les bornes grille-source. Le rapport de la tension de sortie à la tension d'entrée égale

$$\frac{v_o}{v_i} = - g_m R_D$$

Ecrivons cette égalité sous la forme

$$A = - g_m R_D \qquad (12\text{-}16)$$

dans laquelle A = gain en tension sans charge
g_m = transconductance
R_D = résistance de drain

Cette égalité donne le gain en tension sans charge parce que le condensateur de couplage de sortie n'est pas connecté à une résistance de charge.

...

MODÈLE EN COURANT ALTERNATIF D'UN ÉTAGE A SOURCE COMMUNE

La figure 12-15 *c* représente le modèle en courant alternatif d'un amplificateur à source commune. Remarquer sa ressemblance avec le modèle en courant alternatif d'un amplificateur à émetteur commun. Considérons d'abord l'impédance d'entrée z_i. Aux basses fréquences, z_i égale la résistance équivalente des résistances de polarisation du circuit de grille. Dans le cas de polarisation par diviseur de tension, par exemple, $z_i = R_1 \parallel R_2$. Dans celui de la polarisation de base, $z_i = R_G$ et ainsi de suite pour les autres formes de polarisation. L'application ici aussi du théorème de Thévenin au circuit de sortie donne une source de tension alternative et une impédance de sortie. Dans le cas d'un amplificateur à source commune, on obtient une source de tension alternative Av_i et une impédance de sortie R_D.

DISTORSION

Sa caractéristique de transconductance étant non linéaire, un FET à jonction déforme les grands signaux (fig. 12-15 *d*). Si la tension d'entrée est sinusoïdale, le

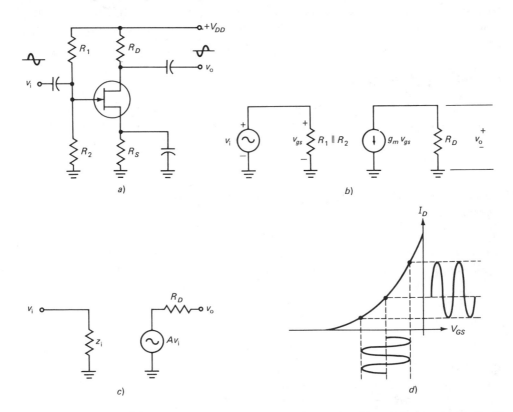

Fig. 12-15. a) *Amplificateur à source commune.* b) *Circuit équivalent en courant alternatif.* c) *Autre circuit équivalent.* d) *Distorsion.*

courant de sortie n'est pas sinusoïdal : l'alternance positive est étirée et l'alternance négative comprimée. On appelle ce type de distorsion la *distorsion quadratique* parce que la caractéristique de transconductance est parabolique. Les mélangeurs de fréquence (chapitre 23) constituent une importante application de ce type de distorsion.

Les amplificateurs linéaires ne doivent pas déformer le signal. Pour minimiser la distorsion quadratique des amplificateurs à FET à jonction on peut, par exemple, n'amplifier que de petits signaux. On n'utilise alors qu'une petite partie de la caractéristique de transconductance. Donc, le fonctionnement est à peu près linéaire. Comme nous l'avons mentionné, le signal est petit lorsque le courant drain de crête à crête est inférieur à 10 % du courant drain de repos. Cette règle de 10/1 maintient la distorsion à un niveau assez bas dans la plupart des applications. (Le chapitre 22 traite de la distorsion plus en détail).

RÉSISTANCE DE MASQUAGE OU DE STABILISATION

On ajoute parfois une *résistance de masquage ou de stabilisation* à la résistance de source (fig. 12-16 *a*). Alors, la source n'est plus à la masse en courant alternatif. Le courant drain qui traverse r_S génère une tension alternative entre la source et la masse. Si la résistance r_S est assez grande, la réaction locale peut rendre la caractéristique de transconductance linéaire. Alors le gain idéal en tension tend vers $- R_D/r_S$, le rapport de la résistance de drain à la résistance non découplée de source. (Remarquer la ressemblance avec $- R_C/r_e$, le gain d'un amplificateur bipolaire stabilisé).

Analysons mathématiquement le circuit équivalent en courant alternatif représenté à la figure 12-16 *b*. Lorsque R_{GS} tend vers l'infini, tout le courant alternatif drain traverse r_S et produit une chute de tension $g_m v_{gs} r_S$. L'addition des tensions le long de la boucle d'entrée donne

$$v_{gs} + g_m v_{gs} r_S - v_i = 0$$

d'où

$$v_i = (1 + g_m r_S) v_{gs}$$

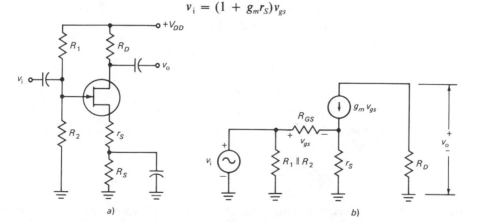

Fig. 12-16.   a) *Amplificateur stabilisé à FET à jonction.* b) *Circuit équivalent en courant alternatif.*

La tension alternative de sortie égale
$$v_o = - g_m v_{gs} R_D$$

Le rapport de la tension de sortie à la tension d'entrée égale
$$\frac{v_o}{v_i} = \frac{- g_m R_D}{1 + g_m r_S}$$

Ecrivons cette égalité sous la forme
$$A = - \frac{R_D}{r_S + 1/g_m} \tag{12-17}$$

dans laquelle, A = gain en tension sans charge
R_D = résistance de drain
r_S = résistance de stabilisation ou de masquage
g_m = transconductance

Cette égalité précise deux choses. Premièrement, la résistance de stabilisation diminue le gain en tension. Deuxièmement, les variations de g_m d'un FET à jonction à l'autre ont moins d'effet sur le gain en tension. Pour masquer les variations de g_m, r_S doit être beaucoup   plus grand que $1/g_m$. Alors, A tend vers $- R_D/r_S$.

EXEMPLE 12-6

Supposer que g_m du FET à jonction représenté à la figure 12-17 *a* est de 2000 μS et calculer la tension alternative de sortie.

SOLUTION

Le gain en tension sans charge égale
$$A = (- 2\,000 \ \mu S)(4,7 \ k\Omega) = - 9,4$$

L'impédance d'entrée de l'amplificateur égale
$$z_i = 1 \ M\Omega \parallel 1 \ M\Omega = 500 \ k\Omega$$

On peut donc représenter le circuit en courant alternatif selon la figure 12-17 *b*. Le diviseur de tension d'entrée réduit le signal grille à
$$v_i = \frac{500 \ k\Omega}{600 \ k\Omega} \ 1 \ mV = 0,833 \ mV$$

La tension de Thévenin de sortie égale
$$A v_i = - 9,4(0,833 \ mV) = - 7,83 \ mV$$

Telle est la sortie sans charge. La vraie sortie apparaît entre les bornes de la résistance de 10 kΩ; on a
$$v_o = \frac{10 \ k\Omega}{14,7 \ k\Omega} \ (- 7,83 \ mV) = - 5,33 \ mV$$

Remarquons la petitesse du gain total en tension d'un amplificateur à FET à jonction. Cette petitesse est typique : le gain en tension des FET à jonction est nettement inférieur à celui des transistors bipolaires.

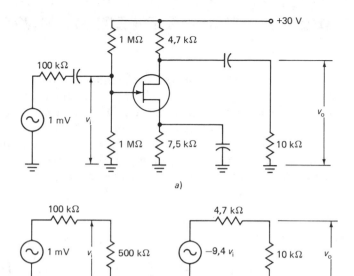

Fig. 12-17. a) *Amplificateur à source commune avec résistance de générateur et résistance de charge.* b) *Circuit équivalent en courant alternatif.*

EXEMPLE 12-7

Considérer l'exemple 12-6, prendre une résistance de masquage ou de stabilisation de 1 kΩ et calculer la tension de sortie.

SOLUTION

L'inverse de g_m égale

$$\frac{1}{g_m} = \frac{1}{2000 \ \mu S} = 500 \ \Omega$$

Selon la formule (12-17), le gain en tension sans charge égale

$$A = \frac{4700}{1000 + 500} = -3,13$$

La tension alternative grille d'entrée est encore de 0,833 mV, mais la tension de Thévenin de sortie chute à

$$A v_i = (-3,13)(0,833 \ mV) = -2,61 \ mV$$

Donc la tension de sortie finale

$$v_o = \frac{10 \ k\Omega}{14,7 \ k\Omega} (-2,61) = -1,78 \ mV$$

12.8. AMPLIFICATEUR A DRAIN COMMUN

La figure 12-18 *a* représente un *amplificateur à drain commun*. Il ressemble à un amplificateur à émetteur suiveur. Le signal alternatif d'attaque de la grille produit un courant alternatif drain. Ce courant traverse la résistance non découplée de source et produit une tension alternative de sortie approximativement égale à la tension d'entrée et en phase avec elle. D'où le nom d'amplificateur à *source suiveuse* attribué à cet amplificateur. En raison de sa grande impédance d'entrée, on utilise souvent un amplificateur à source suiveuse à l'entrée des appareils de mesure tels les voltmètres électroniques et les oscilloscopes.

GAIN EN TENSION

La figure 12-18 *b* représente le circuit équivalent en courant alternatif d'un amplificateur à source suiveuse. Déterminons la formule de son gain en tension. L'addition des tensions le long de la boucle d'entrée donne

$$v_{gs} + g_m v_{gs} R_S - v_i = 0$$

soit

$$v_i = (1 + g_m R_S) v_{gs}$$

La tension de sortie égale

$$v_o = g_m v_{gs} R_S$$

Prenons le rapport de la tension de sortie à la tension d'entrée. Il vient,

$$\frac{v_o}{v_i} = \frac{g_m R_S}{1 + g_m R_S}$$

Cette égalité peut s'écrire sous la forme

$$A = \frac{R_S}{R_S + 1/g_m} \tag{12-18}$$

Si la résistance R_S est beaucoup plus grande que $1/g_m$, le gain en tension sans charge tend vers 1.

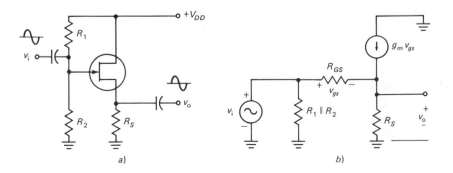

Fig. 12-18. a) *Amplificateur à source suiveuse.* b) *Circuit équivalent en courant alternatif.*

DISTORSION MOINDRE

La distorsion de l'amplificateur à source suiveuse est inférieure à celle d'un amplificateur à source commune en raison de la résistance non découplée de source. Si la résistance R_S égale 10 fois $1/g_m$, la distorsion est à peu près divisée par 10. Par nature, un amplificateur à source suiveuse est un amplificateur à faible distorsion parce que son gain en tension tend vers 1. Si le gain en tension égalait exactement 1, il n'y aurait pas de distorsion parce que la sortie serait la copie de l'entrée.

IMPÉDANCE DE SORTIE

Le gain en tension sans charge d'un amplificateur à source suiveuse égale

$$\frac{v_o}{v_i} = \frac{R_S}{R_S + 1/g_m}$$

Par conséquent, la tension de sortie égale

$$v_o = \frac{R_S}{R_S + 1/g_m}\, v_i$$

Est-ce que cette formule rappelle quelque chose ? La formule d'un diviseur de tension bien sûr ! La tension v_i attaque deux résistances R_S et $1/g_m$. On prélève la tension de sortie entre les bornes de R_S. D'où le côté sortie d'un amplificateur à source suiveuse représenté à la figure 12-19 *a*. La résistance de source est attaquée par une source de tension alternative dont l'impédance de sortie égale

$$z_{o(\text{source})} = \frac{1}{g_m} \tag{12-19}$$

Si $g_m = 2000\ \mu S$, alors $z_{o(\text{source})} = 500\ \Omega$. Telle est l'impédance de sortie de la source d'un FET à jonction.

Si l'on applique le théorème de Thévenin au circuit de sortie, R_S est en parallèle avec $1/g_m$ et l'impédance de sortie de l'étage égale

$$z_o = R_S \parallel \frac{1}{g_m} \tag{12-20}$$

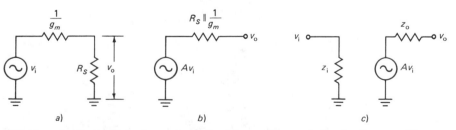

Fig. 12-19. a) *Circuit équivalent en courant alternatif pour la sortie d'un amplificateur à source suiveuse.* b) *Circuit équivalent de Thévenin d'un amplificateur à source suiveuse.* c) *Autre circuit équivalent.*

La figure 12-19 *b* représente le circuit de Thévenin de sortie. La tension de Thévenin égale Av_i et l'impédance de sortie égale la résistance parallèle équivalente de R_S et $1/g_m$. Si la résistance R_S est beaucoup plus grande que la résistance $1/g_m$, l'impédance de sortie de l'amplificateur à source suiveuse égale environ $1/g_m$.

MODÈLE EN COURANT ALTERNATIF

La figure 12-19 *c* représente un amplificateur à source suiveuse en ce qui concerne le signal alternatif. Une tension alternative d'entrée attaque une impédance d'entrée. Dans un étage polarisé par diviseur de tension, z_i est en parallèle avec R_1 et R_2. Dans un étage polarisé automatiquement, $z_i = R_G$ et ainsi de suite pour les autres types de polarisation. Le côté sortie comprend une source de tension alternative Av_i et une impédance de sortie z_o égale à R_S en parallèle avec $1/g_m$.

EXEMPLE 12-8

La transconductance g_m du FET à jonction représenté à la figure 12-20 *a* est de 2500 μS. Supposer que $v_i = 5$ mV et calculer v_o.

SOLUTION

L'inverse de la transconductance égale

$$\frac{1}{g_m} = \frac{1}{2500 \ \mu S} = 400 \ \Omega$$

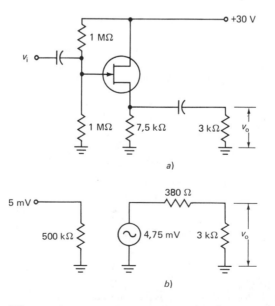

a)

b)

Fig. 12-20. a) *L'amplificateur à source suiveuse attaque la résistance de charge.* b) *Circuit équivalent en courant alternatif.*

Selon la formule (12-18), le gain en tension sans charge de l'amplificateur à source suiveuse égale

$$A = \frac{7500}{7500 + 400} = 0,949$$

et la tension de sortie sans charge égale

$$Av_i = (0,949)(5 \text{ mV}) = 4,75 \text{ mV}$$

L'impédance de sortie égale

$$z_o = 7500 \ \Omega \parallel 400 \ \Omega = 380 \ \Omega$$

La figure 12-20 *b* représente le circuit équivalent en courant alternatif de l'amplificateur à source suiveuse. Une source de tension alternative de 4,75 mV est en série avec une impédance de sortie de 380 Ω. La tension alternative entre les bornes de la résistance de charge égale

$$v_o = \frac{3000}{3380} \ 4,75 \text{ mV} = 4,22 \text{ mV}$$

12.9. AMPLIFICATEUR A GRILLE COMMUNE

La figure 12-21 *a* représente un amplificateur *à grille commune* et la figure 12-21 *b* le circuit équivalent en courant alternatif. La tension alternative de sortie égale

$$v_o = g_m v_{gs} R_D \qquad (12\text{-}21)$$

et la tension alternative d'entrée égale

$$v_i = v_{gs}$$

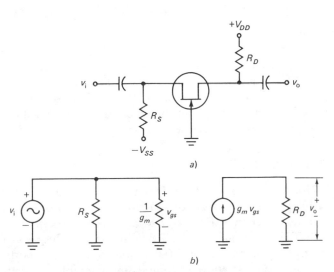

Fig. 12-21. a) *Amplificateur à grille commune.* b) *Circuit équivalent en courant alternatif.*

Le rapport de la tension de sortie à la tension d'entrée égale

$$\frac{v_o}{v_i} = \frac{g_m v_{gs} R_D}{v_{gs}} = g_m R_D$$

d'où

$$A = g_m R_D \qquad (12\text{-}22)$$

Le courant alternatif d'entrée du FET à jonction égale

$$i_i = i_d = g_m v_{gs}$$

Réarrangeons cela sous la forme

$$\frac{v_{gs}}{i_i} = \frac{1}{g_m}$$

Or, $v_{gs} = v_i$, d'où

$$z_i = \frac{1}{g_m} \qquad (12\text{-}23)$$

Si $g_m = 2000 \ \mu S$, alors

$$z_i = \frac{1}{2000 \ \mu S} = 500 \ \Omega$$

Donc, l'impédance d'entrée d'un amplificateur à grille commune est faible, contrairement à celle des amplificateurs à source commune et à drain commun qui tend vers l'infini aux basses fréquences. En raison de sa faible impédance d'entrée, on n'utilise l'amplificateur à grille commune que dans quelques applications (chapitre 14).

12.10. INTERRUPTEUR ANALOGIQUE A FET A JONCTION

La *commutation* blocage-saturation et vice versa est l'une des principales applications d'un FET à jonction. Pour cela, on n'utilise que deux points de la droite de charge : le point de blocage et le point de saturation. A l'état bloqué, un FET à jonction se comporte comme un interrupteur ouvert, et à l'état saturé il se comporte comme un interrupteur ferme.

DROITE DE CHARGE

La figure 12-22 *a* représente un FET à jonction à source à la masse. Lorsque la tension V_{GS} est nulle, le FET à jonction est saturé et fonctionne à l'ordonnée à l'origine de la droite de charge (fig. 12-22 *b*). Lorsque la tension V_{GS} est égale à $V_{GS \ (blocage)}$ ou lui est plus négative, le FET à jonction est bloqué et fonctionne à l'abscisse à l'origine. Idéalement, le FET à jonction se comporte comme un interrupteur fermé lorsqu'il est saturé et comme un interrupteur ouvert lorsqu'il est bloqué.

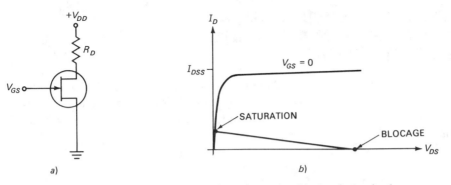

Fig. 12-22. a) *Circuit d'un FET à jonction de commutation.* b) *La droite de charge coupe la caractéristique de drain bien au-dessous du coude de celle-ci.*

En commutation blocage-saturation et vice versa, on n'utilise pas la région entre la saturation et le blocage. On n'utilise donc que deux points de la droite de charge : celui de saturation et celui de blocage. On obtient ce fonctionnement deux états en appliquant une tension grille nulle et une tension grille fortement négative.

RÉSISTANCE EN CONTINU, EN COURANT CONTINU OU OHMIQUE A L'ÉTAT PASSANT

La commutation blocage-saturation et vice versa n'est pas parfaite parce que le FET à jonction possède une petite résistance lorsqu'il est saturé. Par définition, la résistance ohmique à l'état passant égale le rapport de la tension totale drain au courant total drain, soit

$$r_{DS\ (passant)} = \frac{V_{DS}}{I_D} \qquad (12\text{-}24)$$

Dans cette formule, $r_{DS\ (passant)}$ = résistance ohmique dans la région de saturation
$\qquad\qquad\qquad\quad V_{DS}$ = tension continue drain-source
$\qquad\qquad\qquad\quad I_D$ = courant continu drain

Si au point de saturation représenté à la figure 12-22 b, $V_{DS} = 0,1$ V et $I_D = 0,8$ mA, alors

$$r_{DS\ (passant)} = \frac{0,1\ \text{V}}{0,8\ \text{mA}} = 125\ \Omega$$

La résistance ohmique de ce FET à jonction est donc de 125 Ω.

La résistance ohmique $r_{DS\ (passant)}$ sert lorsqu'on essaie un FET à jonction avec un ohmmètre. Sur les bas calibres, où la tension interne est de 1,5 V, on peut utiliser un ohmmètre pour mesurer la valeur approximative de $r_{DS\ (passant)}$. Se rappeler de connecter un cavalier entre la grille et la source pour annuler V_{GS}. La fiche signalétique d'un 2N5951, par exemple, donne une résistance ohmique minimale $r_{DS\ (passant)}$ de 100 Ω et une résistance ohmique maximale $r_{DS\ (passant)}$ de 500 Ω pour $V_{GS} = 0$. Un ohmmètre branché entre le drain et la source d'un 2N5951 devrait afficher une résistance comprise entre 100 Ω et 500 Ω lorsque la grille est reliée à la source par un cavalier.

RÉSISTANCE EN ALTERNATIF OU EN COURANT ALTERNATIF A L'ÉTAT PASSANT

Normalement, un FET à jonction de commutation est saturé bien au-dessous du coude de la caractéristique de drain (fig. 12-22 *b*). Le courant drain est donc beaucoup plus petit que I_{DSS}. Un FET à jonction saturé soumis à un signal alternatif semble une résistance en alternatif égale à

$$r_{ds \text{ (passant)}} = \frac{\Delta V_{DS}}{\Delta I_D} \tag{12-25}$$

Dans cette égalité
$r_{ds \text{ (passant)}}$ = résistance en alternatif ou en courant alternatif
ΔV_{DS} = variation de la tension drain-source
ΔI_D = variation du courant drain

Cette résistance, appelée *résistance petits signaux à l'état passant,* égale l'inverse de la pente de la caractéristique de drain. Plus la région de saturation est raide, plus la résistance en courant alternatif est petite.

INTERRUPTEUR SHUNT

La figure 12-23 *a* représente un *interrupteur shunt*. Sa fonction est de transmettre ou de bloquer un petit signal alternatif d'entrée. La tension v_i est petite et habituellement inférieure à 100 mV. Lorsque la tension de commande V_{commande} est nulle, le FET à jonction est saturé. Comme le FET à jonction est équivalent à un interrupteur fermé, idéalement, la tension v_o est nulle. Lorsque la tension V_{commande} est plus négative que la tension $V_{GS \text{ (blocage)}}$, le FET à jonction se comporte comme un interrupteur ouvert et $v_o = v_i$. Tant que la tension d'entrée est petite, le FET à jonction reste bloqué, même si la tension d'entrée devient négative durant une partie du cycle.

L'interruption n'est pas parfaite. Il existe une résistance en courant alternatif lorsque le FET à jonction est saturé. D'où le circuit équivalent en courant alternatif représenté à la figure 12-23 *b*. Lorsque l'interrupteur est ouvert, tout le signal d'entrée passe à la sortie. Mais lorsque l'interrupteur est fermé, une partie du signal d'entrée passe encore à la sortie parce que la résistance $r_{ds \text{ (passant)}}$ n'est pas nulle. Pour avoir une interruption franche, la résistance $r_{ds \text{ (passant)}}$ doit être beaucoup plus petite que la résistance R_D. La résistance $r_{ds \text{ (passant)}}$ d'un 2N3970, par exemple, est de 30 Ω. Si $R_D = 4,7$ kΩ,

$$v_o = \frac{30}{4\ 730}\ v_i = 0,006\ 34\ v_i$$

Donc, moins de 1 % du signal d'entrée passe à la sortie lorsque le FET à jonction est saturé.

A propos, on appelle parfois l'interrupteur shunt un *interrupteur analogique* parce qu'il établit ou coupe un signal alternatif. Le mot « analogique » signifie continu ou sans à-coups. On appelle le signal d'entrée un signal analogique parce qu'il varie continûment de sa valeur minimale à sa valeur maximale.

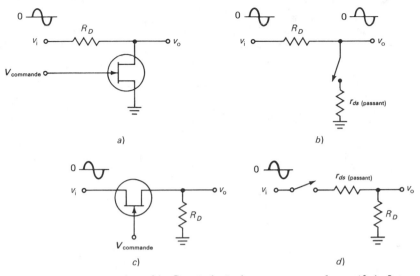

Fig. 12-23. a) *Interrupteur shunt.* b) *Circuit équivalent en courant alternatif.* c) *Interrupteur série.* d) *Circuit équivalent en courant alternatif.*

INTERRUPTEUR SÉRIE

La figure 12-23 *c* représente un *interrupteur série*. Lorsque la tension V_{commande} est nulle, le FET à jonction est équivalent à un interrupteur fermé, et la tension de sortie égale environ la tension d'entrée. Lorsque la tension V_{commande} est égale à la tension $V_{GS \text{ (blocage)}}$ ou lui est plus négative, le FET à jonction ressemble à un interrupteur ouvert et la tension v_o est à peu près nulle.

La figure 12-23 *d* représente le circuit équivalent en courant alternatif. Lorsque l'interrupteur est ouvert aucun signal n'atteint la sortie. Lorsque l'interrupteur est fermé, presque tout le signal passe à la sortie pourvu que la résistance $r_{ds \text{ (passant)}}$ soit beaucoup plus petite que la résistance R_D. En pratique, on utilise ces deux types d'interrupteurs à FET à jonction. On utilise davantage l'interrupteur série parce que son rapport marche-arrêt est meilleur. L'interrupteur série est un autre exemple d'interrupteur analogique, un dispositif qui transmet ou bloque un signal alternatif.

MULTIPLEXAGE

« Multiplex » signifie « plusieurs dans un ». La figure 12-24 représente un *multiplexeur analogique,* un dispositif qui guide un des signaux d'entrée vers la ligne de sortie. Si les signaux de commande (V_1, V_2 et V_3) sont plus négatifs que la tension $V_{GS \text{ (blocage)}}$, tous les signaux d'entrée sont bloqués. Si une tension de commande est nulle, on transmet une entrée à la sortie. Si la tension V_1 est nulle, la sortie est sinusoïdale. Si la tension V_2 est nulle, la sortie est triangulaire. Si la tension V_3 est nulle, la sortie est carrée. Normalement, un seul signal de commande est nul.

HACHEURS

Nous avons vu qu'on peut fabriquer un amplificateur à couplage direct en délaissant les condensateurs de couplage et de découplage et en connectant

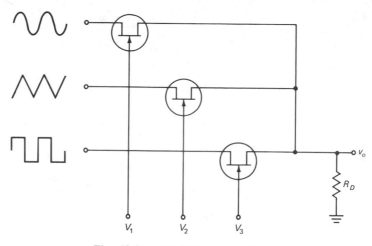

Fig. 12-24. *Multiplexeur analogique.*

directement la sortie de chaque étage à l'entrée de l'étage suivant. De cette façon, on transmet le courant continu et le courant alternatif. La dérive, un lent glissement de la tension de sortie finale produit par les variations de l'alimentation et du transistor, est le principal désavantage du couplage direct.

La figure 12-25 *a* représente un amplificateur pour courant continu (ou à couplage direct) *à hacheur.* Un circuit de commutation hache la tension continue d'entrée. D'où la tension carrée représentée à la sortie du hacheur. La tension de crête de cette onde carrée égale V continue. La tension carrée étant un signal alternatif, on peut utiliser un amplificateur classique pour courant alternatif à condensateur de couplage entre étages. On détecte ensuite les crêtes de la sortie amplifiée pour récupérer le signal continu.

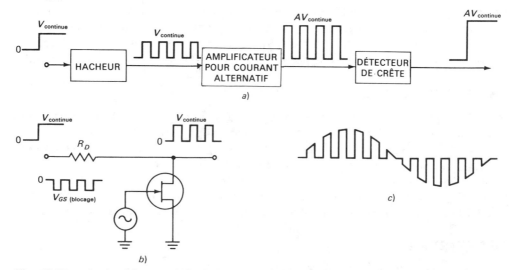

Fig. 12-25. a) *Amplificateur à hacheur.* b) *Hacheur à FET.* c) *Sortie d'un hacheur à FET attaqué par une tension sinusoïdale basse fréquence.*

L'application d'une tension carrée à la grille d'un interrupteur analogique à FET à jonction transforme cet interrupteur en hacheur (fig. 12-25 *b*). La tension carrée grille décroît en oscillant de 0 V à au moins $V_{GS \text{ (blocage)}}$. Cela sature et bloque, alternativement, le FET à jonction. Donc, la tension de sortie est une onde carrée à crête égale à V continue.

La figure 12-25 *c* représente le hachage d'un signal alternatif basse fréquence d'entrée. On amplifie ce signal haché par un amplificateur pour courant alternatif exempt de dérive. Une fois le signal assez grand, on l'applique à un détecteur de crête pour récupérer le signal d'entrée original.

12.11. AUTRES APPLICATIONS DES FET A JONCTION

Dans cette section, nous étudierons quelques applications dans lesquelles les propriétés des FET à jonction rendent ceux-ci nettement supérieurs aux transistors bipolaires.

AMPLIFICATEURS TAMPONS OU INTERMÉDIAIRES

La figure 12-26 représente un *amplificateur tampon,* un étage qui isole l'étage précédent du suivant. L'impédance d'entrée d'un amplificateur tampon idéal est grande. Si tel est le cas, presque toute la tension de Thévenin de l'étage *A* apparaît à l'entrée de l'amplificateur tampon. L'impédance de sortie de l'amplificateur tampon doit être petite pour que toute la sortie atteigne l'entrée de l'étage *B*.

L'amplificateur à source suiveuse est un excellent amplificateur tampon en raison de sa grande impédance d'entrée (de plusieurs mégohms aux basses fréquences) et de sa petite impédance de sortie (habituellement de quelques centaines d'ohms). L'impédance d'entrée étant grande, le chargement de l'étage précédent est faible. L'impédance de sortie étant petite, l'amplificateur à tampon peut appliquer de grandes charges (petites résistances de charge).

AMPLIFICATEUR A FAIBLE BRUIT

Le *bruit* est toute perturbation superposée à un signal utile. Le bruit perturbe l'information contenue dans le signal; plus le bruit est grand, moins il y a d'information. Le bruit des téléviseurs, par exemple, produit de petites taches blanches ou noires sur l'image; un grand bruit peut effacer l'image. Le bruit des

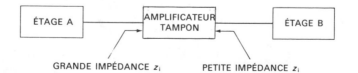

Fig. 12-26. *L'amplificateur tampon isole les étages A et B.*

récepteurs radio produit des crachements et des sifflements, qui parfois couvrent complètement la voix et la musique. Le bruit est indépendant du signal puisqu'il existe même lorsque le signal est coupé.

Au chapitre 23 nous étudierons la nature du bruit, sa production et comment le réduire. Tout dispositif électronique produit du bruit. Le FET à jonction en produit très peu. Cette propriété est particulièrement intéressante près de l'entrée des récepteurs et d'autres appareils électroniques ; les étages suivants amplifient le bruit d'entrée en même temps que le signal. Le montage d'un amplificateur à FET à jonction à l'entrée diminue le bruit amplifié à la sortie finale.

RÉSISTANCE COMMANDÉE PAR TENSION

On appelle aussi la région de saturation d'un FET à jonction la *région ohmique* parce qu'un FET à jonction saturé s'y comporte comme une résistance plutôt que comme une source de courant. Dans la région ohmique, la tension V_{GS} commande la résistance $r_{ds\,(passant)}$. Plus la tension V_{GS} est négative, plus la résistance $r_{ds\,(passant)}$ est grande.

La figure 12-27 représente les caractéristiques de drain d'un 2N5951 dans la région ohmique. La résistance en petits signaux $r_{ds\,(passant)}$ dépend de V_{GS}. On peut calculer $r_{ds\,(passant)}$ en prenant le rapport de la tension drain au courant drain. Lorsque $V_{GS} = 0$, $I_D = 0,75$ mA et $V_{DS} = 100$ mV,

$$r_{ds\,(passant)} = \frac{100 \text{ mV}}{0,75 \text{ mA}} = 133 \ \Omega$$

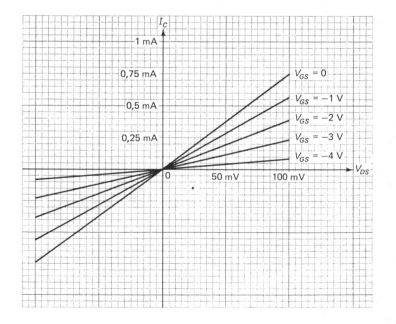

Fig. 12-27. *Les caractéristiques de drain sont linéaires près de l'origine.*

Si la tension V_{GS} est plus négative, la résistance $r_{ds\ (passant)}$ est plus grande. Lorsque $V_{GS} = -2$ V, $I_D = 0{,}4$ mA et $V_{DS} = 100$ mV,

$$r_{ds\ (passant)} = \frac{100\ \text{mV}}{0{,}4\ \text{mA}} = 250\ \Omega$$

Remarquer qu'on trace les caractéristiques de drain représentées à la figure 12-27 des deux côtés de l'origine. Donc un FET à jonction peut servir de *résistance commandée par tension* pour les petits signaux alternatifs habituellement inférieurs à 100 mV. Utilisé de cette façon, le FET à jonction n'a pas besoin de tension continue drain provenant de l'alimentation. Il n'a besoin que d'un signal alternatif d'entrée. Nous étudierons plusieurs applications de la résistance commandée par tension aux chapitres 17 et 18.

COMMANDE AUTOMATIQUE DE GAIN

Lorsqu'on accorde un récepteur d'une station faible à une station puissante, le haut-parleur hurle si l'on ne diminue pas immédiatement le volume. L'affaiblissement, une variation de l'intensité de réception causée par une variation électrique dans le chemin entre l'antenne d'émission et l'antenne de réception, fait aussi varier le volume. Pour contrecarrer les variations indésirables du volume, la plupart des récepteurs comportent une *commande automatique de gain* (CAG) à FET à jonction. Comme nous l'avons vu,

$$g_m = g_{m0} \left[1 - \frac{V_{GS}}{V_{GS\ (blocage)}} \right]$$

Cette équation est linéaire. La figure 12-28 *a* donne sa représentation graphique. La transconductance g_m d'un FET à jonction est maximale lorsque la tension V_{GS} est nulle et elle diminue à mesure que la tension V_{GS} devient plus négative. Le gain en tension d'un amplificateur à source commune étant

$$A = -g_m\, r_D$$

on peut le commander en commandant g_m.

On y parvient, par exemple, par la CAG représentée à la figure 12-28 *b*. Le FET à jonction est près de l'entrée du récepteur. Son gain en tension égale $-g_m r_D$. Les étages suivants amplifient la sortie du FET à jonction. Cette sortie amplifiée passe dans un détecteur de crête négative qui produit la tension V_{CAG}. On injecte cette tension négative à la grille de l'amplificateur à FET à jonction *via* une résistance de 10 kΩ. Lorsqu'on accorde le récepteur d'une station faible à une station puissante, on détecte la crête d'un plus grand signal, et la tension V_{CAG} est plus négative; cela diminue le gain de l'amplificateur à FET à jonction.

Le signal final augmente dans un amplificateur à CAG, mais il augmente davantage sans elle. Une augmentation de 100 % du signal d'entrée de certains systèmes à CAG n'entraîne qu'une augmentation de 1 % du signal de sortie finale.

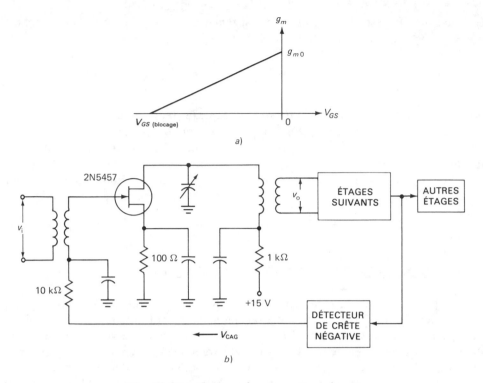

Fig. 12-28. *Commande automatique de gain.*

AMPLIFICATEUR CASCODE

La figure 12-29 *a* représente un exemple d'*amplificateur cascode,* un amplificateur à source commune qui attaque un amplificateur à grille commune. Voici son fonctionnement. Pour des raisons de simplicité, supposons que les FET à jonction sont adaptés, donc qu'ils ont la même transconductance g_m. Le gain de l'amplificateur à source commune égale

$$A_1 = - g_m R_D$$

L'impédance d'entrée de l'amplificateur à grille commune égale $1/g_m$. Cette impédance est la résistance de drain vue par l'amplificateur à source commune. D'où

$$A_1 = - g_m R_D = - g_m \frac{1}{g_m} = - 1$$

Le gain de l'amplificateur à grille commune égale

$$A_2 = g_m R_D$$

Donc, le gain total des deux FET à jonction égale

$$A = A_1 A_2 = - g_m R_D$$

Le gain en tension d'un amplificateur cascode est donc égal à celui d'un amplificateur à source commune.

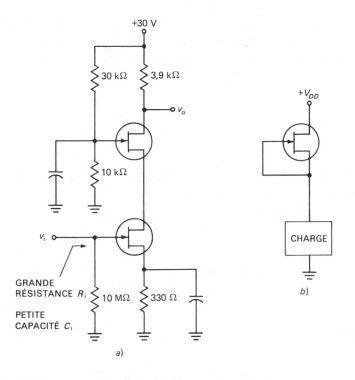

Fig. 12-29. a) *Amplificateur cascode.* b) *Limiteur de courant à FET.*

Le principal avantage d'un amplificateur cascode est sa petite capacité d'entrée nettement inférieure à celle d'un amplificateur à source commune. Au chapitre 14, nous expliquerons pourquoi la capacité d'entrée d'un amplificateur cascode est petite (en raison de l'effet Miller). D'ici là, retenons que le gain en tension d'un amplificateur cascode égale celui d'un amplificateur à source commune et que sa capacité d'entrée est très petite.

LIMITATION DE COURANT

Le FET à jonction de la figure 12-29 *b* protège une charge contre un courant excessif. Supposons que le courant normal de charge est de 1 mA. Si $I_{DSS} = 10$ mA et $r_{ds\,(\text{passant})} = 200\ \Omega$, alors le courant normal de charge de 1 mA signifie que le FET à jonction fonctionne dans la région ohmique et que la chute de tension égale

$$V_{DS} = (1\ \text{mA})\,(200\ \Omega) = 0,2\ \text{V}$$

seulement. Donc, la tension d'alimentation apparaît presque toute entre les bornes de la charge. Supposons que la charge se court-circuite. Alors, le courant de charge tente d'augmenter jusqu'à un niveau excessif. Ce courant accru de charge place le FET à jonction dans la région active où il limite le courant à 10 mA. Le FET à jonction se comporte à présent comme une source de courant et empêche le courant de charge d'être excessif.

Le fabricant peut relier la grille à la source et emballer le FET à jonction sous la forme d'un dipôle. On fabrique les diodes à courant constant de cette façon. Nous avons étudié ces diodes aussi appelées diodes de régulation de courant au chapitre 4.

CONCLUSION

Examinons le tableau 12-1. Nous expliquerons ses termes nouveaux dans des chapitres ultérieurs. L'avantage de l'amplificateur tampon à FET à jonction est une grande impédance d'entrée et une petite impédance de sortie. D'où le montage d'un FET à jonction à l'entrée des voltmètres, des oscilloscopes et d'autres appareils semblables où l'on a besoin de grandes résistances d'entrée (10 MΩ ou plus). A titre documentaire, signalons que la résistance d'entrée à la grille d'un FET à jonction va de 100 MΩ à plus de 10 000 MΩ.

La tension de sortie d'un FET à jonction servant d'amplificateur petits signaux est une fonction linéaire de l'entrée parce qu'on n'utilise qu'une petite partie de la caractéristique de transconductance. On utilise souvent des FET à jonction comme amplificateurs RF près de l'entrée des récepteurs radio et des téléviseurs parce que les signaux y sont petits.

Tableau 12-1. Applications des FET

Application	Principal avantage	Usages
Amplificateur tampon	Grande impédance z_i, petite impédance z_o	Universel, appareils de mesure, récepteurs.
Amplificateur RF	Faible bruit	Syntonisateurs ou syntoniseurs FM, équipement de télécommunications.
Mélangeur	Petite distorsion d'intermodulation	Récepteurs FM, récepteurs TV, équipement de télécommunications.
Amplificateur à CAG	Facilité de commander le gain	Récepteurs, générateurs de signaux.
Amplificateur cascode	Petite capacité d'entrée	Appareils de mesure, appareillage d'essai.
Hacheur	Pas de dérive	Amplificateurs pour courant continu, systèmes de contrôle de guidage.
Résistance commandée par tension	Commande de la résistance par tension	Amplificateurs opérationnels, orgues, correcteurs de tonalité.
Amplificateur basses fréquences	Petit condensateur de couplage	Appareils de correction auditive, tranducteurs inductifs.
Oscillateur	Glissement minimal de fréquence	Etalons de fréquence, récepteurs.
Circuit numérique à semiconducteurs métal-oxyde (MOS)	Petit encombrement	Intégration à grande échelle, ordinateurs, mémoires.

Dans le cas de plus grands signaux, on utilise une plus grande partie de la caractéristique de transconductance et l'on récolte une distorsion quadratique. On ne veut pas d'une telle distorsion non linéaire dans un amplificateur. Cette distorsion quadratique est toutefois extrêmement avantageuse dans les mélangeurs (étudiés au chapitre 23). Voilà pourquoi on préfère les FET à jonction aux transistors bipolaires dans les mélangeurs FM et dans les mélangeurs des téléviseurs.

Selon le tableau 12-1, on utilise aussi des FET à jonction dans les amplificateurs à CAG, les amplificateurs cascode, le hacheurs et les résistances commandées par tension. Nous étudierons les deux dernières applications, les oscillateurs et les circuits numériques à semiconducteurs métal-oxyde (MOS), dans des chapitres ultérieurs.

PROBLÈMES

Simples

12-1. A la température ambiante, un 2N4220 (un FET à jonction à canal N) a un courant inverse grille de 0,1 nA pour une tension inverse grille de 15 V. Calculer la résistance de la grille à la source.

12-2. Soit les caractéristiques de drain d'un FET à jonction représentées à la figure 12-30 *a*. Calculer le courant I_{DSS}, la tension maximale V_{DS} dans la région de saturation et la gamme de tension V_{DS} sur laquelle le FET à jonction se comporte comme une source de courant.

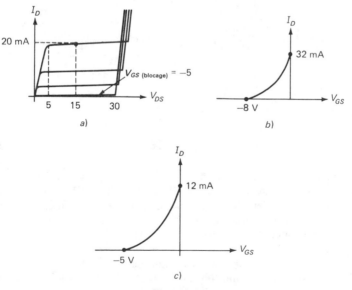

Fig. 12-30.

12-3. Ecrire l'équation de la caractéristique de transconductance d'un FET à jonction représentée à la figure 12-30 *b*. Calculer le courant drain lorsque $V_{GS} = -4$ V et -2 V.

12-4. Considérer la caractéristique quadratique d'un FET à jonction représentée à la figure 12-30 *c* et calculer le courant drain lorsque $V_{GS} = -1$ V.

12-5. La figure 12-31 *a* représente un amplificateur polarisé automatiquement et la figure 12-31 *b* la caractéristique de transconductance du FET à jonction. Déterminer I_D de repos et V_{GS} de repos. Calculer la tension continue entre le drain et la masse.

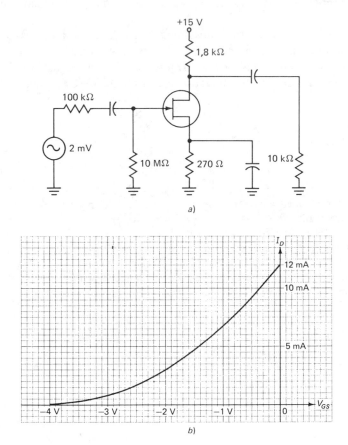

a)

b)

Fig. 12-31.

12-6. On change la résistance R_S de 270 Ω de l'amplificateur représenté à la figure 12-31 *a* pour une résistance de 510 Ω. Déterminer I_D de repos et V_{GS} de repos à l'aide de la caractéristique de transconductance représentée à la figure 12-31 *b*. Calculer les tensions continues V_G, V_S et V_D par rapport à la masse.

12-7. Soit l'amplificateur représenté à la figure 12-32 *a*. On donne $V_{GS} = -1$ V. Déterminer le courant drain. Calculer les tensions continues V_G, V_S et V_D.

12-8. Dans l'amplificateur représenté à la figure 12-32 *a*, V_{GS} varie de $-0,5$ à -2 V. Calculer le courant continu drain minimal, le courant continu drain maximal, la tension minimale V_D et la tension maximale V_D.

12-9. Calculer le courant drain de repos et la tension V_D de l'amplificateur représenté à la figure 12-32 *b*.

12-10. Lorsque V_{GS} varie de $-2,1$ V à -2 V, le courant drain varie de 1 mA à 1,3 mA. Calculer la transconductance g_m dans cette région.

12-11. La figure 12-31 *b* représente la caractéristique de transconductance d'un FET à jonction. Calculer la transconductance approximative g_m lorsque la tension V_{GS} est nulle. Calculer g_m lorsque $V_{GS} = -2$ V.

12-12. Considérer un FET à jonction tel que $g_{m0} = 5000$ μS et $V_{GS\,(blocage)} = -4$ V. Calculer g_m à -1 V et -3 V.

12-13. Considérer un FET à jonction tel que $I_{DSS} = 10$ mA et $g_{m0} = 10000$ μS. Calculez $V_{GS\,(blocage)}$.

12-14. La tension alternative de crête à crête d'entrée de l'amplificateur représenté à la figure 12-31 *a* est de 2 mV. Prendre $g_m = 3\,850$ μS et calculer la tension alternative entre les bornes de la résistance de charge.

12-15. Soit l'amplificateur représenté à la figure 12-32 *a*. Prendre $g_m = 2100$ μS et calculer la tension alternative entre les bornes de la résistance de charge.

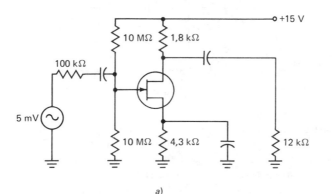

a)

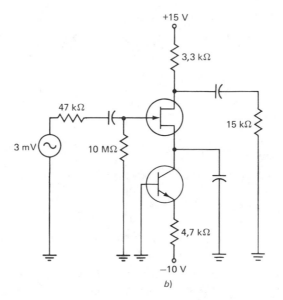

b)

Fig. 12-32.

12-16. Considérer l'amplificateur représenté à la figure 12-32 *b*, prendre $g_m = 2500$ μS et calculer la tension alternative de charge.

12-17. Soit l'amplificateur représenté à la figure 12-33. La transconductance g_m du premier FET à jonction est de 2 850 μS et celle du second de 4 275 μS. Supposer que $v_i = 1$ mV et calculer v_o.

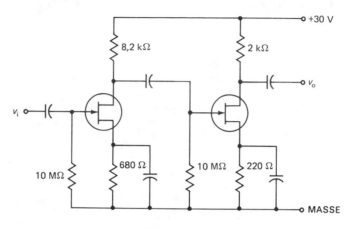

Fig. 12-33.

12-18. Considérer l'amplificateur représenté à la figure 12-34. La transconductance g_m du FET à jonction égale 2500 μS et le gain β du transistor bipolaire est de 150. Supposer que $v_i = 1$ mV et calculer
a. L'impédance de sortie du premier étage.
b. La tension alternative d'entrée du deuxième étage.
c. La tension de sortie finale.

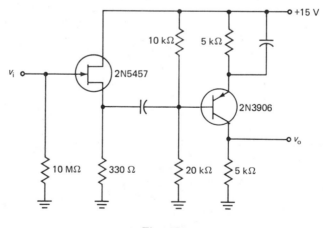

Fig. 12-34.

12-19. La résistance $r_{ds\,(passant)}$ du FET à jonction représenté à la figure 12-35 *a* est de 120 Ω. Supposer que $v_i = 20$ mV et calculer v_o lorsque la tension $V_{commande}$ est nulle. Dire quand la tension $V_{commande}$ est plus négative que $V_{GS\,(blocage)}$.

12-20. La résistance $r_{ds\,(passant)}$ du FET à jonction représenté à la figure 12-35 *b* est de 200 Ω. Supposer que $v_i = 50$ mV et calculer v_o lorsque la tension $V_{commande}$ est nulle. Dire quand la tension $V_{commande}$ est plus négative que $V_{GS\,(blocage)}$.

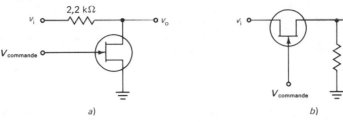

Fig. 12-35.

De dépannage

12-21. On essaie un FET à jonction dont la fiche signalétique précise une résistance $r_{DS\ (passant)}$ de 200 Ω lorsque la tension V_{GS} est nulle. On monte un cavalier entre la grille et la source. Qu'affichera à peu près un ohmmètre monté entre le drain et la source ? On utilise une pile de 1,5 V pour polariser la grille en inverse. Dire si l'affichage de l'ohmmètre augmente ou diminue.

12-22. Soit l'amplificateur représenté à la figure 12-32 *a*. On mesure une tension continue drain-masse de 2 V. Trouver la (les) cause(s) possible(s) de ce dérangement parmi les suivantes :
a. condensateur de découplage de source ouvert;
b. condensateur de découplage de source court-circuité;
c. condensateur de couplage d'entrée ouvert;
d. condensateur de couplage d'entrée court-circuité.

12-23. Les tensions continues de l'amplificateur représenté à la figure 12-33 sont normales. La tension alternative de sortie est inférieure à la normale. Trouver la (les) cause(s) possible(s) de ce dérangement parmi les suivantes :
a. condensateur de couplage d'entrée ouvert;
b. condensateur de découplage de source du premier étage ouvert;
c. résistance de grille du deuxième étage court-circuitée;
d. résistance de drain du deuxième étage court-circuitée.

12-24. Soit l'amplificateur représenté à la figure 12-34. Le condensateur de découplage de l'émetteur du deuxième étage est ouvert. Dire ce que deviennent la tension continue de sortie et la tension alternative de sortie.

De conception

12-25. La figure 12-31 *b* représente la caractéristique de transconductance d'un FET à jonction. Choisir une résistance de source qui satisfait à la formule (12-5).

12-26. A l'aide de la caractéristique de transconductance représentée à la figure 12-31 *b*, modifier l'amplificateur de la figure 12-31 *a* pour que l'impédance d'entrée soit de 6,8 MΩ, la résistance de charge de 8,2 kΩ, le courant I_D de repos de 3 mA et la tension V_D de repos de 8 V.

12-27. Modifier l'amplificateur représenté à la figure 12-32 *b* pour obtenir un courant drain de repos d'environ 1,5 mA et une tension drain-masse de repos de 2,7 V.

12-28. Concevoir un amplificateur à deux étages semblable à celui de la figure 12-34, à transistor à source suiveuse d'entrée et à transistor bipolaire dans le deuxième étage. Utiliser la caractéristique de transconductance représentée à la figure 12-31 *b* pour le FET à jonction et prendre un gain β de 120 pour le 2N3906. L'amplificateur à deux étages doit respecter les spécifications suivantes : impédance d'entrée de 4,7 MΩ, impédance de sortie d'1 kΩ et gain en tension sans charge de 20.

De défi

12-29. Dans le cas d'un amplificateur à polarisation automatique, on peut utiliser la formule (12-1) pour déterminer empiriquement et non graphiquement I_D et V_{GS} de repos. Supposer que le FET à jonction représenté à la figure 12-31 *a* a un courant I_{DSS} de 8 mA et une tension $V_{GS \text{ (blocage)}}$ de $-3,5$ V, et calculer empiriquement le courant I_D et la tension V_{GS} de repos par la formule (12-1).

12-30. La figure 12-36 représente un voltmètre simple à FET pour tension continue. On règle le zéro comme dans tout autre voltmètre; on calibre périodiquement ce voltmètre pour avoir une déviation à pleine échelle lorsque $V_i = 2,5$ V. Lors de ce réglage, tenir compte des variations d'un FET à l'autre et du vieillissement.

   a. Le courant qui traverse la résistane de 510 Ω est 4 mA. Calculer la tension continue source-masse.

   b. Supposer qu'aucun courant ne traverse l'ampèremètre et calculer la tension que le curseur prend à la résistance de réglage du zéro.

   c. Supposer qu'une tension d'entrée de 2,5 V produit une déviation de 1 mA et calculer la déviation produite par une tension de 1,25 V (supposer que le phénomène est linéaire).

   d. Le MPF102 a un courant I_{GSS} de 2 nA pour une tension V_{GS} de 15 V. Calculer l'impédance d'entrée du voltmètre.

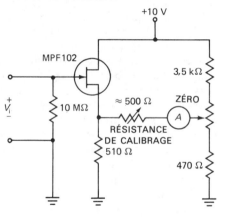

Fig. 12-36.

12-31. On peut utiliser un FET à jonction comme limiteur de courant pour protéger une charge contre un courant excessif. Le FET à jonction représenté à la figure 12-37 *a* a un courant I_{DSS} de 16 mA et une résistance $r_{DS \text{ (passant)}}$ de 200 Ω. Supposer que la charge est accidentellement court-circuitée. Calculer le courant et la tension de charge entre les bornes du FET à jonction. Supposer que la résistance de charge est de 10 kΩ. Calculer le courant et la tension de charge entre les bornes du FET à jonction.

12-32. La figure 12-37 *b* représente une partie d'un amplificateur à CAG. La figure 12-31 *b* représente la caractéristique de transconductance. Calculer le gain en tension sans charge lorsque V_{CAG} égale successivement

   a. 0,

   b. -1 V,

   c. -2 V,

   d. -3 V,

   e. $-3,5$ V.

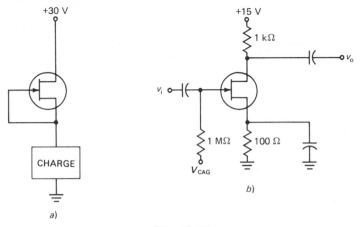

Fig. 12-37.

A résoudre par ordinateur

12-33. L'instruction FOR ... NEXT à deux lignes permet de répéter une partie de programme autant de fois qu'on le désire. Considérer le programme ci-dessous.

```
10   FOR X = 1 TO 7
20   PRINT X
30   NEXT X
40   STOP
```

Lorsqu'on exécute la ligne 10 pour la première fois, X égale 1. La ligne 20 fait afficher 1 sur l'écran. La ligne 30 renvoie l'ordinateur à la ligne 10 pour la valeur suivante de X, qui est 2. L'ordinateur continue à tourner sur une boucle et produit les valeurs entières de X : 1, 2, 3, ..., 7. A chaque exécution de la ligne 20, l'ordinateur fait afficher sur l'écran la valeur de X immédiatement supérieure. Finalement, lorsque X égale 7, l'ordinateur fait afficher 7 sur l'écran. Lors de l'exécution de la ligne 30, X = 8, et l'ordinateur passe à la ligne 40.

Ecrire un programme qui affiche tous les entiers X entre 1 et 1 000.

12-34. Soit le programme

```
10   IDSS = 0.012
20   VGS (BLOCAGE) = − 4
30   FOR X = 0 TO 4
40   Y = 1 + X/VGS (BLOCAGE)
50   Z = Y * Y
60   I = IDSS * Z
70   PRINT I
80   NEXT X
```

Dire les valeurs que le programme affiche. (Utiliser la figure 12-31, si nécessaire.).

12-35. Ecrire un programme qui introduit I_{DSS} et $V_{GS \text{ (blocage)}}$, puis affiche la résistance de source donnée par la formule (12-5).

12-36. Ecrire un programme pour un amplificateur à source suiveuse semblable à celui représenté à la figure 12-18 a qui affiche le gain en tension sans charge, l'impédance d'entrée de l'étage et l'impédance de sortie de l'étage. Introduire R_1, R_2, R_S et g_m.

Transistors à effet de champ « métal-oxyde semiconducteurs » MOSFET* ou transistors MOS

Le transistor à effet de champ « *métal-oxyde semiconducteur* » MOSFET, que nous appellerons plus simplement le transistor MOS, a une source, une grille et un drain. Mais à la différence du FET à jonction, la grille est isolée du canal. Le courant grille est donc extrêmement petit, que la grille soit négative ou positive. On appelle parfois un transistor MOS un transistor FET *à grille isolée*. Dans ce chapitre, nous étudierons les notions fondamentales des transistors MOS, de la polarisation de ces transistors, des amplificateurs et des circuits de commutation à tels transistors.

13.1. TRANSISTOR MOS A APPAUVRISSEMENT OU DÉPLÉTION

La figure 13-1 représente un transistor MOS à canal *N*, un barreau conducteur de matériau *N* à région *P* sur la droite et à grille isolée sur la gauche. Les électrons libres circulent de la source au drain *via* le matériau *N*. On appelle la région *P* le *substrat;* elle réduit le chemin de conduction à un canal étroit. Les électrons qui circulent de la source vers le drain doivent passer par cet étroit canal.

---

* N.d.T. Mis pour *Metal-Oxide-Semiconductor Field-Effect Transistor.*

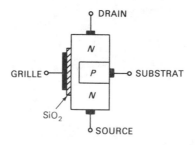

Fig. 13-1. *Transistor MOS à déplétion ou appauvrissement.*

On dépose une mince couche de *dioxyde de silicium* (SiO_2) sur le côté gauche du canal. Le dioxyde de silicium est du verre. C'est donc un isolant. La grille d'un transistor MOS est métallique. La grille étant isolée du canal, un courant grille négligeable circule même lorsque la tension grille est positive. La diode *PN* qui existait dans un transistor FET à jonction n'existe pas un dans un transistor MOS.

RÉGIME D'APPAUVRISSEMENT OU DE DÉPLÉTION

La figure 13-2 *a* représente un transistor MOS à grille négative. L'alimentation V_{DD} force les électrons libres à circuler de la source au drain. Ces électrons passent par l'étroit canal à gauche du substrat *P*.

La tension grille commande encore la largeur du canal. Plus la tension grille est négative, plus le courant drain est petit. Le courant drain est bloqué lorsque la tension grille est assez négative. Par conséquent, avec la tension grille négative, le fonctionnement d'un transistor MOS ressemble à celui d'un transistor FET à jonction. Comme le fonctionnement à grille négative dépend de l'appauvrissement ou déplétion du canal en électrons libres, on appelle le fonctionnement à grille négative le *régime d'appauvrissement* ou *de déplétion*.

RÉGIME D'ENRICHISSEMENT

Puisque la grille d'un transistor MOS est isolée du canal, on peut lui appliquer une tension positive (fig. 13-2 *b*). Cette tension grille positive augmente le nombre

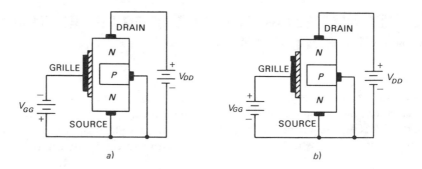

Fig. 13-2. a) *Régime d'appauvrissement ou de déplétion.* b) *Régime d'enrichissement.*

d'électrons libres qui traversent le canal. Plus la tension grille est positive, plus la conduction source-drain est grande. Le fonctionnement d'un transistor MOS à tension grille positive dépend de la conductivité du canal d'enrichissement. Voilà pourquoi on appelle le fonctionnement à grille positive (fig. 13-2 *b*) le *régime d'enrichissement*.

En raison de la couche isolante, un courant grille négligeable circule dans les deux régimes. La résistance d'entrée d'un transistor MOS est extrêmement grande, de 10 000 MΩ à plus de 10 000 000 MΩ.

CARACTÉRISTIQUES DE DRAIN

La figure 13-3 *a* représente les caractéristiques de drain typiques d'un transistor MOS à canal *N* et la droite de charge statique dans le cas d'un montage à source commune. Remarquer que la tension V_{GS} des caractéristiques du haut est positive, et que celle des caractéristiques du bas est négative. Pour la caractéristique la plus basse, $V_{GS} = V_{GS\,(\text{blocage})}$. Le courant drain le long de cette courbe est presque nul. On fonctionne en régime d'appauvrissement lorsque la tension V_{GS} est comprise entre zéro et $V_{GS\,(\text{blocage})}$ et en régime d'enrichissement lorsque la tension V_{GS} est positive.

CARACTÉRISTIQUE DE TRANSCONDUCTANCE

La figure 13-3 *b* représente la caractéristique de transconductance d'un transistor MOS. I_{DSS} représente encore le courant drain à grille court-circuitée. Mais maintenant la caractéristique se prolonge à droite de l'origine. La relation entre le

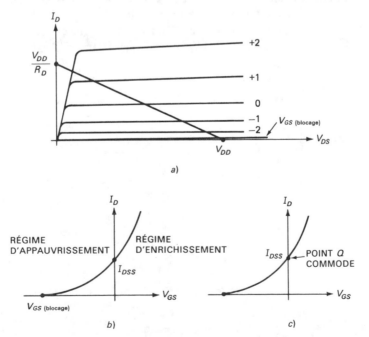

Fig. 13-3. a) *Caractéristiques de drain.* b) *Caractéristique de transconductance.* c) *Point Q commode.*

courant drain et la tension grille-source est encore quadratique, aussi pouvons-nous utiliser l'équation quadratique vue au chapitre 12 :

$$I_D = I_{DSS} \left[1 - \frac{V_{GS}}{V_{GS\,(\text{blocage})}} \right]^2 \qquad (13\text{-}1)$$

Cette équation est identique à l'équation quadratique d'un FET à jonction. Mais maintenant la tension V_{GS} est positive ou négative.

Les transistors MOS à caractéristique de transconductance semblable à celle représentée à la figure 13-3 *b* sont plus faciles à polariser que les transistors FET à jonction parce qu'on peut utiliser le point *Q* représenté à la figure 13-3 *c*. Pour ce point *Q*, $V_{GS} = 0$ et $I_D = I_{DSS}$. L'obtention d'une tension V_{GS} nulle est facile : il suffit de ne pas appliquer de tension continue sur la grille.

NORMALEMENT PASSANT

On appelle le transistor MOS que nous venons de décrire un transistor MOS à *appauvrissement* ou *déplétion;* il a un courant drain en régime d'appauvrissement et en régime d'enrichissement. Comme ce type de transistor MOS conduit lorsque $V_{GS} = 0$, on l'appelle un transistor MOS normalement passant.

SYMBOLE GRAPHIQUE

La figure 13-4 *a* représente le symbole graphique d'un transistor MOS à appauvrissement. Le mince trait vertical juste à droite de la grille représente le canal. Le fil de drain émerge du sommet du canal et le fil de source émerge du bas. La flèche sur le substrat *P* pointe vers le matériau *N*.
Dans certains cas, on applique une tension au substrat pour commander davantage le courant drain. Ces transistors MOS comportent quatre fils externes.

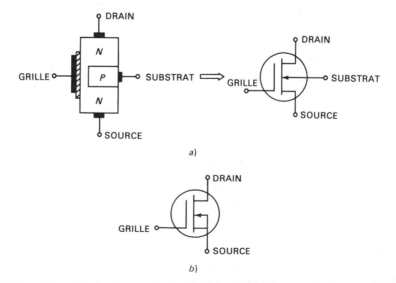

Fig. 13-4. *Symboles graphiques d'un transistor MOS à appauvrissement et canal N.*

Dans la plupart des applications, le substrat est relié à la source. Habituellement, le fabricant effectue cette connexion à l'intérieur du dispositif. La figure 13-4 *b* représente le tripôle (dispositif à trois bornes) résultant.

Il existe aussi un transistor MOS à appauvrissement ou déplétion et canal *P*. Il consiste en un barreau de matériau *P* et en une région *N* à droite de la grille isolée de gauche. Le symbole de ce dispositif ressemble à celui d'un transistor MOS à canal *N*, mais la flèche pointe vers l'extérieur. Dans le reste de ce chapitre, nous étudierons surtout le transistor MOS à canal *N*. Le fonctionnement du transistor MOS à canal *P* est complémentaire. Autrement dit, toutes les tensions et tous les courants sont inversés.

13.2. POLARISATION DES TRANSISTORS MOS A APPAUVRISSEMENT OU DÉPLÉTION

Comme les transistors MOS à appauvrissement fonctionnent en régime d'appauvrissement, on peut les polariser des mêmes façons que les transistors FET à jonction de grille, par diviseur de tension, par source de courant et automatiquement. On peut de plus les polariser d'une autre façon.

Comme un transistor MOS à appauvrissement peut fonctionner en régime d'appauvrissement et en régime d'enrichissement, on peut régler son point *Q* à $V_{GS} = 0$ (fig. 13-5 *a*). Alors un signal alternatif d'entrée grille produit des variations au-dessus et au-dessous du point *Q*. La possibilité de prendre $V_{GS} = 0$ réduit les circuits de polaristion au circuit unique représenté à la figure 13-5 *b* dans lequel on n'applique pas de tension grille ni de tension source. Donc, $V_{GS} = 0$ et $I_D = I_{DSS}$. La tension continue drain égale

$$V_{DS} = V_{DD} - I_{DSS}R_D \tag{13-2}$$

La *polarisation nulle* représentée à la figure 13-5 *a* est propre aux transistors MOS à appauvrissement ou déplétion; elle ne convient pas aux transistors bipolaires ni aux transistors FET à jonction

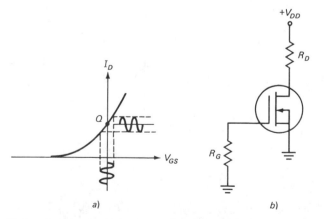

a)   *b)*

Fig. 13-5. *Polarisation nulle d'un transistor MOS à appauvrissement.*

13.3. APPLICATIONS DES TRANSISTORS MOS A APPAUVRISSEMENT OU DÉPLÉTION

Une fois un transistor MOS à appauvrissement polarisé à un point Q, il amplifie des petits signaux comme un transistor FET à jonction. Les amplificateurs à transistors MOS sont semblables aux amplificateurs à transistors FET à jonction. On peut donc leur appliquer presque toute la méthode d'analyse en alternatif vue au chapitre précédent. Le gain en tension sans charge, par exemple, d'un amplificateur à transistor MOS à source commune égale $- g_m R_D$. L'impédance de sortie, par exemple, d'un amplificateur à transistor MOS à source suiveuse égale $1/g_m$ et ainsi de suite.

Si l'impédance d'entrée d'un transistor FET à jonction n'est pas assez grande, utiliser un transistor MOS. Il constitue un amplificateur tampon presque idéal parce que sa grille isolée fait tendre sa résistance d'entrée vers l'infini. De plus, le bruit du transistor MOS est faible, un grand avantage pour tout étage près de l'entrée d'un système où le signal est faible. Comme pour les transistors FET à jonction, on commande la transconductance g_m des transistors MOS en faisant varier la tension continue grille. Donc, les transistors MOS peuvent servir d'amplificateurs à CAG.

Certains transistors MOS sont des dispostifs à *double grille*. Entendre par là qu'ils ont deux grilles distinctes, comme le transistor MOS à appauvrissement double grille représenté à la figure 13-6 a. On utilise un tel dispositif dans un amplificateur cascode (fig. 13-6 b). Pour des raisons de simplicité, on applique une polarisation nulle sur chaque grille. Le signal alternatif d'entrée attaque la grille du bas. La grille du haut est mise à la masse. En raison de sa structure interne, le transistor MOS double grille équivaut à un transistor MOS attaquant un autre transistor MOS (fig. 13-6 c). On reconnaît le montage cascode : la moitié inférieure se comporte comme un amplificateur à source commune et la moitié supérieure comme un amplificateur à grille commune. Donc, le gain en tension sans charge d'un amplificateur cascode égale $- g_m R_D$.

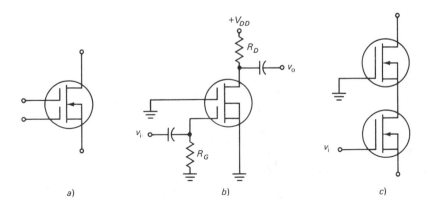

Fig. 13-6.   a) *Transistor MOS double grille.* b) *Amplificateur cascode à transistor MOS double grille.* c) *Circuit équivalent.*

Retenons surtout qu'un transistor MOS double grille permet de fabriquer facilement un amplificateur cascode. La faible capacité d'entrée de cet amplificateur le rend utile aux hautes fréquences. Au chapitre suivant, nous verrons pourquoi la capacité d'entrée d'un amplificateur cascode est nettement inférieure à celle d'un amplificateur ordinaire à source commune

EXEMPLE 13-1

La transconductance g_m du 3N201 représenté à la figure 13-7 est de 10 000 μS. Calculer le gain en tension sans charge, l'impédance d'entrée et l'impédance de sortie aux basses fréquences.

SOLUTION

Le gain en tension sans charge égale

$$A = 10\ 000\ \mu S \times 1,8\ k\Omega = -18$$

Aux basses fréquences, l'impédance d'entrée est d'1 MΩ, la valeur de la résistance de retour de grille. L'impédance de sortie égale environ 1,8 kΩ, la valeur de la résistance de drain.

Aux fréquences supérieures, les impédances d'entrée et de sortie diminuent en raison des effets capacitifs étudiés au chapitre suivant. L'amplificateur cascode est important parce que ses effets capacitifs sont nettement inférieurs à ceux des autres types d'amplificateurs. On utilise surtout l'amplificateur cascode dans les circuits RF.

13.4. TRANSISTOR MOS A ENRICHISSEMENT

On fabrique un transistor MOS qui ne conduit qu'en régime d'enrichissement en modifiant la structure interne d'un transistor MOS à canal N. On utilise beaucoup ce type de transistor MOS dans les microprocesseurs et les mémoires d'ordinateur, parce qu'il se comporte comme un interrupteur normalement ouvert. Pour obtenir un courant drain, il faut appliquer une tension grille positive.

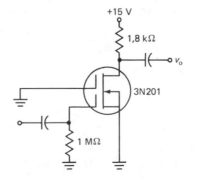

Fig. 13-7. *Amplificateur cascode.*

CRÉATION DE LA COUCHE D'INVERSION

La figure 13-8 *a* représente un transistor MOS *à enrichissement* et canal *N*. Le substrat s'étend jusqu'au dioxyde de silicium : il n'y a plus de canal *N* entre la source et le drain.

Comment fonctionne-t-il ? La figure 13-8 *b* représente les polarisés habituelles de polarisation. Lorsque $V_{GS} = 0$, l'alimentation V_{DD} tente de faire circuler des électrons libres de la source au drain, mais le substrat *P* n'a que quelques électrons de bande de conduction, d'origine thermique. Ces porteurs minoritaires et le courant de fuite superficielle exceptés, le courant entre la source et le drain est nul. Voilà pourquoi on appelle aussi un transistor MOS à enrichissement un transistor MOS *normalement bloqué*.

La grille et le substrat *P* ressemblent à deux plaques d'un condensateur séparées par un diélectrique (SiO_2). Lorsqu'elle est positive, la grille induit des charges négatives dans le substrat *P*. Autrement dit, la grille positive attire des électrons libres de la source dans le coin inférieur gauche de la région *P*. Une grille suffisamment positive attire assez d'électrons libres pour former une mince couche d'électrons entre la source et le drain.

Autrement dit, une tension grille positive attire des électrons libres dans le substrat *P*. Ces électrons libres se recombinent avec quelques-uns des trous adjacents au dioxyde de silicium. Lorsque la tension grille est assez positive, tous les trous touchant le dioxyde de silicium sont remplis et les électrons libres commencent à circuler de la source au drain. Cela revient à créer une mince couche de matériau de type *N* près du dioxyde de silicium. On appelle cette couche d'électrons libres la *couche d'inversion de type N*.

TENSION DE SEUIL

On appelle la tension minimale V_{GS} qui crée la couche d'inversion de type *N* la *tension de seuil* $V_{GS(th)}$*. Si la tension V_{GS} est inférieure à la tension $V_{GS(th)}$ aucun courant ne circule de la source au drain. Mais lorsque la tension V_{GS} est supérieure à la tension $V_{GS(th)}$, une couche d'inversion de type *N* connecte la source au drain et il circule un courant.

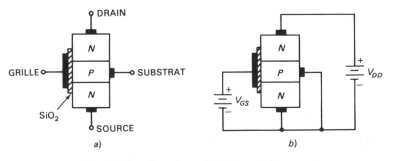

Fig. 13-8. *Transistor MOS à enrichissement.*

* N.d.T. Les lettres *th* sont mises pour *threshold* (seuil).

La tension $V_{GS(th)}$ varie de moins d'1 V à plus de 5 V, selon le dispositif utilisé. Le 3N169 est un exemple de transistor MOS à enrichissement. Sa tension maximale de seuil est de 1,5 V

CARACTÉRISTIQUE DE DRAIN

La figure 13-9 *a* représente un réseau de caractéristiques de drain pour un transistor MOS à enrichissement et canal *N*, et la droite de charge statique pour un montage à source commune. La caractéristique la plus basse est celle pour $V_{GS(th)}$. Si la tension V_{GS} est inférieure à la tension $V_{GS(th)}$, le courant drain est extrêmement petit. Lorsque la tension V_{GS} est supérieure à la tension $V_{GS(th)}$, un courant drain significatif circule; sa valeur dépend de celle de V_{GS}.

CARACTÉRISTIQUE DE TRANSCONDUCTANCE

La figure 13-9 *b* représente la caractéristique de transconductance. Cette caractéristique est parabolique ou quadratique. Le sommet de la parabole est en $V_{GS(th)}$. Donc, l'équation de la parabole est différente de celle vue. Dans ce cas,

$$I_D = K[V_{GS} - V_{GS(th)}]^2 \qquad (13\text{-}3)$$

Dans cette équation, *K* est une constante qui dépend du transistor MOS particulier.

Habituellement, les fiches signalétiques donnent les coordonnées d'un point de la caractéristique de transconductance, comme le montre la figure 13-9 *b*. La substitution de $I_{D(\text{passant})}$, $V_{GS(\text{passant})}$ et $V_{GS(th)}$ dans l'équation (13-3) permet de calculer

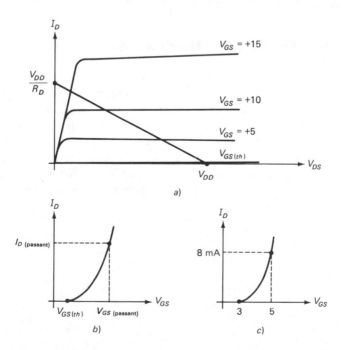

a)

b)   c)

Fig. 13-9. a) *Caractéristiques de drain.* b) *Caractéristique de transconductance.* c) *Exemple.*

K. La figure 13-9 *c* représente la caractéristique de transconductance d'un transistor MOS à enrichissement dont $I_{D(\text{passant})} = 8$ mA, $V_{GS(\text{passant})} = 5$ V et $V_{GS(th)} = 3$ V. La substitution de ces valeurs dans l'équation (13-3) donne

$$0{,}008 = K(5 - 3)^2 = 4K$$

d'où

$$K = 0{,}002$$

Donc, l'équation de la caractéristique de transconductance représentée à la figure 13-9 *c* est

$$I_P = 0{,}002(V_{GS} - 3)^2$$

SYMBOLE GRAPHIQUE

Si $V_{GS} = 0$, le transistor MOS à enrichissement est bloqué parce qu'il n'y a pas de canal conducteur entre la source et le drain. Sur le symbole graphique représenté à la figure 13-10 *a*, le trait interrompu du canal indique cet état normalement bloqué.

On sait qu'une tension grille supérieure à la tension de seuil crée une couche d'inversion de type *N* qui relie la source au drain. La flèche pointe vers la couche d'inversion, qui se comporte comme un canal *N* lorsque le dispositif conduit.

Il existe un transistor MOS à enrichissement et canal *P*. Son symbole graphique ressemble à celui d'un transistor MOS à enrichissement et canal *N*, mais la flèche pointe vers l'extérieur (fig. 13-10 *b*). Les tensions et les courants d'un transistor MOS à enrichissement et canal *P* sont complémentaires des tensions et des courants d'un transistor MOS à enrichissement et canal *N*.

TENSION MAXIMALE GRILLE-SOURCE

Les transistors MOS à appauvrissement et à enrichissement ont une mince couche de dioxyde de silicium, un isolant qui interdit tout courant grille pour les tensions grille positive et négative. On maintient cette couche isolante aussi mince que possible pour conférer à la grille plus de commande sur le courant drain. Cette couche isolante est tellement mince qu'une tension grille-source excessive la détruit aisément. La tension $V_{GS(\text{max})}$ limite d'un 2N3796, par exemple, est de $\pm$ 30 V. Si la tension grille-source est plus positive que + 30 V ou plus négative que − 30 V, on peut mettre le transistor MOS au rebut parce que sa mince couche isolante a été détruite.

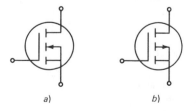

a)   b)

Fig. 13-10. *Symboles des transistors MOS à enrichissement.* a) *A canal N.* b) *A canal P.*

Outre l'application directe d'une tension V_{GS} excessive, on peut aussi détruire la mince couche isolante de façon plus subtile. Si l'on retire ou insère un transistor MOS dans un circuit sous tension, des tensions transitoires causées par réaction induite et autres effets peuvent excéder la tension $V_{GS(max)}$ limite, ce qui détruirait le transistor MOS. Le simple toucher d'un transistor MOS peut y déposer suffisamment de charge statique pour dépasser la tension $V_{GS(max)}$ limite. Voilà pourquoi on entoure souvent les fils des transistors MOS d'un anneau métallique avant leur expédition. On retire cet anneau une fois le transistor MOS inséré dans le circuit.

On protège certains transistors MOS par des diodes Zener incorporées en parallèle avec la grille et la source. La tension Zener est inférieure à la tension $V_{GS(max)}$ limite. Par conséquent, la diode Zener claque avant que la mince couche isolante ne s'abîme. Mais les diodes Zener internes diminuent la grande résistance d'entrée du transistor MOS. Toutefois, on les accepte dans de nombreuses applications, car sans elles on détruit facilement des transistor MOS coûteux.

13.5. POLARISATION DES TRANSISTORS MOS A ENRICHISSEMENT

Dans le cas des transistors MOS à enrichissement, la tension V_{GS} doit être supérieure à la tension $V_{GS(th)}$ pour obtenir un courant. Cela élimine la polarisation automatique, la polarisation par source de courant et la polarisation nulle qui fonctionnent en régime d'appauvrissement. Restent la polarisation de grille et la polarisation par diviseur de tension qui fonctionnent dans le cas de transistors MOS à enrichissement, parce que ces deux types de polarisations produisent le régime d'enrichissement. Outre ces deux types de polarisation, on polarise aussi les transistors MOS d'une autre façon.

La figure 13-11 *a* représente le schéma de la *polarisation par réaction de drain,* un type de polarisation propre aux transistors MOS à enrichissement. Lorsque le

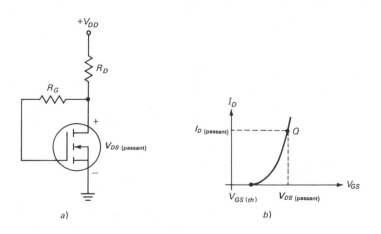

Fig. 13-11. *Polarisation par polarisation de drain.* a) *Circuit.* b) *Point de repos.*

transistor MOS conduit, il a un courant drain $I_{D\,(passant)}$ et une tension $V_{DS\,(passant)}$. Comme le courant grille est presque nul, aucune tension n'apparaît entre les bornes de R_G. Donc, $V_{GS} = V_{DS\,(passant)}$. En raison de la polarisation par réaction de drain, le circuit représenté à la figure 13-11 *a* tend à compenser les variations des caractéristiques du MOS. Si, pour une raison quelconque, $I_{D\,(passant)}$ tend à augmenter, la tension $V_{DS\,(passant)}$ diminue. Alors V_{GS} diminue, ce qui contrebalance partiellement l'augmentation originale de $I_{D\,(passant)}$.

La figure 13-11 *b* représente le point Q sur la caractéristique de transconductance. Ses coordonnées sont $I_{D\,(passant)}$ et $V_{DS\,(passant)}$. Habituellement, les fiches signalétiques des transistors MOS à enrichissement donnent la valeur de $I_{D\,(passant)}$ pour $V_{GS} = V_{DS\,(passant)}$. Cela facilite le positionnement du point Q. Lors de la conception, il suffit de choisir une résistance R_D qui donne la tension spécifiée V_{DS} selon la formule

$$R_D = \frac{V_{DD} - V_{DS\,(passant)}}{I_{D\,(passant)}} \tag{13-4}$$

Supposons que la fiche signalétique d'un transistor MOS, à enrichissement donne $I_{D\,(passant)} = 3$ mA et $V_{DS\,(passant)} = 10$ V. Si $V_{DD} = 25$ V, on peut prendre une résistance R_D de 5 kΩ (fig. 13-12 *a*). Lorsque $I_{D\,(passant)} = 3$ mA, $V_{DS\,(passant)} = 10$ V. Par conséquent, le transistor MOS à enrichissement fonctionne au point Q spécifié (fig. 13-12 *b*).

AMPLIFICATEUR POUR COURANT CONTINU

Un *amplificateur pour courant continu* fonctionne jusqu'à la fréquence nulle sans perte de gain. Un amplificateur pour courant continu ne comporte pas de condensateur de couplage ni de condensateur de découplage.

La figure 13-13 représente un amplificateur pour courant continu à transistors MOS. L'étage d'entrée est un transistor MOS à appauvrissement à polarisation nulle. Les deuxième et troisième étages comportent des transistors MOS à enrichissement; la tension V_{GS} de chaque grille provient du drain de l'étage précédent. Les courants drain des transistors MOS sont de 3 mA. Voilà pourquoi

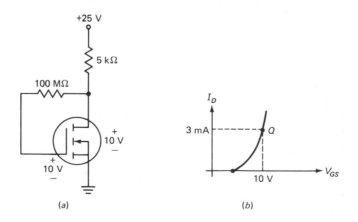

(a)   (b)

Fig. 13-12.

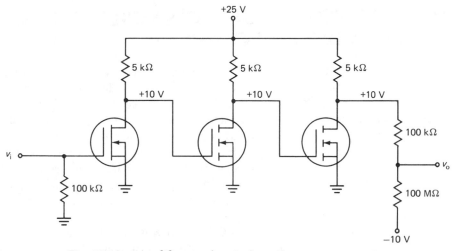

Fig. 13-13. *Amplificateur à trois étages pour courant continu.*

chaque tension drain-masse est de + 10 V. On tire la tension de sortie finale entre les résistances de 100 kΩ. Comme la résistance du bas va à − 10 V, la tension de sortie de repos est de 0 V. Cet amplificateur amplifie tout signal alternatif qui l'attaque, peu importe sa fréquence.

On peut concevoir des amplificateurs pour courant continu de diverses façons. La beauté de celui représenté à la figure 13-11 réside dans son dépouillement.

Tableau 13-1.   Circuits de polarisation de FET

Méthode	FET à jonction	Transistors MOS à déplétion ou à appauvrissement	Transistors MOS à enrichissement
Polarisation de grille	oui	oui	oui
Polarisation automatique	oui	oui	non
Polarisation par diviseur de tension	oui	oui	oui
Polarisation par source de courant	oui	oui	non
Polarisation automatique	non	oui	non
Polarisation par réaction de drain	non	non	oui

RÉSUMÉ DES POLARISATIONS

On détermine les polarisations qui conviennent aux transistors MOS en examinant les types de polarisation des FET à jonction. Au tableau 13-1 nous avons résumé tous les circuits de polarisation étudiés. Remarquer que la polarisation automatique et la polarisation par source de courant ne conviennent pas aux transistors MOS à enrichissement. La polarisation nulle ne convient qu'aux transistors MOS à déplétion ou appauvrissement. La polarisation par réaction de drain ne convient qu'aux transistors MOS à enrichissement.

13.6. APPLICATION AUX TRANSISTORS MOS A ENRICHISSEMENT

Les ordinateurs comportent des circuits intégrés à plusieurs milliers de transistors. Ces CI fonctionnent très bien malgré les variations de température et les variations des paramètres des transistors. Comment est-ce possible ? Par conception de circuits *à deux états,* tout simplement. Entendre par là l'utilisation de deux points sur la droite de charge de chaque transistor. Un transistor utilisé de cette façon se comporte comme un interrupteur plutôt que comme une source de courant. On appelle les circuits qui utilisent les transistors comme interrupteurs des circuits de commutation, des circuit numériques, des circuits logiques, etc. On appelle les circuits qui utilisent les transistors comme sources de courant des circuits linéaires, des circuits analogiques, etc.

On utilise surtout les transistors MOS à enrichissement dans les circuits numériques en raison, en particulier, de leur faible consommation et de leur faible encombrement sur une puce. Un fabricant place beaucoup plus de transistors MOS sur une puce que de transistors bipolaires. Voilà pourquoi on utilise des transistors MOS en intégration à grande échelle pour microprocesseurs, mémoires et autres dispositifs qui requièrent des milliers de transistors par puce.

Dans cette section, nous étudierons quelques applications des transistors MOS à enrichissement, particulièrement dans les circuits de commutation et les circuits numériques.

AMPLIFICATEUR ÉCHANTILLONNEUR-BLOQUEUR

Comme le FET à jonction, le transistor MOS peut se comporter comme un interrupteur en parallèle ou en série avec la charge. Le transistor MOS à enrichissement convient particulièrement aux circuits de commutation parce qu'il est normalement bloqué. La figure 13-14 *a* représente un amplificateur *échantillonneur-bloqueur,* un dispositif très utile. Lorsque $V_{commande}$ passe au niveau haut, le transistor MOS se met à conduire et le condensateur se charge jusqu'à la tension d'entrée. La constante de temps de charge est très petite parce que la résistance $r_{ds(passant)}$ est petite. Lorsque $V_{commande}$ passe au niveau bas, le transistor MOS s'ouvre et le condensateur commence à se décharger à travers la résistance de charge. Si la constante de temps de décharge est très grande, le condensateur tient ou bloque sa charge durant longtemps.

Dans de nombreuses applications, la tension continue de sortie doit être égale à la tension d'entrée à un instant particulier. Supposons qu'on veut la tension d'entrée au point A de la figure 13-14 *b.* Si l'on applique une impulsion $V_{commande}$ étroite au point $A,$ la tension v_o de l'amplificateur échantillonneur-bloqueur se charge jusqu'à environ v_A selon la figure. Lorsque $V_{commande}$ repasse à zéro, le transistor MOS s'ouvre et la tension d'entrée ne modifie plus la tension de sortie. Si la constante de temps est grande, la tension de sortie se bloque à v_A durant un temps indéfini (fig. 13-14 *b*).

Lorsque $V_{commande}$ passe au niveau haut dans le circuit représenté à la figure 13-14 *a,* l'amplificateur *échantillonne* l'entrée et le condensateur se charge

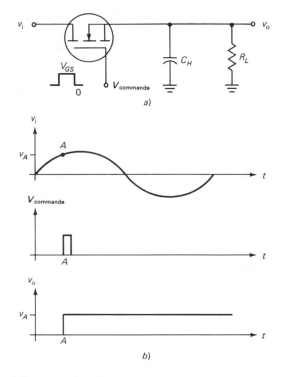

Fig. 13-14. a) *Amplificateur échantillonneur-bloqueur.* b) *Formes de signaux d'entrée, de commande et de sortie.*

jusqu'à environ la tension d'entrée. Lorsque $V_{commande}$ repasse au niveau bas, l'amplificateur *se bloque* parce que le condensateur emmagasine la valeur échantillonnée de la tension d'entrée. Retenir le principe d'un amplificateur échantillonneur-bloqueur, parce que les convertisseurs analogiques-numériques (circuits d'ordinateur) en comportent un grand nombre.

CHARGE ACTIVE

La figure 13-15 *a* représente un amplificateur d'attaque à transistor MOS et une charge passive (la résistance R_D). Dans ce dispositif de commutation, v_i est au niveau bas ou au niveau haut et le transistor MOS se comporte comme un interrupteur ouvert ou fermé. Lorsque v_i est au niveau bas, le transistor MOS est bloqué et v_o égale la tension d'alimentation. Lorsque v_i est au niveau haut, le transistor MOS conduit et v_o chute au niveau bas

La figure 13-15 *b* représente un amplificateur d'attaque à transistor MOS (le transistor du bas) et une *charge active* (le transistor MOS du haut). En raison de la polarisation par réaction de drain, le transistor MOS du haut conduit toujours. Par conception, la résistance $r_{DS(passant)}$ du MOS du haut égale au moins 10 fois la résistance $r_{DS(passant)}$ du transistor MOS du bas. Voilà pourquoi le transistor du haut se comporte comme une résistance et celui du bas comme un interrupteur.

L'usage d'un amplificateur d'attaque à transistor MOS et d'une charge à transistor MOS donne un circuit intégré beaucoup plus petit parce que les

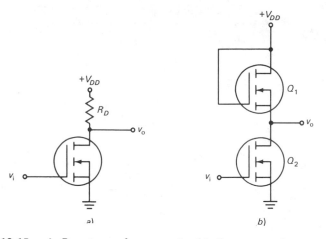

Fig. 13-15. a) R_D *est une charge passive.* b) Q_3 *est une charge active.*

transistors MOS prennent moins de place sur une puce que des résistances. Voilà pourquoi la technologie MOS domine dans les ordinateurs; elle permet d'intégrer beaucoup plus de composants sur une puce.

Du montage à charge active, retenir que la charge d'un dispositif actif est elle aussi un dispositif actif. Au lieu de transistors MOS on peut utiliser des transistors bipolaires (chapitre 15).

INVERSEUR « MÉTAL-OXYDE SEMICONDUCTEURS » A SYMÉTRIE COMPLÉMENTAIRE CMOS *

On construit des circuits à technologie CMOS à l'aide de transistors MOS à canal *P* et canal *N*. La figure 13-16 *a* représente un des plus importants de ces circuits, un inverseur CMOS. Remarquer que Q_1 est un transistor à canal *P* et Q_2

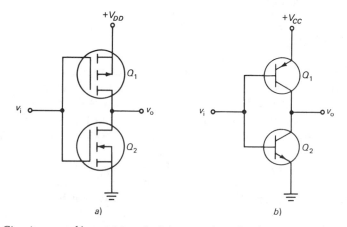

Fig. 13-16. *Circuits complémentaires.* a) *Inverseur à technologie CMOS.* b) *Inverseur à transistors bipolaires.*

---

* N.d.T. Mis pour *Complementary Metal-Oxide-Semiconductor*.

est un transistor à canal *N*. Ce circuit est analogue à l'amplificateur push-pull classe B à transistors bipolaires représenté à la figure 13-16 *b*. Lorsqu'un transistor conduit, l'autre est bloqué et vice versa.

Si v_i du circuit représenté à la figure 13-16 *a* est au niveau bas, le transistor MOS du bas est bloqué mais celui du haut conduit. Donc, la tension de sortie est au niveau haut. Si v_i est au niveau haut, le transistor MOS du bas conduit et celui du haut est bloqué. Dans ce cas, la tension de sortie est au niveau bas. Comme la phase de la tension de sortie est toujours opposée à celle de la tension d'entrée, on appelle ce dispositif un *inverseur*.

On peut modifier cet inverseur pour fabriquer d'autres circuits complémentaires. Le principal avantage des circuits à technologie CMOS est leur très *faible consommation*. Les deux transistors étant en série, le courant du circuit égale le courant de fuite, de quelques nanoampères, du transistor bloqué. Donc, la puissance dissipée totale par le circuit est de quelques nanowatts. Voilà pourquoi on utilise des circuits à technologie CMOS dans les calculatrices de poche, les montres numériques et les satellites.

13.7. TRANSISTOR MOS VERTICAL OU VMOS

La figure 13-17 *a* représente la structure d'un transistor MOS à enrichissement dans un circuit intégré. La source est à gauche, la grille au milieu et le drain à

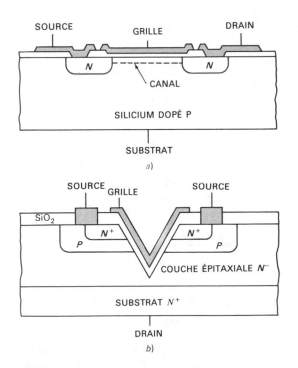

Fig. 13-17. a) *Structure d'un transistor MOS classique.* b) *Structure d'un transistor VMOS.*

droite. Les électrons libres circulent horizontalement de la source au drain lorsque la tension V_{GS} est supérieure à la tension de seuil. Cette structure classique limite le courant maximal parce que les électrons libres doivent circuler dans l'étroite couche d'inversion représentée par des tirets. En raison de l'étroitesse de leur canal, le courant drain des transistors MOS classiques est petit, d'où leur faible puissance limite (ordinairement inférieure à 1 W).

CANAL VERTICAL

La figure 13-17 *b* représente la structure d'un transistor MOS *vertical* (VMOS). Remarquer les deux sources au sommet. Habituellement, ces sources sont reliées. Le substrat joue le rôle du drain. Lorsque la tension V_{GS} est supérieure à la tension de seuil, les électrons libres descendent verticalement des deux sources vers le drain. Le canal conducteur étant beaucoup plus large sur les deux côtés de la rainure en V, le courant est beaucoup plus grand. Donc, un transistor MOS à enrichissement manipule des courants et des tensions nettement supérieurs à ceux et celles d'un transistor MOS classique.

Avant l'invention du transistor VMOS, les transistors MOS ne pouvaient rivaliser avec les puissances limites des gros transistors bipolaires. Le transistor VMOS est un nouveau type de transistor MOS meilleur que le transistor bipolaire dans de nombreuses applications à grande puissance de charge, comprenant des amplificateurs audiofréquence, des amplificateurs radiofréquence, etc.

ABSENCE DE GLISSEMENT OU DÉRIVE THERMIQUE

L'*absence de glissement ou dérive thermique* est le principal avantage des transistors VMOS sur les transistors bipolaires. On sait qu'une augmentation de la température du transistor diminue la tension V_{BE} d'un transistor bipolaire. Alors le courant collecteur augmente et donc la température. Si le radiateur est inadéquat, le transistor glisse thermiquement, et la puissance dissipée excessive peut le détruire.

Le coefficient de température d'un transistor VMOS est négatif. A mesure que la température du transistor augmente, le courant drain diminue, ce qui réduit la puissance dissipée. Donc, le transistor VMOS ne glisse pas. C'est un grand avantage dans les amplificateurs de puissance.

MONTAGE EN PARALLÈLE

On ne peut monter des transistors bipolaires en parallèle pour augmenter la puissance de charge parce que leurs chutes de tension V_{BE} ne sont pas assez adaptées. Un *déséquilibre de courant* se produit (le transistor qui a la plus petite chute de tension V_{BE} a le plus grand courant collecteur) si on branche les transistors bipolaires en parallèle.

Leurs coefficients de température étant négatifs, on peut monter deux transistors VMOS en parallèle pour augmenter la puissance de charge. Si un des transistors parallèle essaie d'absorber trop de courant, son coefficient de température négatif diminue le courant qui le traverse. Donc, les courants qui traversent les transistors VMOS en parallèle sont presque égaux.

PLUS GRANDE RAPIDITÉ DE COMMUTATION

Pour utiliser un transistor bipolaire petits signaux comme un interrupteur saturé, on prend prudemment un courant base égal à environ le dixième du courant collecteur à la saturation. Le gain β_{cc} de la plupart des transistors étant supérieur à 10, le courant base excessif assure la saturation d'un transistor à l'autre. Un courant base excessif accomplit quelque chose dont nous n'avons pas parlé jusqu'à présent. On stocke les porteurs supplémentaires dans la région base d'un transistor saturé. Le temps que met le transistor pour sortir de la saturation s'appelle le *retard de saturation t_s* (aussi appelé le *retard de stockage*). Le retard de stockage d'un 2N3713, par exemple, est de 0,3 μs. Donc, le 2N3713 prend environ 0,3 μs pour sortir de la saturation une fois l'attaque de base supprimée.

Autre avantage d'un transistor VMOS sur un transistor bipolaire : l'*absence de retard de stockage*. Comme le transistor VMOS ne stocke aucune charge supplémentaire lorsqu'il conduit, il sort de la saturation presque instantanément. Un transistor VMOS peut couper un courant de plusieurs ampères en quelques dizaines de nanosecondes et est donc de 10 à 100 fois plus rapide qu'un transistor bipolaire comparable. D'où l'utilisation du transistor VMOS dans des dispositifs numériques tels les appareils de commutation rapide, les régulateurs à découpage, etc.

AMPLIFICATEUR CLASSE C

La figure 13-18 représente un amplificateur classe C à transistor VMOS. En raison de la tension de seuil, le transistor ne conduit pas jusqu'à ce que le signal

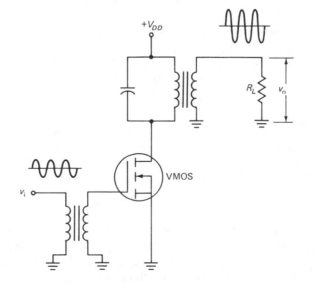

Fig. 13-18. *Amplificateur classe C à transistor VMOS.*

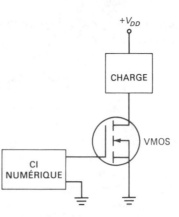

Fig. 13-19. *Transistor VMOS servant d'interface entre un CI numérique de faible puissance et une charge de grande puissance.*

d'entrée dépasse $V_{GS(th)}$. On a donc un fonctionnement en classe C, puisque l'angle de conduction est inférieur à 180°. Le circuit résonnant parallèle élimine comme avant les impulsions de courant et l'on obtient une tension sinusoïdale amplifiée de sortie. Le transformateur de sortie transmet le signal RF à la charge.

INTERFAÇAGE

Les CI numériques sont des dispositifs de faible puissance, parce qu'ils ne fournissent que de petits courants de charge. Par *interfaçage,* entendre le montage d'une sorte de tampon (interface) entre un dispositif de faible puissance (souvent un CI numérique) et une charge de grande puissance (un relais, un moteur ou une lampe à incandescence). Le transistor VMOS est une excellente interface entre les CI numériques et les charges de grande puissance. Selon la figure 13-19, un CI numérique attaque la grille d'un transistor VMOS. Lorsque la sortie numérique est au niveau bas, le VMOS est bloqué. Lorsque la sortie numérique est au niveau haut, le transistor VMOS se comporte comme un interrupteur fermé et un courant maximal traverse la charge. Le transistor VMOS sert surtout d'interface entre les CI numériques (à technologie CMOS, MOS, ou TTL) et les charges de grande puissance.

EXEMPLE 13-2

La figure 13-20 représente une partie d'un robot. Le VN0300M est un transistor VMOS à $r_{DS(passant)}$ de 1,2 Ω. Son courant limite est de 700 mA et sa tension de claquage de 30 V. Expliquer ce qu'accomplit le VN0300M.

SOLUTION

Le VN0300M sert d'interface entre un inverseur CMOS et un relais. Un relais tire un courant de plusieurs dizaines à plusieurs centaines de milliampères, une charge trop forte pour un CI numérique comme l'inverseur CMOS. Le courant limite d'un VN0300M de 700 mA est largement suffisant pour alimenter le relais.

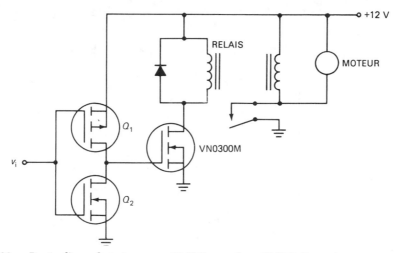

Fig. 13-20. *Partie d'un robot : inverseur CMOS, transistor VMOS d'interface, relais et moteur.*

Lorsque v_i est au niveau bas, la sortie de l'inverseur CMOS (Q_1 et Q_2) est au niveau haut et le transistor VMOS conduit. La résistance $r_{DS(passant)}$ de ce dernier n'étant que de 1,2 Ω, il court-circuite la borne inférieure du relais à la masse. Les contacts du relais se ferment et le moteur démarre. Le moteur tourne tant que v_i est au niveau bas. Lorsque v_i passe au niveau haut, la sortie de l'inverseur CMOS passe au niveau bas. Alors le transistor VMOS se bloque, le relais s'ouvre et le moteur s'arrête.

La *robotique,* la science des robots, est la branche d'avant-garde de l'électronique. Elle annonce la deuxième révolution industrielle. Les robots modernes combinent des microprocesseurs, des interfaces et des dispositifs mécaniques. On construit maintenant des machines munies de mains, de pieds et d'un cerveau. Les transistors VMOS tel le VN0300M sont des interfaces idéales entre les dispositifs numériques et les charges de grande puissance des robots.

PROBLÈMES

Simples

13-1. Soit un transistor MOS à appauvrissement et canal N. On donne $I_{DSS} = 8$ mA et $V_{GS(blocage)} = -4$ V. Calculer le courant drain lorsque V_{GS} égale successivement -1 V et $+1$ V.

13-2. Soit la caractéristique de transconductance d'un transistor MOS représentée à la figure 13-21 *a*. On a utilisé ce transistor MOS dans l'amplificateur représenté à la figure 13-21 *b*. Déterminer la tension continue drain-masse.

13-3. Supposer que la transconductance g_m du transistor MOS représenté à la figure 13-21 *b* est de 8000 μS. Calculer l'impédance d'entrée de l'amplificateur, le gain en tension sans charge et l'impédance de sortie.

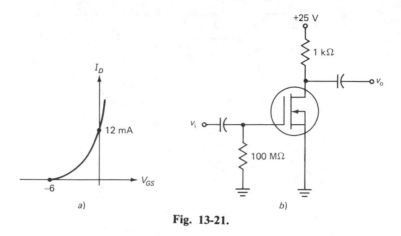

Fig. 13-21.

13-4. On utilise un transistor MOS double grille à déplétion dans un amplificateur cascode polarisé nullement. On donne $R_G = 10$ MΩ, $R_D = 1,5$ kΩ et $g_m = 7500$ μS. Calculer l'impédance d'entrée, le gain en tension sans charge et l'impédance de sortie.

13-5. La figure 13-22 *a* représente la caractéristique de transconductance d'un transistor MOS à enrichissement. Déterminer le courant drain lorsque $V_{GS} = + 5$ V.

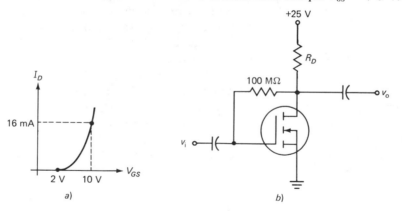

Fig. 13-22.

13-6. La figure 13-22 *a* représente la caractéristique de transconductance du transistor MOS de l'amplificateur représenté à la figure 13-22 *b*. Supposer que $V_{DS} = + 10$ V. Calculer V_{GS} et R_D.

13-7. Supposer que la transconductance g_m du transistor MOS de l'amplificateur représenté à la figure 13-22 *b* est de 8500 μS. Calculer le gain en tension sans charge lorsque $R_D = 910$ Ω.

13-8. Soit l'amplificateur représenté à la figure 13-23 *a*. La résistance $r_{DS \text{ (passant)}}$ du transistor MOS du haut est de 2 kΩ. Lorsque $v_i = + 3$ V, la résistance $r_{DS \text{ (passant)}}$ du transistor MOS du bas est de 150 Ω. Calculer la tension de sortie lorsque v_i égale successivement 0 et $+ 3$ V.

13-9. Soit l'amplificateur représenté à la figure 13-23 *b*. La tension de seuil est de $+ 2$ V. Calculer v_o lorsque v_i égale successivement 0 et $+ 5$ V.

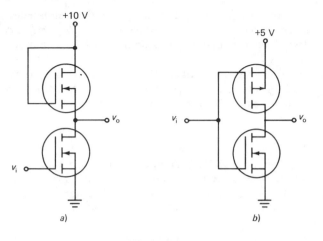

Fig. 13-23.

13-10. Soit le circuit représenté à la figure 13-20. La résistance des enroulements du relais est de 150 Ω. Supposer que le transistor MOS a une résistance $r_{DS \text{ (passant)}}$ de 1,2 Ω lorsqu'il conduit. Calculer le courant qui traverse les enroulements du relais lorsque v_i est au niveau bas et lorsque v_i est au niveau haut.

De dépannage

13-11. La tension continue drain de l'amplificateur représenté à la figure 13-21 *b* est de 0 V. Trouver la (les) cause(s) possible(s) de ce dérangement parmi les suivantes :
a. résistance de drain ouverte;
b. résistance de drain court-circuitée;
c. transistor MOS ouvert;
d. résistance de grille court-circuitée.

13-12. Supposer que la résistance de 100 MΩ de l'amplificateur représenté à la figure 13-22 *b* est court-circuitée. Dire si les grandeurs suivantes augmentent, diminuent ou restent les mêmes.
a. tension continue drain;
b. courant continu grille;
c. tension alternative de sortie;
d. tension d'alimentation.

13-13. Le moteur du circuit représenté à la figure 13-20 tourne continuellement, quelle que soit la tension v_i. Trouver la (les) cause(s) possible(s) de ce dérangement parmi les suivantes :
a. transistor VMOS ouvert;
b. contacts de relais fondus (court-circuités);
c. diode court-circuitée;
d. Q_1 ouvert.

De conception

13-14. Soit l'amplificateur représenté à la figure 13-7. On monte une résistance de charge de 4,7 kΩ au condensateur de couplage de sortie. Prendre $g_m = 10\ 000\ \mu S$ et choisir une nouvelle résistance R_D pour produire un gain en tension avec charge de -10.

Chapitre 13

13-15.Soit l'amplificateur représenté à la figure 13-13. On remplace les transistors MOS à enrichissement par des transistors MOS à $I_{D\text{ (passant)}} = 2$ mA lorsque $V_{GS} = 10$ V. Choisir les nouvelles résistances de drain de manière que toutes les tensions drain égalent + 10 V.

13-16. Soit le circuit représenté à la figure 13-14 a. Supposer que la résistance de charge égale 470 kΩ. Choisir un nouveau condensateur de blocage C_H* pour obtenir une constante de temps de décharge d'environ 0,15 s.

De défi

13-17. Tous les transistors MOS de l'amplificateur représenté à la figure 13-13 ont une transconductance g_m de 2000 μS. Supposer que $v_i = 1$ mV et calculer v_o.

13-18. La figure 13-21 a représente la caractéristique de transconductance du transistor MOS de l'amplificateur représenté à la figure 13-21 b. Calculer le gain en tension sans charge.

13-19. Le transistor MOS à enrichissement du circuit représenté à la figure 13-14 a a une résistance $r_{DS\text{(passant)}}$ de 50 Ω. La capacité du condensateur C_H de blocage est de 0,1 μF et la résistance de charge est d'1 MΩ. Calculer la largeur d'impulsion de V_{commande} pour que le condensateur se charge jusqu'à 99 % de la tension échantillonnée. Calculer la fréquence minimale d'entrée pour avoir une constante de temps de décharge égale au moins à 100 fois la période.

A résoudre par ordinateur

13-20. Soit le programme

```
10   R = 1250
20   PRINT "LA RÉSISTANCE ÉGALE"; R
30   STOP
```

A la ligne 20, le point-virgule qui suit le guillemet commande à l'ordinateur d'afficher tout ce qui le suit. Donc, une fois le programme exécuté, l'écran affiche
LA RÉSISTANCE ÉGALE 1250

On peut utiliser plusieurs fois le point-virgule. On peut donc écrire la ligne 20 comme suit.

```
20   PRINT "LA RÉSISTANCE ÉGALE"; R; "OHMS"
```
Dans ce cas, l'écran affichera
LA RÉSISTANCE ÉGALE 1250 OHMS

Soit le programme

```
10   PRINT "INTRODUIRE VDD" : INPUT VDD
20   PRINT "INTRODUIRE IDSS" : INPUT IDSS
30   PRINT "INTRODUIRE RD" : INPUT RD
40   V = VDD − IDSS * RD
50   PRINT "LA TENSION DRAIN-SOURCE ÉGALE"; V; "VOLTS"
```

Supposer que $V_{DD} = 20$ V, $I_{DSS} = 5$ mA et $R_D = 1,5$ kΩ. Dire ce qu'affiche l'écran une fois ce programme exécuté.

13-21. Soit le programme suivant pour un transistor MOS à enrichissement :

```
10   PRINT "INTRODUIRE ID" : INPUT ID
20   PRINT "INTRODUIRE VGS" : INPUT VGS
```

_____

* N.d.T. H est mis pour _hold_ (blocage).

```
30   PRINT "INTRODUIRE TH" : INPUT TH
40   A = (VGS - TH) * (VGS - TH)
50   K = ID/A
60   FOR VGS = TH TO TH + 5
70   ID = K * (VGS - TH) * (VGS - TH)
80   PRINT "ID = "; ID; "LORSQUE VGS ="; VGS
90   NEXT VGS
```

Dire ce qu'accomplit l'ordinateur à la ligne 50. Supposer que $V_{GS\,(th)} = 2$ V et calculer la tension V_{GS} maximale utilisée à la ligne 70. Déterminer le nombre de lignes affichées sur l'écran lorsque l'ordinateur exécute ce programme.

13-22. Ecrire un programme qui fait afficher l'impédance d'entrée, le gain en tension sans charge et l'impédance de sortie d'un amplificateur cascode double grille semblable à celui représenté à la figure 13-6 *b*. Les entrées sont R_G, g_m et R_D. Utiliser des points-virgules dans les instructions PRINT finales.

13-23. Ecrire un programme qui calcule la tension alternative de sortie de l'amplificateur pour courant continu représenté à la figure 13-13. L'entrée est g_m pour chaque étage.

Effets de la fréquence

Par définition, la bande médiane d'un amplificateur pour courant alternatif est l'intervalle de fréquence dans lequel les condensateurs n'ont aucun effet. Donc, dans la bande médiane, le circuit équivalent en alternatif ne comporte que des résistances. Dans ce chapitre, nous étudierons le fonctionnement des amplificateurs à l'extérieur de la bande médiane. Au-dessous de la bande médiane, le gain en tension d'un amplificateur pour courant alternatif chute en raison des condensateurs de couplage et de découplage et au-dessus de la bande médiane il chute en raison de la capacité interne du transistor et de la capacité parasite des conducteurs.

Dans ce chapitre, nous étudierons d'abord les effets de la basse fréquence et ceux de la haute fréquence à l'aide respectivement du réseau d'avance et du réseau de retard. Puis nous étudierons le théorème de Miller, les décibels, les diagrammes de Bode et d'autres sujets indispensables à la compréhension des effets de la fréquence dans les amplificateurs.

14.1. RÉSEAU D'AVANCE

Analysons les effets de la basse fréquence sur les amplificateurs à l'aide du *réseau d'avance* représenté à la figure 14-1 *a*. On sait que la réactance capacitive égale

$$X_C = \frac{1}{2\ \pi f C}$$

Aux très basses fréquences, X_C tend vers l'infini. Aux très hautes fréquences, X_C tend vers zéro. Aux très basses fréquences, un condensateur est équivalent à un dispositif ouvert et aux très hautes fréquences il est équivalent à un court-circuit.

On appelle ce circuit un réseau d'avance parce que la tension de sortie est en avance sur la tension d'entrée. Nous étudierons la phase, angle de phase ou déphasage plus loin dans ce chapitre. Nous n'étudierons maintenant que la variation de la tension de sortie en fonction de la fréquence.

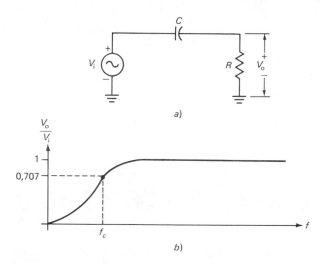

Fig. 14-1. a) *Réseau d'avance.* b) *Caractéristique de réponse en fréquence.*

CARACTÉRISTIQUE DE RÉPONSE EN FRÉQUENCE

Les tensions V_i et V_o indiquées à la figure 14-1 *a* sont efficaces. Lorsque la fréquence varie, la réactance du condensateur fait varier la tension de sortie. Donc, le gain en tension V_o/V_i est une fonction de la fréquence.

La figure 14-1 *b* représente la *caractéristique de réponse en fréquence* (gain en tension en fonction de la fréquence) d'un réseau d'avance. A la fréquence nulle, X_C est infini. Par conséquent, la tension de sortie et le gain en tension sont nuls. Lorsque la fréquence augmente, X_C diminue et le gain en tension augmente. A partir d'une certaine fréquence, X_C est beaucoup plus petit que R et V_o égale V_i. Donc, comme le montre la figure 14-1 *b*, le gain en tension du réseau d'avance tend vers 1 aux fréquences élevées.

FRÉQUENCE DE COUPURE

Le réseau d'avance représenté à la figure 14-1 *a* est un diviseur de tension alternative. Sa tension de sortie égale

$$V_o = \frac{R}{\sqrt{R^2 + X_C^2}} V_i$$

D'où

$$\frac{V_o}{V_i} = \frac{R}{\sqrt{R^2 + X_C^2}} \tag{14-1}$$

La caractéristique de réponse en fréquence de la figure 14-1 *b* est la représentation graphique de cette équation dans laquelle V_o/V_i est une fonction de la fréquence.

La fréquence à laquelle $X_C = R$ s'appelle la *fréquence de coupure,* la *fréquence critique* ou la *fréquence de cassure.* Donc, à la fréquence de coupure

$$X_C = R$$

D'où

$$\frac{1}{2\pi fC} = R$$

Isolons *f*. Il vient

$$f = \frac{1}{2\pi RC}$$

Pour distinguer cette fréquence indiçons-la d'un *c* (comme dans coupure, critique, et cassure). Donc,

$$f_c = \frac{1}{2\pi RC} \tag{14-2}$$

POINT DE DEMI-PUISSANCE

A la fréquence de coupure $X_C = R$. Substituons R à X_C dans l'équation 14-1. Il vient

$$\frac{V_o}{V_i} = 0,707$$

Tel est le gain en tension à la fréquence de coupure. On appelle parfois le point de coupure le *point de demi-puissance* parce qu'en ce point la puissance de charge égale la moitié de sa valeur maximale. Si $V_i = 1$ V et $R = 1$ Ω, alors la puissance maximale de charge égale 1 W. A la fréquence de coupure la tension de sortie égale 0,707 V et la puissance de charge égale

$$P = \frac{(0,707 \text{ V})^2}{1 \ \Omega} = 0,5 \text{ W}$$

RÉSISTANCE DE SOURCE

La figure 14-2 *a* représente un réseau d'avance avec résistance de source. Le gain en tension égale

$$\frac{V_o}{V_i} = \frac{R_L}{\sqrt{(R_S + R_L)^2 + X_C{}^2}} \tag{14-3}$$

Dans ce cas, l'égalité réactance capacitive égale la résistance totale série donne le point de demi-puissance. En effet de

$$X_C = R_S + R_L \tag{14-4}$$

soit

$$\frac{1}{2\pi fC} = R_S + R_L$$

on tire la fréquence de coupure

$$f_c = \frac{1}{2\pi (R_S + R_L) C} \tag{14-5}$$

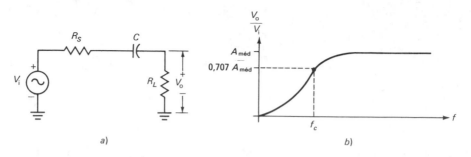

Fig. 14-2. a) *Réseau d'avance avec résistance de source et résistance de charge.* b) *Caractéristique de réponse en fréquence.*

La figure 14-2 *b* représente la caractéristique de réponse en fréquence d'un réseau d'avance avec résistance de source. Dans la bande médiane du réseau, le condensateur se comporte comme un court-circuit. Alors le gain en tension égale

$$\frac{V_o}{V_i} = \frac{R_L}{R_S + R_L}$$

que l'on écrit

$$A_{méd} = \frac{R_L}{R_S + R_L}$$

$A_{méd}$ est le gain en tension dans la bande médiane, la gamme de fréquence dans laquelle le condensateur se comporte à peu près comme un court-circuit pour le courant alternatif. Au-dessous de la bande médiane, le gain en tension chute. Remarquer qu'il vaut 0,707 $A_{méd}$ à la fréquence de coupure.

COUPLAGE SOUTENU

Dans les chapitres antérieurs, nous avons supposé que le *couplage était soutenu.* Dans le cas présent, cela signifie que pour tous les réseaux d'avance

$$X_C = 0,1 \, (R_S + R_L) \tag{14-6}$$

à la plus petite fréquence du signal à transmettre. Substituons 0,1 $(R_S + R_L)$ à X_C dans l'équation (14-3). Alors le gain en tension égale

$$\frac{V_o}{V_i} = 0,995 \, A_{méd}$$

Cette égalité montre que le couplage est soutenu. A la plus petite fréquence du signal à transmettre, le gain en tension est à moins d'un demi-pour cent du gain en bande médiane.

Les formules (14-6) et (14-4) diffèrent du facteur 10. Donc, si le couplage est soutenu, la fréquence minimale égale 10 fois la fréquence de coupure :

$$f_{min} = 10 \, f_c \tag{14-7}$$

Dans cette égalité, f_{min} = fréquence minimale avec couplage soutenu
$\qquad\quad f_c$ = fréquence de coupure du réseau d'avance

Cette relation permet de calculer une de ces fréquences si on connaît l'autre. Si on mesure une fréquence de coupure de 200 Hz, alors la fréquence minimale est de 2000 Hz. Réciproquement, la fréquence de coupure d'un amplificateur, de fréquence minimale de 500 Hz par conception, est de 50 Hz.

ANALYSE D'AMPLIFICATEUR

La figure 14-3 *a* représente l'amplificateur à émetteur commun analysé dans des chapitres précédents. Il comporte un condensateur de couplage à l'entrée et un condensateur de couplage à la sortie. Déterminons le réseau d'avance d'entrée et le réseau d'avance de sortie pour faciliter le calcul des fréquences de coupure.

Dans la prochaine section, nous analyserons l'effet du condensateur de découplage d'émetteur. Ignorons-le pour l'instant en supposant que sa capacité est infinie. D'où le circuit équivalent en courant alternatif représenté à la figure 14-3 *b*. Du côté entrée, R_i est l'impédance d'entrée de l'étage dans la bande médiane de l'amplificateur. On a

$$R_i = R_1 \parallel R_2 \parallel \beta r'_e$$

Du côté sortie, R_o est l'impédance de sortie de l'étage dans la bande médiane de l'amplificateur. Ignorons la résistance de la source de courant collecteur. Il vient

$$R_o \cong R_C$$

Remarquer que R_i et R_o sont identiques à z_i et z_o des chapitres 7 et 8 dans lesquels nous avons analysé des amplificateurs fonctionnant en bande médiane. Dans cette gamme de fréquence, l'impédance d'entrée z_i et l'impédance de sortie z_o sont des résistances pures. Au-dehors de la bande médiane, z_i et z_o sont des

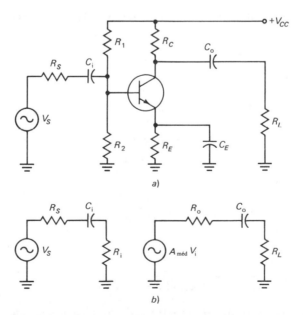

Fig. 14-3. a) *Amplificateur à émetteur commun.* b) *Circuit équivalent en courant alternatif.*

variables complexes en raison des effets réactifs. Comme nous étudions les effets de la fréquence, nous utiliserons R_i au lieu de z_i et R_o au lieu de z_o.

Chaque côté, entrée et sortie, a un réseau d'avance. La fréquence de coupure du réseau d'avance d'entrée égale

$$f_i = \frac{1}{2\pi(R_S + R_i)(C_i)} \tag{14-8}$$

Dans cette égalité, f_i = fréquence de coupure du réseau d'avance d'entrée
R_S = résistance de source
R_i = résistance d'entrée d'étage
C_i = capacité du réseau d'avance d'entrée

La fréquence de coupure du réseau d'avance de sortie égale

$$f_o = \frac{1}{2\pi(R_o + R_L)(C_o)} \tag{14-9}$$

Dans cette égalité, f_o = fréquence de coupure du réseau d'avance de sortie
R_o = résistance de sortie d'étage
R_L = résistance de charge
C_o = capacité du réseau d'avance de sortie

Les formules (14-8) et (14-9) permettent d'analyser n'importe quel amplificateur. Ces formules servent pour les amplificateurs à émetteurs suiveurs, les amplificateurs à transistors FET à jonction et pour d'autres dispositifs, à la condition de pouvoir calculer la résistance d'entrée et la résistance de sortie. Les exemples suivants montrent comment procéder.

EXEMPLE 14-1

Calculer la fréquence de coupure du réseau d'avance d'entrée et celle du réseau d'avance de sortie de l'amplificateur représenté à la figure 14-4 *a*. Prendre $\beta = 150$.

SOLUTION

Selon l'analyse effectuée à l'exemple 7-3 de cet amplificateur à émetteur commun,

$$R_i = 1,18 \text{ k}\Omega$$
$$R_o = 3,6 \text{ k}\Omega$$

Selon la formule (14-8),

$$f_i = \frac{1}{2\pi(1 \text{ k}\Omega + 1,18 \text{ k}\Omega)(0,47 \text{ }\mu\text{F})} = 155 \text{ Hz}$$

Selon la formule (14-9),

$$f_o = \frac{1}{2\pi(3,6 \text{ k}\Omega + 1,5 \text{ k}\Omega)(2,2 \text{ }\mu\text{F})} = 14,2 \text{ Hz}$$

La plus grande fréquence de coupure est celle du réseau d'avance d'entrée. Donc, ce réseau fait chuter la puissance de charge jusqu'au point de demi-puissance

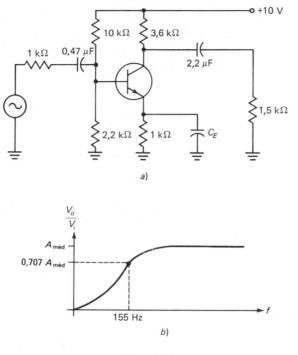

a)

b)

Fig. 14-4.

lorsque la fréquence est de 155 Hz (fig. 14-4 *b*). Le plus important de plusieurs réseaux d'avance est celui ayant la plus grande fréquence de coupure parce qu'il coupe la réponse de l'amplificateur le premier. D'où l'appellation fréquence de coupure d'avance *dominante*.

EXEMPLE 14-2

Soit l'amplificateur à émetteur suiveur représenté à la figure 14-5. Selon l'exemple 8-3, $R_i = 5$ kΩ et $R_o = 45,9$ Ω. Calculer la fréquence de coupure du réseau d'avance d'entrée et celle du réseau d'avance de sortie.

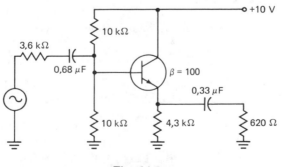

Fig. 14-5.

SOLUTION

La fréquence de coupure du réseau d'avance d'entrée égale

$$f_\mathrm{i} = \frac{1}{2\,\pi\,(3{,}6\ \mathrm{k\Omega} + 5\ \mathrm{k\Omega})\,(0{,}68\ \mu\mathrm{F})} = 27{,}2\ \mathrm{Hz}$$

La fréquence de coupure du réseau d'avance de sortie égale

$$f_\mathrm{o} = \frac{1}{2\,\pi\,(45{,}9\ \Omega + 620\ \Omega)\,(0{,}33\ \mu\mathrm{F})} = 724\ \mathrm{Hz}$$

La plus grande fréquence de coupure est celle du réseau d'avance de sortie. Donc, la puissance de charge chute jusqu'au point de demi-puissance lorsque la fréquence est de 724 Hz. La figure 14-4 *b* représente l'allure de la caractéristique de réponse en fréquence de l'amplificateur, mais la fréquence de coupure est de 724 Hz.

14.2. RÉSEAU DE RETARD

Analysons les effets de la haute fréquence sur les amplificateurs à l'aide du *réseau de retard* représenté à la figure 14-6 *a*. Aux très basses fréquences, X_C est grand et la tension de sortie égale environ la tension d'entrée. Aux très hautes fréquences, X_C est petit et la tension de sortie tend vers zéro. On appelle ce circuit un réseau de retard parce que la tension de sortie est en retard sur la tension d'entrée.

CARACTÉRISTIQUE DE RÉPONSE EN FRÉQUENCE

La figure 14-6 *b* représente la caractéristique de réponse en fréquence d'un réseau de retard. Aux basses fréquences, le gain en tension égale 1. A la fréquence de coupure, le gain en tension est de 0,707. Le gain en tension continue à diminuer au-delà de la fréquence de coupure et il tend vers zéro à la fréquence infinie.

FRÉQUENCE DE COUPURE

Le gain en tension d'un réseau de retard égale

$$\frac{V_\mathrm{o}}{V_\mathrm{i}} = \frac{X_C}{\sqrt{R^2 + X_C^2}} \tag{14-10}$$

La caractéristique de la réponse en fréquence de la figure 14-6 *b* est la représentation graphique de cette équation. Par définition, à la fréquence de coupure,

$$X_C = R$$

Donc

$$f_c = \frac{1}{2\pi RC} \tag{14-11}$$

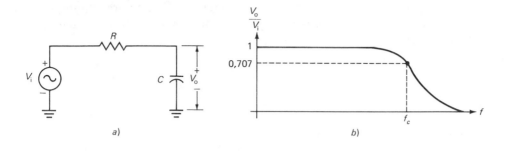

a)   b)

Fig. 14-6. a) *Réseau de retard.* b) *Caractéristique de réponse en fréquence.*

Dans cette égalité, f_c = fréquence de coupure du réseau de retard
                       R = résistance du réseau de retard
                       C = capacité du réseau de retard

RÉSISTANCE DE CHARGE

On monte souvent un condensateur en parallèle avec la résistance de charge (fig. 14-7 *a*). Aux basses fréquences, le condensateur semble ouvert et le gain en tension dans la bande médiane du circuit qui se comporte comme un diviseur de tension égale

$$A_{\text{méd}} = \frac{R_L}{R_S + R_L}$$

Aux fréquences supérieures le condensateur commence à dériver le courant alternatif hors de la charge. Cela fait chuter la tension de charge.

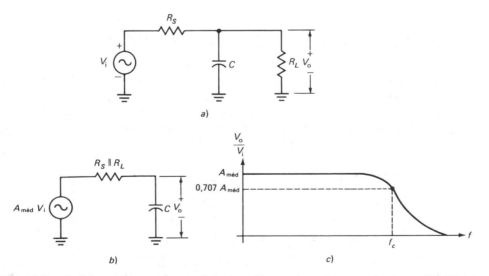

a)

b)   c)

Fig. 14-7. a) *Réseau de retard avec résistance de source et résistance de charge.* b) *Circuit équivalent.* c) *Caractéristique de réponse en fréquence.*

Pour calculer le plus simplement la fréquence de coupure, appliquons le théorème de Thévenin au circuit d'attaque du condensateur. La tension de Thévenin égale

$$V_{TH} = \frac{R_L}{R_S + R_L} V_i$$

D'où

$$V_{TH} = A_{\text{méd}} V_i$$

et la résistance de Thévenin égale

$$R_{TH} = R_S \parallel R_L$$

La figure 14-7 *b* représente le circuit équivalent de Thévenin. Remarquer que le circuit équivalent est un réseau de retard. Par conséquent, sa fréquence de coupure égale

$$f_e = \frac{1}{1\,\pi\,(R_S \parallel R_L)C} \tag{14-12}$$

Selon la figure 14-7 *c*, à la fréquence de coupure, le gain en tension égale 0,707 $A_{\text{méd}}$.

SOURCE DE COURANT

La figure 14-8 *a* représente une source de courant qui attaque le montage en parallèle de R_C, R_L et C. Ce circuit équivaut à un réseau de retard. La façon la plus simple de le voir est de lui appliquer le théorème de Thévenin (fig. 14-8 *b*). Puisque le circuit équivalent est un réseau de retard, la fréquence de coupure égale

$$f_c = \frac{1}{2\,\pi\,(R_C \parallel R_L)C} \tag{14-13}$$

Cette formule est importante en analyse haute fréquence des amplificateurs à transistors bipolaires et des amplificateurs à transistors FET. Nous en reparlerons davantage.

CONDENSATEUR DE DÉCOUPLAGE D'ÉMETTEUR

Le condensateur de découplage d'émetteur coupe la caractéristique de réponse en fréquence d'un amplificateur à la fréquence de coupure notée f_E. Par conséquent, un amplificateur semblable à celui représenté à la figure 14-9 *a* a trois fréquences de coupure : f_i, f_o et f_E. Pour isoler l'effet du condensateur de découplage d'émetteur, supposons que la capacité des condensateurs de couplage

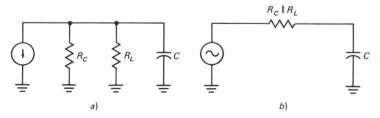

Fig. 14-8. a) *Source de courant d'attaque de composants en parallèle.* b) *Le circuit équivalent est un réseau de retard.*

est infinie. Donc, la caractéristique de la réponse en fréquence est coupée en f_E (fig. 14-9 *b*) et les fréquences de coupure f_i et f_o sont nettement inférieures à f_E.

Dans la bande médiane de l'amplificateur, le condensateur de découplage d'émetteur semble un court-circuit en courant alternatif. L'émetteur est à la masse et le gain en tension avec charge égale $-r_C/r'_e$ avec $r_C = R_C \parallel R_L$. Au-dessous de la bande médiane, le condensateur de découplage ne se comporte plus comme un court-circuit parfait pour le courant alternatif. Donc, le gain en tension diminue (fig. 14-9 *b*).

Le circuit d'émetteur est équivalent à un réseau de retard. Pour le voir, appliquer le théorème de Thévenin au circuit d'attaque de C_E (fig. 14-9 *c*). Dans ce circuit équivalent, R_o est la résistance de Thévenin en regard du condensateur. Selon le chapitre 8,

$$R_o \cong r'_e + \frac{R_S \parallel R_1 \parallel R_2}{\beta} \qquad (14\text{-}14)$$

(*Remarque* : L'impédance étant complexe au-dehors de la bande médiane, nous utilisons R_o au lieu de z_o pour désigner la résistance de Thévenin en regard du condensateur). La fréquence de coupure du réseau de retard égale

$$f_E = \frac{1}{2\pi R_o \, C_E} \qquad (14\text{-}15)$$

Dans cette formule, f_E = fréquence de coupure du réseau d'émetteur

R_o = résistance de sortie en regard du condensateur de découplage

C_E = capacité de découplage d'émetteur

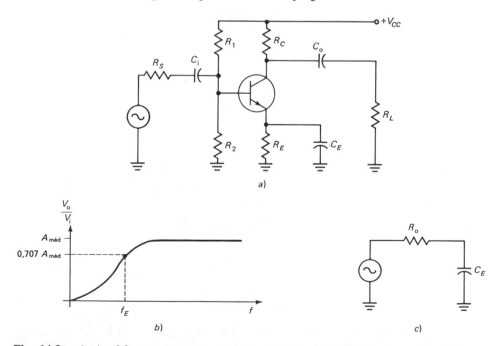

Fig. 14-9. a) *Amplificateur à émetteur commun.* b) *Caractéristique de réponse en fréquence.* c) *Circuit de Thévenin en regard du condensateur de découplage.*

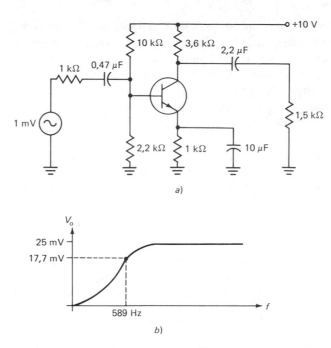

Fig. 14-10.

EXEMPLE 14-3

Calculer la fréquence de coupure du réseau de découplage d'émetteur de l'amplificateur représenté à la figure 14-10 *a*. Prendre $\beta = 150$.

SOLUTION

Selon l'exemple 14-1 les fréquences de coupure des réseaux d'avance égalent

$$f_i = 155 \text{ Hz}$$
$$f_o = 14,2 \text{ Hz}$$

Pour calculer la fréquence de coupure du réseau de découplage d'émetteur, il faut connaître la résistance de sortie en regard du condensateur de découplage d'émetteur. L'analyse de la polarisation par diviseur de tension donne $I_C = 1,1$ mA et $r'_e = 22,7 \ \Omega$. Selon la formule (14-14),

$$R_o = 22,7 \ \Omega + \frac{1 \text{ k}\Omega \parallel 10 \text{ k}\Omega \parallel 2,2 \text{ k}\Omega}{150} = 27 \ \Omega$$

Pour $C_E = 10 \ \mu$F, la fréquence de coupure d'émetteur égale

$$f_E = \frac{1}{2\pi (27 \ \Omega)(10 \ \mu\text{F})} = 589 \text{ Hz}$$

Selon l'exemple 7-3, la tension de sortie de cet amplificateur est de 25 mV. D'où la caractéristique de la réponse en fréquence de l'amplificateur représentée à la figure 14-10 *b*. La tension de sortie dans la bande médiane est

25 mV. A 589 Hz, la plus importante des fréquences de coupure, la tension de sortie chute à 17,7 mV. Les fréquences de coupure des réseaux d'avance étant de 14,2 Hz et 155 Hz, elles ont peu d'effet jusqu'à ce que la fréquence soit beaucoup plus petite.

La plus grande des trois fréquences de coupure données $(f_i, f_o$ et $f_E)$ est appelée la fréquence de coupure *dominante* parce que la caractéristique de réponse en fréquence de l'amplificateur est d'abord coupée à cette fréquence. Dans cet exemple, f_E est la fréquence de coupure dominante.

EXEMPLE 14-4

La figure 14-11 *a* représente un amplificateur à transistor MOS à déplétion. Supposer que $g_m = 5000~\mu S$ et calculer la tension de sortie dans la bande médiane. Supposer qu'il existe une capacité parasite de 20 pF entre les bornes de la charge et calculer la fréquence de coupure. Tracer la caractéristique de réponse en fréquence.

SOLUTION

Les tirets utilisés pour le condensateur indiquent qu'il n'est pas un composant. Il représente la capacité interne ou la capacité parasite des conducteurs. Dans la bande médiane de l'amplificateur, ce condensateur semble ouvert et le gain en tension égale

$$A = -5000~\mu S \times 10~k\Omega = -50$$

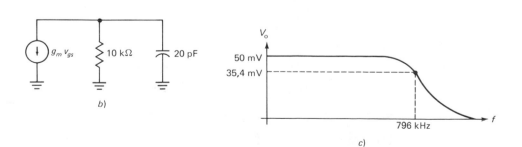

Fig. 14-11. a) *Amplificateur à transistor MOS.* b) *Circuit équivalent en courant alternatif de la sortie.* c) *Caractéristique de réponse en fréquence.*

La figure 14-11 *b* représente le circuit équivalent en courant alternatif pour le collecteur. Ce circuit est équivalent à un réseau de retard de fréquence de coupure

$$f_c = \frac{1}{2\pi (10\ \text{k}\Omega)(20\ \text{pF})} = 796\ \text{kHz}$$

La figure 14-11 *c* représente la caractéristique de réponse en fréquence. La tension efficace de sortie dans la bande médiane est de 50 mV. A la fréquence de coupure, la tension de sortie chute à 0,707 de la valeur en bande médiane. Remarquons que la bande médiane va jusqu'à la fréquence nulle parce que l'amplificateur est directement couplé. Il n'y a donc pas de fréquence inférieure de coupure.

14.3. THÉORÈME DE MILLER

La figure 14-12 *a* représente un amplificateur à condensateur entre les bornes d'entrée et de sortie. On appelle parfois un tel condensateur un *condensateur de réaction* parce qu'il réinjecte le signal de sortie amplifié à l'entrée. Si *A* est grand, la réaction change fortement l'impédance d'entrée de l'amplificateur.

CIRCUIT ÉQUIVALENT DE MILLER

L'analyse d'un circuit semblable à celui représenté à la figure 14-12 *a* est ardue parce que le condensateur de réaction fait partie du circuit d'entrée et du circuit de sortie. La figure 14-12 *b* représente le circuit équivalent de Miller du circuit original. Dans le circuit équivalent, la capacité d'entrée égale

$$C_{i(\text{Miller})} = C(1 - A) \tag{14-16}$$

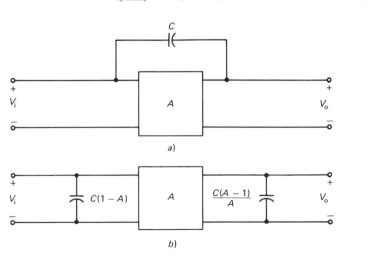

Fig. 14-12.   a) *Amplificateur à condensateur de réaction.* b) *Circuit équivalent à condensateurs de Miller.*

et la capacité de sortie égale

$$C_{o(\text{Miller})} = C \frac{A - 1}{A} \qquad (14\text{-}17)$$

Le circuit équivalent de Miller offre l'avantage de fractionner le condensateur de réaction en deux condensateurs : un du côté entrée, l'autre du côté sortie. La séparation des circuits d'entrée et de sortie simplifie l'analyse.

DÉMONSTRATION

Le courant alternatif du condensateur de réaction représenté à la figure 14-12 *a* égale

$$I_C = \frac{V_i - V_o}{-jX_C}$$

Or, $V_o = AV_i$. Donc, cette équation devient

$$I_C = \frac{V_i(1 - A)}{-jX_C}$$

D'où

$$\frac{V_i}{I_C} = \frac{-jX_C}{1 - A} = \frac{-j1}{2\pi fC(1 - A)}$$

Le rapport V_i/I_C égale l'impédance du condensateur vue du côté entrée de l'amplificateur. Remarquer que la capacité de réaction est multipliée par $1 - A$. Donc la capacité équivalente d'entrée égale

$$C_{i(\text{Miller})} = C(1 - A)$$

La capacité de Miller d'entrée est en parallèle avec les bornes d'entrée de l'amplificateur (fig. 14-12 *b*).

On calcule la capacité de sortie comme suit. Le courant qui traverse le condensateur égale

$$I_C = \frac{V_o - V_i}{-jX_C} = \frac{(1 - 1/A)V_o}{-jX_C}$$

D'où

$$\frac{V_o}{I_C} = \frac{-jX_C}{(A - 1)/A} = \frac{-j1}{2\pi fC(A - 1)/A}$$

Le rapport V_o/I_C égale l'impédance du condensateur vue des bornes de sortie. Selon la figure 14-12 *b*, la capacité de ce condensateur égale

$$C_{o(\text{Miller})} = \frac{C(A - 1)}{A}$$

Si A est grand, $C_{o(\text{Miller})}$ égale à peu près C, la capacité de réaction.

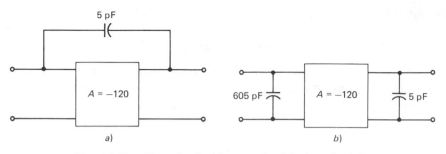

Fig. 14-13. *Exemple d'application du théorème de Miller.*

AMPLIFICATEUR INVERSEUR

L'amplificateur inverseur est la plus importante application du théorème de Miller. Dans ce cas, A est négatif et la capacité de Miller d'entrée est plus grande que la capacité de réaction. Ce dernier phénomène s'appelle l'*effet Miller*.

Si $C = 5$ pF et $A = -120$ (fig. 14-13 *a*), alors

$$C_{i(Miller)} = C(1 - A) = 5\ pF(121) = 605\ pF$$

D'où la capacité équivalente d'entrée de 605 pF représentée à la figure 14-13 *b*. L'effet Miller rend la capacité d'entrée de l'amplificateur beaucoup plus grande que la capacité de réaction.

La capacité de Miller de sortie égale

$$C_{o(Miller)} = \frac{5\ pF(-121)}{-120} \cong 5\ pF$$

Donc, si le gain en tension est grand, la capacité de Miller de sortie égale environ la capacité de réaction (fig. 14-13 *b*).

14.4. ANALYSE DES FET EN HAUTE FRÉQUENCE

La figure 14-14 *a* représente un générateur de signaux V_G, de résistance interne R_G, attaquant un amplificateur à FET polarisé par diviseur de tension. Aux fréquences élevées, les condensateurs de couplage et de découplage se comportent comme des courts-circuits pour le courant alternatif. La figure 14-14 *b* représente le circuit équivalent en courant alternatif; r_D, la résistance en alternatif vue par le drain, égale la combinaison parallèle de R_D et R_L :

$$r_D = R_D \parallel R_L$$

La résistance r_G est la résistance de Thévenin en alternatif en regard de la borne de grille du FET. Cette résistance inclut les résistances de polarisation en parallèle avec la résistance du générateur. Dans ce cas de polarisation par diviseur de tension,

$$r_G = R_1 \parallel R_2 \parallel R_G$$

Dans la bande médiane de l'amplificateur, le gain en tension avec charge égale

$$A = -g_m r_D \tag{14-18}$$

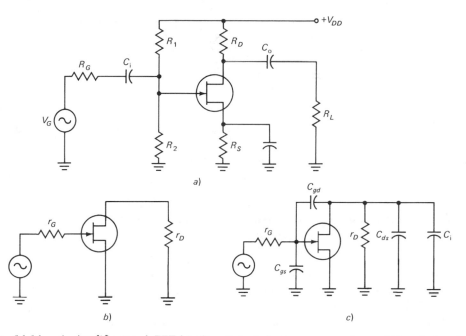

Fig. 14-14. a) *Amplificateur à FET.* b) *Circuit équivalent en courant alternatif dans la bande médiane.* c) *Circuit équivalent en courant alternatif au-dessus de la bande médiane.*

Au-dessus de la bande médiane, les réseaux de retard formés par les capacités internes du FET et les capacités parasites des conducteurs font diminuer le gain en tension.

CAPACITÉS

Le FET a des *capacités internes* entre ses trois électrodes. C_{gs} est la capacité interne entre la grille et la source. C_{gd} est la capacité interne entre la grille et le drain. C_{ds} est la capacité interne entre le drain et la source. La figure 14-14 *c* représente ces capacités dans le circuit équivalent en courant alternatif.

Lorsque la sortie d'un amplificateur à FET attaque un autre étage, la capacité d'entrée C_i de l'étage suivant est entre les bornes drain-masse (fig. 14-14 *c*). La capacité C_l comprend la capacité d'entrée de l'étage suivant et la capacité parasite des conducteurs égale à la capacité entre les conducteurs de connexion et la masse. En gros, la capacité parasite des conducteurs est de 0,1 pF/cm. Donc, chaque longueur de conducteur d'1 cm entre le drain du premier étage et la grille du deuxième étage shunte 0,1 pF entre les bornes de la charge (fig. 14-14 *c*). Voilà pourquoi les conducteurs des amplificateurs haute fréquence doivent être le plus court possible.

RÉSEAU DE RETARD DE GRILLE

A la figure 14-14 *c*, C_{gd} est le condensateur de réaction. Selon le théorème de Miller,

$$C_{i(\text{Miller})} = C_{gd}(1 - A)$$

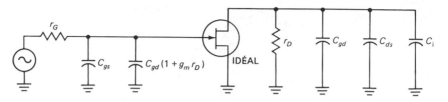

Fig. 14-15. *Circuit équivalent en courant alternatif d'un amplificateur à FET avec les capacités de Miller.*

D'où

$$C_{i(\text{Miller})} = C_{gd}(1 + g_m r_D)$$

La figure 14-15 représente cette capacité de Miller d'entrée.

Dans la plupart des cas, A est assez grand pour rendre la capacité de Miller de sortie égale à la capacité de réaction. D'où

$$C_{o(\text{Miller})} = C_{gd}$$

La capacité de Miller de sortie est en parallèle avec C_{ds} et C_i (fig. 14-15).

Les capacités en parallèle s'additionnent. Donc, l'amplification à FET représenté à la figure 14-15 comporte deux réseaux de retard, un sur le côté grille et un sur le côté drain. La capacité totale du circuit de grille égale

$$C_G = C_{gs} + C_{gd}(1 + g_m r_D) \qquad (14\text{-}19)$$

et la fréquence de coupure du réseau de retard de grille égale

$$f_G = \frac{1}{2\ \pi r_G C_G} \qquad (14\text{-}20)$$

Dans cette formule, f_G = fréquence de coupure de grille
r_G = résistance en courant alternatif vue par la grille
C_G = capacité totale du réseau de retard de grille

RÉSEAU DE RETARD DE DRAIN

Le drain se comporte comme une source de courant qui attaque la résistance en courant alternatif r_D en parallèle avec les capacités C_{gd}, C_{ds} et C_i. La capacité totale du circuit de drain égale

$$C_D = C_{gd} + C_{ds} + C_i \qquad (14\text{-}21)$$

et la fréquence de coupure égale

$$f_D = \frac{1}{2\pi r_D C_D} \qquad (14\text{-}22)$$

Dans cette formule, f_D = fréquence de coupure de drain
r_D = résistance en courant alternatif vue par le drain
C_D = capacité totale du circuit de drain

CAPACITÉS DONNÉES PAR LES FICHES SIGNALÉTIQUES

La figure 14-16 *a* représente les trois capacités C_{gs}, C_{gd} et C_{ds} du FET. Pour des raisons de simplicité, le fabricant mesure les capacités du FET en courts-circuits.

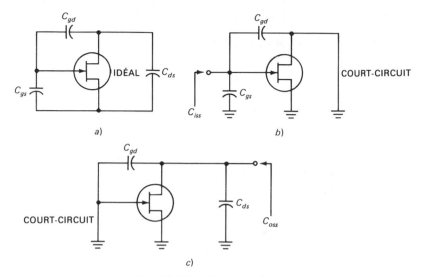

Fig. 14-16. *Capacités de FET.*

Par exemple, C_{iss} est la capacité d'entrée avec la sortie court-circuitée (fig. 14-16 *b*). Comme C_{gd} est en parallèle avec C_{gs}, il vient

$$C_{iss} = C_{gs} + C_{gd} \qquad (14\text{-}23)$$

Les fiches signalétiques donnent aussi la capacité de sortie C_{oss} du FET avec l'entrée court-circuitée (fig. 14-16 *c*). Comme C_{ds} est en parallèle avec C_{gd}, il vient

$$C_{oss} = C_{ds} + C_{gd} \qquad (14\text{-}24)$$

La capacité C_{rss} donnée sur les fiches signalétiques égale la capacité de réaction. On a

$$C_{rss} = C_{gd} \qquad (14\text{-}25)$$

La résolution des équations simultanées (14-23) à (14-25) donne les formules

$$C_{gd} = C_{rss} \qquad (14\text{-}26)$$
$$C_{gs} = C_{iss} - C_{rss} \qquad (14\text{-}27)$$
$$C_{ds} = C_{oss} - C_{rss} \qquad (14\text{-}28)$$

Ces formules permettent de calculer les capacités nécessaires pour analyser les réseaux de retard d'un amplificateur à FET.

EXEMPLE 14-5

La figure 14-17 *a* représente un amplificateur à FET. Les capacités du MPF102 sont

$$C_{iss} = 7 \text{ pF}$$
$$C_{oss} = 4 \text{ pF}$$
$$C_{rss} = 3 \text{ pF}$$

La capacité parasite des conducteurs du circuit de drain est de 4 pF. On donne $g_m = 4000 \ \mu S$. Calculer les fréquences de coupure des réseaux de retard de grille et de drain.

SOLUTION

Selon les formules (14-26) à (14-28),

$$C_{gd} = 3\,\text{pF}$$
$$C_{gs} = 7\,\text{pF} - 3\,\text{pF} = 4\,\text{pF}$$
$$C_{ds} = 4\,\text{pF} - 3\,\text{pF} = 1\,\text{pF}$$

La figure 14-17 *b* représente le circuit équivalent en courant alternatif aux fréquences supérieures auxquelles les condensateurs de couplage et de découplage se comportent comme des courts-circuits en alternatif. En plus des capacités internes du FET, il existe une capacité parasite des conducteurs de 4 pF en parallèle avec la résistance de drain.

Le gain en tension en bande médiane égale

$$A = (-4000\,\mu\text{S})(5\,\text{k}\Omega) = -20$$

La capacité d'entrée de Miller égale

$$C_{i(\text{Miller})} = (3\,\text{pF})(21) = 63\,\text{pF}$$

et la capacité de Miller de sortie égale

$$C_{o(\text{Miller})} \cong 3\,\text{pF}$$

La figure 14-17 *c* représente le circuit équivalent de Miller aux deux réseaux de retard évidents.

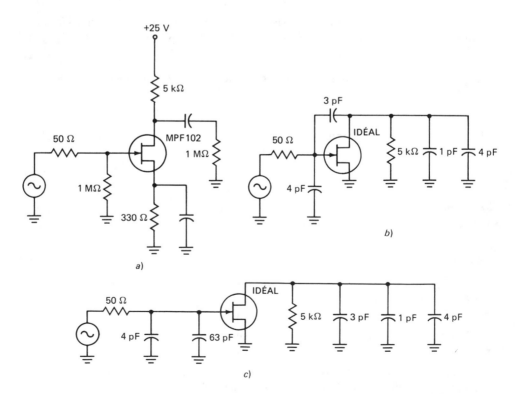

Fig. 14-17.

Pour le réseau de retard de grille,

$$r_G = 50 \, \Omega$$
$$C_G = 4 \, \text{pF} + 63 \, \text{pF} = 67 \, \text{pF}$$

et la fréquence de coupure égale

$$f_G = \frac{1}{2\pi(50 \, \Omega)(67 \, \text{pF})} = 47,5 \, \text{MHz}$$

Pour le réseau de retard de drain,

$$r_D = 5 \, \text{k}\Omega$$
$$C_D = 3 \, \text{pF} + 1 \, \text{pF} + 4 \, \text{pF} = 8 \, \text{pF}$$

et la fréquence de coupure égale

$$f_D = \frac{1}{2\pi(5 \, \text{k}\Omega)(8 \, \text{pF})} = 3,98 \, \text{MHz}$$

La fréquence de coupure de drain est inférieure à celle de grille. Par conséquent, la première cassure de la caractéristique de réponse en haute fréquence a lieu à 3,98 MHz. Donc, le réseau de retard de drain domine parce que sa fréquence de coupure est inférieure à celle du réseau de retard de grille.

EXEMPLE 14-6

La figure 14-18 représente un amplificateur cascode. On sait que le gain en tension de cet amplificateur à deux étages égale $- g_m R_D$. Calculer la capacité d'entrée si C_{gs} et C_{gd} du premier étage égalent respectivement 4 pF et 3 pF.

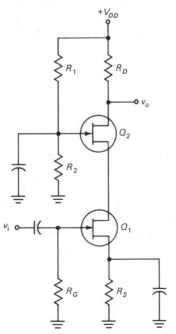

Fig. 14-18. *Amplificateur cascode.*

SOLUTION

Le premier étage (à source commune) attaque le deuxième étage (à grille commune). Comme l'impédance d'entrée d'un amplificateur à grille commune égale environ $1/g_m$, le gain en tension du premier étage égale

$$A_1 = - g_m r_D \cong (- g_m) \frac{1}{g_m} = - 1$$

Le premier étage a une capacité de réaction de 3 pF et un gain en tension de $- 1$; donc, la capacité de Miller d'entrée égale

$$C_{i(Miller)} = 3 \text{ pF} \times 2 = 6 \text{ pF}$$

Remarquer la petitesse de l'effet Miller due au petit gain en tension ($- 1$) du premier étage. La capacité totale d'entrée du premier étage égale la somme de C_{gs} et de la capacité de Miller d'entrée, d'où

$$C_i = 4 \text{ pF} + 6 \text{ pF} = 10 \text{ pF}$$

L'avantage d'un amplificateur cascode est sa petite capacité d'entrée due à un petit effet Milver. En général, la capacité d'entrée de tout amplificateur cascode à FET égale

$$C_i = C_{gs} + 2C_{gd} \tag{14-29}$$

14.5. ANALYSE DES TRANSISTORS BIPOLAIRES EN HAUTE FRÉQUENCE

La figure 14-19 *a* représente un générateur de signaux V_G, de résistance interne R_G, attaquant un amplificateur à émetteur commun. La figure 14-19 *b* représente le circuit équivalent en courant alternatif dans la bande médiane de l'amplificateur; r_G est la résistance de Thévenin en courant alternatif en regard de la borne de base du transistor. On a

$$r_G = R_1 \parallel R_2 \parallel R_G$$

La résistance r_C est la résistance en courant alternatif vue par le collecteur. Il vient

$$r_C = R_C \parallel R_L$$

AU-DESSUS DE LA BANDE MÉDIANE

C'_e est la capacité de la diode émetteur et C'_c celle de la diode collecteur. La figure 14-19 *c* représente le circuit équivalent en courant alternatif au-dessus de la bande médiane de l'amplificateur. Remarquer que C'_c est le condensateur de réaction entre la base et le collecteur. Remarquer aussi r'_b, la résistance d'étalement de base qu'on inclut dans l'analyse en haute fréquence parce qu'elle fait partie du réseau de retard de base.

RÉSEAU DE RETARD DE BASE

Pour calculer les fréquences de coupure d'un amplificateur à transistor bipolaire, il faut déterminer le réseau de retard de la base et celui du collecteur. La

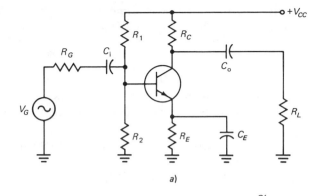

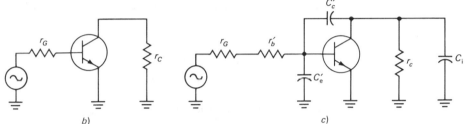

Fig. 14-19. a) *Amplificateur à transistor bipolaire.* b) *Circuit équivalent dans la bande médiane.* c) *Au-dessus de la bande médiane.*

première étape consiste à trouver la capacité de Miller d'entrée. Dans la bande médiane, le gain en tension de la base au collecteur égale

$$A = -\frac{r_C}{r'_e}$$

Donc, la capacité de Miller d'entrée égale

$$C_{i(\text{Miller})} = C'_c \left(1 + \frac{r_C}{r'_e}\right)$$

La figure 14-20 *a* représente cette capacité de Miller d'entrée.

La capacité de Miller de sortie égale environ C'_c parce que, ordinairement, le gain en tension A d'un amplificateur à émetteur commun est grand. La figure 14-20 *a* représente la capacité de Miller de sortie en parallèle avec C_i, la capacité d'entrée de l'étage suivant.

Les capacités représentées à la figure 14-20 *a* sont en parallèle. La capacité totale du circuit de base égale

$$C_B = C'_e + C'_c \left(1 + \frac{r_C}{r'_e}\right) \tag{14-30}$$

et la capacité totale du circuit de collecteur égale

$$C_C = C'_c + C_i \tag{14-31}$$

(fig. 14-20 *b*). Pour transformer le circuit de base en réseau de retard, il faut appliquer le théorème de Thévenin au circuit qui attaque la capacité de base (fig. 14-20 *c*). Remarquer que la résistance de Thévenin en regard de la capacité de base égale

$$r_B = (r_G + r'_b) \parallel \beta\, r'_e \tag{14-32}$$

Observons la figure 14-20 *c*. A part les symboles compliqués, le circuit est simple ; il contient deux réseaux de retard. La fréquence de coupure du réseau de retard de base égale

$$f_B = \frac{1}{2\pi r_B C_B} \tag{14-33}$$

Dans cette formule, f_B = fréquence de coupure de base

r_B = résistance de Thévenin en regard de la capacité de base

C_B = capacité totale du réseau de retard de base

RÉSEAU DE RETARD DE COLLECTEUR

Le circuit de collecteur est un autre réseau de retard. Sa fréquence de coupure égale

$$f_C = \frac{1}{2\pi r_C C_C} \tag{14-34}$$

Dans cette formule, f_C = fréquence de coupure de collecteur

r_C = résistance en courant alternatif vue par le collecteur

C_C = capacité totale du circuit de collecteur

CAPACITÉS DONNÉES PAR LES FICHES SIGNALÉTIQUES

La notation de C'_c n'est pas normalisée. Les fiches signalétiques la notent C_c, C_{cb}, C_{ob} et C_{obo}. La fiche signalétique d'un 2N2330 donne une capacité C_{ob} de 10 pF. Utiliser cette valeur de C'_c pour l'analyse en haute fréquence.

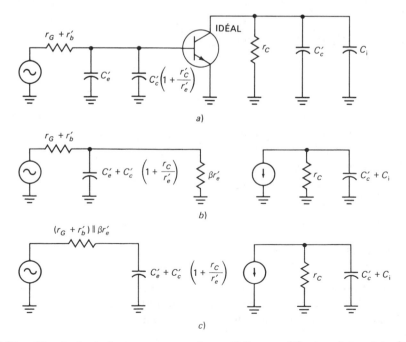

Fig. 14-20. *Circuits équivalents en courant alternatif d'un amplificateur à transistor bipolaire.*

Habituellement, les fabricants ne donnent pas la capacité C'_e parce qu'elle est trop difficile à mesurer directement. Par contre, ils donnent le produit *gain en courant-bande passante* noté f_T. Telle est la fréquence à laquelle le gain en courant d'un transistor chute à 1. Selon l'appendice 1,

$$C'_e = \frac{1}{2\pi f_T r'_e} \qquad (14\text{-}35)$$

EXEMPLE 14-7

Selon la fiche signalétique d'un 2N3904, $f_T = 300$ MHz à $I_E = 10$ mA. Calculer C'_e.

SOLUTION

I_E étant de 10 mA,

$$r'_e = \frac{25 \text{ mV}}{10 \text{ mA}} = 2,5 \ \Omega$$

Selon la formule (14-35),

$$C'_e = \frac{1}{2\pi (300 \text{ MHz})(2,5 \ \Omega)} = 212 \text{ pF}$$

EXEMPLE 14-8

On utilise le 2N3904 de l'exemple précédent dans un amplificateur à émetteur commun. On donne $r_G = 1$ kΩ, $r'_b = 100 \ \Omega$, $\beta r'_e = 250 \ \Omega$, $r_C = 1$ kΩ, $r'_e = 2,5 \ \Omega$, $C'_e = 212$ pF, $C'_c = 4$ pF et $C_i = 5$ pF.
Calculer les fréquences de coupure de cet amplificateur.

SOLUTION

Soit le circuit représenté à la figure 14-20 *c*. La résistance de Thévenin en regard de la base égale

$$r_B = (1000 \ \Omega + 100 \ \Omega) \ \| \ 250 \ \Omega = 204 \ \Omega$$

Le gain en tension égale

$$A = -\frac{1000}{2,5} = -400$$

et la capacité de Miller d'entrée égale

$$C_{i(Miller)} = 4 \text{ pF} \times 401 = 1604 \text{ pF}$$

La capacité totale de base égale

$$C_B = 212 \text{ pF} + 1604 \text{ pF} = 1816 \text{ pF}$$

Donc, la fréquence critique du réseau de retard de base égale

$$f_B = \frac{1}{2\pi (204 \ \Omega)(1816 \text{ pF})} = 430 \text{ kHz}$$

Soit le circuit de collecteur représenté à la figure 14-20 *c*, la capacité totale égale

$$C_C = 4 \text{ pF} + 5 \text{ pF} = 9 \text{ pF}$$

Par conséquent, la fréquence de coupure du réseau de retard de collecteur égale

$$f_C = \frac{1}{2\pi(1\ \text{k}\Omega)(9\ \text{pF})} = 17,7\ \text{MHz}$$

Le réseau de retard dominant est évident. La fréquence de coupure du réseau de retard de base est nettement la plus petite. Elle casse la caractéristique de réponse à 430 kHz. Pour améliorer la réponse en haute fréquence de cet amplificateur, commencer par le circuit de base parce que sa fréquence de coupure est la plus petite.

14.6. GAIN EN PUISSANCE EN DÉCIBELS

Par définition, le gain en puissance G d'un amplificateur égale le rapport de la puissance de sortie à la puissance d'entrée, soit

$$G = \frac{P_2}{P_1}$$

Si la puissance de sortie est de 15 W et la puissance d'entrée de 0,5 W,

$$G = \frac{15\ \text{W}}{0,5\ \text{W}} = 30$$

Donc, la puissance de sortie égale 30 fois la puissance d'entrée.

DÉCIBELS

Par définition, le *gain en puissance en décibels* égale

$$G' = 10 \log G \qquad\qquad (14\text{-}36)$$

Dans cette formule, G' = gain en puissance en décibels
log = logarithme vulgaire ou en base 10
G = gain en puissance

Le gain en puissance en décibels d'un amplificateur de gain en puissance de 100 égale

$$G' = 10 \log 100 = 20$$

G' est sans dimension, mais pour ne pas le confondre avec le gain en puissance ordinaire G on lui affecte *décibels* (de symbole dB). Donc, la réponse précédente s'écrit

$$G' = 20\ \text{dB}$$

Une réponse exprimée en décibels représente automatiquement un gain en puissance en décibels et non un gain en puissance ordinaire.

3 dB PAR MULTIPLICATION PAR 2

Soit un gain en puissance de 2. Alors le gain en puissance en décibels égale

$$G' = 10 \log 2 = 3,01\ \text{dB}$$

Si $G = 4$, alors

$$G' = 10 \log 4 = 6,02 \text{ dB}$$

Si $G = 8$, alors

$$G' = 10 \log 8 = 9,03 \text{ dB}$$

On arrondit habituellement 3,01 dB à 3 dB, 6,02 dB à 6 dB et 9,03 dB à 9 dB. Les progressions sont limpides. A chaque multiplication du gain en puissance ordinaire par 2, le gain en puissance en décibels augmente d'environ 3 dB (tableau 14-1).

Tableau 14-1

G	G'
1	0 dB
2	3 dB
4	6 dB
8	9 dB
16	12 dB

DÉCIBELS NÉGATIFS

Si le gain en puissance est inférieur à 1, il y a affaiblissement ou atténuation et le gain en puissance en décibels est négatif. Si la puissance de sortie est de 1,5 W lorsque la puissance d'entrée est de 3 W, alors

$$G = \frac{1,5 \text{ W}}{3 \text{ W}} = 0,5$$

et le gain en puissance en décibels égale

$$G' = 10 \log 0,5 = -3,01 \text{ dB}$$

Si le gain en puissance égale 0,25,

$$G' = 10 \log 0,25 = -6,02 \text{ dB}$$

Si le gain en puissance est de 0,125, alors

$$G' = 10 \log 0,125 = -9,03 \text{ dB}$$

Habituellement, on arrondit encore ces valeurs à -3 dB, -6 dB et -9 dB. Chaque division du gain en puissance par 2 entraîne une diminution du gain en puissance en décibels d'environ 3 dB (tableau 14-2).

Tableau 14-2

G	G'
1	0 dB
0,5	-3 dB
0,25	-6 dB
0,125	-9 dB
0,0625	-12 dB

10 dB PAR MULTIPLICATION PAR 10

Soit un gain en puissance de 10. Alors le gain en puissance en décibels égale

$$G' = 10 \log 10 = 10 \, \text{dB}$$

Si le gain en puissance égale 100, alors

$$G' = 10 \log 100 = 20 \, \text{dB}$$

Si le gain en puissance égale 1000, alors

$$G' = 10 \log 1000 = 30 \, \text{dB}$$

Selon ces progressions, chaque multiplication du gain en puissance par 10 entraîne une augmentation du gain en puissance en décibels de 10 dB (tableau 14-3).

Tableau 14-3

G	G'
1	0 dB
10	10 dB
100	20 dB
1 000	30 dB
10 000	40 dB

On obtient un résultat semblable lorsque le gain en puissance est inférieur à 1. Lorsque le gain en puissance est de 0,1, le gain en puissance en décibels est de − 10 dB. Si le gain en puissance est de 0,01, le gain en puissance en décibels est de − 20 dB. Lorsque le gain en puissance est de 0,001, le gain en puissance en décibels est de − 30 dB, etc.

LES GAINS ORDINAIRES SE MULTIPLIENT

La figure 14-21 *a* représente deux étages d'un amplificateur. Le premier étage a une puissance d'entrée P_1, une puissance de sortie P_2 et un gain en puissance

$$G_1 = \frac{P_2}{P_1}$$

Le deuxième étage a une puissance d'entrée P_2, une puissance de sortie P_3 et un gain en puissance

$$G_2 = \frac{P_3}{P_2}$$

Le gain total en puissance des deux étages égale

$$G = \frac{P_3}{P_1}$$

qu'on peut écrire sous la forme

$$G = \frac{P_2}{P_1} \frac{P_3}{P_2}$$

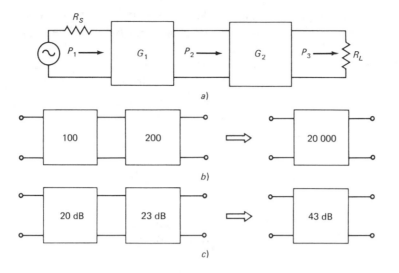

Fig. 14-21. *Etages en cascade.*

d'où

$$G = G_1 G_2 \qquad (14\text{-}37)$$

Donc, le gain total en puissance d'étages en cascade égale le produit des gains des étages. Quel que soit le nombre d'étages, on obtient le gain total en puissance en multipliant les gains des étages. Les gains en puissance respectifs des premier et deuxième étages de l'amplificateur représenté à la figure 14-21 *b* sont de 100 et 200. Donc le gain total en puissance égale

$$G = 100 \times 200 = 20\,000$$

LES GAINS EN DÉCIBELS S'ADDITIONNENT

Le gain total en puissance de deux étages en cascade égale

$$G = G_1 G_2$$

Prenons le logarithme des deux membres de cette égalité. Il vient

$$\log G = \log G_1 G_2 = \log G_1 + \log G_2$$

Multiplions les deux membres par 10. Il vient

$$10 \log G = 10 \log G_1 + 10 \log G_2$$

que l'on peut écrire sous la forme

$$G' = G'_1 + G'_2 \qquad (14\text{-}38)$$

Dans cette formule, G' = gain total en puissance en décibels
$\qquad\qquad\qquad\ G'_1$ = gain en puissance en décibels du premier étage
$\qquad\qquad\qquad\ G'_2$ = gain en puissance en décibels du deuxième étage

Selon cette formule, le gain total en puissance en décibels de deux étages en cascade égale la somme des gains en puissance en décibels des étages. Le même raisonnement s'applique quel que soit le nombre d'étages. Pour calculer le gain total en puissance en décibels de plusieurs étages en cascade, additionner les gains en puissance en décibels des étages.

La figure 14-21 *c* représente le même amplificateur à deux étages que la figure 14-21 *b*, mais les gains sont exprimés en décibels. Le gain total en puissance en décibels égale

$$G' = 20 \text{ dB} + 23 \text{ dB} = 43 \text{ dB}$$

On peut laisser la réponse sous cette forme ou la convertir en gain en puissance ordinaire comme suit

$$G = \text{antilog } \frac{G'}{10} = \text{antilog } 4,3 \cong 20\,000$$

L'avantage de l'écriture en décibels est sa compacité et sa simplicité. Dans cet exemple, il est plus facile d'écrire 43 dB que 20 000.

RÉFÉRENCE D'1 mW

Bien qu'ordinairement on utilise les décibels pour le gain en puissance, on les utilise parfois pour indiquer le niveau de puissance par rapport à 1 mW. Dans ce cas, on utilise le symbole dBm au lieu de dB, le *m* de dBm rappelle que la référence est 1 milliwatt. La formule en dBm est

$$P' = 10 \text{ log } \frac{P}{1 \text{ mW}} \qquad (14\text{-}39)$$

dans laquelle P' = puissance en dBm
P = puissance en watts.

Si $P = 2$ W, alors

$$P' = 10 \text{ log } \frac{2 \text{ W}}{1 \text{ mW}} = 10 \text{ log } 2000 = 33 \text{ dBm}$$

MESURES SIMPLIFIÉES

Les dBm simplifient les mesures des puissances. Certains appareils comportent deux échelles (fig. 14-22 *a*) pour indiquer le niveau de puissance. L'échelle du haut est graduée en milliwatts. Supposer que l'on mesure la puissance d'entrée et la puissance de sortie de l'amplificateur représenté à la figure 14-22 *b*. Alors l'aiguille en trait plein indique une puissance d'entrée de 0,25 mW sur l'échelle du haut et celle en tirets une puissance de sortie d'1 mW.

L'échelle du bas est graduée en dBm. Visiblement, 0 dBm équivaut à 1 mW, − 3 dBm à 0,5 mW, − 6 dBm à 0,25 mW, ... Si l'on utilise l'échelle des dBm pour mesurer les puissances du même amplificateur représenté à la figure 14-22 *c*, on lit − 6 dBm pour la puissance d'entrée et 0 dBm pour la puissance de sortie. Comme l'aiguille dévie de − 6 dBm à 0 dBm, le gain en puissance en décibels de l'amplificateur est de 6 dB.

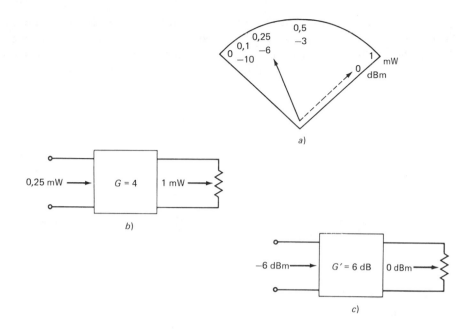

Fig. 14-22. *Signification de dBm.*

14.7. GAIN EN TENSION EN DÉCIBELS

On mesure plus fréquemment une tension qu'une puissance. On exprime donc aussi les gains en tension en décibels. Par définition, le *gain en tension en décibels*

$$A' = 20 \ \log \ A \qquad (14\text{-}40)$$

Dans cette formule, A' = gain en tension en décibels
A = gain en tension

Si $A = 40$, alors

$$A' = 20 \ \log \ 40 = 32 \ \text{dB}$$

MULTIPLICATIONS PAR 2 ET PAR 10

Si $A = 2$,

$$A' = 20 \ \log \ 2 \cong 6 \ \text{dB}$$

Si $A = 4$,

$$A' = 20 \ \log \ 4 \cong 12 \ \text{dB}$$

Si $A = 8$,

$$A' = 20 \ \log \ 8 \cong 18 \ \text{dB}$$

Visiblement, lorsque le gain en tension double, le gain en tension en décibels augmente de 6 dB (tableau 14-4).

Si le gain en tension diminue de moitié, le gain en tension en décibels diminue de 6 dB (tableau 14-5). Lorsque le gain en tension décuple, le gain en tension en décibels augmente de 20 dB (tableau 14-6). Remarquer que les variations du gain en tension en décibels égalent le double des variations du gain en puissance en décibels.

Tableau 14-4		Tableau 14-5		Tableau 14-6	
A	A'	A	A'	A	A'
1	0 dB	1	0 dB	1	0 dB
2	6 dB	0,5	− 6 dB	10	20 dB
4	12 dB	0,25	− 12 dB	100	40 dB
8	18 dB	0,125	− 18 dB	1 000	60 dB

RELATION ENTRE LE GAIN EN PUISSANCE ET LE GAIN EN TENSION

Soit le circuit représenté à la figure 14-23 *a*. La tension efficace entre les bornes d'entrée de l'amplificateur est V_1 et la tension efficace entre les bornes de sortie de l'amplificateur est V_2.

Par conséquent, la puissance d'entrée de l'amplificateur égale

$$P_1 = \frac{V_1^2}{R_1}$$

et la puissance de sortie égale

$$P_2 = \frac{V_2^2}{R_2}$$

Le gain en puissance de l'entrée à la sortie égale

$$G = \frac{P_2}{P_1} = \frac{V_2^2/R_2}{V_1^2/R_1} = \left(\frac{V_2}{V_1}\right)^2 \frac{R_1}{R_2}$$

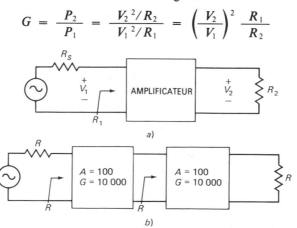

Fig. 14-23. *Relation entre le gain en puissance et le gain en tension.*

Comme le rapport V_2/V_1 égale le gain en tension A, il vient

$$G = A^2 \, \frac{R_1}{R_2} \qquad (14\text{-}41)$$

CAS D'IMPÉDANCES ADAPTÉES

Dans de nombreux systèmes (à microondes et téléphoniques, par exemple), l'impédance d'entrée et l'impédance de charge sont *adaptées,* autrement dit $R_1 = R_2$. Dans ce cas, la formule (14-41) se réduit à

$$G = A^2 \qquad (14\text{-}42)$$

Alors, le gain en puissance égale le carré du gain en tension. Si $A = 100$, alors $G = 10\,000$. La figure 14-23 *b* représente un système ayant ces gains. Chaque étage a une impédance d'entrée R et une impédance de charge R.

Prenons le logarithme des deux membres de la formule (14-42). Il vient

$$\log\ G = \log\ A^2 = 2\ \log\ A$$

Multiplions les deux membres par 10. Il vient

$$10\ \log\ G = 10\,(2\ \log\ A) = 20\ \log\ A$$

que l'on peut écrire sous la forme

$$G' = A' \qquad (14\text{-}43)$$

selon laquelle le gain en puissance en décibels égale le gain en tension en décibels dans tous les systèmes à impédances adaptées.

IMPÉDANCES NON ADAPTÉES

Les impédances de la plupart des amplificateurs ne sont pas adaptées; autrement dit, l'impédance de charge n'égale pas l'impédance d'entrée. Alors, G' est différent de A' et il faut les calculer séparément. Donc, il faut utiliser la formule

$$G' = 10\ \log\ G$$

pour calculer le gain en puissance en décibels et la formule

$$A' = 20\ \log\ A$$

pour calculer le gain en tension en décibels.

Les deux types de gains en décibels sont largement utilisés. On utilise surtout le gain en puissance en décibels dans les télécommunications, les systèmes à hyperfréquences ou microondes et dans les autres systèmes où la puissance est importante et on réserve le gain en tension en décibels aux branches de l'électronique où la mesure de la tension est plus facile.

ÉTAGES EN CASCADE

Comme le gain en tension en décibels repose sur les logarithmes, on peut additionner les gains en tension en décibels des étages en cascade. Donc le gain total en tension en décibels des étages en cascade égale la somme des gains en tension en décibels des étages, soit

$$A' = A'_1 + A'_2 + A'_3 + ... \qquad (14\text{-}44)$$

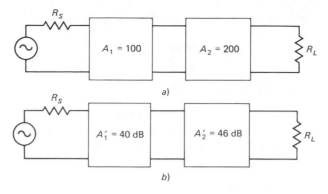

Fig. 14-24. a) *Les gains en tension ordinaires se multiplient.* b) *Les gains en tension en décibels s'additionnent.*

De nombreux voltmètres comportent une échelle graduée en décibels. Le gain en tension en décibels d'un amplificateur égale la différence des lectures en dB de ses tensions d'entrée et de sortie.

A titre d'exemple, considérons l'amplificateur à deux étages représenté à la figure 14-24 *a*. Le gain en tension du premier étage est de 100 (40 dB) et celui du second de 200 (46 dB). Le gain total en tension égale

$$A = 100 \times 200 = 20\ 000$$

Ce gain est équivalent au gain total en tension en décibels

$$A' = 40\ \text{dB} + 46\ \text{dB} = 86\ \text{dB}$$

Si pour mesurer les tensions d'entrée et de sortie on utilise un voltmètre à échelle graduée en décibels, l'aiguille indique une augmentation de 40 dB pour le premier étage, de 46 dB pour le deuxième étage et de 86 dB pour tout l'amplificateur.

14.8. DIAGRAMMES DE BODE

Dans les nombres complexes, le gain en tension d'un réseau de retard égale

$$\frac{V_\text{o}}{V_\text{i}} = \frac{-jX_C}{R - jX_C}$$

Le module de ce gain égale

$$\frac{V_\text{o}}{V_\text{i}} = \frac{X_C}{\sqrt{R^2 + X_C{}^2}} \tag{14-45}$$

et sa phase, angle de phase, déphasage ou angle de déphasage égale

$$\phi = -\arctan \frac{R}{X_C} \tag{14-46}$$

GAIN EN TENSION EN DÉCIBELS

Ecrivons le gain obtenu à la formule (14-45) sous la forme

$$A = \frac{V_o}{V_i} = \frac{X_C}{\sqrt{R^2 + X_C^2}} = \frac{1}{\sqrt{1 + (R/X_C)^2}}$$

Or

$$\frac{R}{X_C} = 2\pi f R C = \frac{f}{f_c}$$

D'où, le gain en tension égale

$$A = \frac{1}{\sqrt{1 + (f/f_c)^2}}$$

et le gain en tension en décibels égale

$$A' = 20 \log \frac{1}{\sqrt{1 + (f/f_c)^2}} \qquad (14\text{-}47)$$

Dans cette formule, A' = gain en tension en décibels du réseau de retard
$\log$ = logarithme vulgaire ou en base 10
f = fréquence d'entrée
f_c = fréquence de coupure du réseau de retard

La formule (14-47) permet de calculer le gain en tension en décibels d'un réseau de retard.

Si $f/f_c = 0,1$, la formule (14-47) donne

$$A' = 20 \log \frac{1}{\sqrt{1 + (0,1)^2}} = -0,0432 \text{ dB} \cong 0 \text{ dB}$$

Si $f/f_c = 1$, le gain en tension en décibels égale

$$A' = 20 \log \frac{1}{\sqrt{1 + (1)^2}} = -3,01 \text{ dB} \cong -3 \text{ dB}$$

Si $f/f_c = 10$,

$$A' = 20 \log \frac{1}{\sqrt{1 + (10)^2}} \cong -20 \text{ dB}$$

Si $f/f_c = 100$,

$$A' = 20 \log \frac{1}{\sqrt{1 + (100)^2}} = -40 \text{ dB}$$

Si $f/f_c = 1000$,

$$A' = 20 \log \frac{1}{\sqrt{1 + (1000)^2}} = -60 \text{ dB}$$

Selon ces gains en tension en décibels,

1. Si la fréquence d'entrée d'un réseau de retard est à une *décade* au-dessous de la fréquence de coupure (autrement dit, si elle égale le dixième de la fréquence de coupure), le gain en tension en décibels égale environ zéro.
2. Si la fréquence d'entrée égale la fréquence de coupure, le gain en tension en décibels égale − 3 dB (point de demi-puissance).
3. Si la fréquence d'entrée est à une décade au-dessus de la fréquence de coupure (autrement dit, si elle égale le décuple de la fréquence de coupure), le gain en tension en décibels égale − 20 dB.
4. Au-delà de ce point, le gain en tension en décibels diminue de 20 dB par augmentation d'une décade de la fréquence.

DIAGRAMME DE BODE DU GAIN EN TENSION

La réduction d'un circuit à un réseau de retard permet de calculer la fréquence de coupure. On sait alors que le gain en tension en décibels égale − 20 dB lorsque la fréquence d'entrée est à une décade au-dessus de la fréquence de coupure, qu'il égale − 40 dB lorsque la fréquence d'entrée est à deux décades au-dessus de la fréquence d'entrée, qu'il égale − 60 dB lorsque la fréquence d'entrée est à trois décades au-dessus de la fréquence de coupure et ainsi de suite.

La figure 14-25 *a* représente le gain en tension en décibels d'un réseau de retard. Cette caractéristique est appelée le *diagramme de Bode* du gain en tension. Pour représenter la caractéristique sur plusieurs décades de fréquence, nous avons comprimé l'échelle horizontale en portant une même distance par décade de fréquence (comme dans le cas d'une échelle semi-logarithmique). La graduation de

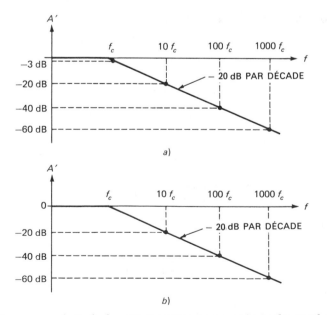

Fig. 14-25. *Diagrammes de Bode du gain en tension pour un réseau de retard.* a) *Diagramme exact.* b) *Diagramme idéal.*

l'échelle horizontale en décades plutôt qu'en hertz offre l'avantage suivant : au-delà de la fréquence de coupure, le gain en tension en décibels diminue de 20 dB par décade d'augmentation de la fréquence; par conséquent, la caractéristique du gain en tension est une droite de pente de − 20 dB par décade.

La figure 14-25 *b* représente le diagramme *idéal* de Bode du gain en tension. En première approximation on néglige les − 3 dB à la fréquence de coupure ou de cassure et l'on trace une droite de pente de − 20 dB par décade. Dans une première analyse, on trace un diagramme idéal de Bode en raison de sa simplicité.

6 dB PAR OCTAVE

Une *octave* de fréquence est une multiplication par 2. Une fréquence qui varie de 100 Hz à 200 Hz varie d'une octave. Une variation de 100 Hz à 400 Hz est une variation de deux octaves, une variation de 100 Hz à 800 Hz est une variation de trois octaves, etc.

Au-dessus de la fréquence de coupure, le gain en tension en décibels d'un réseau de retard diminue de 6 dB par octave. Ceci se prouve facilement. Lorsque $f/f_c = 10$, $A' = − 20$ dB. Lorsque $f/f_c = 20$ (variation d'une octave),

$$A' = 20 \log \frac{1}{\sqrt{1 + (20)^2}} = − 26 \text{ dB}$$

Visiblement, le gain en tension en décibels a diminué de 6 dB.

Donc, au-dessus de la fréquence de coupure, on peut décrire la caractéristique de réponse en fréquence d'un réseau de retard de deux façons. On peut dire que le gain en tension en décibels diminue à la vitesse de 20 dB par décade ou qu'il diminue à la vitesse de 6 dB par octave. On utilise les deux pentes de décroissance dans l'industrie.

DÉPHASAGE, ANGLE DE DÉPHASAGE, PHASE OU ANGLE DE PHASE

Récrivons la formule (14-46) sous la forme

$$\phi = − \arctan \frac{f}{f_c} \tag{14-48}$$

dans laquelle, ϕ = déphasage en degrés
f_c = fréquence de coupure du réseau de retard
f = fréquence du signal d'entrée ou fréquence d'entrée

Si $f/f_c = 0{,}1$, alors, selon la formule (14-48),

$$\phi = − \arctan 0{,}1 \cong − 6°$$

Si $f/f_c = 1$,

$$\phi = − \arctan 1 = − 45°$$

Si $f/f_c = 10$,

$$\phi = − \arctan 10 \cong − 84°$$

La caractéristique de la figure 14-26 *a* représente la variation du déphasage d'un réseau de retard en fonction de la fréquence. Aux très basses fréquences le déphasage est nul. Lorsque $f = 0,1 f_c$, le déphasage égale $- 6°$. Lorsque la fréquence d'entrée égale la fréquence de coupure, le déphasage égale $- 45°$. Lorsque la fréquence d'entrée égale 10 fois la fréquence critique, le déphasage égale $- 84°$. Toute augmentation supplémentaire de la fréquence produit peu de variation parce que le déphasage limite est de $- 90°$. Visiblement, le déphasage d'un réseau de retard est compris entre $0°$ et $- 90°$. Donc, la tension de sortie est en retard sur la tension d'entrée.

DIAGRAMME DE BODE DU DÉPHASAGE

La figure 14-26 *a* représente le diagramme de Bode du déphasage. Le seul intérêt des déphasages de $- 6°$ à $0,1 f_c$ et de $- 84°$ à $10 f_c$ est leur proximité des déphasages limites. Le diagramme idéal de Bode représenté à la figure 14-26 *b* est beaucoup plus utile. Ne retenir que celui-ci qui met en évidence les points suivants :

1. Lorsque $f = 0,1 f_c$, le déphasage est d'environ zéro.
2. Lorsque $f = f_c$, le déphasage est de $- 45°$.
3. Lorsque $f = 10 f_c$, le déphasage est d'environ $- 90°$.

Résumons le diagramme de Bode du déphasage comme suit : à la fréquence de coupure, le déphasage est de $- 45°$; une décade au-dessous de la fréquence de coupure, le déphasage est d'environ $0°$; une décade au-dessus de la fréquence de coupure, le déphasage est d'environ $- 90°$.

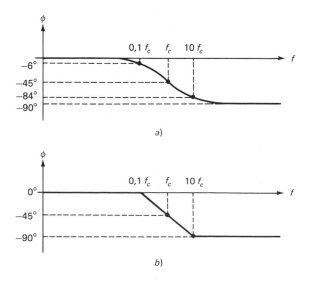

Fig. 14-26. *Diagrammes de Bode de déphasage d'un réseau de retard.* a) *Diagramme exact.* b) *Diagramme idéal.*

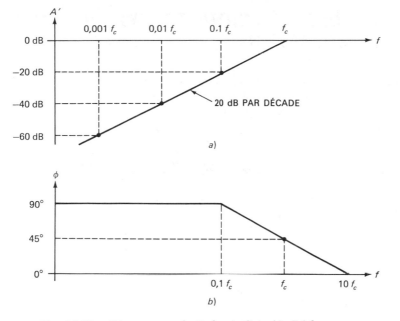

Fig. 14-27. *Diagrammes de Bode.* a) *Gain.* b) *Déphasage.*

RÉSEAU D'AVANCE

L'analyse d'un réseau d'avance ressemble à celle d'un réseau de retard. Le gain en tension en décibels égale

$$A' = 20 \log \frac{1}{\sqrt{1 + (f_c/f)^2}} \qquad (14\text{-}49)$$

Dans cette formule, A' = gain en tension en décibels d'un réseau d'avance
f_c = fréquence de coupure
f = fréquence d'entrée

Le déphasage égale

$$\phi = \arctan \frac{f_c}{f} \qquad (14\text{-}50)$$

La symétrie inverse de ces formules avec celles du réseau de retard explique l'allure des diagrammes idéaux de Bode du gain en tension en décibels et du déphasage représentés à la figure 14-27. Au-dessous de la fréquence de coupure, le gain en tension en décibels décroît à la vitesse de 20 dB par décade équivalente à 6 dB par octave. Le déphasage est compris entre 0° et 90°. Donc, la sortie est en avance sur l'entrée.

14.9. CARACTÉRISTIQUE DE RÉPONSE D'UN AMPLIFICATEUR

Le gain en tension est maximal dans la bande médiane d'un amplificateur. Au-dessous de la bande médiane, les condensateurs de couplage et de découplage font décroître le gain en tension. Au-dessus de la bande médiane, les capacités internes et parasites font décroître le gain en tension.

AMPLIFICATEUR POUR COURANT ALTERNATIF

La figure 14-28 représente la caractéristique de réponse en fréquence d'un amplificateur pour courant alternatif. La fréquence de coupure inférieure est f_1 et la fréquence de coupure supérieure f_2. La bande passante de tout amplificateur égale

$$B = f_2 - f_1 \qquad (14\text{-}51)$$

Si la fréquence de coupure inférieure d'un amplificateur pour courant alternatif est d'1 MHz et celle de coupure supérieure de 3 MHz, alors sa bande passante égale

$$B = 3\,\text{MHz} - 1\,\text{MHz} = 2\,\text{MHz}$$

On appelle souvent un amplificateur à résonance (à circuits résonnants) un amplificateur *bande étroite,* parce que les fréquences f_1 et f_2 sont voisines. Si $f_1 = 450\,\text{kHz}$ et $f_2 = 460\,\text{kHz}$, alors la bande passante égale

$$B = 460\,\text{kHz} - 450\,\text{kHz} = 10\,\text{kHz}$$

Cet amplificateur est un amplificateur bande étroite parce que f_2 n'est que légèrement supérieur à f_1.

Et l'on appelle un amplificateur non à résonance un amplificateur *large bande* parce que f_2 est beaucoup plus grand que f_1. Si $f_1 = 200\,\text{Hz}$ et $f_2 = 10\,\text{MHz}$, alors

$$B = 10\,\text{MHz} - 200\ \text{Hz} \cong 10\,\text{MHz}$$

Cet amplificateur est un amplificateur large bande parce que f_2 est beaucoup plus grand que f_1.

AMPLIFICATEUR POUR COURANT CONTINU

Comme nous l'avons vu, on peut concevoir un amplificateur sans condensateur de couplage ni condensateur de découplage. On appelle un tel amplificateur un

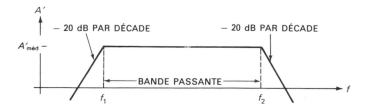

Fig. 14-28. *Caractéristique de réponse en fréquence d'un amplificateur pour courant alternatif.*

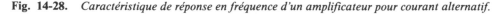

amplificateur pour courant continu. La figure 14-29 *a* représente le diagramme idéal de Bode du gain en tension en décibels d'un amplificateur pour courant continu. Visiblement, le gain en tension en décibels d'un amplificateur pour courant continu égale $A_{méd}$ jusqu'à la fréquence de coupure f_2. Au-dessus de f_2 le gain en tension en décibels chute de 20 B par décade.

A la figure 14-29 *a* nous avons supposé que le réseau de retard domine. Voilà pourquoi la pente est de -20 dB par décade. Si un autre réseau de retard avait une fréquence de coupure proche de la première, le diagramme de Bode aurait un autre point de coupure et le gain diminuerait à la vitesse de 40 dB par décade.

Pour éviter les *oscillations* (étudiées au chapitre 20), concevoir les amplificateurs pour courant continu de telle façon que leur gain en tension diminue à la vitesse de 20 dB par décade jusqu'à ce que la caractéristique coupe l'axe horizontal à $f_{unité}$ (fig. 14-29 *a*). L'indice *unité* précise que le gain en tension ordinaire égale 1 à cette fréquence (puisque le gain en tension en décibels est de 0 dB). La figure 14-29 *b* représente le diagramme de Bode d'un amplificateur pour courant continu dont le gain en tension en décibels chute de 20 dB par décade jusqu'à son intersection avec l'axe horizontal à 10 MHz. Au-delà de cette fréquence, d'autres réseaux de retard atteignent leur fréquence de coupure, mais cela ne nous concerne pas.

Comme un amplificateur pour courant continu n'a pas de fréquence de coupure inférieure, la bande passante égale

$$B = f_2 \qquad\qquad (14\text{-}52)$$

La bande passante de l'amplificateur à diagramme de Bode de gain en tension en décibels représenté à la figure 14-29 *b* est de 100 kHz.

BANDE PASSANTE D'ÉTAGES EN CASCADE

La bande passante totale d'étages en cascade est inférieure à la bande passante de tout étage. Supposons deux étages à couplage direct ayant chacun une bande passante de 10 kHz. Alors, à 10 kHz, la réponse de chaque étage a chuté de 3 dB

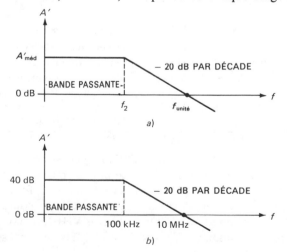

Fig. 14-29. *Caractéristique de réponse en fréquence d'un amplificateur pour courant continu.*

et la réponse totale a chuté de 6 dB. Donc, la bande passante totale est inférieure à 10 kHz.

Nous démontrons à l'appendice 1 que la bande passante totale de n étages identiques en cascade égale

$$B_n = B\sqrt{2^{1/n} - 1} \qquad (14\text{-}52\ a)$$

Dans cette formule, B_n = bande passante

B = bande passante d'un étage

La bande passante totale de deux étages identiques ayant chacun une bande passante de 10 kHz égale

$$B_2 = (10\text{ kHz})\ \sqrt{2^{1/2} - 1} = 6,44\text{ kHz}$$

La bande passante totale de trois étages en cascade ayant chacun une bande passante de 10 kHz égale

$$B_3 = (10\text{ kHz})\ \sqrt{2^{1/3} - 1} = 5,1\text{ kHz}$$

Retenir cette formule car on monte souvent plusieurs étages en cascade. Si les étages ne sont pas identiques, il y aura encore rétrécissement de bande passante en raison des effets cumulatifs des étages. La bande passante totale est toujours inférieure à la plus petite bande passante des étages.

BANDES DE FRÉQUENCE

Le tableau 14-7 donne les bandes de fréquence de 30 kHz à 3 GHz attribuées par le FCC. Elles permettent de décrire les amplificateurs et d'autres appareillages électroniques.

Tableau 14-7.   Gammes de fréquences FCC *

Bande de fréquence	Abréviation	Description
30 à 300 kHz	BF	basses fréquences
0,3 à 3 MHz	FM	fréquences moyennes
3 à 30 MHz	HF	hautes fréquences
30 à 300 MHz	VHF	très hautes fréquences (very high frequencies)
0,3 à 3 GHz	UHF	ultra hautes fréquences (ultra high frequencies)

Voici quelques exemples. Les circuits RF d'un récepteur radio AM fonctionnent dans la bande des fréquences moyennes parce que la fréquence des signaux reçus est comprise entre 535 et 1 605 kHz. Les récepteurs FM fonctionnent dans la bande VHF parce que la fréquence des signaux RF est comprise entre 88 et 108 MHz. Un téléviseur fonctionne dans la bande VHF ou dans la bande UHF selon le canal reçu. Les canaux 2 à 6 (de 54 à 88 MHz) et les canaux 7 à 13 (de

---

* N.d.T. Mis pour *Federal Communications Commission*, organisme américain.

174 à 216 MHz) sont des canaux VHF. Les canaux 14 à 69 (de 470 MHz à 806 MHz) sont des canaux UHF.

14.10. RELATION TEMPS DE MONTÉE-BANDE PASSANTE

Par *essai de tension sinusoïdale* d'un amplificateur, entendre la mesure de la tension sinusoïdale de sortie d'un amplificateur attaqué par une tension sinusoïdale d'entrée. Pour trouver la fréquence de coupure supérieure, faire varier la fréquence d'entrée jusqu'à ce que le gain en tension chute de 3 dB relativement à sa valeur dans la bande médiane. Cet essai est usuel. L'essai par application *d'une tension carrée d'entrée* au lieu d'une tension sinusoïdale est plus rapide et plus simple.

TEMPS DE MONTÉE

Soit un circuit de retard semblable à celui représenté à la figure 14-30 *a*. Ce qui se produit après la fermeture de l'interrupteur relève de la théorie élémentaire des circuits. Si le condensateur est initialement non chargé, la tension monte exponentiellement vers la tension d'alimentation V. Le *temps de montée T_R** égale le temps que met la tension entre les bornes du condensateur pour passer de 0,1 V (point de 10 %) à 0,9 V (point de 90 %). Si la tension exponentielle met 10 μs pour aller du point de 10 % au point de 90 %, son temps de montée est de 10 μs.

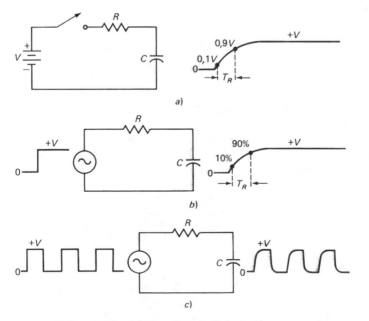

Fig. 14-30. *Temps de montée.*

---

* N.d.T. *R* est mis pour *Rise* (montée).

Au lieu d'utiliser un interrupteur pour appliquer un brusque échelon de tension, on peut utiliser un générateur de tension carrée. La figure 14-30 *b* représente le bord d'attaque d'une tension carrée appliquée au même réseau *RC* qu'auparavant. Le temps de montée est encore le temps que met la tension pour aller du point de 10 % au point de 90 %.

La figure 14-30 *c* représente l'allure de plusieurs cycles. La tension d'entrée varie brusquement d'un niveau de tension à l'autre. La tension de sortie met plus de temps pour effectuer ses transitions. Elle ne passe pas brusquement d'un niveau à l'autre parce que le condensateur se charge et se décharge à travers une résistance.

RELATION ENTRE T_R ET RC

Selon la théorie élémentaire des circuits,

$$v_C = V(1 - e^{-t/RC})$$

Dans cette formule, v_C = tension de condensateur
V = variation totale de la tension d'entrée
t = temps après la transition d'entrée
RC = constante de temps du réseau de retard

Au point de 10 %, $v_o = 0,1\ V$. Au point de 90 %, $v_o = 0,9\ V$. Portons ces tensions dans la formule ci-dessus. Par différence, on obtient le temps de montée

$$T_R = 2,2\ RC \qquad\qquad (14\text{-}53)$$

Dans cette formule, T_R = temps de montée de la tension du condensateur
RC = constante de temps du réseau de retard.

Si $R = 10\ k\Omega$ et $C = 50\ pF$,

$$RC = (10\ k\Omega)\,(50\ pF) = 0,5\ \mu s$$

et le temps de montée de la tension de sortie égale

$$T_R = 2,2\ RC = 2,2\,(0,5\ \mu s) = 1,1\ \mu s$$

UNE RELATION IMPORTANTE

Comme nous l'avons mentionné, l'amplificateur typique pour courant continu possède un réseau de retard dominant qui fait décroître le gain en tension à la vitesse de 20 dB par décade jusqu'à $f_{\text{unité}}$. La fréquence de coupure de ce réseau de retard égale

$$f_2 = \frac{1}{2\,\pi\,RC}$$

D'où

$$RC = \frac{1}{2\,\pi f_2}$$

Il vient par substitution dans la formule (14-53) et réarrangement

$$f_2 = \frac{0,35}{T_R} \qquad\qquad (14\text{-}54)$$

Dans cette formule, f_2 = fréquence de coupure supérieure de l'amplificateur

T_R = temps de montée de la tension de sortie de l'amplificateur

Ce résultat est important parce qu'il lie le fonctionnement en tension sinusoïdale et en tension carrée d'un amplificateur. Selon ce résultat, on peut essayer un amplificateur avec une tension sinusoïdale et une tension carrée. La figure 14-31 *a* représente le bord d'attaque d'une tension carrée appliquée à un amplificateur pour courant continu. Si on mesure un temps de montée d'1 μs, la fréquence de coupure en sinusoïdal égale

$$f_2 = \frac{0,35}{1 \ \mu s} = 350 \ \text{kHz}$$

Réciproquement, on peut mesurer la fréquence de coupure directement en attaquant un amplificateur pour courant continu avec une tension sinusoïdale (fig. 14-31 *b*). Si l'on fait varier la fréquence jusqu'à ce que la sortie chute de 3 dB, on mesurera une fréquence de coupure de 350 kHz.

14.11. EFFETS PARASITES

La *capacité parasite des conducteurs* peut amoindrir sérieusement la réponse en haute fréquence d'un amplificateur. Voilà pourquoi les conducteurs des amplificateurs qui fonctionnent au-dessus de 100 kHz doivent être les plus courts possibles. En plus de la capacité parasite des conducteurs, d'autres effets indésirés peuvent amoindrir la réponse en haute fréquence.

CIRCUITS ÉQUIVALENTS

Toute résistance possède une petite inductance et une petite capacité. Aux petites fréquences, les effets de l'inductance L et de la capacité C indésirées sont négligeables. Mais lorsque la fréquence augmente, la résistance ne se comporte plus

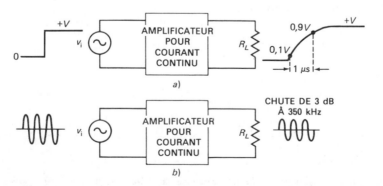

Fig. 14-31. *Relation entre temps de montée et fréquence de coupure.*

comme une résistance pure. La figure 14-32 *a* représente le circuit équivalent d'une résistance à inductance et capacité. Aux petites fréquences, la réactance inductive tend vers zéro et la réactance capacitive tend vers l'infini. Autrement dit, la bobine semble court-circuitée et le condensateur ouvert. Dans ce cas, la résistance est pure.

Nous appellerons l'inductance l'*inductance des conducteurs* parce que ce sont les conducteurs qui entrent dans la résistance qui la produisent. Et nous appellerons la capacité « capacité parasite », parce que c'est la capacité parasite des conducteurs entre les extrémités de la résistance. Aux fréquences inférieures à 100 MHz, l'effet inductif ou l'effet capacitif domine. Alors la figure 14-32 *b* ou la figure 14-32 *c* représente le circuit équivalent de la résistance.

CAPACITÉ PARASITE

La capacité parasite d'une résistance typique (de 0,125 à 2 W) est d'environ 1 pF, la valeur exacte dépend de la longueur des conducteurs, des dimensions du corps de la résistance et d'autres facteurs. Dans la pluspart des applications, on peut négliger la capacité parasite lorsque

$$\frac{X_C}{R} > 10$$

La réactance capacitive à 1 MHz d'une résistance de 10 kΩ ayant une capacité parasite d'1 pF égale

$$X_C = \frac{1}{2\,\pi\,(1\ \text{MHz})\,(1\ \text{pF})} = 159\ \text{k}\Omega$$

Le rapport de la réactance à la résistance égale

$$\frac{X_C}{R} = \frac{159\ \text{k}\Omega}{10\ \text{k}\Omega} = 15,9$$

Ce rapport étant supérieur à 10, on peut négliger la capactité parasite d'une résistance de 10 kΩ fonctionnant à 1 MHz.

INDUCTANCE DES CONDUCTEURS

L'inductance des conducteurs d'une résistance typique est d'environ 0,01 μH par centimètre. On la néglige lorsque

$$\frac{R}{X_L} > 10$$

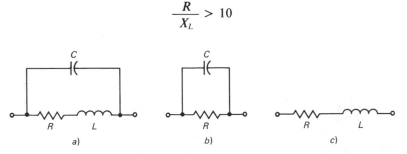

Fig. 14-32. *Circuits équivalents d'une résistance.* a) *Complet.* b) *Résistance avec capacité parasite.* c) *Résistance avec inductance des conducteurs.*

Supposons que la longueur du conducteur de chaque côté d'une résistance d'1 kΩ est d'1 cm. La longueur totale des conducteurs est de 2 cm, donc l'inductance est d'environ 0,02 μH. A 300 MHz la réactance égale

$$X_L = 2\pi(300 \text{ MHz})(0,02 \, \mu\text{H}) = 37,7 \, \Omega$$

et le rapport de la résistance à la réactance égale

$$\frac{R}{X_L} = \frac{1000}{37,7} = 26,5$$

Donc, même à 300 MHz, on peut négliger l'inductance des conducteurs d'une résistance d'1 kΩ.

DROITES UTILES

En posant $X_C/R = 10$ et $R/X_L = 10$ on peut représenter la fréquence en fonction de la résistance (fig. 14-33). Les droites séparent les régions des approximations résistive, inductive et capacitive en supposant une capacité parasite d'1 pF et d'une inductance des conducteurs de 0,02 μH.

Voici le mode d'utilisation de cette figure. En tout point au-dessous des deux droites on peut idéaliser la résistance; autrement dit, on peut négliger sa capacité et son inductance. En tout point au-dessus d'une des droites, il faut inclure l'inductance des conducteurs ou la capacité parasite, selon le cas. On peut idéaliser une résistance de 10 kΩ fonctionnant à 1 MHz parce qu'elle appartient à la région idéale de la figure 14-33. Mais si l'on fait fonctionner cette résistance de 10 kΩ à 5 MHz, il faut inclure la capacité parasite dans des calculs de précision. De même,

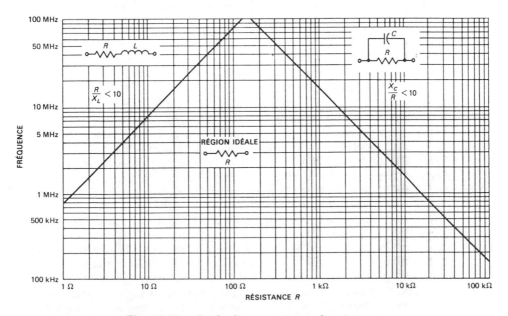

Fig. 14-33. *Guide d'approximation des résistances.*

une résistance de 20 Ω se comporte idéalement jusqu'à 16 MHz, mais au delà de cette fréquence, l'inductance des conducteurs devient importante.

Ne pas s'attarder lourdement sur la figure 14-33; son seul rôle est d'indiquer quand inclure la capacité parasite ou l'inductance des conducteurs dans les calculs. Aux fréquences élevées, une analyse précise s'impose et il faut mesurer la capacité parasite et l'inductance des conducteurs à l'aide d'un pont *RLC* haute fréquence ou d'un *Q*-mètre.

PROBLÈMES

Simples

14-1.   Soit l'amplificateur représenté à la figure 14-34. Prendre $\beta = 175$ et ignorer le condensateur de découplage. Calculer la fréquence de coupure du réseau d'avance d'entrée et celle du réseau d'avance de sortie.

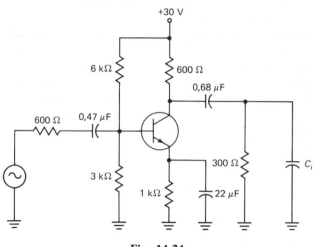

Fig. 14-34.

14-2.   Soit l'amplificateur représenté à la figure 14-35. Ignorer le condensateur de découplage et calculer la fréquence de coupure du réseau d'avance de sortie.

14-3.   La résistance du générateur de l'amplificateur représenté à la figure 14-5 passe de 3,6 kΩ à 1 kΩ. Prendre $\beta = 120$. Calculer la fréquence de coupure du réseau d'avance d'entrée et celle du réseau d'avance de sortie.

14-4.   Soit l'amplificateur représenté à la figure 14-34. Prendre $\beta = 85$ et calculer la fréquence de coupure du réseau de découplage d'émetteur.

14-5.   Calculer la fréquence de coupure du réseau de découplage de source représenté à la figure 14-35.

14-6.   La transconductance g_m du FET représenté à la figure 14-36 *a* égale 8000 µS. Calculer le gain en tension de l'étage dans la bande médiane et la fréquence à laquelle le gain en tension chute à 0,707 de la valeur dans la bande médiane.

14-7.   Soit l'amplificateur représenté à la figure 14-36 *b*. La transconductance g_m du FET égale 5000 µS. Prendre $R_D = 5$ kΩ et supposer que la fréquence d'entrée égale 10 kHz. Calculer le gain en tension et la fréquence de coupure.

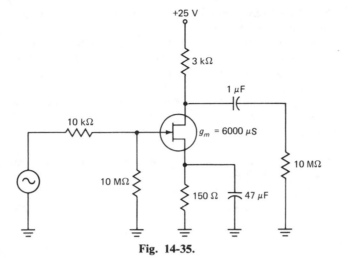

Fig. 14-35.

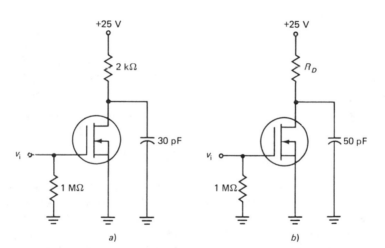

Fig. 14-36.

14-8. La transconductance g_m du FET représenté à la figure 14-36 *b* égale 5000 μS. Calculer le gain dans la bande médiane et la fréquence de coupure lorsque
  a. $R_D = 1$ kΩ,
  b. $R_D = 2$ kΩ,
  c. $R_D = 4$ kΩ.
Décrire la relation entre le gain en tension et la fréquence de coupure.

14-9. Soit le FET de l'amplificateur représenté à la figure 14-35. Ses capacités sont $C_{gs} = 6$ pF, $C_{gd} = 4$ pF et $C_{ds} = 1$ pF. Calculer la fréquence de coupure du réseau de retard de grille et celle du réseau de retard de drain.

14-10. Soit les données du problème précédent. Supposer que la capacité parasite des conducteurs entre les bornes de la sortie est de 4 pF et calculer la fréquence de coupure du réseau de retard de grille et celle du réseau de retard de drain.

14-11. Un 2N3300 a une fréquence f_T de 250 MHz et un courant I_E de 50 mA. Calculer C'_e pour ce courant émetteur.

14-12. Soit le transistor bipolaire de l'amplificateur représenté à la figure 14-34. On donne $r'_b = 50\ \Omega$, $\beta = 80$, $r'_e = 2{,}5\ \Omega$, $f_T = 200$ MHz, $C'_c = 3$ pF et $C_i = 50$ pF. Calculer la fréquence de coupure du réseau de retard de base et celle du réseau de retard de collecteur.

14-13. Soit le transistor de l'amplificateur représenté à la figure 14-34. On donne $r'_b = 75\ \Omega$, $\beta = 20$, $r'_e = 1\ \Omega$, $f_T = 500$ MHz, $C'_c = 2$ pF et $C_i = 100$ pF. Calculer la fréquence de coupure du réseau de retard de base et celle du réseau de retard de collecteur.

14-14. Un amplificateur a une entrée de 15 mW et une sortie de 2,4 W. Calculer son gain en puissance en décibels.

14-15. Calculer la puissance que représente 54 dBm.

14-16. Le gain en tension d'un amplificateur est de 185. Calculer son gain en tension en décibels.

14-17. Tracer le diagramme idéal de Bode du gain en tension en décibels et le diagramme idéal de Bode du déphasage de l'amplificateur représenté à la figure 14-36 *a*. Prendre $g_m = 10\ 000\ \mu S$.

14-18. Soit le diagramme de Bode représenté à la figue 14-37 *a*. Calculer le gain en tension en décibels dans la bande médiane, la bande passante, le gain en tension en décibels lorsque $f = 10$ kHz et le déphasage à 1 MHz.

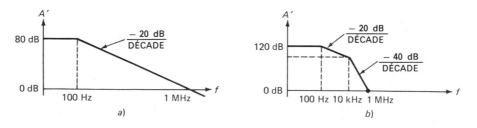

Fig. 14-37.

14-19. Soit le diagramme de Bode représenté à la figure 14-37 *b*. Le gain en tension casse une deuxième fois à 10 kHz et chute à raison de -40 dB par décade au-dessus de cette fréquence. Calculer le gain en tension en décibels à 100 kHz et à 1 MHz.

14-20. Dans la bande médiane, le gain en tension de l'amplificateur représenté à la figure 14-38 *a* égale 100. On donne $V_i = 20$ mV. Calculer la tension de sortie au point de 90 % et la fréquence de coupure supérieure de l'amplificateur.

14-21. L'échelon de tension négative d'entrée du circuit équivalent en courant alternatif représenté à la figure 14-38 *b* donne une sortie croissante. Calculer le temps de montée du signal de sortie.

14-22. Un amplificateur pour courant continu a un gain en tension en décibels de 60 dB et une fréquence de coupure de 10 kHz. La tension d'attaque est carrée. Calculer le temps de montée de la sortie.

14-23. On dispose des fiches signalétiques de deux amplificateurs pour courant continu différents. La première donne une fréquence de coupure d'1 MHz et la deuxième un temps de montée d'1 μs. Dire quel amplificateur a la plus grande bande passante.

14-24. A l'aide de la figure 14-33 déterminer la bande idéale de fréquence de chaque résistance suivante :

    a. $10\ \Omega$

    b. $100\ \Omega$

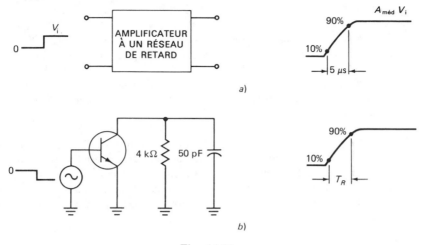

Fig. 14-38.

   c. 1 kΩ
   d. 10 kΩ
   e. 100 kΩ.

De dépannage

14-25. Lors de la construction de l'amplificateur représenté à la figure 13-34 on montre par erreur un condensateur de couplage d'entrée de 0,0047 μF. Trouver la (les) conséquence(s) possible(s) de cette erreur parmi les suivantes :
   a. fréquence de coupure supérieure plus petite,
   b. fréquence de coupure inférieure plus petite,
   c. bande passante plus petite,
   d. temps de montée plus petit.

14-26. Soit l'amplificateur représenté à la figure 14-34. La capacité totale collecteur-masse égale 25 pF. Cette capacité comprend la capacité interne du transistor, la capacité parasite des conducteurs et la capacité C_i d'entrée de l'étage suivant. On utilise un oscilloscope de capacité d'entrée de 47 pF pour observer le signal collecteur. Alors la fréquence de coupure collecteur
   a. reste fixe
   b. diminue
   c. augmente.

   Justifier sa réponse.

14-27. On essaie l'amplificateur représenté à la figure 14-35 à l'aide d'un signal carré. Une tension de crête à crête d'entrée de 10 mV produit une tension de crête à crête de sortie de 180 mV à temps de montée de 0,35 μs. La tension de crête à crête de sortie chute brusquement à environ 95 mV, mais le temps de montée reste de 0,35 μs. Trouver la (les) cause(s) possible(s) de ce dérangement parmi les suivantes :
   a. condensateur de couplage de sortie ouvert,
   b. condensateur de découplage ouvert,
   c. chute de la tension d'alimentation à 20 V,
   d. FET ouvert.

De conception

14-28. Le gain β du transistor représenté à la figure 14-34 égale 125. Modifier la conception de l'amplificateur pour avoir les fréquences de coupure suivantes : $f_i = 1$ Hz, $f_o = 1$ Hz et $f_E = 10$ Hz.

14-29. Soit l'amplificateur représenté à la figure 14-34. En shuntant un condensateur du collecteur à la masse la fréquence de coupure supérieure passe à 20 kHz. Calculer la capacité du condensateur.

14-30. Soit le transistor représenté à la figure 14-34. On donne $r'_b = 50$ Ω, $\beta = 180$, $r'_e = 2,5$ Ω, $f_T = 200$ MHz, $C'_c = 3$ pF et $C_i = 50$ pF. Modifier la conception de l'amplificateur pour avoir une fréquence de coupure supérieure de 4 MHz.

14-31. On conçoit un amplificateur pour courant continu à bande passante de 4 MHz. A l'aide de la figure 14-33, déterminer la résistance minimale et la résistance maximale à utiliser si l'on ne veut pas avoir d'inductance des conducteurs ni de capacité parasite.

De défi

14-32. Un amplificateur non inverseur a un gain en tension de 50. On monte un condensateur de réaction de 10 pF. Calculer la capacité de Miller d'entrée et donner la signification de cette réponse inhabituelle.

14-33. Le symbole d'unité dBV spécifie une tension par rapport à une référence d'1 V eff. Construire trois tableaux, semblables aux tableaux 14-4 à 14-6, donnant les valeurs en dBV pour 1 V, 2 V, 4 V, ...

14-34. Tracer le diagramme de Bode du gain en tension et le diagramme de Bode du déphasage pour l'amplificateur représenté à la figure 14-35. Prendre $C_{gs} = 10$ pF, $C_{gd} = 5$ pF et $C_{ds} = 2$ pF.

A résoudre par ordinateur

14-35. Dire ce qu'accomplit le programme suivant :

```
10   PRINT "INTRODUIRE RS" : INPUT RS
20   PRINT "INTRODUIRE RI" : INPUT RI
30   PRINT "INTRODUIRE CI" : INPUT CI
40   DEN = 2 * 3.1416 * (RS + RI) * CI : FI = 1/DEN
50   PRINT "LA FRÉQUENCE DE COUPURE D'ENTRÉE ÉGALE"; FI
60   GOTO 10
```

14-36. Soit le programme

```
10   PRINT "INTRODUIRE RG" : INPUT RG
20   PRINT "INTRODUIRE CG" : INPUT CG
30   PRINT "INTRODUIRE RD" : INPUT RD
40   PRINT "INTRODUIRE CD" : INPUT CD
50   DEN = 2*3.1416*RG*CG : FG = 1/DEN
60   DEN = 2*3.1416*RD*CD : FD = 1/DEN
70   PRINT "LA FRÉQUENCE DE COUPURE GRILLE ÉGALE"; FG;
     "HZ"
80   PRINT "LA FRÉQUENCE DE COUPURE DRAIN ÉGALE"; FD; "HZ "
```

Dire ce qui se produit aux lignes 10 et 50 et ce qu'accomplit ce programme.

14-37. Soit le circuit représenté à la figure 14-15. Ecrire un programme qui affiche la fréquence de coupure du réseau de retard de grille et celle du réseau de retard de drain. Introduire C_{gs}, C_{gd}, C_{ds}, C_i, R_S, g_m et r_D.

14-38.   Soit les circuits représentés à la figure 14-20 *c*. Ecrire un programme qui affiche la fréquence de coupure du réseau de retard de base et celle du réseau de retard de collecteur. Introduire β, C'_e, C'_c, C_i, R_S, r'_b, r_C et r'_e.

Théorie des amplificateurs opérationnels

Le tiers environ, de tous les CI linéaires est constitué d'*amplificateurs opération-nels*. L'amplificateur opérationnel typique est un amplificateur à gain élevé pour courant continu fonctionnant de 0 Hz à 1 MHz. On ajuste le gain en tension et la bande passante d'un amplificateur opérationnel à ses propres besoins par des résistances externes. Il existe plus de 2000 types d'amplificateurs opérationnels sur le marché. Ce sont pour la plupart des dispositifs de petite puissance puisqu'ils dissipent moins d'1 W. On trouvera presque toujours l'amplificateur opérationnel qui fournira le gain en tension nécessaire pour une application de petite puissance.

15.1. FABRICATION D'UN CI

Les premiers amplificateurs opérationnels étaient constitués de composants discrets. Actuellement, on fabrique la plupart des amplificateurs opérationnels sur des puces. Avant d'étudier les caractéristiques des amplificateurs opérationnels, les circuits et d'autres sujets, il importe d'avoir une certaine notion de la fabrication des circuits intégrés.

SUBSTRAT *P*

Le fabricant commence par produire un cristal *P* de plusieurs centimètres de long (fig. 15-1 *a*), qu'il découpe en plusieurs tranches ou *pastilles* (fig. 15-1 *b*). Il rode et polit une des faces de chaque pastille pour la débarrasser de ses imperfections. On appelle une telle pastille un *substrat P.* Le substrat *P* sert de support aux composants intégrés.

COUCHE ÉPITAXIALE *N*

Le fabricant place ensuite les pastilles dans un four et envoie un mélange gazeux d'atomes de silicium et d'atomes pentavalents sur elles pour former une mince couche de semiconducteur *N* sur la surface chauffée du substrat (fig. 15-1 *c*). On

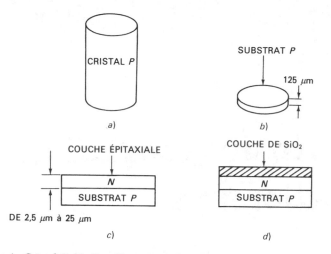

Fig. 15.1. a) *Cristal P.* b) *Pastille ou tranche.* c) *Couche épitaxiale.* d) *Couche isolante.*

appelle cette mince couche la couche *épitaxiale.* Son épaisseur est d'environ 2,5 μm à 25 μm (fig. 15-1 *c*).

COUCHE ISOLANTE

Pour éviter toute contamination de la couche épitaxiale, on souffle de l'oxygène pur sur la surface des pastilles. La combinaison des atomes d'oxygène et des atomes de silicium forme une couche de dioxyde de silicium (SiO_2) sur la surface (fig. 15-1 *d*). Cette couche de SiO_2 semblable à du verre étanchéise la surface et évite toute réaction chimique; l'étanchéification de la surface s'appelle la *passivation.*

PUCES

La figure 15-2 représente le quadrillage d'une pastille. Par découpage, chaque petit carreau donnera une puce. Mais avant de découper la pastille, le fabricant élabore des centaines de composants sur chaque petit carreau. Le prix modique des circuits intégrés résulte de cette fabrication en masse.

FABRICATION D'UN TRANSISTOR

Voici le mode de fabrication d'un transistor intégré. La photogravure d'une partie de la couche de SiO_2 expose la couche épitaxiale (fig. 15-3 *a*). Le fabricant

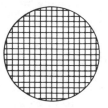

Fig. 15-2. *Découpage d'une pastille ou tranche en puces.*

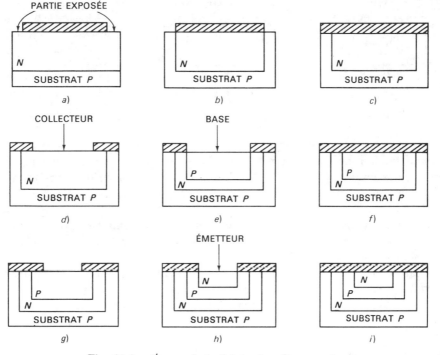

Fig. 15-3. *Étapes de la fabrication d'un transistor.*

place la pastille dans un four et diffuse des atomes trivalents dans la couche épitaxiale. La concentration des atomes trivalents est suffisante pour changer le matériau N de la couche épitaxiale exposée en matériau P. Un îlot de matériau N subsiste donc sous la couche de SiO_2 (fig. 15-3 *b*).

Le fabricant souffle de nouveau de l'oxygène sur la surface pour former la couche complète de SiO_2 représentée à la figure 15-3 *c*. Puis il ménage un trou par photogravure au centre de la couche de SiO_2. Ce trou appelé une fenêtre expose la couche épitaxiale N (fig. 15-3 *d*). Ce qui reste de cette couche N après les opérations que nous allons décrire constitue le collecteur.

Pour obtenir la base, la fabricant injecte des atomes trivalents dans la fenêtre ; ces impuretés se propagent dans la couche épitaxiale et forment un îlot de matériau P (fig. 15-3 *e*). Il reforme ensuite la couche de SiO_2 en soufflant de l'oxygène sur la pastille (fig. 15-3 *f*).

Pour former l'émetteur, le fabricant ménage une fenêtre par photogravure dans la couche de SiO_2 et expose l'îlot de matériau P (fig. 15-3 *g*). La diffusion d'atomes pentavalents dans cet îlot P donne le petit îlot de matériau N (fig. 15-3 *h*). Le fabricant passive ensuite la structure en soufflant de l'oxygène sur la pastille (fig. 15-3 *i*).

COMPOSANTS INTÉGRÉS

En ménageant des fenêtres par photogravure dans la couche de SiO_2, on peut déposer du métal pour établir un contact électrique avec l'émetteur, la base et le collecteur. Cela donne le transistor intégré représenté à la figure 15-4 *a*.

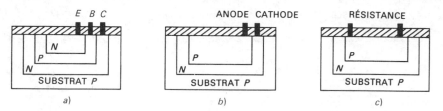

Fig. 15-4. *Composants intégrés.* a) *Transistor.* b) *Diode.* c) *Résistance.*

Pour obtenir une diode, effectuer les mêmes étapes jusqu'à la formation et l'étanchéification de l'îlot *P* (fig. 15-3 *f*). Puis ménager des fenêtres par photogravure pour exposer les îlots *P* et *N*. On établit un contact électrique avec la cathode et l'anode de la diode intégrée en déposant du métal à travers ces fenêtres (fig. 15-4 *b*).

En ménageant par photogravure deux fenêtres au-dessus de l'îlot *P* représenté à la figure 15-3 *f*, on peut établir un contact métallique avec cet îlot *P*. Cela donne la résistance intégrée (fig. 15-4 *c*).

La fabrication de transistors, diodes et résistances sur une puce est facile. Voilà pourquoi presque tous les circuits intégrés comportent ces composants. L'intégration de bobines et de gros condensateurs sur la surface d'une puce n'est pas pratique.

EXEMPLE SIMPLE

Pour se faire une idée de la fabrication d'un circuit intégré, examinons le circuit simple à trois composants représenté à la figure 15-5 *a*. On fabrique simultanément des centaines de tels circuits sur une pastille. La figure 15-5 *b* représente une puce. On fabrique la diode et la résistance selon les étapes décrites ci-dessus. A l'étape suivante on forme l'émetteur du transistor. Puis on ménage des fenêtres par photogravure et l'on dépose du métal pour relier la diode, le transistor et la résistance (fig. 15-5 *b*).

La fabrication d'un circuit, si complexe soit-il, consiste à ménager des fenêtres par photogravure, à former des îlots *P* et *N* et à relier les composants intégrés.

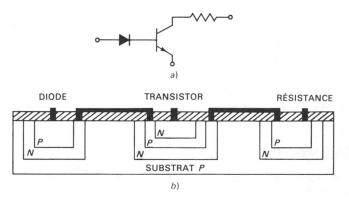

Fig. 15-5. *Circuit intégré simple.*

Le substrat *P* isole chaque composant intégré des autres. Le CI représenté à la figure 15-5 *b* comporte des couches d'appauvrissement entre le substrat *P* et les îlots *N* qui le touchent. Chaque composant intégré est isolé des autres puisque les couches d'appauvrissement ne possèdent pas de porteurs de courant. On appelle ce type d'isolement l'*isolement par diode* ou *par couche d'appauvrissement*.

CI MONOLITHIQUE

On appelle les circuits intégrés décrits ci-dessus des circuits intégrés *monolithiques*. Le mot « monolithique » vient du grec et signifie « d'une pierre ». Il exprime bien le fait que les composants font partie d'une puce.

Les CI monolithiques sont de loin les plus fréquents, mais il existe de nombreux autres types de CI. Les Ci à *couches minces* et les CI à *couches épaisses* sont plus volumineux que les CI monolithiques mais moins volumineux que les circuits discrets. On fabrique simultanément sur un substrat les composants passifs, tels les résistances et les condensateurs, des CI à couches minces et des CI à couches épaisses. Puis on connecte les composants actifs discrets, tels les transistors et les diodes, pour former un circuit complet. Les CI à couches minces et les CI à couches épaisses offerts sur le marché sont donc des combinaisons de composants intégrés et de composants discrets.

Les CI *hybrides* combinent plusieurs CI monolithiques dans un boîtier ou des CI monolithiques avec des CI à couches minces ou épaisses.

INTÉGRATIONS A PETITE, MOYENNE ET GRANDE ÉCHELLES

La figure 15-5 *b* représente un exemple d'*intégration à petite échelle;* quelques composants intégrés forment un circuit complet. Par convention, l'intégration est dite à petite échelle lorsque le CI comporte moins de 12 composants intégrés.

L'*intégration* est dite *à moyenne échelle* lorsque le CI comporte de 12 à 100 composants intégrés par puce. L'*intégration* est dite *à grande échelle* lorsque le CI comprend plus de 100 composants intégrés. Comme nous l'avons vu, le nombre d'étapes de la fabrication d'un transistor MOS est légèrement plus petit. Et l'on peut intégrer plus de transistors MOS que de transistors bipolaires sur une puce. Voilà pourquoi les transistors MOS intégrés à grande échelle occupent la majeure partie du marché des circuits intégrés à grande échelle.

15.2. AMPLIFICATEUR DIFFÉRENTIEL OU DE DIFFÉRENCE

Les transistors, les diodes et les résistances sont les seuls composants pratiques d'un circuit intégré monolithique. On fabrique parfois des condensateurs sur une puce, mais leur capacité est habituellement inférieure à 50 pF. Les concepteurs de CI ne peuvent donc, à l'exemple des concepteurs de circuits discrets, utiliser des condensateurs de couplage ni des condensateurs de découplage. Ils doivent donc coupler directement les étages d'un CI monolithique. L'*amplificateur différentiel* ou *de différence* est l'un des meilleurs étages couplés directement. Il sert surtout d'étages d'entrée dans un amplificateur opérationnel. Dans cette section, nous insisterons sur l'amplificateur différentiel, puisqu'il détermine les caractéristiques d'entrée d'un amplificateur opérationnel typique.

DEUX ENTRÉES ET DEUX SORTIES

La figure 15-6 *a* représente la forme la plus générale d'un amplificateur différentiel. Remarquer les deux entrées v_1 et v_2. En raison du couplage direct, la bande de fréquence des signaux d'entrée peut s'étendre jusqu'à zéro (courant continu). La tension de sortie v_o est la tension entre les collecteurs. Idéalement, le circuit est symétrique; autrement dit, les transistors et les résistances des collecteurs sont identiques. Donc, la tension de sortie est nulle si les deux entrées sont égales. Si v_1 est plus grand que v_2, la tension de sortie a la polarité représentée. Si v_1 est inférieur à v_2, la tension de sortie a la polarité opposée.

L'amplificateur différentiel représenté à la figure 15-6 *a* a *deux entrées*. On appelle v_1 l'entrée *non inverseuse* parce que la tension de sortie est en phase avec v_1. On appelle l'entrée v_2 l'entrée *inverseuse* parce que la sortie est déphasée de 180° par rapport à v_2. L'amplificateur différentiel amplifie la différence entre les deux tensions d'entrée. La sortie égale

$$v_o = A(v_1 - v_2) \tag{15-1}$$

Dans cette relation, v_o = tension entre collecteurs
A = R_C/r'_e
v_1 = tension d'entrée non inverseuse
v_2 = tension d'entrée inverseuse.

UNE ENTRÉE ET DEUX SORTIES

Dans certaines applications, on n'utilise qu'une entrée et l'on met l'autre à la masse (fig. 15-6 *b*). On parle alors d'*une entrée* ou d'une *entrée unique*. Les deux sorties subsistent et la formule (15-1) donne la tension de sortie. Dans ce cas, $v_2 = 0$ donc $v_o = Av_1$.

Les applications à deux sorties sont peu nombreuses parce qu'elles nécessitent une charge flottante. Dans de tels cas, il faut connecter les deux bornes de la charge aux collecteurs. Cette exigence est un inconvénient parce que, habituellement, la charge de la plupart des applications a une entrée; autrement dit on met une borne de la charge à la masse.

DEUX ENTRÉES ET UNE SORTIE

La figure 15-6 *c* représente l'amplificateur différentiel le plus pratique et le plus utilisé. Ses applications sont nombreuses parce qu'il peut attaquer des charges à une entrée tels les amplificateurs à émetteur commun, les amplificateurs à émetteur suiveur et d'autres dispositifs étudiés dans les chapitres antérieurs. La figure 15-6 c représente le type d'amplificateur différentiel servant d'étage d'entrée de la plupart des amplificateurs opérationnels. Dans le reste de ce chapitre, nous nous attarderons donc sur ce type d'amplificateur différentiel.

Comme nous le verrons, la tension de sortie égale

$$v_o = A(v_1 - v_2) \qquad (15\text{-}2)$$

Dans cette formule, v_o = tension alternative collecteur-masse

$\qquad A = R_C/2\,r'_e$

$\qquad v_1$ = tension d'entrée non inverseuse

$\qquad v_2$ = tension d'entrée inverseuse

Remarquer que le gain en tension A de la formule (15-2) égale la moitié de celui de la formule (15-1) puisqu'il n'y a qu'une résistance R_C de collecteur.

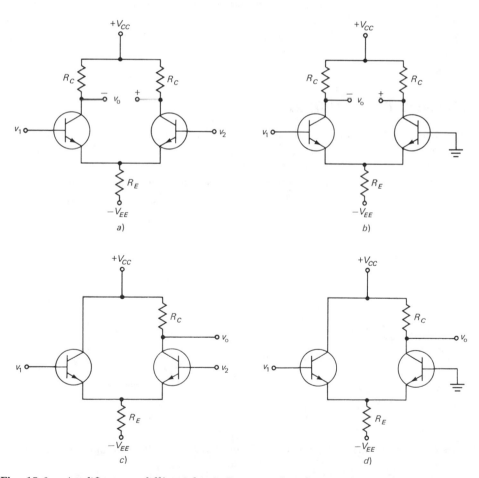

Fig. 15-6. *Amplificateurs différentiels.* a) *Deux entrées, deux sorties.* b) *Une entrée, deux sorties.* c) *Deux entrées, une sortie.* d) *Une entrée, une sortie.*

UNE ENTRÉE ET UNE SORTIE

La figure 15-6 *d* représente le dernier type d'amplificateur opérationnel : une entrée et une sortie. La formule (15-2) donne la tension de sortie; v_2 étant nul, $v_o = Av_1$. Ce type d'amplificateur différentiel sert d'étage couplé directement lorsqu'on ne veut amplifier qu'une entrée.

15.3. ANALYSE EN COURANT CONTINU OU EN CONTINU D'UN AMPLIFICATEUR DIFFÉRENTIEL

La figure 15-7 *a* représente le circuit équivalent en courant continu d'un amplificateur différentiel à deux entrées et une sortie. On ramène les bases à la masse *via* les résistances R_B. Ces résistances R_B peuvent être des résistances proprement dites ou bien représenter les résistances de Thévenin de circuits qui attaquent l'amplificateur différentiel. Quoi qu'il en soit, il faut disposer un chemin pour le courant continu de chaque base à la masse, sinon les transistors se bloquent.

COURANT DE QUEUE I_T *

On appelle parfois un amplificateur différentiel une *paire à longue queue* parce qu'il comprend deux transistors reliés à une seule résistance d'émetteur (la queue). On appelle le courant qui parcourt cette résistance le *courant de queue*. Si les transistors sont identiques, le courant de queue se partage également entre les émetteurs de Q_1 et Q_2. La figure 15-7 *b* représente le circuit équivalent, dans ce cas.

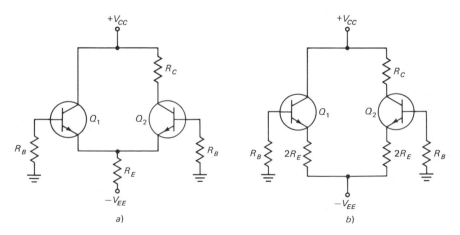

Fig. 15-7.   a) *Amplificateur différentiel à résistances de bases.* b) *Circuit équivalent en courant continu.*

---

* N.d.T. *T* est mis pour *tail* (queue).

Remarquer qu'on polarise chaque émetteur *via* une résistance $2\,R_E$. Ce circuit produit les mêmes courants émetteur que l'amplificateur original.

POLARISATION DES ÉMETTEURS

On reconnaît une telle polarisation à la figure 15-7 *b*. L'alimentation V_{EE} et une résistance $2\,R_E$ polarisent l'émetteur de chaque transistor. Donc,

$$I_E = \frac{V_{EE} - V_{BE}}{2\,R_E} \qquad (15\text{-}3)$$

Cette relation est vraie si la conception est soutenue, autrement dit si R_B est inférieur à $2\,\beta_{cc}\,R_E/100$. Sous forme mathématique il faut que

$$R_B < 0{,}02\,\beta_{cc}\,R_E \qquad (15\text{-}4)$$

Si cette condition est remplie, chaque tension continue base-masse est à peu près nulle.

Le courant de queue de l'amplificateur différentiel représenté à la figure 15-7 *a* égale la somme des deux courants émetteurs, donc

$$I_T = 2\,I_E$$

d'où

$$I_T = \frac{V_{EE} - V_{BE}}{R_E} \qquad (15\text{-}5)$$

On peut calculer le courant émetteur de chaque transistor de deux façons : on peut le calculer en divisant le courant de queue [formule 15-5)] par 2 ou le calculer directement à l'aide de la formule (15-3).

COURANT DE DÉCALAGE D'ENTRÉE OU A L'ENTRÉE

Les courants base I_{B1} et I_{B2} passent à la masse *via* les résistances des bases (fig. 15-7 *a*). Par définition, le *courant de décalage d'entrée* égale la différence entre les courants base, soit

$$I_{i\,\text{(décalage)}} = I_{B1} - I_{B2} \qquad (15\text{-}6)$$

Cette relation montre la finesse d'adaptation des transistors. Si les transistors sont identiques, le courant de décalage d'entrée est nul.

Si $I_{B1} = 85\,\mu A$ et $I_{B2} = 75\,\mu A$,

$$I_{i\,\text{(décalage)}} = 85\,\mu A - 75\,\mu A = 10\,\mu A$$

Le courant base du transistor Q_1 est supérieur au courant base du transistor Q_2 de 10 μA. Ce décalage peut causer des difficultés. Tout dépend de la valeur des résistances de retour des bases. Nous en reparlerons.

COURANT DE POLARISATION D'ENTRÉE OU COURANT DE POLARISATION MOYEN

Le courant de polarisation d'entrée ou courant de polarisation moyen égale la moyenne des deux courants base soit

$$I_{i \text{ (polarisation)}} = \frac{I_{B1} + I_{B2}}{2} \tag{15-7}$$

Si $I_{B1} = 85 \ \mu A$ et $I_{B2} = 75 \ \mu A$, le courant de polarisation d'entrée égale

$$I_{i \text{ (polarisation)}} = \frac{85 \ \mu A + 75 \ \mu A}{2} = 80 \ \mu A$$

Dans l'analyse ultérieure des amplificateurs opérationnels, nous utiliserons les deux relations

$$I_{B1} = I_{i \text{ (polarisation)}} \pm \frac{I_{i \text{ (décalage)}}}{2} \tag{15-8}$$

$$I_{B2} = I_{i \text{ (polarisation)}} \pm \frac{I_{i \text{ (décalage)}}}{2} \tag{15-9}$$

On tire facilement ces relations des formules (15-6) et (15-7). Si on relève sur une fiche signalétique $I_{i \text{ (polarisation)}} = 80 \ nA$ et $I_{i \text{ (décalage)}} = 20 \ nA$, alors $I_{B1} = 90 \ nA$ ou 70 nA et $I_{B2} = 70 \ nA$ ou 90 nA selon lequel des deux courants est le plus grand.

TENSION DE DÉCALAGE D'ENTRÉE OU A L'ENTRÉE

Supposons les deux bases de l'amplificateur différentiel représenté à la figure 15-7 *a* mises à la masse. Si les transistors sont identiques, la tension continue de repos de sortie égale

$$V_C = V_{CC} - I_C R_C \tag{15-10}$$

Dans cette relation, I_C égale environ I_E de la formule (15-3). On appelle toute déviation à partir de cette tension de repos une *tension de décalage de sortie*. Si les transistors ne sont pas identiques, les courants continus émetteur ne sont pas égaux et il existe une tension de décalage d'entrée.

Par définition, la *tension de décalage d'entrée* égale la tension d'entrée nécessaire pour annuler la tension de décalage de sortie. Si une fiche signalétique donne une tension de décalage d'entrée de $\pm 5 \ mV$, alors il faut appliquer une tension de $\pm 5 \ mV$ à l'une des entrées pour annuler la tension de décalage de sortie. En général, plus la tension de décalage d'entrée est petite, meilleur est l'amplificateur différentiel en raison de l'adaptation très fine de ses transistors.

15.4. ANALYSE EN COURANT ALTERNATIF OU EN ALTERNATIF D'UN AMPLIFICATEUR DIFFÉRENTIEL

La figure 15-8 *a* représente un amplificateur différentiel à entrée non inverseuse v_1 et entrée inverseuse v_2. On calcule le gain en tension par le théorème de superposition. Autrement dit, on calcule séparément le gain en tension pour chaque entrée puis on combine les deux gains pour obtenir le gain total.

ENTRÉE NON INVERSEUSE

Appliquons une tension v_1 et mettons l'entrée v_2 à la masse (fig. 15-8 *b*). Selon ce circuit, le signal d'entrée attaque Q_1, qui se comporte comme un amplificateur à émetteur suiveur, et la sortie de l'amplificateur à émetteur suiveur attaque Q_2, qui est un amplificateur à base commune. La phase n'étant pas inversée, la sortie finale est en phase avec v_1. Voilà pourquoi on appelle v_1 l'entrée non inverseuse.

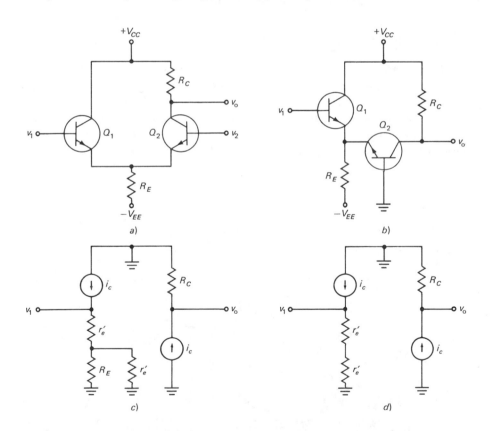

Fig. 15-8. a) *Amplificateur différentiel.* b) *L'étage à émetteur commun attaque l'étage à base commune.* c) *Circuit équivalent en courant alternatif.* d) *Les deux résistances en courant alternatif d'émetteur sont en série.*

La figure 15-8 *c* représente le circuit équivalent en courant alternatif. Remarquer que r'_e du haut est la résistance en courant alternatif d'émetteur de Q_1 et que r'_e du bas est la résistance en courant alternatif d'entrée de l'amplificateur à base commune. Dans tout circuit pratique, R_E est beaucoup plus grand que r'_e. D'où le circuit simplifié représenté à la figure 15-8 *d* duquel on déduit qu'environ la moitié de la tension d'entrée atteint l'entrée de l'amplificateur à base commune. Donc, le courant alternatif émetteur égale

$$i_e = \frac{v_1}{2\, r'_e}$$

Comme le courant alternatif collecteur égale environ i_e, la tension alternative de sortie égale

$$v_0 = i_c\, R_C = \frac{v_1}{2\, r'_e}\, R_C$$

D'où

$$\frac{v_0}{v_1} = \frac{R_C}{2\, r'_e} \tag{15-11}$$

Tel est le gain en tension pour l'entrée non inverseuse.

ENTRÉE INVERSEUSE

Calculons maintenant le gain en tension pour l'entrée inverseuse. Dans ce cas, mettons v_1 à la masse et retraçons l'amplificateur selon la figure 15-9 *a*. Q_2 attaque Q_1 de résistance d'entrée r'_e. La figure 15-9 *b* représente le circuit équivalent en courant alternatif. Dans ce cas également R_E est nettement supérieur à r'_e aussi le circuit se réduit-il à celui représenté à la figure 15-9 *c*. Le courant alternatif émetteur égale

$$i_e = \frac{v_2}{2\, r'_e}$$

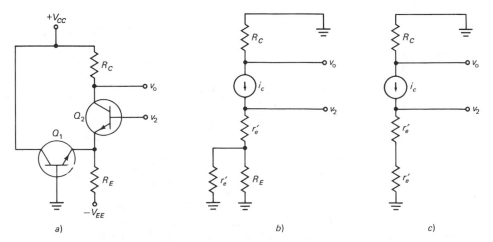

Fig. 15-9. *Circuits équivalents pour l'entrée inverseuse.*

et la tension alternative de sortie égale

$$v_o = - i_c R_C = - \frac{v_2}{2 r'_e} R_C$$

D'où

$$\frac{v_o}{v_2} = \frac{- R_C}{2 r'_e} \qquad (15\text{-}12)$$

Tel est le gain en tension pour l'entrée inverseuse. Le signe moins indique l'inversion de phase.

GAIN EN TENSION DIFFÉRENTIEL

Comparons les formules (15-11) et (15-12). Visiblement, les modules des gains en tension sont égaux, seules les phases diffèrent. Voici comment calculer le gain en tension total lorsque les deux entrées sont excitées. Selon la formule (15-11),

$$v_{o\,(1)} = \frac{R_C}{2 r'_e} v_1$$

Selon la formule (15-12),

$$v_{o\,(2)} = \frac{- R_C}{2 r'_e} v_2$$

Selon le théorème de superposition, la tension de sortie totale égale la somme des tensions de sortie particulières. Donc, après mise en évidence et réarrangement,

$$v_o = v_{o\,(1)} + v_{o\,(2)} = \frac{R_C}{2 r'_e} (v_1 - v_2)$$

D'où

$$v_o = A (v_1 - v_2) \qquad (15\text{-}13)$$

avec

$$A = \frac{R_C}{2 r'_e} \qquad (15\text{-}14)$$

On appelle A le *gain en tension différentiel* parce qu'il exprime l'amplification de la différence $v_1 - v_2$.

IMPÉDANCE D'ENTRÉE

Dans la bande médiane d'un amplificateur différentiel, l'impédance de chaque entrée égale

$$r_i = 2 \beta r'_e \qquad (15\text{-}15)$$

Cette impédance d'entrée est le double de celle d'un amplificateur ordinaire à émetteur commun. Le facteur 2 résulte du fait que la résistance r'_e de chaque transistor est en série (fig. 15-8 *d* et c).

   Pour augmenter substantiellement l'impédance d'entrée d'un amplificateur différentiel, on utilise des transistors Darlington ou des transistors FET à jonction au lieu de transistors bipolaires. On adopte cette dernière variante dans les amplificateurs opérationnels à *BIFET*. L'étage d'entrée à amplificateur différentiel de ces amplificateurs opérationnels comporte des transistors FET à jonction. L'impédance d'entrée de ces amplificateurs opérationnels tend vers l'infini.

GAIN EN MODE COMMUN

   Par définition, on dit qu'un signal est *de mode commun* s'il attaque également les deux entrées d'un amplificateur différentiel. La plupart des signaux brouilleurs, des signaux perturbateurs électrostatiques et des autres types de signaux indésirés captés sont de mode commun. Voici ce qui se produit. Les conducteurs des bases d'entrée se comportent comme de petites antennes. Si l'amplificateur différentiel fonctionne dans un milieu à fort brouillage électromagnétique, chaque base capte une tension perturbatrice. L'amplificateur différentiel n'amplifie pas les signaux de mode commun. C'est l'une des raisons de son succès. On ne recueille donc pas un grand brouillage à la sortie.

   Voyons pourquoi l'amplificateur n'amplifie pas les signaux de mode commun. La figure 15-10 *a* représente un amplificateur différentiel attaqué par un signal de mode commun. Des tensions $v_{i\,(MC)}$ égales attaquent simultanément les deux entrées. Si les deux transistors sont identiques, des entrées égales donnent des courants émetteurs égaux. On peut donc fractionner la résistance R_E selon la figure 15-10 *b*. Les courants émetteur de ce circuit équivalent sont les mêmes que ceux de l'amplificateur original.

   La figure 15-10 *c* représente le circuit équivalent en courant alternatif. Si un signal de mode commun attaque un amplificateur différentiel, une grande résistance non découplée des émetteurs apparaît dans le circuit équivalent en courant alternatif. Par conséquent, le gain en tension pour un signal de mode commun égale

$$\frac{v_o}{v_{i\,(MC)}} = \frac{-R_C}{r'_e + 2\,R_E}$$

Comme R_E est toujours beaucoup plus grand que r'_e, $-R_C/2\,R_E$ approxime le *gain en tension en mode commun*. Donc

$$A_{MC} = \frac{-R_C}{2\,R_E} \qquad (15\text{-}16)$$

Dans cette relation, A_{MC} = gain en tension en mode commun
 R_C = résistance de collecteur
 R_E = résistance d'émetteur.

Si $R_C = 10\ \text{k}\Omega$ et $R_E = 10\ \text{k}\Omega$, alors

$$A_{MC} = \frac{-10\ \text{k}\Omega}{20\ \text{k}\Omega} = -0,5$$

Le gain en tension est inférieur à 1. Donc, l'amplificateur différentiel affaiblit ou atténue un signal de mode commun.

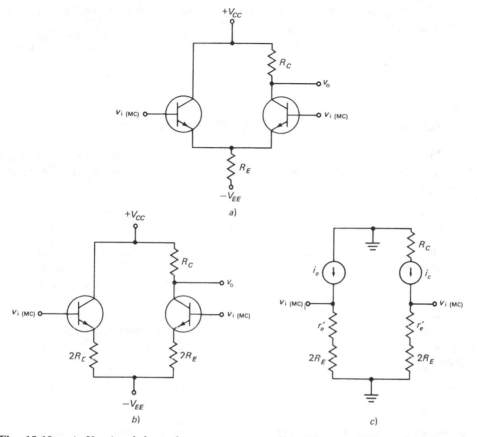

Fig. 15-10. a) *Un signal de mode commun attaque l'amplificateur différentiel.* b) *Fractionnement de la résistance des émetteurs.* c) *Circuit équivalent en courant alternatif.*

TAUX DE RÉJECTION EN MODE COMMUN OU DE MODE COMMUN

Les fiches signalétiques donnent le *taux de réjection en mode commun**. Par définition, ce taux égale le rapport du gain en tension différentiel au gain en tension de mode commun, soit

$$\text{CMRR} = \frac{A}{-A_{\text{MC}}} \qquad (15\text{-}17)$$

On inclut le signe moins pour avoir un rapport positif. Si $A = 200$ et $A_{\text{MC}} = -0,5$, alors

$$\text{CMRR} = \frac{200}{0,5} = 400$$

---

* N.d.T. *Common-Mode Rejection Ratio* que l'on note CMRR.

Les fiches signalétiques donnent presque toujours CMRR en décibels, selon la formule de conversion

$$CMRR' = 20 \log CMRR \qquad (15\text{-}18)$$

Si CMRR = 400, alors

$$CMRR' = 20 \log 400 = 52 \text{ dB}$$

POLARISATION PAR MIROIR DE COURANT

Si l'on polarise les émetteurs d'un amplificateur différentiel, le gain en tension différentiel égale $R_C/2\, r'_e$ et le gain en tension en mode commun égale $-R_C/2\, R_E$. Selon la formule (15-17),

$$CMRR = \frac{R_C/2\, r'_e}{R_C/2\, R_E} = \frac{R_E}{r'_e}$$

Visiblement, plus l'on peut élever R_E, meilleur est le CMRR.

Pour obtenir une très grande résistance équivalente R_E, on peut *polariser* l'amplificateur différentiel *par miroir de courant* (fig. 15-11). Ce dispositif est typique du premier étage d'un amplificateur opérationnel intégré. Le miroir de courant représenté à la figure 15-11 attaque les émetteurs de l'amplificateur différentiel. Dans les circuits intégrés, la diode de compensation Q_3 est en réalité un transistor connecté en diode (la base et le collecteur sont reliés). Le courant qui traverse Q_3 égale

$$I = \frac{V_{CC} + V_{EE} - V_{BE}}{R}$$

Tel est le courant de miroir fourni par Q_4. Comme Q_4 se comporte comme une source de courant, sa résistance de sortie est très élevée; elle est nettement supérieure à celle obtenue par polarisation classique des émetteurs. Donc, la résistance équivalente R_E de l'amplificateur différentiel est de plusieurs centaines de kilohms et le CMRR est nettement meilleur.

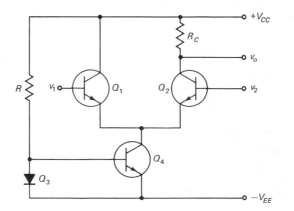

Fig. 15-11. *Le miroir de courant fournit le courant de queue de l'amplificateur différentiel.*

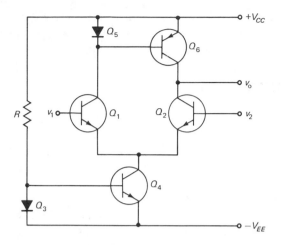

Fig. 15-12. *Le miroir de courant est une charge active sur l'amplificateur différentiel.*

MIROIR DE COURANT DE CHARGE

Nous avons trouvé que le gain en tension différentiel égale $R_C/2\, r'_e$. Plus on peut élever R_C, plus le gain en tension différentiel est grand. Mais il faut être prudent. Une résistance R_C trop grande sature le transistor de sortie. Habituellement, le concepteur choisit une résistance R_C qui donne une tension de repos égale à la moitié de V_{CC}. Si la tension d'alimentation des collecteurs est de $+15$ V, choisir une résistance R_C pour avoir une tension V_C de $+7,5$ V. Cela limite R_C et le gain en tension.

Pour contourner ce problème, on peut utiliser une *charge active*. La figure 15-12 représente un miroir de courant de charge. Puisque Q_5 se comporte comme une diode, son impédance est très faible et la charge sur Q_1 semble encore presque un court-circuit en courant alternatif. Par ailleurs, Q_6 se comporte comme une source de courant *PNP*. Par conséquent, Q_2 voit une résistance équivalent R_C de plusieurs centaines de kilohms. Résultat : le gain en tension différentiel est beaucoup plus grand avec une charge de miroir de courant. Une telle charge active est typique des amplificateurs opérationnels monolithiques.

15.5. AMPLIFICATEUR OPÉRATIONNEL

En 1965, Fairchild Semiconductor présenta le μA709, le premier amplificateur opérationnel monolithique largement répandu. Malgré son succès retentissant, cet amplificateur opérationnel de première génération avait de nombreux défauts. Vint ensuite le μA741 de meilleure facture. Son prix modique et son utilisation facile lui valurent un énorme succès. Divers fabricants produisirent de nombreux autres 741 : Motorola fabriqua le MC1741, National Semiconductor le LM741 et Texas Instruments le SN72741. Tous ces amplificateurs opérationnels sont équivalents, puisque leurs fiches signalétiques précisent les mêmes spécifications. Pour des raisons pratiques, la plupart des gens laissent tomber les préfixes et appellent tous ces amplificateurs opérationnels largement répandus des 741.

NORME INDUSTRIELLE

Le 741 est devenu la *norme industrielle.* Penser d'abord à lui dans toute conception. Si le 741 ne respecte pas une spécification, passer à un meilleur amplificateur opérationnel. Vu sa grande importance, nous analyserons le 741 en détail. Une fois le 741 compris, on passe aisément aux autres types d'amplificateurs opérationnels.

Le 741 existe en plusieurs versions : le 741, le 741A, le 741C, le 741E, le 741N, etc. Les versions diffèrent en gain en tension, en gamme de température, en niveau de bruit, et en d'autres caractéristiques. Le 741C (C est mis pour qualité commerciale) est le moins cher et le plus répandu. Ses caractéristiques typiques sont une impédance d'entrée de 2 MΩ, un gain en tension de 100 000 et une impédance de sortie de 75 Ω.

SCHÉMA DE PRINCIPE DU 741

Le figure 15-13 représente le schéma de principe simplifié du 741. Ce circuit équivaut au 741 et à de nombreux amplificateurs opérationnels de générations ultérieures. L'étage d'entrée est un *amplificateur différentiel* à transistors PNP (Q_1 et Q_2). Pour obtenir un CMRR élevé, un miroir de courant (Q_{13} et Q_{14}) fournit le courant de queue à l'amplificateur différentiel. Le miroir de courant de charge (Q_3 et Q_4) maximise le gain en tensin de l'amplificateur différentiel.

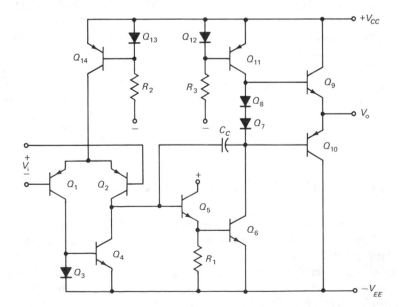

Fig. 15-13. *Schéma de principe simplifié du 741 et des amplificateurs opérationnels similaires.*

La sortie de l'amplificateur différentiel (au collecteur de Q_2) attaque le transistor (Q_5) à émetteur suiveur. Cet étage élève le niveau d'impédance pour ne pas abaisser la charge de l'amplificateur différentiel. Le signal de sortie de Q_5 passe à Q_6, un amplificateur d'attaque classe B. Le signe plus sur le collecteur de Q_5 précise qu'il est relié à l'alimentation positive V_{CC}. De même, les signes moins en bas des bornes inférieures de R_2 et R_3 précisent que ces composants sont reliés à l'alimentation négative V_{EE}.

Le dernier étage (Q_9 et Q_{10}) est un *amplificateur à émetteurs suiveurs push-pull classe B*. En raison du *fractionnement de l'alimentation* (tensions positive et négative égales), la sortie de repos est idéalement nulle lorsque les tensions d'entrée sont nulles; on appelle toute déviation à partir de 0 V la *tension de décalage de sortie* ou *à la sortie*. Q_{11} et Q_{12} sont un miroir de courant de charge pour l'amplificateur d'attaque classe B.

Remarquer le couplage direct entre tous les étages. Voilà pourquoi il n'y a pas de fréquence de coupure inférieure. Donc, un amplificateur opérationnel est un amplificateur pour courant continu parce qu'il fonctionne jusqu'à la fréquence nulle, équivalant au courant continu.

CHARGE ACTIVE

La figure 15-13 représente deux exemples de *charge active* (des transistors au lieu de résistances). Le premier est le miroir de courant de charge (Q_3 et Q_4) sur l'amplificateur différentiel et le deuxième le miroir de courant de charge (Q_{11} et Q_{12}) sur l'étage d'attaque. L'impédance des sources de courant étant élevée, les charges actives produisent un gain en tension plus élevé que des résistances. Dans le cas d'un 741, le gain en tension typique fourni par des charges actives est de 200 000.

Les charges actives sont très répandues dans les circuits intégrés parce qu'il est plus facile et moins coûteux de fabriquer des transistors sur une puce que des résistances. Les circuits intégrés numériques MOS comportent presque seulement des charges actives. Dans ces CI un transistor MOS sert de charge active pour un autre.

CONDENSATEUR DE COMPENSATION

Le condensateur C_C représenté à la figure 15-13 est un *condensateur de compensation*. En raison de l'effet Miller, ce petit condensateur (de capacité typique égale à 30 pF) influe fortement sur la réponse en fréquence. C_C fait partie du réseau de retard de base qui fait décroître le gain en tension en décibels à la vitesse de 20 dB par décade (vitesse équivalente à 6 dB par octave). Cette nécessaire décroissance prévient les oscillations (signal brouilleur produit par l'amplificateur). Nous traiterons davantage du condensateur de compensation et des oscillations dans des sections ultérieures.

ENTRÉES FLOTTANTES

Remarquer que les entrées représentées à la figure 15-13 sont flottantes. L'amplificateur opérationnel ne fonctionne que si chaque entrée a un *chemin de retour du courant continu* à la masse. Comme nous l'avons mentionné, habituelle-ment, les circuits couplés directement d'attaque de l'amplificateur opérationnel fournissent ces chemins de retour. Si les circuits d'attaque sont couplés capacitive-ment, il faut monter des résistances de retour de base distinctes. Retenir que les chemins de retour du courant continu sont indispensables. Chaque base doit avoir un tel chemin; sinon les transistors d'entrée se bloquent.

Même si chaque base possède un chemin de retour du courant continu à la masse, il subsiste un problème de décalage. Les transistors d'entrée n'étant pas identiques, une tension de décalage indésirée apparaît à la sortie de l'amplificateur opérationnel. Nous verrons comment éliminer la tension de décalage de sortie dans une section ultérieure.

IMPÉDANCE D'ENTRÉE

Nous avons vu que l'impédance d'entrée d'un amplificateur différentiel égale
$$r_i = 2\,\beta r'_e$$
Si le courant de queue de l'amplificateur différentiel d'entrée est petit, l'impédance d'entrée de l'amplificateur opérationnel est joliment élevée. Supposons que l'ampli-ficateur différentiel d'entrée d'un 741 a un courant de queue d'environ 15 μA. Puisque chaque émetteur reçoit la moitié de ce courant,

$$r'_e = \frac{25\ \text{mV}}{I_E} = \frac{25\ \text{mV}}{7,5\ \mu\text{A}} = 3,33\ \text{k}\Omega$$

Le gain β type de chaque transistor d'entrée étant de 300,
$$r_i = 2\beta r'_e = 2(300)(3,33\ \text{k}\Omega) = 2\ \text{M}\Omega$$
On retrouve cette valeur dans la fiche signalétique d'un 741.

AMPLIFICATEURS OPÉRATIONNELS A BIFET

S'il faut une impédance d'entrée très élevée, on utilise un amplificateur opérationnel à *BIFET*. Par BIFET, entendre des transistors bipolaires et des transistors FET à jonction fabriqués sur une même puce. L'étage d'entrée d'un amplificateur opérationnel à BIFET comporte des FET à jonction et les étages suivants des transistors bipolaires. Les transistors FET à jonction fournissent une grande impédance d'entrée et les transistors bipolaires un gain en tension élevé. L'amplificateur opérationnel universel 355 à BIFET, par exemple, a un courant de polarisation typique d'entrée de 0,03 nA. Ce courant est nettement inférieur au courant de polarisation typique d'entrée de 80 nA d'un 741. Si l'on veut augmenter une impédance d'entrée, penser à l'amplificateur opérationnel à BIFET.

SYMBOLE GRAPHIQUE

On économise du temps en représentant un amplificateur opérationnel par un symbole au lieu de tracer son schéma comme à la figure 15-13. La figure 15-14 *a* est une représentation simple d'un amplificateur à deux entrées et une sortie. *A*

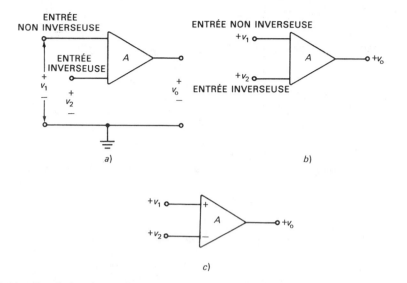

Fig. 15-14. *Symboles d'un amplificateur opérationnel.* a) *Avec ligne de masse.* b) *Ligne de masse implicite.* c) *Symbole usuel.*

représente le gain en tension sans charge, autrement dit lorsqu'on ne raccorde pas de résistance de charge à la sortie. On exprime les tensions d'entrée et de sortie par rapport à la ligne de masse.

Le plus souvent on ne trace pas la ligne de masse (fig. 15-14 *b*). Dans le cas de ce symbole abrégé, se souvenir qu'on exprime les tensions par rapport à la masse. La figure 15-14 *c* représente le symbole le plus répandu d'un amplificateur opérationnel. Le signe moins de l'entrée inverseuse rappelle qu'il y a inversion de phase en cette entrée. Le signe plus de l'entrée non inverseuse rappelle qu'il n'y a pas d'inversion de phase en cette entrée.

IMPÉDANCE D'ENTRÉE ET CIRCUIT DE THÉVENIN DE SORTIE

Soit l'amplificateur opérationnel représenté à la figure 15-15; r_i est l'impédance entre les bornes d'entrée. Dans le cas d'un 741, $r_i = 2$ MΩ. L'impédance d'entrée d'un amplificateur opérationnel à BIFET est nettement plus grande. Quoi qu'il en soit et peu importe le type d'amplificateur opérationnel, on représente l'impédance d'entrée par r_i disposé entre la borne d'entrée non inverseuse et la borne d'entrée inverseuse.

On peut appliquer le théorème de Thévenin à la sortie (fig. 15-15) tant que l'amplificateur opérationnel fonctionne dans sa *région linéaire* (transistors non saturés). La tension de Thévenin de sortie égale

$$v_{TH} = A(v_1 - v_2)$$

et la résistance de Thévenin de sortie égale r_o. Dans le cas d'un 741C, $A = 100\ 000$ et $r_o = 75$ Ω.

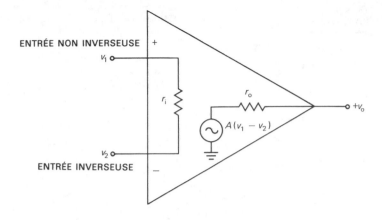

Fig. 15-15. *Impédance d'entrée et circuit de Thévenin de sortie.*

Lors de l'analyse d'un amplificateur opérationnel se rappeler (fig. 15-15) qu'il y a une impédance d'entrée r_i entre les bornes d'entrée, un gain en tension sans charge A et une impédance de sortie r_o. L'amplificateur opérationnel typique a une impédance d'entrée r_i élevée, un gain A élevé et une petite impédance de sortie r_o. L'amplificateur opérationnel idéal aurait une impédance d'entrée infinie, un gain en tension infini et une impédance de sortie nulle.

15.6. CARACTÉRISTIQUES DES AMPLIFICATEURS OPÉRATIONNELS

L'amplificateur opérationnel étant un amplificateur pour courant continu il faut, lors du dépannage et de la conception de circuits à amplificateurs opérationnels, considérer ses caractéristiques en courant continu et ses caractéristiques en courant alternatif. Dans cette section, nous examinerons de près le problème des décalages et nous étudierons d'autres caractéristiques qui influent sur les performances des amplificateurs opérationnels.

TENSION DE DÉCALAGE D'ENTRÉE OU A L'ENTRÉE

Lorsque les entrées d'un amplificateur opérationnel sont à la masse, il existe presque toujours une *tension de décalage de sortie* (fig. 15-16 *a*) parce que les tensions V_{BE} des transistors d'entrée sont différentes. La *tension de décalage d'entrée* égale la différence des tensions V_{BE}. La tension de décalage d'entrée d'un 741C typique est de ± 2 mV; donc, la tension V_{BE} d'un transistor d'entrée diffère de celle de l'autre de 2 mV. La tension de décalage de sortie égale cette tension de 2 mV amplifiée.

Théoriquement, on peut appliquer une tension de 2 mV à l'entrée inverseuse (fig. 15-16 *b*) et avoir une tension de décalage de sortie nulle dans le cas d'un 741C typique. (*Remarque* : le décalage peut être positif ou négatif, aussi serait-il nécessaire d'inverser la polarité de la tension de 2 mV).

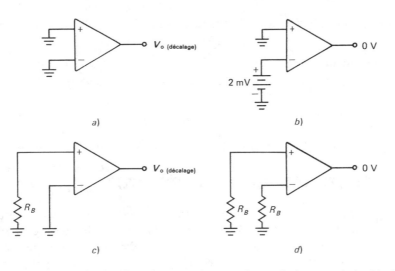

Fig. 15-16. a) *Tension de décalage de sortie.* b) *Annulation de la tension de décalage de sortie.* c) *Une résistance de retour peut produire une tension de décalage de sortie.* d) *Des résistances de retour égales diminuent la tension de décalage de sortie.*

COURANT DE POLARISATION D'ENTRÉE

Si les tensions V_{BE} des transistors d'entrée de l'amplificateur opérationnel utilisé sont égales, la tension de décalage d'entrée est nulle.

Toutefois, les courants de polarisation peuvent créer un problème. Si un chemin de retour d'une entrée d'un amplificateur opérationnel comporte une résistance, une tension de décalage de sortie peut apparaître. La figure 15-16 c, par exemple, représente une résistance R_B entre l'entrée non inverseuse et la masse. Comme un courant base I_{B1} parcourt R_B, une tension

$$v_1 = I_{B1} \, R_B$$

apparaît à l'entrée non inverseuse. La tension de décalage de sortie égale cette tension indésirée d'entrée amplifiée. Si R_B est assez petit, on peut négliger la tension de décalage de sortie résultante.

Si les courants base d'entrée sont égaux (cela n'arrive presque jamais), on annule la tension de décalage de sortie en montant une résistance de base égale sur l'entrée inverseuse (fig. 15-16 d). Alors, les chutes de tension égales entre les bornes des résistances des bases, produites par des courants base égaux, annulent la tension de décalage de sortie (fig. 15-16 d).

COURANT DE DÉCALAGE D'ENTRÉE

Les courants base des transistors d'entrée ne sont presque jamais égaux parce que, habituellement, les gains β sont différents. Comme nous l'avons vu, le *courant de décalage d'entrée* égale la différence des courants base. Donc, même si l'on monte des résistances égales dans le circuit représenté à la figure 15-16 d, le courant de décalage d'entrée peut produire une différence de tension, ou tension différentielle, indésirée comme suit. La tension appliquée à l'entrée non inverseuse égale

$$v_1 = I_{B1} R_B$$

La tension appliquée à l'entrée inverseuse égale

$$v_2 = I_{B2}R_B$$

L'entrée différentielle égale

$$v_1 - v_2 = I_{B1}R_B - I_{B2}R_B = (I_{B1} - I_{B2})R_B$$

D'où

$$v_1 - v_2 = I_{i(\text{décalage})}R_B$$

La tension de décalage de sortie égale cette tension différentielle amplifiée.

RÉSISTANCES DES BASES DIFFÉRENTES

Les résistances des bases des amplificateurs opérationnels que nous étudierons sont égales ou différentes (fig. 15-17). Comme la tension de décalage d'entrée est positive ou négative, et puisque un courant d'entrée peut être plus grand que l'autre, la tension différentielle d'entrée égale

$$v_1 - v_2 = \pm\, v_{i(\text{décalage})} \pm I_{B1}R_{B1} \mp I_{B2}R_{B2} \tag{15-19}$$

Dans cette relation, $v_1 - v_2$ = tension totale de décalage d'entrée

$v_{i(\text{décalage})}$ = tension de décalage d'entrée = différence entre les V_{BE}

I_{B1} = courant base à l'entrée non inverseuse

I_{B2} = courant base à l'entrée inverseuse

R_{B1} = résistance de retour du courant continu, entrée non inverseuse

R_{B2} = résistance de courant continu, entrée inverseuse

La tension de décalage de sortie égale cette tension d'entrée différentielle amplifiée. La tension de décalage de sortie dépend donc du gain en tension. Ordinairement, on produit une réaction négative ou contre-réaction à l'aide d'un amplificateur opérationnel et de résistances externes. Cela diminue la tension de décalage de sortie. Au chapitre 16, nous étudierons la contre-réaction avec des amplificateurs opérationnels et nous examinerons de nouveau la tension de décalage de sortie.

TAUX DE RÉJECTION EN MODE COMMUN CMRR

Nous avons déjà défini le CMRR. Pour un 741C, CMRR' = 90 dB aux basses fréquences. Si des signaux d'entrée sont égaux, l'un un signal différentiel (désiré)

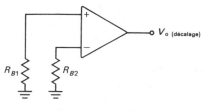

Fig. 15-17. *Décalages.*

et l'autre un signal de mode commun (indésiré), la sortie du signal différentiel sera supérieure de 90 dB à la sortie du signal de mode commun. En nombres ordinaires, cela signifie que la sortie du signal désiré vaudra 30 000 fois la sortie du signal de mode commun. Aux fréquences supérieures, les effets réactifs font décroître le CMRR′ (fig. 15-18 *a*). Remarquer que CMRR′ vaut environ 75 dB à 1 kHz, 56 dB à 10 kHz, etc.

DYNAMIQUE DU SIGNAL ALTERNATIF DE SORTIE

Par définition, la *dynamique PP du signal alternatif de sortie* égale la tension alternative de crête à crête non écrêtée maximale qu'un amplificateur opérationnel peut produire. Comme la sortie de repos est idéalement nulle, la tension alternative de sortie peut dévier positivement et négativement. L'excursion dépend de la

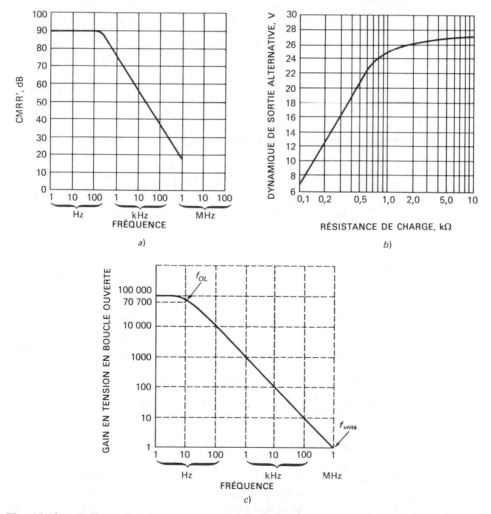

Fig. 15-18. a) *Taux de réjection en mode commun.* b) *Dynamique de sortie alternative.*
c) *Gain en tension en boucle ouverte.*

résistance de charge. Pour les grandes résistances de charge, chaque crête peut dévier de 1 à 2 V des tensions d'alimentation. Si $V_{CC} = + 15$ V et $V_{EE} = - 15$ V, la tension de crête à crête non écrêtée maximale est d'environ de 27 V pour une résistance de charge de 10 kΩ.

A mesure que la résistance de charge décroît, la pente de la droite de charge dynamique varie et la dynamique du signal alternatif de sortie décroît. La figure 15-18 *b* représente la variation typique de la dynamique du signal alternatif de sortie en fonction de la résistance de charge. Remarquer que PP égale environ 27 V pour une résistance R_L de 10 kΩ, 25 V pour un 1 kΩ et 7 V pour 100 Ω.

COURANT DE COURT-CIRCUIT DE SORTIE

Dans certaines applications, un amplificateur opérationnel attaque une résistance de charge à peu près nulle. L'impédance de sortie d'un 741C n'étant que de 75 Ω, on pourrait imaginer qu'il fournira un grand courant. Il n'en est rien. Un amplificateur opérationnel monolithique est un dispositif de petite puissance, aussi son courant de sortie est-il limité. Le *courant de court-circuit* maximal *de sortie* d'un 741C, par exemple, n'est que de 25 mA. Si l'on utilise de petites résistances de charges (inférieures à 75 Ω), ne pas escompter une grande tension de sortie parce qu'elle ne peut dépasser 25 mA fois la résistance de charge.

CARACTÉRISTIQUE DE RÉPONSE EN FRÉQUENCE

Par la *réaction négative* ou *contre-réaction* on sacrifie une certaine fraction du gain en tension au profit d'un gain en tension très stable, une distorsion moindre et d'autres améliorations des performances de l'amplificateur. Le fonctionnement d'un amplificateur opérationnel en contre-réaction est dit en *boucle fermée*. Le fonctionnement d'un amplificateur opérationnel sans contre-réaction est dit en *boucle ouverte*.

La figure 15-18 *c* représente la caractéristique de réponse en fréquence petits signaux d'un 741C. Dans la bande médiane, le gain en tension en boucle ouverte est de 100 000. La fréquence de coupure en boucle ouverte f_{OL}* d'un 741C est de 10 Hz. Comme il est indiqué, le gain en tension est de 70 700 (chute de 3 dB) à cette fréquence. Au-delà de la coupure, le gain en tension diminue à la vitesse idéale de 20 dB par décade en vertu de C_C, le condensateur de compensation intégré sur la puce du 741.

Par définition, la fréquence à *gain unité* de symbole $f_{unité}$ est la fréquence à laquelle le gain en tension égale 1. A la figure 15-18 *c*, $f_{unité} = 1$ MHz. Les fiches signalétiques spécifient la valeur de $f_{unité}$ parce qu'elle représente la limite supérieure du gain utile d'un amplificateur opérationnel. La fiche signalétique d'un 318, par exemple, donne une $f_{unité}$ de 15 MHz. Donc, le 318 amplifie des signaux de fréquence nettement supérieure à celle du 741C. Naturellement, le prix d'achat d'un 318 est nettement supérieur à celui d'un 741C.

Selon la figure 15-18 *c,* en boucle ouverte, le 741C a un gain en tension en bande médiane de 100000 et une fréquence de coupure de 10 Hz. Ne jamais faire

---

* N.d.T. *OL* est mis pour *Open Loop* (boucle ouverte).

fonctionner un amplificateur opérationnel sans contre-réaction, parce qu'il serait trop instable. Au chapitre 16, nous verrons comment monter quelques résistances externes à un amplificateur opérationnel pour qu'il fonctionne en boucle fermée. Cela diminue le gain en tension, mais augmente la bande passante. Nous verrons comment troquer le gain en tension contre une bande passante plus large. Nous en reparlerons en détail.

PENTE MAXIMALE DE LA TENSION DE SORTIE

La *pente maximale de la tension de sortie* est l'une des plus importantes spécifications qui affectent le fonctionnement en alternatif d'un amplificateur opérationnel parce qu'elle limite la tension de sortie aux fréquences élevées. Pour comprendre ce qu'est la pente maximale de la tension de sortie, il faut revoir quelques notions fondamentales de la théorie des circuits. Le courant de charge d'un condensateur égale

$$i = C\frac{dv}{dt}$$

Dans cette relation, i = courant d'entrée du condensateur
C = capacité
dv/dt = vitesse de variation de la tension du condensateur

Réarrangeons cette relation fondamentale sous la forme

$$\frac{dv}{dt} = \frac{i}{C}$$

Selon cette relation, la vitesse de variation de la tension égale le courant de charge divisé par la capacité.

Plus le courant est grand, plus le condensateur se charge vite. Si pour une certaine raison le courant de charge est limité à un maximum, la vitesse de variation de la tension est elle aussi limitée à un maximum.

La figure 15-19 *a* illustre la notion de limite de courant et son effet sur la tension de sortie. Un courant I_{max} charge le condensateur. Ce courant étant constant, la tension du condensateur croît linéairement (fig. 15-19 *b*). La vitesse de variation de la tension par rapport au temps égale

$$\frac{dv_o}{dt} = \frac{I_{max}}{C_C} \tag{15-20}$$

Si $I_{max} = 60~\mu A$ et $C_C = 30~pF$ (fig. 15-19 *c*), la vitesse de variation maximale de la tension égale

$$\frac{dv_o}{dt} = \frac{60~\mu A}{30~pF} = 2~V/\mu s$$

Selon cette relation, la tension de sortie entre les bornes du condensateur varie à la vitesse maximale de 2 V/μs (fig. 15-19 *d*). La tension ne peut varier plus rapidement à moins que nous n'augmentions I_{max} ou que nous ne diminuions C_C.

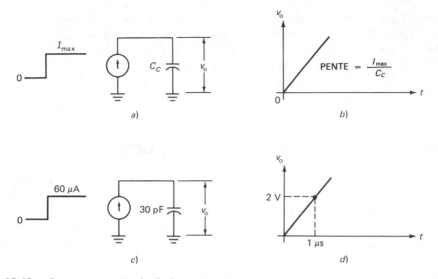

Fig. 15-19. *La pente maximale de la tension de sortie égale le courant de charge maximal divisé par la capacité.*

Le symbole de la pente maximale de la tension de sortie est S_R*. En vertu de cette définition, la relation devient

$$S_R = \frac{I_{max}}{C_C} \tag{15-21}$$

A la figure 15-19*a*, la pente maximale de la tension de sortie précise la vitesse de variation maximale de la tension de sortie. Si $I_{max} = 60$ μA et $C_C = 30$ pF, le circuit ne peut faire varier la tension de sortie à une vitesse supérieure à 2 V/μs.

DISTORSION DUE A LA PENTE MAXIMALE DE LA TENSION DE SORTIE

Si un grand échelon de tension d'entrée positif attaque l'amplificateur opérationnel représenté à la figure 15-13, Q_1 se sature et Q_2 se bloque. Par conséquent, tout le courant de queue I_T traverse Q_1 et Q_3. En raison du miroir de courant, le courant qui traverse Q_4 égale I_T; Q_2 étant bloqué, tout le courant de Q_4 passe à l'étage suivant. Initialement, tout ce courant va à C_C (le courant base de Q_5 est négligeable).

La tension de sortie monte à mesure que C_C se charge. En supposant que l'étage de sortie a un gain en tension de 1, la vitesse de variation de la tension de sortie égale la vitesse de variation de la tension entre les bornes de C_C. Selon la formule (15-21), la vitesse de variation maximale de la tension de sortie égale

$$S_R = \frac{I_T}{C_C}$$

Selon cette relation, la tension de sortie ne peut varier plus vite que le rapport de I_T à C_C.

---

* N.d.T. *S* est mis pour *Slew* et *R* pour *Rate*.

Voici un exemple. Dans l'amplificateur opérationnel représenté à la figure 15-13, $I_T = 15\ \mu A$ et $C_C = 30\ pF$. Donc la pente maximale de la tension de sortie d'un 741C égale

$$S_R = \frac{15\ \mu A}{30\ pF} = 0,5\ V/\mu s$$

Telle est la vitesse maximale d'un 741C; sa tension de sortie ne peut varier plus vite que 0,5 V/μs. La figure 15-20 illustre cette notion. Si l'on surcharge un 741C avec un grand échelon de tension (fig. 15-20 *a*), la sortie varie selon la caractéristique représentée à la figure 15-20 *b*. La tension de sortie prend 20 μs pour varier de 0 à 10 V (excursion limite de tension de sortie avec des alimentations de 12 V). La sortie du 741C ne peut varier plus vite.

La pente de la tension de sortie est également limitée dans le cas d'un signal sinusoïdal. La figure 15-21 *a* représente la tension sinusoïdale maximale de sortie d'un 741C lorsque la tension de crête est de 10 V. Tant que la pente initiale de la tension sinusoïdale est inférieure ou égale à S_R, il n'y a pas de limitation. Mais lorsque la pente initiale de la tension sinusoïdale est supérieure à S_R, alors il y a *distorsion due à la pente maximale* (fig. 15-21 *b*). La sortie est triangulaire; plus la fréquence augmente, plus l'excursion est petite et plus la forme d'onde est triangulaire.

BANDE PASSANTE GRANDS SIGNAUX

La distorsion due à la pente maximale de la tension sinusoïdale de sortie commence au point où la pente initiale de la tension sinusoïdale égale la pente maximale de l'amplificateur opérationnel. Selon l'appendice 1,

$$f_{\max} = \frac{S_R}{2\ \pi V_P} \tag{15-22}$$

Dans cette équation importante, $f_{\max}$ = la plus grande fréquence non déformée
S_R = pente maximale de la tension de sortie de l'amplificateur opérationnel
V_P = tension sinusoïdale de crête de sortie

Si un 741C a une tension V_P de 10 V et une pente maximale S_R de 0,5 V/μs, la fréquence maximale non déformée en fonctionnement grands signaux égale

$$f_{\max} = \frac{0,5\ V/\mu s}{2\ \pi(10\ V)} = 7,96\ kHz$$

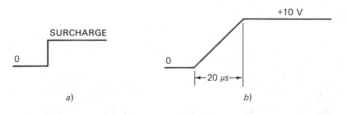

Fig. 15-20. *La surcharge d'un amplificateur opérationnel limite la pente de la tension de sortie.*

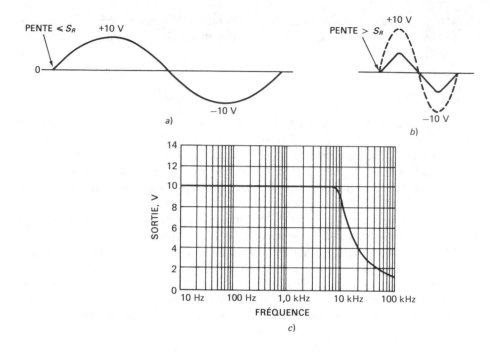

Fig. 15-21. a) *La pente initiale de la tension sinusoïdale ne peut dépasser la pente maximale de la tension de sortie.* b) *Distorsion due à la pente maximale de la tension de sortie.* c) *Caractéristique de réponse grands signaux d'un 741 C.*

Au-dessus de cette fréquence, on remarque un début de distorsion due à la pente maximale de la tension de sortie sur un oscilloscope.

On appelle la fréquence f_{max} la *bande passante grands signaux* d'un amplificateur opérationnel. Nous venons de trouver que la bande passante grands signaux d'un 741C de V_P égal à 10 V est d'environ 8 kHz. Si l'on essaie d'amplifier des signaux de fréquence plus élevés de même valeur de crête, la tension de sortie chute (fig. 15-21 *c*).

TROC

Pour augmenter la bande passante grands signaux, diminuer la tension de sortie. La figure 15-22 représente l'équation (15-22) pour trois pentes maximales différentes. On augmente la bande passante grands signaux en *troquant la tension de crête contre la fréquence.* Si l'on accepte une tension de crête d'1 V dans une application, la bande passante grands signaux d'un 741C augmente jusqu'à 80 kHz (caractéristique du bas). Si l'on peut réduire la tension de crête jusqu'à 0,1 V, la bande passante grimpe jusqu'à 800 kHz.

Si l'on désire une tension de crête de 10 V, utiliser un meilleur amplificateur opérationnel que le 741C. A la figure 15-22, remarquer que la bande passante pour une tension V_P de 10 V grimpe jusqu'à 80 kHz pour $S_R = 5$ V/μs et jusqu'à 800 kHz pour $S_R = 50$ V/μs.

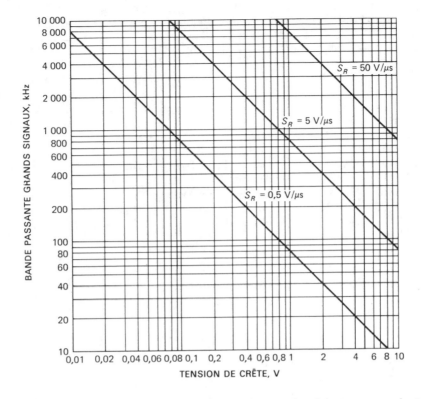

Fig. 15-22. *Caractéristiques de troc amplitude de crête contre bande passante grands signaux.*

AMPLIFICATEURS OPÉRATIONNELS EN VOGUE

Le tableau 15-1 contient une liste de quelques amplificateurs opérationnels en vogue. Les modèles LF351 à LF356 et TL071 à TL074 sont des amplificateurs opérationnels à BIFET. Remarquer leur courant de polarisation moyen ou d'entrée et leur courant de décalage d'entrée. Les modèles LM10C à NE531 sont des amplificateurs opérationnels à transistors bipolaires. Selon le tableau, le LM741C a une tension de décalage d'entrée typique de 2 mV, un courant de polarisation moyen ou d'entrée de 80 nA, un courant de décalage d'entrée de 20 nA, etc. Si les résistances de retour du courant continu des entrées non inverseuse et inverseuse doivent être grandes, la tension de décalage de sortie d'un 741C peut être nettement trop grande. Dans un tel cas, utiliser par exemple, un LF355, un amplificateur opérationnel universel à BIFET.

Le tableau indique aussi le courant de sortie maximal, la fréquence à gain unité et la pente maximale de la tension de sortie. Parfois, pour une application particulière, la tension de sortie d'un 741C ne varie pas assez vite pour donner la bande passante grands signaux nécessaire. Dans ce cas, prendre un dispositif à plus grande pente maximale tel le TL071, un amplificateur opérationnel bon marché à BIFET. De pente maximale de 70 V/μs, le LM318 est l'ultime amplificateur opérationnel pour régler les problèmes de pente maximale.

Tableau 15-1. **Paramètres typiques d'amplificateurs opérationnels en vogue**

Numéro	$V_{i\,(décalage)}$ mV	$I_{i\,(polarisation)}$ nA	$I_{i\,(décalage)}$ nA	$I_{o\,(max)}$ mA	$f_{unité}$ MHz	Pente maximale de tension de sortie V/μs
LF351	5	0,05	0,025	20	4	13
LF353	5	0,05	0,025	20	4	13
LF355	3	0,03	0,003	20	2,5	5
LF356	3	0,03	0,003	20	5	12
LM10C	0,5	12	0,4	20	0,1	0,12
LM11C	0,1	0,025	0,0005	2	0,5	0,3
LM301C	2	70	3	10	1	0,5
LM307	2	70	3	10	1	0,5
LM308	2	1,5	0,2	5	0,3	0,15
LM312	2	1,5	0,2	6	1	0,1
LM318	4	150	30	21	15	70
LM324	2	45	5	20	1	0,5
LM348	1	30	4	25	1	0,5
LM358	2	45	5	40	1	0,5
LM709	2	300	100	42	*	0,25
LM739	1	300	50	1,5	6	1
LM741C	2	80	20	25	1	0,5
LM747C	2	80	20	25	1	0,5
LM748	2	80	20	27	*	*
LM1458	1	200	80	20	1	0,5
LM4250	3—5	*	*	*	*	*
LM13080	3	*	*	250	1	*
NE531	2	400	50	20	1	35
TL071	3	0,03	0,005	10	3	13
TL072	3	0,03	0,005	10	3	13
TL074	5	0,05	0,025	17	4	13

* Commande par des résistances ou des condensateurs externes.

Toutes les données sont typiques. Pour les valeurs des cas les plus défavorables et les autres spécifications, consulter les fiches signalétiques des fabricants. Le CMRR et le gain en tension des amplificateurs opérationnels cités dans le tableau 15-1 varient respectivement de 80 à 100 dB de 100 000 à 300 000. Quelques amplificateurs opérationnels mentionnés sont plutôt inhabituels. Le LM4250, par exemple, comporte une suite d'astérisques. L'utilisateur peut faire varier la grandeur affectée d'un astérisque. On peut programmer un LM4250 par une seule résistance externe de manière à faire varier le courant de polarisation moyen ou d'entrée, le courant de décalage, la pente maximale de tension de sortie, la fréquence de gain unité, etc.

15.7. AUTRES CI LINÉAIRES

Certes, l'amplificateur opérationnel est le plus important CI linéaire, mais il en existe d'autres dans diverses applications. Dans cette section, nous examinerons brièvement ces autres CI. Ce survol ne couvre que les principaux types.

AMPLIFICATEURS AUDIO

Les *préamplificateurs* sont des amplificateurs audio de puissance de sortie inférieure à 50 mW. On optimise les préamplificateurs pour qu'ils aient un faible bruit, parce qu'on les utilise à l'entrée des systèmes audio où ils amplifient les faibles signaux des têtes de lecture des phonographes, des têtes de lecture des bandes magnétiques, des microphones, etc.

Le préamplificateur à CI LM381, par exemple, est un préamplificateur double à faible bruit. Chaque amplificateur est complètement indépendant de l'autre. Le gain en tension et la bande passante grands signaux à 10 V du LM381 sont respectivement de 112 dB et 75 kHz. Le LM381 fonctionne avec une alimentation positive comprise entre 9 et 40 V. Son impédance d'entrée est de 100 kΩ et son impédance de sortie de 150 Ω. L'étage d'entrée du LM381 est un amplificateur différentiel à une ou deux entrées.

La puissance de sortie des *amplificateurs audio de niveau moyen* est comprise entre 50 et 500 mW. On s'en sert près de la sortie des petits systèmes audio tels les récepteurs radio à semiconducteurs et les générateurs de signaux. Le MHC4000P, par exemple, est un préamplificateur audio de niveau moyen à puissance de sortie de 250 mW.

La puissance de sortie des *amplificateurs audio de puissance* est supérieure à 500 mW. On s'en sert dans les amplificateurs de phonographes, les interphones, les récepteurs radio AM-FM et dans d'autres applications de même genre. Le LM380, par exemple, est un amplificateur audio de puissance. Son gain en tension est de 34 dB, sa bande passante de 100 kHz et sa puissance de sortie de 2 W. Le LM2002, un autre amplificateur audio de puissance, a un gain en tension de 40 dB, une bande passante de 100 kHz et une puissance de sortie de 8 W.

La figure 15-23 représente un schéma de principe simplifié du LM380. Les entrées des transistors *PNP* de l'amplificateur différentiel d'entrée servent de masse de référence (vue à la section 8-5). On peut donc transmettre le signal directement, un avantage dans le cas de transducteurs. L'amplificateur différentiel attaque un miroir de courant de charge (Q_5 et Q_6). La sortie du miroir passe au transistor (Q_7) à émetteur suiveur et au transistor d'attaque (Q_8) à émetteur commun. L'étage de sortie est un amplificateur (Q_{13} et Q_{14}) à émetteurs suiveurs push-pull classe B.

Le condensateur interne de compensation de 10 pF fait décroître le gain en tension en décibels à la vitesse de 20 dB par décade. Ce condensateur fournit une pente maximale d'environ 5 V/μs.

AMPLIFICATEURS VIDÉO

Un amplificateur *vidéo* ou *large bande* a une réponse horizontale ou uniforme (gain en tension en décibels constant) sur une très large bande de fréquences. Les

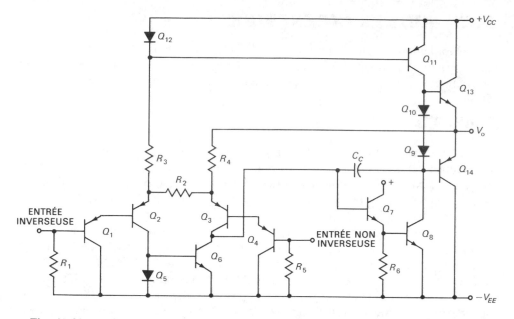

Fig. 15-23. *Schéma de principe simplifié d'un LM380 et d'autres CI audio semblables.*

bandes passantes typiques sont de l'ordre de plusieurs mégahertz. Les amplificateurs vidéo ne sont pas nécessairement des amplificateurs pour courant continu,
mais leur réponse s'étend souvent jusqu'à la fréquence nulle. On les utilise dans des
applications à très large gamme de fréquence d'entrée. Les nombreux oscilloscopes,
par exemple, à fréquence d'entrée comprise entre 0 Hz et plus de 10 MHz
comportent des amplificateurs vidéo pour augmenter l'intensité du signal avant de
l'appliquer au tube à rayons cathodiques. Autre exemple : les téléviseurs comportent un amplificateur vidéo pour traiter les fréquences comprises entre environ 0 Hz
et environ 4 MHz.

On règle le gain en tension et la bande passante des amplificateurs vidéo à CI
en montant différentes résistances externes. Le gain en tension en décibels et la
fréquence de coupure d'un μA702, par exemple, sont respectivement de 40 dB et
de 5 MHz. On obtient un gain utile jusqu'à 30 MHz en changeant de composants
externes. On règle le gain en tension en décibels et la bande passante typiques d'un
MC1553 de repectivement 52 dB et 20 MHz en changeant de composants externes.
Le LM733 a une très large bande passante, on peut le régler pour obtenir un gain
de 20 dB et une bande passante de 120 MHz.

AMPLIFICATEURS RF ET AMPLIFICATEURS FI

Habituellement, on utilise l'amplificateur *radiofréquence* (RF) comme premier
étage d'un récepteur radio AM-FM et comme premier étage d'un téléviseur.
Habituellement, on utilise les amplificateurs *fréquence intermédiaire* (FI) dans les
étages de milieu. Le CI LM703 comprend des amplificateurs RF et FI sur la même
puce. Ces amplificateurs à résonance (à circuit résonnant) n'amplifient qu'une
étroite bande de fréquences. Donc, le récepteur radio et le téléviseur s'accordent

sur le signal désiré émis par une station radiophonique ou une station de télévision. Comme nous l'avons mentionné, on n'intègre pas de bobines ni de gros condensateurs sur une puce. Aussi faut-il connecter des bobines et des condensateurs externes à la puce pour obtenir des amplificateurs à résonance.

RÉGULATEURS DE TENSION

Au chapitre 3, nous avons étudié les redresseurs et les alimentations. Le signal obtenu après filtrage est une tension continue qui ondule. Cette tension continue est proportionnelle à la tension de secteur; elle varie donc de 10 % lorsque la tension de secteur varie de 10 %. Dans la plupart des applications, cette variation de 10 % de la tension continue est trop forte et il faut *réguler la tension*. La série LM340 représente de façon typique les nouveaux régulateurs de tension à CI. Les puces de ce type maintiennent la tension continue de sortie à moins de 0,01 % pour des variations normales de la tension de secteur et de la résistance de charge. Autres caractéristiques de régulateurs de tension : sortie positive ou négative, tension de sortie réglable et protection contre les courts-circuits. Au chapitre 19, nous étudierons les régulateurs de tension à CI de façon détaillée.

PROBLÈMES

Simples

15-1. Les entrées v_1 et v_2 de l'amplificateur différentiel représenté à la figure 15-24 *a* sont mises à la masse. Calculer le courant émetteur de chaque transistor, le courant de queue et la tension continue de sortie.

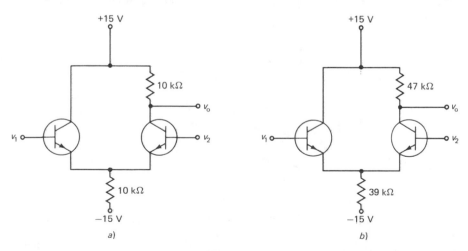

Fig. 15-24.

15-2. Les courants base d'un amplificateur différentiel sont de 20 μA et de 24 μA. Calculer le courant de décalage d'entrée et le courant de polarisation moyen ou d'entrée.

15-3. Soit l'amplificateur différentiel représenté à la figure 15-24 *a*. Le gain β_{cc} du transistor de gauche est de 100 et celui du transistor de droite est de 120. Supposer que les entrées v_1 et v_2 sont mises à la masse et calculer le courant continu base de chaque transistor. Calculer le courant de décalage d'entrée et le courant de polarisation moyen.

15-4. Reprendre le problème 15-1 pour l'amplificateur différentiel représenté à la figure 15-24 *b*.

15-5. Reprendre le problème 15-3 pour l'amplificateur différentiel représenté à la figure 15-24 *b*.

15-6. Selon une fiche signalétique, $I_{i \text{ (polarisation)}} = 300$ nA et $I_{i \text{ (décalage)}} = 100$ nA. Calculer I_{B1} et I_{B2}.

15-7. Soit l'amplificateur différentiel représenté à la figure 15-24 *a*. Calculer le gain en tension différentiel et l'impédance d'entrée pour $\beta = 150$.

15-8. Soit l'amplificateur différentiel représenté à la figure 15-24 *a*. Calculer le gain en tension en mode commun et le taux de réjection en mode commun CMRR en décibels.

15-9. Soit l'amplificateur différentiel représenté à la figure 15-24 *b*. Calculer le gain en tension différentiel, le gain en tension en mode commun et le taux de réjection en mode commun CMRR en décibels.

15-10. Les entrées v_1 et v_2 de l'amplificateur différentiel représenté à la figure 15-25 sont mises à la masse. Calculer le courant qui traverse Q_3, le courant de queue, la résistance r'_e de Q_2.

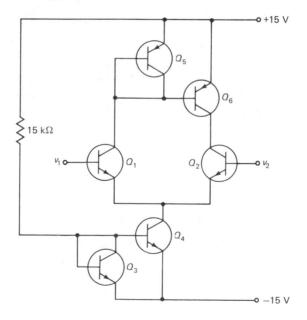

Fig. 15-25.

15-11. Soit l'amplificateur représenté à la figure 15-25. La résistance équivalente R_E d'entrée de collecteur de Q_4 égale 100 kΩ et la résistance équivalente R_C d'entrée de collecteur de Q_6 égale 200 kΩ. Calculer le gain en tension différentiel, le gain en tension en mode commun et le taux de réjection en mode commun CMRR en décibels.

15-12. Un amplificateur différentiel a un taux de réjection en mode commun de 80 dB et un gain en tension différentiel de 200. Calculer la tension de sortie lorsque la tension d'entrée en mode commun est de 10 mV.

15-13. L'amplificateur opérationnel représenté à la figure 15-26 *a* a une résistance d'entrée r_i de 2 MΩ, une résistance de sortie r_o de 75 Ω et un gain A de 100 000. Calculer la tension approximative de sortie.

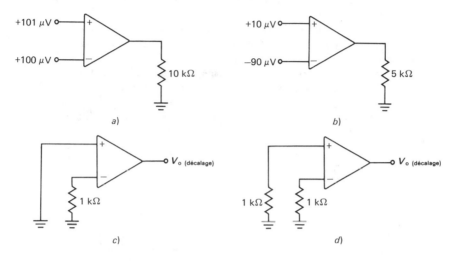

Fig. 15-26.

15-14. Soit l'amplificateur opérationnel représenté à la figure 15-26 *a*. On donne $A' = 92$ dB et $r_o = 75$ Ω. Calculer la tension de sortie.

15-15. Soit l'amplificateur opérationnel représenté à la figure 15-26 *b*. On donne $A = 100\,000$ et $r_o = 75$ Ω. Calculer la tension de sortie.

15-16. Soit l'amplificateur opérationnel représenté à la figure 15-26 *c*. Le courant base d'entrée non inverseuse est de 90 nA et celui d'entrée inverseuse est de 70 nA. Supposer que les tensions V_{BE} sont égales et calculer le courant de polarisation d'entrée, le courant de décalage d'entrée et la tension à l'entrée inverseuse. On donne $A = 100\,000$. Calculer la tension de décalage de sortie.

15-17. Soit l'amplificateur opérationnel représenté à la figure 15-26 *c*. On donne $v_{i\,(\text{décalage})} = 0$, $I_{i\,(\text{polarisation})} = 80$ nA et $I_{i\,(\text{décalage})} = 20$ nA. Supposer que $A = 100\,000$ et calculer la tension maximale de décalage de sortie.

15-18. Soit l'amplificateur opérationnel représenté à la figure 15-26 *d*. On donne $I_{i\,(\text{décalage})} = 20$ nA, $v_{i\,(\text{décalage})} = 0$ et $A = 100\,000$. Calculer la tension d'entrée différentielle et la tension de décalage de sortie.

15-19. Soit la figure 15-18.

a. Que vaut le CMRR' d'un 741C à 100 kHz ?

b. Soit la figure 15-18 *b*. Que vaut la dynamique de sortie lorsque la résistance de charge est de 500 Ω ?

c. Que vaut le gain en tension en boucle ouverte d'un 741C à 1 kHz ?

15-20. Le courant de charge constant d'un condensateur de 50 pF est d'1 mA. Calculer la vitesse de variation de la tension par rapport au temps.

15-21. Le courant maximal de charge d'un condensateur de 100 pF est de 150 μA. Calculer la pente maximale de la tension de sortie.

15-22. La pente maximale de la tension de sortie d'un amplificateur opérationnel est de 35 V/μs. Calculer le temps que prend la tension pour passer de 0 à 15 V.

15-23. Le courant de queue I_T de l'étage d'entrée d'un amplificateur opérationnel semblable à celui représenté à la figure 15-13 est de 100 μA. Supposer que $C_C = 30$ pF et calculer la pente maximale de la tension de sortie.

15-24. Un amplificateur opérationnel a une pente maximale de tension de sortie de 2 V/μs. Supposer que la tension de crête de sortie est de 12 V et calculer la bande passante grands signaux.

15-25. Selon sa fiche signalétique, la bande passante grands signaux à 15 V d'un amplificateur opérationnel est de 25 kHz. Calculer la pente maximale de la tension de sortie.

15-26. Soit l'amplificateur opérationnel représenté à la figure 15-13. On donne $V_{CC} = 15$ V, $V_{EE} = 15$ V, V et $R_2 = 1$ MΩ. Calculer I_T de l'étage à amplificateur différentiel.

15-27. La pente maximale de la tension de sortie d'un 318 est de 50 V/μs. Considérer la figure 15-22 et déterminer la bande passante grands signaux pour
   a. $V_P = 10$ V;
   b. $V_P = 4$ V;
   c. $V_P = 2$ V.

De dépannage

15-28. On construit l'amplificateur différentiel représenté à la figure 15-24 *a* en laissant flotter (ou en ne connectant pas) les entrées. Calculer la tension de sortie. Dire ce qu'a besoin cet amplificateur pour qu'il fonctionne convenablement.

15-29. Soit l'amplificateur différentiel représenté à la figure 15-24 *b* dans lequel on monte malencontreusement une résistance de 3,9 kΩ au lieu de celle de 39 kΩ indiquée. Calculer la tension de sortie.

15-30. Soit l'amplificateur opérationnel représenté à la figure 15-26 *c*. La sortie est saturée (elle égale environ une tension d'alimentation). Le courant de polarisation moyen ou d'entrée est de 80 nA. Trouver la (les) cause(s) possible(s) de ce dérangement parmi les suivantes :
   a. résistancee d'1 kΩ court-circuitée;
   b. montage par erreur d'une résistance de 100 kΩ au lieu d'une résistance d'1 kΩ;
   c. résistance d'1 kΩ connectée à l'entrée non inverseuse au lieu de l'être à l'entrée inverseuse;
   d. les deux entrées sont accidentellement court-circuitées ensemble.

De conception

15-31. Soit l'amplificateur différentiel représenté à la figure 15-24 *a*. Choisir une résistance d'émetteur pour obtenir un gain en tension différentiel d'environ 200.

15-32. Concevoir un amplificateur différentiel semblable à celui représenté à la figure 15-24 *a* et tel que $V_{CC} = 10$ V, $V_{EE} = -10$ V, $A = 100$ (au moins) et CMRR = 150 (au moins).

15-33. Modifier l'amplificateur différentiel représenté à la figure 15-25 pour obtenir un courant de queue de 100 μA.

15-34. L'amplificateur opérationnel représenté à la figure 15-26 *d* a un courant de polarisation moyen ou d'entrée de 10 nA et un courant de décalage d'entrée d'1 nA. Modifier cet amplificateur avec les plus grandes résistances possibles de retour des bases pour que les tensions V_{BE} soient égales, $A = 100\,000$ et que la tension de décalage de sortie soit inférieure à $\pm\,1$ V.

De défi

15-35. La résistance en continu de chaque source de signal de l'amplificateur représenté à la figure 15-27 *a* est nulle. Calculer la résistance r'_e de chaque transistor. Supposer qu'on tire la tension de sortie entre les collecteurs et calculer le gain en tension différentiel.

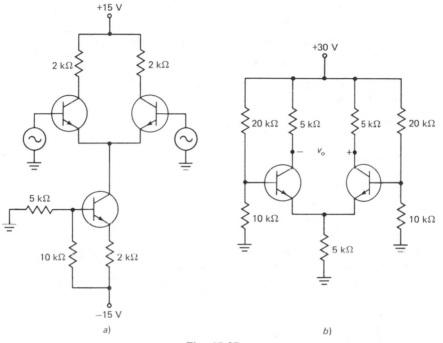

Fig. 15-27.

15-36. On utilise la formule (15-1) dans le cas d'un amplificateur différentiel à deux entrées et deux sorties. Prouver cette formule.

15-37. Calculer le courant continu émetteur de chaque transistor représenté à la figure 15-27 *b* et le gain en tension différentielle.

A résoudre par ordinateur

15-38. Une variable chaîne a le symbole $*$* en suffixe. Exemples : A\$, B4\$, NAME\$. Au lieu de représenter un nombre, une variable chaîne représente un groupe de lettres, de nombres ou d'autres symboles. Soit le programme

```
10  A$ = "ROGER BONTEMPS"
20  B$ = "1234, RUE LAJOIE"
30  C$ = "MONTRÉAL (QUÉ.)"
40  D$ = "H3A 2N9"
50  PRINT A$ : PRINT B$ : PRINT C$ : PRINT D$
```

La ligne 10 affecte ROGER BONTEMPS à A\$. Remarquer les guillemets qui entourent ROGER BONTEMPS; leur fonction est d'informer l'ordinateur qu'il s'agit d'une variable chaîne. La ligne 20 affecte le numéro civique et le nom de la

---

* N.d.T. Mis pour *String* (chaîne).

rue à B$, la ligne 30 affecte le nom de la ville et le nom de la province à C$ et la ligne 40 affecte le code postal à D$. La ligne 50 fait afficher ceci sur l'écran

ROGER BONTEMPS
1234, RUE LAJOIE
MONTRÉAL (QUÉ.)
H3A 2N9

Récrire ce programme pour afficher votre nom et votre adresse.

15-39.   Soit le programme

```
10 A$ = "INTRODUIRE LA TENSION D'ALIMENTATION"
20 B$ = "VEE"
30 C$ = "VCC"
40 D$ = "INTRODUIRE LES RÉSISTANCES"
50 E$ = "RE"
60 F$ = "RC"
70 PRINT A$; B$ : INPUT VEE
80 PRINT A$; C$ : INPUT VCC
90 PRINT D$; E$ : INPUT RE
100 PRINT D$; F$ : INPUT RC
110 IT = (VEE − 0.7)/RE
120 PRINT "LE COURANT DE QUEUE ÉGALE"; IT
130 V = VCC − (0.5*IT)*RC
140 PRINT "LA TENSION DE SORTIE DE REPOS ÉGALE"; V
```

Qu'affiche l'écran de l'ordinateur après exécution de la ligne 70 et de la ligne 100 ? Quelle sorte de circuit ce programme analyse-t-il ?

15-40.   On peut additionner des chaînes. Si A$ = "ROGER" et B$ = BONTEMPS", alors A$ + B$ = "ROGER BONTEMPS". Soit le programme

```
10 A$ = "INTRODUIRE LES RÉSISTANCES"
20 B$ = "RC"
30 C$ = "RE"
40 D$ = "R PRIME E"
50 PRINT A$ + B$ : INPUT RC
60 PRINT A$ + C$ : INPUT RE
70 PRINT A$ + D$ : INPUT RPE
80 A = RC/2*RPE
90 AMC = RC/2*RE
100 CMRR = − A/AMC
110 PRINT A, AMC, CMRR
```

Qu'affiche l'écran de l'ordinateur après exécution de la ligne 50, de la ligne 70 et de la ligne 110 ?

15-41.   Ecrire un programme qui affiche la bande passante grands signaux pour les tensions de crête d'1, 2, 3, ... 10 V. Utiliser une instruction INPUT pour introduire la pente maximale de la tension de sortie et une instruction FOR ... NEXT pour générer les tensions de crête requises.

Contre-réaction ou réaction négative

Certains trouvent stupides nos idées géniales. Parlez-en aux frères Wright, à Marconi et à H.S. Black ! On salua l'idée de ce dernier de faire breveter en 1928 un amplificateur à contre-réaction comme on accueille toute douce lubie sur le mouvement perpétuel. Mais cette notion de contre-réaction est l'une des idées les plus fructueuses jamais découvertes en électronique.

Dans un amplificateur à réaction, on réinjecte à l'entrée un échantillon de la sortie. Ce signal de réaction modifie sensiblement les performances de l'amplificateur. Par contre-réaction, entendre que la phase du signal réinjecté est opposée à celle du signal d'entrée. Les avantages de la contre-réaction sont un gain stable, une moindre distorsion et une bande passante plus large.

16.1. RÉACTION DE TENSION NON INVERSEUSE

La *réaction de tension non inverseuse* est le type de contre-réaction le plus fondamental. Dans ce type de réaction, le signal d'entrée attaque l'entrée non inverseuse de l'amplificateur, après quoi on réinjecte à l'entrée inverseuse un taux échantillonné de la tension de sortie. Un amplificateur à réaction de tension non inverseuse tend à se comporter comme un amplificateur idéal de tension avec une impédance d'entrée infinie, une impédance de sortie nulle et un gain en tension constant.

TENSION D'ERREUR

La figure 16-1 représente un amplificateur à deux entrées. Cet amplificateur est habituellement un amplificateur opérationnel, mais ce pourrait être un amplificateur discret à un ou plusieurs étages. Remarquer l'échantillonnage de la tension de sortie par un diviseur de tension. Donc, la tension de réaction appliquée à l'entrée inverseuse est proportionnelle à la tension de sortie.

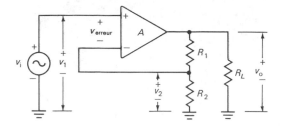

Fig. 16-1. *Réaction de tension non inverseuse.*

Dans un amplificateur à réaction, on appelle *tension d'erreur* la différence entre la tension d'entrée non inverseuse et la tension d'entrée inverseuse. D'où

$$v_{\text{erreur}} = v_1 - v_2$$

La tension de sortie de cette tension d'erreur amplifiée égale

$$v_{\text{o}} = A v_{\text{erreur}}$$

Ordinairement, A est très grand. Donc, pour éviter la saturation des transistors de sortie, il faut maintenir v_{erreur} très petit. Si la gain en tension différentiel est de 100 000, une tension d'erreur de seulement 0,1 mV produit une tension de sortie de 10 V.

GAIN EN TENSION STABLE

Le gain total en tension de l'amplificateur représenté à la figure 16-1 est presque constant, même si le gain en tension différentiel varie. Pourquoi ? Si, pour une certaine raison (variation de température, remplacement de l'amplificateur opérationnel ou tout autre motif) A augmente, la tension de sortie essaie d'augmenter. Alors la tension accrue réinjectée à l'entrée inverseuse fait décroître la tension d'erreur. Cela contrebalance presque complètement la tentative d'augmentation de la tension de sortie.

Le raisonnement est le même pour une diminution du gain en tension différentiel. Si A diminue, la tension de sortie essaie de décroître. Alors la tension de réaction diminue et donc v_{erreur} augmente. Cela contrebalance presque complètement la tentative de diminution de A.

Retenir cette notion fondamentale. Lorsque la tension d'entrée est constante, toute tentative de variation de la tension de sortie est réinjectée à l'entrée et la tension d'erreur ainsi produite compense automatiquement cette tentative de variation.

ANALYSE MATHÉMATIQUE

La plupart des amplificateurs opérationnels ont un gain en tension A extrêmement grand, une très grande impédance d'entrée r_i et une très petite impédance de sortie r_o. Un 741 C, par exemple, a un gain A de 100 000, une impédance r_i de 2 MΩ et une impédance r_o de 75 Ω.

Le diviseur de tension représenté à la figure 16-1 renvoie un échantillon de la tension de sortie à l'entrée inverseuse. Si pour l'entrée inverseuse le diviseur de tension est soutenu, la tension de réaction égale

$$v_2 = \frac{R_2}{R_1 + R_2} \, v_o$$

On écrit souvent cette relation sous la forme

$$v_2 = Bv_o$$

dans laquelle B est le taux de la tension de sortie réinjectée à l'entrée. Il vient

$$B \cong \frac{R_2}{R_1 + R_2} \qquad (16\text{-}1)$$

Cette relation n'est vraie que si r_i est beaucoup plus grand que R_2, ce qui est généralement le cas dans un amplificateur opérationnel. La relation exacte est

$$B = \frac{R_2 \parallel r_i}{R_1 + R_2 \parallel r_i}$$

La tension d'erreur appliquée à l'amplificateur égale

$$v_{erreur} = v_1 - v_2 \cong v_i - Bv_o$$

L'amplification de cette tension donne une tension de sortie d'environ

$$v_o = Av_{erreur} = A(v_i - Bv_o)$$

D'où, par réarrangement

$$\frac{v_o}{v_i} = \frac{A}{1 + AB} \qquad (16\text{-}2)$$

Dans cette formule, v_o = tension de sortie

v_i = tension d'entrée

A = gain en tension différentiel

B = taux de la tension de sortie réinjectée à l'entrée.

GAIN EN TENSION APPROXIMATIF

On appelle le produit AB le *gain de boucle* ou *de réinjection*. Pour avoir une réaction de tension non inverseuse effective, le concepteur doit délibérément rendre le gain de boucle AB nettement supérieur à 1. Alors la relation (16-2) se réduit à

$$\frac{v_o}{v_i} \cong \frac{1}{B} \qquad (16\text{-}3)$$

Pourquoi cette formule est-elle si importante ? Parce qu'elle stipule que le gain total en tension de l'amplificateur égale l'inverse de B, le taux de réaction. Autrement dit, le gain ne dépend plus du gain de l'amplificateur opérationnel, mais plutôt de la réaction du diviseur de tension. Comme on peut construire le diviseur de tension à l'aide de résistances de précision à tolérance de 1 %, B est une caractéristique précise, stable et indépendante de l'amplificateur. Même si la tolérance des résistances de réaction est de 5 %, on peut prédire le gain en tension à moins de 5 %. Donc le gain en tension d'un amplificateur à réaction est une grandeur très stable qui vaut environ l'inverse de B.

ANALYSE SIMPLIFIÉE

Voici une façon simple de se souvenir de la formule (16-3). En raison du gain en tension différentiel élevé, la tension d'entrée inverse est *asservie* à quelques microvolts de l'entrée non inverseuse. D'où

$$v_1 \cong v_2$$

ce qui équivaut à

$$v_i \cong Bv_o$$

D'où

$$\frac{v_o}{v_i} \cong \frac{1}{B}$$

On obtient en peu de lignes la même relation qu'auparavant.

GAIN EN TENSION EN BOUCLE OUVERTE

Le gain en tension *en boucle ouverte* A_{OL}* égale le rapport v_o/v_i avec le chemin de réaction ouvert (fig. 16-2). L'ouverture de la boucle de réaction ne doit pas déranger les impédances sur les bornes. Voilà pourquoi on ramène la borne d'entrée inverseuse à la masse *via* une résistance équivalente

$$R_B = R_1 \parallel R_2$$

et pourquoi on charge la borne de sortie par une résistance équivalente

$$r_L = (R_1 + R_2) \parallel R_L$$

Habituellement, r_L est beaucoup plus grand que l'impédance de sortie de l'amplificateur, afin que le gain en tension en boucle ouverte égale environ le gain en tension différentiel A. De cela, il vient que le gain en tension en boucle ouverte d'un 741 C est typiquement de 100 000.

GAIN EN TENSION EN BOUCLE FERMÉE

Le gain en tension *en boucle fermée* égale le gain total en tension lorsque le chemin de réaction est fermé. On écrit parfois la formule (16-2) sous la forme

$$A_{CL} = \frac{A_{OL}}{1 + A_{OL}B} \tag{16-4}$$

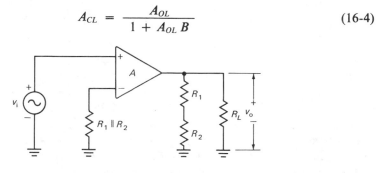

Fig. 16-2. *Boucle ouverte.*

---

* N.d.T. *OL* est mis pour *Open Loop* (boucle ouverte).

dans laquelle, A_{CL} = gain en tension en boucle fermée *
A_{OL} = gain en tension en boucle ouverte $\cong A$
B = taux de réaction

Le gain de boucle $A_{OL}\,B$ de la plupart des amplificateurs à réaction est nettement supérieur à 1. Alors la formule (16-4) devient

$$A_{CL} \cong \frac{1}{B} \tag{16-5}$$

Comme $B \cong R_2/(R_1 + R_2)$, il vient aussi

$$A_{CL} \cong \frac{R_1 + R_2}{R_2}$$

que l'on écrit souvent sous la forme

$$A_{CL} \cong \frac{R_1}{R_2} + 1 \tag{16-6}$$

EXEMPLE 16-1

Supposer que le gain en boucle du 741 C représenté à la figure 16-3 est de 100 000 et calculer le gain en boucle fermée. Supposer que $v_i = 1$ mV et calculer la tension de sortie et la tension d'erreur.

SOLUTION

Le gain du diviseur de tension égale

$$B \cong \frac{2\text{ k}\Omega}{100\text{ k}\Omega} = 0,02$$

Le gain en boucle fermée égale

$$A_{CL} \cong \frac{1}{0,02} = 50$$

La formule (16-4) donne le gain plus précis

$$A_{CL} = \frac{100\ 000}{1 + 100\ 000\ (0,02)} = 49,975$$

Remarquer la proximité de ce résultat avec 50 parce que $1/B$ est une approximation précise du gain en tension en boucle fermée d'un amplificateur à réaction de tension non inverseuse.

Si $v_i = 1$ mV, la tension de sortie égale

$$v_o = A_{CL}\,v_i \cong 50\,(1\text{ mV}) = 50\text{ mV}$$

La tension d'erreur égale

$$v_{\text{erreur}} \cong \frac{50\text{ mV}}{100\ 000} = 0,5\ \mu\text{V}$$

---

* N.d.T. *CL* est mis pour *Closed Loop* (boucle fermée).

Remarquer la petitesse de la tension d'erreur. Ce résultat est typique des amplificateurs à réaction opérationnels parce que le gain en tension en boucle ouverte est très élevé.

EXEMPLE 16-2

On remplace le 741 C de l'amplificateur représenté à la figure 16-3 par un autre à gain en tension de seulement 20 000 (la valeur la plus défavorable sur la fiche signalétique). Calculer de nouveau A_{CL} et aussi v_o et v_{erreur} pour $v_i = 1$ mV.

SOLUTION

Selon la formule (16-4),

$$A_{CL} = \frac{20\ 000}{1 + 20\ 000\ (0,02)} = 49,875$$

Le gain en tension en boucle fermée est encore très proche de 50 malgré l'énorme chute du gain en tension en boucle ouverte. Ce résultat illustre l'utilité de la contre-réaction. Sans contre-réaction le gain total en tension chuterait de 100 000 à 20 000, une diminution de 80 %. La contre-réaction diminue le gain en tension mais stabilise fortement le gain en tension en boucle fermée. Dans cet exemple, le gain en tension en boucle fermée diminue de 49,975 à 49,875, une diminution de seulement 0,2 %. Le gain en tension en boucle fermée est donc presque indépendant du gain en tension de l'amplificateur opérationnel.

Puisque A_{CL} égale 50, v_o égale environ 50 mV, mais la tension d'erreur devient

$$v_{erreur} = \frac{50\ \text{mV}}{20\ 000} = 2,5\ \mu\text{V}$$

Comparativement à l'exemple précédent, la tension d'erreur augmente de 0,5 μV à 2,5 μV.

Lorsque le gain en tension en boucle ouverte chute au cinquième, la tension d'erreur quintuple. Par conséquent, la tension de sortie reste ap-

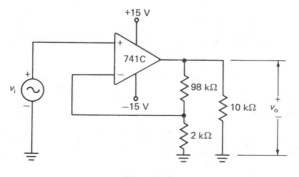

Fig. 16-3.

proximativement à 50 mV. Cela concorde avec notre explication ci-dessus de la contre-réaction. La réinjection à l'entrée de toute velléité de variation de la tension de sortie produit une tension d'erreur qui compense automatiquement cette variation de sortie.

16.2. AUTRES EFFETS DE LA RÉACTION DE TENSION NON INVERSEUSE

Un gain en tension stable n'est pas le seul avantage de la réaction de tension non inverseuse. Celle-ci améliore aussi l'impédance d'entrée, l'impédance de sortie, la distorsion non linéaire et la tension de décalage de sortie. Nous étudierons toutes ces améliorations dans cette section.

IMPÉDANCE D'ENTRÉE

La figure 16-4 représente un amplificateur à réaction de tension non inverseuse. L'impédance d'entrée en boucle ouverte de l'amplificateur opérationnel égale environ r_i. L'impédance d'entrée en boucle fermée de l'amplificateur global égale $r_{i\,(CL)}$. L'impédance en boucle fermée $r_{i\,(CL)}$ est plus grande que l'impédance en boucle ouverte r_i.

De combien l'impédance d'entrée en boucle fermée est-elle plus grande ? Pour le savoir, il faut trouver la formule de v_i/i_i. Selon la figure 16-4,

$$v_i = v_{\text{erreur}} + Bv_o$$

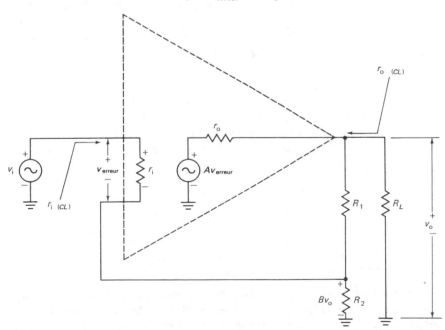

Fig. 16-4. *Pour le calcul de l'impédance d'entrée et l'impédance de sortie.*

D'où

$$v_i = v_{erreur} + ABv_{erreur} = (1 + AB)\, v_{erreur}$$

Or $v_{erreur} = i_i\, r_i$, d'où

$$v_i = (1 + AB)\, i_i\, r_i$$

D'où

$$\frac{v_i}{i_i} = (1 + AB)\, r_i$$

Le rapport v_i / i_i égale l'impédance d'entrée vue par la source. D'où la relation

$$r_{i\,(CL)} = (1 + AB)\, r_i \tag{16-7}$$

dans laquelle, $r_{i\,(CL)}$ = impédance d'entrée en boucle fermée
r_i = impédance d'entrée en boucle ouverte
AB = gain de boucle

Puisque dans la plupart des amplificateurs à réaction, AB est nettement supérieur à 1, $r_{i\,(CL)}$ est nettement supérieur à r_i.

La réaction de tension non inverseuse appliquée aux amplificateurs opérationnels donne une impédance d'entrée qui tend vers l'infini. Donc, un amplificateur opérationnel à réaction de tension non inverseuse approxime un amplificateur idéal de tension.

IMPÉDANCE DE SORTIE

L'impédance de sortie en boucle ouverte de l'amplificateur opérationnel représenté à la figure 16-4 est r_o. Par conséquent, l'impédance en boucle fermée de l'amplificateur global est $r_{o\,(CL)}$. L'impédance de sortie en boucle fermée est inférieure à l'impédance de sortie en boucle ouverte. Pourquoi ? La sortie de l'amplificateur opérationnel représenté à la figure 16-4 est équivalente à une tension de Thévenin Av_{erreur} et à une impédance de sortie r_o. Si R_L diminue, le courant de sortie augmente et donc la chure de tension interne entre les bornes de r_o augmente. Alors, v_o essaie de décroître, la tension réinjectée diminue, v_{erreur} augmente et l'augmentation de la tension de Thévenin de sortie contrebalance presque complètement l'augmentation de la chute de tension entre les bornes de r_o. Cet effet équivaut à une diminution de l'impédance de sortie de l'amplificateur à réaction.

Selon l'appendice 1,

$$r_{o\,(CL)} = \frac{r_o}{1 + AB} \tag{16-8}$$

Dans cette relation, $r_{o\,(CL)}$ = impédance de sortie en boucle fermée
r_o = impédance de sortie en boucle ouverte
AB = gain de boucle.

Lorsque le gain de boucle est nettement supérieur à 1, $r_{o\,(CL)}$ est nettement inférieur à r_o. La réaction de tension non inverseuse appliquée aux amplificateurs opérationnels donne une impédance de sortie qui tend vers zéro, le cas idéal pour un amplificateur de tension.

DISTORSION NON LINÉAIRE

Le dernier étage d'un amplificateur opérationnel déforme non linéairement lorsque le signal dévie sur presque toute la droite de charge dynamique. Une grande excursion du courant fait varier la résistance r'_e d'un transistor durant le cycle. Autrement dit, le gain en tension en boucle ouverte varie durant le cycle lorsqu'on amplifie un grand signal. La source de la distorsion non linéaire est ce gain en tension variable.

La réaction de tension non inverseuse diminue la distorsion non linéaire parce que la réaction stabilise le gain en tension en boucle fermée en le rendant presque indépendant des variations du gain en tension en boucle ouverte. Tant que le gain de boucle est nettement supérieur à 1, la tension de sortie égale $1/B$ fois la tension d'entrée. Alors la sortie sera une réplique plus fidèle de l'entrée. C'est exactement ce qui se produit dans le cas d'une réaction de tension non inverseuse.

Le schéma de la figure 16-5 illustre mieux la réduction de la distorsion. Dans le cas de grands signaux, l'amplificateur opérationnel produit une tension de distorsion, notée v_{dist}, que l'on représente comme une nouvelle source de tension en série avec la source originale Av_{erreur}. Sans contre-réaction, toute la tension de distorsion v_{dist} apparaîtrait à la sortie. Mais la contre-réaction réinjecte une fraction de la tension de distorsion à l'entrée inverseuse. Cette fraction amplifiée arrive à la sortie avec une phase inversée et annule presque complètement la distorsion originale produite par l'étage de sortie.

Calculons cette amélioration. Selon le schéma de la figure 16-5,

$$v_o = Av_{\text{erreur}} + v_{\text{dist}} = A(v_i - Bv_o) + v_{\text{dist}}$$

D'où

$$v_o = \frac{A}{1 + AB}\, v_i + \frac{v_{\text{dist}}}{1 + AB}$$

On cherche à obtenir le premier terme du deuxième membre puisqu'il représente la tension d'entrée amplifiée. Le deuxième terme représente la distorsion qui apparaît au dernier étage. Ce deuxième terme donne la relation

$$v_{\text{dist}(CL)} = \frac{v_{\text{dist}}}{1 + AB} \qquad (16\text{-}9)$$

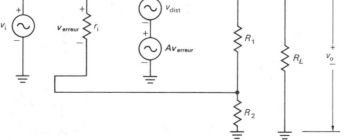

Fig. 16-5. *La distorsion non linéaire générée intérieurement diminue.*

dans laquelle $v_{\text{dist}(CL)}$ = tension de distorsion en boucle fermée

  v_{dist} = tension de distorsion en boucle ouverte

  AB = gain de boucle.

Lorsque le gain de boucle est nettement supérieur à 1, la distorsion en boucle fermée est nettement inférieure à la distorsion en boucle ouverte. La réaction de tension non inverseuse améliore encore nettement la qualité de l'amplificateur.

DIMINUTION DE LA TENSION DE DÉCALAGE DE SORTIE

Au chapitre 15, nous avons dit qu'il peut exister une tension de décalage de sortie même si la tension d'entrée est nulle. En voici les trois causes : tension de décalage d'entrée, courant de polarisation d'entrée et courant de décalage de sortie. La figure 16-6 représente un amplificateur à réaction avec une source de tension de décalage de sortie en série avec la source originale Av_{erreur}. Cette nouvelle source de tension représente la tension de décalage de sortie sans réaction. La vraie tension de décalage de sortie à contre-réaction est plus petite.

Pourquoi ? Raisonnons comme pour la distorsion. Une partie de la tension de décalage de sortie est réinjectée à l'entrée inverseuse. Après amplification, la tension déphasée qui arrive à la sortie annule presque toute la tension de décalage de sortie originale. Il vient par un calcul identique à celui effectué pour la distorsion,

$$V_{\text{o(décalage)}(CL)} = \frac{V_{\text{o(décalage)}}}{1 + AB} \qquad (16\text{-}10)$$

Dans cette relation, $V_{\text{o(décalage)}(CL)}$ = tension de décalage de sortie en boucle fermée

  $V_{\text{o(décalage)}}$ = tension de décalage de sortie en boucle ouverte

  AB = gain de boucle

Si le gain de boucle est nettement supérieur à 1, la tension de décalage de sortie en boucle fermée est nettement plus petite que la tension de décalage de sortie en boucle ouverte.

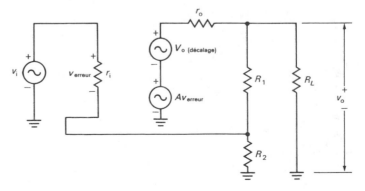

Fig. 16-6. *Réduction de la tension de décalage de sortie.*

DÉSENSIBILITÉ

Le gain en tension en boucle fermée avec réaction de tension non inverseuse égale

$$A_{CL} = \frac{A}{1 + AB} \qquad (16\text{-}11)$$

On appelle la quantité $1 + AB$ la *désensibilité* d'un amplificateur à réaction parce qu'elle représente le diviseur du gain en tension par la contre-réaction. Si $A = 100\,000$ et $B = 0{,}02$, alors

$$1 + AB = 1 + 100\,000(0{,}02) = 2001$$

La désensibilité égale 2001, autrement dit, le gain en tension est divisé par 2001. Il vient

$$A_{CL} = \frac{100\,000}{2001} = 50$$

Réarrangeons la formule (16-11) sous la forme

$$1 + AB = \frac{A}{A_{CL}} \qquad (16\text{-}12)$$

selon laquelle la désensibilité égale le rapport du gain en tension en boucle ouverte au gain en tension en boucle fermée. Si $A = 100\,000$ et $A_{CL} = 250$, la désensibilité égale

$$1 + AB = \frac{100\,000}{250} = 400$$

La formule (16-12) est pratique lorsqu'on connaît A et A_{CL} mais pas B.

Au tableau 16-1 nous avons résumé les effets de la réaction de tension non inverseuse. Visiblement, la désensibilité apparaît dans la plupart des formules. D'où l'importance de savoir calculer la désensibilité. Pour cela, utiliser $1 + AB$ ou A/A_{CL}.

Tableau 16-1. Réaction de tension non inverseuse

Grandeur	Symbole	Effet	Formule
Gain en tension	A_{CL}	diminue	$1/B$
Impédance d'entrée	$r_{i\,(CL)}$	augmente	$(1 + AB)\,r_i$
Impédance de sortie	$r_{o\,(CL)}$	diminue	$r_o/(1 + AB)$
Distorsion	$v_{dist\,(CL)}$	diminue	$v_{dist}/(1 + AB)$
Décalage de sortie	$V_{o\,(décalage)\,(CL)}$	diminue	$V_{o\,(décalage)}/(1 + AB)$

EXEMPLE 16-3

La figure 16-7 représente un 741C et son brochage. On donne $A = 100\,000$, $r_i = 2\ \mathrm{M\Omega}$ et $r_o = 75\ \Omega$. Calculer l'impédance d'entrée et l'impédance de sortie en boucle fermée.

SOLUTION

Le taux de réaction égale

$$B = \frac{100}{100\ 100} = 0,000\ 999$$

La désensibilité égale

$$1 + AB = 1 + 100\ 000(0,000\ 999) = 101$$

L'impédance d'entrée en boucle fermée égale

$$r_{i(CL)} = 101(2\ M\Omega) = 202\ M\Omega$$

L'impédance de sortie en boucle fermée égale

$$r_{o\ (CL)} = \frac{75\ \Omega}{101} = 0,743\ \Omega$$

EXEMPLE 16-4

Soit le 741C représenté à la figure 16-7. On donne $I_{i(\text{polarisation})} = 80$ nA, $i_{i(\text{décalage})} = 20$ nA et $v_{i(\text{décalage})} = 2$ mV. Calculer la tension de décalage de sortie.

SOLUTION

L'entrée non inverseuse voit une résistance de Thévenin d'1 kΩ et l'entrée inverseuse une résistance de Thévenin d'environ 100 Ω. (La résistance exacte est 100 Ω en parallèle avec 100 kΩ). On connaît le courant de polarisation d'entrée de 80 nA et le courant de décalage d'entrée de 20 nA. Selon les formules (15-8) et (15-9), les deux courants de polarisation d'entrée sont

$$I_{B1} = 90\ \text{nA},\ I_{B2} = 70\ \text{nA}$$
$$I_{B1} = 70\ \text{nA},\ I_{B2} = 90\ \text{nA}$$

La combinaison la plus défavorable (celle qui produit la plus grande tension de décalage de sortie), est 90 nA à travers 1 kΩ et 70 nA à travers 100 Ω.

Selon la formule (15-19), la tension de décalage maximale d'entrée égale

$$v_1 - v_2 = 2\ \text{mV} + (90\ \text{nA})(1\ \text{k}\Omega) - (70\ \text{nA})(100\ \Omega)$$
$$= 2\ \text{mV} + 90\ \mu\text{V} - 7\ \mu\text{V} = 2,08\ \text{mV}$$

Selon l'exemple précédent, la désensibilité égale 101. Calculons la tension de décalage de sortie en boucle fermée à l'aide de la formule (16-10). Il vient

$$V_{o(\text{décalage})(CL)} = \frac{100\ 000(2,08\ \text{mV})}{101} = 2,06\ \text{V}$$

Donc, les tensions et courants de décalage réduisent la gamme de sortie de 2,06 V.

On réduit la tension décalage de sortie en boucle fermée de trois façons. D'abord en réduisant le gain en tension en boucle fermée jusqu'à 100 (en changeant les résistances de réaction). Alors la désensibilité croît. Il vient

$$1 + AB = \frac{A}{A_{CL}} = \frac{100\ 000}{100} = 1000$$

et la tension de décalage de sortie en boucle fermée chute. Il vient

$$V_{o\ (\text{décalage})\ (CL)} \cong \frac{100\ 000\ (2,08\ \text{mV})}{1000} = 0,208\ \text{V}$$

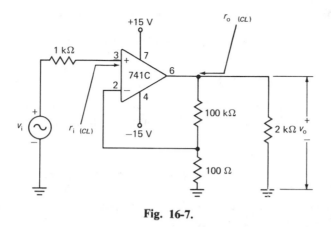

Fig. 16-7.

La deuxième façon consiste à prendre un meilleur amplificateur opérationnel, un LM11C par exemple (tableau 15-1). Sa tension de décalage d'entrée typique est de 0,1 mV, son courant de polarisation d'entrée typique est de 25 pA et son courant de décalage d'entrée typique est de 0,5 pA. Les décalages d'entrée du LM11C étant beaucoup plus petits, la tension de décalage de sortie est plus petite.

La troisième façon est décrite sur la fiche signalétique d'un 741C. Elle consiste à monter un potentiomètre de 10 kΩ entre les broches 1 et 5 et à relier le curseur à la borne d'alimentation en tension négative (figure 16-8). On annule la tension de décalage de sortie en réglant le potentiomètre.

Sans contre-réaction, l'amplificateur opérationnel typique se sature immédiatement parce que la tension de décalage d'entrée multipliée par le gain en boucle ouverte met l'étage de sortie en saturation. Retenir ce fait important. Par conception, il faut appliquer une certaine forme de réaction aux amplificateurs opérationnels monolithiques. En fonctionnement ouvert, leur gain en tension beaucoup trop élevé les rive dans la région de saturation et les rend donc inutiles.

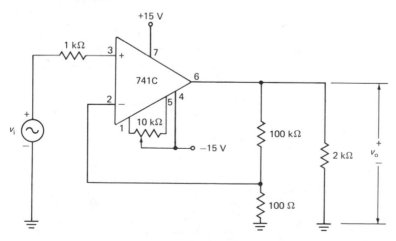

Fig. 16-8. *Annulation de la tension de décalage de sortie.*

Dernier point : on peut réécrire la formule fondamentale

$$V_{o(\text{décalage})(CL)} = \frac{V_{o(\text{décalage})}}{1 + AB}$$

sous la forme

$$V_{o(\text{décalage})(CL)} = A_{CL}V_{i(\text{décalage})}$$

dans laquelle $V_{i(\text{décalage})}$ inclut toutes les tensions de décalage d'entrée y compris celles causées par les courants de polarisation et de décalage d'entrée.

EXEMPLE 16-5

La figure 16-9 représente un amplificateur *suiveur de tension*. Calculer le gain en tension en boucle fermée, l'impédance d'entrée et l'impédance de sortie en boucle fermée, et la tension de décalage de sortie. Utiliser les paramètres typiques suivants d'un 741C :

$A_{OL} = 100\,000$, $r_i = 2$ MΩ, $r_o = 75$ Ω, $V_{i(\text{décalage})} = 2$ mV, $I_{i(\text{polarisation})} = 80$ nA et $I_{i(\text{décalage})} = 20$ nA.

SOLUTION

Toute la tension de sortie est réinjectée à l'entrée inverseuse parce que R_1 est nul et R_2 infini. Par conséquent, $B = 1$ et $A_{CL} = 1$. Cette contre-réaction massive est la plus grande qu'on puisse avoir. Dans ce cas, le gain en tension en boucle fermée égale à très peu près 1.

L'impédance en boucle fermée d'un amplificateur suiveur de tension égale

$$r_{i(CL)} = (1 + AB)r_i = (1 + A)r_i$$
$$\cong Ar_i = 100\,000(2 \text{ MΩ}) = 2(10^{11})\ \Omega$$

De même,

$$r_{o(CL)} = \frac{r_o}{1 + AB} = \frac{r_o}{1 + A}$$

$$\cong \frac{r_o}{A} = \frac{75\ \Omega}{100\,000} = 0{,}000\ 75\ \Omega$$

Visiblement, $r_{i(CL)}$ tend vers l'infini et $r_{o(CL)}$ tend vers zéro. Un amplificateur suiveur de tension est un excellent amplificateur tampon en raison de sa grande impédance d'entrée, de sa faible impédance de sortie et de son gain en tension unité.

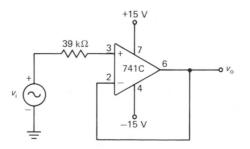

Fig. 16-9. *Amplificateur suiveur de tension.*

Comme le gain en tension en boucle fermée égale 1, la désensibilité égale

$$1 + AB = \frac{A}{A_{CL}} = A = 100\,000$$

Dans le cas le plus défavorable, la tension de décalage maximale d'entrée égale

$$v_1 - v_2 = 2 \text{ mV} + (90 \text{ nA})(39 \text{ k}\Omega) = 5{,}51 \text{ mV}$$

Donc, la tension de décalage de sortie égale

$$V_{o(\text{décalage})(CL)} = \frac{100\,000(5{,}51 \text{ mV})}{100\,000} = 5{,}51 \text{ mV}$$

Autrement dit, l'amplificateur suiveur de tension est presque insensible aux décalages; en raison du gain en tension unité, la tension de décalage de sortie ne peut être supérieure à la tension de décalage d'entrée.

16.3. RÉACTION DE COURANT NON INVERSEUSE

Dans le cas de *réaction de courant non inverseuse,* une tension d'entrée attaque l'entrée non inverseuse d'un amplificateur et un échantillon du courant de sortie fournit la tension de réaction. Un amplificateur à réaction de courant non inverseuse tend à se comporter comme un convertisseur idéal tension-courant à impédance d'entrée infinie, une impédance de sortie infinie et *transconductance* stable.

CIRCUIT ÉQUIVALENT EN COURANT ALTERNATIF

La figure 16-10 représente le circuit équivalent en courant alternatif d'un amplificateur à réaction de courant non inverseuse. La résistance de charge et la résistance de réaction sont en série. Donc, le courant de charge parcourt la résistance de réaction. La tension de réaction est proportionnelle au courant de charge parce que

$$v_2 = i_o R_F*$$

Lorsque la tension de réaction est proportionnelle au courant de sortie, l'amplificateur est à réaction de courant.

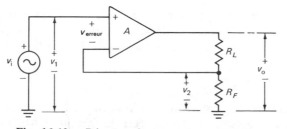

Fig. 16-10. *Réaction de courant non inverseuse.*

---

* N.d.T. *F* est mis pour *feedback* (réaction).

STABILITÉ DU COURANT DE SORTIE

La réaction de courant stabilise le courant de sortie. Entendre par là qu'une tension d'entrée constante produit un courant de sortie presque constant malgré les variations du gain en boucle ouverte et de la résistance de charge. Supposons que le gain en tension en boucle ouverte diminue. Alors le courant de sortie tente de diminuer, la tension de réaction diminue et la tension d'erreur augmente. L'augmentation de la tension d'erreur contrebalance presque complètement la diminution du gain en tension en boucle ouverte. Donc le courant de sortie demeure presque constant.

Raisonner de façon analogue dans le cas d'une augmentation du gain en boucle ouverte. La contre-réaction élimine presque toute velléité d'augmentation du courant de sortie.

ANALYSE MATHÉMATIQUE

Le gain en tension en boucle fermée de l'amplificateur à réaction représenté à la figure 16-10 égale

$$A_{CL} = \frac{A}{1 + AB}$$

Dans cette relation,

$$B = \frac{R_F}{R_L + R_F}$$

Le courant de sortie égale

$$i_o = \frac{v_o}{R_L + R_F} = \frac{A_{CL} v_i}{R_L + R_F}$$

D'où

$$\frac{i_o}{v_i} = \frac{A_{CL}}{R_L + R_F} \tag{16-13}$$

Lorsque le gain de boucle est élevé, A_{CL} égale environ $1/B$ et la formule (16-13) devient

$$\frac{i_o}{v_i} \cong \frac{(R_L + R_F)/R_F}{R_F + R_F}$$

D'où

$$\frac{i_o}{v_i} \cong \frac{1}{R_F} \tag{16-14}$$

Selon la relation (16-14), le rapport du courant de sortie à la tension d'entrée égale l'inverse de R_F. Or R_F est une résistance externe, donc i_o/v_i est une constante indépendante du gain en tension en boucle ouverte et de la résistance de charge.

TRANSCONDUCTANCE

On appelle souvent un amplificateur à réaction de courant non inverseuse un amplificateur *à transconductance* et l'on écrit la formule (16-14) sous la forme

$$g_m \cong \frac{1}{R_F} \tag{16-15}$$

dans laquelle g_m = transconductance = i_o/v_i

R_F = résistance de réaction de courant

On appelle aussi l'amplificateur représenté à la figure 16-10 un *convertisseur tension-courant* parce que la tension d'entrée commande le courant de sortie. La formule (16-14) donne

$$i_o \cong \frac{v_i}{R_F} \tag{16-16}$$

AUTRES AVANTAGES

Comparons l'amplificateur représenté à la figure 16-10 à celui illustré à la figure 16-1. La seule différence est l'emplacement de la résistance de charge. Dans le schéma de la figure 16-10, la résistance de charge flotte pour permettre au courant de sortie de traverser la résistance de réaction. Dans le schéma de la figure 16-1, la résistance de charge est montée entre la sortie et la masse. Ces amplificateurs étant identiques à l'exception près de l'emplacement de la résistance de charge, la contre-réaction réduit de nouveau la distorsion et la tension de décalage de sortie. De plus, l'impédance d'entrée tend vers l'infini.

L'impédance de sortie en boucle fermée est la seule grandeur que fait différer la réaction de courant non inverseuse. La charge n'étant plus mise à la masse mais faisant partie du circuit de réaction, elle voit une impédance de Thévenin de sortie différente de celle vue auparavant. On peut démontrer que

$$r_{o(C)} = (1 + A)R_F \tag{16-17}$$

Dans cette relation, $r_{o(CL)}$ = impédance de sortie en boucle fermée

A = gain en tension en boucle ouverte

R_F = résistance de réaction

A étant très grand, $r_{o(CL)}$ tend vers l'infini. Retenir que la réaction de tension produit une petite impédance de sortie, tandis que la réaction de courant produit une grande impédance de sortie.

Au tableau 16-2 nous avons résumé la réaction de courant non inverseuse. On y lit que la transconductance est stabilisée, que l'impédance d'entrée augmente, que l'impédance de sortie augmente, etc.

Tableau 16-2.   Réaction de tension non inverseuse

Grandeur	Symbole	Effet	Formule
Transconductance	i_o/v_i	stabilise	$1/R_F$
Impédance d'entrée	$r_{i\,(CL)}$	augmente	$(1 + AB)\,r_i$
Impédance de sortie	$r_{o\,(CL)}$	augmente	$(1 + A)\,R_F$
Distorsion	$v_{dist\,(CL)}$	diminue	$v_{dist}/(1 + AB)$
Décalage de sortie	$V_{o\,(décalage)\,(CL)}$	diminue	$V_{o\,(décalage)}/(1 + AB)$

ANALYSE SIMPLIFIÉE

Voici une analyse simple de l'amplificateur représenté à la figure 16-10. La tension d'entrée inverseuse étant asservie à quelques microvolts de la tension d'entrée non inverseuse, il vient

$$v_2 \cong v_i$$

Donc

$$i_o = \frac{v_2}{R_F} \cong \frac{v_i}{R_F}$$

On obtient en peu de lignes les mêmes relations qu'avec l'analyse mathématique formelle ci-dessus.

EXEMPLE 16-6

La figure 16-11 représente un voltmètre sensible pour tension continue. Le LF355 est un amplificateur opérationnel à BIFET à caractéristiques typiques suivantes tirées du tableau 15-1 : $V_{i(décalage)} = 3$ mV, $I_{i(polarisation)} = 0,03$ nA et $I_{i(décalage)} = 0,003$ nA. Calculer la tension d'entrée qui fait dévier l'ampèremètre à pleine échelle.

SOLUTION

Réécrivons la formule (16-16) sous la forme

$$v_i \cong i_o R_F$$

Pour la position du commutateur représentée, $R_F = 10\,\Omega$. Le courant de déviation à pleine échelle de l'ampèremètre est de 100 μA. Par conséquent, la tension d'entrée qui fait dévier l'aiguille à pleine échelle égale

$$v_i = (100\ \mu A)(10\ \Omega) = 1\ mV$$

Si on commute à la résistance de réaction de 100 Ω, la tension d'entrée qui produit la déviation à pleine échelle égale

$$v_i = (100\ \mu A)(100\ \Omega) = 10\ mV$$

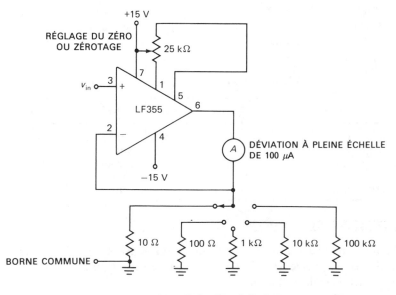

Fig. 16-11. *Voltmètre à BIFET.*

La tension qui fait dévier l'aiguille de l'ampèremètre à pleine échelle est maintenant de 10 mV.

De même, à 1 kΩ, 10 kΩ et 100 kΩ il correspond respectivement une tension d'entrée de 100 mV, 1 V et 10 V. Avec des résistances de précision, ce circuit est un voltmètre de précision pour tension continue de calibres 1 mV, 10 mV, 100 mV, 1 V et 10 V. En fabrication en série, on gradue le cadran en volts plutôt qu'en microampères.

Selon la fiche signalétique du LF355, on peut monter un potentiomètre de 25 kΩ (fig. 16-11) pour annuler les décalages. Avant d'effectuer une mesure, court-circuiter les conducteurs d'entrée et régler à zéro la lecture de sortie pour éliminer la tension de décalage de sortie.

Le courant de polarisation d'entrée ou moyen et le courant de décalage d'entrée d'un amplificateur opérationnel à BIFET sont si petits qu'ils produisent des décalages d'entrée négligeables avec une résistance de circuit jusqu'à environ 1 MΩ. Autrement dit, lorsqu'on branche le voltmètre au circuit à essayer, la résistance de Thévenin du circuit fournit le chemin de retour à la masse pour le courant de polarisation non inverseuse. Si cette résistance de Thévenin est inférieure à 1 MΩ, le courant de polarisation d'entrée ou moyen de 0,03 nA produit une tension de décalage d'entrée inférieure à 0,03 mV. Cela n'introduit presque aucune erreur dans la lecture de sortie.

16.4. RÉACTION DE TENSION INVERSEUSE

La figure 16-12 *a* représente un amplificateur à entrée non inverseuse mise à la masse. Le signal d'entrée attaque l'entrée inverseuse et la tension de sortie est échantillonnée. On obtient de la sorte une *réaction de tension inverseuse*. Un amplificateur à réaction de tension inverseuse tend à se comporter comme un convertisseur idéal courant-tension, un dispositif à impédance d'entrée nulle, impédance de sortie nulle et rapport v_o/i_i constant.

ANALYSE MATHÉMATIQUE

Si le signal d'entrée attaque l'entrée inverseuse, la polarité de la tension de sortie est inversée (fig. 16-12 *a*). La tension de sortie égale

$$v_o = A v_{\text{erreur}}$$

Pour éviter une tension de décalage de sortie excessive, la résistance R_F est habituellement inférieure à 100 kΩ. La résistance d'entrée d'un amplificateur opérationnel typique étant de plusieurs mégohms, presque tout le courant d'entrée traverse R_F. Cela permet d'additionner les tensions du circuit. Il vient

$$v_o - i_i R_F + v_{\text{erreur}} = 0$$

D'où

$$v_o - i_i R_F + \frac{v_o}{A} = 0$$

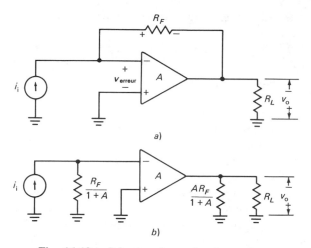

Fig. 16-12. *Réaction de tension inverseuse.*

Réarrangeons cette relation sous la forme

$$\frac{v_o}{i_i} = \frac{AR_F}{1 + A} \tag{16-18}$$

Lorsque le gain en boucle ouverte est nettement supérieure à 1, la formule (16-18) devient

$$\frac{v_o}{i_i} = R_F \tag{16-19}$$

D'où

$$v_o = i_i R_F \tag{16-20}$$

On appelle parfois le rapport v_o à i_i la *transrésistance* parce qu'il est égal à une résistance connectée entre l'entrée et la sortie. On appelle parfois un amplificateur à réaction de tension inverseuse un amplificateur à transrésistance ou un *convertisseur courant-tension* parce que le courant d'entrée commande la tension de sortie.

IMPÉDANCE D'ENTRÉE

L'impédance de boucle fermée de l'amplificateur représenté à la figure 16-12 *a* égale le rapport v_{erreur} à i_i. Comme la tension d'erreur tend vers zéro, l'impédance d'entrée en boucle fermée tend elle aussi vers zéro. Selon l'appendice 1, l'impédance d'entrée égale

$$r_{i(CL)} = \frac{R_F}{1 + A} \tag{16-21}$$

Dans cette formule, $r_{i(CL)}$ = impédance d'entrée en boucle fermée
R_F = résistance de réaction
A = gain en tension en boucle ouverte

Dans la plupart des convertisseurs courant-tension, R_F est inférieur à 100 kΩ et A est supérieur à 100 000. Alors $r_{i(CL)}$ tend vers zéro.

THÉORÈME DE MILLER POUR RÉSISTANCE DE RÉACTION

Nous avons étudié le théorème de Miller au chapitre 14. Nous avons alors partagé le condensateur de réaction d'un amplificateur inverseur en une capacité de Miller d'entrée et en une capacité de Miller de sortie. Il existe aussi un théorème de Miller pour la résistance de réaction. La résistance de Miller d'entrée égale $R_F/(1 + A)$ et la résistance de Miller de sortie égale $AR_F/(1 + A)$. On peut fractionner toute résistance de réaction entre l'entrée et la sortie d'un amplificateur inverseur (fig. 16-12 *a*) en une résistance de Miller d'entrée et en une résistance de Miller de sortie (fig. 16-12 *b*). Comme *A* est extrêmement élevé, la résistance de Miller d'entrée tend vers zéro et la résistance de Miller de sortie tend vers R_F.

NOTIONS A RETENIR

Nous avons étudié assez d'amplificateurs à réaction pour énoncer les notions suivantes. Attaquer l'entrée non inverseuse donne une grande impédance d'entrée; attaquer l'entrée inverseuse donne une petite impédance d'entrée. De plus, la réaction de tension stabilise la tension de sortie (petite impédance de sortie) tandis que la réaction de courant stabilise le courant de sortie (grande impédance de sortie). Enfin, tous les types de contre-réactions diminuent la distorsion non linéaire et la tension de décalage de sortie. Retenez ces notions, elles vous permettront de dépanner et d'analyser des amplificateurs à contre-réaction en toute clarté d'esprit.

AUTRES AVANTAGES

Retraçons l'amplificateur selon la figure 16-13. Il ressemble maintenant à un amplificateur à réaction de tension non inverseuse, à l'exception près qu'une source de courant attaque la borne inverseuse. L'impédance de la source de courant étant idéalement infinie, le taux de réaction *B* égale environ 1 et la contre-réaction de l'amplificateur est maximale. Des développements mathématiques identiques à ceux ci-dessus donnent la formule de l'impédance de sortie en boucle fermée, celle de la distorsion non linéaire et celle de la tension de décalage de sortie. Nous avons résumé au tableau 16-3 la réaction de tension inverseuse.

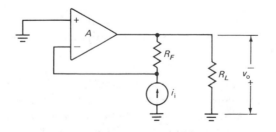

Fig. 16-13.

Tableau 16-3. **Réaction de tension inverseuse**

Grandeur	Symbole	Effet	Formule
Transrésistance	v_o / i_i	stabilise	R_F
Impédance d'entrée	$r_{i\ (CL)}$	diminue	$R_F / (1 + A)$
Impédance de sortie	$r_{o\ (CL)}$	diminue	$r_o / (1 + A)$
Distorsion	$v_{dist\ (CL)}$	diminue	$v_{dist} / (1 + A)$
Décalage de sortie	$V_{o\ (décalage)\ (CL)}$	diminue	$V_{o\ (décalage)} / (1 + A)$

MASSE VIRTUELLE

Pour analyser un convertisseur courant-tension semblable à celui représenté à la figure 16-14, utiliser le raccourci suivant. Idéalement, dans le cas de réaction de tension inverseuse

1. La tension d'erreur est nulle.
2. Le courant dans l'amplificateur opérationnel est nul.

Le premier point découle du gain en tension en boucle ouverte élevé et le deuxième de la grande résistance d'entrée d'un amplificateur opérationnel.

La notion de *masse virtuelle* résume ces deux points importants. Par masse virtuelle, entendre tout point d'un circuit de tension nulle et qui ne tire aucun courant. L'entrée inverseuse de l'amplificateur opérationnel représenté à la figure 16-14 est une masse virtuelle parce qu'il se comporte comme une masse en ce qui concerne la tension, mais pas le courant. Une masse ordinaire a une tension nulle et peut tirer un courant infini. Une masse virtuelle a une tension nulle et un courant nul.

Cela compris, observons l'amplificateur représenté à la figure 16-14 et remarquons ce qui suit. Puisque la masse virtuelle ne tire aucun courant, tout le courant i_i traverse R_F. Donc, la tension entre les bornes de R_F égale $i_i R_F$. Puisque la tension de la masse virtuelle par rapport à la masse est à peu près nulle, la tension de sortie égale, selon la loi des tensions de Kirchhoff, la tension entre les bornes de R_F. D'où

$$v_o = i_i R_F$$

Nous avons déjà trouvé cette formule ci-dessus, mais plus facilement cette fois.

UNE MASSE VIRTUELLE PEUT ÊTRE A UN POTENTIEL CONTINU

Dans de nombreux amplificateurs, l'entrée non inverseuse est à la masse pour le continu et l'alternatif. Par conséquent, le potentiel continu par rapport à la masse de la masse virtuelle est nul. Ne pas croire que toute masse virtuelle est toujours au potentiel de la masse en continu. Dans certains amplificateurs, l'entrée non inverseuse est polarisée à un niveau continu positif ou négatif. Alors on utilise un condensateur de découplage pour mettre l'entrée non inverseuse à la masse en alternatif. Dans ce cas, le potentiel continu de la masse virtuelle n'est pas nul. Mais elle est encore une masse virtuelle pour l'alternatif; par conséquent, sa tension alternative est nulle et elle ne tire aucun courant alternatif.

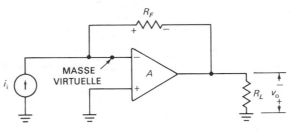

Fig. 16-14. *Par masse virtuelle, entendre que la tension et le courant de signal sont nuls à l'entrée inverseuse de l'amplificateur opérationnel.*

AMPÈREMÈTRE ÉLECTRONIQUE

Le principe de la réaction de tension inverseuse permet de construire un ampèremètre électronique à résistance d'entrée qui tend vers zéro. Le gain en tension typique en boucle ouverte du 741C représenté à la figure 16-15 est de 100 000. Donc, selon la formule (16-21)

$$r_{i\,(CL)} = \frac{100 \text{ k}\Omega}{100\,000} = 1\,\Omega$$

et

$$v_o = (100 \text{ k}\Omega)i_i$$

Selon la première relation, n'ajouter qu'une résistance d'1 Ω à la branche dont on veut mesurer le courant. La deuxième relation donne la sensibilité de l'ampèremètre. Si $i_i = 50\ \mu A$,

$$v_o = (100 \text{ k}\Omega)(50\ \mu A) = 5 \text{ V}$$

On peut mesurer une telle tension à l'aide d'un voltmètre bon marché. Malgré ses composants bon marché, l'ampèremètre électronique représenté à la figure 16-15 est supérieur à l'ampèremètre à cadre mobile en ce qui concerne l'impédance d'entrée.

EXEMPLE 16-7

La sensibilité d'entrée d'un oscilloscope est de 10 mV/cm. Le branchement du convertisseur courant-tension représenté à la figure 16-16 *a* à l'entrée verticale permet de mesurer un courant. On désire qu'un courant d'entrée d'1 μA produise une déviation verticale d'1 cm. Calculer *R*.

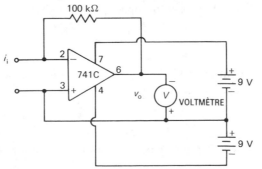

Fig. 16-15. *Ampèremètre électronique.*

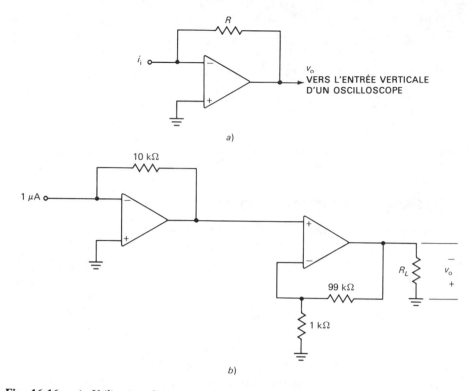

Fig. 16-16. a) *Utilisation d'un oscilloscope pour mesurer un courant.* b) *Convertisseur courant-tension attaquant un amplificateur de tension.*

SOLUTION

Pour obtenir une déviation d'1 cm, 1 μA doit produire 10 mV. Selon la formule (16-19),

$$R = \frac{10 \text{ mV}}{1 \text{ } \mu\text{A}} = 10 \text{ k}\Omega$$

Par conséquent, le montage d'une résistance de 10 kΩ dans le circuit représenté à la figure 16-16 *a* permet de mesurer des courants de quelques microampères à l'aide d'un oscilloscope.

EXEMPLE 16-8

Supposer qu'un courant d'entrée d'1 μA attaque le système représenté à la figure 16-16 *b*. Calculer la tension de sortie.

SOLUTION

Le premier étage est un convertisseur courant-tension. Sa tension de sortie égale

$$v_{o(1)} = (10 \text{ k}\Omega)(1 \text{ } \mu\text{A}) = 10 \text{ mV}$$

Le deuxième étage est un amplificateur de tension de gain égal à 100. Donc la tension de sortie finale

$$v_o = 100(10 \text{ mV}) = 1 \text{ V}$$

16.5. RÉACTION DE COURANT INVERSEUSE

Le signal d'entrée du circuit représenté à la figure 16-17 attaque l'entrée inverseuse et on échantillonne le courant de sortie. On obtient une *réaction de courant inverseuse*. Un amplificateur à réaction de courant inverseuse tend à se comporter comme un amplificateur idéal de courant ayant donc une impédance d'entrée nulle, une impédance de sortie infinie et un gain en courant constant.

Puisque le signal d'entrée attaque l'entrée inverseuse, la polarité de la tension de sortie est inversée (fig. 16-17). Donc, le courant conventionnel remonte R_L (les électrons se dirigent vers le bas). Selon l'appendice 1, le gain en courant égale

$$\frac{i_o}{i_i} = \frac{R_1}{R_2} + 1 \qquad (16\text{-}22)$$

Idéalement, d'après la relation (16-22), le gain en courant dépend du rapport de deux résistances que l'on prendra de grande précision. On appelle un amplificateur à réaction de courant inverseuse un *amplificateur de courant* en raison de la stabilisation du gain en courant.

La réaction de courant inverseuse diminue l'impédance d'entrée, augmente l'impédance de sortie, diminue la distorsion et diminue la tension de décalage de sortie. Avec ce type de contre-réaction,

$$B = \frac{R_2}{R_1 + R_2} \qquad (16\text{-}23)$$

Les formules du tableau 16-4 découlent de calculs semblables à ceux effectués ci-dessus.

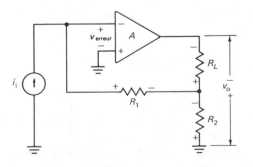

Fig. 16-17. *Réaction de courant inverseuse.*

Tableau 16-4.   Réaction de courant inverseuse

Grandeur	Symbole	Effet	Formule
Gain en courant	i_o/i_i	stabilise	$1/B$
Impédance d'entrée	$r_{i\ (CL)}$	diminue	$R_1/(1 + AB)$
Impédance de sortie	$r_{o\ (CL)}$	augmente	$(1 + A)\,R_2$
Distorsion	$v_{dist\ (CL)}$	diminue	$v_{dist}/(1 + AB)$
Décalage de sortie	$V_{o\ (décalage)\ (CL)}$	diminue	$V_{o\ (décalage)}/(1 + AB)$

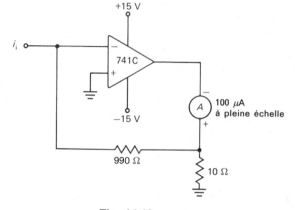

Fig. 16-18.

EXEMPLE 16-9

La figure 16-18 représente un ampèremètre sensible pour courant continu à réaction de courant inverseuse. Calculer le courant d'entrée qui fera dévier l'ampèremètre de sortie à pleine échelle.

SOLUTION

Selon la relation (16-22), le gain en courant égale

$$\frac{i_o}{i_i} = \frac{990\ \Omega}{10\ \Omega} + 1 = 100$$

Comme la déviation à pleine échelle de l'ampèremètre est de 100 μA, un courant d'entrée de seulement 1 μA produira la déviation à pleine échelle.

16.6.   BANDE PASSANTE

La réaction de tension non inverseuse *augmente* la bande passante. Pourquoi ? Lorsque la fréquence augmente, on peut trouver une fréquence f_2 à laquelle le gain en tension en boucle ouverte a diminué de 3 dB. Dans un amplificateur à réaction typique, le gain de boucle est encore très grand à f_2. Par conséquent, le gain en tension en boucle fermée égale encore (environ) $1/B$. Donc, la tension de sortie chute de 3 dB bien au-dessus de f_2. Cela revient à dire que la fréquence de coupure en boucle fermée est supérieure à celle en boucle ouverte.

ANALYSE MATHÉMATIQUE

La démonstration mathématique dépasse le cadre de cet ouvrage. Toutefois, selon l'appendice 1,

$$f_{2(CL)} = (1 + A_{\text{méd}}B)f_2 \tag{16-24}$$

Dans cette relation, $f_{2(CL)}$ = fréquence de coupure supérieure en boucle fermée
f_2 = fréquence de coupure supérieure en boucle ouverte
$A_{\text{méd}}$ = gain en tension en boucle ouverte en bande médiane
B = taux de réaction

Lorsque le gain de boucle en bande médiane est nettement supérieur à 1, la fréquence de coupure en boucle fermée est nettement supérieure à celle en boucle ouverte.

FRÉQUENCE DE COUPURE INFÉRIEURE

Un amplificateur opérationnel n'a pas de fréquence de coupure inférieure parce que les étages sont couplés directement. Par contre, habituellement, le couplage entre les étages des amplificateurs discrets est alternatif. On démontre que

$$f_{1(CL)} = \frac{f_1}{1 + A_{\text{méd}}B} \tag{16-25}$$

Dans cette formule, $f_{1(CL)}$ = fréquence de coupure inférieure en boucle fermée
f_1 = fréquence de coupure inférieure en boucle ouverte
$A_{\text{méd}}$ = gain en tension en boucle ouverte en bande médiane
B = taux de réaction

Selon cette formule, la désensibilité de l'amplificateur dans la bande médiane diminue la fréquence de coupure inférieure.

AUTRES TYPES DE CONTRE-RÉACTION

La contre-réaction augmente la bande passante des quatre amplificateurs à réaction étudiés ci-dessus. Des développements mathématiques semblables à ceux pour la réaction de tension non inverseuse donnent les formules du tableau 16-5. Dans le cas des entrées inverseuses, l'impédance de source tend vers l'infini parce qu'une source de courant attaque l'entrée inverseuse. Dans ce cas, B égale environ 1. Voilà pourquoi la désensibilité égale $1 + A_{\text{méd}}$ pour les contre-réactions inverseuses.

PRODUIT GAIN-BANDE PASSANTE EN BOUCLE OUVERTE

Selon la formule (16-12), dans la bande médiane, la désensibilité d'un amplificateur égale

$$1 + A_{\text{méd}}B = \frac{A_{\text{méd}}}{A_{CL}}$$

Donc, la formule (16-24) devient

$$f_{2(CL)} = \frac{A_{\text{méd}}}{A_{CL}} f_2 \tag{16-26}$$

D'où

$$A_{CL}\, f_{2(CL)} = A_{\text{méd}} f_2$$

$$\tag{16-27}$$

Le deuxième membre de cette relation est appelée le *produit gain − bande passante* en boucle ouverte. Le gain en tension et la fréquence de coupure typiques d'un 741C sont respectivement de 100 000 et de 10 Hz. Donc,

$$A_{\text{méd}} f_2 = 100\,000(10\text{ Hz}) = 1\text{ MHz}$$

Par conséquent, le produit gain − bande passante en boucle ouvert est d'1 MHz.

Tableau 16-5. Bande passante dans le cas de contre-réaction

Type	Coupure inférieure	Coupure supérieure
Réaction de tension non inverseuse	$f_1/(1 + A_{\text{méd}} B)$	$(1 + A_{\text{méd}} B)\, f_2$
Réaction de courant non inverseuse	$f_1/(1 + A_{\text{méd}} B)$	$(1 + A_{\text{méd}} B)\, f_2$
Réaction de tension inverseuse	$f_1/(1 + A_{\text{méd}})$	$(1 + A_{\text{méd}})\, f_2$
Réaction de courant inverseuse	$f_1/(1 + A_{\text{méd}})$	$(1 + A_{\text{méd}})\, f_2$

PRODUIT GAIN-BANDE PASSANTE EN BOUCLE FERMÉE

Le premier membre de la formule (16-27) est appelé le produit gain-bande passante en boucle fermée. En raison de la relation (16-27), le produit gain-bande passante est le même en boucle fermée qu'en boucle ouverte. Le produit A_{CL} fois $f_{2(CL)}$ d'un 741 C typique égale toujours 1 MHz peu importe R_1 et R_2.

Selon la formule (16-27), le produit gain-bande passante est une *constante*. Par conséquent, même si A_{CL} et $f_{2(CL)}$ varient lorsqu'on change les résistances externes R_1 et R_2, le produit de ces deux grandeurs demeure constant et égal à $A_{\text{méd}} f_2$.

Nous avons résumé le régime d'un 741 C à la figure 16-19. Dans la bande médiane du sommet de la caractéristique, le gain en tension en boucle ouverte est de 100 000. Le gain a diminué de 3 dB à 10 Hz, la fréquence de coupure en boucle ouverte. La caractéristique de réponse en boucle ouverte décroît à la vitesse de 20 dB par décade jusqu'à $f_{\text{unité}}$ d'1 MHz.

Le gain en tension en boucle fermée est différent. Si l'on choisit des résistances pour avoir un gain en tension en bande médiane en boucle fermée de 1 000 (caractéristiques du milieu), alors le gain en tension représenté à la figure 16-19 a diminué de 3 dB à 1 kHz, la fréquence de coupure en boucle fermée. Au-dessus de cette fréquence, la caractéristique de réponse en boucle fermée se superpose à la caractéristique de réponse en boucle ouverte et décroît à la vitesse de 20 dB par décade.

La diminution du gain en tension en boucle fermée augmente la bande passante. Dans le cas du gain en tension en bande médiane de 10 (caractéristique du bas),

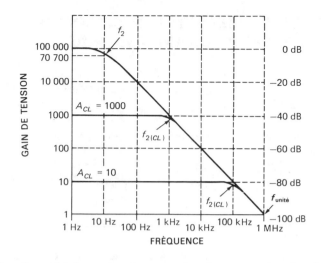

Fig. 16-19. *Caractéristiques de réponses en boucle ouverte et en boucle fermée.*

le gain a chuté de 3 dB à 100 kHz, la fréquence de coupure en boucle fermée. Selon ces trois caractéristiques, la bande passante augmente lorsque le gain en tension en bande médiane diminue.

FRÉQUENCE A GAIN UNITÉ

Si $A_{CL} = 1$, alors la formule (16-27) se réduit à

$$f_{\text{unité}} = A_{\text{méd}} f_2 \qquad (16\text{-}28)$$

Selon cette formule, la fréquence à gain unité égale le produit gain - bande passante. Habituellement, les fiches signalétiques donnent $f_{\text{unité}}$ parce qu'elle égale le produit gain - bande passante. Plus $f_{\text{unité}}$ est grand, plus le produit gain - bande passante de l'amplificateur opérationnel est grand. La fréquence $f_{\text{unité}}$ du 741 C est d'1 MHz et celle du LM318 de 15 MHz. Malgré son prix plus élevé, prendre un LM318 si l'on désire un tel produit gain - bande passante. Pour la même bande passante, le gain en tension du LM318 égale 15 fois celui du 741 C.

Le produit gain - bande passante permet de comparer rapidement divers amplificateurs. Plus le produit gain - bande passante est grand, plus on peut grimper en fréquence et conserver un gain utile. Les formules (16-27) et (16-28) donnent la formule

$$f_{2\,(CL)} = \frac{f_{\text{unité}}}{A_{CL}} \qquad (16\text{-}29)$$

utile pour calculer la fréquence de coupure en boucle fermée.

La formule (16-29) n'est valide que si le gain en tension en boucle ouverte diminue à la vitesse de 20 dB par décade (équivalente à 6 dB par octave). Cette diminution de 20 dB par décade doit se prolonger jusqu'à la fréquence de coupure $f_{2\,(CL)}$. Le condensateur de compensation intégré sur la puce du 741 produit une diminution de 20 dB par décade au-dessus de 10 Hz. Ce réseau de retard domine jusqu'à 1 MHz. On peut donc utiliser la formule (16-29) avec les 741 et autres amplificateurs opérationnels semblables.

PENTE MAXIMALE DE TENSION DE SORTIE ET BANDE PASSANTE GRANDS SIGNAUX

La contre-réaction *n'a aucun effet* sur la pente maximale de tension de sortie ni sur la bande passante grands signaux. Jusqu'à variation de la tension de sortie, il n'y a pas de signal de réaction et aucun avantage de la contre-réaction. Donc, la pente maximale de tension de sortie et la bande passante grands signaux restent les mêmes avec et sans contre-réaction. Réarrangeons la relation (15-22) sous la forme

$$V_{P\,(\max)} = \frac{S_R}{2\pi f_{\max}}$$

qui donne la tension non déformée maximale de crête à crête de sortie d'un amplificateur opérationnel.

Dans l'étude antérieure du produit gain - bande passante, nous avions supposé un fonctionnement petits signaux et donc des valeurs de crête inférieures à $V_{P\,(\max)}$. Le fonctionnement petits signaux devient un fonctionnement grands signaux lorsque la bande passante petits signaux $f_{2\,(CL)}$ égale la bande passante grands signaux $f_{\max}$. Par conséquent, la sortie non déformée maximale qu'on peut tirer des amplificateurs à réaction à amplificateur opérationnel égale

$$V_{P\,(\max)} = \frac{S_R}{2\pi f_{2\,(CL)}} \tag{16-30}$$

CONCLUSION

Nous avons exposé les quatre types de contre-réactions. Les deux types de réactions de tension, non inverseuse et inverseuse, sont les plus importants parce qu'une seule borne de la résistance de charge est libre (l'autre est reliée à la masse). On utilise moins souvent les deux types de réactions de courant, non inverseuse et inverseuse, parce que la résistance de charge doit flotter (aucune borne n'est mise à la masse).

Dans les deux prochains chapitres, nous étudierons des circuits pratiques qui utilisent les divers types de contre-réactions. Nous avons résumé au tableau 16-6 les effets de la contre-réaction. Remarque : la variable d'entrée est la tension pour les réactions non inverseuses et le courant pour les réactions inverseuses. D'où l'utilisation d'une source de tension pour attaquer les circuits non inverseurs et celle d'une source de courant pour attaquer les circuits inverseurs.

Tableau 16-6. Effets de la contre-réaction

Réaction	Grandeur stabilisé	$r_{i\,(CL)}$	$r_{o\,(CL)}$	$v_{\text{dist}\,(CL)}$	$V_{o\,\text{(décalage)}\,(CL)}$	Bande passante
De tension non inverseuse	v_o/v_i	plus grand	plus petit	plus petit	plus petit	plus grande
De courant non inverseuse	i_o/v_i	plus grand	plus grand	plus petit	plus petit	plus grande
De tension inverseuse	v_o/i_i	plus petit	plus petit	plus petit	plus petit	plus grande
De courant inverseuse	i_o/i_i	plus petit	plus grand	plus petit	plus petit	plus grande

Autre remarque : dans le cas de réaction de tension, la tension est la variable stabilisée de sortie et dans le cas de réaction de courant, le courant est la variable stabilisée de sortie. Voilà pourquoi la sortie d'un circuit à contre-réaction semble une source de tension dans le cas de réaction de tension et une source de courant dans le cas de réaction de courant.

Retenir les relations

$$\text{entrée non inverseuse} \rightarrow v_i$$
$$\text{entrée inverseuse} \rightarrow i_i$$
$$\text{réaction de tension} \rightarrow v_o$$
$$\text{réaction de courant} \rightarrow i_o$$

Elles permettent de se rappeler les différents types de contre-réaction et leurs effets sur les performances d'un circuit.

EXEMPLE 16-10

La figure 16-20 *a* représente le diagramme de Bode semblable à celui que donne la fiche signalétique d'un 741 C. Considérer l'amplificateur représenté à la figure 16-20 *c* et calculer la fréquence de coupure en boucle fermée. Tracer le diagramme de Bode de réponse en boucle fermée.

SOLUTION

Considérons le diagramme de Bode du gain en tension d'un 741 C représenté à la figure 16-20 *a*. Le gain en tension en décibels en bande médiane de 100 dB équivaut à un gain en tension $A_{\text{méd}}$ de 100 000.

Selon la figure 16-20 *a*, la fréquence f_2 de coupure en boucle ouverte du 741 C égale 10 Hz.

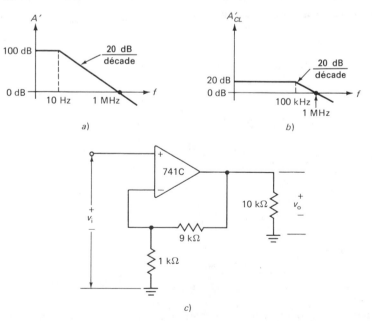

Fig. 16-20.

Première façon d'évaluer le produit gain - bande passante :

$$A_{\text{méd}} f_2 = 100\,000\,(10\text{ Hz}) = 1\text{ MHz}$$

Deuxième façon d'évaluer ce produit : par lecture de la fréquence à gain unité sur le diagramme représenté à la figure 16-20 *a*. On relève

$$f_{\text{unité}} = 1\text{ MHz}$$

Donc, dans les deux cas, le produit gain - bande passante d'un 741 C est d'1 MHz.

Le gain en tension en boucle fermée de l'amplificateur à réaction représenté à la figure 16-20 *c* égale

$$A_{CL} = \frac{9\text{ k}\Omega}{1\text{ k}\Omega} + 1 = 10$$

Selon la formule (16-29),

$$f_{2\,(CL)} = \frac{1\text{ MHz}}{10} = 100\text{ kHz}$$

La figure 16-20 *b* représente le diagramme de Bode du gain en tension de l'amplificateur à réaction. Le gain en décibels est de 20 dB dans la bande médiane de l'amplificateur à réaction. La fréquence de coupure en boucle fermée est de 100 kHz, la pente de décroissance de 20 dB par décade et la fréquence à gain unité d'1 MHz.

EXEMPLE 16-11

Soit l'amplificateur représenté à la figure 16-20 *c*. On obtient divers A_{CL} en changeant les résistances. Calculer $f_{2\,(CL)}$ pour $A_{CL} = 1000$, 100, 10 et 1.

SOLUTION

Selon la formule (16-29), lorsque $A_{CL} = 1000$,

$$f_{2\,(CL)} = \frac{1\text{ MHz}}{1\,000} = 1\text{ kHz}$$

Lorsque $A_{CL} = 100$,

$$f_{2\,(CL)} = \frac{1\text{ MHz}}{100} = 10\text{ kHz}$$

Lorsque $A_{CL} = 10$,

$$f_{2\,(CL)} = \frac{1\text{ MHz}}{10} = 100\text{ kHz}$$

Lorsque $A_{CL} = 1$,

$$f_{2\,(CL)} = \frac{1\text{ MHz}}{1} = 1\text{ MHz}$$

Conclusion : on peut troquer le gain en boucle fermée contre la bande passante. On conçoit un amplificateur de tension sur mesure pour une application particulière en changeant les résistances externes de l'amplificateur représenté à la figure 16-20 *c*. Cet exemple donne le choix de gain et de bande passante suivants :

$$A_{CL} = 1\,000, \quad f_{2\,(CL)} = 1 \text{ kHz}$$
$$A_{CL} = 100, \quad f_{2\,(CL)} = 10 \text{ kHz}$$
$$A_{CL} = 10, \quad f_{2\,(CL)} = 100 \text{ kHz}$$
$$A_{CL} = 1, \quad f_{2\,(CL)} = 1 \text{ MHz}$$

Remarquer que le produit gain-fréquence de coupure est constant et égal à 1 MHz.

EXEMPLE 16-12

La figure 16-21 *a* représente le diagramme de Bode du gain en tension de l'amplificateur opérationnel du circuit équivalent en courant alternatif représenté à la figure 16-21 *b*. Calculer la fréquence de coupure de l'amplificateur à réaction.

SOLUTION

Le gain en tension en boucle fermée égale

$$A_{CL} = \frac{19 \text{ k}\Omega}{1 \text{ k}\Omega} + 1 = 19 + 1 = 20$$

Selon la figure 16-21 *a*, $f_{\text{unité}} = 15$ MHz. La formule (16-29) donne

$$f_{2\,(CL)} = \frac{15 \text{ MHz}}{20} = 750 \text{ kHz}$$

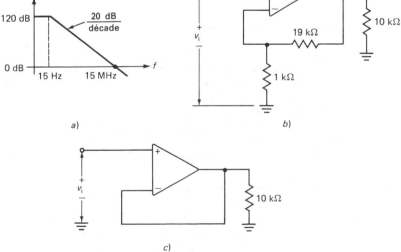

Fig. 16-21.

EXEMPLE 16-13

La figure 16-21 *a* représente le diagramme de Bode du gain en tension de l'amplificateur opérationnel du suiveur de tension représenté à la figure 16-21 *c*. Calculer la fréquence de coupure en boucle fermée.

SOLUTION

Selon la formule (16-29),

$$f_{2\,(CL)} = \frac{f_{\text{unité}}}{A_{CL}} = \frac{15\text{ MHz}}{1} = 15\text{ MHz}$$

Le gain en tension valant seulement 1, la bande passante du suiveur de tension est maximale.

EXEMPLE 16-14

La figure 16-22 représente le diagramme de réponse de Bode d'un amplificateur à réaction de tension non inverseuse. Calculer la désensibilité en bande médiane, la fréquence de coupure en boucle fermée et celle en boucle ouverte.

SOLUTION

La désensibilité égale

$$1 + AB = \frac{A}{A_{CL}}$$

Récrivons cette relation sous la forme

$$20 \log (1 + AB) = 20 \log A - 20 \log A_{CL}$$

Donc, la désensibilité en décibels égale la différence entre le gain en boucle ouverte et le gain en boucle fermée exprimés en décibels. Dans la bande médiane,

$$20 \log (1 + AB) = 100\text{ dB} - 40\text{ dB} = 60\text{ dB}$$

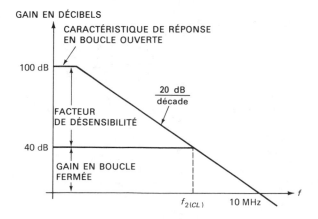

Fig. 16-22.

Prenons les antilogarithmes. Il vient

$$1 + AB = 1\ 000$$

Donc la désensibilité en bande médiane égale 1 000.

Comme la pente de décroissance est de 20 dB par décade, la fréquence de coupure en boucle fermée est inférieure à $f_{\text{unité}}$ de deux décades; d'où

$$f_{2\ (CL)} = 100\ \text{kHz}$$

Visiblement, selon le diagramme de la figure 16-22, la fréquence de coupure en boucle ouverte est inférieure à $f_{\text{unité}}$ de cinq décades ou inférieure à $f_{2\ (CL)}$ de trois décades; d'où

$$f_2 = 100\ \text{Hz}$$

EXEMPLE 16-15

Soit l'amplificateur à réaction représenté à la figure 16-23. Calculer le gain en tension en boucle fermée en bande médiane, la bande passante petits signaux et la tension de crête maximale de sortie non déformée par la pente maximale de sortie.

SOLUTION

Le gain en boucle fermée égale

$$A_{CL} = \frac{82\ \text{k}\Omega}{1\ \text{k}\Omega} + 1 = 83$$

Selon la formule (16-29), la bande passante petits signaux égale

$$f_{2\ (CL)} = \frac{1\ \text{MHz}}{83} = 12\ \text{kHz}$$

Selon la formule (16-30), la tension de crête maximale de sortie déformée par la pente maximale de sortie égale

$$V_{P\,(\text{max})} = \frac{0,5\ \text{V}/\mu s}{2\ \pi\,(12\ \text{kHz})} = 6,63\ \text{V}$$

Tant que la tension de crête de sortie est inférieure à 6,63 V, le gain en tension en boucle fermée est de 83, la fréquence de coupure en boucle fermée est de 12 kHz et la pente maximale de sortie ne déforme pas.

EXEMPLE 16-16

Soit l'amplificateur représenté à la figure 16-23. R_1 passe de 82 kΩ à 15 kΩ. Calculer les nouvelles valeurs de A_{CL}, $f_{2\ (CL)}$ et $V_{P\,(\text{max})}$.

SOLUTION

Le gain en tension en boucle fermée chute. Il vient

$$A_{CL} = \frac{15\ \text{k}\Omega}{1\ \text{k}\Omega} + 1 = 16$$

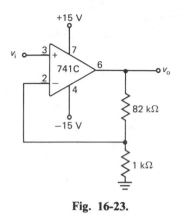

Fig. 16-23.

La fréquence de coupure en boucle fermée augmente. Il vient

$$f_{2\,(CL)} = \frac{1\ \text{MHz}}{16} = 62,5\ \text{kHz}$$

La tension de crête maximale sans distorsion par la pente maximale de sortie égale

$$V_{P\,(\text{max})} = \frac{0,5\ \text{V}/\mu\text{s}}{2\,\pi\,(62,5\ \text{kHz})} = 1,27\ \text{V}$$

Comme la bande passante petits signaux augmente de 12 kHz à 62,5 kHz, la tension de crête maximale admissible de sortie décroît de 6,63 V à 1,27 V.

16.7. AMPLIFICATEURS DISCRETS A CONTRE-RÉACTION

L'amplificateur opérationnel monolithique convient parfaitement pour les amplificateurs à contre-réaction en raison de son grand gain en tension en boucle ouverte, de sa grande impédance d'entrée et de sa petite impédance de sortie. Avant l'invention des amplificateurs opérationnels monolithiques, des amplificateurs discrets fournissaient le gain en tension en boucle ouverte.

RÉACTION DE TENSION NON INVERSEUSE

La figure 16-24 représente un exemple de réaction de tension non inverseuse. Les deux étages à émetteur commun produisent un gain en tension en boucle ouverte A. La tension de sortie attaque le diviseur de tension formé par R_1 et R_2. La borne inférieure de R_2 étant à la masse en courant alternatif, le taux de réaction égale

$$B \cong \frac{R_2}{R_1 + R_2}$$

(Cette relation approximative délaisse l'effet de charge de l'émetteur de Q_1.)

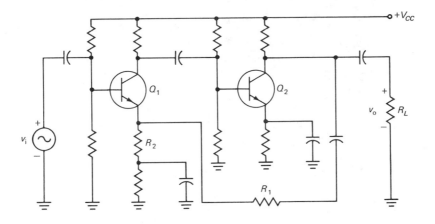

Fig. 16-24. *Réaction de tension non inverseuse discrète.*

La tension d'entrée attaque la base de Q_1 tandis que la tension de réaction attaque l'émetteur de Q_1. La tension d'erreur apparaît entre les bornes de la diode base-émetteur. L'analyse mathématique ressemble à celle effectuée plus haut. Le gain en tension en boucle fermée égale environ $1/B$, l'impédance d'entrée égale $(1 + AB)/r_i$, l'impédance de sortie égale $r_o/(1 + AB)$, la distorsion égale $v_{dist}/(1 + AB)$, la fréquence de coupure inférieure égale $f_1/(1 + AB)$ et la fréquence de coupure supérieure égale $(1 + AB)f_2$.

RÉACTION DE COURANT NON INVERSEUSE

Pour obtenir la réaction de courant non inverseuse, modifier l'amplificateur représenté à la figure 16-24 comme suit. Monter la résistance de charge R_L à la place de R_1. Alors le courant de sortie traverse R_2 et l'on a une réaction de courant. Le courant de sortie est stabilisé et le circuit est un convertisseur tension-courant.

La figure 16-25 *a* représente un autre exemple de réaction de courant non inverseuse. Comme le rapport α_{cc} du transistor est proche de 1, un courant de sortie ayant approximativement la même valeur traverse la résistance de réaction r_E. Par conséquent, le courant de sortie est échantillonné et stabilisé. Le courant de sortie égale

$$i_o \cong \frac{v_i}{r_E}$$

RÉACTION DE TENSION INVERSEUSE

La figure 16-25 *b* représente un exemple de réaction de tension inverseuse. Ce circuit se comporte comme un convertisseur courant-tension de transrésistance d'environ

$$\frac{v_o}{i_i} = R_F$$

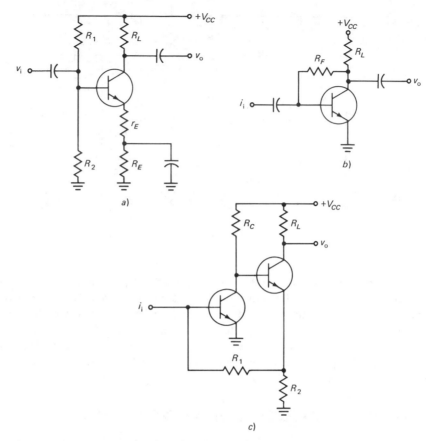

Fig. 16-25. *Contre-réaction discrète.* a) *Réaction de courant non inverseuse.* b) *Réaction de tension inverseuse.* c) *Réaction de courant inverseuse.*

Donc la tension de sortie égale

$$v_o = i_i R_F$$

RÉACTION DE COURANT INVERSEUSE

La figure 16-25 c représente un exemple de réaction de courant inverseuse. Le courant de sortie échantillonné produit la tension de réaction. Le circuit se comporte comme un amplificateur de courant de gain

$$\frac{i_o}{i_i} = \frac{R_1}{R_2} + 1$$

PROBLÈMES

Simples

16-1. Un amplificateur à réaction de tension non inverseuse a une tension d'entrée de 20 mV, une tension de sortie d'1 V, une tension de réaction de 20 mV et une tension d'erreur d'1 μV. Calculer le gain en tension en boucle ouverte, le taux de réaction *B* et le gain en tension en boucle fermée.

16-2. Calculer la tension de sortie du circuit représenté à la figure 16-26 *a*. Supposer que l'amplificateur opérationnel est un 741 C de gain typique de 100 000. Calculer la désensibilité et le gain en tension en boucle fermée.

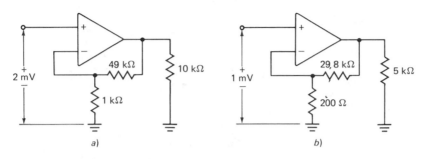

Fig. 16-26.

16-3. Supposer que le gain en tension de l'amplificateur opérationnel représenté à la figure 16-26 *b* est d'abord de 1 000 000 puis de 100 000 et calculer les valeurs approximatives de v_{erreur} et v_2 dans les deux cas. Calculer le gain en tension approximatif en boucle fermée du circuit représenté à la figure 16-26 *b*.

16-4. Soit le circuit représenté à la figure 16-26 *a*. On donne $r_i = 1$ kΩ, $r_o = 100$ Ω et $A = 50 000$. Calculer $r_{i\,(CL)}$ et $r_{o\,(CL)}$.

16-5. La fiche signalétique d'un amplificateur opérationnel donne un gain en tension en boucle ouverte de 100 000, une impédance d'entrée r_i de 500 kΩ et une impédance de sortie r_o de 200 Ω. On utilise cet amplificateur opérationnel dans le circuit représenté à la figure 16-26 *b*. Calculer $r_{i\,(CL)}$ et $r_{o\,(CL)}$.

16-6. Soit un amplificateur à $A = 100 000$ et $B = 0,01$. Supposer que la tension de distorsion en boucle ouverte est de 1,5 V et calculer la tension de distorsion en boucle fermée.

16-7. La résistance de source qui attaque l'entrée non inverseuse de l'amplificateur opérationnel représenté à la figure 16-26 *a* est de 100 Ω. On donne $v_{i\,(décalage)} = 2$ mV, $I_{i\,(polarisation)} = 100$ nA et $I_{i\,(décalage)} = 15$ nA. Calculer la tension de décalage de sortie en boucle fermée dans le cas le plus défavorable.

16-8. La figure 16-27 *a* représente un voltmètre sensible pour tension continue. Pour chaque position du sélecteur, calculer la tension continue d'entrée qui fait dévier l'ampèremètre à pleine échelle.

16-9. La résistance de l'ampèremètre représenté à la figure 16-27 *a* est de 40 Ω. Supposer que l'amplificateur opérationnel a un gain en tension en boucle ouverte de 1 000 000, une impédance d'entrée r_i de 100 kΩ et calculer l'impédance d'entrée en boucle fermée.

16-10. La figure 16-27 *b* représente un thermomètre électronique à 0°C, la résistance de la thermistance est de 20 kΩ. Cette résistance décroît de 200 Ω par échauffement d'1°C de sorte que $R_{thermistance}$ égale successivement 19,8 kΩ, 19,6 kΩ, 19,4 kΩ, ... lorsque *I* égale successivement 1°C, 2°C, 3°C, ... Calculer l'affichage de l'ampèremètre à 0°C, 25°C et 50°C.

16-11. Un courant d'entrée d'1 mA attaque le convertisseur courant-tension représenté à la figure 16-28 *a*. Calculer la tension de sortie pour chaque position du sélecteur.

16-12. La figure 16-28 *b* représente une photodiode attaquant un convertisseur courant-tension. On donne $A = 100 000$. Calculer $r_{i\,(CL)}$. Supposer qu'un courant d'1 μA sort de la photodiode et calculer la tension de sortie.

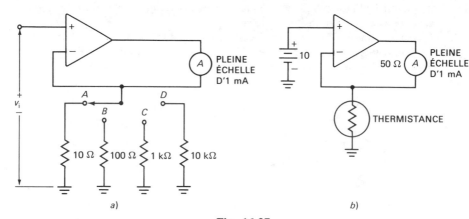

Fig. 16-27.

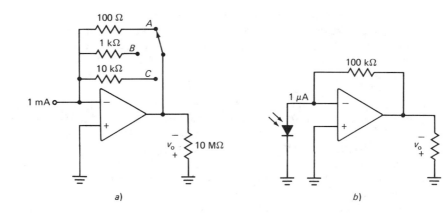

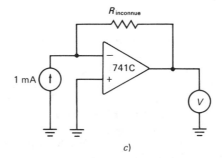

Fig. 16-28.

16-13. Soit le circuit représenté à la figure 16-28 *c*. Les calibres du voltmètre entre les bornes de la sortie sont 1 mV, 10 mV et 100 mV (pleine échelle). On veut que ce circuit serve d'ohmmètre électronique. Calculer la résistance $R_{inconnue}$ qui fait dévier l'ohmmètre à pleine échelle pour chaque calibre de tension donné. On remplace la source de courant par une autre d'1 μA. Calculer la résistance $R_{inconnue}$ qui fait dévier l'ohmmètre à pleine échelle pour chaque calibre.

16-14. De nombreux transducteurs sont résistifs; la grandeur non électrique d'entrée fait varier leur résistance. Le microphone au charbon est un exemple de transducteur résistif; l'onde sonore d'entrée fait varier sa résistance. Les extensomètres ou jauges de contrainte, les thermistances et les photorésistances sont eux aussi des transducteurs résistifs. Supposer que le transducteur du circuit représenté à la figure 16-29 est résistif. Il permet de convertir des variations de résistance en variation de tension de sortie.

a. Calculer i_i.

b. Supposer que la résistance de repos du transducteur est d'1 kΩ et calculer la tension de sortie.

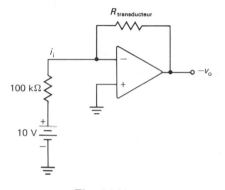

Fig. 16-29.

16-15. La résistance de l'ampèremètre représenté à la figure 16-30 est de 50 Ω. Le gain en tension en boucle ouverte de l'amplificateur est de 1 000 000. Calculer i_o.

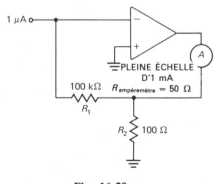

Fig. 16-30.

16-16. On veut que le gain en courant du circuit représenté à la figure 16-30 égale 200. Calculer la nouvelle résistance R_1 sachant que R_2 demeure de 100 kΩ.

16-17. La désensibilité d'un amplificateur à réaction de tension non inverseuse est de 1 000. Supposer que la fréquence de coupure en boucle ouverte f_2 de l'amplificateur est de 10 Hz et calculer la fréquence de coupure en boucle fermée $f_{2\,(CL)}$. Supposer que la pente maximale de tension de sortie égale 1 V/μs et calculer la tension de crête maximale de sortie sans distorsion due à la pente maximale.

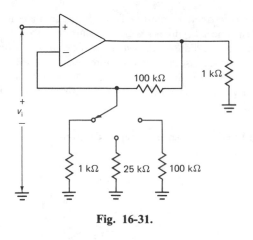

Fig. 16-31.

16-18. L'amplificateur opérationnel représenté à la figure 16-31 a un gain en tension en boucle ouverte de 1 000 000 et une fréquence de coupure de 15 Hz. Calculer $f_{2\,(CL)}$ pour chaque position du sélecteur.

16-19. L'amplificateur opérationnel représenté à la figure 16-31 est un 741 C de $f_{unité}$ d'1 MHz. Calculer le gain en tension en boucle fermée et la bande passante pour chaque position du sélecteur.

16-20. Calculer $f_{unité}$ lorsque
    a. $A = 50\,000$ et $f_2 = 100$ Hz
    b. $A' = 100$ dB et $f_2 = 20$ Hz
    c. $A' = 120$ dB et $f_2 = 15$ Hz.

16-21. La figure 16-32 *a* représente le diagramme de Bode du gain en tension d'un amplificateur. Calculer le produit gain-bande passante et $f_{unité}$.

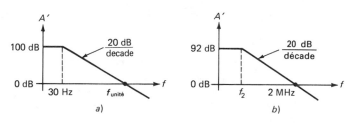

Fig. 16-32.

16-22. La figure 16-32 *b* représente le diagramme de Bode du gain en tension d'un amplificateur. Calculer la fréquence de coupure en boucle ouverte f_2 et le produit gain-bande passante.

16-23. La figure 16-32 *b* représente le diagramme de Bode du gain en tension de l'amplificateur opérationnel d'un suiveur de tension. Calculer $f_{2\,(CL)}$.

De dépannage

16-24. On inverse par mégarde la batterie du circuit représenté à la figure 16-27 *b*. Que se produit-il ?

16-25. Le voltmètre de sortie du circuit représenté à la figure 16-28 *c* affiche une tension cinq fois trop élevée pour toutes les valeurs de la résistance R_{inconnue}. Trouver la (les) cause(s) possible(s) de ce dérangement parmi les suivantes :
  a. mise à la masse de l'entrée inverseuse par un pont de soudure,
  b. le gain en tension à boucle ouverte du 741 C est de 500 000 au lieu de 100 000,
  c. la source de courant produit un courant de 5 mA au lieu d'un courant d'1 mA,
  d. l'entrée non inverseuse est ouverte.

16-26. La tension de décalage de sortie de l'amplificateur opérationnel représenté à la figure 16-9 est trop grande. Trouver la (les) cause(s) possible(s) de ce dérangement parmi les suivantes :
  a. l'amplificateur opérationnel 741 C est défectueux,
  b. la résistance de 39 kΩ est court-circuitée,
  c. les alimentations sont de 10 V au lieu de 15 V,
  d. mise à la masse de l'entrée non inverseuse par un pont de soudure.

16-27. Le réglage de zéro ou zérotage du voltmètre à BIFET représenté à la figure 16-11 ne marche pas. Citer quelques causes possibles de ce dérangement.

De conception

16-28. Modifier l'amplificateur à réaction représenté à la figure 16-3 pour que le gain en tension en boucle fermée égale environ 75.

16-29. Concevoir un amplificateur à réaction semblable à celui représenté à la figure 16-7 tel que son gain en tension en boucle fermée respecte les spécifications suivantes : tension de décalage de sortie en boucle fermée inférieure à 0,5 V, l'amplificateur opérationnel est un 741 C et la résistance de source égale 1 kΩ.

16-30. A l'aide d'un 741 C de *A* de 100 000 et $f_{\text{unité}}$ d'1 MHz, concevoir un circuit semblable à celui représenté à la figure 16-7 à bande passante en boucle fermée d'environ 20 kHz.

De défi

16-31. Soit l'amplificateur représenté à la figure 16-24. Le diviseur de tension de réaction est chargé par l'impédance d'entrée d'émetteur. Trouver la formule de *B* qui tient compte de cette charge.

16-32. Calculer la tension de sortie du circuit représenté à la figure 16-33 *a*.

16-33. Calculer la tension de sortie du circuit représenté à la figure 16-33 *b*.

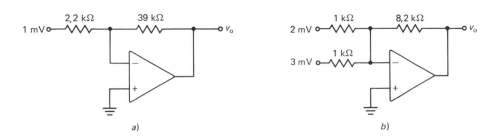

Fig. 16-33.

A résoudre par ordinateur

16-34.   Soit le programme
10   PRINT "INTRODUIRE R1" : INPUT R1
20   PRINT "INTRODUIRE R2" : INPUT R2
30   PRINT "INTRODUIRE A" : INPUT A
40   B = R2/(R1 + R2)
50   ACL = A/(1 + A*B)
60   PRINT "ACL ÉGALE" : ACL

Dire ce que le programme calcule à la ligne 40 et ce qu'affiche l'écran à la ligne 60.

16-35.   On espace les numéros de ligne de 10 pour, en particulier, insérer de nouvelles lignes si nécessaire. On peut, par exemple, insérer les lignes 11, 12, ..., 19 entre les lignes 10 et 20 d'un programme existant. Insérer de nouvelles lignes dans le programme du problème 16-34 pour que le nouveau programme affiche la distorsion en boucle fermée et la tension de décalage de sortie en boucle fermée.

16-36.   Ecrire un programme qui calcule A_{CL}, g_m, v_o/i_i ou i_o/i_i. Commencer le programme par un menu des quatre types de contre-réactions.

16-37.   Ecrire un programme qui calcule les fréquences de coupure inférieure et supérieure en boucle fermée d'un amplificateur à réaction de tension non inverseuse.

Circuits linéaires à amplificateur opérationnel

Ce chapitre traite des circuits *linéaires* à amplificateur opérationnel. Ces circuits préservent l'allure du signal d'entrée. Si le signal d'entrée est sinusoïdal, le signal de sortie l'est aussi. Nous étudierons d'abord les amplificateurs non inverseurs et les amplificateurs inverseurs, puis nous verrons les sources de courant à amplificateur opérationnel, les amplificateurs différentiels et tout un éventail d'autres circuits linéaires à amplificateur opérationnel.

17.1. AMPLIFICATEURS DE TENSION NON INVERSEURS

Un amplificateur à réaction de tension non inverseuse est à peu près un *amplificateur* idéal *de tension* en raison de sa grande impédance d'entrée, de sa petite impédance de sortie et de son gain en tension stable. Examinons les différents circuits à réaction de tension non inverseuse.

CIRCUIT FONDAMENTAL

La figure 17-1 représente le circuit fondamental d'un amplificateur à réaction de tension non inverseuse. Comme nous l'avons vu au chapitre 16, son gain en tension en boucle fermée égale

$$A_{CL} = \frac{R_1}{R_2} + 1$$

et sa bande passante égale

$$f_{2(CL)} = \frac{f_{\text{unité}}}{A_{CL}}$$

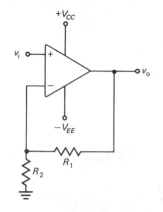

Fig. 17-1. *Amplificateur à réaction de tension non inverseuse.*

Le produit gain-bande passante étant constant, il faut diminuer le gain en tension en boucle fermée si on veut augmenter la bande passante.

AMPLIFICATEUR POUR COURANT ALTERNATIF

Dans certaines applications, la caractéristique de réponse ne doit pas s'étendre jusqu'à la fréquence nulle parce que seuls des signaux alternatifs attaquent l'entrée. Dans ce cas, on monte des *condensateurs de couplage* sur les côtés entrée et sortie (fig. 17-2). Tant qu'à faire, minimisons la tension de décalage de sortie en montant un *condensateur de découplage* dans la boucle de réaction (fig. 17-2). Dans la bande médiane de l'amplificateur, le condensateur de découplage semble court-circuité et le gain en tension alternative en boucle fermée égale $R_1/R_2 + 1$.

Mais à la fréquence nulle, le condensateur semble ouvert et le taux de réaction croît jusqu'à 1. Par conséquent, la désensibilité des signaux continus égale $1 + A$, la valeur maximale. Cela minimise la tension de décalage de sortie et maximise la

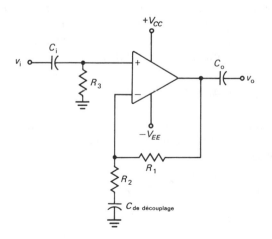

Fig. 17-2. *Amplificateur de tension à couplage alternatif.*

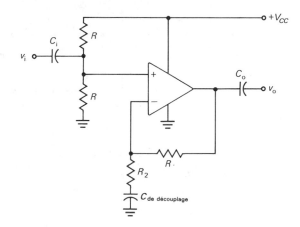

Fig. 17-3. *Amplificateur de tension à couplage alternatif à une alimentation.*

dynamique de signal alternatif de sortie. Autrement dit, le montage d'un condensateur de découplage maximise la dynamique du signal alternatif de sortie.

Le condensateur de découplage produit une fréquence de coupure

$$f_{\text{de découplage}} = \frac{1}{2\pi R_2 C_{\text{de découplage}}} \qquad (17\text{-}1)$$

A cette fréquence le gain en tension en boucle fermée est à environ 3 dB au-dessous de la valeur dans la bande médiane. A la fréquence décuple de la fréquence de découplage, le gain en tension en boucle fermée est à moins de 0,5 % du gain en tension en bande médiane.

FONCTIONNEMENT A UNE ALIMENTATION

La plupart des circuits à amplificateur opérationnel comportent deux alimentations ou des alimentations fractionnées telles que $V_{CC} = + 15$ V et $V_{EE} = - 15$ V. Mais certains circuits à amplificateur opérationnel fonctionnent avec *une alimentation* (fig. 17-3). Remarquer que l'entrée de V_{EE} est mise à la masse. Pour maximiser la dynamique du signal alternatif de sortie, il faut polariser l'entrée non inverseuse à la moitié de la tension d'alimentation, ce qu'on effectue aisément avec un diviseur de tension à résistances égales. On applique donc une tension continue de $+ 0,5\ V_{CC}$ à l'entrée non inverseuse. En raison de l'asservissement, l'entrée inverseuse a automatiquement une valeur de repos de $+ 0,5\ V_{CC}$. Cet effet se répercute à la sortie.

Le fonctionnement en alternatif est le même que celui du circuit représenté à la figure 17-2, à l'exception près que la dynamique du signal alternatif de sortie est inférieure de 1 ou 2 V à V_{CC}. Si $V_{CC} = + 15$ V, la sortie non écrêtée maximale égale 13 ou 14 V.

AMPLIFICATEUR AUDIO

La figure 17-4 représente un autre circuit à une alimentation. La tension typique de repos du collecteur de l'étage à transistor bipolaire égale environ la moitié de

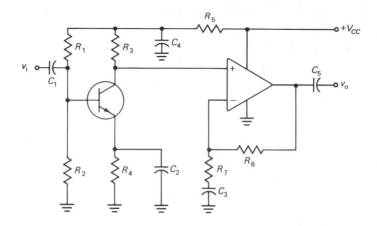

Fig. 17-4. *L'étage à transistor bipolaire à émetteur commun est directement couplé à l'étage à amplificateur opérationnel.*

V_{CC}. Par conséquent, on peut *coupler directement* le collecteur à l'entrée non inverseuse. Cela élimine le condensateur de couplage et le diviseur de tension représenté plus tôt tout en augmentant le gain en tension.

Nous connaissons déjà la plupart des composants de l'étage à transistor bipolaire. R_1 et R_2 fournissent la polarisation par diviseur de tension et C_2 découple l'émetteur à la masse pour maximiser le gain en tension. Les seuls nouveaux composants sont R_5 et C_4. On appelle ce circuit de retard un réseau de *découplage*. Sa basse fréquence de coupure élimine les oscillations causées par la réaction indésirée entre étages (étudiée au chapitre 20).

L'amplificateur audio couvre les fréquences de 20 Hz à 20 kHz. Si l'amplificateur opérationnel est un 741C, un gain en tension en boucle fermée de 50 donne une fréquence de coupure supérieure de 20 kHz. Si l'alimentation est de 15 V, le gain de l'étage à transistor bipolaire avoisinera 200; la valeur exacte dépend de la conception. Donc, le gain total en tension d'un amplificateur audio vaut environ 10 000 ou 80 dB.

GAIN EN TENSION COMMUTÉ PAR FET A JONCTION

Dans certaines applications, le gain en tension en boucle fermée doit varier. La figure 17-5 représente un amplificateur *commandé par un FET à jonction*. La tension de commande du FET à jonction interrupteur provient d'un autre circuit à sortie à deux niveaux : 0 V et une tension égale à $V_{GS\,(\text{blocage})}$. Lorsque la tension de commande égale $V_{GS\,(\text{blocage})}$, le FET à jonction interrupteur est ouvert et le gain en tension en boucle fermée égale $R_1/R_2 + 1$. Lorsque la tension de commande est nulle, le FET à jonction interrupteur est fermé et le gain en tension en boucle fermée égale

$$A_{CL} = \frac{R_1}{R_2 \parallel R_3} + 1$$

Le 2N4860 à $r_{ds\,(\text{passant})}$ maximal de 40 Ω est le le FET à jonction typique pour une telle application. Dans la plupart des applications, on prend une résistance R_3

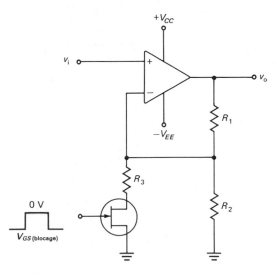

Fig. 17-5. *Un FET à jonction interrupteur commande le gain en tension d'un circuit à amplificateur opérationnel.*

nettement supérieure à la résistance $r_{ds(\text{passant})}$ pour éviter que celle-ci n'influe sur le gain en tension en boucle fermée. Le montage fréquent de plusieurs FET à jonction interrupteurs et de plusieurs résistances en parallèle avec R_2 fournit une gamme de gain en tension en boucle fermée. (On utilise souvent une commande TTL. Un TTL est un circuit intégré numérique à deux niveaux de sortie : haut et bas).

CAG AUDIO

CAG est mis pour *commande automatique de gain*. La figure 17-6 représente un circuit de CAG audio. Le FET à jonction Q_1 sert de *résistance variable commandée par tension*. Comme nous l'avons vu dans la section 12-11, en fonctionnement petits signaux à tensions drain proches de zéro, le FET à jonction fonctionne dans la région ohmique et présente une résistance $r_{ds(\text{passant})}$ aux signaux alternatifs. La tension grille commande la résistance $r_{ds(\text{passant})}$ aux signaux alternatifs. La tension grille commande la résistance $r_{ds(\text{passant})}$ du FET à jonction. Plus la tension V_{GS} est négative, plus la résistance $r_{ds(\text{passant})}$ est grande. La résistance $r_{ds(\text{passant})}$ d'un FET à jonction 2N4861 peut varier de 100 Ω à plus de 10 MΩ. Si R_3 est d'environ 100 kΩ, la combinaison R_3-Q_1 se comporte comme un diviseur de tension à sortie variable entre 0,001 v_i et v_i. Par conséquent, la tension d'entrée non inverseuse varie entre 0,001 v_i et v_i, une gamme de 60 dB. La tension de sortie amplifiée égale $(R_1/R_2 + 1)$ fois cette tension.

Dans le circuit représenté à la figure 17-6, on transmet la tension de sortie à la base de Q_2. Pour les tensions de crête à crête de sortie inférieures à 1,4 V, Q_2 est bloqué parce qu'il n'est pas polarisé. Dans ce cas, le condensateur C_2 n'est pas chargé et la grille de Q_1 est à $-V_{EE}$, une tension suffisante pour bloquer le FET à jonction. Donc, presque toute la tension d'entrée atteint l'entrée non inverseuse.

Lorsque la tension de crête à crête de sortie est supérieure à 1,4 V, Q_2 conduit durant une partie de l'alternance négative. Alors le condensateur C_2 se charge et

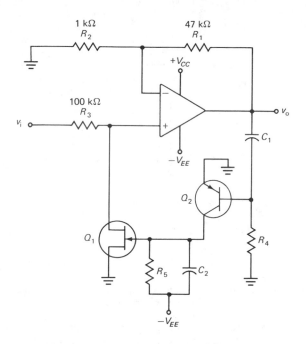

Fig. 17-6. *FET à jonction servant de résistance variable en fonction de la tension dans un circuit de CAG.*

élève la tension grille au-dessus du niveau de repos − V_{EE}.A ce moment $r_{ds\,(\text{passant})}$ décroît. La sortie du diviseur de tension R_3-Q_1 diminue et une plus petite tension d'entrée atteint l'entrée non inverseuse. Autrement dit, le gain total en tension du circuit diminue lorsque la tension de crête à crête de sortie dépasse 1,4 V.

La fonction du circuit de CAG est de faire varier le gain en tension lorsque le signal d'entrée varie de manière que la tension de sortie demeure à peu près *constante*. Cela évite, en particulier, que de brusques augmentations du niveau du signal ne surchargent un haut-parleur. En effet, lorsqu'on écoute la radio, par exemple, on ne veut pas qu'une augmentation inattendue du signal nous fracasse les oreilles ni qu'un signal devienne inaudible en raison de l'affaiblissement de son intensité.

En résumé, même si la tension d'entrée du circuit représenté à la figure 17-6 varie sur une gamme de 60 dB, la tension de crête à crête de sortie dépasse à peine 1,4 V. Nous étudierons d'autres exemples de circuits de CAG.

17.2. AMPLIFICATEUR DE TENSION INVERSEUR

La tension de sortie d'un amplificateur de tension non inverseur est, phénomène utile dans de nombreuses applications, en phase avec la tension d'entrée. Dans de nombreuses autres applications, la tension de sortie doit être inversée. La figure 17-7 représente un *amplificateur de tension inverseur* très répandu. Ce dispositif est un convertisseur courant-tension attaqué par une source de tension au lieu

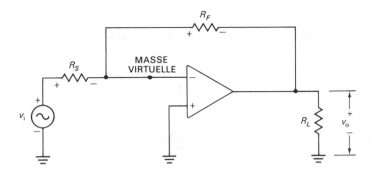

Fig. 17-7. *Amplificateur de tension inverseur à réaction de tension inverseuse.*

d'une source de courant. La résistance de source R_S modifie le taux de réaction et certaines propriétés de la réaction.

ANALYSE SIMPLIFIÉE

L'entrée inverseuse d'un convertisseur courant-tension est une masse virtuelle. La borne droite de R_S étant à la masse, le courant d'entrée égale

$$i_i \cong \frac{v_i}{R_S} \qquad (17\text{-}2)$$

Puisque la masse virtuelle ne tire aucun courant, tout le courant d'entrée traverse R_F. Donc, la tension de sortie égale

$$v_o \cong - i_i R_F$$

D'où

$$v_o \cong \frac{- v_i R_F}{R r_S} \qquad (17\text{-}3)$$

et

$$\frac{v_o}{v_i} \cong \frac{- R_F}{R_S} \qquad (17\text{-}4)$$

donc,

$$A_{CL} \cong \frac{- R_F}{R_S} \qquad (17\text{-}5)$$

Le signe moins indique une inversion de phase. Selon cette formule, le gain en tension en boucle fermée égale moins le rapport de la résistance de réaction à la résistance de source.

IMPÉDANCES

En raison de la masse virtuelle, la borne droite de R_S semble à la masse et la source voit une impédance d'entrée en boucle fermée

$$r_{i(CL)} \cong R_S \qquad (17\text{-}6)$$

Selon cette formule, le concepteur détermine l'impédance d'entrée d'un amplificateur de tension inverseur puisqu'elle égale R_S. La liberté qu'a le concepteur de fixer

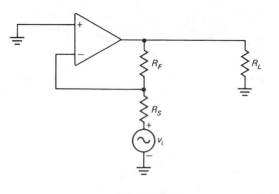

Fig. 17-8.

précisément l'*impédance d'entrée* et le gain en tension d'un amplificateur de tension inverseur explique partiellement l'engouement pour ce dispositif.

Retraçons le circuit selon le schéma représenté à la figure 17-8. Le taux de réaction égale

$$B \cong \frac{R_S}{R_F + R_S} \qquad (17\text{-}7)$$

Par un développement semblable à celui de la section 16-2, l'impédance de sortie en boucle fermée égale

$$r_{o\,(CL)} \cong \frac{r_o}{1 + AB} \qquad (17\text{-}8)$$

(*Remarque* : Lorsque R_S tend vers l'infini, B tend vers 1 et le dispositif devient le convertisseur courant-tension analysé à la section 16-4).

PRODUIT GAIN-BANDE PASSANTE EN BOUCLE FERMÉE

En raison de la contre-réaction, la fréquence de coupure en boucle fermée d'un amplificateur inverseur est supérieur à la fréquence de coupure en boucle ouverte. Selon l'appendice 1,

$$f_{2(CL)} = (1 + A_{\text{méd}}B)f_2 \qquad (17\text{-}9)$$

Selon cette formule, la fermeture de la boucle accroît la fréquence de coupure puisqu'elle la multiplie par $1 + A_{\text{méd}}B$.

Le produit gain-bande passante en boucle fermée est $A_{CL}f_{2(CL)}$. Selon l'appendice 1,

$$A_{CL}f_{2(CL)} = \frac{-R_F}{R_F + R_S} f_{\text{unité}} \qquad (17\text{-}10)$$

Donc, le produit gain-bande passante en boucle fermée égale une fraction de $f_{\text{unité}}$. Si R_F est beaucoup plus grand que R_S, $A_{CL}f_{2(CL)}$ égale environ $f_{\text{unité}}$. Mais si R_F n'est pas assez grand pour masquer R_S, le produit gain-bande passante en boucle fermée peut être nettement inférieur à $f_{\text{unité}}$.

Réarrangeons la relation (17-10) sous la forme

$$A_{CL}f_{2(CL)} = \frac{A_{CL}}{1 - A_{CL}} f_{\text{unité}} \qquad (17\text{-}10\ a)$$

qui permet de voir l'effet du gain en tension boucle fermée. Si A_{CL} est grand, le produit gain-bande passante en boucle fermée égale environ $-f_{\text{unité}}$. Si A_{CL} est petit, le produit gain-bande passante en boucle fermée diminue. Si $A_{CL} = -1$, alors

$$A_{CL}f_{2(CL)} = \frac{-1}{1+1}\, f_{\text{unité}} = -0{,}5 f_{\text{unité}}$$

Divisons les deux membres de la formule (17-10) par A_{CL} et réarrangeons cette nouvelle relation. Il vient

$$f_{2(CL)} = B f_{\text{unité}} \qquad (17\text{-}11)$$

Cette formule est utile parce qu'elle lie la fréquence de coupure en boucle fermée au taux de réaction et au produit gain-bande passante en boucle ouverte.

En résumé, lorsque le gain en tension diminue, la *bande passante* d'un amplificateur de tension inverseur *est plus petite* que celle d'un amplificateur de tension non inverseur.

DÉCALAGE CAUSÉ PAR LE COURANT DE POLARISATION MOYEN OU D'ENTRÉE

Selon la figure 17-9, le courant de polarisation moyen ou d'entrée génère une tension de décalage d'entrée

$$v_2 = I_{B2}(R_S \parallel R_F)$$

Dans certaines applications on *ajoute une résistance* entre l'entrée non inverseuse et la masse (fig. 17-10). Cela élimine presque tout le décalage du courant de polarisation puisque, maintenant, l'entrée égale

$$v_1 - v_2 = I_{B1}(R_S \parallel R_F) - I_{B2}(R_S \parallel R_F)$$

D'où

$$v_1 - v_2 = I_{i\,(\text{décalage})}\,(R_S \parallel R_F)$$

Cela minimise le décalage du courant de polarisation puisque, habituellement, $I_{i\,(\text{décalage})}$ est beaucoup plus petit que $I_{i\,(\text{polarisation})}$. La résistance ajoutée n'a aucun effet sur le gain en tension en boucle fermée parce qu'elle n'est soumise à aucune tension alternative.

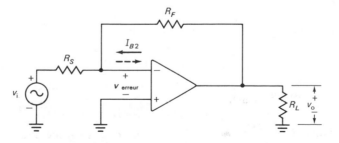

Fig. 17-9. *Amplificateur de tension inverseur.*

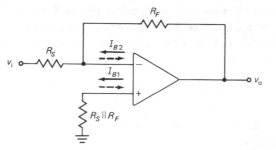

Fig. 17-10. *Réduction de la tension de décalage de sortie par montage d'une résistance sur l'entrée non inverseuse.*

PROPRIÉTÉS DE L'AMPLIFICATEUR DE TENSION NON INVERSEUR

Nous avons résumé au tableau 17-1 les propriétés d'un amplificateur de tension inverseur. La contre-réaction stabilise le gain en tension et l'impédance d'entrée. En raison de la réaction de tension, l'impédance de sortie de l'amplificateur est très petite. Comme toujours, la contre-réaction diminue la distorsion et la tension du décalage de sortie.

Tableau 17-1. Amplificateur de tension inverseur

Grandeur	Effet	Formule
v_o/v	stabilise	$-R_F/R_S$
Impédance d'entrée	stabilise	R_S
Impédance de sortie	diminue	$r_o/(1+AB)$
Distorsion	diminue	$v_{dist}/(1+AB)$
Décalage de sortie	diminue	$V_{o(décalage)}/(1+AB)$
Bande passante	augmente	$Bf_{unité}$

EXEMPLE 17-1

Calculer la tension de sortie, l'impédance d'entrée et la fréquence de coupure de l'amplificateur de tension inverseur représenté à la figure 17-11. La fréquence $f_{unité}$ du 741C égale 1MHz.

SOLUTION

Le gain en tension en boucle fermée égale

$$A_{CL} = \frac{-2\ \text{k}\Omega}{1\ \text{k}\Omega} = -2$$

Donc la tension de sortie égale

$$v_o = -2\,(5\ \text{mV}) = -10\ \text{mV}$$

L'impédance d'entrée en boucle fermée vue par la source alternative égale

$$r_{i(CL)} = 1\ \text{k}\Omega$$

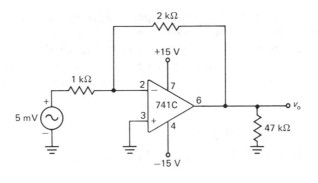

Fig. 17-11.

Le taux de réaction égale

$$B = \frac{1 \text{ k}\Omega}{2 \text{ k}\Omega + 1 \text{ k}\Omega} = 0,333$$

Selon la formule (17-11), la fréquence de coupure en boucle fermée égale

$$f_{2(CL)} = 0,333(1 \text{ MHz}) = 333 \text{ kHz}$$

La bande passante d'un amplificateur de tension inverseur est inférieur à celle d'un amplificateur de tension non inverseur. La perte de bande passante est importante lorsque le gain en tension en boucle fermée est inférieur à environ 10. Dans le cas le plus défavorable, lorsque $A_{CL} = -1$, la bande passante de l'amplificateur de tension inverseur est de 500 kHz tandis que celle de l'amplificateur de tension non inverseur égal 1 MHz.

17.3. CIRCUITS INVERSEURS A AMPLIFICATEUR OPÉRATIONNEL

L'amplificateur de tension inverseur a un gain en tension et une impédance d'entrée stables. Ces propriétés permettent aux concepteurs d'offrir un large éventail de circuits inverseurs à amplificateur opérationnel pour diverses applications. Lorsqu'on analyse de tels circuits, se rappeler que l'entrée inverseuse est à quelques microvolts de l'entrée non inverseuse parce que le gain en tension en boucle ouverte est extrêmement élevé.

INVERSEUR COMMUTABLE

L'amplificateur opérationnel représenté à la figure 17-12 *a* fonctionne en inverseur et en non inverseur. Lorsque l'interrupteur est en position inférieure, l'entrée non inverseuse est mise à la masse. La résistance de réaction et la résistance de source étant égales, on a un amplificateur de tension inverseur à gain en tension en boucle fermée

$$A_{CL} = -1$$

Lorsque l'interrupteur est en position supérieure, le signal d'entrée attaque aussi l'entrée non inverseuse. Comme l'entrée inverseuse est asservie à l'entrée non inverseuse, un courant presque nul parcourt la résistance R de gauche. De plus, puisqu'on réinjecte la tension de sortie à l'entrée inverseuse, la tension de sortie égale la tension d'entrée. Donc, le gain en tension en boucle fermée égale

$$A_{CL} = 1$$

INVERSEUR COMMUTABLE
COMMANDÉ PAR FET A JONCTION

La figure 17-12 b représente une variante du circuit représenté à la figure 17-12 a. Cette fois, l'interrupteur est un FET à jonction, une très petite ou une très grande résistance commandée par tension. Puisque les caractéristiques de drain d'un FET à jonction s'étendent des deux côtés de l'origine, on n'a pas besoin d'une tension continue d'alimentation. L'application d'une tension négative sur le drain suffit.

Lorsque le FET à jonction est à 0 V, le FET à jonction interrupteur est fermé et le circuit est un inverseur à gain en tension de − 1. Par contre, lorsque la tension grille égale $V_{GS(\text{blocage})}$, le FET à jonction interrupteur est ouvert et le circuit est un non inverseur à gain en tension de 1. Pour que ce dispositif fonctionne bien, R doit être d'au moins 100 $r_{ds(\text{passant})}$ lorsque le FET à jonction interrupteur est fermé.

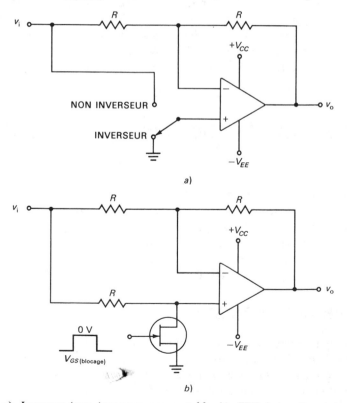

Fig. 17-12.   a) *Inverseur/non inverseur commutable;* b) *FET à jonction interrupteur pour inverseur/non inverseur.*

BANDE PASSANTE RÉGLABLE

Nous aimerions parfois faire varier la bande passante en boucle fermée d'un amplificateur de tension inverseur sans modifier le gain en tension en boucle fermée. Cela semble impossible mais ce ne l'est pas. La figure 17-13 *a* représente une résistance *R* réglable montée entre l'entrée inverseuse et la masse. La figure 17-13 *b* représente un circuit équivalent après application du théorème de Thévenin du côté d'entrée. La résistance effective de source d'attaque de l'entrée inverseuse est maintenant R_S en parallèle avec *R*. Donc, le taux de réaction égale

$$B = \frac{R_S \parallel R}{R_S \parallel R + R_F}$$

La bande passante en boucle fermée égale

$$f_{2(CL)} = B f_{\text{unité}}$$

R étant réglable, on peut faire varier *B* et donc commander $f_{2(CL)}$.

La tension de sortie égale

$$v_o = \frac{-R_F}{R_S \parallel R} \frac{R}{R_S + R} v_i$$

qui se réduit à

$$v_o = \frac{-R_F}{R_S} v_i$$

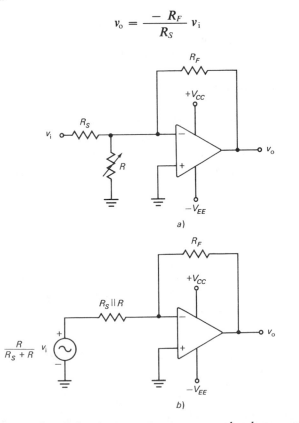

Fig. 17-13. *Circuit à gain en tension constant et bande passante réglable.*

Selon cette relation, la tension de sortie est constante même si la bande passante varie.

FONCTIONNEMENT A UNE ALIMENTATION

La figure 17-14 représente un amplificateur de tension inverseur à une alimentation auquel on peut appliquer des signaux alternatifs. L'alimentation V_{EE} est mise à la masse et la moitié de l'alimentation V_{CC} est appliquée à l'entrée non inverseuse. En raison de l'asservissement, l'entrée inverseuse grimpe au niveau de repos d'environ $+ V_{CC}/2$. Le condensateur de couplage d'entrée étant ouvert à la fréquence nulle, le gain en tension en boucle fermée est de -1 pour les signaux continus, ce qui minimise la tension de décalage de sortie.

La fréquence de coupure inférieure produite par le condensateur de couplage d'entrée égale

$$f_i = \frac{1}{2\pi R_S C_i} \tag{17-12}$$

A la fréquence décuple de f_i, le gain en tension en boucle fermée est à moins de 0,5 % de la valeur en bande médiane, $- R_F/R_S$.

On monte ordinairement un condensateur de découplage sur l'entrée non inverseuse (fig. 17-14). Sa fonction est de diminuer l'ondulation de l'alimentation et du bruit qui apparaissent à l'entrée non inverseuse. La fréquence de coupure de ce circuit de découplage (un réseau de retard de résistance équivalente égale à $R/2$) est effective si elle est nettement inférieure à la fréquence d'ondulation.

GAIN INVERSE RÉGLABLE

Lorsque la résistance réglable représentée à la figure 17-15 *a* est réduite à zéro, l'entrée non inverseuse est mise à la masse et le gain en tension maximal égal $- R_F/R_S$. Lorsque la résistance réglable égale R_F, d'égales tensions attaquent les entrées inverseuse et non inverseuse. En raison de la réjection en mode commun,

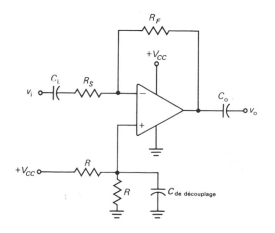

Fig. 17-14. *Amplificateur inverseur à une alimentation.*

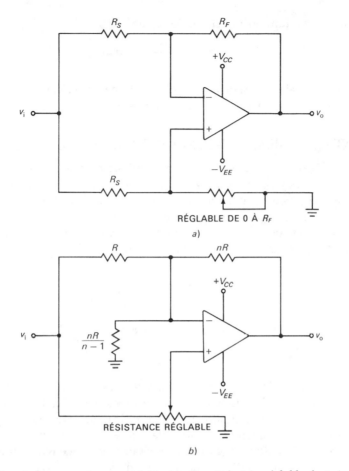

Fig. 17-15. a) *Inverseur à gain réglable;* b) *Circuit à gain réglable de* + 1 *à* − 1.

la tension de sortie est d'environ 0 V. Par conséquent, le gain en tension en boucle fermée du circuit représenté à la figure 17-15 *a* est réglable d'environ 0 à − R_F/R_S.

INVERSEUR/NON INVERSEUR RÉGLABLE

La figure 17-15 *b* représente un circuit à gain en tension en boucle fermée réglable entre − *n* et + *n*. Lorsque la résistance réglable est nulle, l'entrée non inverseuse est mise à la masse et le gain en tension en boucle fermée, calculé comme celui du circuit représenté à la figure 17-13, égale

$$A_{CL} \cong \frac{-nR}{R} = -n$$

A l'autre extrémité de la résistance réglable, la tension d'entrée est directement appliquée à l'entrée non inverseuse. En raison de l'asservissement, la même tension approximative est appliquée à l'entrée inverseuse et la résistance *R* n'a aucun effet parce que v_i apparaît aux deux extrémités de *R*. Le taux de réaction égale

$$B \cong \frac{nR/(n-1)}{nR/(n-1) + nR} = \frac{1}{n}$$

Par conséquent, le gain en boucle fermé égale

$$A_{CL} \cong \frac{1}{1/n} = n$$

Lorsqu'on fait varier la résistance réglable d'une extrémité à l'autre, le gain en tension en boucle fermée varie de de $-n$ à $+n$.

CAG POUR SIGNAUX VIDÉO DE BAS NIVEAU

La figure 17-16 *a* représente un circuit classique de CAG *vidéo* qui a été utilisé pour des fréquences jusqu'à 10 MHz. Dans ce circuit, le JET à jonction se comporte comme une résistance commandée par tension. Lorsque la tension de CAG est nulle, la polarisation négative bloque le FET à jonction et la résistance $r_{ds\,(\text{passant})}$ est maximale. La résistance $r_{ds\,(\text{passant})}$ du FET à jonction diminue à mesure que la tension de CAG augmente. Le signal d'attaque de l'amplificateur de tension inverseur égale

$$v_A = \frac{R_2 + r_{ds\,(\text{passant})}}{R_1 + R_2 + r_{ds\,(\text{passant})}}\, v_i$$

La tension de sortie de l'amplificateur inverseur égale

$$v_o = \frac{-R_F}{R_S}\, v_A$$

Dans ce circuit, le FET à jonction se comporte comme une résistance commandée par la tension $+V_{CAG}$. Plus la tension V_{CAG} est positive, plus la résistance $r_{ds\,(\text{passant})}$ est petite et plus la tension appliquée à l'amplificateur inverseur est petite. Donc, la tension de CAG commande le gain total en tension du circuit.

Un tel circuit muni d'un amplificateur opérationnel large bande fonctionne bien pour des signaux d'entrée jusqu'à 100 mV. Au-dessus de ce niveau la résistance du FET à jonction est une fonction du niveau du signal en plus de la tension de CAG, ce qui est indésirable puisque seule la tension de CAG devrait commander le gain total en tension.

CAG POUR SIGNAUX VIDÉO DE HAUT NIVEAU

Pour les signaux vidéo de haut niveau, on peut remplacer le FET à jonction par une combinaison DEL - photorésistance semblable à celle représentée à la figure 17-16 *b*. La résistance R_P de la photorésistance diminue à mesure que la quantité de lumière augmente. Par conséquent, plus la tension de CAG est grande plus la résistance R_P est petite. Comme auparavant, le diviseur de tension d'entrée commande la tension qui attaque l'amplificateur de tension inverseur. Cette tension égale

$$v_A = \frac{R_2 + R_P}{R_1 + R_2 + R_P}\, v_i$$

Ce circuit traite des tensions d'entrée de haut niveau, jusqu'à 10 V, parce que la résistance de la cellule photoélectrique n'est pas affectée par les tensions plus

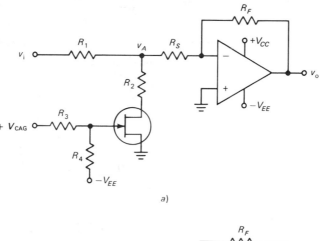

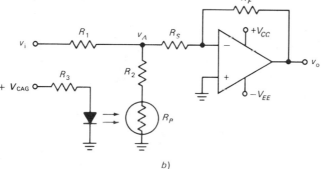

Fig. 17-16.   a) *CAG pour signaux vidéo de niveau bas;* b) *CAG pour signaux vidéo de niveau haut.*

grandes et n'est qu'une fonction de V_{CAG}. Remarquer aussi l'isolement presque total entre la tension de CAG et la tension d'entrée v_i.

17.4. AMPLIFICATEUR SOMMATEUR OU SOMMATEUR

Autre avantage de l'amplificateur de tension inverseur : son aptitude à traiter simultanément plusieurs entrées. Pour comprendre cette aptitude, examinons la figure 17-17 *a*. En raison de la masse virtuelle, les bornes droites des deux résistances d'entrée sont mises à la masse. Le courant d'entrée qui traverse R_1 égale

$$i_1 = \frac{v_1}{R_1}$$

et le courant d'entrée qui traverse R_2 égale

$$i_2 = \frac{v_2}{R_2}$$

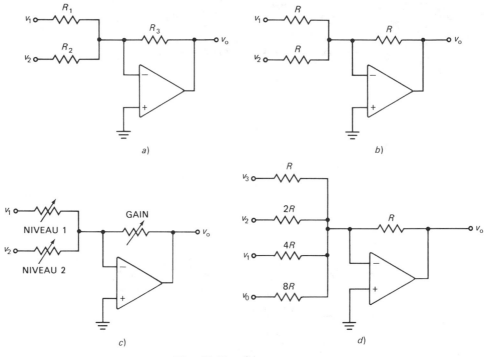

Fig. 17-17. *Sommateurs.*

La somme, $i_1 + i_2$, traverse R_3. Donc, la tension de sortie égale

$$v_o = - (i_1 + i_2)R_3$$

D'où

$$v_o = - \frac{R_3}{R_1} v_1 - \frac{R_3}{R_2} v_2 \tag{17-13}$$

On a donc un gain en tension différent par entrée; la sortie égale la *somme* des entrées amplifiées. Ce principe subsiste quel que soit le nombre d'entrées; ajouter une résistance par nouveau signal d'entrée.

SOMMATEUR ET MÉLANGEUR

On a souvent besoin d'un circuit qui additionne plusieurs entrées. Dans ce cas, on utilise un *sommateur,* un amplificateur inverseur à plusieurs entrées, chacune ayant un gain en tension unité.

La figure 17-17 *b* représente un sommateur à deux entrées. Les résistances étant égales, chaque entrée a un gain en tension unité et la sortie égale

$$v_o = - (v_1 + v_2)$$

La figure 17-17 *c* représente une façon commode de mélanger deux signaux audio. Les résistances réglables permettent de régler le niveau de chaque entrée et la commande de gain permet de régler le volume de sortie.

CONVERTISSEUR NUMÉRIQUE-ANALOGIQUE

Le convertisseur *numérique-analogique* est un dispositif étudié en électronique numérique. La figure 17-17 *d* représente l'utilisation d'un amplificateur opérationnel dans un convertisseur numérique-analogique. Les quatre entrées représentent un nombre binaire. En raison des résistances d'entrée, la sortie égale

$$v_o = - (v_3 + 0,5v_2 + 0,25v_1 + 0,125v_0)$$

Les tensions d'entrée sont numériques. Entendre par là, qu'elles ont seulement deux valeurs : un niveau bas et un niveau haut. La tension de sortie est l'équivalent analogique de la tension d'entrée.

17.5. AMPLIFICATEUR DE COURANT POUR AMPLIFICATEUR DE TENSION

Le courant maximal de sortie d'un amplificateur opéraitonnel typique est limité. Le courant maximal de sortie d'un 741C, par exemple, est de 25 mA. Si la charge exige un courant plus élevé, il faut ajouter un *amplificateur de courant* à la sortie.

COURANT UNIDIRECTIONNEL DE CHARGE

Si un courant *unidirectionnel* de charge convient, ajouter un transistor à émetteur suiveur à la sortie d'un amplificateur opérationnel (fig. 17-18). Le transistor étant dans la boucle de réaction, la contre-réaction règle automatiquement V_{BE} à la valeur voulue. Ce circuit est un amplificateur à réaction de tension non inverseuse. Donc, le gain en tension en boucle fermée égale

$$A_{CL} = \frac{R_1}{R_2} + 1$$

et l'impédance de sortie égale

$$r_{o(CL)} = \frac{r_o}{1 + AB}$$

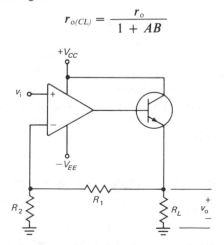

Fig. 17-18. *Le transistor bipolaire est un amplificateur de courant pour l'amplificateur opérationnel.*

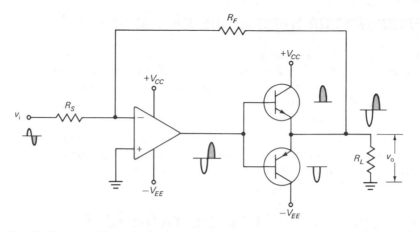

Fig. 17-19. *Amplificateur de courant classe B pour amplificateur opérationnel.*

r_o est l'impédance de sortie en boucle ouverte d'émetteur. Contrairement aux amplificateurs de tension antérieurs, l'amplificateur opérationnel ne fournit plus le courant de charge. Il fournit seulement le courant base au transistor. L'amplificateur de courant permet d'utiliser de plus petites résistances de charge.

COURANT BIDIRECTIONNEL DE CHARGE

Le principal désavantage du circuit représenté à la figure 17-18 est son courant unidirectionnel de charge (le courant de sens conventionnel descend la charge et les électrons la remontent). L'amplificateur à émetteurs suiveurs *push-pull* classe B représenté à la figure 17-19 donne un courant de charge *bidirectionnel*. Dans ce cas, le gain en tension en boucle fermée égale

$$A_{CL} = \frac{-R_F}{R_S}$$

En raison de la réaction de tension, l'impédance de sortie est encore $r_o/(1 + AB)$.

La contre-réaction règle automatiquement les tensions V_{BE} aux valeurs voulues. De plus, la polarisation pour l'élimination de la distorsion de recouvrement n'est plus nécessaire puisque la contre-réaction la divise par $1 + AB$. Si la tension d'entrée est positive, le transistor du bas conduit et la tension de charge est négative. Si la tension d'entrée est négative, le transitor du haut conduit et la tension de sortie est positive.

17.6. SOURCES DE COURANT COMMANDÉES PAR TENSION

La figure 17-20 *a* représente un amplificateur à réaction de courant non inverseuse. Nous avons vu que le courant de charge est stabilisé en dépit des

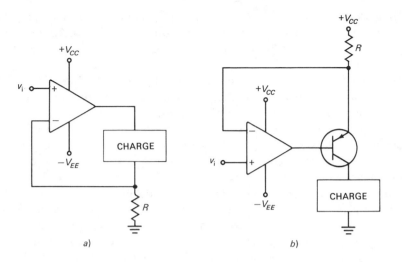

Fig. 17-20. *Sources de courant commandées par tension.* a) *Charge flottante.* b) *Charge à une borne mise à la masse.*

variations de la résistance de charge et du gain en boucle ouverte. L'entrée inverseuse étant asservie à l'entrée non inverseuse la tension v_i apparaît entre les bornes de R et le courant de charge égale

$$i_o \cong \frac{v_i}{R} \tag{17-14}$$

La résistance de charge n'apparaît pas dans cette relation. Donc le courant de sortie est indépendant de la résistance de charge. Autrement dit, l'impédance de sortie en regard de la charge égale $(1 + A)R$. La charge semble donc attaquée par une source très soutenue de courant.

CHARGE MISE A LA MASSE

Si une charge flottante convient, alors un circuit semblable à celui représenté à la figure 17-20 *a* fonctionne très bien. S'il faut mettre une borne de la résistance de charge à la masse (le cas habituel), modifier le circuit fondamental selon le schéma représenté à la figure 17-20 *b*. Le courant collecteur étant à très peu près égal au courant émetteur, on peut dire que le courant de charge traverse la résistance R de réaction. Le courant de charge est stabilisé puisqu'on a une réaction de courant.

En raison de l'asservissement, la tension d'entrée inverseuse égale v_i. Donc le courant qui traverse R égale

$$i_o \cong \frac{V_{CC} - v_i}{R} \tag{17-15}$$

Si v_i provient d'une diode Zener ou d'une autre source soutenue de tension continue, le transistor semble une source soutenue de courant continu pour la charge.

Le courant de sortie de ce circuit est limité. En voici la raison. Le courant base du transistor égale i_o/β_{cc}. Comme l'amplificateur opérationnel fournit ce courant base, i_o/β_{cc} doit être inférieur à $I_{o(max)}$ de l'amplificateur opérationnel, typiquement de 10 à 25 mA. Donc, lors de la conception d'un tel circuit, s'assurer que i_o donné par la formule (17-15) respecte la condition i_o/β_{cc} inférieur à $I_{o\ (max)}$ de l'amplificateur opérationnel.

La tension de sortie du circuit représenté à la figure 17-20 *b* est elle aussi limitée. En voici la raison. La tension de charge augmente à mesure que la résistance de charge augmente. En fin de compte, le transistor fonctionne en dehors de sa dynamique parce qu'il se sature. La tension émetteur par rapport à la masse étant v_i, la tension maximale de charge est légèrement inférieure à v_i (transistor saturé). Donc, dans ce type de circuit, vérifier aussi que le produit courant de sortie fois résistance maximale de charge n'excède pas v_i.

Signalons la propriété intéressante suivante de la contre-réaction : elle règle automatiquement la tension V_{BE} du transistor représenté à la figure 17-20 *b* à la valeur nécessaire pour maintenir constant le courant de charge. Si la résistance de charge diminue, le courant de charge essaie d'augmenter. Alors la tension accrue réinjectée à l'entrée inverseuse diminue juste assez V_{BE} pour annuler presque complètement la velléité d'augmentation du courant de charge.

CONVERTISSEUR TENSION-COURANT MIS A LA MASSE

Selon la formule (17-15), le courant de charge diminue à mesure que la tension d'entrée augmente. Le courant de charge du circuit représenté à la figure 17-21 augmente à mesure que la tension d'entrée augmente. En raison de l'asservissement, la tension d'entrée inverseuse du premier amplificateur opérationnel égale v_i. Le courant qui traverse le premier transistor égale

$$i \cong \frac{v_i}{R} \tag{17-16}$$

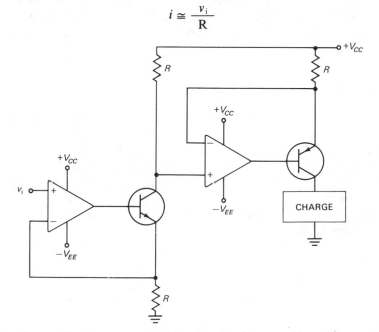

Fig. 17-21. *Source de courant commandée par tension à courant de sortie proportionnel à la tension d'entrée.*

Ce courant produit une tension collecteur

$$V_C \cong V_{CC} - v_i \qquad (17\text{-}17)$$

Comme cette tension attaque l'entrée non inverseuse du deuxième amplificateur opérationnel, la tension d'entrée inverseuse égale à très peu près $V_{CC} - v_i$. Donc, la tension entre les bornes de la résistance R finale égale

$$V_{CC} - (V_{CC} - v_i) = v_i$$

et le courant de sortie égale

$$i_o \cong \frac{v_i}{R} \qquad (17\text{-}18)$$

Comme auparavant, le courant de sortie doit respecter la condition : i_o/β_{cc} doit être inférieur au courant $I_{o(max)}$ de l'amplificateur opérationnel. De plus, la tension de charge ne peut excéder $V_{CC} - v_i$ pour des raisons de saturation de transistor; par conséquent, $i_o R_L$ doit être inférieur à $V_{CC} - v_i$.

Le convertisseur tension-courant représenté à la figure 17-21 est un dispositif intéressant, puisqu'il peut attaquer une charge à la masse. La charge est bien plus souvent à la masse que flottante. Retenir ce circuit très utile et pratique lorsqu'on veut convertir une tension d'entrée en un courant de sortie. Mais le courant unidirectionnel du transistor de sortie le limite : il ne peut générer que des tensions positives entre les bornes de la charge.

SOURCE DE COURANT DE HOWLAND

La source de courant représentée à la figure 17-21 produit un courant unidirectionnel de charge (le courant de sens conventionnel descend la charge, les électrons la remontent). La figure 17-22 représente une source de courant de *Howland* à

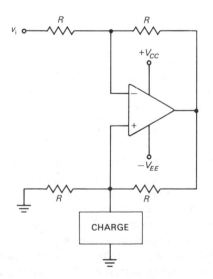

Fig. 17-22. *La source de courant de Howland fournit un courant bidirectionnel.*

courant bidirectionnel de charge. L'analyse mathématique de ce circuit est difficile. Le réarrangement judicieux de quatre équations de boucle donne

$$i_o \cong \frac{v_i}{R} \tag{17-19}$$

Le courant maximal de charge égale environ V_{CC}/R. Pour s'en assurer, court-circuiter la charge. Alors l'entrée non inverseuse est à la masse et l'on a un amplificateur de tension inverseur classique à gain en tension en boucle fermée de -1. Donc, la tension de sortie égale $-v_i$ avec v_i positif ou négatif. La tension maximale de sortie d'un amplificateur opérationnel étant à moins d'1 V ou de 2 V de V_{CC}, le courant maximal qui traverse la résistance R en bas à droite égale environ V_{CC}/R. La résistance typique de charge d'un tel circuit est nettement inférieur à R.

17.7. AMPLIFICATEUR DIFFÉRENTIEL ET AMPLIFICATEUR POUR APPAREIL DE MESURE

La figure 17-23 *a* représente un amplificateur opérationnel connecté en amplificateur *différentiel*. Il amplifie la différence $v_1 - v_2$. Le gain en tension de l'entrée inverseuse égale

$$\frac{v_o}{v_1} \cong \frac{-R_1}{R_2}$$

Le gain en tension de l'entrée non inverseuse égale

$$\frac{v_o}{v_2} \cong \left(\frac{R_1}{R_1 + R_2} \right) \left(\frac{R_1}{R_2} + 1 \right)$$

soit

$$\frac{v_o}{v_2} \cong \frac{R_1}{R_2}$$

Donc les modules des gains en tension des entrées sont égaux.

Habituellement, une entrée différentielle attaque le circuit; autrement dit, on applique une seule tension d'entrée v_i entre les points v_1 et v_2. Dans ce cas, $v_i = v_1 - v_2$ et la tension de sortie égale

$$v_o \cong -\frac{R_1}{R_2} v_i \tag{17-20}$$

(On obtient cette relation par application de théorème de superposition). Remarquer la résistance réglable représentée à la figure 17-23 *a*. Elle permet de déséquilibrer les signaux en mode commun et donc de maximiser le taux de réjection en mode commun.

La figure 17-23 *b* représente un exemple d'amplificateur *pour appareil de mesure,* un amplificateur différentiel à impédance d'entrée et CMRR optimisés. On utilise ordinairement un amplificateur pour appareil de mesure dans les applications dont les entrées sont une petite tension différentielle et une grande tension en mode commun. Dans cet exemple d'amplificateur pour appareil de mesure, le suiveur de

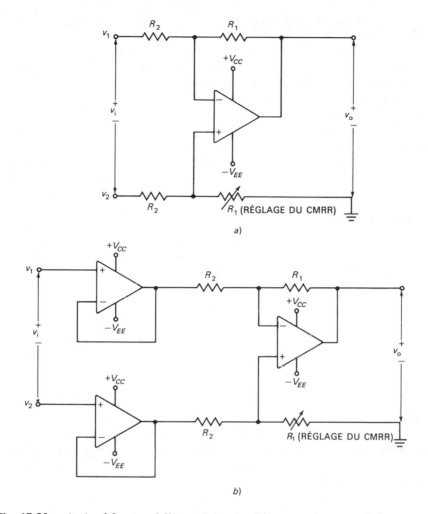

Fig. 17-23. a) *Amplificateur différentiel;* b) *Amplificateur pour appareil de mesure.*

tension de chaque entrée produit une très grande impédance d'entrée. Une résistance réglable permet encore de régler le CMRR pour déséquilibrer les signaux de mode commun.

Les fabricants montent les suiveurs de tension et les amplificateurs différentiels sur une seule puce pour obtenir un amplificateur pour appareil de mesure sur CI. Citons, à titre d'exemples, le LH0036, le LF352 et l'AD521. Le LF352 est un exemple de dispositif à BIFET à FET à jonction pour les suiveurs de tension d'entrée et transistors bipolaires pour l'amplificateur différentiel. Il en résulte une impédance d'entrée d'environ $2\,(10^{12})\,\Omega$ et des courants de polarisation moyens ou d'entrée de seulement 3 pA. Les FET à jonction ont un bruit extrêmement faible, une caractéristique essentielle d'un bon amplificateur pour appareil de mesure. Le LF352 a d'autres caractéristiques extraordinaires telles qu'un CMRR d'au moins 119 dB, un courant d'alimentation de seulement 1 mA et une seule résistance externe pour régler le gain.

17.8. FILTRES ACTIFS

Aux basses fréquences, les bobines sont volumineuses et coûteuses. On construit, à l'aide d'amplificateurs opérationnels, des filtres *RC actifs* à caractéristique de décroissance abrupte semblable à celle des filtres *LC* passifs. Il existe un grand nombre de filtres actifs différents. Citons en particulier le filtre actif de Butterworth, celui de Chebyshev et celui de Bessel. Des ouvrages entiers exposent leur conception. Pour limiter notre étude à une dimension raisonnable, nous n'étudierons que le filtre actif le plus répandu, celui de Butterworth aussi appelé le filtre le plus horizontal.

FILTRE PASSE-BAS

Le côté entrée de l'amplificateur de tension non inverseur représenté à la figure 17-24 comporte un réseau de retard. Dans la bande médiane de l'amplificateur, le gain en tension en boucle fermée égale

$$A_{CL} = \frac{R_1}{R_2} + 1$$

Tel est le gain de l'entrée non inverseuse à la sortie. Si la fréquence de coupure f_c du réseau de retard est beaucoup plus petite que $f_{2\,(CL)}$, le gain total en tension v_o/v_i a diminué de 3 dB à

$$f_c = \frac{1}{2\,\pi\,RC} \qquad (17\text{-}21)$$

Telle est la fréquence de coupure du réseau de retard.

Au-dessus de la fréquence de coupure, le gain en tension diminue à la vitesse de 20 dB par décade (équivalente à 6 dB par octave). Dans l'expression mathématique du gain en tension

$$\frac{v_o}{v_i} = \frac{A_{CL}}{1 + jf/f_c} \qquad (17\text{-}22)$$

v_o = tension de sortie du filtre
v_i = tension d'entrée du filtre
A_{CL} = gain en tension en boucle fermée d'entrée non inverseuse
f = fréquence d'entrée
f_c = fréquence de coupure du réseau de retard

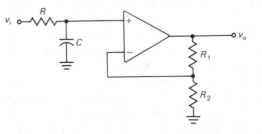

Fig. 17-24. *Filtre passe-bas à un pôle.*

Le filtre actif représenté à la figure 17-24 laisse passer toutes les fréquences jusqu'à la fréquence de coupure; au-dessus de cette fréquence, la caractéristique de réponse en fréquence descend. On appelle un tel filtre un filtre *passe-bas*. On reconnaît un tel filtre à son ou à ses réseaux de retard. On le reconnaît aussi à la présence de facteurs $1 + jf/f_c$ au dénominateur de la fonction de transfert (formule du gain en tension).

PÔLES

On utilise souvent le mot « pôle » dans l'étude des filtres. Ainsi parlera-t-on d'un filtre passe-bas à un pôle, d'un filtre passe-bas à deux pôles, etc. Le nombre de pôles d'un filtre passe-bas égale le nombre de facteurs j au dénominateur de la fonction de transfert. Le dénominateur du deuxième membre de la fonction de transfert (17-27) comporte un facteur j, aussi le filtre correspondant est-il à un pôle. Pour obtenir le nombre de pôles, on peut aussi compter le nombre de réseaux de retard du circuit. Comme le schéma représenté à la figure 17-24 comporte un réseau de retard le circuit est un filtre passe-bas à un pôle.

FILTRE PASSE-BAS A DEUX PÔLES

Le filtre passe-bas représenté à la figure 17-25 a deux pôles puisqu'il comporte deux réseaux de retard. Le condensateur du premier réseau de retard reçoit une tension de réaction. Cela modifie la fréquence de coupure et la caractéristique de réponse du filtre actif. Selon l'analyse mathématique, le gain en tension en boucle fermée A_{CL} de 1,586 est une valeur critique. Pour un gain inférieur à 1,586, la caractéristique de réponse du filtre tend vers un déphasage linéaire en fonction de la fréquence (caractéristique de réponse de Bessel); pour un gain supérieur à 1,586, on obtient des ondulations dans la bande médiane (caractéristique de réponse de Chebyshev). Si le gain égale 1,586, on obtient la caractéristique de réponse la plus horizontale possible dans la bande médiane; cette caractéristique de réponse s'appelle la caractéristique de réponse de *Butterworth* ou *la plus horizontale;* c'est la plus répandue.

Le gain en tension en boucle fermée devant être de 1,586 pour la caractéristique de réponse de Butterworth. Il vient

$$1,586 = \frac{R_1}{R_2} + 1$$

D'où

$$R_1 = 0,586 \ R_2$$

Si $R_1 = 1 \text{ k}\Omega$, alors $R_2 = 0,586 \text{ k}\Omega$. En utilisant la résistance normalisée ou nominale la plus proche, 560 Ω, on obtient à peu près la caractéristique de réponse la plus horizontale.

Si $A_{CL} = 1,586$, la fréquence de coupure égale

$$f_c = \frac{1}{2 \pi RC} \tag{17-23}$$

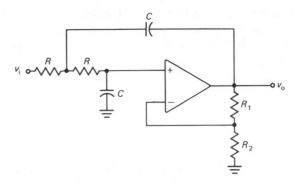

Fig. 17-25. *Filtre passe-bas à deux pôles.*

Dans cette relation, f_c = fréquence de coupure du filtre de Butterworth à deux
pôles
R = résistance de chaque résistance
C = capacité de chaque condensateur.

Le filtre de Butterworth à deux pôles représenté à la figure 17-25 offre l'avantage
d'utiliser des composants égaux. (Certains filtres n'offrent pas cet avantage).

A la fréquence de coupure, le gain total en tension a diminué de 3 dB. Au-dessus
de la fréquence de coupure, le gain en tension diminue de 40 dB par décade (ce
qui équivaut à 12 dB par octave). Cette vitesse de décroissance est le double de la
précédente parce que le filtre a deux pôles; chaque réseau de retard produit une
décroissance de 20 dB par décade. Généralisons : la vitesse de décroissance d'un
filtre à trois pôles est de 60 dB par décade, celle du filtre à quatre pôles est de 80 dB
par décade, etc.

FILTRE PASSE-BAS A TROIS PÔLES

Pour construire le plus simplement un filtre passe-bas à trois pôles, monter en
cascade un filtre à un pôle (première cellule) et un filtre à deux pôles (deuxième
cellule), comme à la figure 17-26. On règle le gain en tension de la première cellule
à une valeur arbitraire.

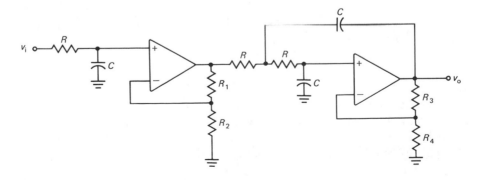

Fig. 17-26. *Filtre passe-bas à trois pôles.*

Le gain en tension de la deuxième cellule influe sur l'horizontalité de la caractéristique de réponse totale. Si l'on maintient le gain en tension en boucle fermée à 1,586, alors le gain total a diminué de 6 dB (3 dB par cellule) à la fréquence de coupure donnée par la formule (17-23). On élimine cette perte cumulative du gain en tension en augmentant légèrement le gain en tension de la deuxième cellule. On montre par un développement mathématique poussé que $A_{CL} = 2$ est la valeur critique nécessaire pour maximiser l'horizontalité de la caractéristique de réponse. Dans ce cas,

$$R_3 = R_4$$

Si $R_4 = 1$ kΩ, alors $R_3 = 1$ kΩ.

Lorsque $A_{CL} = 2$, la fréquence de coupure égale

$$f_c = \frac{1}{2\pi RC} \tag{17-24}$$

avec f_c = fréquence de coupure du filtre à trois pôles
   R = résistance de toutes les cellules
   C = capacité de toutes les cellules.

A la fréquence de coupure, le gain total en tension a chuté de 3 dB. Au-dessus de la fréquence de coupure, le gain en tension diminue à la vitesse de 60 dB par décade (équivalente à 18 dB par octave).

PLUS GRAND NOMBRE DE PÔLES

La figure 17-27 représente un filtre passe-bas à quatre pôles, un montage en cascade de deux filtres à deux pôles chacun. Si l'on utilise un gain A_{CL} de 1,586 pour les deux cellules, le gain en tension aura chuté de 6 dB à la fréquence donnée par la formule (17-23). On maximise l'horizontalité de la caractéristique de réponse en prenant des gains de cellule différents. On montre par un développement mathématique poussé qu'il faut un gain A_{CL} de 1,152 pour la première cellule et un gain A_{CL} de 2,235 pour la deuxième cellule. La fréquence de coupure de tous les filtres de Butterworth de cet ouvrage égale $1/2\pi RC$.

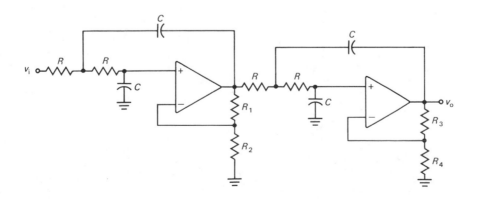

Fig. 17-27. *Filtre passe-bas à quatre pôles.*

TABLEAU DE BUTTERWORTH

Le tableau 17-2 liste les gains en tension à utiliser lors de la construction de filtres passe-bas de Butterworth. Le gain en tension A_{CL} d'un filtre à un pôle est arbitraire. Comme nous l'avons vu, le gain A_{CL} d'un filtre à deux pôles doit être de 1,586. Un filtre à trois pôles doit comprendre deux cellules, le gain A_{CL} du filtre à un pôle de la première est arbitraire, et celui du filtre à deux pôles de la deuxième doit être de 2.

Un filtre à quatre pôles comprend deux cellules, le gain du filtre à deux pôles de la première est de 1,152 et celui du filtre à deux pôles de la deuxième est de 2,235. Un filtre à cinq pôles comprend trois cellules (fig. 17-28 a). Selon le tableau 17-2, le gain A_{CL} du filtre à un pôle de la première cellule est arbitraire, celui du filtre à deux pôles de la deuxième cellule est de 1,382 et celui du filtre à deux pôles de la troisième cellule est de 2,382.

Le filtre à six pôles est un montage en cascade de trois cellules à filtre à deux pôles (fig. 17-28 b). Selon le tableau 17-2, les gains A_{CL} des cellules sont respectivement de 1,068, 1,586 et 2,482. La vitesse de décroissance de ce filtre de Butterworth est de 120 dB par décade.

Tableau 17.2.   Gains de filtres de Butterworth

Nombre de pôles	Décroissance par décade	1re cellule (à 1 ou 2 pôles)	2e cellule (à 2 pôles)	3e cellule (à 2 pôles)
1	20 dB	arbitraire		
2	40 dB	1,586		
3	60 dB	arbitraire	2	
4	80 dB	1,152	2,235	
5	100 dB	arbitraire	1,382	2,382
6	120 dB	1,068	1,586	2,482

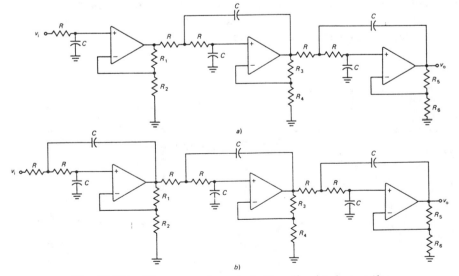

Fig. 17-28.   *Filtres passe-bas.* a) *à cinq pôles;* b) *à six pôles.*

Pour des raisons de facilité de choix des composants et de construction, tous les réseaux de retard de tous les filtres comportent une même résistance et un même condensateur. De plus, la fréquence de coupure à 3 db, toujours la même, vaut

$$\frac{1}{2\,\pi\,RC}$$

FILTRES PASSE-HAUT

On transforme un filtre passe-bas de Butterworth en un filtre *passe-haut* de Butterworth en utilisant des réseaux d'avance au lieu de réseaux de retard. La fréquence de coupure vaut encore $1/2\,\pi\,RC$ et les gains en tension sont les mêmes que ceux donnés au tableau 17-2. La figure 17-29 représente un filtre passe-haut à quatre pôles et réseaux d'avance à résistances R et condensateurs C, au lieu de réseaux de retard. Selon le tableau 17-2, le gain A_{CL} de la première cellule doit être de 1,152 et celui de la deuxième de 2,235. Le gain total en tension de ce filtre a chuté de 3 dB à la fréquence de coupure. Au-dessous de la fréquence de coupure, le gain en tension diminue à la vitesse de 80 dB par décade.

FILTRES PASSE-BANDE

Un filtre *passe-bande* a une fréquence de coupure inférieure et une fréquence de coupure supérieure. Si la fréquence de coupure supérieure vaut au moins 10 fois la fréquence de coupure inférieure, on peut monter un filtre passe-bas et un filtre passe-haut en cascade. Pour concevoir le filtre passe-bas de 1 à 6 pôles, utiliser le tableau 17-2. Utiliser aussi ce tableau pour le filtre passe-haut de 1 à 6 pôles.

PROBLÈMES

Simples

17-1. Soit l'amplificateur représenté à la figure 17-1. On donne $R_1 = 18\ \text{k}\Omega$ et $R_2 = 2\ \text{k}\Omega$. Calculer le gain en tension.

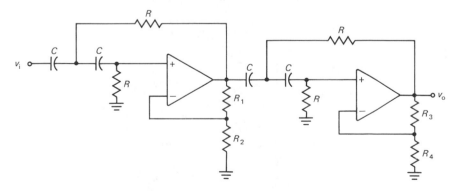

Fig. 17-29. *Filtre passe-haut à quatre pôles.*

17-2. Soit l'amplificateur représenté à la figure 17-2. On donne $R_1 = 18$ kΩ, $R_2 = 2$ kΩ, $R_3 = 18$ kΩ, $C_i = 1$ μF, $C_o = 0,1$ μF et $C_{\text{de découplage}} = 10$ μF. Calculer le gain en tension en bande médiane, la fréquence de coupure d'entrée, la fréquence de coupure de découplage. Supposer que la résistance de charge est de 10 kΩ et calculer la fréquence de coupure de sortie.

17-3. Calculer le gain en tension de l'amplificateur représenté à la figure 17.30.

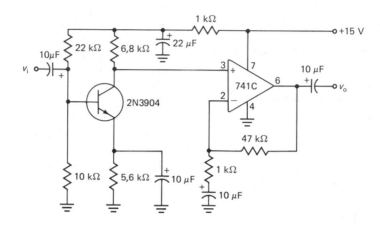

Fig. 17-30.

17-4. Soit l'amplificateur représenté à la figure 17-30. Supposer que $R_S = 0$, $R_L = 10$ kΩ et $\beta = 150$. Calculer les fréquences de coupure d'entrée, de sortie et de découplage (prendre une fréquence $f_{\text{unité}}$ d'1 MHz pour le 741 C) et la bande passante.

17-5. Soit le circuit représenté à la figure 17-5. On donne $R_1 = 18$ kΩ, $R_2 = 3$ kΩ, $R_3 = 6$ kΩ et $r_{ds \text{ (passant)}} = 40$ Ω. Calculer le gain en tension lorsque la tension grille égale $V_{GS \text{ (blocage)}}$ puis 0.

17-6. Soit le circuit représenté à la figure 17-6. On donne $R_1 = 47$ kΩ, $R_2 = 1$ kΩ et $R_3 = 100$ kΩ. Calculer le gain en tension en décibels lorsque $r_{ds \text{(passant)}}$ égale successivement 100 Ω, 1 kΩ, 10 kΩ, 100 kΩ, 1 MΩ et 10 MΩ .

17-7. Calculer le gain en tension et la bande passante de l'amplificateur représenté à la figure 17-31.

17-8. Dans l'amplificateur représenté à la figure 17-12 *a* on utilise un 741C à $f_{\text{unité}}$ d'1 MHz. Calculer la bande passante pour chaque position du sélecteur.

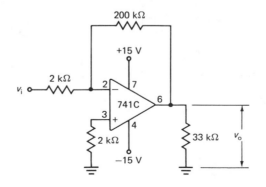

Fig. 17-31.

17-9. Considérer l'amplificateur représenté à la figure 17-17 *d* et calculer v_o pour $v_3 = 1$ V, $v_2 = 1$ V, $v_1 = v_0 = 0$.

17-10. Le gain β_{cc} des transistors représentés à la figure 17-32 égale 75. Supposer que $v_i = 0,5$ V et calculer le courant base.

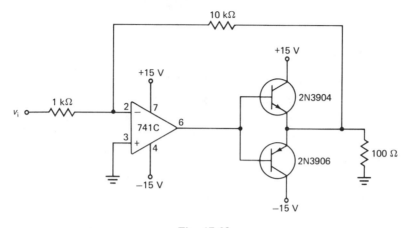

Fig. 17-32.

17-11. Soit le circuit représenté à la figure 17-33 *a*. Calculer le courant de sortie. Calculer la résistance maximale de charge en fonctionnement normal.

17-12. Soit le circuit représenté à la figure 17-33 *b*. On donne $v_i = 5$ V. Calculer le courant de sortie. Supposer que $R_L = 470$ Ω et calculer la tension de charge. Réduire la résistance de charge à 0 et calculer le courant de sortie.

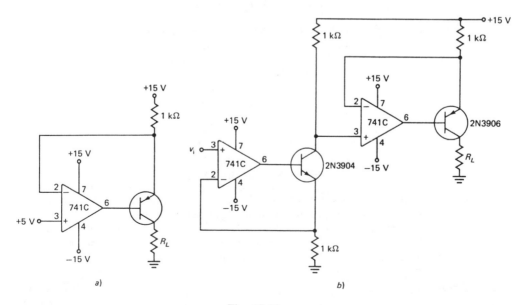

Fig. 17-33.

17-13. Soit le circuit représenté à la figure 17-34. Calculer le courant de sortie si $v_i = 1$ V et la tension de charge si $R_L = 500$ Ω.

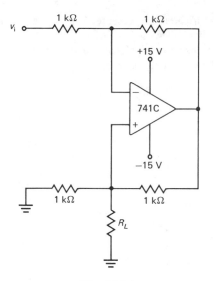

Fig. 17-34.

17-14. Soit le circuit représenté à la figure 17-34. On donne $v_i = 2$ V et $R_L = 1$ kΩ. Calculer la tension de charge et la tension de sortie de l'amplificateur opérationnel.

17-15. Soit le circuit représenté à la figure 17-35. Calculer sa fréquence de coupure et la vitesse de diminution de la tension au-dessus de la coupure.

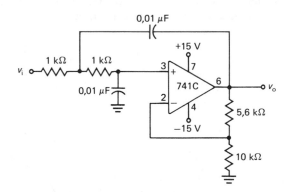

Fig. 17-35.

17-16. Soit le circuit représenté à la figure 17-36. Calculer sa fréquence de coupure et la vitesse de décroissance au-dessus de la fréquence de coupure.

17-17. Soit le circuit représenté à la figure 17-37. Calculer la fréquence de coupure inférieure, la fréquence de coupure supérieure et la vitesse de décroissance du gain en tension à l'extérieur de la bande passante de l'amplificateur.

De dépannage

17-18. Soit l'amplificateur représenté à la figure 17-30. On mesure un gain en tension d'environ 46 dB. Trouver la (les) cause(s) possible(s) de ce dérangement parmi les suivantes :

a. pas de tension d'alimentation;
b. condensateur de découplage d'émetteur ouvert;
c. condensateur de découplage de réaction ouvert;
d. transistor ouvert.

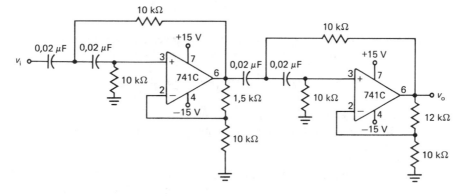

Fig. 17-36.

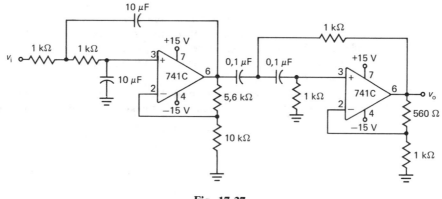

Fig. 17-37.

17-19. Que deviendra la tension de sortie de l'amplificateur représenté à la figure 17-32 si la résistance de 10 kΩ s'ouvre ?

17-20. Soit l'amplificateur représenté à la figure 17-33 *b*. On applique une tension v_i de 5 V et aucun courant ne parcourt la charge. Citer au moins trois causes possibles de ce dérangement.

De conception

17-21. Soit l'amplificateur représenté à la figure 17-30. Supposer que $f_{unité} = 1$ MHz et modifier l'étage de sortie pour avoir une fréquence de coupure supérieure d'environ 50 kHz.

17-22. Concevoir un amplificateur semblable à celui représenté à la figure 17-15 *a* pour avoir un gain en tension réglable de 0 à 40 dB, une impédance d'entrée d'au moins 1 kΩ. La plus petite résistance doit être inférieure à 10 kΩ pour éviter des décalages excessifs.

17-23. Concevoir une source de courant semblable à celle représentée à la figure 17-21 sachant que les alimentations sont de 15 V, $v_{i(max)} = 10$ V et $i_{o(max)} = 10$ mA.

17-24. Concevoir un filtre passe-bas de Butterworth à six pôles de fréquence de coupure de 20 kHz.

De défi

17-25. Démontrer que la bande passante en boucle fermée d'un amplificateur de tension inverseur semblable à celui représenté à la figure 17-7 égale

$$f_{2(CL)} = \frac{1}{1 - A_{CL}} f_{unité}$$

17-26. Les quatre tensions d'entrée du sommateur représenté à la figure 17-7 *d* sont 0 ou 2 V. Il existe donc 16 possibilités d'entrée. Calculer les 16 tensions de sortie possibles.

17-27. Prouver la relation (17-19).

17-28. Soit le circuit représenté à la figure 17-33. On donne $v_i = 2$ V. Calculer les tensions approximatives aux nœuds et les courants approximatifs des branches.

A résoudre par ordinateur

17-29. Les gains en tension en boucle fermée d'un amplificateur inverseur sont successivement de -1, -2, -3, -4, ..., -10. Ecrire un programme qui affiche les 10 combinaisons différentes de gain et de bande passante.

17-30. Ecrire un programme qui introduit v_i et R du circuit représenté à la figure 17-21 et affiche la valeur de i_o.

17-31. Ecrire un programme qui conçoit des filtres actifs de Butterworth conformément aux données du tableau 17-2. Ce programme doit laisser son utilisateur choisir le nombre de pôles.

Circuits non linéaires à amplificateur opérationnel

Les amplificateurs opérationnels sont bon marché, à usages multiples et fiables. D'où leur utilisation dans les amplificateurs de tension, les sources de courant et les filtres actifs mais aussi dans les circuits actifs à diodes, les comparateurs et les conformateurs. Dans ce chapitre nous étudierons les circuits *non linéaires* à amplificateur opérationnel, des circuits dans lesquels la forme du signal de sortie est différente de celle du signal d'entrée.

18.1. CIRCUITS ACTIFS A DIODES

L'amplificateur opérationnel améliore les performances des circuits à diode. En effet, un amplificateur à contre-réaction diminue l'effet de la *tension de décalage de diode* et permet de redresser, de détecter les crêtes, d'écrêter et de fixer les signaux à un *bas niveau* (ceux à amplitude inférieure à la tension de décalage de diode). En agissant comme tampons, les amplificateurs opérationnels éliminent les effets de la source et de la charge sur les circuits à diodes. Nous traiterons en premier lieu des circuits actifs à diode.

REDRESSEUR A UNE ALTERNANCE OU DEMI-ONDE

La figure 18-1 représente un *redresseur actif demi-onde*. Lorsque le signal d'entrée devient positif, la sortie devient positive et la diode se met à conduire. Alors le dispositif se comporte comme un suiveur de tension et l'alternance positive apparaît entre les bornes de la résistance de charge. Lorsque l'entrée devient négative, la sortie de l'amplificateur opérationnel devient négative et la diode se bloque. La diode étant ouverte, aucune tension n'apparaît entre les bornes de la résistance de charge. D'où le signal semi-sinusoïdal presque parfait de sortie finale.

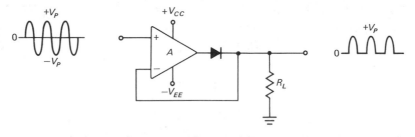

Figure 18-1. *Redresseur actif demi-onde.*

Le gain élevé de l'amplificateur opérationnel élimine pratiquement l'effet de la tension de décalage de diode. Si la chute de tension de diode égale 0,7 V et A égale 100 000, l'entrée qui fait juste conduire la diode égale

$$v_i = \frac{0,7\ V}{100\ 000} = 7\ \mu V$$

Lorsque l'entrée est supérieure à 7 μV, la diode conduit et le circuit se comporte comme un suiveur de tension. Cela revient à diviser le potentiel de décalage par A. Mathématiquement,

$$\phi' = \frac{\phi}{A} \tag{18-1}$$

avec ϕ' = potentiel de décalage vu par le signal d'entrée

   ϕ = potentiel de décalage de diode

ϕ est tellement petit qu'on utilise le redresseur actif demi-onde pour des signaux de bas niveau de l'ordre du millivolt.

DÉTECTEUR ACTIF DE CRÊTE

Le *détecteur actif de crête* représenté à la figure 18-2 *a* détecte les crêtes de petits signaux du fait que le potentiel de décalage d'entrée ϕ' est de l'ordre du microvolt. Lorsque la diode conduit, la grande réaction de tension non inverseuse produit une impédance de Thévenin de sortie qui tend vers zéro. Donc, la constante de temps de charge est très petite et le condensateur se charge rapidement jusqu'à la crête positive. Lorsque la diode est bloquée, le condensateur doit se décharger via R_L. Comme on peut rendre la constante de temps de décharge $R_L C$ beaucoup plus grande que la période du signal d'entrée, on peut presque détecter à la perfection les crêtes des signaux de bas niveau.

Si le signal dont on veut détecter les crêtes attaque une petite charge, on peut prévenir l'effet de charge à l'aide d'un amplificateur opérationnel tampon. Si, par exemple on relie le point A du circuit représenté à la figure 18-2 *a* au point B du circuit représenté à la figure 18-2 *b*, le suiveur de tension isole la petite résistance de charge du détecteur de crête. Cela empêche la petite résistance de charge de décharger le condensateur prématurément.

Si possible, la constante de temps $R_L C$ doit être supérieure ou égale à 100 fois la période de la plus petite fréquence d'entrée. Si cette condition est respectée, la tension de sortie est à moins d'1 % de l'entrée de crête. Si, par exemple, la plus

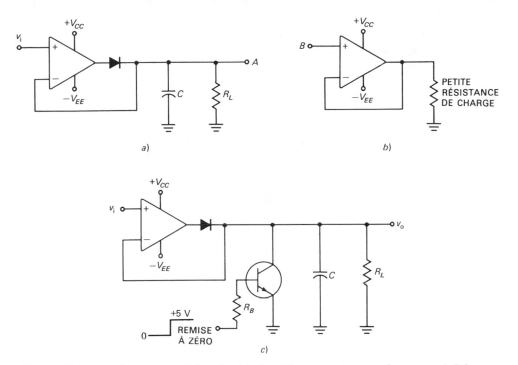

Figure 18-2. a) *Détecteur actif de crête.* b) *Amplificateur opérationnel tampon.* c) *Détecteur de crête à remise à zéro.*

petite fréquence égale 1 kHz, la période égale 1 ms. Dans ce cas, la constante de temps $R_L C$ doit être au moins 100 ms, si l'on veut que l'erreur soit inférieure à 1 %.

On inclut souvent une fonction *remise à zéro* dans un détecteur actif de crête positive (fig. 18-2 c). Lorsque l'entrée de remise à zéro est au niveau bas, le transistor interrupteur est ouvert. Alors le circuit fonctionne comme nous l'avons décrit. Lorsque l'entrée de remise à zéro est au niveau haut, le transistor interrupteur est fermé et le condensateur se décharge rapidement. On insère une fonction remise à zéro pour éviter que la grande constante de temps de décharge maintienne la charge du condensateur durant longtemps même si on supprime le signal d'entrée. L'application d'un signal de remise à zéro de niveau haut permet de décharger rapidement le condensateur en prévision d'un autre signal d'entrée à crête différente.

LIMITEUR ACTIF POSITIF

La figure 18-3 *a* représente un *limiteur actif positif.* Lorsque le curseur est à l'extrême gauche, $v_{réf}$ est nul et l'entrée non inverseuse est à la masse. Lorsque v_i devient positif, la tension d'erreur rend la sortie de l'amplificateur opérationnel négative et fait conduire la diode. Alors il y a réaction et la sortie finale v_o est une masse virtuelle pour toute valeur positive de v_i.

Lorsque v_i devient négatif, la sortie de l'amplificateur opérationnel devient positive, ce qui bloque la diode et ouvre la boucle. Alors on perd la masse virtuelle

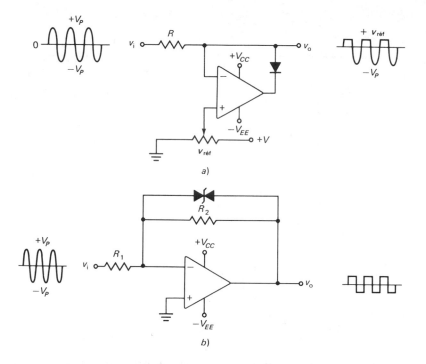

Figure 18-3. a) *Limiteur actif positif à tension de référence réglable.* b) *Diodes Zener utilisées en limiteur pour produire un signal rectangulaire.*

et la sortie finale v_o suit l'alternance négative de la tension d'entrée. Voilà pourquoi l'alternance négative apparaît à la sortie. La sortie finale égale

$$v_o = \frac{R_L}{R + R_L} \, v_i$$

Pour changer le niveau d'écrêtage, il suffit de régler $v_{réf}$ en conséquence et l'écrêtage survient à $v_{réf}$ (fig. 18-3 *a*). Comme d'habitude, la tension de décalage est réduite à ϕ' à l'entrée, ce qui rend le circuit apte à traiter des entrées de niveau bas.

La figure 18-3 *b* représente un circuit actif qui écrête les deux alternances. Remarquer les diodes Zener dos à dos dans la boucle de réaction. Au-dessous de la tension de claquage, le gain en boucle fermée du limiteur égale $- R_2/R_1$. Lorsque la sortie essaie de dépasser la tension Zener plus une chute directe de diode, la diode Zener entre en claquage et la sortie est écrêtée comme le montre la figure.

CIRCUIT ACTIF A DIODE DE FIXATION POSITIVE DE LA TENSION CONTINUE

La figure 18-4 *a* représente un tel circuit. La première alternance négative d'entrée rend la sortie de l'amplificateur opérationnel positive, ce qui fait conduire la diode. Alors le condensateur se charge jusqu'à l'entrée de crête selon la polarité représentée à la figure 18-4 *a*. Juste au-delà de la crête négative, la diode se bloque,

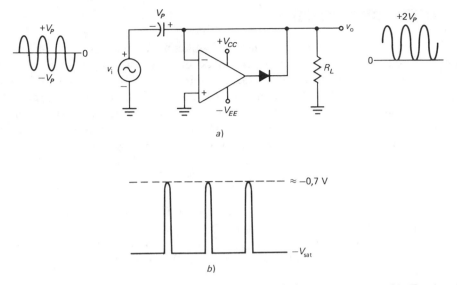

Figure 18-4. a) *Circuit actif à diode de fixation positive de la tension continue.* b) *Tension de sortie de l'amplificateur opérationnel.*

la boucle s'ouvre et il n'y a plus de masse virtuelle. Selon la loi des tensions de Kirchhoff,

$$v_o = v_i + V_P$$

L'addition de V_P à la tension sinusoïdale d'entrée, la forme de signal de sortie finale est translatée positivement de V_P volts. Autrement dit, on obtient la forme de signal fixée positive représentée à la figure 18-4 *a*; elle dévie de 0 à 2 V_P. Dans ce cas aussi, la réduction de la tension de décalage de diode permet de très bien fixer les entrées de niveau bas.

La figure 18-4 *b* représente la sortie de l'amplificateur opérationnel. Durant presque tout le cycle, l'amplificateur opérationnel fonctionne en saturation négative. Toutefois, à la crête négative d'entrée, l'amplificateur opérationnel produit une impulsion croissante acérée qui remplace toute la charge perdue par le condensateur de fixation entre les crêtes négatives d'entrée.

18.2. COMPARATEURS

On veut souvent comparer une tension à une autre pour déterminer laquelle est la plus grande. On cherche seulement une réponse oui/non. Un *comparateur* est un dispositif à deux tensions d'entrée (non inverseuse et inverseuse) et une tension de sortie. Si la tension non inverseuse est plus grande que la tension inverseuse, le comparateur produit une tension de sortie de niveau haut. Si l'entrée non inverseuse est inférieure à l'entrée inverseuse, la sortie est de niveau bas. La sortie de niveau haut représente la réponse « oui » et la sortie de niveau bas représente la réponse « non ».

CIRCUIT DE PRINCIPE

La façon la plus simple de construire un comparateur est de connecter un amplificateur opérationnel sans résistances de réaction (fig. 18-5 *a*). Lorsque l'entrée inverseuse est mise à la masse, la moindre tension d'entrée (une fraction d'un millivolt) sature l'amplificateur opérationnel. Si les alimentations sont de 15 V, la dynamique de sortie va environ de − 13 V à + 13 V. Avec un 741C, le gain en tension typique en boucle ouverte est de 100 000. Par conséquent, la tension d'entrée nécessaire pour produire la saturation positive égale

$$v_i = \frac{13 \text{ V}}{100\ 000} = 0,13 \text{ mV}$$

Cette tension est si petite que la transition en $v_i = 0$ de la caractéristique de transfert représentée à la figure 18-5 *b* semble verticale, mais elle ne l'est pas. Avec un 741C il faut une tension d'entrée de + 0,13 mV pour produire la saturation positive et de − 0,13 mV pour obtenir la saturation négative.

La transition représentée à la figure 18-5 *b* semble verticale, en raison de l'extrême petitesse des tensions d'entrée nécessaires pour produire la saturation. Nous approximerons cette transition par une verticale. Alors, une tension positive d'entrée produit la saturation positive et une tension négative d'entrée produit la saturation négative.

TRANSLATION DU POINT DE BASCULEMENT

Par *point de basculement,* (aussi appelé point de seuil, de référence, etc.) d'un comparateur, entendre la tension d'entrée à laquelle la sortie change d'état ou de niveau (en passant du niveau bas au niveau haut ou vice versa). A la figure 18-5 *a,* le point de basculement est nul parce qu'à cette tension d'entrée la sortie change d'état. Lorsque v_i est supérieur au point de basculement, la sortie est au niveau haut. Lorsque v_i est inférieur au point de basculement, la sortie est au niveau bas. On appelle souvent un circuit semblable à celui représenté à la figure 18-5 *a* un *détecteur de passage à zéro* ou *de passage par zéro.*

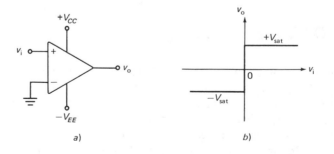

Figure 18-5. a) *Amplificateur opérationnel utilisé en comparateur.* c) *Caractéristique de transfert d'un comparateur.*

La tension de référence appliquée à l'entrée inverseuse du comparateur représenté à la figure 18-6 *a* égale

$$v_{\text{réf}} = \frac{R_2}{R_1 + R_2} V_{CC} \qquad (18\text{-}2)$$

Lorsque v_i est inférieur à $v_{\text{réf}}$, la tension d'erreur est négative et la sortie est au niveau bas. Lorsque v_i est supérieur à $v_{\text{réf}}$, la tension d'erreur est positive et la sortie est au niveau haut.

Ordinairement, on monte un condensateur de découplage sur l'entrée inverseuse (fig. 18-6 *a*). Sa fonction est de réduire l'ondulation de l'alimentation et le bruit apparaissant à l'entrée inverseuse. Pour produire un effet, la fréquence de coupure du circuit de découplage (un réseau de retard avec une résistance équivalente égale à $R_1 \parallel R_2$) doit être nettement inférieure à la fréquence d'ondulation.

La figure 18-6 *b* représente la caractéristique de transfert. Le point de basculement égale maintenant $v_{\text{réf}}$. Lorsque v_i est légèrement supérieur à $v_{\text{réf}}$, la sortie du comparateur entre en saturation positive.

Lorsque v_i est inférieur à $v_{\text{réf}}$, la sortie passe en saturation négative. On appelle parfois un tel comparateur un *détecteur de limite* parce qu'une sortie positive indique que la tension d'entrée dépasse une limite spécifique. On règle le point positif de basculement entre zéro et V_{CC} en prenant diverses résistances R_1 et R_2.

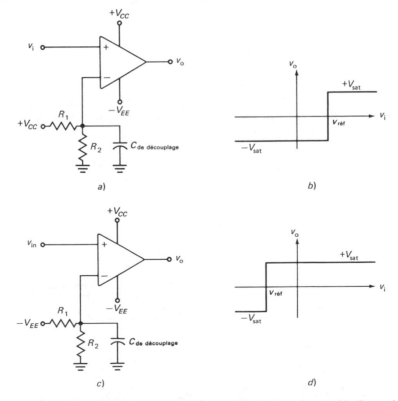

Figure 18-6. a) *Comparateur à point positif et réglable de basculement.* b) *Caractéristique de transfert.* c) *Comparateur à point négatif de basculement.* d) *Caractéristique de transfert à point négatif de basculement.*

Si on préfère un point négatif de basculement, connecter l'alimentation $- V_{EE}$ au diviseur de tension (fig. 18-6 *c*). Dans ce cas, on applique une tension négative de référence à l'entrée inverseuse. Lorsque v_i est plus positif que $v_{réf}$, la tension d'erreur est positive et la sortie est au niveau haut (fig. 18-6 *d*). Lorsque v_i est plus négatif que $v_{réf}$, la sortie est au niveau bas.

COMPARATEUR A UNE ALIMENTATION

On sait qu'un amplificateur opérationnel typique tel le 741C peut fonctionner avec une seule alimentation positive en mettant la broche $- V_{EE}$ à la masse (fig. 18-7 *a*). Alors la tension de sortie n'a qu'une polarité, une tension positive de niveau bas ou une tension positive de niveau haut. Si V_{CC} égale 15 V, la dynamique de sortie va d'environ 1 V ou 2 V (niveau bas) à environ 13 V ou 14 V (niveau haut).

La tension de référence appliquée à l'entrée inverseuse est positive et égale

$$v_{réf} = \frac{R_2}{R_1 + R_2} V_{CC}$$

Lorsque v_i est supérieur à $v_{réf}$, la sortie est au niveau haut (fig. 18-7 *b*). Si v_i est inférieur à $v_{réf}$, la sortie est au niveau bas. Dans les deux cas, la polarité de la sortie est positive. On préfère ce type de sortie de comparateur dans la plupart des applications numériques.

PROBLÈMES DE VITESSE

L'amplificateur opérationnel 741C peut servir de comparateur, mais sa vitesse est limitée. On sait que la pente maximale de tension de sortie limite la vitesse de variation de la tension de sortie. La sortie d'un 741C ne peut varier plus vite que 0,5 V/μs. Donc, le 741C mettra plus de 50 μs pour passer de la sortie de niveau bas de $- 13$ V à la sortie de niveau haut de $+ 13$ V. Pour augmenter la vitesse de commutation, on peut utiliser un amplificateur opérationnel à plus grande pente maximale de tension de sortie, tel le 318. De pente maximale de tension de sortie de 70 V/μs, le 318 passe de $- 13$ V à $+ 13$ V en environ 0,3 μs.

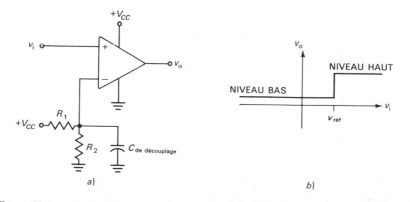

Figure 18-7.   a) *Comparateur à une alimentation.* b) *Caractéristique de transfert.*

COMPARATEURS INTÉGRÉS

Le condensateur de compensation que comporte un amplificateur opérationnel typique est la source du problème de pente maximale de tension de sortie. Ce condensateur est essentiel dans les circuits linéaires à amplificateur opérationnel parce qu'il fait décroître le gain en tension en boucle ouverte à la vitesse de 20 dB par décade et empêche les oscillations. De plus, l'étage de sortie push-pull classe B d'un amplificateur opérationnel détermine ultimement la dynamique de sortie.

Un comparateur est un dispositif non linéaire; il n'a donc pas besoin de condensateur de compensation. De plus, dans la plupart des applications à comparateur, il vaut mieux laisser l'utilisateur déterminer la dynamique de sortie. Pour ces deux raisons, un fabricant peut modifier la conception de l'amplificateur opérationnel typique, négliger le condensateur de compensation et changer l'état de sortie. Un CI optimisé en comparateur apparaît dans une section distincte du catalogue du fabricant. Autrement dit, les amplificateurs opérationnels et les comparateurs sont classés sous des rubriques distinctes.

La figure 18-8 *a* représente le schéma simplifié de principe d'un comparateur intégré. L'étage d'entrée est un amplificateur différentiel (Q_1 et Q_2). Un miroir de courant, Q_6 et Q_7, fournit le courant de queue. Comme auparavant, un miroir de courant, Q_3 et Q_4, est une charge active. L'étage de sortie est le transistor Q_5 à collecteur ouvert. Le fabricant laisse délibérément ce collecteur ouvert pour permettre à l'utilisateur de connecter la charge et appliquer la tension d'alimentation positive qu'il veut.

Pour que le comparateur fonctionne convenablement, il faut connecter le collecteur ouvert à une résistance externe et à une alimentation en tension (fig. 18-8 *b*). On appelle une telle résistance une *résistance de rappel à la source* ou simplement une *résistance de rappel* parce qu'elle rappelle littéralement la tension de sortie à la tension d'alimentation lorsque le transistor est bloqué. Lorsque le transistor est saturé, la tension de sortie est au niveau bas. L'étage de sortie est fondamentalement un transistor interrupteur. Voilà pourquoi le comparateur produit une sortie à deux états, une tension de niveau bas et une tension de niveau haut.

Lorsque l'entrée non inverseuse est plus positive que l'entrée inverseuse, la tension base de Q_5 diminue et le transistor se bloque. Donc, la tension de sortie est au niveau haut et égale à $+V$. Lorsque l'entrée non inverseuse est moins positive que l'entrée inverseuse, la tension base de Q_5 augmente et le transistor se sature. Par conséquent, la tension de sortie est au niveau bas, de quelques dixièmes de volt seulement.

Sans condensateur de compensation, la sortie du comparateur représenté à la figure 18-8 *a* peut varier très rapidement parce que le comparateur ne comprend que de petites capacités parasites. La capacité entre les bornes de Q_5 limite la vitesse de commutation. Cette capacité de sortie égale la somme de la capacité du collecteur et de la capacité parasite des conducteurs. La constante de temps de sortie égale le produit de la résistance de rappel par la capacité de sortie. Donc, plus la résistance de rappel du comparateur représenté à la figure 18-8 *b* est petite, plus la tension de sortie varie rapidement. Ordinairement, R va de quelques centaines d'ohms à quelques milliers d'ohms.

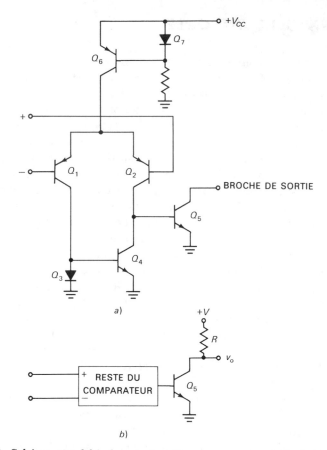

Figure 18-8. a) *Schéma simplifié de principe d'un comparateur intégré.* b) *Pour que le transistor à collecteur ouvert fonctionne convenablement, il faut connecter une résistance de rappel externe.*

Les LM311, LM399 et NE529, par exemple, sont des comparateurs intégrés. Le collecteur de leur étage de sortie est ouvert. Aussi doit-on raccorder la broche de sortie à une résistance de rappel et à une alimentation en tension positive. En raison de leur grande pente maximale de tension de sortie, ces comparateurs intégrés commutent les états de sortie en au plus une microseconde. En réalité, le LM339 contient quatre comparateurs dans un seul boîtier. En raison de son prix modique et de son utilisation facile, le LM339 est le comparateur en vogue pour les applications universelles.

ATTAQUE DE DISPOSITIFS TTL

La sortie d'un comparateur attaque souvent des dispositifs TTL*, des circuits intégrés numériques utilisés dans les ordinateurs, les systèmes numériques et d'autres dispositifs de commutation. Les tensions d'entrée typiques des dispositifs TTL sont comprises entre 0 et + 5 V. La figure 18-9 *a* représente le montage d'un

---

* N.d.T. Mis pour *Transistor-Transistor Logic,* logique transistor-transistor.

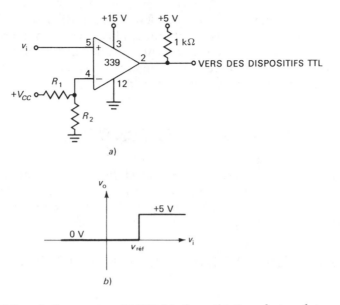

Figure 18-9. a) *Comparateur LM339.* b) *Caractéristique de transfert.*

LM399 en *interface* avec des dispositifs TTL. Remarquer le raccordement de la sortie du collecteur ouvert à une alimentation de + 5 V *via* une résistance de rappel d'1 kΩ. Voilà pourquoi la sortie est de 0 V ou de + 5 V (fig. 18-9 *b*). Cette attaque est idéale pour les dispositifs TTL.

PARTIE D'UN CONVERTISSEUR ANALOGIQUE-NUMÉRIQUE

La figure 18-10 représente une partie d'un *convertisseur analogique-numérique* utilisé dans les voltmètres numériques et dans de nombreuses autres applications. La tension d'entrée à mesurer ou convertir est appliquée à l'entrée non inverseuse. Une tension échelonnée attaque l'entrée inverseuse. La tension d'erreur devient moins positive à mesure que la tension inverseuse augmente. Quelque part le long de la tension échelonnée, l'entrée inverseuse devient plus positive que l'entrée non inverseuse. Alors la sortie du comparateur passe au niveau bas.

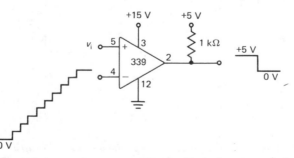

Figure 18-10. *Comparateur comme composant du convertisseur analogique-numérique.*

Le temps que prend la tension échelonnée pour dépasser v_i est la clé du fonctionnement du circuit. Plus v_i est grand, plus le temps que prend la tension échelonnée pour dépasser v_i est grand. Autrement dit, le temps est directement proportionnel à v_i. Dans d'autres circuits non représentés, on mesure ce temps et un afficheur à sept segments affiche la tension.

18.3. COMPARATEUR A FENÊTRE

Un comparateur ordinaire indique quand la tension d'entrée dépasse une certaine limite ou seuil. Un *comparateur à fenêtre* (aussi appelé un détecteur à deux limites) détecte quand la tension d'entrée est comprise entre deux limites. Dans cette section, nous étudierons deux exemples de comparateurs à fenêtre.

EXEMPLE A AMPLIFICATEUR OPÉRATIONNEL

La figure 18-11 *a* représente un comparateur à fenêtre à amplificateur opérationnel. La tension de référence de l'entrée non inverseuse est la tension de Thévenin $+ V_{CC}/3$ et celle de l'entrée inverseuse est la tension de Thévenin $+ V_{CC}/4$. Comme $V_{CC} = 12$ V, les références de Thévenin sont de $+ 4$ V pour l'entrée non inverseuse et de $+ 3$ V pour l'entrée inverseuse.

Lorsque la tension d'entrée est nulle, la diode du haut conduit et la diode du bas est bloquée. Comme l'entrée non inverseuse est fixée à une chute de diode au-dessus de la tension d'entrée, l'entrée non inverseuse égale $+ 0,7$ V. L'entrée inverseuse est à $+ 3$ V. Par conséquent, la tension d'erreur est négative et la sortie du comparateur est au niveau bas.

L'entrée non inverseuse croît aussi à mesure que la tension d'entrée augmente, mais reste supérieure à v_i de 0,7 V. Lorsque v_i atteint $+ 2,3$ V, l'entrée non inverseuse est fixée à $+ 3$ V. Puisque l'entrée inverseuse est encore à $+ 3$ V, la tension d'erreur est maintenant nulle. Si la tension d'entrée v_i monte au-dessus de

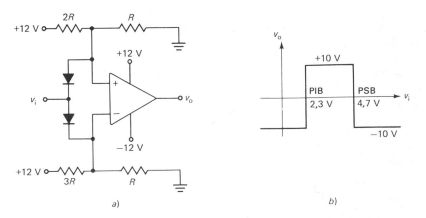

Figure 18-11.   a) *Comparateur à fenêtre à deux diodes et amplificateur opérationnel.* b) *Caractéristique de transfert.*

+ 2,3 V, la sortie du comparateur passe au niveau haut. L'entrée de + 2,3 V est une entrée critique parce que la sortie du comparateur est sur le point de passer du niveau bas au niveau haut. On appelle cette tension d'entrée le point inférieur de basculement (PIB). Lorsque v_i est supérieur à PIB, la tension de sortie passe au niveau haut (fig. 18-11 *b*).

Lorsque la tension d'entrée augmente, la sortie du comparateur reste au niveau haut jusqu'à ce que v_i égale + 4,7 V. A cet instant, la diode du bas conduit et l'entrée inverseuse est à + 4 V; par conséquent, la tension d'erreur est de nouveau nulle. Le comparateur s'apprête de nouveau à changer sa sortie. Lorsque v_i est supérieur à + 4,7 V, la tension d'erreur est négative et la sortie passe au niveau bas. On appelle l'entrée de + 4,7 V le *point supérieur de basculement* (PSB) parce qu'à une tension légèrement supérieure à ce niveau, la sortie repasse au niveau bas.

On appelle la caractéristique de transfert représentée à la figure 18-11 *b* une *fenêtre*, parce que la sortie n'est au niveau haut que si l'entrée est comprise entre PIB et PSB. Si V_{CC} = 12 V, le PIB et le PSB du comparateur à fenêtre représenté à la figure 18-11 *a* égalent respectivement + 2,3 V et + 4,7 V. Pour changer la largeur de la fenêtre, modifier les diviseurs de tension. Pour vérifier si une entrée est comprise entre deux limites, utiliser un comparateur à fenêtre.

UTILISATION DE LM 339

La figure 18-12 *a* illustre comment connecter deux comparateurs (1/2 d'un LM 339) pour obtenir un comparateur à fenêtre. La tension positive d'alimentation étant de + 12 V, les tensions de référence sont de + 4 V pour le comparateur du haut et de + 3 V pour le comparateur du bas. Lorsque v_i est compris entre + 3 V et + 4 V, les deux comparateurs ont une tension d'erreur positive et leurs transistors de sortie sont ouverts (fig. 18-12 *b*). Donc la sortie finale est au niveau haut. Lorsque v_i est inférieur à + 3 V ou supérieur à + 4 V, un des comparateurs a un transistor saturé et l'autre un transistor bloqué. Le transistor saturé abaisse la

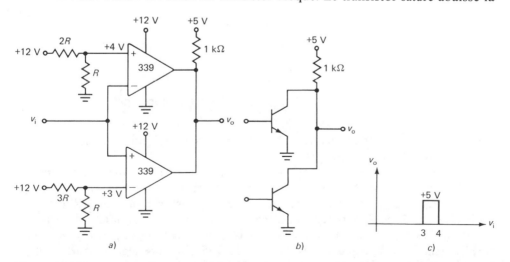

Figure 18-12. A) *Comparateur à fenêtre à deux 339.* b) *Les deux sorties des collecteurs ouverts sont reliées à la résistance de rappel.* c) *Caractéristique de transfert.*

tension de sortie au niveau bas. La figure 18-12 *c* représente la caractéristique de transfert. Le PIB égale + 3 V et le PSB + 4 V.

18.4. BASCULE DE SCHMITT

Si l'entrée d'un comparateur contient du bruit, la sortie erre lorsque v_i est proche d'un point de basculement. La sortie d'un détecteur de passage par zéro, par exemple, est au niveau haut lorsque v_i est positif et au niveau bas lorsque v_i est négatif. Si l'entrée contient une tension de bruit de crête d'au moins 1 mV, le comparateur détecte les passages par zéro produits par le bruit. Autre exemple : si l'entrée d'un détecteur de limite ou d'un comparateur à fenêtre est proche des points de basculement, le bruit fait osciller la sortie entre ses niveaux bas et haut. La *bascule de Schmitt,* un comparateur à réaction positive, empêche le bruit de faire basculer la sortie.

BASCULE DE SCHMITT DE PRINCIPE

La figure 18-13 *a* représente une bascule de Schmitt à amplificateur opérationnel. Le diviseur de tension rend la réaction de tension positive. Si la tension de sortie est saturée positivement, une tension positive est réinjectée à l'entrée non inverseuse; cette entrée positive maintient la sortie au niveau haut. Si la tension de sortie est saturée négativement, une tension négative est réinjectée à l'entrée non inverseuse; cette entrée négative maintient la sortie au niveau bas. Dans les deux cas, la réaction positive renforce le niveau existant de sortie.

Le taux de réaction égale

$$B = \frac{R_2}{R_1 + R_2} \tag{18-3}$$

Si la sortie est saturée positivement, la tension de référence appliquée à l'entrée non inverseuse égale

$$v_{\text{réf}} = + BV_{\text{sat}} \tag{18-4}$$

Si la sortie est saturée négativement, la tension de référence égale

$$v_{\text{réf}} = - BV_{\text{sat}} \tag{18-5}$$

Nous verrons que ces tensions de référence sont égales aux points de basculement de la bascule : PSB = + BV_{sat} et PIB = − BV_{sat}.

La sortie reste dans un niveau donné jusqu'à ce que l'entrée dépasse la tension de référence de ce niveau. Si la sortie est saturée positivement, la tension de référence est + BV_{sat}. Il faut donc augmenter la tension d'entrée v_i légèrement au-delà de + BV_{sat}. Alors la tension d'erreur s'inverse et la tension de sortie passe au niveau bas (fig. 18-13 *b*). Une fois la sortie au niveau négatif, elle y demeure indéfiniment jusqu'à ce que la tension d'entrée devienne plus négative que − BV_{sat}. Alors la sortie passe du niveau négatif au niveau positif (fig. 18-13 *b*).

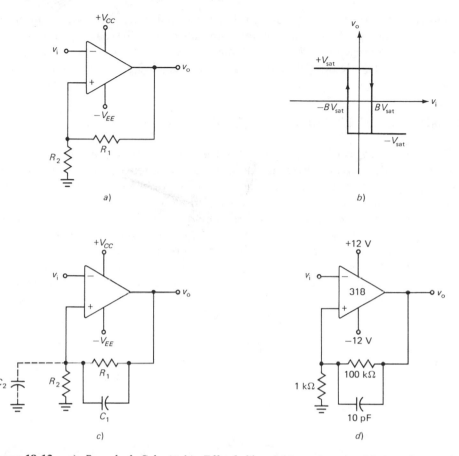

Figure 18-13. a) *Bascule de Schmitt.* b) *Effet de l'hystérésis sur la caractéristique de transfert.* c) *Le condensateur accélérateur compense la capacité parasite.* d) *Exemple.*

HYSTÉRÉSIS

La réaction positive a un effet inhabituel sur la bascule de Schmitt. Elle force la tension de référence à prendre la polarité de la tension de sortie; la tension de référence est positive lorsque la sortie est au niveau haut, et négative lorsque la sortie est au niveau bas. D'où l'obtention d'un point haut de basculement et d'un point bas de basculement. On appelle *hystérésis* la différence entre les deux points de basculement d'une bascule de Schmitt. En raison de la réaction positive, la caractéristique de transfert à l'hystérésis représentée à la figure 18-13 *b*. S'il n'y avait pas de réaction positive, *B* serait nul et l'hystérésis disparaîtrait parce que les points de basculement égaleraient zéro. Mais il y a réaction positive et donc écartement des points de basculement selon la figure 18-13 *b*.

Une certaine hystérésis est désirable parce qu'elle empêche le bruit de provoquer un faux basculement. Imaginons une bascule de Schmitt sans hystérésis. Alors tout bruit appliqué à l'entrée fait passer la bascule de Schmitt du niveau bas au niveau haut et vice versa de façon aléatoire. Considérons maintenant une bascule de

Schmitt comportant une hystérésis. Un bruit de tension de crête à crête inférieur à l'hystérésis ne peut produire un faux basculement. Une bascule à hystérésis suffisante est protégée contre le basculement dû au bruit. Si le PSB égale + 1 V et le PIB = − 1 V, le bruit de crête à crête inférieur à 2 V ne peut faire basculer la bascule.

CONDENSATEUR ACCÉLÉRATEUR

En plus de supprimer les effets du bruit, la réaction positive accélère la commutation des niveaux de sortie. La variation de la tension de sortie réinjectée à l'entrée non inverseuse et amplifiée force la sortie à changer de niveau plus rapidement. On connecte parfois un condensateur C_1 en parallèle avec R_1 (fig. 18-13c). Un tel *condensateur accélérateur* annule le réseau de retard formé par le condensateur parasite C_2 entre les bornes de R_2. Ce condensateur parasite doit se charger avant que la tension d'entrée non inverseuse puisse varier. Le condensateur accélérateur fournit cette charge.

Pour neutraliser le condensateur parasite, le rapport des réactances du diviseur capacitif de tension formé par C_2 et C_1 doit égaler le rapport des résistances du diviseur résistif de tension formé par R_2 et R_1, donc

$$\frac{X_{C2}}{X_{C1}} = \frac{R_2}{R_1}$$

D'où

$$C_1 = \frac{R_2}{R_1} C_2 \tag{18-6}$$

Dans cette relation, C_1 = capacité d'accélération

R_2 = résistance entre l'entrée non inverseuse et la masse

R_1 = résistance de réaction

C_2 = capacité parasite entre les bornes de R_2.

C_1 donné par la formule (18-6) est la capacité minimale qui neutralise les effets de retard de la capacité parasite C_2. Tant que C_1 est égal ou supérieur à la valeur donnée par la formule (18-6), la vitesse de commutation du niveau de sortie est maximale. Comme il faut souvent évaluer la capacité parasite, prendre C_1 au moins égal au double de la valeur donnée par la formule (18-6). La capacité C_1 des bascules de Schmitt typiques va de 10 pF à 100 pF.

A titre d'exemple, la figure 18-13 d représente un amplificateur opérationnel 318 connecté à un détecteur de passage par zéro à hystérésis. En raison des alimentations de 12 V, V_{sat} égale environ 10 V. Avec un taux B d'environ 0,01, PSB égale + 0,1 V et PIB égale − 0,1 V. Un condensateur accélérateur de 10 pF neutralise toute capacité parasite en parallèle avec R_2.

Autre forme de la relation (18-6) :

$$R_1 C_1 \geqslant R_2 C_2 \tag{18-6 a}$$

Selon cette relation, la constante de temps de la cellule du condensateur accélérateur est égale ou supérieure à la constante de temps de la cellule du condensateur parasite.

TRANSLATION DES POINTS DE BASCULEMENT

La figure 18-14 *a* illustre comment translater les points de basculement. Une résistance supplémentaire R_3 est connectée entre l'entrée non inverseuse et $+ V_{CC}$. Sa fonction est de régler le *centre* de la boucle d'hystérésis. Il vient

$$v_{cen} = \frac{R_2}{R_2 + R_3} \, V_{CC} \qquad (18\text{-}7)$$

La réaction positive dispose un point de basculement sur chaque côté de la tension centrale. Pour comprendre ce qui se produit, analysons le circuit équivalent de Thévenin représenté à la figure 18-14 *b*. Le taux de réaction égale

$$B = \frac{R_2 \parallel R_3}{R_1 + R_2 \parallel R_3} \qquad (18\text{-}8)$$

Lorsque la sortie est saturée positivement, la tension de référence non inverseuse égale

$$\text{PSB} = v_{cen} + BV_{sat} \qquad (18\text{-}9)$$

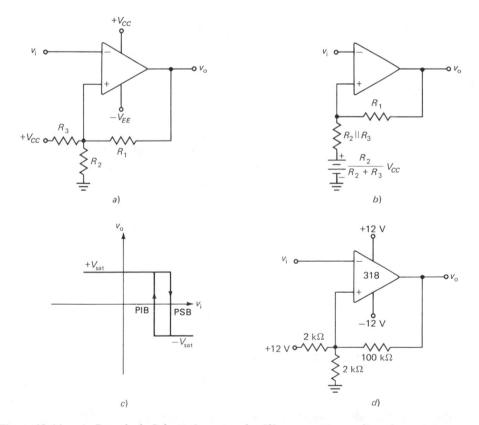

Figure 18-14. a) *Bascule de Schmitt à tension de référence positive sur l'entrée non inverseuse.* b) *Circuit équivalent.* c) *Le centre de l'hystérésis est positif dans la caractéristique de transfert.* d) *Exemple.*

Lorsque la sortie est saturée négativement, la tension non inverseuse égale

$$\text{PIB} = v_{\text{cen}} - BV_{\text{sat}} \qquad (18\text{-}10)$$

La figure 18-14 *c* représente la caractéristique de transfert. La formule (18-7) donne la tension centrale et la formule (18-8) le taux de réaction *B*. Ces deux grandeurs permettent de calculer PSB et PIB d'après les formules (18-9) et (18-10).

A titre d'exemple, la figure 18-14 *d* représente un 318 monté en détecteur de limite à hystérésis. Il vient successivement

$$v_{\text{cen}} = \frac{2 \text{ k}\Omega}{4 \text{ k}\Omega} \ 12 \text{ V} = 6 \text{ V}$$

$$B = \frac{2 \text{ k}\Omega \parallel 2 \text{ k}\Omega}{101 \text{ k}\Omega} \cong 0{,}01$$

$$\text{PSB} = 6 \text{ V} + 0{,}01 \ (10 \text{ V}) = 6{,}1 \text{ V}$$

$$\text{PIB} = 6 \text{ V} - 0{,}01 \ (10 \text{ V}) = 5{,}9 \text{ V}$$

Si l'on veut utiliser un condensateur accélérateur, le disposer en parallèle avec la résistance de 100 kΩ.

BASCULE NON INVERSEUSE DE SCHMITT

La figure 18-15 *a* représente une bascule *non inverseuse* de Schmitt. C'est un détecteur de passage par zéro à hystérésis (fig. 18-15 *b*). Voici son mode de fonctionnement. Supposons que la sortie est saturée négativement. Alors la tension de réaction est négative. Cette tension de réaction maintient la sortie dans la saturation négative jusqu'à ce que la tension d'entrée devienne suffisamment positive pour rendre la tension d'erreur positive. Alors la sortie passe en saturation positive et la tension de réaction est positive. Pour changer le niveau de sortie, la tension d'entrée doit devenir suffisamment négative pour rendre la tension d'erreur négative. Alors la sortie passe au niveau négatif.

Voici comment calculer les points de basculement. La sortie change de niveau lorsque v_{erreur} traverse zéro. Lorsque $v_{\text{erreur}} = 0$,

$$v_{\text{i}} = i_{\text{i}} R_2$$

En raison de la masse virtuelle, presque tout le courant d'entrée traverse R_1 et

$$v_{\text{o}} = - i_{\text{i}} R_1$$

D'où

$$v_{\text{i}} = - v_{\text{o}} \frac{R_2}{R_1}$$

Lorsque la sortie est en saturation négative, $v_{\text{o}} = - V_{\text{sat}}$ et

$$\text{PSB} = V_{\text{sat}} \frac{R_2}{R_1} \qquad (18\text{-}11)$$

Lorsque la sortie est en saturation positive, $v_{\text{o}} = + V_{\text{sat}}$ et

$$\text{PIB} = - V_{\text{sat}} \frac{R_2}{R_1} \qquad (18\text{-}12)$$

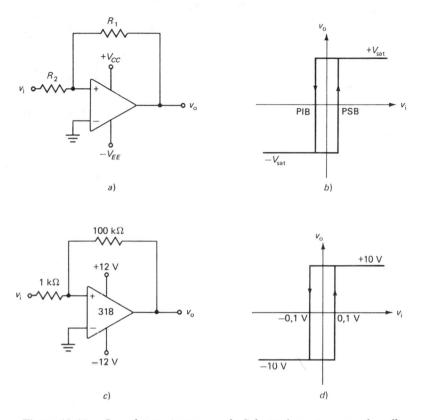

Figure 18-15. *Bascule non inverseuse de Schmitt à tension centrale nulle.*

A titre d'exemple, la figure 18-15 *c* représente un 318 connecté en bascule non inverseuse de Schmitt. Si $V_{sat} = 10$ V, PSB $= + 0,1$ V et PIB $= - 0,1$ V. La figure 18-15 *d* représente la caractéristique de transfert.

Pour translater les points de basculement, appliquer une tension de référence à l'entrée inverseuse (fig. 18-16 *a*). La tension de référence égale

$$v_{réf} = \frac{R_4}{R_3 + R_4} \, V_{CC} \tag{18-13}$$

Par un développement mathématique semblable à celui donné plus haut, la tension centrale égale

$$v_{cen} = \left(1 + \frac{R_2}{R_1}\right) \, v_{réf} \tag{18-14}$$

Les points de basculement sont symétriques par rapport à la tension centrale. On a

$$PSB = v_{cen} + \frac{R_2}{R_1} \, V_{sat} \tag{18-15}$$

et

$$PIB = v_{cen} - \frac{R_2}{R_1} \, V_{sat} \tag{18-16}$$

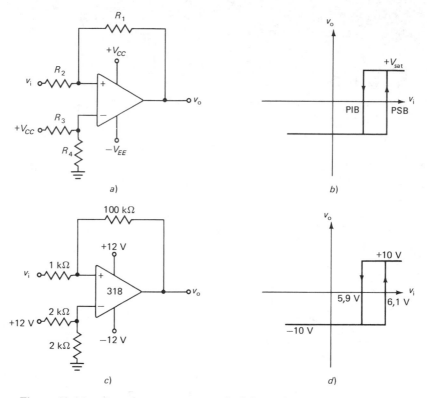

Figure 18-16. *Bascule non inverseuse de Schmitt à tension centrale positive.*

A titre d'exemple, la bascule non inverseuse de Schmitt rêprésentée à la figure 18-16 *c* a une tension de référence de 6 V et une tension centrale

$$v_{cen} = \left(1 + \frac{1 \text{ k}\Omega}{100 \text{ k}\Omega}\right) 6 \text{ V} \cong 6 \text{ V}$$

Remarquer que la tension centrale égale environ la tension de référence parce qu'on utilise qu'une petite réaction positive. Puisque $R_2/R_1 = 0,01$, les points de basculement sont

$$\text{PSB} = 6 \text{ V} + 0,01 \, (10 \text{ V}) = 6,1 \text{ V}$$

et

$$\text{PIB} = 6 \text{ V} - 0,01 \, (10 \text{ V}) = 5,9 \text{ V}$$

La caractéristique de transfert représentée à la figure 18-16 *d* résume le fonctionnement de la bascule.

18.5. INTÉGRATEUR

Un *intégrateur* est un dispositif qui effectue l'opération mathématique appelée intégration, puisque sa tension de sortie est proportionnelle à l'intégrale de sa tension d'entrée. On l'utilise souvent pour obtenir une *rampe* de tension de sortie (une tension qui croît ou décroît linéairement) à partir d'une tension constante d'entrée. Si on attaque un 741 C avec un échelon de tension, la sortie varie à la vitesse de 0,5 V. Autrement dit, la tension de sortie varie de 0,5 V par microseconde. La tension de sortie de cet exemple est une rampe, une tension qui varie linéairement en fonction du temps. On peut construire un intégrateur, un dispositif qui sort une rampe bien définie lorsqu'on lui applique une entrée constante ou rectangulaire, à l'aide d'un amplificateur opérationnel.

INTÉGRATEUR ÉLÉMENTAIRE

La figure 18-17 *a* représente un intégrateur à amplificateur opérationnel. Voici son mode de fonctionnement. L'entrée typique d'un intégrateur est une impulsion rectangulaire telle celle représentée à la figure 18-17 *b*. L'entrée V_i représente une tension constante durant la durée T d'impulsions. Supposons la tension V_i appliquée à la borne gauche de R. En raison de la masse virtuelle le courant d'entrée est constant et égale

$$I_i \cong \frac{V_i}{R}$$

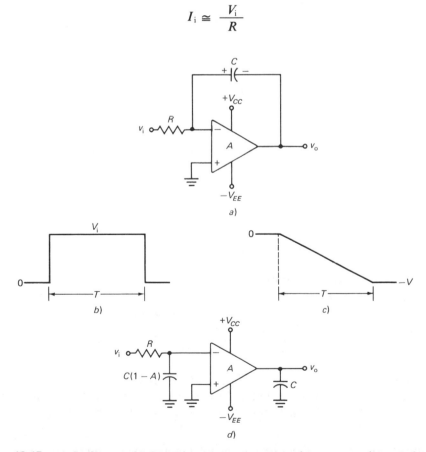

Figure 18-17. a) *Intégrateur.* b) *L'entrée typique est une impulsion rectangulaire.* c) *La sortie typique est une rampe.* d) *Circuit équivalent avec les capacités de Miller.*

Presque tout ce courant passe au condensateur. Selon la loi fondamentale des condensateurs,

$$C = \frac{Q}{V}$$

D'où

$$V = \frac{Q}{C} \tag{18-17}$$

Puisqu'un courant constant pénètre dans le condensateur, la charge Q augmente linéairement. Donc, la tension entre les bornes du condensateur augmente linéairement avec la polarité représentée à la figure 18-17 *a*. En raison de l'inversion de phase de l'amplificateur opérationnel, la tension de sortie est une rampe négative (fig. 18-17 *c*). A la fin de la période d'impulsion, la tension d'entrée revient à zéro et le courant de charge s'arrête. Comme le condensateur maintient sa charge, la tension de sortie reste constante à un niveau négatif.

Pour obtenir la formule de la tension de sortie, divisons les deux membres de la formule (18-17) par I. Il vient

$$\frac{V}{T} = \frac{Q/T}{C}$$

La charge étant constante, nous pouvons écrire

$$\frac{V}{T} = \frac{I}{C}$$

D'où

$$V = \frac{IT}{C} \tag{18-18}$$

avec V = tension entre les bornes du condensateur
  I = courant de charge, V_i / R
  T = temps de charge
  C = capacité

Telle est la tension entre les bornes du condensateur. En raison de l'inversion de phase, $v_o = - V$. Si $I = 4\,\text{mA}$, $T = 2\,\text{ms}$ et $C = 1\,\mu\text{F}$, alors la tension entre les bornes du condensateur à la fin de la période de charge égale

$$V = \frac{(4\,\text{mA})\,(2\,\text{ms})}{1\,\mu\text{F}} = 8\,\text{V}$$

En raison de l'inversion de phase, la tension de sortie est de $- 8$ V au bout de 2 ms.

Dernier point : en raison de l'effet Miller, on peut représenter un intégrateur selon la figure 18-17 *d*. La constante de temps du réseau de retard d'entrée égale

$$\tau = RC(1 - A)$$

Pour que l'intégrateur fonctionne convenablement, cette constante de temps doit être beaucoup plus grande que la largeur T de l'impulsion d'entrée (elle doit au moins lui être 10 fois égale). Le grand gain *A* d'un intégrateur typique à amplificateur opérationnel produit une très grande constante de temps. Aussi le respect de la condition τ beaucoup plus grand que *T* est-il rarement un problème.

DÉCROISSANCE DU GAIN A ZÉRO

Pour le rendre pratique, il faut modifier légèrement l'intégrateur représenté à la figure 18-17 *a*. Puisque le condensateur se comporte comme un dispositif ouvert pour les signaux continus, le gain en tension en boucle fermée égale le gain en tension en boucle ouverte à la fréquence nulle. Il s'ensuit une tension de décalage de sortie beaucoup trop grande. Sans contre-réaction à la fréquence nulle, l'intégrateur traite les décalages d'entrée comme un signal valide d'entrée. En fin de compte, les décalages d'entrée chargent le condensateur et saturent la sortie positivement ou négativement.

Pour réduire l'effet des décalages d'entrée, on peut diminuer le gain en tension aux basses fréquences en montant une résistance en parallèle avec le condensateur (fig. 18-18 *a*). Cette résistance doit valoir au moins 10 fois la résistance d'entrée. Si la résistance ajoutée égale 10 *R*, le gain en tension en boucle fermée égale − 10 et la tension de décalage de sortie diminue fortement. L'intégrateur fonctionne à peu près selon le mode décrit ci-dessus parce que presque tout le courant d'entrée passe encore au condensateur.

REMISE A ZÉRO PAR FET A JONCTION

On peut aussi supprimer l'effet des décalages d'entrée en utilisant un FET à jonction interrupteur de *remise à zéro* (fig. 18-18 *b*). Cela permet de décharger le condensateur juste avant l'application d'une impulsion à l'entrée. Le FET à jonction interrupteur représenté à la figure 18-18 *b* remet l'intégrateur à zéro.

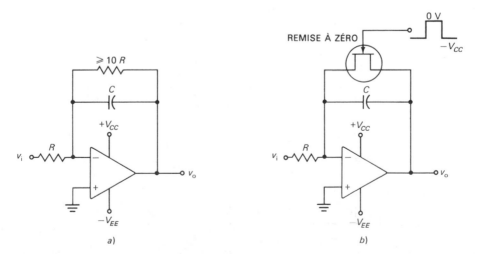

Figure 18-18. a) *La résistance en parallèle avec le condensateur diminue la tension de décalage de sortie.* b) *FET à jonction utilisé pour remettre l'intégrateur à zéro.*

Lorsque la tension grille égale $- V_{CC}$, le FET à jonction interrupteur est ouvert et l'intégrateur fonctionne comme nous l'avons vu. Lorsque la tension grille passe à 0 V, le FET à jonction interrupteur se ferme et décharge le condensateur. Lorsque la tension grille redevient négative, le FET à jonction interrupteur s'ouvre et la prochaine impulsion d'entrée peut recharger le condensateur.

18.6. DIFFÉRENTIATEUR

Un *différentiateur* est un dispositif qui effectue l'opération mathématique appelée différentiation, puisque sa tension de sortie est proportionnelle à la pente de la tension d'entrée. Habituellement, un différentiateur sert à détecter le flanc antérieur et le flanc arrière d'une impulsion rectangulaire, ou à produire une sortie rectangulaire à partir d'une entrée en rampe.

DIFFÉRENTIATEUR *RC*

On peut utiliser un réseau d'avance comme celui représenté à la figure 18-19 *a* pour différentier le signal d'entrée. On appelle un tel différentiateur un différentiateur *RC*. L'entrée typique est une impulsion rectangulaire (fig. 18-19 *b*) plutôt qu'un signal sinusoïdal. La sortie du différentiateur est une pointe positive et une pointe négative. La pointe positive survient au même instant que le flanc antérieur de l'entrée et la pointe négative au même instant que le flanc arrière. D'autres dispositifs utilisent ces crêtes à des fins de synchronisation.

Pour comprendre le fonctionnement d'un différentiateur *RC*, observons les formes d'ondes représentées à la figure 18-19 *c*. Le condensateur commence à se charger exponentiellement lorsque la tension d'entrée varie de zéro à *V*. Après

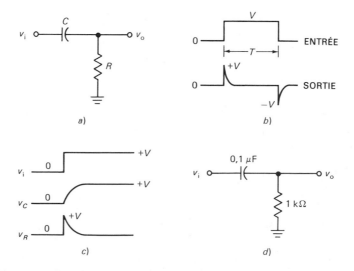

Figure 18-19. a) *Différenciateur RC.* b) *Une impulsion rectangulaire d'entrée produit des pointes de sortie étroites.* c) *Formes de signaux de tension.* d) *Exemple.*

environ cinq constantes de temps, la tension du condensateur est à moins de 1 % de la tension finale V. Selon la loi des tensions de Kirchhoff, la tension entre les bornes de la résistance représentée à la figure 18-19 *a* égale

$$v_R = v_i - v_C$$

Donc la tension de sortie saute brusquement de 0 à V, puis décroît exponentiellement selon la figure 18-19 *c*. Sur le flanc arrière d'impulsion la tension d'entrée chute de V à 0 et, par un raisonnement semblable, on déduit qu'on obtient une pointe négative. Signalons que la valeur de crête de chaque pointe représentée à la figure 18-19 *b* vaut environ V, le niveau de l'échelon de tension.

Pour qu'un différentiateur RC produise des pointes étroites, il faut que la constante de temps soit inférieure ou égale au dixième de la largeur d'impulsion T. Si la largeur d'impulsion égale 1 ms, alors la constante de temps RC doit être inférieure ou égale à 0,1 ms. La figure 18-19 *d* représente un différentiateur RC à constante de temps égale à 0,1 ms. Plus la constante de temps est petite, plus les pointes sont acérées.

DIFFÉRENTIATEUR A AMPLIFICATEUR OPÉRATIONNEL

La figure 18-20 *a* représente un différentiateur à amplificateur opérationnel. Remarquer sa ressemblance avec un intégrateur à amplificateur opérationnel. Nous avons simplement interchangé la résistance et le condensateur. Lorsque la tension d'entrée varie, le condensateur se charge ou se décharge. En raison de la masse virtuelle, le courant du condensateur traverse la résistance de réaction et y produit une tension. Cette tension est proportionnelle à la pente de la tension d'entrée.

L'entrée du différentiateur à amplificateur opérationnel est souvent une rampe semblable à la forme de signal représenté au sommet de la figure 18-20 *b*. En raison de la masse virtuelle, toute la tension d'entrée apparaît entre les bornes du condensateur. La représentation graphique de la tension étant une rampe, le courant du condensateur est constant. L'impulsion de sortie est inversée (fig. 18-20*b*), puisque tout le courant constant traverse la résistance de réaction.

Calculons le courant. A la fin de la rampe, la tension du condensateur égale

$$V = \frac{Q}{C}$$

Divisons les deux membres de cette égalité par le temps de la rampe. Il vient

$$\frac{V}{T} = \frac{Q/T}{C}$$

D'où

$$\frac{V}{T} = \frac{I}{C}$$

Isolons le courant. Il vient

$$I = \frac{CV}{T} \tag{18-19}$$

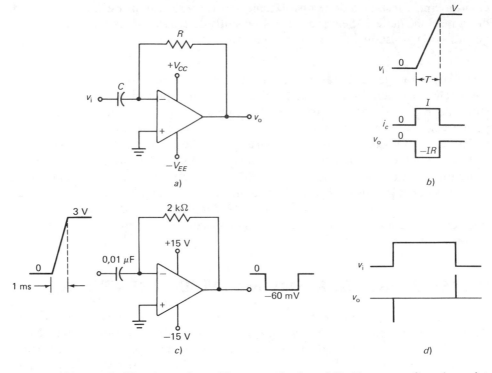

Figure 18-20. a) *Différentiateur à amplificateur opérationnel.* b) *Une rampe d'entrée produit une sortie rectangulaire.* c) *Exemple.* d) *Une entrée rectangulaire produit des pointes de sortie.*

avec I = courant du condensateur
   C = capacité
   V = tension à la fin de la rampe
   T = temps entre le début et la fin de la rampe

La connaissance du courant permet de calculer la tension de sortie. En effet

$$v_o = -IR \qquad (18\text{-}20)$$

A titre d'exemple, la figure 18-20 *c* représente une rampe de 3 V attaquant un différentiateur à amplificateur opérationnel. Le courant du condensateur égale

$$I = \frac{(0,01\ \mu\text{F})\,(3\ \text{V})}{1\ \text{ms}} = 30\ \mu\text{A}$$

La tension de sortie égale

$$v_o = (-30\ \mu\text{A})\,(2\ \text{k}\Omega) = -60\ \text{mV}$$

Donc, la forme de signal de sortie est une impulsion négative de crête égale à − 60 mV.

Sur un oscilloscope, le flanc antérieur d'une impulsion rectangulaire peut sembler parfaitement vertical. Mais si l'on raccourcit suffisamment la base de temps, on voit que, habituellement, il monte exponentiellement. On peut approximer cette montée exponentielle par une rampe positive.

Le différentiateur à amplificateur opérationnel sert souvent à produire de très étroites pointes (fig. 18-20 *d*). Le flanc antérieur d'impulsion étant à peu près une rampe positive, la sortie est une pointe négative de très faible durée. Le flanc arrière d'impulsion d'entrée étant à peu près une rampe négative, la sortie est une très étroite pointe positive. Le différentiateur à amplificateur opérationnel a un avantage sur le différentiateur *RC* : la provenance des pointes d'une source à basse impédance rend l'attaque des résistances de charge typiques plus facile.

LE DIFFÉRENTIATEUR PRATIQUE A AMPLIFICATEUR OPÉRATIONNEL

Le différentiateur à amplificateur opérationnel représenté à la figure 18-20 *a* a la tendance indésirable d'*osciller*. Pour éliminer cette tendance, un différentiateur pratique à amplificateur opérationnel comporte habituellement une résistance en série avec le condensateur (fig. 18-21). Cette résistance est habituellement comprise entre 0,01 *R* et 0,1 *R*. Dans ce cas, le gain en tension en boucle fermée est compris entre − 10 et − 100. Cette résistance supplémentaire limite le gain en tension en boucle fermée aux fréquences élevées, là où le problème des oscillations surgit. (Nous étudierons les oscillations plus en détail au chapitre 20.)

Signalons que la source qui attaque le différentiateur à amplificateur opérationnel a une impédance de sortie. Si cette impédance est comprise entre 0,01 *R* et 0,1 *R*, ne pas monter de résistance supplémentaire puisque la source y pourvoit.

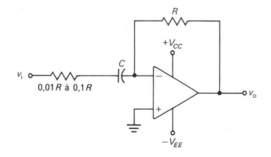

Figure 18-21. *La résistance en série avec le condensateur empêche les oscillations à haute fréquence.*

18.7. CONVERSION DE FORME DE SIGNAL

Les amplificateurs opérationnels convertissent un signal sinusoïdal en signal rectangulaire, un signal rectangulaire en un signal triangulaire, etc. Dans cette section, nous étudierons quelques dispositifs élémentaires qui convertissent un signal d'entrée en un signal de sortie de forme différente.

CONVERSION D'UN SIGNAL SINUSOÏDAL EN UN SIGNAL RECTANGULAIRE

La figure 18-22 *a* représente une bascule de Schmitt à caractéristique de transfert représentée à la figure 18-22 *b*. Si le signal d'entrée est *périodique* (à cycles répétitifs), la bascule de Schmitt sort un signal rectangulaire. Pour cela, le signal d'entrée doit dépasser les deux points de basculement représentés à la figure 18-22 *c*. Lorsque la tension d'entrée dépasse le PSB de l'alternance positive, la tension de sortie bascule à $- V_{sat}$. Un demi-cycle plus tard, la tension d'entrée devient plus négative que le PIB et la sortie bascule et revient à $+ V_{sat}$.

Une bascule de Schmitt sort toujours un signal rectangulaire, peu importe la forme du signal d'entrée. La tension d'entrée n'est donc pas obligatoirement sinusoïdale, comme à la figure 18-22 *a*. Une bascule de Schmitt soumise à un signal périodique qui dépasse les points de basculement donne un signal rectangulaire de même fréquence que le signal d'entrée (fig. 18-22 *c*).

Les points de basculement PSB et PIB de la bascule de Schmitt représentée à la figure 18-22 *d* sont respectivement d'environ $+ 0,1$ V et de $- 0,1$ V. Si le signal d'entrée est périodique et son amplitude de crête à crête supérieure à 0,2 V, la sortie est un signal rectangulaire d'amplitude de crête à crête d'environ 20 V ($2 V_{sat}$).

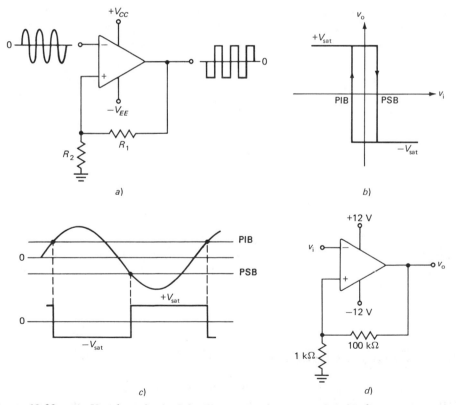

Figure 18-22. a) *Une bascule de Schmitt soumise à une entrée périodique sort un signal rectangulaire.* b) *Caractéristique de transfert inverseuse.* c) *La sortie bascule lorsque l'entrée égale les points de basculement.* d) *Exemple.*

CONVERSION D'UN SIGNAL RECTANGULAIRE EN UN SIGNAL TRIANGULAIRE

L'intégrateur représenté à la figure 18-23 *a* est soumis à un signal rectangulaire. La valeur moyenne ou continue du signal d'entrée étant nulle, la valeur moyenne ou continue du signal de sortie est nulle elle aussi (en supposant le décalage de sortie négligeable). Selon la figure 18-23 *b,* la rampe décroît durant l'alternance positive de la tension d'entrée et croît durant l'alternance négative. Donc, la sortie est un signal triangulaire périodique de même fréquence que l'entrée.

Selon l'analyse de la variation de tension d'une rampe effectuée à l'appendice 1, la tension de sortie de crête à crête égale

$$v_{\text{o (de crête à crête)}} = \frac{v_{\text{i (de crête à crête)}}}{4fRC} \tag{18-21}$$

avec
$\quad v_{\text{o (de crête à crête)}}$ = tension triangulaire de crête à crête de sortie
$\quad v_{\text{i (de crête à crête)}}$ = tension rectangulaire de crête à crête d'entrée
$\quad f$ = fréquence d'entrée
$\quad R$ = résistance d'intégrateur
$\quad C$ = capacité d'intégrateur

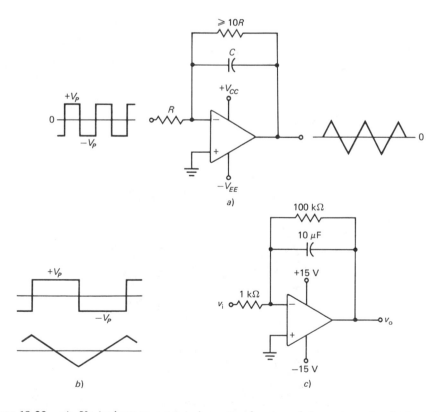

Figure 18-23. a) *Un intégrateur soumis à un signal rectangulaire sort un signal triangulaire.*
b) *Signal d'entrée et signal de sortie.* b) *Exemple.*

Supposons qu'un signal carré attaque l'intégrateur représenté à la figure 18-23 *c*. Si la fréquence égale 1 kHz et la tension de crête à crête d'entrée 10 V, la sortie est un signal triangulaire de fréquence d'1 kHz et de tension de crête à crête de sortie

$$v_{\text{o (de crête à crête)}} = \frac{10 \text{ V}}{4(1 \text{ kHz}) \, (1 \text{ k}\Omega)(10 \text{ } \mu\text{F})} = 0{,}25 \text{ V}$$

CONVERSION D'UN SIGNAL TRIANGULAIRE EN UN SIGNAL PULSÉ, PULSATOIRE OU IMPULSIONNEL

Dans certaines applications, on veut une impulsion à coefficient d'utilisation variable. La figure 18-24 *a* illustre une façon d'obtenir un tel signal à l'aide d'un détecteur de limites à amplificateur opérationnel. Ce dispositif est un comparateur (sans hystérésis) à tension de référence réglable. On peut donc translater le point de basculement de 0 à un certain niveau positif. La sortie est au niveau haut (fig. 18-24 *b*) tant que la tension triangulaire d'entrée excède la tension de référence. La tension $u_{\text{réf}}$ étant réglable, on peut faire varier la largeur de l'impulsion de sortie et donc le coefficient d'utilisation. Un tel circuit permet de faire varier le coefficient d'utilisation d'environ 0 à 50 %. La fréquence de sortie égale la fréquence d'entrée.

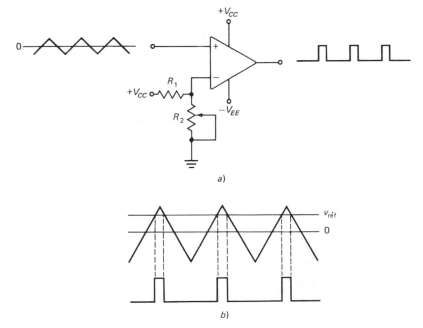

Figure 18-24.   a) *Le coefficient d'utilisation de la sortie est réglable.* b) *Signal d'entrée triangulaire et signal pulsé, pulsatoire ou impulsionnel de sortie.*

18.8. GÉNÉRATION DE SIGNAUX

La réaction positive permet aussi de construire des oscillateurs, des dispositifs qui génèrent ou créent un signal de sortie sans signal extérieur d'entrée. Dans cette section, nous étudierons brièvement quelques oscillateurs à amplificateur opérationnel qui génèrent des signaux non sinusoïdaux. Au chapitre 20, nous étudierons des oscillateurs sinusoïdaux et des oscillateurs non sinusoïdaux plus sophistiqués.

OSCILLATEUR A RELAXATION

On n'applique aucun signal d'entrée à l'oscillateur représenté à la figure 18-25 *a*. Mais ce dispositif sort néanmoins un signal rectangulaire. Analysons son fonctionnement. Supposons que la sortie est en saturation positive. Le condensateur se charge exponentiellement vers $+ V_{sat}$ qu'il n'atteint jamais parce que sa tension atteint le PSB (fig. 18-25 *b*). Alors la sortie bascule à $- V_{sat}$, la tension réinjectée est négative et donc le condensateur inverse son sens de charge. La tension du condensateur décroît selon la figure 18-25 *b*. Lorsque la tension du condensateur

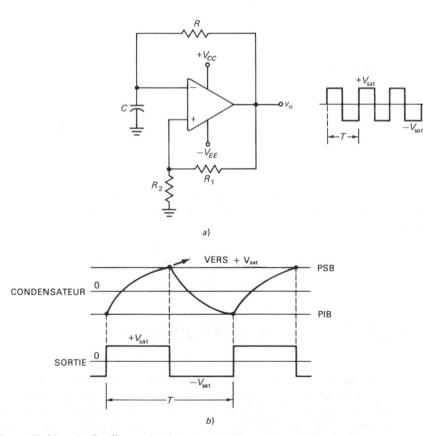

Figure 18-25. a) *Oscillateur à relaxation.* b) *Tension du condensateur et tension de sortie.*

atteint PIB, la sortie bascule et revient $+ V_{sat}$. La sortie est un signal rectangulaire en raison de la charge et de la décharge continuelles.

Selon l'analyse de la charge et de la décharge exponentielles d'un condensateur effectuée à l'appendice 1, la période du signal rectangulaire de sortie égale

$$T = 2RC \ln \frac{1 + B}{1 - B} \qquad (18\text{-}22)$$

avec T = période du signal de sortie
 R = résistance de réaction
 C = capacité
 B = taux de réaction = $R_2/(R_1 + R_2)$

Remarque : ln est le logarithme de base *e*. Pour calculer la fréquence du signal rectangulaire de sortie, prendre l'inverse de la période.

$$f = \frac{1}{T} \qquad (18\text{-}23)$$

Si $R = 1$ kΩ, $C = 0,1$ μF, $R_1 = 2$ kΩ et $R_2 = 18$ kΩ. Alors le taux de réaction égale

$$B = \frac{18 \text{ k}\Omega}{20 \text{ k}\Omega} = 0,9$$

La constante de temps égale
$$RC = (1 \text{ k}\Omega)(0,1 \text{ μF}) = 100 \text{ μs}$$
La période du signal de sortie égale

$$T = 2(100 \text{ μs}) \ln \frac{1,9}{0,1} = 589 \text{ μs}$$

et la fréquence égale

$$f = \frac{1}{589 \text{ μs}} = 1,7 \text{ kHz}$$

La figure 18-25 *a* représente un exemple d'*oscillateur à relaxation,* un dispositif qui génère un signal de sortie dont la fréquence dépend de la charge et de la décharge d'un condensateur ou d'une bobine. Si l'on augmente la constante de temps *RC,* la tension du condensateur met plus de temps pour atteindre les points de basculement et donc la fréquence est plus petite. En prenant *R* réglable, on obtient une plage d'accord typique de 50/1.

GÉNÉRATION DE SIGNAL TRIANGULAIRE

Le montage d'un oscillateur à relaxation et d'un intégrateur donne un générateur de *signal triangulaire.* Selon la figure 18-26, l'intégrateur attaqué par le signal rectangulaire de sortie de l'oscillateur à relaxation sort un signal triangulaire. Le signal rectangulaire dévie entre $+ V_{sat}$ et $- V_{sat}$. Les formules (18-22) et (18-23) donnent sa fréquence. Le signal triangulaire a la même fréquence. La formule (18-21) donne sa valeur de crête à crête.

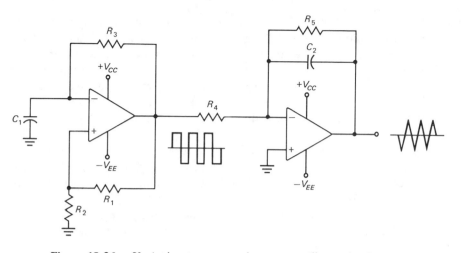

Figure 18-26. *Un intégrateur attaqué par un oscillateur à relaxation sort un signal triangulaire.*

AUTRE GÉNÉRATEUR DE SIGNAL TRIANGULAIRE

Le signal rectangulaire de sortie de la bascule non inverseuse de Schmitt représentée à la figure 18-24 *a* attaque un intégrateur. La sortie de l'intégrateur est un signal triangulaire. Ce signal triangulaire réinjecté attaque la bascule de Schmitt. Ce dispositif est intéressant : le premier étage attaque le deuxième et le deuxième attaque le premier.

La figure 18-27 *b* représente la caractéristique de transfert de la bascule de Schmitt. Lorsque la sortie est au niveau bas, l'entrée doit croître jusqu'à PSB pour

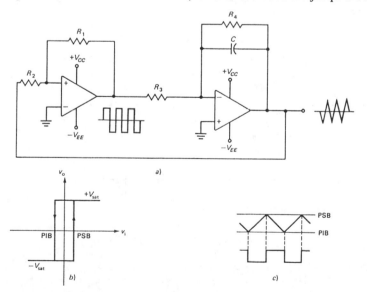

Figure 18-27. *La sortie du montage en cascade bascule de Schmitt et intégrateur à réaction est un signal triangulaire.*

que la sortie bascule au niveau haut. De même, lorsque la sortie est au niveau haut, l'entrée doit décroître jusqu'à PIB pour que la sortie bascule au niveau bas.

Le signal triangulaire de sortie de l'intégrateur est idéal pour attaquer la bascule de Schmitt. Lorsque la sortie de la bascule de Schmitt représentée à la figure 18-27 *a* est au niveau bas, l'intégrateur sort une rampe positive. Cette rampe positive augmente jusqu'à ce qu'elle atteigne PSB (fig. 18-27 *c*). A cet instant, la sortie de la bascule de Schmitt bascule au niveau haut et force le signal triangulaire à inverser de sens. La rampe négative décroît jusqu'à ce qu'elle atteigne PIB où la sortie de la bascule de Schmitt bascule de nouveau.

Un maillon manque dans l'explication ci-dessus : de quelle façon le générateur est-il parvenu à la position de départ ? Lorsqu'on augmente la tension d'entrée pour la première fois, la sortie de la bascule de Schmitt est au niveau bas ou au niveau haut. Si elle est au niveau bas, l'intégrateur sort une rampe descendante. Donc le signal triangulaire est amorcé et la réaction positive l'entretiendra.

PROBLÈMES

Simples

18-1.   Un signal sinusoïdal de crête de 2 V attaque le redresseur demi-onde représenté à la figure 18-28 *a*. Supposer que le gain de l'amplificateur opérationnel est de 100 000. Calculer la tension d'entrée qui fait juste conduire la diode, le courant de crête qui traverse la résistance de charge et le courant moyen sur le cycle.

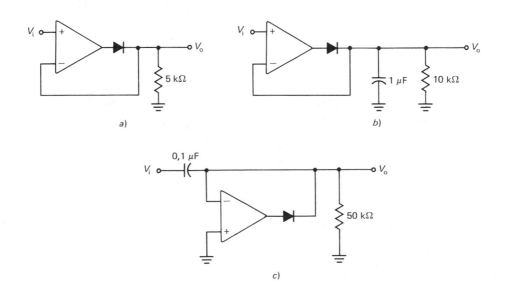

Figure 18-28.

18-2. Supposer qu'un signal sinusoïdal de crête de 500 mV attaque le circuit représenté à la figure 18-28 *b* et calculer la tension approximative de sortie. La constante de temps de décharge égale 100 fois la période du signal d'entrée. Calculer la fréquence d'entrée.

18-3. Le signal d'entrée du circuit représenté à la figure 18-28 *c* est un signal sinusoïdal de crête de 300 mV. Calculer la tension minimale et la tension maximale de sortie. Supposer que la constante de temps $R_L C$ vaut au moins 100 fois la période d'entrée, et calculer la fréquence minimale permise.

18-4. Soit le circuit représenté à la figure 18-2 *c*. On donne $R_L = 10$ kΩ et $C = 0,1$ μF. Supposer que le transistor est équivalent à une résistance de 10 Ω lorsqu'il est saturé et calculer la constante de temps de décharge lorsque l'entrée de remise à zéro est nulle et lorsqu'elle est de + 5 V.

18-5. Soit le circuit représenté à la figure 18-29 *a*. Calculer la tension de référence, la sortie approximative lorsque v_i égale successivement 1 V et 10 V.

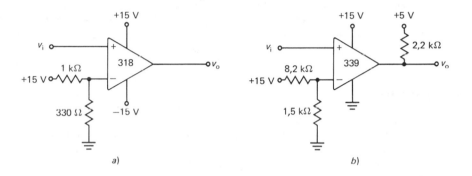

Figure 18-29.

18-6. Soit le circuit représenté à la figure 18-29 *b*. Calculer v_o lorsque v_i vaut successivement 1 V et 4 V. Calculer le point de basculement.

18-7. Calculer les points de basculement de la bascule de Schmitt représentée à la figure 18-30 *a*.

18-8. Calculer les points de basculement du circuit représenté à la figure 18-30 *b*.

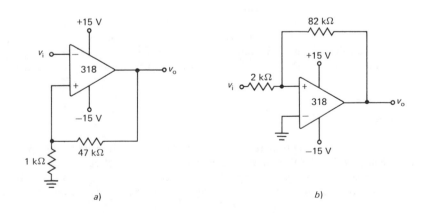

Figure 18-30.

18-9. Une capacité parasite de 30 pF est en parallèle avec la résistance d'1 kΩ de la bascule de Schmitt représentée à la figure 18-30 *a*. Calculer la capacité minimale du condensateur accélérateur.

18-10. On change les alimentations de la bascule de Schmitt représentée à la figure 18-16 *c* au profit d'alimentations de + 15 V et − 15 V. Calculer les points de basculement.

18-11. Initialement, la tension de sortie du circuit représenté à la figure 18-31 est nulle. Calculer la tension approximtive de sortie à la fin de l'impulsion d'entrée.

18-12. On change la résistance de réaction du différentiateur représenté à la figure 18-20 *c* au profit d'une résistance de 10 kΩ. Calculer la tension de crête négative de sortie.

18-13. Un signal rectangulaire de fréquence de 2,75 kHz attaque l'intégrateur représenté à la figure 18-23 *c*. Supposer que la tension de crête à crête d'entrée est de 10 V et calculer la tension de crête à crête de sortie.

18-14. Soit un oscillateur à relaxation semblable à celui représenté à la figure 18-25 *a* tel que $R_1 = 1$ kΩ, $R_2 = 10$ kΩ, $R = 4,7$ kΩ et $C = 0,022$ μF. Calculer la fréquence du signal rectangulaire de sortie.

18-15. Les alimentations du circuit représenté à la figure 18-27 *a* sont + 15 V et − 15 V. On donne $R_1 = 2$ kΩ, $R_2 = 1$ kΩ, $R_3 = 3,9$ kΩ, $R_4 = 100$ kΩ et $C = 0,01$ μF. Calculer la fréquence et les tensions de crête à crête de sortie.

De dépannage

18-16. La sortie du circuit représenté à la figure 18-29 *a* demeure au niveau bas jusqu'à l'élévation de l'entrée à + 15 V. Trouver la(les) cause(s) possible(s) de ce dérangement parmi les suivantes :
   a) résistance de 330 Ω ouverte;
   b) résistance d'1 kΩ ouverte;
   c) tension de − 15 V appliquée au diviseur de tension au lieu de + 15 V;
   d) résistance de 330 Ω court-circuitée.

18-17. La bascule de Schmitt représentée à la figure 18-30 *a* n'a pas d'hystérésis. Ses points de basculement sont nuls. Citer deux dérangements possibles.

18-18. Lorsque l'entrée du circuit représenté à la figure 18-31 est au niveau haut, la sortie est au niveau haut. Trouver la(les) cause(s) possible(s) de ce dérangement parmi les suivantes :
   a) résistance d'1 kΩ court-circuitée;
   b) résistance de 47 kΩ court-circuitée;
   c) condensateur ouvert;
   d) connexions des entrées inverseuse et non inverseuse inversées.

18-19. La sortie de l'oscillateur à relaxation représenté à la figure 18-26 est un signal rectangulaire au lieu d'un signal triangulaire. Citer au moins trois dérangements possibles.

De conception

18-20. Modifier le circuit représenté à la figure 18-29 *b* pour obtenir un point de basculement de + 3,5 V pour des alimentations de + 10 V et − 10 V.

18-21. Concevoir un comparateur à fenêtre semblable à celui représenté à la figure 18-12 *a* avec des alimentations de 15 V. Les limites doivent être aussi proches de + 2 V et + 4 V que les résistances 5 % le permettent.

18-22. Modifier l'intégrateur représenté à la figure 18-31 pour produire une rampe de pente de − 1 V/μs pour une entrée de + 5 V.

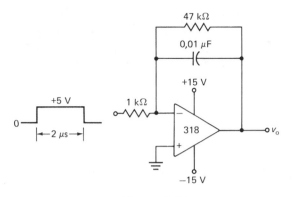

Figure 18-31.

18-23. Concevoir un générateur de signal triangulaire semblable à celui représenté à la figure 18-27 *a* pour obtenir une sortie de crête à crête de 5 V. Utiliser des alimentations de 15 V.

De défi

18-24. La capacité totale entre la sortie et la masse du comparateur à fenêtre représenté à la figure 18-12 *a* est de 50 pF. Calculer le temps que met la tension de sortie pour être mis à moins d'1 % de sa valeur finale après que l'entrée traverse une limite.

18-25. La tension échelonnée représentée à la figure 18-10 a 256 échelons entre 0 et + 5 V : chaque échelon dure 1 μs. Supposer que $v_i = + 2,75$ V et calculer l'instant auquel la sortie change de niveau en prenant comme instant 0 celui auquel la tension échelonnée vaut 0.

18-26. Les sorties des deux comparateurs représentés à la figure 18-12 *a* sont reliées. Si l'on essaie de relier les sorties de deux 741C, on endommagera probablement un des amplificateurs opérationnels. Expliquer pourquoi cela fonctionne avec des dispositifs à collecteur ouvert mais pas avec des dispositifs à sortie push-pull.

18-27. Démontrer la formule (18-22) de la période d'un oscillateur à relaxation.

A résoudre par ordinateur

18-28. Soit le programme :
```
10   PRINT "BASCULE INVERSEUSE DE SCHMITT"
20   PRINT "INTRODUIRE R1" : INPUT R1
30   PRINT "INTRODUIRE R2" : INPUT R2
40   PRINT "INTRODUIRE LA TENSION POSITIVE D'ALIMENTATION" :
     INPUT VCC
50   B = R2/(R1 + R2)
60   VREF = B*(VCC − 2)
70   PRINT "PSB = "; VREF : PRINT "PIB ="; − VREF
80   STOP
```
Dire ce qu'accomplit le programme aux lignes 40, 60 et 70.

18-29. Ecrire un programme qui affiche les limites d'un comparateur à fenêtre semblable à celui représenté à la figure 18-12 *a* N'introduire que V_{CC}.

18-30. Ecrire un programme qui affiche la valeur de crête à crête d'un signal triangulaire, formule (18-21).

Alimentations régulées

Au chapitre 4 nous avons étudié la diode Zener, un dispositif à tension constante dans la région de claquage. Une diode Zener permet de construire un régulateur de tension simple qui maintient la tension de charge constante. Le régulateur de tension constitué d'une diode Zener et d'un transistor à émetteur suiveur étudié au chapitre 8 produit un plus grand courant de charge qu'une simple diode Zener de régulation.

Dans ce chapitre, nous étudierons divers perfectionnements de la régulation de tension. Par contre-réaction nous maintiendrons la tension de sortie presque constante en dépit des variations relativement grandes de la tension de secteur et du courant de charge. Nous étudierons d'abord des régulateurs discrets puis des régulateurs à circuits intégrés les plus utilisés actuellement. Nous terminerons par l'étude des régulateurs à découpage, des régulateurs de tension utilisés de préférence dans le cas de grands courants de charge.

19.1. RÉGULATION A CONTRE-RÉACTION

Dans les applications critiques, on utilise des tensions Zener voisines de 6 V parce que le *coefficient de température* tend vers zéro. On peut amplifier la tension Zener hautement stable, parfois appelée tension de référence, à l'aide d'un amplificateur non inverseur a contre-réaction pour obtenir une plus grande tension de sortie à même stabilité thermique que la tension de référence.

PRINCIPE

La figure 19-1 *a* représente un *régulateur de tension* discret. Le transistor Q_2 est un émetteur suiveur. Par conséquent, sa tension base est supérieure d'une chute V_{BE} à la tension de sortie entre les bornes de la charge. Comme auparavant, le transistor Q_2 est dit de passage, parce que tout le courant de charge le traverse.

Remarquer qu'un diviseur de tension échantillonne la tension de sortie V_o et réinjecte une tension de réaction V_F à la base de Q_1. Ce transistor fonctionne dans la région active en amplificateur linéaire. La tension de réaction V_F commande le courant collecteur de Q_1. En raison de l'échantillonnage de la tension de sortie, il est protégé contre les variations du gain en boucle ouverte, de la résistance de charge, de la tension de secteur, etc. Plus la tension de réaction est grande, plus le courant collecteur de Q_1 est grand.

La tension continue d'entrée V_i provient d'une alimentation non régulée tels un redresseur en pont et un filtre à condensateur en tête. Typiquement, l'ondulation de crête à crête de V_i vaut environ 10 % de la tension continue. La tension de sortie V_o est presque parfaitement constante, même si la tension d'entrée et le courant de charge varient. Pourquoi ? Parce que toute variation de la tension de sortie est réinjectée à la base de Q_1 *via* le diviseur de tension. La tension d'erreur produite compense automatiquement la tentative de variation.

Si V_o tente d'augmenter, la tension V_F réinjectée à la base de Q_1 augmente, donc un plus grand collecteur de Q_1 traverse R_3 et la tension base de Q_2 diminue. Cette diminution de la tension base du transistor à émetteur suiveur entraîne une diminution de la tension de sortie. De même, si la tension de sortie essaie de diminuer, la tension base de Q_1 diminue, la tension base de Q_2 augmente et la tension de sortie augmente. Dans chaque cas, toute tentative de variation de V_o produit une variation amplifiée de sortie de sens contraire qui annule presque complètement la tentative de variation de la tension de sortie.

TENSION DE SORTIE

A la figure 19-1 *b* nous avons retracé le régulateur de tension discret pour distinguer facilement l'amplificateur du circuit de contre-réaction. La tension de référence V_Z est l'entrée émetteur d'un étage à base commune, qui attaque un transistor à émetteur suiveur. On applique la tension de sortie V_o à un diviseur de tension pour produire une tension de réaction V_F à la base de Q_1. Le taux de réaction égale

$$B \cong \frac{R_2}{R_1 + R_2}$$

Le gain en tension en boucle fermée égale

$$A_{CL} \cong \frac{1}{B}$$

D'où

$$A_{CL} \cong \frac{R_1}{R_2} + 1 \qquad\qquad (19\text{-}1)$$

L'addition des tensions le long de la maille d'entrée donne

$$- V_Z - V_{BE} + V_F = 0$$

D'où

$$V_F = V_Z + V_{BE}$$

Selon la figure 19-1 *a* ou *b*, V_F égale la somme de V_Z et V_{BE}. Or $V_F = BV_o$, donc

$$BV_o = V_Z + V_{BE}$$

D'où

$$V_o = \frac{V_Z + V_{BE}}{B}$$

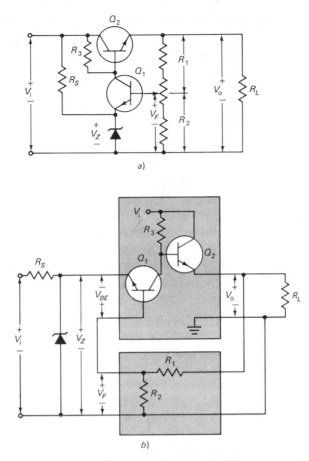

Fig. 19-1. *Régulateur de tension discret.* a) *Circuits.* b) *Circuit retracé pour mettre en évidence la partie gain et la partie réaction.*

Or $A_{CL} = 1/B$, donc

$$V_o = A_{CL}(V_Z + V_{BE}) \qquad (19\text{-}2)$$

avec
V_o = tension régulée de sortie
A_{CL} = gain en tension en boucle fermée = $R_1/R_2 + 1$
V_Z = tension Zener
V_{BE} = tension base-émetteur de Q_1

Si $R_1 = 2$ kΩ et $R_2 = 1$ kΩ, alors $A_{CL} = 3$ et la tension de sortie égale trois fois la somme $V_Z + V_{BE}$.

En raison du gain en tension en boucle fermée, on peut utiliser une basse tension Zener (5 V à 6 V) lorsque le coefficient de température tend vers zéro. Alors la tension amplifiée de sortie a le même coefficient de température. Le potentiomètre représenté à la figure 19-1 *a* permet de régler la tension de sortie à la valeur exacte requise dans une application particulière. Ce réglage compense la tolérance de la tension Zener, de la chute V_{BE} et de la résistance de réaction. Une fois le potentiomètre réglé à la tension désirée de sortie, V_o reste presque constant en dépit des variations de la tension de secteur et du courant de charge.

PUISSANCE DISSIPÉE DANS LE TRANSISTOR DE PASSAGE

Comme nous l'avons vu au chapitre 8, le transistor de passage (le transistor à émetteur suiveur) est en série avec la charge. D'où le vocable de *régulateur série* attribué à ce dispositif. Le principal désavantage d'un régulateur série est la puissance dissipée dans le transistor de passage. On a

$$P_D = V_{CE} I_C \tag{9-4}$$

avec V_{CE} = tension collecteur-émetteur = $V_i - V_o$
  I_C = courant de charge plus courant de diviseur.

Si le courant de charge n'est pas trop grand, le transistor de passage ne s'échauffe pas trop. Mais lorsque le courant de charge est grand, le transistor de passage doit dissiper une grande puissance. D'où un plus gros radiateur et une alimentation plus volumineuse. Dans certains cas, un ventilateur évacue l'excès de chaleur. Selon l'application, les concepteurs préfèrent parfois utiliser un régulateur à découpage (étudié plus loin) dans le cas d'un grand courant de charge.

EXEMPLE 19-1

Une paire de Darlington sert souvent de transistor de passage d'un régulateur série. Cela permet d'attaquer de petites résistances de charge. Calculer la tension minimale de sortie et la tension maximale de sortie du régulateur représenté à la figure 19-2.

SOLUTION

Le gain en tension en boucle fermée A_{CL} égale encore $R_1/R_2 + 1$. Si le curseur est à l'extrémité supérieure, $R_1 = 360\ \Omega$ et $R_2 = 720\ \Omega$. Alors le gain en tension en boucle fermée égale

$$A_{CL} = \frac{360}{720} + 1 = 1{,}5$$

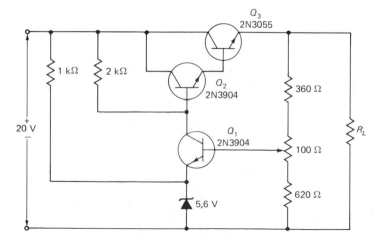

Fig. 19-2. *Une paire de Darlington utilisée comme transistor de passage augmente le courant maximal de charge.*

et la tension régulée de sortie égale

$$V_o = 1,5 \ (5,6 \ \text{V} + 0,7 \ \text{V}) = 9,45 \ \text{V}$$

Si le curseur est à l'extrémité inférieure, $R_1 = 470 \ \Omega$ et $R_2 = 620 \ \Omega$. Alors

$$A_{CL} = \frac{460}{620} + 1 = 1,74$$

et

$$V_o = 1,74 \ (5,6 \ \text{V} + 0,7 \ \text{V}) = 11 \ \text{V}$$

On peut donc régler la tension régulée de sortie entre 9,45 V et 11 V.

EXEMPLE 19-2

Soit le régulateur représenté à la figure 19-2. On donne $V_o = 10 \ \text{V}$ et $R_L = 5 \ \Omega$. Supposer que les transistors 2N3055 et 2N3904 ont respectivement un gain β_{cc} de 50 et 100. Calculer le courant qui circule dans la diode Zener.

SOLUTION

Le courant de charge égale

$$I_L = \frac{10 \ \text{V}}{5 \ \Omega} = 2 \ \text{A}$$

et le courant qui circule dans le diviseur de tension égale

$$I \cong \frac{10 \ \text{V}}{1 \ 080 \ \Omega} = 9,26 \ \text{mA}$$

Ce courant étant négligeable par rapport à 2 A, le courant total émetteur à travers le 2N3055 égale environ 2 A et le courant base égale

$$I_B = \frac{2 \ \text{A}}{50} = 40 \ \text{mA}$$

Le 2N3904 doit fournir le courant base de 40 mA au 2N3055. Donc le courant base du 2N3904 égale

$$I_B = \frac{40 \ \text{mA}}{100} = 0,4 \ \text{mA}$$

En raison des deux chutes V_{BE}, la tension au bas de la résistance de 2 kΩ égale 11,4 V. Le courant qui circule dans la résistance de 2 kΩ égale

$$I = \frac{20 \ \text{V} - 11,4 \ \text{V}}{2 \ \text{k}\Omega} = 4,3 \ \text{mA}$$

Ce courant se partage en courant base pour le transistor 2N3904 du haut et en courant collecteur pour le transistor 2N3904 du bas. Par conséquent, le courant collecteur du transistor 2N3904 du bas égale

$$I_C = 4,3 \ \text{mA} - 0,4 \ \text{mA} = 3,9 \ \text{mA}$$

Le courant qui circule dans la résistance d'1 kΩ égale

$$I = \frac{20\,V - 5{,}6\,V}{1\,k\Omega} = 14{,}4\,mA$$

Le courant total qui circule dans la diode Zener égale la somme du courant qui circule dans la résistance d'1 kΩ et du courant émetteur de Q_1, donc

$$I_Z = 14{,}4\,mA + 3{,}9\,mA = 18{,}3\,mA$$

Le transistor de puissance 2N3055 travaille comme un petit cheval. Il est très répandu dans l'industrie où il sert de norme. Il traite un courant continu jusqu'à 15 A, sa tension minimale de claquage est de 60 V et il peut dissiper 115 W à 25°C.

EXEMPLE 19-3

Calculer la puissance dissipée par le transistor 2N3055 représenté à la figure 19-2 dans le cas d'une tension de charge de 10 V et d'un courant de charge de 2 A.

SOLUTION

La puissance dissipée égale

$$P_D = (20\,V - 10\,V)\,(2\,A) = 20\,W$$

Cette puissance est très grande si l'on se rend compte que la puissance de la lampe d'éclairage standard la plus proche est de 25 W. Il faut munir le 2N3055 d'un radiateur qui maintient sa température de jonction à une limite de sécurité.

19.2. LIMITEUR OU RÉDUCTEUR DE COURANT

Le régulateur série représenté à la figure 19-2 n'est pas protégé contre les courts-circuits. Si l'on court-circuite accidentellement les bornes de sortie, un énorme courant de charge détruira le transistor de passage ou une diode de l'alimentation non régulée. Pour éviter ce désagrément, on munit habituellement les alimentations régulées d'un *limiteur* ou *réducteur de courant*.

LIMITEUR SIMPLE

La figure 19-3 illustre une façon de limiter le courant de charge à une valeur de sécurité même si les bornes de sortie sont court-circuitées. La résistance R_4 est dite *sensible au courant*. Si le courant de charge est inférieur à 600 mA, la chute de tension entre les bornes de R_4 est inférieure à 0,6 V, Q_3 est bloqué et le régulateur fonctionne comme nous l'avons décrit. Si le courant de charge est compris entre 600 et 700 mA, la tension entre les bornes de R_4 est comprise entre 0,6 et 0,7 V, une tension suffisante pour faire conduire Q_3. Le courant collecteur de Q_3 traverse

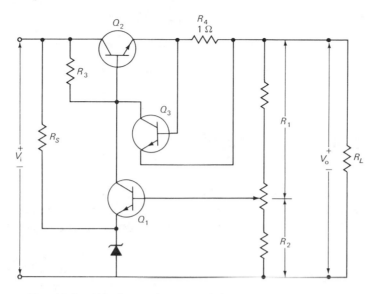

Fig. 19-3. *Régulateur de tension à limiteur simple de courant.*

R_3 et diminue la tension base de Q_2; cela diminue la tension de sortie autant qu'il le faut pour éviter toute augmentation supplémentaire du courant de charge.

Représentons le courant de charge lorsque les bornes de charge sont court-circuitées par I_{SL}*. Si les bornes de charge du régulateur représenté à la figure 19-3 sont court-circuitées, la tension entre les bornes de la résistance R_4 égale

$$V_{BE} = I_{SL} R_4$$

D'où

$$I_{SL} = \frac{V_{BE}}{R_4} \tag{19-3}$$

avec I_{SL} = courant de court-circuit de charge
  V_{BE} = tension base-émetteur = 0,6 à 0,7 V
  R_4 = résistance sensible au courant

Pour changer le niveau du courant limite, changer de résistance R_4. Exemple : si $R_4 = 0,1\ \Omega$, le courant limite est compris entre 6 et 7 A.

DÉSAVANTAGE DU LIMITEUR SIMPLE

Le limiteur simple de courant décrit ci-dessus est un grand perfectionnement, parce qu'il protège le transistor de passage et les diodes de redressement en cas de mise en court-circuit accidentel des bornes de charge. Son désavantage est une relativement grande dissipation de puissance du transistor de passage en cas de court-circuit des bornes de charge. Si la charge est court-circuitée, presque toute la tension d'entrée est appliquée au transistor de passage. Donc ce transistor doit dissiper

$$P_D \cong (V_i - V_{BE})\, I_{SL} \tag{19-4}$$

---

* N.d.T. *SL* est mis pour *Shorted-Load* (charge court-circuitée).

Si $V_i = 20$ V, $V_{BE} = 0,7$ V et $I_{SL} = 6$ A, alors
$$P_D = (20 \text{ V} - 0,7 \text{ V})(6 \text{ A}) = 116 \text{ W}$$

(*Remarque* : V_{BE} est la chute entre les bornes de la résistance sensible au courant.)

RÉDUCTEUR AUTOMATIQUE DE COURANT DE COURT-CIRCUIT

Le circuit représenté à la figure 19-4 *a* illustre une façon de réduire la grande puissance dissipée dans le cas de court-circuit des bornes de charge. En traversant R_4 le courant de charge I_o y produit une chute de tension d'environ $I_o R_4$.

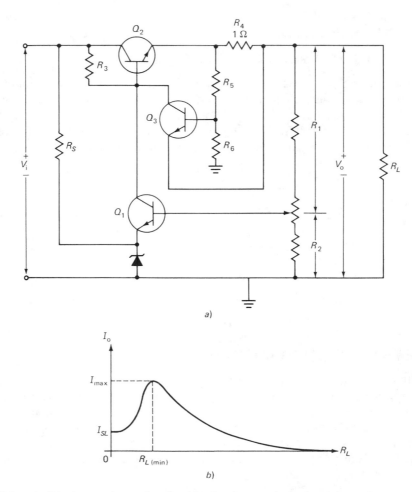

a)

b)

Fig. 19-4. a) *Régulateur de tension à réduction automatique du courant de court-circuit.*
b) *Par réduction automatique de courant de court-circuit, entendre que le courant de court-circuit est automatiquement inférieur au courant maximal de charge.*

Donc une tension $I_o R_4 + V_o$ est appliquée au diviseur de tension (formé de R_5 et R_6) dont la sortie commande Q_3. Le taux de réaction du diviseur de tension égale

$$K \cong \frac{R_6}{R_5 + R_6} \tag{19-5}$$

L'analyse de ce circuit dépasse le cadre de cet ouvrage, mais à l'appendice 1 nous avons trouvé la formule du courant de charge court-circuitée et celle du courant maximal de charge. Si les bornes de charge sont court-circuitées, le courant de sortie égale

$$I_{SL} = \frac{V_{BE}}{KR_4} \tag{19-6}$$

avec I_{SL} = courant de court-circuit de charge
 V_{BE} = tension base-émetteur de Q_3 = 0,6 à 0,7 V
 K = taux de réaction du diviseur de tension formé de R_5 et R_6
 R_4 = résistance sensible au courant

Si les bornes de charge ne sont pas court-circuitées, le courant maximal de sortie égale

$$I_{max} = I_{SL} + \frac{(1 - K) V_o}{KR_4} \tag{19-7}$$

avec I_{max} = courant maximal de charge
 V_o = tension régulée de sortie

Selon cette formule, le courant maximal de charge est supérieur au courant de court-circuit de charge. Habituellement, on choisit K pour que le courant maximal de charge égale deux ou trois fois le courant de court-circuit de charge. Le principal avantage du réducteur automatique du courant de court-circuit est la réduction de la puissance dissipée dans le transistor de passage lorsque les bornes de charge sont accidentellement court-circuitées.

La figure 19-4 *b* représente la variation du courant de sortie en fonction de la résistance de charge. Si R_L est grand, I_o est petit. Si R_L diminue, I_o augmente jusqu'à ce qu'il atteigne la valeur maximale I_{max}. La tension de sortie est encore régulée pour ce courant maximal de charge. Au-delà de ce point, le réducteur automatique de courant de court-circuit prend le dessus. Toute diminution supplémentaire de R_L fait décroître I_o. Lorsque R_L est nul, I_o égale I_{SL}.

EXEMPLE 19-4

La tension de sortie du régulateur représenté à la figure 19-5 est réglée à 10 V. Supposer que V_{BE} du transistor du réducteur de courant égale 0,7 V. Calculer le courant de court-circuit de charge et le courant maximal de charge.

SOLUTION

Le taux de réaction du diviseur de tension du réducteur de courant égale

$$K = \frac{180}{20 + 180} = 0,9$$

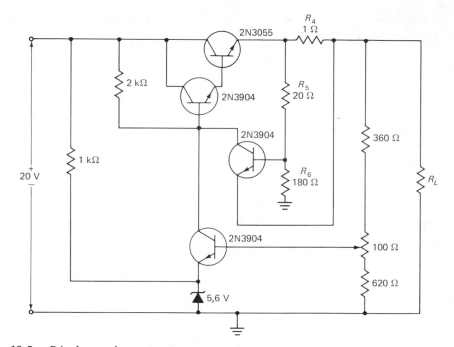

Fig. 19-5. *Régulateur de tension à transistor de passage de Darlington et réducteur auto-*
matique de courant de court-circuit.

Selon la formule (19-6),

$$I_{SL} = \frac{0,7 \text{ V}}{0,9 \, (1 \, \Omega)} = 0,778 \text{ A}$$

Selon la formule (19-7)

$$I_{max} = 0,778 \text{ A} + \frac{(1 - 0,9) \, (10 \text{ V})}{0,9 \, (1 \, \Omega)} = 1,89 \text{ A}$$

Le régulateur peut fournir un courant maximal de charge de 1,89 A. La résistance minimale de charge égale 10 V/1,89 A soit 5,29 Ω. Si la résistance de charge est inférieure à cette valeur, le courant de charge est inférieur à 1,89 A. Si les bornes de charge sont court-circuitées, le courant de charge chute à 0,778 A.

EXEMPLE 19-5

Soit l'exemple 19-4. Calculer la puissance dissipée par le transistor de passage lorsque les bornes de charge sont court-circuitées.

SOLUTION

Si la charge est court-circuitée, la tension de charge est nulle et la tension émetteur du 2N3055 égale

$$V_E = (0,778 \text{ A}) \, (1 \, \Omega) = 0,778 \text{ V}$$

La tension d'entrée étant de 20 V, la tension entre les bornes du 2N3055 égale

$$V_{CE} = 20\ V - 0,778\ V = 19,2\ V$$

et la puissance dissipée égale

$$P_D = (19,2\ V)\ (0,778\ A) = 14,9\ W$$

Cette puissance dissipée est nettement inférieure à celle d'un réducteur simple de courant.

19.3. CARACTÉRISTIQUE D'UNE ALIMENTATION

La qualité d'une alimentation dépend de sa tension de charge, de son courant de charge, de la régulation de tension et d'autres facteurs. Dans cette section, nous étudierons quelques caractéristiques des alimentations régulées.

RÉGULATION DE CHARGE

Par définition, la *régulation de charge* (aussi appelée l'effet de charge) égale la variation de la tension régulée de sortie lorsque le courant de charge varie du minimum au maximum. Donc,

$$\text{régulation de charge} = V_{\text{à vide}} - V_{\text{à pleine charge}} \qquad (19\text{-}8)$$

avec $V_{\text{à vide}}$ = tension de charge sans courant de charge
$V_{\text{à pleine charge}}$ = tension de charge à plein courant de charge

Exemple : si une alimentation fournit 10 V à vide et 9,9 V à pleine charge, alors

$$\text{régulation de charge} = 10\ V - 9,9\ V = 0,1\ V$$

Autre exemple : l'alimentation régulée Hewlett-Packard 6214 A a une tension maximale de charge de 10 V et un courant maximal de charge d'1 A. Selon sa fiche signalétique, sa régulation de charge égale 4 mV. Autrement dit, la tension de charge varie seulement de 4 mV lorsque le courant de charge varie de 0 à 1 A.

On exprime souvent la régulation de charge sous la forme d'un taux. Par définition, ce taux appelé taux de régulation de charge, égale le quotient, multiplié par 100 %, de la variation de la tension de charge sur la tension à vide, donc

$$\text{taux de régulation de charge} = \frac{V_{\text{à vide}} - V_{\text{à pleine charge}}}{V_{\text{à vide}}} \times 100\ \% \qquad (19\text{-}9)$$

avec $V_{\text{à vide}}$ = tension de charge sans courant de charge
$V_{\text{à pleine charge}}$ = tension de charge à plein courant de charge

Exemple : si la tension à vide est de 10 V et la tension à pleine charge de 9,9 V, alors

$$\text{taux de régulation de charge} = \frac{10\ V - 9,9\ V}{10\ V} \times 100\ \% = 1\ \%$$

Autre exemple : si la variation de la tension de charge égale 4 mV et la tension à vide 10 V, alors

$$\text{taux de régulation de charge} = \frac{4\,\text{mV}}{10\,\text{V}} \times 100\,\% = 0,04\,\%$$

RÉGULATION DE SOURCE

Par définition, la *régulation de source* (aussi appelée l'effet de source ou la régulation de secteur) égale la variation de la tension régulée de charge pour la gamme donnée de la tension de secteur qui est typiquement 115 V ± 10 %, une gamme d'environ 103 à 127 V. Si la tension de charge varie de 10 à 9,8 V lorsque la tension de secteur varie de 127 à 103 V, alors

$$\text{régulation de source} = 10\,\text{V} - 9,8\,\text{V} = 0,2\,\text{V}$$

Une alimentation de qualité, telle la Hewlett-Packard 6214A, a une régulation de source de 4 mV.

Par définition,

$$\text{taux de régulation de source} = \frac{\text{régulation de source}}{V_{\text{nom}}} \times 100\,\% \quad (19\text{-}10)$$

avec, régulation de source = variation de la tension de charge à pleine variation de secteur

V_{nom} = tension nominale de charge

Exemple : si la variation de la tension de charge est de 5 mV et la tension nominale de charge de 10 V, alors

$$\text{taux de régulation de source} = \frac{5\,\text{mV}}{10\,\text{V}} \times 100\,\% = 0,5\,\%$$

IMPÉDANCE DE SORTIE

Une alimentation régulée est une source très soutenue de tension continue. Autrement dit, son impédance de sortie est très faible aux basses fréquences. Dans le régulateur de tension étudié ci-dessus, un transistor à émetteur suiveur fournit la tension de charge. L'impédance de sortie d'un tel transistor est déjà petite. La réaction de tension la réduit encore puisque

$$r_{o(CL)} = \frac{r_o}{1 + AB}$$

L'impédance typique de sortie des alimentations régulées est de quelques milliohms.

FILTRAGE D'ONDULATION

Les régulateurs de tension stabilisent la tension de sortie en dépit des variations de la tension d'entrée. Une ondulation équivaut à une variation de la tension d'entrée; par conséquent, un régulateur de tension atténue l'ondulation qui pénètre avec la tension d'entrée. Habituellement, on spécifie le *filtrage d'ondulation* en décibels. Par filtrage d'ondulation de 80 dB, par exemple, entendre que l'ondulation de sortie est inférieure de 80 dB à l'ondulation d'entrée. En nombres ordinaires, cela signifie que l'ondulation de sortie est 10 000 fois plus petite que l'ondulation d'entrée.

19.4. RÉGULATEURS INTÉGRÉS A TROIS BORNES

A la fin de la décennie 1960, les fabricants de CI commencèrent à produire un régulateur de tension intégré. Les régulateurs de la première génération tels le μA723 et le LM300 comprenaient une diode Zener, un amplificateur à gain élevé, un réducteur ou limiteur de courant et d'autres composants utiles. Ces premiers régulateurs intégrés présentaient un désavantage : il fallait leur raccorder de nombreux composants externes et il fallait connecter leurs huit broches, ou davantage, de diverses façons pour optimiser leurs performances.

La dernière génération des régulateurs de tension intégrés ne comprend que trois broches : une pour la tension non régulée d'entrée, une pour la tension régulée de sortie et une pour la masse. Le courant de charge des nouveaux régulateurs va de 100 mA à plus de 3 A. Offerts dans des boîtiers plastique ou métal, les *régulateurs à trois bornes* sont faciles à utiliser et d'un prix très modique. D'où leur énorme succès. A l'exception des condensateurs de découplage, les nouveaux régulateurs de tension intégrés à trois bornes ne requièrent aucun composant externe.

SÉRIE LM340

La série LM340 est typique de la nouvelle fournée des régulateurs de tension à trois bornes. La figure 19-6 représente le schéma fonctionnel d'un LM340. La tension de référence incorporée attaque l'entrée non inverseuse d'un amplificateur.

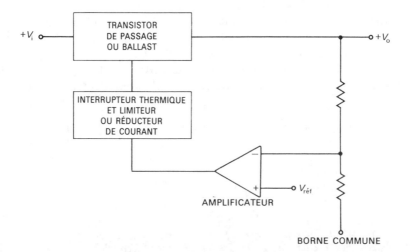

Fig. 19-6. *Schéma fonctionnel d'un régulateur de tension intégré typique à trois bornes.*

La tension de réaction provient d'un diviseur de tension interne préréglé pour fournir une des tensions de sortie suivantes : 5, 6, 8, 10, 12, 15, 18 et 24 V. La tension régulée de sortie d'un LM340-5, par exemple, est de 5 V et celle d'un LM340-18 est de 18 V.

La puce comprend un transistor de passage ou ballast qui peut manipuler un courant supérieur au courant de charge de 1,5 A pourvu qu'on utilise un radiateur approprié. Elle comporte aussi un *interrupteur thermique* et un limiteur ou réducteur de courant. L'interrupteur thermique permet à la puce de s'ouvrir automatiquement si la température interne devient dangereusement élevée (environ 175°C). Il protège le régulateur contre une dissipation excessive de puissance qui dépend de la température ambiante, de la quantité de chaleur évacuée et d'autres variables. L'interrupteur thermique et le limiteur ou réducteur de courant rendent les régulateurs de la série LM340 presque indestructibles.

RÉGULATEUR FIXE

La figure 19-7 *a* représente un LM340-5 connecté en régulateur fixe de tension. La broche 1 est l'entrée, la broche 2 la sortie et la broche 3 la masse. Le LM340-5 a une tension de sortie de ± 5 V ± 2 %, un courant maximal de charge de 1,5 A, une régulation de charge de 10 mV, une régulation de source de 3 mV et un taux de filtrage de 80 dB. Avec une impédance de sortie d'environ 0,01 Ω, le LM340-5 est une source très soutenue de tension pour toutes les charges inférieures à son courant limite.

Si le régulateur est à plus de quelques centimètres du condensateur de filtrage de l'alimentation non régulée, l'inductance des conducteurs peut faire osciller le régulateur. Voilà pourquoi on monte souvent un condensateur de *découplage* C_1 sur la broche 1 (fig. 19-7 *b*). Pour améliorer la caractéristique de réponse en transistoires de la tension régulée de sortie, on monte parfois un condensateur de découplage C_2. La capacité typique de ces condensateurs de découplage va de 0,1 μF à 1 μF. (La fiche signalétique de la série LM340 suggère 0,22 μF pour le condensateur d'entrée et 0,1 μF pour le condensateur de sortie).

La tension d'entrée de tous les régulateurs de la série LM340 doit être supérieure d'au moins 2 à 3 V à la tension régulée de sortie; sinon ils ne régulent pas. La puissance dissipée admissible limite la tension d'entrée. Le LM340-5, par exemple, régule sur un domaine de tension d'entrée d'environ 7 à 20 V. A l'autre extrême, le LM340-24 régule sur un domaine de tension d'entrée d'environ 27 à 38 V.

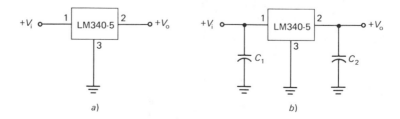

Fig. 19-7. a) *LM340 connecté en régulateur de tension.* b) *Le condensateur de découplage d'entrée empêche les oscillations et le condensateur de découplage de sortie améliore la caractéristique de réponse en transitoires.*

DEUX AUTRES APPLICATIONS

L'ajout (fig. 19-8 *a*) de composants externes à un LM340 permet de régler la tension de sortie. La borne commune du LM340 n'est pas mise à la masse, mais plutôt connectée au sommet de R_2. Donc, la sortie régulée $V_{rég}$ est entre les bornes de R_1. Un courant de repos I_Q traverse la broche 3 et la résistance R_2. Par conséquent, la tension de sortie de la broche 2 à la masse égale

$$V_o = V_{rég} + \left(I_Q + \frac{V_{rég}}{R_1}\right) R_2 \qquad (19\text{-}11)$$

Les variations du secteur et de la charge influant peu sur I_Q, on déduit de cette formule que V_o est régulé et réglable. (Pour la série LM340, I_Q a un maximum de 8 mA et varie seulement d'1 mA pour toutes les variations du secteur et de la charge).

La figure 19-8 *b* représente une autre application, une source de courant (aussi appelée un régulateur de courant). La résistance de charge R_L remplace R_2. Comme le cas précédent, le courant de repos I_Q et le courant qui traverse R_1 circulent dans R_L. Donc, le courant de charge égale

$$I_o = I_Q + \frac{V_{rég}}{R_1} \qquad (19\text{-}12)$$

Si $V_{rég} = 5$ V et $R_1 = 10\ \Omega$, alors I_o égale environ 500 mA, une valeur largement suffisante pour masquer les petites variations de I_Q. Donc, I_o est pratiquement constant et indépendant de R_L. Autrement dit on peut changer de R_L et encore voir un courant fixe de sortie.

SÉRIE LM320

La série LM320 est un groupe de régulateurs de tension négative à tensions préréglées de -5, -6, -8, -12, -15, -18 et -24 V. Le LM320-5, par exemple, produit une tension régulée de sortie de -5 V. A l'autre extrême, le LM320-24 fournit une sortie de -24 V. Les régulateurs de la série LM320 peuvent produire un courant de charge d'environ 1,5 A dans le cas d'une bonne évacuation

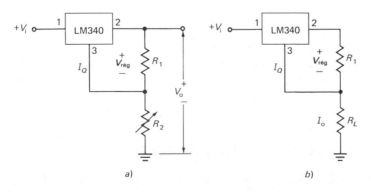

a)   *b)*

Fig. 19-8. *Régulateurs LM340. a) Tension de sortie réglable. b) Le courant de sortie est régulé.*

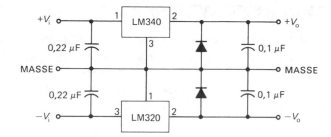

Fig. 19-9. *La combinaison d'un LM340 et d'un LM320 produit des tensions d'alimentation fractionnées.*

de la chaleur. Les régulateurs LM320 ressemblent aux régulateurs LM340. Ils comportent un limiteur ou réducteur de courant, un interrupteur thermique et leur taux de filtrage est excellent.

La combinaison d'un LM320 et d'un LM340 permet de réguler la sortie d'une alimentation fractionnée (fig. 19-9). Le LM340 régule la sortie positive et le LM320 s'occupe de la sortie négative. Les condensateurs d'entrée empêchent les oscillations et les condensateurs de sortie améliorent la caractéristique de réponse en transitoires. Comme le recommande le fabricant sur la fiche signalétique, nous avons ajouté deux diodes; leur fonction est de permettre aux régulateurs de conduire dans toutes les conditions de fonctionnement.

RÉGULATEURS RÉGLABLES

Certains régulateurs intégrés, tels les LM317, LM338 et LM350, sont réglables. Le courant maximal de charge de ces régulateurs va de 1,5 à 5 A. Le régulateur de tension positive à trois bornes LM317, par exemple, peut fournir un courant de charge de 1,5 A sur un domaine de sortie réglable de 1,25 à 37 V. Le taux de régulation de charge est de 0,1 %/V; autrement dit, la tension de sortie ne change que de 0,01 % par volt de variation d'entrée. Le taux de filtrage est de 80 dB, ce qui équivaut à 10 000.

La figure 19-10 représente une alimentation non régulée attaquant un régulateur LM317. Selon la fiche signalétique, la tension de sortie d'un LM317 égale

$$V_o = 1,25 \left(\frac{R_2}{R_1} + 1 \right) \qquad (19\text{-}13)$$

Cette formule est valide d'1,25 à 37 V. Typiquement, on choisit un condensateur de filtrage pour avoir une ondulation de crête à crête d'environ 10 %. Le taux de filtrage du régulateur étant d'environ 80 dB, l'ondulation finale de crête à crête est d'environ 0,001 %. Donc, un régulateur de tension filtre aussi l'ondulation d'entrée; cela élimine les filtres *RC* et *LC* de la plupart des alimentations.

RÉGULATEURS DE DEUX TENSIONS

Les régulateurs *de deux tensions* tels le RC4194 et le RC4195 sont commodes lorsqu'il faut une alimentation fractionnée. Ces régulateurs de tension produisent des tensions positive et négative de sortie égales. Le RC4194 est réglable de ± 0,05

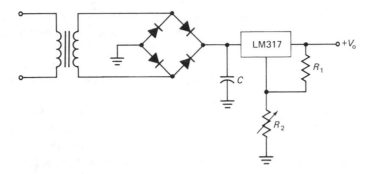

Fig. 19-10. *Un redresseur en pont et un filtre à condensateur en tête fournissent une tension non régulée d'entrée au LM317.*

à ± 32 V. Le RC4195 produit des tensions fixes de sortie de ± 15 V. La figure 19-11 représente un RC4195. Il faut lui appliquer deux tensions d'entrée non régulées; l'entrée positive peut aller de + 18 à + 30 V et l'entrée négative de − 18 à − 30 V. Selon la figure 19-11, les deux sorties sont de ± 15 V. Selon la fiche signalétique d'un RC4195, le courant maximal de sortie de chaque alimentation est de 150 mA, la régulation de charge de 3 mV, la régulation de secteur de 2 mV et le taux de filtrage de 75 dB.

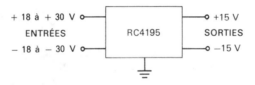

Fig. 19-11. *Les régulateurs de deux tensions produisent des tensions fractionnées.*

TABLEAU DES RÉGULATEURS

Tableau 19-1.   Régulateurs de tension intégrés

Numéro	V_o, V	I_{max}, I	Régulation de charge, mV	Régulation de source, mV	Taux de filtrage, dB	Décroche-ment, V	Commentaire
LM309	+ 5	1	15	4	75	2	fixe positive
LM317	−	1,5	0,1 %	0,2 %	65	2,5	réglable de 1,2 à 32 V
LM320-5	− 5	1,5	50	10	65	2	fixe négative
LM320-15	− 15	1,5	30	5	80	2	fixe négative
LM338	−	5	0,1 %	0,1 %	60	2,7	réglable de 1,2 à 32 V
LM340-5	+ 5	1,5	10	3	80	2,3	fixe positive
LM340-15	+ 15	1,5	12	4	80	2,5	fixe positive
LM350	−	3	0,1 %	0,1 %	65	2,5	réglable de 1,2 à 33 V
RC4194	−	0,15	0,2 %	0,2 %	75	3	de deux tensions de 0 à 32 V
RC4195	± 15	0,15	3	2	70	3	de deux tensions

Nous avons porté au tableau 19-1 quelques caractéristiques de régulateurs très répandus. Le LM309, par exemple, est un régulateur de tension positive fixe à sortie de + 5 V, courant maximal de charge d'1 A, régulation de charge de 15 mV, régulation de source de 4 mV et taux de filtrage de 75 dB. La régulation de charge et celle de source des régulateurs réglables sont données en pour cent plutôt qu'en millivolts.

Le tableau indique aussi la tension de décrochement, la différence minimale admissible entre la tension d'entrée et la tension de sortie. La tension de décrochement d'un LM340-5, par exemple, est de 2,3 V. Entendre par là que la tension d'entrée est supérieure à la tension de sortie d'au moins 2,3 V. La sortie étant de 5 V, l'entrée doit être d'au moins 7,3 V.

19.5. CONVERTISSEUR CONTINU-CONTINU

On veut parfois convertir une tension continue en une autre tension continue. Si on dispose d'un système à alimentation positive de 5 V, par exemple, on peut utiliser un *convertisseur continu-continu* pour produire une sortie de + 15 V et donc disposer de deux tensions d'alimentation (+ 5 V et + 15 V) pour le système. On peut concevoir un convertisseur continu-continu de nombreuses façons. Dans cette section, nous étudierons un convertisseur continu-continu hypothétique pour voir le mode de fonctionnement d'un tel dispositif.

PRINCIPE

Dans la plupart des convertisseurs continu-continu, on applique la tension continue d'entrée à un oscillateur à sortie carrée qui attaque un transformateur (fig. 19-12). La fréquence typique va d'1 kHz à 100 kHz. Plus la fréquence est grande, plus le transformateur et les composants du filtre sont petits. Mais si la fréquence est trop élevée, il est difficile de produire une onde carrée à flancs verticaux. La fréquence de 20 kHz est le meilleur compromis, aussi l'utilise-t-on souvent.

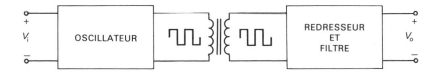

Fig. 19-12. *La tension de sortie de l'oscillateur à relaxation est transformée en une tension de crête différente avant d'être redressée et filtrée.*

On augmente et on diminue la tension secondaire en changeant le rapport de transformation. Pour augmenter le rendement de la conversion, on prend habituel-leent un transformateur à noyau toroïdal en raison de sa boucle d'hystérésis rectangulaire. Dans ce cas, la tension secondaire est carrée. On redresse et on filtre la tension secondaire pour obtenir une tension continue de sortie. Le signal étant redressé, carré et de grande fréquence, son filtrage est relativement facile.

La conversion $+ 5\,V \rightarrow + 15\,V$ est l'une des plus habituelles. La tension de $+ 5\,V$ est la tension d'alimentation normalisée pour la plupart des CI des systèmes numériques. La tension d'alimentation de quelques CI, les amplificateurs opérationnels par exemple, est de $+ 15\,V$. Dans ce cas, on utilise souvent un convertisseur continu-continu de petite puissance qui produit $+ 15\,V$ et $- 15\,V$. On utilise ces tensions pour des CI qui nécessitent des tensions plus élevées.

EXEMPLE

La conception d'un convertisseur continu-continu dépend de l'abaissement ou de l'élévation de la tension, du courant maximal de charge nécessaire et d'autres facteurs encore. Les méthodes de conception sont donc nombreuses. Le convertisseur continu-continu hypothétique représenté à la figure 19-13 illustre le principe de fonctionnement de ce dispositif. Comme nous avons étudié tous ses composants leur action est facile à suivre. Aux chapitres 20 et 21 nous étudierons des convertisseurs continu-continu plus pratiques.

Etudions le principe de fonctionnement du convertisseur représenté à la figure 19-13. L'oscillateur à relaxation produit un signal carré de fréquence typique de l'ordre du kilohertz, réglée par R_3 et C_2. Le signal carré attaque un déphaseur multiple Q_1 dont les sorties sont des signaux carrés opposés et égaux. Ces signaux

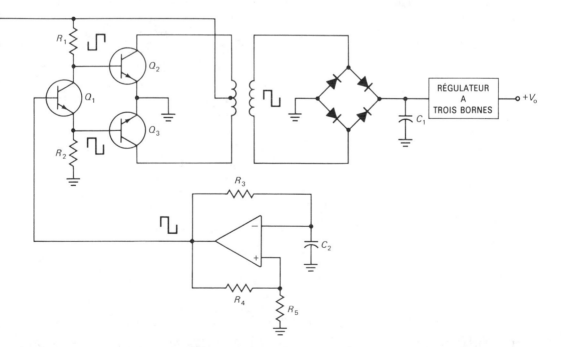

Fig. 19-13. *Convertisseur continu-continu.*

carrés attaquent les transistors interrupteurs classe B Q_2 et Q_3. Le transistor Q_2 conduit durant une alternance et Q_3 durant l'autre. Le signal secondaire carré attaque un redresseur en pont et un filtre à condensateur en tête. Le signal étant carré, redressé et sa fréquence de l'ordre du kilohertz, on le filtre facilement pour obtenir une tension continue non régulée que l'on applique à l'entrée du régulateur à trois bornes. La sortie finale est une tension continue de niveau différent de celui de l'entrée.

19.6. RÉGULATEURS A DÉCOUPAGE

Les régulateurs série sont très répandus et couvrent la plupart des besoins. Leur grand désavantage est la puissance dissipée par le transistor ballast ou de passage. La puissance dissipée par le transistor de passage augmente à mesure que le courant de charge croît. La nécessité d'installer un plus gros radiateur donne un régulateur série volumineux. Dans certains cas, il faut évacuer la chaleur générée par le transistor de passage à l'aide d'un ventilateur. Le régulateur à découpage règle ce problème. Ce type de régulateur produit un grand courant de charge avec une puissance dissipée par le transistor de passage nettement plus petite.

PRINCIPE

La figure 19-14 illustre le principe d'un régulateur à découpage. Un train d'impulsions attaque la base du transistor de passage. Lorsque la tension base est au niveau haut, le transistor est saturé. Lorsque la tension base est au niveau bas, le transistor est bloqué. Nous avons étudié ce fonctionnement en classe S au chapitre 11. Le fonctionnement du régulateur à découpage repose sur le comportement du transistor en interrupteur. Idéalement, un interrupteur ne dissipe aucune puissance lorsqu'il est fermé ni lorsqu'il est ouvert. En réalité, le transistor interrupteur n'est pas parfait. Aussi dissipe-t-il une certaine puissance, nettement inférieure toutefois à celle dissipée par un régulateur série.

La *réaction inductive* oblige à monter une diode entre l'émetteur et la masse. La bobine essaiera de garder constant le courant qui la traverse. Lorsque le transistor se bloque, la diode continue à servir de chemin au courant qui traverse la bobine.

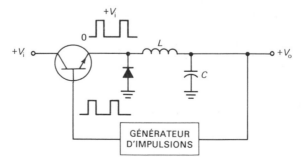

Fig. 19-14. *Le transistor interrupteur règle le coefficient d'utilisation et la tension continue de sortie finale.*

Sans la diode, la tension inverse produite par la réaction inductive détruirait le transistor.

Le coefficient d'utilisation D égale le rapport du temps W à la période T. On règle le coefficient d'utilisation de la tension d'entrée du filtre LC en réglant le coefficient d'utilisation de sortie du générateur d'impulsions. Idéalement, selon la figure 19-14, la tension d'entrée varie de 0 à V_i. Presque désuet dans les alimentations ordinaires, le filtre LC est très répandu dans les régulateurs à découpage, en raison de la fréquence de découpage typique d'environ 20 kHz. D'où l'utilisation d'une plus petite bobine et d'un plus petit condensateur. La sortie du filtre LC est une tension continue à petite ondulation. La tension continue de sortie

$$V_o = DV_i \qquad (19\text{-}14)$$

dépend du coefficient d'utilisation. Si le coefficient d'utilisation est de 0,25 et la tension continue d'entrée de 20 V, la tension continue de sortie égale 5 V.

La tension de sortie est réinjectée dans le générateur d'impulsions. Le coefficient d'utilisation de la plupart des régulateurs à découpage est inversement proportionnel à la tension de sortie. Si la tension de sortie essaie d'augmenter, le coefficient d'utilisation diminue. Donc des impulsions plus étroites attaquent le filtre LC et sa sortie diminue en raison de la contre-réaction. La tension de sortie est stabilisée, puisqu'on en réinjecte un échantillon.

EXEMPLE

Pour comprendre concrètement le fonctionnement du régulateur à découpage, observons celui de faible puissance, à composants connus, représenté à la figure 19-15. L'oscillateur à relaxation produit un signal carré de fréquence réglée

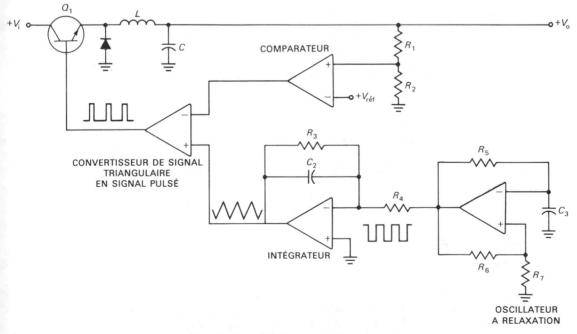

Fig. 19-15. *Régulateur à découpage.*

par R_5 et C_3. L'intégration de ce signal carré donne le signal triangulaire qui attaque l'entrée non inverseuse d'un convertisseur de signal triangulaire en signal pulsé. Le train d'impulsions de sortie du convertisseur attaque le transistor de passage ou ballast de la façon décrite antérieurement. Le diviseur de tension échantillonne la sortie du filtre *LC* et renvoie une tension de réaction au comparateur qui la compare avec une tension de référence provenant d'une diode Zener ou d'une autre source. La sortie du comparateur attaque l'entrée inverseuse du convertisseur de signal triangulaire en signal pulsé.

Expliquons la régulation. Si la tension régulée de sortie essaie de croître, la tension de sortie du comparateur augmente, ce qui élève la tension de référence du convertisseur de signal triangulaire en signal pulsé. Donc, des impulsions plus étroites attaquent la base du transistor de passage. La diminution du coefficient d'utilisation entraîne une diminution de la sortie filtrée, laquelle annule presque l'augmentation originale de la tension de sortie.

Si la tension régulée de sortie essaie d'augmenter, la sortie du comparateur diminue la tension de référence du convertisseur de signal triangulaire en signal pulsé. Comme de plus larges impulsions attaquent le transistor de passage, une plus grande tension sort du filtre *LC,* ce qui a pour effet d'annuler presque toute la diminution originale de la tension de sortie.

Le gain en boucle ouverte du système est suffisante pour assurer une tension de sortie bien régulée. En raison de l'asservissement du comparateur,

$$V_{\text{réf}} = \frac{R_2}{R_1 + R_2} \, V_{\text{o}}$$

D'où

$$V_{\text{o}} = \left(\frac{R_1}{R_2} + 1 \right) V_{\text{réf}} \tag{19-15}$$

Si $R_1 = 3$ kΩ, $R_2 = 1$ kΩ et $V_{\text{réf}} = 1,25$ V, alors $V_{\text{o}} = 5$ V.

RÉGULATEURS A DÉCOUPAGE INTÉGRÉS

Les régulateurs à découpage de petite puissance sont intégrés. Le Fairchild μA78S40 en est un bon exemple. Ce régulateur à découpage universel intégré comprend un oscillateur, un comparateur, un transistor de passage, une tension de référence, un amplificateur opérationnel et d'autres composants. Pour comprendre son fonctionnement, il faut connaître les circuits numériques, puisqu'il comporte des portes et des bascules *RS*.

PROBLÈMES

Simples

19-1. Soit le régulateur à réaction de tension représenté à la figure 19-1 *a*. On donne $R_1 = 1$ kΩ et $R_2 = 250$ Ω. Supposer que $V_Z = 6,2$ V et calculer la tension régulée de sortie.

19-2. Soit le régulateur à réaction de tension représenté à la figure 19-1 *a*. Le circuit de réaction comprend (de haut en bas) les résistances suivantes : 3,9 kΩ, potentiomètre de 5 kΩ et 8,2 kΩ. Supposer que $V_Z = 7,5$ V et calculer le domaine de réglage de V_o.

19-3. Soit le régulateur de tension représenté à la figure 19-3. Q_3 conduit si sa tension $V_{BE} = 0,63$ V. Calculer le courant maximal de charge.

19-4. Soit le régulateur de tension représenté à la figure 19-3. On donne $R_1 = 1,5$ kΩ, $R_2 = 700$ Ω et $V_Z = 5,6$ V. Calculer la tension régulée de sortie.

19-5. Soit le régulateur représenté à la figure 19-3. Les résistances de réaction sont 4,7 kΩ, potentiomètre de 5 kΩ et 6,8 kΩ (de haut en bas). Supposer que $V_Z = 5,6$ V et calculer le domaine de réglage de la tension de sortie.

19-6. Soit le régulateur représenté à la figure 19-3. On donne $V_i = 30$ V, $R_2 = 10$ kΩ, $R_1 = 5$ kΩ, $V_Z = 8,2$ V et $R_L = 100$ Ω. Calculer la tension de sortie.

19-7. Soit le régulateur de tension représenté à la figure 19-5. Supposer que $R_4 = 0,3$ Ω et que le curseur est en bas. Calculer le courant maximal de charge, le courant de charge court-circuitée et la puissance dissipée dans le transistor ballast ou de passage pour le courant maximal de charge et le courant de charge court-circuitée.

19-8. Le LM340T-12 du circuit représenté à la figure 19-16 *a* a une tension préréglée de sortie de 12 V. (T est mis pour boîtier plastique à languette (*tab*) semblable à celle représentée à la figure 10-26 *b*). Supposer que la tolérance de la tension régulée de sortie est de ± 2 % et calculer les tensions minimale et maximale de sortie.

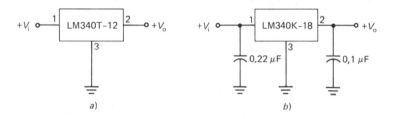

Fig. 19-16.

19-9. Selon la fiche signalétique, la tension nominale de sortie du LM340T-12 est de 12 V. D'à vide à pleine charge la tension de sortie varie de 12 mV. Calculer le taux de régulation de charge.

19-10. Le taux de filtrage du LM340T-12 représenté à la figure 19-16 *a* est de 72 dB. Supposer que la tension efficace de l'ondulation d'entrée est de 2 V et calculer l'ondulation de sortie.

19-11. La tension préréglée de sortie du LM340K-18 représenté à la figure 19-16 *b* est de 18 V. (K est mis pour boîtier métal, semblable à celui représenté à la figure 19-26 *c*). D'à vide à pleine charge la sortie régulée varie de 38 mV. Calculer le taux de régulation de charge.

19-12. Le taux de filtrage du LM340K-18 représenté à la figure 19-16 *b* est de 68 dB. Supposer que l'ondulation de crête à crête d'entrée est de 3 V et calculer l'ondulation de sortie.

19-13. Soit le circuit représenté à la figure 19-17 *a*. Supposer que $I_Q = 8$ mA et calculer le domaine de réglage de la tension de sortie.

19-14. On change la résistance de 50 Ω représentée à la figure 19-17 *a* au profit d'une résistance de 82 Ω. Supposer que $I_Q = 8$ mA et calculer le domaine de réglage de la tension de sortie.

19-15. Soit le circuit représenté à la figure 19-17 *b*. On donne $I_Q = 8$ mA. Calculer le courant qui traverse R_L.

19-16. On change la résistance de 10 Ω représenté à la figure 19-17 *b* au profit d'une résistance de 15 Ω. Supposer que $I_Q = 8$ mA et calculer le courant de charge.

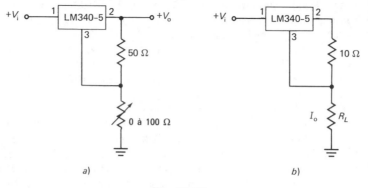

a)   b)

Fig. 19-17.

19-17. La figure 19-18 représente un régulateur LM317 à interrupteur électronique. Lorsque la tension de l'interrupteur est nulle le transistor est bloqué et n'influe pas sur le fonctionnement. Mais lorsque la tension de l'interrupteur est d'environ 5 V, le transistor se sature. Calculer le domaine de réglage de la tension de sortie lorsque la tension de l'interrupteur est nulle. Calculer la tension de sortie lorsque la tension de l'interrupteur est de 5 V.

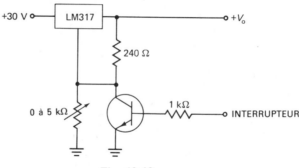

Fig. 19-18.

19-18. Le transistor représenté à la figure 19-18 est bloqué. Calculer la résistance réglable pour avoir une tension de sortie de 15 V.

19-19. Soit le régulateur à découpage représenté à la figure 19-14. On donne $V_i = 20$ V. Supposer que la fréquence de découpage ou de commutation est de 20 kHz et le temps de conduction de 20 μs. Calculer la tension continue de sortie.

19-20. Soit le régulateur à découpage représenté à la figure 19-15. On donne $R_1 = 2$ kΩ et $R_2 = 1$ kΩ. Supposer que $V_{réf} = 5,6$ V et calculer V_o.

De dépannage

19-21. Soit le circuit représenté à la figure 19-2. Dire si la tension de sortie augmente, diminue ou reste la même pour chaque dérangement suivant :

a. transistor 2N3055 court-circuité;

b. transistor 2N3055 ouvert;

c. diode Zener court-circuitée;

d. diode Zener ouverte.

19-22. Soit le circuit représenté à la figure 19-5. Le courant de charge court-circuitée est d'environ 1,89 A, le même que le courant maximal de charge. Trouver (la) (les) cause(s) possible(s) de ce dérangement parmi les suivantes :
  a. résistance de 20 Ω court-circuitée;
  b. résistance de 180 Ω court-circuitée;
  c. potentiomètre ouvert;
  d. diode Zener court-circuitée.

19-23. Soit le circuit représenté à la figure 19-19. Dire si la tension de sortie augmente, diminue ou reste la même lorsque :
  a. une diode est ouverte;
  b. le condensateur de filtrage est court-circuité;
  c. le LM317 est défectueux;
  d. la résistance R_1 est ouverte.

19-24. Le régulateur à découpage représenté à la figure 19-15 présente les symptômes suivants : tension de sortie presque égale à la tension d'entrée, bon signal triangulaire de sortie d'intégrateur et $V_{\text{réf}}$ normal. Trouver la (les) cause(s) possible(s) de ce dérangement parmi les suivantes :
  a. Q_1 est ouvert;
  b. la résistance R_1 est ouverte;
  c. la résistance R_3 est court-circuitée;
  d. la résistance R_7 est ouverte;
  e. entrées du convertisseur de signal triangulaire en signal pulsé inversées.

De conception

19-25. Soit le circuit de la figure 19-2. Changer la résistance de 360 Ω pour obtenir une tension de sortie d'environ 8 V lorsque le curseur est centré.

19-26. Modifier le réducteur automatique du courant de court-circuit représenté à la figure 19-5 pour que $I_{\text{max}} = 5$ A, $I_{SL} = 1{,}25$ A avec le curseur centré.

19-27. Concevoir une alimentation qui produit une sortie régulée de + 15 V à 1 A. Utiliser une tension secondaire efficace de 17,7 V, un redresseur en pont alimentant un filtre à condensateur en tête et un régulateur série LM340. Choisir un condensateur pour produire une ondulation de crête à crête d'environ 10 % de la tension continue d'entrée.

19-28. La tension de référence du régulateur à découpage représenté à la figure 19-15 est de + 1,25 V. Choisir des résistances R_1 et R_2 pour obtenir une tension régulée de sortie de + 7,5 V. Garder chaque résistance inférieure à 10 kΩ pour éviter un décalage excessif.

De défi

19-29. La sortie du circuit représenté à la figure 19-2 est réglée à 10 V pour $R_L = 10$ Ω. Les paramètres h_{FE} et h_{fe} des transistors 2N3904 égalent respectivement 100 et 130. Les paramètres h_{FE} et h_{fe} des transistors 2N3055 valent respectivement 60 et 75. Calculer le gain en tension en boucle ouverte, la désensibilité et l'impédance de sortie en boucle fermée.

19-30. Lorsqu'un redresseur en pont et un filtre à condensateur en tête attaquent une résistance, la décharge est exponentielle. Mais lorsqu'ils attaquent un régulateur de tension, la décharge est presque une rampe parfaite. Expliquer la véracité de ces propos et leur incidence sur la formule (3-11).

19-31. Soit le régulateur de tension représenté à la figure 19-5. Le gain β_{cc} du transistor 2N3055 est de 50 et celui des transistors 2N3904 vaut 150. Calculer le courant Zener pour une tension de sortie de 10 V et un courant de charge d'1 A.

19-32. Le filtre *LC* du régulateur à découpage représenté à la figure 19-19 est attaqué par le collecteur et non par l'émetteur. Le transistor se comporte encore comme un interrupteur et le circuit régule comme nous l'avons décrit. Supposer que la tension de sortie est de 15 V et calculer le courant continu qui traverse la bobine. Supposer que le coefficient d'utilisation est de 25 % et calculer le courant continu qui traverse la diode.

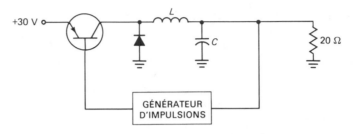

Fig. 19-19.

A résoudre par ordinateur

19-33. Soit le programme

```
10 PRINT "CIRCUIT DE LA FIGURE 19-4"
20 PRINT "INTRODUIRE VBE" : INPUT VBE
30 PRINT "INTRODUIRE R4" : INPUT R4
40 PRINT "INTRODUIRE R5" : INPUT R5
50 PRINT "INTRODUIRE R6" : INPUT R6 : K = R6/(R5 + R6)
60 ISL = VBE/(K * R4)
70 X = (1 − K) * VO/(K * R4)
80 IMAX = ISL + X
90 PRINT "COURANT MAXIMAL = "; IMAX
100 PRINT "COURANT DE CHARGE COURT-CIRCUITÉE = "; ISL
```

Quel dispositif du livre ce programme analyse-t-il ? Dire ce que le programme calcule aux lignes 60 et 90.

19-34. Modifier le programme du problème 19-33 pour qu'il affiche aussi la puissance dissipée par le transistor de passage pour le courant maximal de charge et pour le courant de charge court-circuitée.

19-35. Ecrire un programme qui calcule et affiche la valeur de V_0 du circuit représenté à la figure 19-8 *a*.

19-36. Ecrire un programme qui affiche 10 valeurs de V_0 de la formule (19-13) pour $R_2/R_1 = 1, 2, 3, ..., 9, 10$.

19-37. Soit le programme

```
10 REM MENU POUR LES CIRCUITS OFFERTS DANS LES FIGURES
20 PRINT "1. CIRCUIT DE LA FIGURE 19-1"
30 PRINT "2. CIRCUIT DE LA FIGURE 19-2"
40 PRINT "3. CIRCUIT DE LA FIGURE 19-3"
50 PRINT
60 PRINT "INTRODUIRE LE CHOIX"
70 INPUT A
80 REM VÉRIFIER LA VALIDITÉ DU CHOIX
```

```
  90 IF A < 1 THEN GOTO 120
 100 IF A > 3 THEN GOTO 120
 110 GOTO 1000
 120 PRINT
 130 PRINT "ESSAYER DE NOUVEAU"
 140 PRINT
 150 GOTO 60
1000 REM MENU POUR TOUS LES CIRCUITS
1010 PRINT "1. ANALYSE"
1020 PRINT "2. CONCEPTION"
1030 PRINT "3. DÉPANNAGE"
1040 PRINT
1050 PRINT "INTRODUIRE LE CHOIX"
1060 INPUT B
1070 REM VÉRIFIER LA VALIDITÉ DU CHOIX
1080 IF B < 1 THEN GOTO 1110
1090 IF B > 3 THEN GOTO 1110
1100 GOTO 2000
1110 PRINT
1120 PRINT "ESSAYER DE NOUVEAU"
1130 PRINT
1140 GOTO 1050
2000 ON A GOTO 3000, 4000, 5000
2010 END
3000 REM SOUS-PROGRAMME POUR LE CIRCUIT DE LA FIGURE 19-1
3010 ON B GOTO 3100, 3400, 3700
3100 REM DÉBUT DU SOUS-PROGRAMME D'ANALYSE
3390 REM FIN DU SOUS-PROGRAMME D'ANALYSE
3400 REM DÉBUT DU SOUS-PROGRAMME DE CONCEPTION
3690 REM FIN DU SOUS-PROGRAMME DE CONCEPTION
3700 REM DÉBUT DU SOUS-PROGRAMME DE DÉPANNAGE
3990 REM FIN DU SOUS-PROGRAMME DE DÉPANNAGE
4000 REM SOUS-PROGRAMME POUR LE CIRCUIT DE LA FIGURE 19-2
4010 ON B GOTO 4100, 4400, 4700
4100 REM DÉBUT DU SOUS-PROGRAMME D'ANALYSE
4390 REM FIN DU SOUS-PROGRAMME D'ANALYSE
4400 REM DÉBUT DU SOUS-PROGRAMME DE CONCEPTION
4690 REM FIN DU SOUS-PROGRAMME DE CONCEPTION
4700 REM DÉBUT DU SOUS-PROGRAMME DE DÉPANNAGE
4990 REM FIN DU SOUS-PROGRAMME DE DÉPANNAGE
5000 REM SOUS-PROGRAMME POUR LE CIRCUIT DE LA FIGURE 19-3
5010 ON B GOTO 5100, 5400, 5700
5100 REM DÉBUT DU SOUS-PROGRAMME D'ANALYSE
5390 REM FIN DU SOUS-PROGRAMME D'ANALYSE
5400 REM DÉBUT DU SOUS-PROGRAMME DE CONCEPTION
5690 REM FIN DU SOUS-PROGRAMME DE CONCEPTION
5700 REM DÉBUT DU SOUS-PROGRAMME DE DÉPANNAGE
5990 REM FIN DU SOUS-PROGRAMME DE DÉPANNAGE
```

Que valent A et B si l'on choisit le circuit de la figure 19-2 et Dépannage ? Qu'affichera l'écran si on introduit 4 à la ligne 1060 ? A quelle ligne se branche-t-on à la ligne 4010 si on choisit le circuit de la figure 19-3 et Dépannage ?

Oscillateurs et minuteries

Au chapitre 18 nous avons étudié l'oscillateur à relaxation, un dispositif qui génère un signal carré sans signal d'entrée. Rappelez-vous, la réaction positive sature la sortie positivement et négativement de façon alternée. On obtient un oscillateur à relaxation en laissant la charge et la décharge d'un condensateur déterminer la fréquence du signal carré de sortie. Dans ce chapitre, nous étudierons un large éventail d'oscillateurs plus perfectionnés à sortie sinusoïdale, à savoir les oscillateurs *RC,* les oscillateurs *LC* et les oscillateurs pilotés au quartz. Nous étudierons aussi le NE555, un oscillateur intégré très répandu aux nombreuses applications.

20.1. THÉORIE DES OSCILLATEURS SINUSOÏDAUX

Pour construire un oscillateur sinusoïdal, il faut un amplificateur à réaction positive. On applique un signal de réaction au lieu d'un signal d'entrée. Si le *gain de boucle* et la *phase* sont convenables, on obtient un signal de sortie même en l'absence de signal externe d'entrée. Autrement dit, un oscillateur est un amplificateur modifié par la réaction positive pour fournir son propre signal d'entrée. D'une certaine façon, c'est le mouvement perpétuel. Mais retenir qu'un oscillateur ne crée pas de l'énergie, il transforme seulement l'énergie continue de l'alimentation en énergie alternative.

GAIN DE BOUCLE ET PHASE

La figure 20-1 *a* représente une source de tension v_i attaquant les bornes d'entrée d'un amplificateur. La tension amplifiée de sortie égale

$$v_o = Av_i$$

Cette tension attaque un circuit de réaction qui est habituellement un circuit *résonnant*. Donc, la réaction est maximale à une fréquence. La tension de réaction qui revient au point x égale

$$v_f = ABv_i$$

Si le déphasage de l'amplificateur et du circuit de réaction égale 0°, alors ABv_i est en phase avec le signal v_i qui attaque les bornes d'entrée de l'amplificateur.

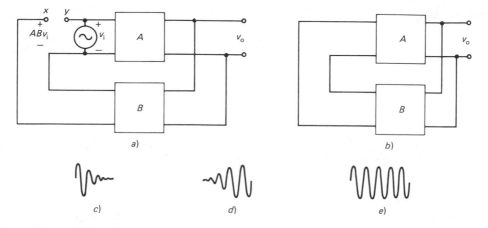

Fig. 20-1.   a) *La réaction positive ramène une tension ABv$_i$ au point x.* b) *Raccordement des points x et y.* c) *Annulation des oscillations.* d) *Croissance des oscillations.* e) *Oscillations à amplitude fixe.*

Supposons qu'on raccorde le point x au point y et que simultanément on retire la source de tension v_i. Alors la tension de réaction ABv_i attaque les bornes d'entrée de l'amplificateur (fig. 20-1 *b*). Que devient la tension de sortie ? Si AB est inférieur à 1, ABv_i est inférieur à v_i et le signal de sortie s'annule (fig. 20-1 *c*). Si AB est supérieur à 1, ABv_i est supérieur à v_i et la tension de sortie croît (fig. 20-1 *d*). Si $AB = 1$, $ABv_i = v_i$ et la tension de sortie est une sinusoïde stable (fig. 20-1 *e*). Dans ce cas l'oscillateur fournit son propre signal d'entrée et produit une sortie sinusoïdale.

A l'instant de l'application de l'alimentation à l'oscillateur, le gain de boucle AB est supérieur à 1. Une petite tension d'amorçage est appliquée entre les bornes d'entrée et la tension de sortie croît (fig. 20-1 *d*). Une fois le niveau désiré de la tension de sortie atteint, le gain AB descend automatiquement à 1 et l'amplitude du signal de sortie reste constante (fig. 20-1 *e*).

TENSION D'AMORÇAGE

D'où provient la *tension d'amorçage* ? Chaque résistance comporte quelques électrons libres. En raison de la température ambiante, ces électrons libres se déplacent de façon aléatoire dans différentes directions et génèrent une tension de bruit entre les bornes de la résistance. Ce mouvement est tellement aléatoire qu'il comporte des fréquences supérieures à 1 000 GHz. Chaque résistance se comporte comme une petite source de tension alternative produisant toutes les fréquences.

Voici ce qui se passe dans le circuit représenté à la figure 20-1 *b*. Lorsqu'on applique l'alimentation, les seuls signaux du système sont les tensions de bruit générées par les résistances. Ces tensions de bruit amplifiées apparaissent entre les bornes de sortie. Le bruit amplifié attaque le circuit résonnant de réaction. Par conception délibérée, on peut annuler le déphasage autour de la boucle à la fréquence de résonance. Alors les oscillations obtenues ont une seule fréquence.

Donc le bruit amplifié est filtré de manière qu'il n'y ait qu'une composante sinusoïdale ayant exactement la bonne phase pour la réaction positive. Si le gain de boucle *AB* est supérieur à 1, les oscillations croissent à cette fréquence (fig. 20-1 *d*). Une fois le niveau convenable atteint, *AB* décroît jusqu'à 1 et on obtient un signal de sortie d'amplitude constante (fig. 20-1 *e*).

AB DÉCROÎT JUSQU'A 1

AB peut décroître jusqu'à 1 de deux façons : *A* diminue ou *B* diminue. Le signal de certains oscillateurs peut croître jusqu'à l'écretage produit par la saturation et le blocage; cela revient à diminuer le gain en tension *A*. Le signal d'autres oscillateurs croît et fait décroître *B* avant l'écrêtage. Dans les deux cas, le produit *AB* décroît jusqu'à 1.

Voici les points essentiels du fonctionnement d'un oscillateur à réaction :
1. Initialement, le gain de boucle *AB* doit être supérieur à 1 à la fréquence à laquelle le déphasage de boucle est nul.
2. Une fois le niveau de sortie désiré atteint, *AB* doit décroître jusqu'à 1 par la réduction de *A* ou de *B*.

20.2. OSCILLATEUR A PONT DE WIEN

L'*oscillateur à pont de Wien* est l'oscillateur standard pour les fréquences allant des basses aux modérées, dans la gamme de 5 Hz jusqu'à environ 1 MHz. On l'utilise presque toujours dans les générateurs audio commerciaux et on le préfère pour les autres applications à basse fréquence.

RÉSEAU D'AVANCE-RETARD

Le circuit de réaction d'un oscillateur à pont de Wien est un *réseau d'avance-retard* (fig. 20-2 *a*). Aux très basses fréquences, le condensateur série semble ouvert pour le signal d'entrée et il n'y a pas de signal de sortie. Aux très hautes fréquences, le condensateur shunt semble court-circuité et il n'y a pas de sortie. Entre ces extrêmes, la tension de sortie du réseau d'avance-retard passe par un maximum (fig. 20-2 *b*). La fréquence de la sortie maximale est appelée la *fréquence de résonance* que l'on note f_r. A cette fréquence, le taux de réaction vaut 1/3, sa valeur maximale.

La figure 20-2 *c* représente le déphasage de la tension de sortie par rapport à la tension d'entrée. Aux très basses fréquences, le déphasage est positif et le circuit se comporte comme un réseau d'avance. Aux très hautes fréquences, le déphasage est négatif et le circuit se comporte comme un réseau de retard. Entre ces extrêmes, il existe une fréquence dite de résonance à laquelle le déphasage est nul.

Le réseau d'avance-retard représenté à la figure 20-2 *a* se comporte comme un circuit résonnant. A la fréquence de résonance f_r, le taux de réaction passe par son maximum d'1/3 et le déphasage est nul. Au-dessus et au-dessous de la fréquence de résonance, le taux de réaction est inférieur à 1/3 et le déphasage n'est plus nul.

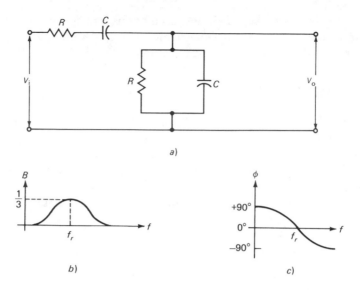

a)

b)   c)

Fig. 20-2.   a) *Réseau d'avance-retard.* b) *Gain en tension.* c) *Déphasage.*

FORMULE DE LA FRÉQUENCE DE RÉSONANCE

La tension de sortie du réseau d'avance-retard représenté à la figure 20-2 *a* égale

$$\mathbf{V}_o = \frac{R \,\|(- jX_C)}{R - jX_C + R \,\| \,(- jX_C)} \,\mathbf{V}_i$$

Le développement et la simplification de cette formule donne les deux formules

$$B = \frac{1}{\sqrt{9 + (X_C/R - R/X_C)^2}} \tag{20-1}$$

et

$$\phi = \arctan \frac{X_C/R - R/X_C}{3} \tag{20-2}$$

Les figures 20-2 *b* et *c* représentent ces deux fonctions.

La fonction (20-1) passe par un maximum lorsque $X_C = R$. Pour ce maximum, $B = 1/3$, $\phi = 0°$ et f égale la fréquence de résonance du réseau d'avance-retard. Comme $X_C = R$, il vient

$$\frac{1}{2\pi f_r C} = R$$

D'où

$$f_r = \frac{1}{2\pi RC} \tag{20-3}$$

FONCTIONNEMENT

La figure 20-3 *a* représente un oscillateur à pont de Wien, un oscillateur à réaction positive et à réaction négative ou contre-réaction. La réaction positive fait croître les oscillations lorsqu'on applique l'alimentation. Une fois le niveau désiré du signal de sortie atteint, la contre-réaction réduit le gain de boucle à 1. La réaction positive passe à l'entrée non inverseuse *via* le réseau d'avance-retard. La contre-réaction passe à l'entrée inverseuse *via* le diviseur de tension.

A la mise sous alimentation, la résistance de la lampe à incandescence est petite et la contre-réaction est faible. Donc le gain de boucle $A_{CL}B$ est supérieur à 1 et les oscillations croissent à la fréquence de résonance. La lampe à incandescence s'échauffe légèrement à mesure que les oscillations croissent, et sa résistance augmente. (*Remarque* : Dans la plupart des oscillateurs, le courant qui traverse la lampe n'est pas assez grand pour la faire illuminer). Au niveau désiré de sortie, la résistance de la lampe à incandescence égale R'. On a

$$A_{CL} = \frac{R_1}{R_2} + 1 = \frac{2R'}{R'} + 1 = 3$$

Le taux de réaction B du réseau d'avance-retard étant d'1/3, le gain de boucle $A_{CL}B = 1$.

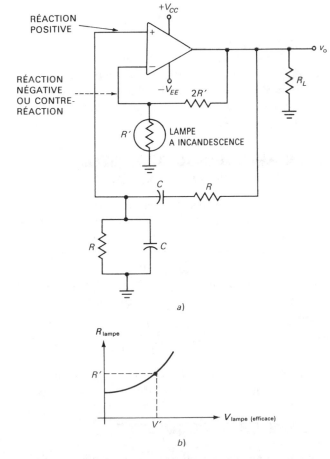

a)

b)

Fig. 20-3. a) *Oscillateur à pont de Wien.* b) *La résistance de la lampe à incandescence augmente avec la tension.*

CONDITIONS INITIALES

A la mise sous alimentation, la résistance de la lampe est inférieure à R'; par conséquent, A_{CL} est supérieur à 3. Comme B égale $1/3$ à la fréquence de résonance, initialement, le gain de boucle est supérieur à 1. Donc la tension de sortie croît comme nous l'avons décrit antérieurement.

La résistance de la lampe augmente à mesure que la tension de sortie croît (fig. 20-3 *b*). A la tension V' la résistance de la lampe à incandescence égale R'. Alors $A_{CL} = 3$ et le gain de boucle égale 1. Alors l'amplitude de la sortie plafonne et devient constante. (Dans un oscillateur pratique la lampe à incandescence ne s'illumine pas, car cela affaiblirait le signal).

DÉPHASAGE DE L'AMPLIFICATEUR

Le déphasage du réseau d'avance-retard d'un oscillateur à pont de Wien est nul lorsque la fréquence d'oscillation égale

$$f_r = \frac{1}{2\pi RC}$$

que l'on peut régler en faisant varier R ou C. Cela suppose que le déphasage de l'amplificateur est si petit qu'on peut le négliger. Autrement dit, la fréquence de coupure en boucle fermée de l'amplificateur doit être nettement supérieure à la fréquence de résonance f_r. Alors l'amplificateur n'introduit aucun déphasage additionnel. Si l'amplificateur introduisait un déphasage, la formule simple $f_r = 1/2\pi RC$ ne serait plus valide.

POURQUOI ON APPELLE CE DISPOSITIF UN OSCILLATEUR A PONT DE WIEN

A la figure 20-4 nous avons représenté l'oscillateur à pont de Wien d'une autre façon. Le réseau d'avance-retard est à gauche du pont et le diviseur de tension à droite. On utilise ce pont à courant alternatif, dit pont de Wien, dans des dispositifs autres que les oscillateurs. La tension d'erreur est la sortie du pont. Lorsque le pont tend vers l'équilibre, la tension d'erreur tend vers zéro.

Le pont de Wien est un exemple de *filtre coupe-bande,* un dispositif à sortie nulle à une fréquence particulière. Dans le cas du pont de Wien, la fréquence d'élimination égale

$$f_r = \frac{1}{2\pi RC}$$

La tension d'erreur appliquée à l'amplificateur est si petite que le pont de Wien est à peu près équilibré et que la fréquence d'oscillation égale environ f_r.

AUTRES FAÇONS DE RÉDUIRE *AB* A 1

L'utilisation d'une lampe à incandescence de petite puissance est la façon classique de réduire le produit *AB* des oscillateurs à pont de Wien à 1. (Les lampes

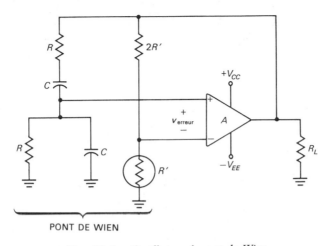

Fig. 20-4. *Oscillateur à pont de Wien.*

de n° 80, 327, 1869, 2158, 7218 et d'autres ont déjà été utilisées.) Ces lampes remplacent la lampe à incandescence. Les diodes de l'oscillateur à pont de Wien représenté à la figure 20-5 *a* limitent l'amplitude du signal de sortie. A la mise sous alimentation, les diodes sont bloquées et le taux de réaction est inférieur à 1/3 puisque le rapport R_1/R_2 est supérieur à 2. Cela permet au signal de sortie de croître. Une fois le niveau de sortie désiré atteint, les diodes conduisent durant les alternances alternées. Alors R_3 est en parallèle avec R_1 et le taux de réaction augmente jusqu'à 1/3. Alors la tension de sortie se stabilise. On utilise parfois des DEL au lieu de diodes ordinaires. L'illumination des DEL indique que l'oscillateur oscille.

Le limiteur de l'oscillateur représenté à la figure 20-5 *b* est une diode Zener. A la mise sous alimentation, les diodes sont bloquées et le taux de réaction est inférieur à 1/3 parce que le rapport R_1/R_2 est supérieur à 2. Lorsque la sortie croît, les diodes en pont sont polarisées en direct, mais rien ne se produit au-dessous du claquage de Zener. A un certain niveau élevé de sortie, la diode Zener entre en région de claquage et le niveau de sortie se stabilise.

La figure 20-6 représente une autre méthode de limitation. Dans ce cas, un FET à jonction qui se comporte comme une résistance commandée par tension limite d'amplitude de sortie. A la mise sous alimentation, la résistance du FET à jonction est minimale parce que la tension grille est nulle. Par conception, le taux de réaction est inférieur à 1/3 et les oscillations peuvent s'amorcer. Lorsque le niveau de sortie excède la tension Zener plus une chute de diode, on détecte les crêtes négatives et la tension grille devient négative. Alors la résistance $r_{ds\,(passant)}$ du FET à jonction augmente, ce qui fait croître le taux de réaction jusqu'à 1/3 et la sortie se stabilise.

EXEMPLE 20-1

Calculer les fréquences minimale et maximale de l'oscillateur à pont de Wien représenté à la figure 20-7 *a*.

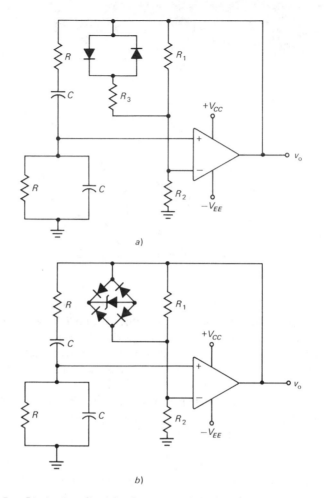

a)

b)

Fig. 20-5. *Limitation d'amplitude.* a) *Par des diodes.* b) *Par une diode Zener.*

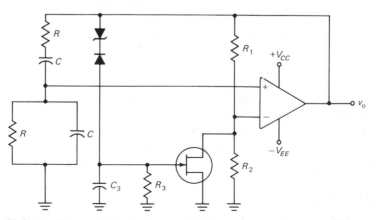

Fig. 20-6. *Utilisation d'un FET à jonction en résistance commandée par tension pour limiter l'amplitude de sortie.*

SOLUTION

Les rhéostats jumelés peuvent varier de 0 à à 100 kΩ; par conséquent, R varie d'1 kΩ à 101 kΩ. La fréquence minimale d'oscillation égale

$$f_r = \frac{1}{2\,\pi\,(101\ \text{k}\Omega)\,(0{,}01\ \mu\text{F})} = 158\ \text{Hz}$$

et la fréquence maximale égale

$$f_r = \frac{1}{2\,\pi\,(1\ \text{k}\Omega)\,(0{,}01\ \mu\text{F})} = 15{,}9\ \text{kHz}$$

EXEMPLE 20-2

La figue 20-7 *b* représente la variation de la résistance de lampe de l'oscillateur représenté à la figure 20-7 *a*. Calculer la tension de sortie.

SOLUTION

L'amplitude de sortie de l'oscillateur représenté à la figure 20-7 *a* devient constante lorsque la résistance de lampe égale 1 kΩ. Alors la tension efficace de lampe représentée à la figure 20-7 *b* est de 2 V. Le courant qui traverse la lampe traverse aussi la résistance de 2 kΩ. Il existe donc un signal efficace

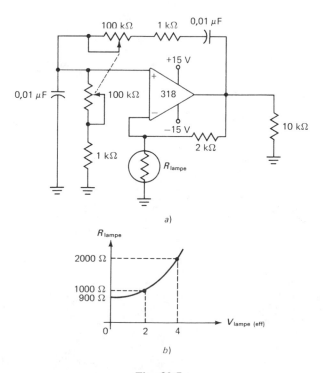

Fig. 20-7.

de 4 V entre les bornes de la résistance. Par conséquent, la tension de sortie égale la somme de 4 V et de 2 V, soit

$$V_{o\,(eff)} = 6\ V$$

20.3. AUTRES OSCILLATEURS *RC*

Bien que l'oscillateur à pont de Wien soit la norme industrielle pour les fréquences jusqu'à 1 MHz, on rencontre parfois d'autres oscillateurs *RC*. Dans cette section, nous étudierons l'oscillateur à filtre en double T et l'oscillateur à déphasage.

OSCILLATEUR A FILTRE EN DOUBLE T

La figure 20-8 *a* représente un filtre *en double T*. Selon son analyse mathématique, il se comporte comme un réseau d'avance-retard à déphasage représenté à la figure 20-8 *b*. Dans ce cas également, il existe une fréquence notée f_r à laquelle le déphasage est nul. Le gain en tension égale 1 aux basses fréquences et aux hautes fréquences. Entre ces extrêmes, il existe une fréquence notée f_r à laquelle le gain en tension chute à 0 (fig. 20-8 *c*). On appelle parfois ce filtre à double T un filtre coupe-bande parce qu'il atténue les signaux de fréquence proche de f_r. La *fréquence d'élimination* égale

$$f_r = \frac{1}{2\,\pi\,RC} \tag{20-4}$$

est aussi appelée fréquence de résonance.

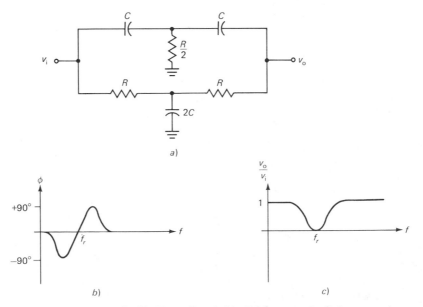

Fig. 20-8. *Filtre en double T.* a) *Circuit.* b) *Déphasage.* c) *Gain en tension.*

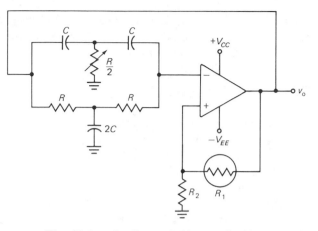

Fig. 20-9. *Oscillateur à filtre en double T.*

La figure 20-9 représente un oscillateur à filtre en double T. La réaction positive passe à l'entrée non inverseuse *via* le diviseur de tension. La réaction négative ou contre-réaction traverse le filtre en double T. A la mise sous alimentation, la résistance R_1 de lampe est petite et la réaction positive maximale. La résistance de lampe augmente et la réaction positive diminue à mesure que les oscillations croissent. Les oscillations plafonnent et deviennent plus constantes à mesure que la réaction décroît. Donc la lampe stabilise le niveau de la tension de sortie.

On règle la résistance $R/2$ du filtre en double T parce que l'oscillateur oscille à une fréquence légèrement différente de la fréquence idéale d'élimination donnée par la formule (20-4). Pour que la fréquence d'oscillation soit proche de la fréquence d'élimination, la résistance R_1 du diviseur de tension doit être beaucoup plus grande que R_2. Habituellement, la plage de R_1/R_2 va de 10 à 1000. Cela force l'oscillateur à fonctionner à une fréquence proche de la fréquence d'élimination.

La figure 20-10 représente une autre façon de limiter le niveau de sortie. Dans ce cas, on utilise un FET à jonction comme résistance variable commandée par tension. La grille du FET à jonction est raccordée à la sortie du détecteur de crête

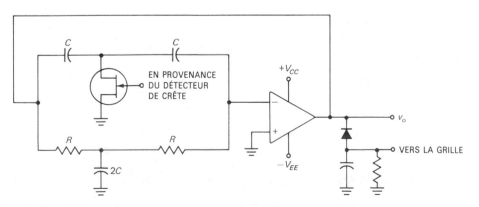

Fig. 20-10. *FET à jonction utilisé en résistance variable commandée par tension pour limiter l'amplitude de sortie.*

négative. A un niveau de sortie, la tension négative de sortie du détecteur de crête augmente la résistance $r_{ds\text{ (passant)}}$ jusqu'à environ $R/2$. Alors le filtre en double T résonne et la sortie de l'oscillateur se stabilise.

OSCILLATEUR A DÉPHASAGE

L'*oscillateur à déphasage* représenté à la figure 20-11 *a* comprend trois réseaux d'avance dans la boucle de réaction. Le déphasage de l'amplificateur est de 180° parce que le signal attaque l'entrée inverseuse. On sait que le déphasage produit par un réseau d'avance est fonction de la fréquence et qu'il est compris entre 0 et 90°. Par conséquent, à une fréquence particulière, le déphasage total des trois réseaux d'avance égale 180° (environ 60° chacun). Donc, le déphasage autour de la boucle est de 360°, ce qui équivaut à 0°. Si AB est supérieur à 1 à cette fréquence particulière, les oscillations s'amorcent.

La figure 20-11 *b* représente une variante à trois réseaux de retard. Le fonctionnement est le même. L'amplificateur déphase de 180° et les réseaux de retard déphasent de 180° à une certaine fréquence élevée. Si AB est supérieur à 1 à cette fréquence, les oscillations s'amorcent.

On n'utilise l'oscillateur à déphasage qu'occasionnellement. Nous l'avons présenté parce qu'on peut accidentellement obtenir un oscillateur à déphasage lors de la construction d'un amplificateur. Nous en reparlerons lors de l'étude de l'amorçage basse fréquence et des oscillations parasites.

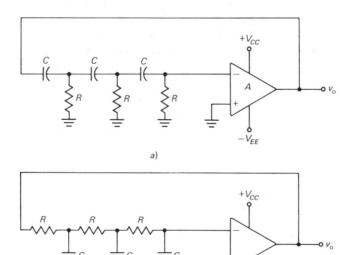

Fig. 20-11. *Oscillateurs à déphasage.* a) *A réseaux d'avance.* b) *A réseaux de retard.*

20.4. OSCILLATEUR COLPITTS

Bien que ses performances soient excellentes aux basses fréquences, l'oscillateur à pont de Wien ne convient pas aux hautes fréquences (nettement supérieures à 1 MHz) en raison du déphasage de l'amplificateur. L'oscillateur *LC*, un dispositif utilisé pour des fréquences comprises entre 1 MHz et 500 MHz, règle cette difficulté. Cette gamme de fréquence est au-delà de $f_{\text{unité}}$ de la plupart des amplificateurs opérationnels. Voilà pourquoi on utilise habituellement un transistor bipolaire ou un FET comme amplificateur.

Un amplificateur et un circuit résonnant parallèle *LC* permettent de réinjecter un signal de bonnes amplitude et phase pour entretenir les oscillations. L'analyse et la conception des oscillateurs haute fréquence est plus un art qu'une science. Aux fréquences supérieures, les capacités parasites et les inductances des conducteurs du transistor et du câblage influent sur la fréquence d'oscillation, le taux de réaction, la puissance de sortie et d'autres grandeurs alternatives. Voilà pourquoi l'analyse exacte est laborieuse. La plupart des concepteurs ébauchent une première conception et règlent l'oscillateur monté selon les performances désirées. Dans cette section, nous étudierons l'*oscillateur Colpitts,* un des oscillateurs *LC* les plus répandus.

MONTAGE A ÉMETTEUR COMMUN

La figure 20-12 *a* représente un oscillateur Colpitts. La polarisation par diviseur de tension détermine un point de fonctionnement de repos. Le gain en tension en

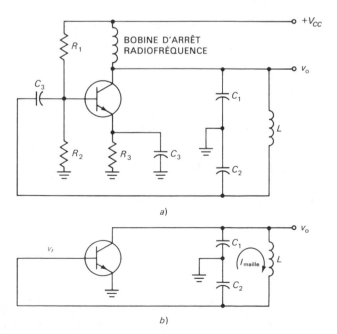

a)

b)

Fig. 20-12. a) *Oscillateur Colpitts.* b) *Circuit équivalent en courant alternatif.*

basse fréquence égale r_C/r'_e avec r_C égal à la résistance en courant alternatif vue par le collecteur. Les réseaux de retard de base et de collecteur rendent le gain en tension en haute fréquence inférieur à r_C/r'_e.

La figure 20-12 *b* représente un circuit équivalent simplifié en courant alternatif. Le courant de circulation ou de maille du circuit résonnant parallèle traverse C_1 en série avec C_2. Remarquer que v_o égale la tension alternative entre les bornes de C_1. Remarquer aussi que la tension de réaction v_f apparaît entre les bornes de C_2. Cette tension de réaction attaque la base et entretient les oscillations produites entre les bornes du circuit résonnant parallèle pourvu que le gain en tension soit suffisant à la fréquence d'oscillation. L'émetteur étant à la masse en alternatif, l'oscillateur est à émetteur commun.

Il existe de nombreuses variantes de l'oscillateur Colpitts. On reconnaît l'oscillateur Colpitts par son diviseur capacitif de tension formé par C_1 et C_2. Ce diviseur capacitif de tension produit la tension de réaction nécessaire aux oscillations. Dans d'autres types d'oscillateurs, un transformateur, un diviseur inductif de tension, etc., produit la tension de réaction.

FRÉQUENCE DE RÉSONANCE

Le facteur Q de qualité du circuit résonnant parallèle de la plupart des oscillateurs LC est supérieur à 10. Dans le cas, la *fréquence de résonance* égale

$$f_r \cong \frac{1}{2\,\pi\sqrt{LC}} \tag{20-5}$$

La précision de f_r est supérieure à 1 % lorsque Q est plus grand que 10.

La capacité à utiliser dans la formule (20-5) est la capacité équivalente traversée par le courant de circulation. Le courant de circulation du circuit résonnant parallèle représenté à la figure 20-12 *b* traverse C_1 en série avec C_2. Donc la capacité équivalente égale

$$C = \frac{C_1\,C_2}{C_1 + C_2} \tag{20-6}$$

Si $C_1 = C_2 = 100$ pF, alors C pour la formule (20-5) égale 50 pF.

CONDITION D'AMORÇAGE

La condition d'amorçage de tout oscillateur est

$$AB > 1$$

à la fréquence de résonance du circuit résonnant parallèle. Cette condition équivaut à

$$A > \frac{1}{B}$$

Le gain en tension A de cette inégalité est le gain en tension à la fréquence d'oscillation. Dans le circuit équivalent représenté à la figure 20-12 *b*, la tension de sortie apparaît entre les bornes de C_1 et la tension de réaction entre les bornes de C_2. Le courant de circulation étant le même pour les deux condensateurs,

$$B = \frac{v_f}{v_o} \cong \frac{X_{C2}}{X_{C1}} = \frac{1/2\,\pi f C_2}{1/2\,\pi f C_1}$$

D'où

$$B \cong \frac{C_1}{C_2}$$

La condition d'amorçage est donc

$$A > \frac{C_2}{C_1} \tag{20-7}$$

Retenir que cette condition est une grossière approximation parce qu'elle ne tient pas compte de l'impédance d'entrée de base. Une analyse exacte doit tenir compte de l'impédance de base parce qu'elle est en parallèle avec C_2.

Que vaut A ? Il dépend des fréquences supérieures de coupure de l'amplificateur. On sait qu'un amplificateur bipolaire comprend un réseau de retard de base et un réseau de retard de collecteur. Si les fréquences de coupure de ces réseaux de retard sont supérieures à la fréquence d'oscillation, A égale environ r_C/r'_e. Si les fréquences de coupure sont inférieures à la fréquence d'oscillation, le gain en tension est inférieur à r_C/r'_e et le déphasage supplémentaire de l'amplificateur empêche toute oscillation.

TENSION DE SORTIE

Si la réaction est faible (B est petit), A n'est que légèrement supérieur à $1/B$ et le fonctionnement est environ classe A. A la mise sous alimentation, les oscillations croissent et le signal dévie de plus en plus sur la droite de charge dynamique. En raison de cette excursion croissante du signal, le fonctionnement passe de petits signaux à grands signaux. Dans ce cas, le gain en tension diminue légèrement. Si la réaction est petite, AB diminue jusqu'à 1 sans écrêtage excessif.

Si la réaction est grande (B est grand), le grand signal de réaction entraîne la base du transistor représenté à la figure 20-12 a en saturation et en blocage. Alors le condensateur C_3 se charge, il y a fixation négative de tension continue à la base et le fonctionnement passe de la classe A à la classe C. La fixation de la tension négative règle automatiquement AB à 1. Si la réaction est trop grande, les pertes parasites de puissance diminuent la tension de sortie.

Lorsqu'on construit un oscillateur, on règle le taux de réaction pour maximiser la tension de sortie. L'astuce consiste à prendre une réaction assez grande pour amorcer dans toutes les conditions (transistors, température, tension, etc., différents), mais pas trop grande pour ne pas trop affaiblir la sortie.

COUPLAGE A UNE CHARGE

La fréquence exacte f_r d'oscillation dépend du facteur Q du circuit. On a

$$f_r = \frac{1}{2\,\pi\sqrt{LC}} \left(\frac{Q^2}{1 + Q^2}\right) \tag{20-8}$$

Lorsque Q est supérieur à 10, ce qui est habituellement le cas, la simplification de cette formule exacte donne la fréquence idéale [formule (20-5)]. Si Q est inférieur à 10, la fréquence est inférieure à la fréquence idéale. De plus, un facteur Q petit peut empêcher l'oscillateur de s'amorcer en abaissant le gain en haute fréquence au-dessous de $1/B$.

La figure 20-13 *a* représente une façon de transmettre le signal à une résistance de charge. Si la résistance de charge est grande, elle n'abaissera pas trop la charge du circuit résonnant et Q sera supérieur à 10. Si la résistance de charge est petite, Q chute au-dessous de 10 et les oscillations ne peuvent s'amorcer. On remédie à cela en montant un condensateur C_4 de petite capacité à grande réactance X_C comparativement à la résistance de charge. Cela évite de trop charger le circuit résonnant parallèle.

La figure 20-13 *b* représente une autre façon de transmettre le signal à une petite résistance de charge : par transformateur RF à secondaire de quelques spires. Grâce à ce couplage léger, la résistance de charge n'abaisse pas le facteur Q du circuit résonnant parallèle au point d'empêcher l'oscillateur de s'amorcer.

Qu'on utilise le couplage par condensateur ou le couplage par transformateur, il faut maintenir l'effet de charge aussi faible que possible. Alors le facteur Q élevé du circuit résonnant parallèle assure une sortie sinusoïdale non déformée et un amorçage des oscillations.

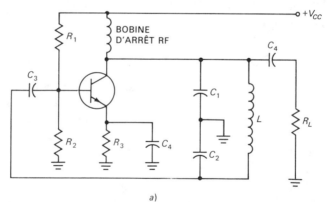

a)

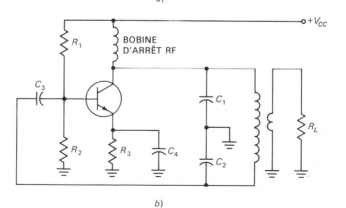

b)

Fig. 20-13. *Types de couplages de sortie.* a) *Par condensateur.* b) *Par transformateur à secondaire de quelques spires.*

MONTAGE A BASE COMMUNE

Lorsque le signal de réaction attaque la base, une capacité de Miller apparaît entre les bornes d'entrée. Elle produit une fréquence de coupure relativement petite et fait décroître le gain à la vitesse de 20 dB par décade. Pour augmenter la fréquence de coupure, on peut appliquer le signal de réaction à l'émetteur (fig. 20-14). Comme le condensateur C_3 met la base à la masse en courant alternatif, le transistor se comporte comme un amplificateur à base commune. Un tel dispositif oscille à des fréquences supérieures, parce que son gain à haute fréquence est supérieur à celui d'un oscillateur comparable à émetteur commun. Un transformateur de couplage à secondaire de quelques spires charge faiblement le circuit résonnant parallèle et la formule (20-5) donne encore la fréquence de résonance.

Le taux de réaction est légèrement différent. La tension de sortie apparaît entre les bornes de C_1 et C_2 en série tandis que la tension de réaction apparaît entre les bornes de C_2. Le taux idéal de réaction égale

$$B = \frac{v_f}{v_o} = \frac{X_{C2}}{X_{C1} + X_{C2}}$$

Il vient, après développement et simplification,

$$B \cong \frac{C_1}{C_1 + C_2}$$

Pour que les oscillations s'amorcent, A doit être supérieur à $1/B$. D'où, approximativement,

$$A > \frac{C_1 + C_2}{C_1} \tag{20-9}$$

Cette approximation est grossière parce qu'elle ne tient pas compte de l'impédance d'entrée d'émetteur en parallèle avec C_2. Une analyse exacte doit tenir compte de l'impédance d'émetteur.

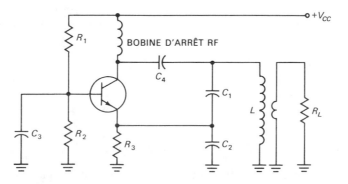

Fig. 20-14. *L'oscillateur à base commune oscille à des fréquences supérieures à celles de l'oscillateur à émetteur commun.*

OSCILLATEUR COLPITTS A FET

La figure 20-15 représente un oscillateur Colpitts à FET dans lequel on applique le signal de réaction à la grille. Comme la résistance d'entrée de grille est grande, l'effet de charge sur le circuit résonnant parallèle est nettement inférieur que dans le cas d'un transistor bipolaire. Donc l'approximation

$$B \cong \frac{C_1}{C_2}$$

est plus précise avec un FET parce que l'impédance d'entrée de grille est plus grande. La condition d'amorçage de cet oscillateur à FET est

$$A > \frac{C_2}{C_1} \tag{20-10}$$

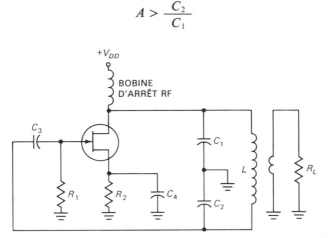

Fig. 20-15. *L'effet de charge d'un oscillateur à FET à jonction sur le circuit résonnant parallèle est plus petit.*

Le gain en tension à basse fréquence d'un oscillateur à FET égale $g_m r_C$. Le gain en tension décroît au-dessus de la fréquence de coupure de l'amplificateur à FET. Dans la formule (20-10), A est le gain à la fréquence d'oscillation. Garder la fréquence d'oscillation au-dessous de la fréquence de coupure de l'amplificateur à FET, sinon le déphasage additionnel de l'amplificateur peut empêcher l'amorçage de l'oscillateur. Pour que l'amplificateur ait une fréquence de coupure élevée, utiliser un FET à grille commune au lieu d'un FET à source commune.

EXEMPLE 20-3

Soit l'oscillateur représenté à la figure 20-16. Calculer la fréquence d'oscillation, le taux de réaction et le gain en tension pour que les oscillations s'amorcent.

SOLUTION

La capacité équivalente du circuit résonnant parallèle égale

$$C = \frac{(0,001 \ \mu\text{F})(0,01 \ \mu\text{F})}{0,001 \ \mu\text{F} + 0,01 \ \mu\text{F}} = 909 \ \text{pF}$$

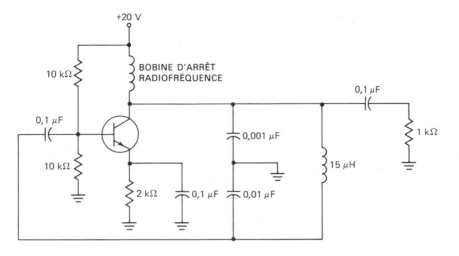

Fig. 20-16.

L'inductance étant de 15 μH, la fréquence d'oscillation égale

$$f_r = \frac{1}{2\pi\sqrt{(15\ \mu\mathrm{H})(909\ \mathrm{pF})}} = 1,36\ \mathrm{MHz}$$

Le taux de réaction égale

$$B = \frac{0,001\ \mu\mathrm{F}}{0,01\ \mu\mathrm{F}} = 0,1$$

Pour que l'oscillateur s'amorce, le gain en tension doit être supérieur à 10 à 1,36 MHz. Si possible, rendre la fréquence de coupure supérieure à 1,36 MHz pour éviter un déphasage additionnel le long de la boucle. Autrement dit, l'oscillateur a déjà un déphasage de boucle de 0° au-dessous de la fréquence de coupure. Si l'amplificateur commence à décroître, le déphasage supplémentaire peut empêcher les oscillations bien au-delà de la coupure.

20.5. AUTRES OSCILLATEURS *LC*

Le Colpitts est l'oscillateur *LC* le plus répandu. La division capacitive de tension du circuit résonnant est une façon commode d'obtenir la tension de réaction. Il existe d'autres types d'oscillateurs. Dans cette section, nous étudierons les oscillateurs Armstong, Hartley, Clapp et l'oscillateur à cristal.

OSCILLATEUR ARMSTRONG

La figure 20-17 *a* représente un *oscillateur Armstrong*. Dans cet oscillateur, le collecteur attaque un circuit résonnant parallèle *LC*. Le signal de réaction est tiré d'un petit secondaire et est réinjecté à la base. Le déphasage du transformateur

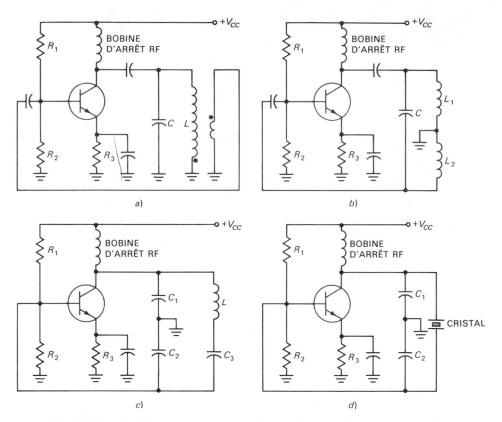

Fig. 20-17. *Oscillateurs.* a) *Armstrong.* b) *Hartley.* c) *Clapp.* d) *A cristal.*

égale 180°, le déphasage le long de la boucle est donc nul. Autrement dit, la réaction est positive. Si on néglige l'effet de charge de la base, le taux de réaction égale

$$B \cong \frac{M}{L} \tag{20-11}$$

Dans cette relation, M égale l'inductance mutuelle et L l'inductance primaire. L'oscillateur Armstrong s'amorce si le gain en tension est supérieur à $1/B$.

Un transformateur donne le signal de réaction et permet de distinguer les variantes de cet oscillateur de principe. On appelle parfois le secondaire la *bobine de réaction* parce qu'elle réinjecte le signal d'entretien des oscillations. La formule (20-5) donne la fréquence de résonance en prenant L et C représentés à la figure 20-17 *a.* L'oscillateur Armstrong est peu répandu parce que la plupart des concepteurs évitent autant que possible d'utiliser des transformateurs.

HARTLEY

La figure 20-17 *b* représente un *oscillateur Hartley.* Lorsque le circuit résonnant parallèle LC entre en résonance, le courant de circulation traverse L_1 en série avec L_2. Donc l'inductance L équivalente à utiliser dans la formule (20-5) égale

$$L = L_1 + L_2 \tag{20-12}$$

Le diviseur inductif de tension constitué de L_1 et L_2 fournit la tension de réaction. Puisque la tension de sortie apparaît entre les bornes de L_1 et la tension de réaction entre les bornes de L_2, le taux de réaction égale

$$B = \frac{v_f}{v_o} \cong \frac{X_{L2}}{X_{L1}}$$

D'où

$$B \cong \frac{L_2}{L_1} \qquad (20\text{-}13)$$

Comme d'habitude, cette relation ne tient pas compte de l'effet de charge de la base. Les oscillations s'amorcent si le gain en tension est supérieur à $1/B$.

L'oscillateur Hartley comporte souvent une seule bobine à prises au lieu de deux bobines distinctes. Le fonctionnement est fondamentalement le même. Dans une autre variante, on achemine le signal de réaction à l'émetteur au lieu de la base. On utilise parfois un transistor FET au lieu d'un transistor bipolaire et on transmet le signal de sortie *via* un condensateur ou un transformateur à secondaire de quelques spires.

OSCILLATEUR CLAPP

L'*oscillateur Clapp* représenté à la figure 20-17 *c* est un oscillateur Colpitts perfectionné. Le diviseur capacitif de tension fournit encore le signal de réaction. Un condensateur additionnel C_3 est en série avec la bobine. Puisque le courant de circulation du circuit résonnant parallèle traverse C_1, C_2 et C_3 en série, la capacité équivalente à utiliser pour calculer la fréquence de résonance égale

$$C = \frac{1}{1/C_1 + 1/C_2 + 1/C_3} \qquad (20\text{-}14)$$

C_3 doit être nettement inférieur à C_1 et C_2. Donc, C égale environ C_3 et la fréquence de résonance égale

$$f_r \cong \frac{1}{2\pi\sqrt{LC_3}} \qquad (20\text{-}15)$$

Pourquoi cette relation est-elle importante ? Parce que C_1 et C_2 sont shuntés par les capacités du transistor et les capacités parasites qui modifient légèrement C_1 et C_2. La fréquence de résonance d'un oscillateur Colpitts dépend dans une certaine mesure des capacités du transistor et des capacités parasites. Les capacités du transitor et les capacités parasites d'un oscillateur Clapp n'ont aucun effet sur C_3 et donc la fréquence d'oscillation est plus stable et plus précise. Voilà pourquoi on rencontrera parfois un oscillateur Clapp au lieu d'un oscillateur Colpitts.

OSCILLATEUR A CRISTAL

Lorsque la précision et la stabilité de la fréquence d'oscillation sont importantes, on utilise un *oscillateur piloté au quartz* (fig. 20-17 *d*). Le signal de réaction provient d'une prise capacitive. Comme nous le verrons à la section 20-6, le cristal se comporte comme une grosse bobine en série avec un petit condensateur (comme dans le cas d'un oscillateur Clapp). Donc, la fréquence de résonance est presque complètement indépendante des capacités du transistor et des capacités parasites.

EXEMPLE 20-4

Le montage d'un condensateur de 50 pF en série avec la bobine de 15 μH de l'oscillateur Colpitts représenté à la figure 20-16 transforme celui-ci en oscillateur Clapp. Calculer la fréquence d'oscillation.

SOLUTION

Comme la capacité de C_3 n'est que de 50 pF,

$$C = \frac{1}{1/0,001 \ \mu\text{F} + 1/0,01 \ \mu\text{F} + 1/50 \ \text{pF}} \cong 50 \ \text{pF}$$

Donc la fréquence d'oscillation égale

$$f_r \cong \frac{1}{2\pi\sqrt{(15 \ \mu\text{H})(50 \ \text{pF})}} = 5,81 \ \text{MHz}$$

20.6.   CRISTAUX DE QUARTZ

Quelques cristaux naturels sont *piézoélectriques;* lorsqu'on leur applique une tension alternative, ils vibrent à la fréquence de la tension appliquée. Inversement, si on les force mécaniquement à vibrer, ils génèrent une tension alternative. Les principales substances piézoélectriques sont le quartz, les sels de Rochelle et la tourmaline.

Les sels de Rochelle sont les plus piézoélectriques; ils vibrent davantage que le quartz et la tourmaline pour une même tension alternative. Ils sont mécaniquement les plus faibles; ils cassent facilement. On a utilisé les sels de Rochelle pour fabriquer des microphones, des capteurs phonographiques, des écouteurs et des haut-parleurs.

La tourmaline est la moins piézoélectrique, mais la plus solide et la plus chère des trois. On l'utilise parfois aux très hautes fréquences.

Le quartz est un compromis entre les propriétés piézoélectriques des sels de Rochelle et la solidité de la tourmaline. On l'utilise beaucoup dans les oscillateurs et les filtres RF en raison de son prix modique et de sa profusion dans la nature.

COUPES D'UN CRISTAL

A l'état naturel, un cristal de quartz est un prisme hexagonal à bases pyramidales (fig. 20-18 *a*). On en extrait des cristaux utiles en découpant des lames parallélépipédiques d'épaisseur t* (fig. 20-18 *b*). Le nombre de lames que l'on peut extraire d'un cristal naturel dépend de leurs dimensions et de l'angle de coupe.

---

* N.d.T. Mis pour *thickness* (épaisseur).

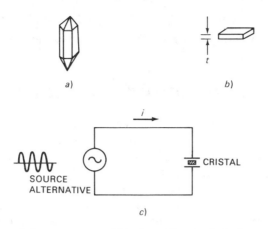

Fig. 20-18. a) *Cristal de quartz naturel.* b) *Lame de cristal.* c) *Le courant d'entrée passe par un maximum à la résonance du cristal.*

On coupe un cristal naturel de nombreuses façons que l'on appelle par exemple, coupe X, coupe Y, coupe XY et coupe AT. Sachons seulement que ces différentes coupes ont des propriétés piézoélectriques différentes. (Habituellement les catalogues des fabricants sont les meilleures sources de renseignements sur les différentes coupes et leurs propriétés).

On monte les lames de cristal des circuits électroniques entre deux plaques métalliques (fig. 20-18 c). La vibration du cristal dépend de la fréquence de la tension appliquée. On trouve les fréquences de résonance auxquelles les vibrations du cristal passent par un maximum en faisant varier la fréquence. Puisque l'énergie des vibrations provient de la source alternative, le courant alternatif passe par un maximum à chaque fréquence de résonance.

FONDAMENTALE ET HARMONIQUES

Le plus souvent, on coupe le cristal et on le monte pour qu'il vibre mieux à l'une de ses fréquences de résonance, habituellement la *fondamentale* ou plus petite fréquence. Les fréquences de résonance supérieures appelées *harmoniques* égalent presque des multiples exacts de la fréquence fondamentale. Un cristal de fréquence fondamentale d'1 MHz, par exemple, a un premier harmonique d'environ 2 MHz, un deuxième harmonique d'environ 3 MHz, etc.

La formule de la fréquence fondamentale d'un cristal est

$$f = \frac{K}{t} \qquad (20\text{-}16)$$

dans laquelle K est une constante qui dépend de la coupe et d'autres facteurs, et t l'épaisseur du cristal. Selon cette formule, la fréquence fondamentale est inversement proportionnelle à l'épaisseur. Nous sommes donc limités supérieurement en fréquences. Plus le cristal est mince, plus il est fragile et plus les vibrations risquent de le casser.

Les cristaux de quartz travaillent bien jusqu'à une fréquence fondamentale de 10 MHz. Pour atteindre des fréquences plus élevées, on peut utiliser un cristal monté pour vibrer sur les harmoniques; on peut alors grimper jusqu'à 100 MHz. Aux fréquences plus élevées on utilise parfois la tourmaline, plus chère mais plus solide.

CIRCUIT ÉQUIVALENT EN COURANT ALTERNATIF

Quel est le circuit équivalent en courant alternatif d'un cristal ? Lorsque le cristal monté représenté à la figure 20-19 *a* ne vibre pas, il équivaut à un condensateur C_m parce qu'il est constitué de deux plaques métalliques séparées par un diélectrique. C_m est appelé la capacité de montage.

Lorsque le cristal vibre, il se comporte comme un circuit résonnant accordé. La figure 20-19 *b* représente le circuit équivalent en courant alternatif d'un cristal qui vibre à sa fréquence fondamentale ou à une fréquence proche de celle-ci. L s'exprime en henrys, C_s en fraction de picofard, R en milliers d'ohms et C_m en picofarads. Voici les valeurs d'un cristal typique : $L = 3$ H, $C_s = 0{,}5$ pF, $R = 2\,000\,\Omega$ et $C_m = 10$ pF. La coupe, l'épaisseur, le montage de la lame et d'autres facteurs influent sur ces valeurs.

La caractéristique essentielle des cristaux comparativement aux circuits résonnants parallèle LC est leur facteur de qualité Q incroyablement élevé. Le facteur Q du cristal typique ci-dessus est supérieur à 3000. Il peut facilement dépasser 10 000. Le facteur Q d'un circuit résonnant parallèle LC discret dépasse rarement 100. Le facteur Q extrêmement élevé d'un cristal confère une fréquence très stable aux oscillateurs.

RÉSONANCE SÉRIE ET RÉSONANCE PARALLÈLE

Outre Q, L, C_s, R et C_m, il faut connaître deux autres grandeurs d'un cristal : la fréquence de résonance *série* et la fréquence de résonance *parallèle*. La fréquence de résonance série f_s d'un cristal est la fréquence de résonance de la branche LCR représentée à la figure 20-19 *b*. A cette fréquence, le courant de branche passe par un maximum parce que L entre en résonance avec C_s. La formule de la fréquence de résonance série est

$$f_s = \frac{1}{2\pi\,\sqrt{LC_s}} \tag{20-17}$$

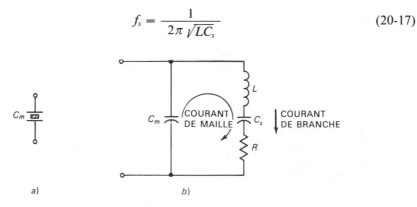

Fig. 20-19. a) *Capacité de montage.*
b) *Circuit équivalent en courant alternatif d'un cristal qui vibre.*

La fréquence de résonance parallèle f_p d'un cristal est la fréquence à laquelle le courant de circulation ou de maille représenté à la figure 20-19 *b* passe par un maximum. Puisque ce courant de maille doit traverser la combinaison série de C_s et C_m, la capacité équivalente

$$C_{\text{maille}} = \frac{C_m \, C_s}{C_m + C_s} \qquad (20\text{-}18)$$

et la fréquence de résonance parallèle égale

$$f_p = \frac{1}{2\pi \sqrt{LC_{\text{maille}}}} \qquad (20\text{-}19)$$

Deux capacités en série produisent toujours une capacité inférieure aux deux; donc C_{maille} est inférieure à C_s et f_p est supérieur à f_s.

Dans tout cristal, C_s est nettement inférieur à C_m. Dans le cas du cristal typique cité dans la section précédente, $C_s = 0,05$ pF et $C_m = 10$ pF. La formule (20-18) donne une capacité C_{maille} légèrement inférieure à C_s. Par conséquent, f_p est légèrement supérieur à f_s. Lorsqu'on utilise un cristal dans un circuit équivalent en courant alternatif semblable à celui représenté à la figure 20-20, les capacités additionnelles de l'oscillateur sont en shunt avec C_m. Donc, la fréquence d'oscillation est comprise entre f_s et f_p. Tel est l'avantage de connaître f_s et f_p : ces fréquences sont les limites inférieure et supérieure de la fréquence de l'oscillateur à cristal.

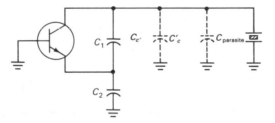

Fig. 20-20. *Les capacités parasites d'un oscillateur sont en parallèle avec la capacité de montage.*

STABILITÉ DU CRISTAL

La fréquence d'un oscillateur varie légèrement avec le temps; ce *glissement* est produit par la température, le vieillissement et d'autres facteurs. Le glissement de fréquence d'un oscillateur à cristal est très petit. Il est typiquement inférieur à 1×10^{-6} (0,0001 %) par jour. Cette stabilité est très importante dans les montres électroniques à oscillateur à cristal de quartz en guise de dispositif fondamental de minutage.

Le glissement de fréquence des oscillateurs à cristal enfermé dans une enceinte à température contrôlée de précision est inférieur à 1×10^{-10} par jour. Une telle stabilité est nécessaire dans les étalons de fréquence et de temps. Une montre ayant un tel glissement avancerait ou retarderait d'1 s en 300 ans.

OSCILLATEURS A CRISTAL

La figure 20-21 *a* représente un oscillateur à cristal Colpitts. Le diviseur capacitif de tension produit la tension de réaction pour la base du transistor. Le cristal se comporte comme une bobine qui entre en résonance avec C_1 et C_2. La fréquence d'oscillation est comprise entre la fréquence de résonance série et la fréquence de résonance parallèle.

La figure 20-21 *b* représente une variante de l'oscillateur à cristal Colpitts, la figure 20-21 *c* un oscillateur Colpitts à FET et la figure 20-21 *d* un oscillateur à cristal *Pierce* dont l'avantage est la simplicité.

EXEMPLE 20-5

Soit un cristal de $L = 3$ H, $C_s = 0,05$ pF, $R = 2000$ Ω et $C_m = 10$ pF. Calculer f_s et f_p du cristal avec trois chiffres significatifs.

SOLUTION

Selon la formule (20-17),

$$f_s = \frac{1}{2\pi \sqrt{(3 \text{ H})(0,05 \text{ pF})}} = 411 \text{ kHz}$$

Selon la formule (20-18)

$$C_{\text{maille}} = \frac{(10 \text{ pF})(0,05 \text{ pF})}{10 \text{ pF} + 0,05 \text{ pF}} = 0,0498 \text{ pF}$$

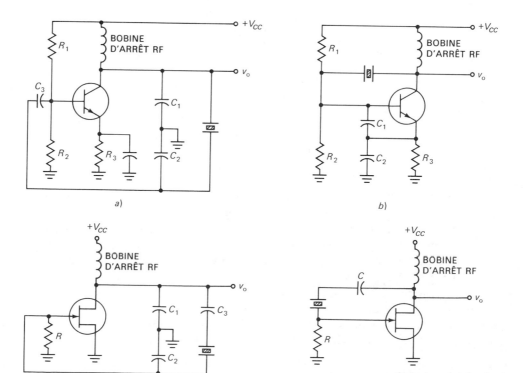

Fig. 20-21. *Oscillateurs à cristal.* a) *Colpitts.* b) *Variante du Colpitts.* c) *Clapp.* d) *Pierce.*

Selon la formule (20-19),

$$f_p = \frac{1}{2\pi \sqrt{(3 \text{ H})(0,0498 \text{ pF})}} = 412 \text{ kHz}$$

La fréquence d'oscillation de ce cristal utilisé dans un oscillateur serait comprise entre 411 et 412 kHz.

20.7. OSCILLATIONS INDÉSIRABLES

Les oscillateurs désappointent parfois. On essaie parfois de construire un oscillateur et l'on se retrouve avec un amplificateur parce que le gain de boucle est inférieur à 1 à la fréquence d'oscillation désirée. En le rafistolant, on parvient finalement à le faire osciller. A d'autres occasions, on construit un oscillateur au lieu d'un amplificateur à gain élevé. On jurerait qu'un tel dispositif ne peut osciller parce qu'il n'existe pas de chaîne de réaction positive. Mais la réaction positive peut passer par l'alimentation, par les boucles de masse et d'autres chemins indésirables.

OSCILLATIONS BASSE FRÉQUENCE

Observons le schéma représenté à la figure 20-22 *a*. Il ne comporte pas de chaîne de réaction de la sortie à l'entrée; par conséquent, le dispositif ne peut osciller. D'accord ? Erreur ! De subtiles chaînes de réaction peuvent faire osciller tout amplificateur à gain élevé.

L'*amorçage basse fréquence* fait produire un bruit de moteur à un haut-parleur branché à un amplificateur semblable à celui représenté à la figure 20-22 *a*. Ce son représente des oscillations très basse fréquence de quelques hertz. La réaction passe par l'alimentation. Idéalement, l'alimentation ressemble à un court-circuit parfait en alternatif vers la masse. Mais en approximation plus serrée, l'alimentation a une impédance z (fig. 20-22 *b*). En raison de l'impédance d'alimentation non nulle aux basses fréquences, on obtient une réaction de courant *via* l'impédance d'alimentation et la polarisation par diviseur de tension du premier étage.

La figure 20-22 *c* illustre cette chaîne de réaction de courant du dernier étage au premier. Le courant alternatif de sortie du dernier étage traverse R_C et l'impédance z de l'alimentation. La tension entre les bornes de z attaque le diviseur R_1 et R_2 de tension du premier étage. Les réseaux d'avance de l'amplificateur et la réactance de l'alimentation déterminent la fréquence d'oscillation. A une certaine fréquence inférieure à la bande médiane de l'amplificateur le déphasage de boucle égale 0°. Si AB est supérieur à 1 à cette fréquence, il y a amorçage.

Le remède contre l'amorçage basse fréquence ? Une alimentation régulée (chapitre 19). L'impédance interne de ce type d'alimentation est inférieure à 0,1 Ω (celle de certaines alimentations régulées descend jusqu'à 0,0005 Ω). Alors la réaction de courant est trop faible pour produire des oscillations.

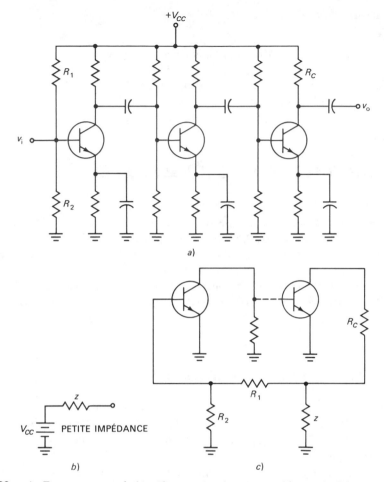

Fig. 20-22.   a) *Etages en cascade.* b) *Alimentation à petite impédance.* c) *Réaction de courant*
via *l'impédance de l'alimentation.*

OSCILLATIONS HAUTE FRÉQUENCE

On peut obtenir des oscillations indésirables au-dessus de la bande médiane de
l'amplificateur. Les champs électriques et magnétiques autour du dernier étage
peuvent induire des réactions de tension dans un étage antérieur avec la bonne
phase pour produire des oscillations. L'amplificateur oscillera si AB est supérieur
à 1 à la fréquence où cela a lieu.

La figure 20-23 *a* en illustre le principe. Le circuit de sortie se comporte comme
une plaque de condensateur et le circuit d'entrée comme l'autre plaque. La capacité
entre l'entrée et la sortie est petite (elle est habituellement inférieure à 1 pF); mais
à haute fréquence, la capacité peut réinjecter un signal suffisant pour produire des
oscillations.

Il peut aussi exister un couplage magnétique. Le fil de sortie qualifié de
« primaire » à la figure 20-23 *a* peut se comporter comme le primaire d'un

transformateur; le fil d'entrée qualifié de « secondaire » peut se comporter comme le secondaire. Alors le courant alternatif primaire peut induire une tension secondaire. Si le signal de réaction est assez grand et de bonne phase, on obtient des oscillations.

Un remède contre les oscillations hautre fréquence ? L'accroissement, par exemple, de la *distance* entre les étages diminue leur couplage. Si cela n'est pas pratique, on peut enfermer chaque étage dans un boîtier de *blindage,* un conteneur métallique (fig. 20-23 *b*). On emploie souvent un tel blindage dans de nombreuses applications haute fréquence; il bloque les champs électriques et magnétiques haute fréquence. Si le problème relève seulement du couplage capacitif, le montage d'une *chicane de blindage* (une plaque métallique) entre les étages consécutifs peut éliminer les oscillations haute fréquence (fig. 20-23 *c*).

BOUCLES DE MASSE

Une *boucle de masse,* une différence de potentiel entre deux points de masse, peut aussi causer subtilement des oscillations haute fréquence. Idéalement, toutes les masses en courant alternatif représentées à la figure 20-23 *a* sont au même

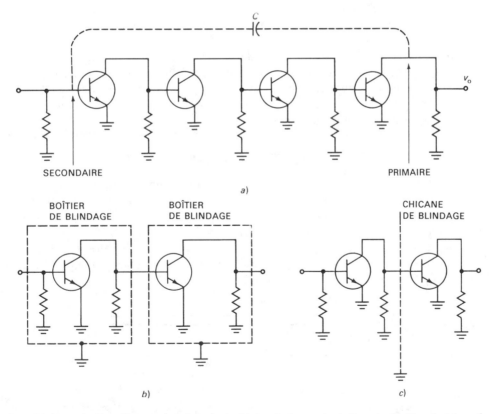

Fig. 20-23. a) *Couplage capacitif et magnétique de la sortie à l'entrée.* b) *Des boîtiers de blindage enferment chaque étage et empêchent les oscillations.* c) *Une chicane de blindage empêche le couplage capacitif.*

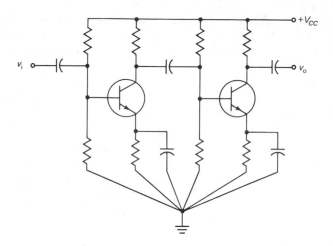

Fig. 20-24. *Un seul point de masse empêche les boucles de masse.*

potentiel. Mais en réalité, le châssis ou ce qui sert de masse a une certaine impédance non nulle qui augmente avec la fréquence. Par conséquent, si les courants de masse en alternatif du dernier étage parviennent à un étage antérieur *via* une partie du châssis, la réaction positive indésirable peut causer des oscillations.

Pour régler le problème des boucles de masse, bien concevoir les étages pour empêcher les courants de masse en alternatif d'atteindre les étages antérieurs *via* des chaînes de masse. Pour cela, on peut n'utiliser qu'*un* point de masse (fig. 20-24). Alors il ne peut y avoir de différence de potentiel entre deux points de masse puisqu'il n'y a qu'un point de masse.

DÉCOUPLAGE DES ALIMENTATIONS

Prendre garde à l'inductance du conducteur entre l'alimentation et le dispositif (fig. 20-25). La grande inductance d'un long conducteur provoque une réaction de courant à haute fréquence. On règle ce problème en montant un gros condensateur *de découplage* entre les bornes du dispositif (fig. 20-25).

Il faut presque toujours découpler les alimentations des CI. Selon le CI, pour empêcher les oscillations, monter un condensateur de découplage allant de 0,1 μF à plus d'1 μF, le plus près possible du CI.

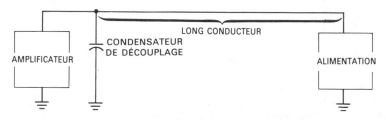

Fig. 20-25. *Le condensateur de découplage empêche la réaction de courant causée par le long conducteur entre l'alimentation et le dispositif.*

OSCILLATIONS PARASITES

Les petites capacités des transistors et les inductances des conducteurs réparties dans un dispositif peuvent former un oscillateur Colpitts ou Hartley aléatoire. Les oscillations résultantes sont dites *parasites*. Habituellement, ces oscillations surviennent à une très haute fréquence et sont de faible amplitude parce que la réaction est faible. Sous leur action, les dispositifs se comportent de façon erratique : les oscillateurs produisent plusieurs fréquences, les amplificateurs opérationnels ont un décalage beaucoup trop grand, les alimentations ont une ondulation inexplicable, les amplificateurs produisent des signaux déformés et les afficheurs fabriquent de la neige. Selon le bon vieux truc de dépannage, toucher les parties basse tension du dispositif suspectées d'avoir des oscillations haute fréquence. Si le dérangement disparaît, on a presque certainement des oscillations parasites.

La solution ? On peut bien sûr laisser son doigt en permanence dans le dispositif ou on peut diminuer la réaction qui cause les oscillations parasites. Pour cela, on peut, par exemple, monter de *petites résistances* dans les conducteurs des bases des transistors. On peut aussi enfiler une *perle de ferrite* sur chaque conducteur de base. Dans les deux cas, on réduit suffisamment le taux de réaction ou le déphasage pour supprimer les oscillations parasites.

AMPLIFICATEURS A CONTRE-RÉACTION OU RÉACTION NÉGATIVE

La figure 20-26 *a* représente un amplificateur à contre-réaction à trois étages. Dans la bande médiane de l'amplificateur interne le déphasage est de 180° en raison du nombre impair d'étages inverseurs; donc le déphasage le long de la boucle entière est de 180° et la réaction est négative.

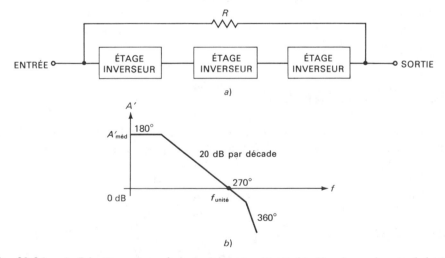

Fig. 20-26. a) *Réaction autour de trois étages inverseurs.* b) *Un réseau de retard dominant empêche toute oscillation.*

Mais à l'extérieur de la bande médiane les réseaux internes de retard des étages produisent des déphasages additionnels. Voilà pourquoi, à une haute fréquence, le déphasage le long de la boucle est de 0° et la réaction devient positive. Autrement dit, l'amplificateur représenté à la figure 20-26 *a* se comporte comme un oscillateur à déphasage utilisant des réseaux de retard. A une haute fréquence, les trois réseaux de retard peuvent produire un déphasage de 180° (60° chacun si les réseaux sont identiques).

La seule façon d'empêcher les oscillations à l'extérieur de la bande médiane est de rendre le gain de boucle *AB* inférieur à 1 lorsque le déphasage est nul. La méthode la plus sûre et la plus répandue consiste à rendre un des réseaux de retard assez dominant pour produire une décroissance de 20 dB par décade jusqu'à ce que le gain de boucle coupe l'axe d'ordonnée de 0 dB. Une pente de − 20 dB par décade au point d'intersection avec l'axe horizontal entraîne qu'un seul réseau de retard fonctionne au-delà de sa fréquence de coupure ; tous les autres fonctionnent encore au-dessous de la coupure. Donc, le déphasage de boucle est d'environ 27° à $f_{\text{unité}}$, ce qui empêche toute oscillation.

La figure 20-26 *b* illustre le principe d'un réseau de retard dominant. Dans la bande médiane le gain est élevé et le déphasage de 180°. Le réseau de retard d'un étage domine. Donc, le gain se casse à une basse fréquence et décroît à la vitesse de 20 dB par décade. Une décade au-dessus de cette fréquence le déphasage est de 270° et demeure à environ 270° jusqu'à ce que le gain coupe l'axe horizontal à $f_{\text{unité}}$. On ne peut avoir d'oscillations au-delà de ce point parce que le gain de boucle est inférieur à 1.

Dans le cas des amplificateurs opérationnels monolithiques, le réseau de retard dominant est habituellement intégré sur la puce et fournit automatiquement la décroissance de vitesse de 20 dB par décade jusqu'à atteinte de $f_{\text{unité}}$. Le 741, par exemple, comporte un condensateur de compensation de 30 pF faisant partie d'un réseau de retard de Miller ; le gain se casse à 10 Hz et décroît à la vitesse de 20 dB par décade jusqu'à atteinte de $f_{\text{unité}}$ d'1 MHz.

Dans le cas des amplificateurs opérationnels non compensés comme le 709, il faut ajouter des résistances et des condensateurs externes pour obtenir cette décroissance de 20 dB par décade. La fiche signalétique du fabricant précise les résistances et les condensateurs à utiliser.

20.8. MINUTERIE 555

La *minuterie* 555 combine un oscillateur à relaxation, deux comparateurs, une bascule *RS* et un transistor à décharge. Les applications de ce CI sont si nombreuses qu'il est devenu un classique industriel. Comprenez son fonctionnement et vous joindrez les rangs des nombreux concepteurs qui découvrent sans cesse de nouvelles utilisations pour cet étonnant CI.

BASCULE *RS*

La figure 20-27 *a* représente deux transistors couplés en croix. Chaque collecteur attaque la base opposée *via* une résistance R_B. Un transistor est saturé et l'autre

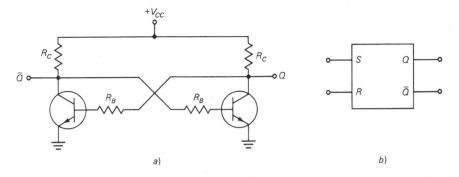

Fig. 20-27. a) *Partie d'une bascule RS.* b) *Symbole d'une bascule RS.*

bloqué. Si le transistor de droite est saturé, sa tension collecteur est presque nulle. Donc le transistor de gauche est bloqué, puisque sa base n'est pas attaquée, et sa tension collecteur tend vers $+ V_{CC}$. Le courant base produit par cette haute tension sature le transistor de droite.

Si le transistor de droite est bloqué, alors sa tension collecteur sature le transistor de gauche. La basse tension collecteur du transistor de gauche bloque le transistor de droite.

Selon le transistor saturé, la sortie Q est au niveau bas ou au niveau haut. L'ajout de composants à ce circuit donne une *bascule RS*, un dispositif qui peut mettre la sortie Q au niveau haut ou la remettre au niveau bas. Le collecteur de l'autre transistor offre une sortie $\bar{Q}$ complémentaire (opposée).

La figure 20-27 *b* représente le symbole graphique d'une bascule *RS*. Lorsque vous verrez ce symbole, rappelez-vous que ce dispositif est verrouillé dans un de ses deux états ou niveaux. Une entrée S au niveau haut met Q au niveau haut; une entrée R au niveau haut remet Q au niveau bas. La sortie Q reste au niveau donné jusqu'à ce qu'elle soit basculée au niveau opposé.

NOTION FONDAMENTALE SUR LE MINUTAGE

La figure 20-28 *a* illustre quelques notions fondamentales, essentielles pour l'étude ci-dessous de la minuterie 555. Supposons que la sortie Q est au niveau haut. Cela sature le transistor et met la tension du condensateur au niveau de la masse. Autrement dit, le condensateur est court-circuité et ne peut se charger.

On appelle la tension d'entrée non inverseuse du comparateur la tension *de seuil* et la tension d'entrée inverseuse la tension *de commande*. La bascule *RS* étant au niveau haut, le transistor saturé maintient la tension de seuil à 0. Le diviseur de tension fixe la tension de commande à $+ 10$ V.

Supposons qu'on applique une haute tension à l'entrée R. Alors la bascule *RS* passe au niveau bas et bloque le transistor. Le condensateur C se charge. La tension de seuil augmente à mesure que le condensateur se charge. Finalement, la tension de seuil dépasse légèrement la tension de réglage ($+ 10$ V). La sortie du comparateur passe au niveau haut, ce qui met de force la bascule *RS* au niveau haut. La sortie Q au niveau haut sature le transistor et le condensateur se décharge rapidement. Remarquer les deux signaux représentés à la figure 20-28 *b*. La tension

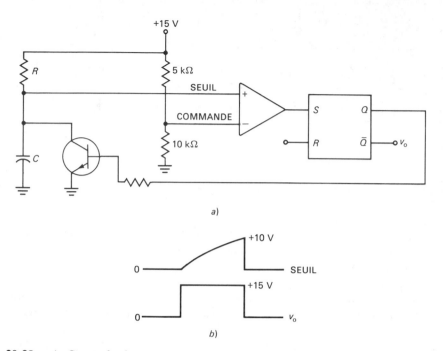

a)

b)

Fig. 20-28. a) *Circuit fondamental de minutage.* b) *la tension entre les bornes du condensateur est exponentielle et la tension de sortie est rectangulaire.*

entre les bornes du condensateur croît exponentiellement et une impulsion croissante positive apparaît à la sortie $\bar{Q}$.

SCHÉMA FONCTIONNEL DU 555

La figure 20-29 représente un schéma fonctionnel d'une minuterie NE555, une minuterie intégrée à 8 broches de la société Signetics Corporation. Remarquer que le comparateur du haut a une entrée de seuil (broche 6) et une entrée de commande (broche 5). Dans la plupart des applications, on n'utilise pas l'entrée de commande; alors la tension de commande égale $+2\,V_{CC}/3$. Comme auparavant, lorsque la tension de seuil dépasse la tension de commande, la sortie du comparateur de niveau haut met la bascule au niveau haut.

Le collecteur du transistor à décharge est relié à la broche 7. Lorsque cette broche est raccordée à un condensateur externe de minutage, la sortie Q de niveau haut de la bascule sature le transistor et décharge le condensateur. Lorsque Q est au niveau bas, le transistor s'ouvre et le condensateur se charge comme nous l'avons décrit.

Le signal complémentaire de sortie de la bascule passe à la broche 3, la sortie externe de remise au niveau bas (broche 4) est mise à la masse, le dispositif est inhibé (il ne peut fonctionner). Cette caractéristique marche-arrêt est parfois utile. Toutefois, dans la plupart des applications, on n'utilise pas la remise au niveau bas externe et la broche 4 est directement raccordée à l'alimentation en tension.

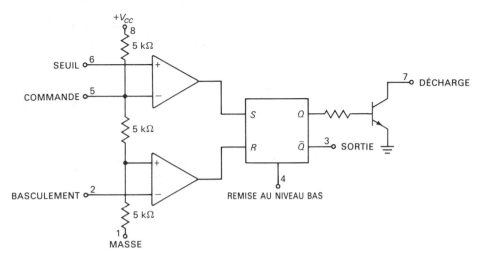

Fig. 20-29. *Schéma simplifié de principe de la minuterie 555.*

Remarquer le comparateur du bas. On appelle son entrée inverseuse l'entrée *de basculement* (broche 2). En raison du diviseur de tension, l'entrée non inverseuse a une tension fixe de $+ V_{CC}/3$. Lorsque la tension d'entrée de basculement est légèrement inférieure à $+ V_{CC}/3$, la sortie de l'amplificateur opérationnel passe au niveau haut et remet la bascule au niveau bas.

Finalement, la broche 1 est la masse de la puce et la broche 8 est la broche d'alimentation. La minuterie 555 fonctionne avec une tension d'alimentation comprise entre 4,5 et 16 V.

FONCTIONNEMENT EN MULTIVIBRATEUR MONOSTABLE

La figure 20-30 *a* représente une minuterie 555 connectée en multivibrateur *monostable*. Voici son mode de fonctionnement. Lorsque l'entrée de basculement est légèrement inférieure à $+ V_{CC}/3$, la sortie de niveau haut du comparateur du bas remet la bascule au niveau bas. Cela bloque le transistor et permet au condensateur de se charger. Lorsque la tension entre les bornes du condensateur est légèrement supérieure à $+ V_{CC}/3$, la sortie de niveau haut du comparateur du haut met la bascule au niveau haut. Le transistor conduit dès que Q passe au niveau haut; le condensateur se décharge rapidement.

La figure 20-30-*b* représente les signaux typiques. L'entrée de basculement est une impulsion étroite. Sa valeur de repos égale $+ V_{CC}$. L'impulsion doit chuter au-dessous de $+ V_{CC}/3$ pour remettre la bascule au niveau bas et permettre au condensateur de se charger. Lorsque la tension de seuil dépasse légèrement $+ 2 V_{CC}/3$, la bascule passe au niveau haut; cela sature le transistor, décharge le condensateur et donne une impulsion rectangulaire de sortie.

Le condensateur doit se charger *via* la résistance R. Plus la constante de temps RC est grande, plus le temps que met la tension entre les bornes du condensateur pour atteindre $+ 2 V_{CC}/3$ est grand. Autrement dit, la constante de

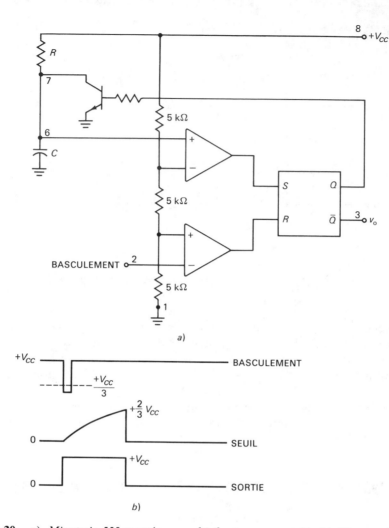

Fig. 20-30. a) *Minuterie 555 montée en multivibrateur monostable.* b) *Signaux de bascule-ment, de sortie et de seuil.*

temps *RC* commande la largeur de l'impulsion de sortie. Selon l'appendice 1, la largeur d'impulsion *

$$W = 1,1\ RC \tag{20-20}$$

Si $R = 22\ k\Omega$ et $C = 0,068\ \mu F$, alors

$$W = 1,1\ (22\ k\Omega)\ (0,068\ \mu F) = 1,65\ ms$$

Normalement, on ne représente pas les comparateurs, la bascule et les autres composants internes d'une minuterie 555 sur un schéma de principe. On utilise plutôt le schéma de principe de la minuterie monostable 555 représenté à la figure 20-31. Seuls les broches et les composants externes apparaissent. Remarquer que la broche 5 (commande) est découplée à la masse *via* un petit condensateur de

_____
* N.d.T. *W* est mis pour *Width* (largeur).

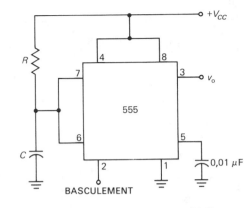

Fig. 20-31. *Minuterie 555 connectée en multivibrateur monostable.*

capacité typique égale à 0,01 μF destiné à filtrer le bruit de la tension de commande.

Rappelons que la mise à la masse de la broche 4 inhibe la minuterie 555. Pour éviter une remise au niveau bas accidentelle, on relie habituellement la broche 4 à l'alimentation en tension (fig. 20-31).

En résumé, la minuterie monostable 555 produit une seule impulsion de largeur déterminée par les composants externes R et C (fig. 20-31). L'impulsion commence avec le flanc antérieur de l'entrée négative de basculement. Les applications de la minuterie montée en multivibrateur monostable sont nombreuses, comme vous le constaterez dans vos études ultérieures.

FONCTIONNEMENT EN MULTIVIBRATEUR ASTABLE

La figure 20-32 a représente la minuterie 555 connectée en multivibrateur *astable* ou *relaxé*. Lorsque Q est au niveau bas, le transistor est bloqué et le condensateur se charge *via* une résistance totale $R_A + R_B$. Donc, la constante de temps de charge égale $(R_A + R_B)C$. La tension de seuil augmente à mesure que le condensateur se charge. Finalement, la tension de seuil dépasse $+ 2 V_{CC}/3$; alors la sortie de niveau haut du comparateur du haut met la bascule au niveau haut. Q étant de niveau haut, le transistor se sature et met la broche 7 à la masse. Alors le condensateur se décharge *via* R_B. Donc, la constante de temps de décharge égale $R_B C$. Lorsque la tension entre les bornes du condensateur chute légèrement au-dessous de $+ V_{CC}/3$, la sortie de niveau haut du comparateur du bas remet la bascule au niveau bas.

La figure 20-32 b représente les signaux. La montée et la descente de tension entre les bornes du condensateur de minutage sont exponentielles. La tension de sortie est rectangulaire. Comme la constante de temps de charge est supérieure à la constante de temps de décharge, la sortie n'est pas symétrique : elle reste plus longtemps au niveau haut qu'au niveau bas.

Le *coefficient d'utilisation D* * exprime l'asymétrie de la sortie. Par définition,

$$D = \frac{W}{T} \times 100\,\% \qquad (20\text{-}21)$$

---

* N.d.T. D est mis pour *Duty cycle* (coefficient d'utilisation).

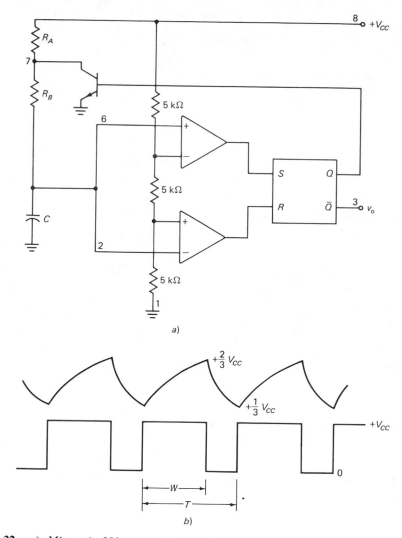

a)

b)

Fig. 20-32. a) *Minuterie 555 connectée en multivibrateur astable.* b) *Signal entre les bornes du condensateur et signal de sortie.*

Si $W = 2$ ms et $T = 2,5$ ms, alors

$$D = \frac{2 \text{ ms}}{2,5 \text{ ms}} \times 100\,\% = 80\,\%$$

Le coefficient d'utilisation est une fonction des résistances R_A et R_B. Il est compris entre 50 % et 100 %.

Selon les équations de charge et de décharge résolues à l'appendice 1, la fréquence de sortie égale

$$f = \frac{1,44}{(R_A + 2\,R_B)\,C} \tag{20-22}$$

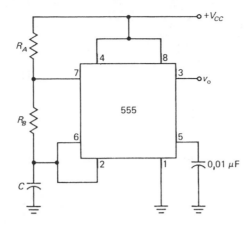

Fig. 20-33 *Minuterie 555 connectée en multivibrateur astable*

et le coefficient d'utilisation égale

$$D = \frac{R_A + R_B}{R_A + 2\,R_B} \times 100\,\% \qquad (20\text{-}23)$$

Si R_A est beaucoup plus petit que R_B, le coefficient d'utilisation tend vers 50 %.

La figure 20-33 représente le schéma de principe habituel d'une minuterie astable 555. Remarquer de nouveau le raccordement de la broche 4 (remise au niveau bas) à l'alimentation en tension et le découplage à la masse de la broche 5 (commande) *via* le condensateur de 0,01 μF. On appelle souvent une minuterie astable 555 un multivibrateur relaxé parce qu'il produit un train continu d'impulsions rectangulaires.

OSCILLATEUR A FRÉQUENCE RÉGLÉE PAR VARIATION DE TENSION

La figure 20-34 *a* représente un oscillateur *à fréquence réglée par variation de tension,* une application d'une minuterie 555. On appelle parfois ce dispositif un convertisseur tension-fréquence parce que la tension d'entrée fait varier la fréquence de sortie. Voici son mode de fonctionnement. Rappelons que la broche 5 (commande) est raccordée à l'entrée inverseuse du comparateur du haut. Normalement, la tension de commande égale $+\,2\,V_{CC}/3$ en raison du diviseur interne de tension. Toutefois, dans le circuit représenté à la figure 20-34 *a,* la tension provenant d'un potentiomètre externe a préséance sur la tension interne. Autrement dit, on fait varier la tension de commande en réglant le potentiomètre.

La figure 20-34 *b* représente la tension entre les bornes du condensateur de minutage. Remarquer qu'elle varie entre $+\,V_{\text{commande}}/2$ et $+\,V_{\text{commande}}$. Si l'on augmente V_{commande}, les temps de charge et de décharge du condensateur sont plus grands ; aussi la fréquence diminue-t-elle. Conclusion : on fait varier la fréquence de l'oscillateur en faisant varier la tension de commande.

La tension de commande provient d'un potentiomètre ou bien elle est la sortie d'un transistor, d'un amplificateur opérationnel ou encore de tout autre dispositif.

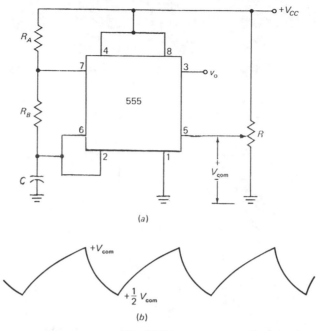

(a)

(b)

Fig. 20-34
a) *Oscillateur commandé en tension.*
b) *Signal entre les bornes du condensateur de minutage.*

L'oscillateur à verrouillage de phase est une des plus intéressantes applications de l'oscillateur à fréquence réglée par variation de tension.

GÉNÉRATEUR DE DENTS DE SCIE OU DE RAMPES

Voici une autre application de la minuterie 555. La charge d'un condensateur *via* une résistance produit un signal exponentiel. Si on charge un condensateur à l'aide d'une source à courant constant, on obtient une *dent de scie* ou *rampe*. Le circuit représenté à la figure 20-35 *a* repose sur ce principe. Nous avons remplacé la résistance des circuits précédents par un transistor *PNP* source de courant qui produit un courant constant de charge

$$I_C = \frac{V_{CC} - V_E}{R_E} \qquad (20\text{-}24)$$

avec

$$V_E = \frac{R_2}{R_1 + R_2} \, V_{CC} + V_{BE} \qquad (20\text{-}25)$$

Si $V_{CC} = 15$ V, $R_E = 20$ kΩ, $R_1 = 5$ kΩ, $R_2 = 10$ kΩ et $V_{BE} = 0,7$ V, alors

$$V_E = 10 \text{ V} + 0,7 \text{ V} = 10,7 \text{ V}$$

et

$$I_C = \frac{15 \text{ V} - 10,7 \text{ V}}{20 \text{ k}\Omega} = 0,215 \text{ mA}$$

Lorsqu'une entrée de basculement amorce la minuterie monostable 555 représentée à la figure 20-35 *a,* le transistor *PNP* source de courant force un courant constant de charge dans le condensateur. Par conséquent, la tension entre les bornes du condensateur est une rampe ou dent de scie (fig. 20-35 *b*). Comme nous l'avons vu au chapitre 18, la pente * de la rampe ou dent de scie égale

$$S = \frac{I}{C} \qquad (20\text{-}26)$$

Si le courant de charge égale 0,215 mA et la capacité 0,022 μF, la pente de la rampe ou dent de scie égale

$$S = \frac{0,215 \text{ mA}}{0,022 \ \mu\text{F}} = 9,77 \text{ V/ms}$$

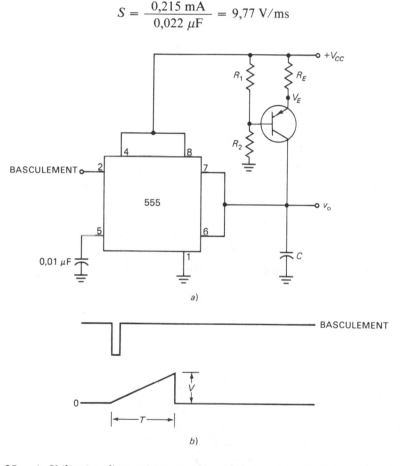

a)

b)

Fig. 20-35. a) *Utilisation d'une minuterie 555 et d'un transistor bipolaire source de courant pour produire une tension de sortie en rampes ou dents de scie.* b) *Signal de basculement et signal en rampes ou dents de scie.*

---

* N.d.T. *S* est mis pour *Slope* (pente).

PROBLÈMES

Simples

20-1.   La figure 20-36 *b* représente la caractéristique de la lampe de l'oscillateur à pont de Wien représenté à la figure 20-36 *a*. Calculer la tension de sortie.

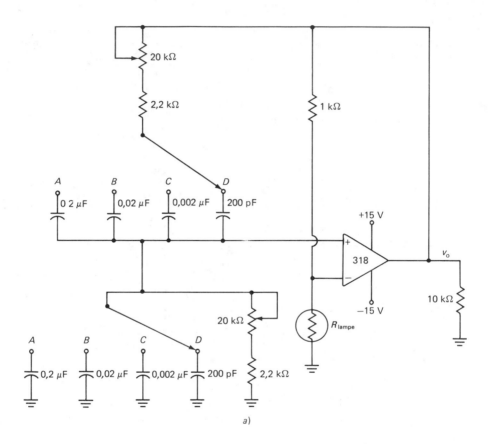

a)

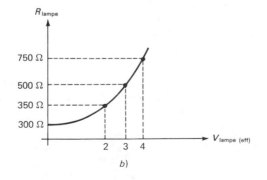

b)

Fig. 20-36.

20-2. Soit l'oscillateur représenté à la figure 20-36 *a*. La position *D* donne la gamme maximale de fréquence de l'oscillateur. On fait varier la fréquence à l'aide des rhéostats jumelés. Calculer les fréquences minimale et maximale d'oscillation sur cette gamme.

20-3. Calculer les fréquences minimale et maximale d'oscillation pour chaque position du commutateur jumelé de l'oscillateur représenté à la figure 20-36 *a*.

20-4. Que changer pour que la tension efficace de sortie de l'oscillateur représenté à la figure 20-36 *a* passe à 6 V ?

20-5. Soit l'oscillateur représenté à la figure 20-36 *a*. Calculer la fréquence de coupure de l'amplificateur à contre-réaction sachant qu'elle est au moins supérieure d'une décade à la fréquence maximale d'oscillation.

20-6. Soit l'oscillateur en filtre à double T représenté à la figure 20-9. On donne $R = 100$ kΩ et $C = 0,01$ μF. Calculer la fréquence d'oscillation.

20-7. Soit l'oscillateur représenté à la figure 20-37. Calculer le courant continu approximatif émetteur et la tension continue collecteur-émetteur.

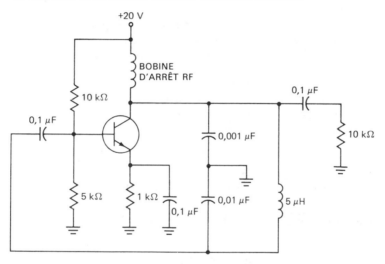

Fig. 20-37.

20-8. Soit l'oscillateur représenté à la figure 20-37. Calculer la fréquence approximative d'oscillation, *B* et *A* minimal pour que l'oscillateur s'amorce.

20-9. On modifie l'oscillateur représenté à la figure 20-37 pour que l'amplificateur soit à base commune. Calculer le taux de réaction.

20-10. Soit l'oscillateur Hartley représenté à la figure 20-17 *b*. On donne $L_1 = 1$ μH et $L_2 = 0,2$ μH. Calculer le taux de réaction.

20-11. La fréquence fondamentale d'un cristal est de 5 MHz. Calculer la fréquence approximative du premier, du deuxième et du troisième harmoniques.

20-12. On réduit l'épaisseur *t* d'un cristal d'1 %. Que devient la fréquence ?

20-13. Soit le circuit équivalent en courant alternatif d'un cristal tel que $L = 1$ H, $C_s = 0,01$ pF, $R = 1000$ Ω et $C_m = 20$ pF.
a. Calculer la fréquence de résonance série.
b. Calculer le facteur de qualité *Q* à cette fréquence.

20-14. Soit une minuterie 555 montée en multivibrateur monostable. Supposer que $R = 10$ kΩ et $C = 0,022$ μF. Calculer la largeur de l'impulsion de sortie.

20-15. Soit une minuterie 555 montée en multivibrateur astable. On donne $R_A = 10$ kΩ, $R_B = 2$ kΩ et $C = 0,0047$ μF. Calculer la fréquence de sortie et le coefficient d'utilisation.

De dépannage

20-16. Dire si la tension de sortie de l'oscillateur à pont de Wien, représenté à la figure 20-36 *a,* augmente, diminue ou demeure la même pour chaque dérangement suivant :
  a. lampe ouverte;
  b. lampe court-circuitée;
  c. potentiomètre de 20 kΩ du haut court-circuité;
      tensions d'alimentation inférieures de 20 %;
  e. résistance de 10 kΩ ouverte.

20.17. L'oscillateur Colpitts représenté à la figure 20-37 ne s'amorce pas. Citer au moins trois dérangements possibles.

20-18. On a conçu et construit un amplificateur. Il amplifie un signal d'entrée, mais l'oscillogramme de la sortie est flou. Lorsqu'on touche le circuit le flou disparaît en laissant un signal parfait. Citer le dérangement et son remède.

20-19. L'oscillateur à fréquence réglée par variation de tension représenté à la figure 20-34 *a* produit une sortie de fréquence de 20 kHz. Lorsqu'on déplace le curseur, la fréquence de sortie reste à 20 kHz. Trouver la (les) cause(s) possible(s) de ce dérangement parmi les suivantes :
  a. petite tension d'alimentation;
  b. broche 1 ouverte;
  c. broche 4 mise à la masse;
  d. CI défectueux;
  e. le potentiomètre court-circuité V_{CC} à la masse.

De conception

20-20. Concevoir un oscillateur à pont de Wien, semblable à celui représenté à la figure 20-36 *a,* à trois gammes de fréquence d'une décade allant de 20 Hz à 20 kHz et à tension efficace de sortie de 5 V.

20-21. Soit l'oscillateur représenté à la figure 20-37. Choisir une inductance L pour obtenir une fréquence d'oscillation de 2,5 MHz.

20-22. Concevoir une minuterie 555 qui fonctionne librement à la fréquence d'1 kHz et à un coefficient d'utilisation de 75 %.

20-23. Soit le circuit représenté à la figure 20-35 *a.* Supposer que $V_{CC} = 15$ V et choisir les résistances et le condensateur qui produisent une rampe de 10 V en 5 μs.

De défi

20-24. La figure 20-38 représente un oscillateur à déphasage à amplificateur opérationnel. Supposer que $f_{2CL} = 1$ kHz. Calculer le déphasage total des deux réseaux de retard et la fréquence d'oscillation.

20-25. Soit l'oscillateur à cristal représenté à la figure 20-39. Le condensateur d'accord tire la fréquence du cristal. Que faut-il entendre par là ? Décrire comment le condensateur d'accord tire la fréquence.

20-26. Soit le circuit représenté à la figure 20-40. Calculer la fréquence de sortie et la largeur d'impulsion lorsque R égale successivement 33 kΩ, 47 kΩ et 68 kΩ.

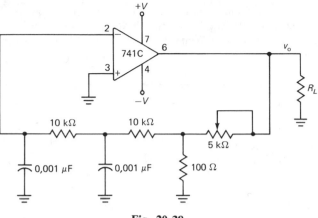

Fig. 20-38.

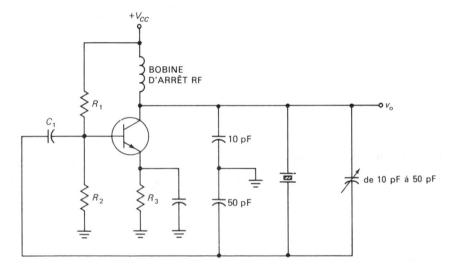

Fig. 20-39.

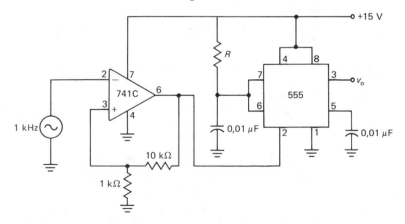

Fig. 20-40.

20-27. Soit le circuit représenté à la figure 20-41. Le niveau du signal d'1 kHz est réglé pour obtenir un coefficient d'utilisation de 90 % à la sortie de la bascule de Schmitt. Calculer la fréquence et la pente de sortie lorsque R égale successivement 10 kΩ, 22 kΩ et 33 kΩ.

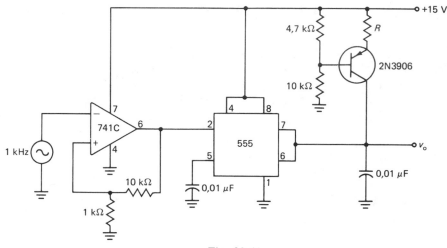

Fig. 20-41.

A résoudre par ordinateur

20-28. La fonction arithmétique ATN(x) donne l'arctangente (en radians) de x. Pour obtenir l'arctangente en degrés, multiplier ATN(x) par 57,29578. Soit le programme

10 PRINT "INTRODUIRE R" : INPUT R
20 PRINT "INTRODUIRE XC" : INPUT XC
30 Y = 57.29578 * ATN(XC/R)
40 PRINT Y; "DEGRÉS"

Qu'affichera l'écran si $X_C/R = 1$?

20-29. Ecrire un programme qui affiche 200 valeurs de ϕ de la formule (20-2). Les 100 premières valeurs devront correspondre à X_C/R variant de 0,01 à 1 par pas de 0,01 ; les 100 valeurs suivantes devront correspondre à R/X_C variant de 0,01 à 1 par pas de 0,01.

20-30. Ecrire un programme qui calcule la fréquence d'oscillation d'un oscillateur à pont de Wien, d'un oscillateur à filtre à double T, d'un oscillateur Colpitts et d'un oscillateur Clapp. Utiliser un menu.

20-31. Ecrire un programme qui calcule la fréquence et le coefficient d'utilisation d'une minuterie astable 555.

Thyristors

Un *thyristor* est un semiconducteur à quatre couches à réaction interne pour produire le basculement. A la différence des transistors bipolaires et des FET qui fonctionnent comme des amplificateurs linéaires et comme des interrupteurs, les thyristors ne fonctionnent que comme des interrupteurs. Leur principale fonction est de commander les grands courants de charge des moteurs, des réchauffeurs, des systèmes d'éclairage et d'autres dispositifs semblables. Le mot « thyristor » vient du grec et signifie « porte ».

21.1. BASCULE IDÉALE

Pour expliquer le fonctionnement de tous les thyristors, considérons la *bascule* idéale représentée à la figure 21-1 *a*. Remarquons que le transistor Q_1 du haut est un transistor *PNP* et celui Q_2 du bas un transistor *NPN*. Le collecteur de Q_1 attaque la base de Q_2 et le collecteur de Q_2 la base de Q_1.

RÉGÉNÉRATION

Le résultat du raccordement inhabituel représenté à la figure 21-1 *a* est une réaction positive aussi appelée *régénération*. Toute variation du courant en un point

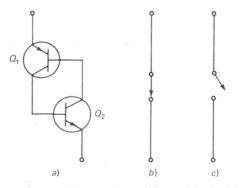

Fig. 21-1.   a) *Bascule à transistors.* b) *Bascule fermée.* c) *Bascule ouverte.*

quelconque de la boucle est amplifiée et réinjectée au point de départ avec la même phase. Si, par exemple, le courant base de Q_2 augmente, le courant collecteur de Q_2 augmente. Donc, le courant base de Q_1 augmente et par conséquent un plus grand courant collecteur de Q_1 attaque la base de Q_2 plus durement. Cette croissance des courants continue jusqu'à la saturation des deux transistors. Alors la bascule se comporte comme un interrupteur fermé (fig. 21-1 *b*).

Par ailleurs, si pour une raison quelconque le courant base de Q_2 diminue, le courant collecteur de Q_2 diminue, le courant base de Q_1 diminue, le courant collecteur de Q_1 diminue, ce qui diminue encore davantage le courant base de Q_2. Cette régénération se poursuit jusqu'au blocage des deux transistors. Alors la bascule se comporte comme un interrupteur ouvert (fig. 21-1 *c*).

La bascule est un dispositif à deux états. Elle est ouverte ou fermée. Elle restera indéfiniment dans chaque état. Si elle est fermée, elle le restera jusqu'à ce que quelque chose diminue les courants. Si elle est ouverte, elle le restera jusqu'à ce que quelque chose augmente les courants.

DÉCLENCHEMENT *

On ferme la bascule par déclenchement, en appliquant une tension de polarisation directe à l'une des bases. La figure 21-2 *a* représente une impulsion de déclenchement (une impulsion acérée) attaquant la base de Q_2. Supposons que la bascule est ouverte avant l'instant que représente le point *A*. Alors la tension d'alimentation apparaît entre les bornes de la bascule ouverte (fig. 21-2 *b*) et le point de fonctionnement est à l'extrémité inférieure ou abscisse à l'origine de la droite de charge (fig. 21-2 *d*).

A l'instant que représente le point *A*, l'impulsion de déclenchement polarise momentanément la base de Q_2 en direct. Un courant collecteur de Q_2 apparaît soudainement et force un courant base à travers Q_1. Le courant collecteur de Q_1 qui s'ensuit attaque plus durement la base de Q_2. Puisque le collecteur de Q_1 fournit maintenant le courant base de Q_2, l'impulsion de déclenchement n'est plus nécessaire. Une fois la régénération amorcée elle s'entretient elle-même et sature les deux transistors. On appelle le courant minimal d'entrée nécessaire pour amorcer la commutation de régénération le *courant de déclenchement*.

Lorsqu'ils sont saturés, idéalement, les deux transistors ressemblent à des courts-circuits et la bascule est fermée (fig. 21-2 *c*). La tension idéale entre les bornes de la bascule fermée est nulle et le point de fonctionnement est à l'extrémité supérieure ou ordonnée à l'origine de la droite de charge (fig. 21-2 *d*).

RETOURNEMENT

On peut aussi fermer la bascule par *retournement*. Pour cela, utiliser une assez grande tension d'alimentation V_{CC} pour plonger chaque diode collecteur en région de claquage. Dès le début du claquage, le courant sort d'un des collecteurs et attaque l'autre base. Cela revient à appliquer une impulsion de déclenchement à

---

* N.d.T. La littérature technique utilise indifféremment les termes synonymes : *commande, déclenchement* et *amorçage*.

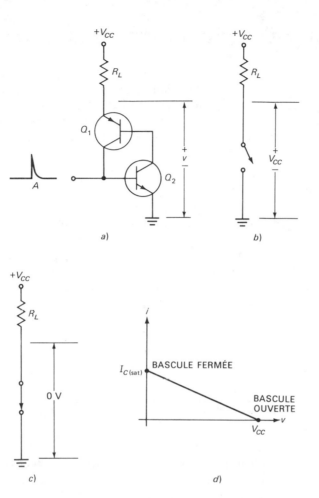

Fig. 21-2. a) *L'impulsion de déclenchement de polarisation directe a fermé la bascule.* b) *La tension d'alimentation apparaît entre les bornes de la bascule ouverte.* c) *Tension nulle entre les bornes de la bascule fermée.* d) *Droite de charge.*

la base. Bien qu'il commence avec le claquage d'une des diodes collecteur, le retournement prend fin lorsque les deux transistors sont saturés. Voilà pourquoi on utilise le terme retournement au lieu de claquage pour décrire ce type de fermeture de bascule.

DÉCROCHAGE PAR PETIT COURANT

Comment ouvrir une bascule idéale ? On peut le faire en annulant le courant de charge. Alors les transistors sortent de la saturation et reviennent de force à l'état ouvert. Dans le circuit représenté à la figure 21-2 *a,* par exemple, on peut ouvrir la résistance de charge. On peut aussi annuler la tension V_{CC}. Dans les deux cas, une bascule fermée s'ouvre de force. On appelle ce type d'ouverture le *décrochage par petit courant* puisqu'il réduit le courant de bascule à une petite valeur.

DÉCLENCHEMENT PAR POLARISATION INVERSE

On peut aussi ouvrir une bascule en appliquant une *impulsion de déclenchement de polarisation inverse* au circuit représenté à la figure 21-2 *a*. Lorsqu'on applique une impulsion négative de déclenchement au lieu d'une positive, le courant base de Q_2 diminue. Cela force le courant base de Q_1 à diminuer. Puisque le courant collecteur de Q_1 diminue lui aussi, la régénération bloque rapidement les deux transistors, ce qui ouvre la bascule.

CONCLUSION

Le résumé suivant permet de comprendre le fonctionnement des différents thyristors.
1. On ferme une bascule idéale par application d'une impulsion de déclenchement de polarisation directe ou par retournement;
2. On ouvre une bascule idéale par application d'une impulsion de déclenchement de polarisation inverse ou par décrochage par petit courant.

21.2. DIODES A QUATRE COUCHES

La figure 21-3 *a* représente une diode *à quatre couches* (aussi appelée diode Shockley). C'est une diode, parce qu'elle n'a que deux conducteurs externes. En raison de ses quatre régions dopées on l'appelle souvent une diode *PNPN*. La façon la plus simple de comprendre son fonctionnement est de l'imaginer divisée en deux moitiés (fig. 21-3 *b*). La moitié gauche est un transistor *PNP* et la moitié droite un transistor *NPN*. La diode à quatre couches équivaut donc à la bascule représentée à la figure 21-3 *c*.

Puisqu'il n'y a pas d'entrées de déclenchement, la seule façon de fermer une diode à quatre couches est par retournement et la seule façon de l'ouvrir est par décrochage par petit courant. Dans le cas d'une diode à quatre couches, il n'est pas nécessaire d'annuler le courant pour ouvrir la bascule. Les transistors internes d'une diode à quatre couches sortent de la saturation lorsque le courant est réduit à une petite valeur appelée le courant *hypostatique* ou *de maintien* *. La figure 21-3 *d* représente le symbole graphique d'une diode à quatre couches.

Après retournement, la tension entre les bornes d'une diode à quatre couches chute à une petite valeur qui dépend du courant.

La figure 21-3 *e* représente la variation du courant d'une diode à quatre couches 1N5158 en fonction de la tension. Remarquer que la tension augmente en fonction du courant qui traverse la diode : 1 V à 0,2 A, 1,5 V à 0,95 A, 2 V à 1,8 A, etc.

---

* N.d.T. De symbole I_{Ho}, *Ho* étant mis pour *Holding* (maintien).

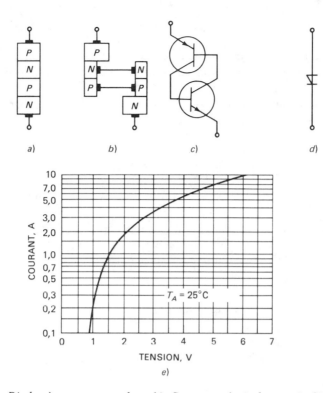

Fig. 21-3. a) *Diode à quatre couches.* b) *Structure équivalente.* c) *Circuit équivalent.* d) *Symbole graphique.* e) *Exemple de caractéristique du courant qui traverse une diode à quatre couches en fonction de la tension entre ses bornes.*

EXEMPLE 21-1

La tension de retournement* de la diode 1N5158 représentée à la figure 21-4 *a* est de 10 V. Supposer que la diode ne conduit pas, qu'on augmente la tension d'entrée jusqu'à + 5 V, et calculer le courant de diode. Supposer qu'on augmente la tension d'entrée jusqu'à + 15 V, et calculer le courant de diode. (Utiliser une chute approximative de diode d'1 V).

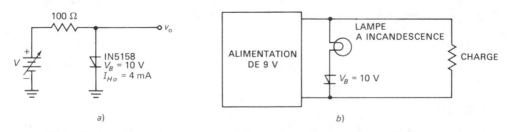

Fig. 21-4. a) *Circuit à 1N5158.* b) *Diode à quatre couches servant de détecteur de surtension.*

* N.d.T. De symbole V_B, B étant mis pour *Breakover* (retournement).

SOLUTION

Comme la diode est initialement bloquée, la seule façon de la faire conduire est de dépasser sa tension de retournement. L'élévation de l'entrée jusqu'à + 5 V n'a aucun effet sur la diode qui demeure ouverte. Lorsqu'on augmente la tension d'entrée jusqu'à + 15 V, la diode à quatre couches se retourne et se ferme. Puisque la chute est d'environ 1 V, le courant de diode égale

$$I \cong \frac{15 \text{ V} - 1 \text{ V}}{100 \ \Omega} = 140 \text{ mA}$$

EXEMPLE 21-2

Le courant de maintien de la diode représentée à la figure 21-4 *a* est de 4 mA. Supposer que la chute de tension est de 0,5 V au point de décrochage. Calculer la tension d'entrée qui produit juste le décrochage par petit courant.

SOLUTION

Pour ouvrir la diode à quatre couches, il faut réduire le courant au-dessous du courant de maintien de 4 mA. Pour cela, il faut réduire la tension d'entrée légèrement au-dessous de
$$V = 0,5 \text{ V} + (4 \text{ mA})(100 \ \Omega) = 0,9 \text{ V}$$

EXEMPLE 21-3

Décrire le fonctionnement du circuit représenté à la figure 21-4 *b*.

SOLUTION

La tension de retournement de la diode à quatre couches est de 10 V. Si l'alimentation fournit 9 V, la diode à quatre couches est ouverte et la lampe est éteinte. Mais si par suite d'un dérangement la tension d'alimentation dépasse 10 V, la diode à quatre couches bascule et la lampe s'allume. Même si la tension d'alimentation repassait à 9 V, la diode demeurerait basculée pour enregistrer la surtension survenue. La seule façon d'éteindre la lampe est de couper l'alimentation.

Ce circuit est un exemple de *détecteur de surtension*. Tant que l'alimentation demeure en deçà d'une limite normale, rien ne se produit. Mais s'il y a surtension, même temporaire, la lampe s'allume et reste allumée.

EXEMPLE 21-4

La figure 21-5 *a* représente un générateur *de dents de scie*. Décrire son fonctionnement.

SOLUTION

Si le circuit ne comportait pas de diode à quatre couches, le condensateur se chargerait exponentiellement et sa tension suivrait la caractéristique en tirets représentés à la figure 21-5 *b*. Mais le circuit comporte une diode à quatre couches. Donc, dès que la tension du condensateur atteint 10 V, la

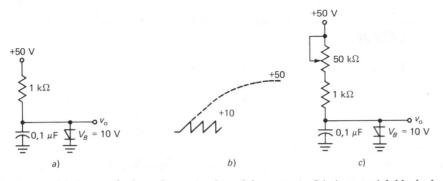

Fig. 21-5. a) *Générateur de dents de scie.* b) *Signal de sortie.* c) *Générateur réglable de dents de scie.*

diode se retourne et la bascule se ferme. Le condensateur se décharge en produisant le retour (décroissance soudaine) de la tension du condensateur. En un point du retour, le courant chute au-dessous du courant de maintien et la diode à quatre couches s'ouvre. Puis le cycle suivant commence.

La figure 21-5 *a* représente un autre exemple d'oscillateur à relaxation, un circuit dont la sortie dépend de la charge et de la décharge d'un condensateur (ou d'une bobine). Si on augmente la constante de temps *RC,* le condensateur met plus de temps pour se charger jusqu'à 10 V et la fréquence du signal en dents de scie est plus petite. Le potentiomètre représenté à la figure 21-5 *c,* par exemple, permet d'avoir une gamme de fréquence allant de 50 à 1.

21.3. REDRESSEUR COMMANDÉ AU SILICIUM

Le *redresseur commandé au silicium* (RCS) est plus utile qu'une diode à quatre couches parce qu'il possède un conducteur supplémentaire relié à la base de la cellule *NPN* (fig. 21-6 *a*). On peut de nouveau imaginer les quatre régions dopées séparées en deux transistors (fig. 21-6 *b*). Le RCS équivaut donc à une bascule comprenant une entrée de déclenchement (fig. 21-6 *c*). La figure 21-6 *d* représente le symbole graphique d'un RCS. Retenir que le dispositif représenté par ce symbole équivaut à une bascule à entrée de déclenchement.

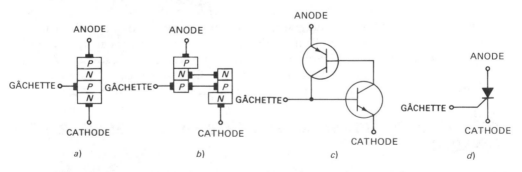

Fig. 21-6. *RCS.* a) *Structure.* b) *Structure équivalente.* c) *Circuit équivalent.* d) *Symbole graphique.*

GÂCHETTE DE DÉCLENCHEMENT DE COMMANDE OU D'AMORÇAGE

La gâchette d'un RCS équivaut sensiblement à une diode (fig. 21-6 *c*). Le déclenchement d'un RCS nécessite donc une tension d'au moins 0,7 V. De plus, il faut un courant minimal d'entrée pour amorcer la régénération. Les fiches signalétiques des RCS donnent la *tension* et *le courant de déclenchement*. La fiche signalétique d'un 2N4441, par exemple, donne une tension et un courant typiques de déclenchement de respectivement 0,7 V et 10 mA. La source qui attaque la gâchette d'un 2N4441 doit pourvoir fournir au moins 10 mA à 0,7 V; sinon le RCS ne se fermera pas.

TENSION DE BLOCAGE

Les RCS ne sont pas conçus pour fonctionner par retournement. La gamme des tensions de retournement va d'environ 50 V à plus de 2500 V selon le type de RCS. La plupart des RCS se ferment par déclenchement et s'ouvrent par petit courant. Autrement dit, un RCS reste ouvert jusqu'à ce qu'une impulsion de déclenchement attaque sa gâchette (fig. 21-6 *d*). Alors le RCS bascule et reste fermé, même si l'impulsion de déclenchement disparaît. On ne peut ouvrir un RCS que par décrochage par petit courant.

Pour la plupart des personnes, le RCS est un dispositif qui bloque une tension jusqu'à qu'une impulsion de déclenchement le ferme. Voilà pourquoi les fiches signalétiques appellent souvent la tension de retournement la *tension directe de blocage*. La tension directe de blocage d'un 2N4441, par exemple, est de 50 V. Ce RCS ne peut se retourner tant que la tension d'alimentation est inférieure à 50 V. La seule façon de le fermer est d'appliquer une impulsion de déclenchement à sa gâchette.

GRANDS COURANTS

Presque tous les RCS sont des dispositifs industriels qui manipulent de grands courants allant de moins d'1 A à plus de 2500 A selon le type. Les RCS étant des dispositifs grands courants, leurs courants de déclenchement et de maintien sont relativement grands. Le 2N4441, par exemple, peut conduire 8 A continûment, ses courants de déclenchement et de maintien sont de 10 mA. Autrement dit, il faut fournir un courant d'au moins 10 mA à la gâchette pour commander un courant d'anode d'au plus 8 A. (La figure 21-6 *d* représente l'anode et la cathode). Autre exemple : le RCS C701 peut conduire jusqu'à 1250 A avec un courant de déclenchement de 500 mA et un courant de maintien de 500 mA.

VITESSE CRITIQUE DE MONTÉE OU DE CROISSANCE DE TENSION

Dans de nombreuses applications, la tension d'alimentation des RCS est alternative. Le déclenchement de la gâchette à un certain point du cycle permet de

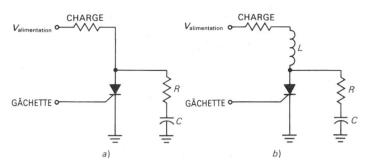

Fig. 21-7. a) *L'amortisseur RC protège le RCS contre les tensions transitoires superposées à la tension d'alimentation.* b) *La bobine protège le RCS contre les variations rapides de courant.*

contrôler l'application d'une grande alimentation alternative à un moteur, un réchauffeur ou à une autre charge. Une tension d'alimentation variant rapidement peut déclencher un RCS en raison des capacités de ses jonctions. En d'autres termes, si la vitesse de montée de la tension directe est assez grande, le courant de charge capacitive peut amorcer la régénération.

Pour éviter tout faux déclenchement d'un RCS, la vitesse de variation de la tension d'anode ne doit pas excéder la *vitesse critique de montée de tension* donnée sur la fiche signalétique. La vitesse critique de montée de tension d'un 2N4441, par exemple, est de 50 V/μs. Pour éviter tout faux déclenchement, la tension d'anode ne doit pas monter à une vitesse supérieure à 50 V/μs. Autre exemple : la vitesse critique de montée en tension d'un C701 est de 200 V/μs. Pour éviter toute fausse fermeture, la tension d'anode ne doit pas croître à une vitesse supérieure à 200 V/μs.

Les tensions transitoires de commutation sont la principale cause du dépassement de la vitesse critique de montée de tension. On diminue les effets des tensions transitoires à l'aide d'un *amortisseur RC* (fig. 21-7 a). Le circuit *RC* diminue la vitesse de montée à l'anode de toute tension transitoire ultra rapide de commutation superposée à la tension d'alimentation. La vitesse de montée de la tension d'anode dépend de la résistance de charge, de *R* et de *C*.

Les gros RCS ont aussi une *vitesse critique de montée* ou *de croissance de courant*. Celle du C701, par exemple, est de 150 A/μs. Un courant d'anode de vitesse de montée supérieure à cette valeur risque de détruire le RCS. Le montage d'une bobine en série (fig. 21-7 b) diminue la vitesse de montée de courant et aide l'amortisseur *RC* à diminuer la vitesse de montée de tension.

MONTAGE DE PROTECTION PAR COURT-CIRCUIT A L'AIDE D'UN RCS

Les RCS servent en particulier à protéger une charge contre une surtension d'alimentation. La figure 21-8 *a*, par exemple, représente une alimentation positive de 20 V raccordée à une diode Zener en série avec une résistance. La tension entre les bornes de la résistance attaque la gâchette d'un RCS en parallèle avec la charge. La tension Zener est de 21 V. Tant que la tension d'alimentation est de 20 V la diode Zener est ouverte et la tension gâchette du RCS est nulle. Comme le RCS est ouvert, la tension de 20 V apparaît entre les bornes de la résistance de charge.

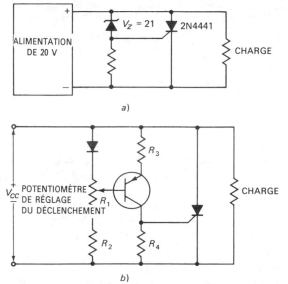

Fig. 21-8. *Protection par court-circuit à l'aide d'un RCS.* a) *Circuit de fermeture douce.* b) *Circuit pratique.*

Si par défaut de l'alimentation la tension tente de dépasser 21 V, la diode Zener entre en claquage et une tension apparaît à la gâchette du RCS. Si cette tension excède environ 0,7 V, le RCS bascule et annule la tension de charge par court-circuit. Cela revient à monter un court-circuit entre les bornes de la charge. L'extrême rapidité de la fermeture du RCS (1 μs pour un 2N4441) protège vite la charge contre les effets destructeurs d'une grande surtension.

Bien qu'elle soit draconienne, la protection par court-circuit est nécessaire pour de nombreux CI numériques qui ne supportent pas de surtension. Pour éviter la destruction de CI coûteux, utiliser un RCS de protection par mise en court-circuit des bornes de la charge dès le premier signe de surtension. Il faut munir les alimentations à RCS de protection par court-circuit d'un limiteur de courant pour prévenir un courant excessif lorsque le RCS se ferme.

La diode Zener de la protection par court-circuit de la charge du circuit représenté à la figure 21-8 *a* adoucit la fermeture. La figure 21-8 *b* représente un exemple plus pratique de protection par court-circuit à l'aide d'un RCS. Le gain en tension du transistor provoque une fermeture beaucoup plus abrupte. Le RCS se ferme lorsque la tension entre les bornes de R_4 excède environ 0,7 V. La diode ordinaire compense la température de la diode base-émetteur du transistor. Le potentiomètre de réglage de la tension de déclenchement permet de régler le point de basculement du RCS entre environ 110 et 115 % de la tension normale.

EXEMPLE 21-5

La figure 21-9 représente un autre montage de protection par court-circuit à RCS. Expliquer son fonctionnement.

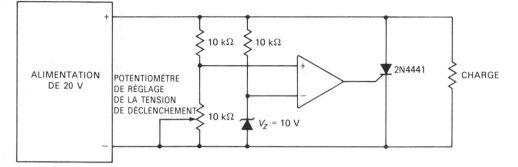

Fig. 21-9. *Montage de protection par court-circuit à RCS comportant un comparateur pour accélérer la fermeture.*

SOLUTION

Le RCS est normalement ouvert parce que la tension d'alimentation n'est que de 20 V. La diode Zener fait passer 10 V à l'entrée inverseuse du comparateur. Le potentiomètre de réglage de la tension de déclenchement applique un peu moins de 10 V a l'entrée non inverseuse. Donc, la tension d'erreur et la sortie du comparateur sont négatives. Cette sortie n'affecte pas le RCS.

Si la tension d'alimentation tente de dépasser 20 V, l'entrée non inverseuse devient supérieure à 10 V. La tension d'erreur étant positive, la sortie du comparateur fait conduire le RCS. Cela fait chuter rapidement l'alimentation en court-circuitant les bornes de la charge.

21.4. VARIANTES DU RCS

L'action d'autres dispositifs *PNPN* est semblable à celle du RCS. Dans cette section, nous décrirons brièvement ces variantes de petite puissance ou petits signaux du RCS.

PHOTO RCS

La figure 21-10 *a* représente un *photo RCS* aussi appelé un RCS photosensible. Les flèches représentent la lumière d'entrée qui traverse une fenêtre et bombarde les couches d'appauvrissement ou de déplétion. Une lumière assez intense déloge les électrons de valence de leurs orbites et les transforme en électrons libres. La régénération s'amorce et le photo RCS se ferme lorsque ces électrons libres de sortie du collecteur d'un transistor pénètrent dans la base de l'autre.

Le photo RCS fermé par déclenchement lumineux le demeure même si la lumière disparaît. On maximise la sensibilité à la lumière en laissant la gâchette ouverte (fig. 21-10 *a*). Le potentiomètre représenté à la figure 21-10 *b* permet de régler le point de basculement. La résistance de gâchette détourne une partie des

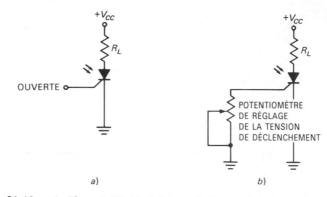

Fig. 21-10.   a) *Photo RCS.* b) *Réglage de la sensibilité à la lumière.*

électrons produits par la lumière et fait varier la sensibilité du dispositif à la lumière d'entrée.

INTERRUPTEUR COMMANDÉ PAR GÂCHETTE (ICG)

Comme nous l'avons vu, la façon normale d'ouvrir un RCS est de faire chuter le courant à une petite valeur. Par conception, l'*interrupteur commandé par gâchette* (ICG) s'ouvre facilement sous l'action d'une impulsion de déclenchement de polarisation inverse. Une impulsion positive de déclenchement ferme l'ICG et une impulsion négative de déclenchement (ou une chute à un petit courant) l'ouvre. La figure 21-11 représente un circuit à ICG. Chaque impulsion positive de déclenchement ferme l'ICG et chaque impulsion négative de déclenchement l'ouvre. D'où le signal carré de sortie représenté. L'ICG sert dans les compteurs, les circuits numériques et dans d'autres circuits à impulsion négative de déclenchement disponible pour les ouvrir.

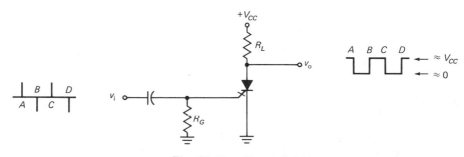

Fig. 21-11.   *Circuit à ICG.*

INTERRUPTEUR COMMANDÉ AU SILICIUM (ICS)

La figure 21-12 *a* représente les régions dopées d'un *interrupteur commandé au silicium* (ICS). Chaque région dopée comporte un conducteur externe. Imaginons le dispositif séparé en deux moitiés (fig. 21-12 *b*). Il équivaut donc à une bascule accessible par les deux bases (fig. 21-12 *c*). L'application d'une impulsion de

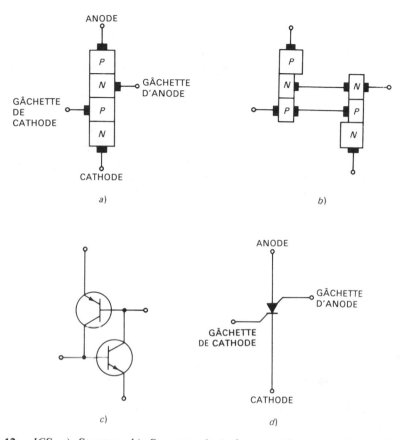

Fig. 21-12. *ICS.* a) *Structure.* b) *Structure équivalente.* c) *Circuit équivalent.* d) *Symbole graphique.*

déclenchement de polarisation directe sur chaque base ferme l'ICS. De même l'application d'une impulsion de déclenchement de polarisation inverse sur chaque base ouvre le dispositif.

La figure 21-12 *d* représente le symbole graphique d'un ICS. On appelle la gâchette du bas la gâchette de cathode et celle du haut la gâchette d'anode. L'ICS est un dispositif petits signaux ou de petite puissance comparativement au RCS. Il manipule des courants de l'ordre du milliampère au lieu de l'ampère.

21.5. THYRISTORS BIDIRECTIONNELS

Tous les dispositifs étudiés jusqu'à présent étaient unidirectionnels : le courant ne circulait que dans un sens. Dans cette section, nous étudierons des thyristors *bidirectionnels,* des dispositifs dans lesquels le courant peut circuler dans les deux sens.

DIAC

Le courant de basculement d'un *diac* peut circuler dans les deux sens. Le circuit équivalent d'un diac est une paire de diodes à quatre couches en parallèle (fig. 21-13 *a*) idéalement équivalentes aux bascules représentées à la figure 21-13 *b*. Le diac ne conduit pas jusqu'à ce que la tension entre ses bornes n'essaie de dépasser la tension de retournement dans chaque sens.

Si la tension *v* a la polarité représentée à la figure 21-13 *a*, par exemple, la diode de gauche conduit lorsque *v* essaie de dépasser la tension de retournement. Alors la bascule de gauche se ferme (fig. 21-13 *c*). Si la polarité de *v* est opposée à celle représentée à la figure 21-13 *a*, la bascule de droite se ferme lorsque *v* tente de dépasser la tension de retournement.

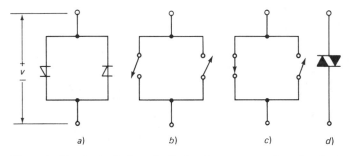

Fig. 21-13. *Diac.* a) *Circuit équivalent à diodes à quatre couches dos à dos en parallèle.* b) *Circuit équivalent.* c) *Bascule de gauche fermée.* d) *Symbole graphique.*

La seule façon d'ouvrir un diac qui conduit est par décrochage par petit courant. Entendre, par là, la réduction du courant au-dessous du courant de maintien limite. La figure 21-13 *d* représente le symbole graphique d'un diac.

TRIAC

Le *triac* se comporte comme deux RCS en parallèle (fig. 21-14 *a*) et équivaut aux deux bascules représentées à la figure 21-14 *b*. Le triac peut donc commander le courant dans les deux sens. La tension de retournement est habituellement élevée,

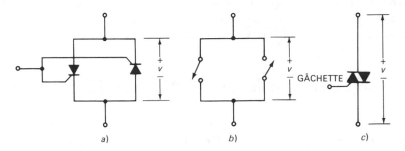

Fig. 21-14. *Triac.* a) *Circuit équivalent à RCS dos à dos en parallèle.* b) *Circuit équivalent.* c) *Symbole graphique.*

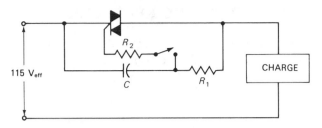

Fig. 21-15. *Le triac commande l'interrupteur petits signaux qui se comporte comme un interrupteur grands signaux.*

de sorte que l'application d'une impulsion de déclenchement de polarisation directe est la façon normale de faire conduire un triac. Les fiches signalétiques donnent la tension et le courant de déclenchement nécessaires pour fermer un triac. Si *v* a la polarité représentée à la figure 21-14 *a,* l'application d'une impulsion positive de déclenchement ferme la bascule de gauche. Si *v* a la polarité opposée, l'application d'une impulsion négative de déclenchement ferme la bascule de droite. La figure 21-14 *c* représente le symbole graphique d'un triac.

La figure 21-15 représente un exemple de circuit à triac. Lorsque l'interrupteur petits signaux est ouvert, le triac ne conduit pas, et aucune alimentation alternative n'atteint la charge. Mais lorsque l'interrupteur est fermé, le courant qui traverse R_2 fait conduire le triac durant chaque alternance. La résistance R_1 et le condensateur C se comportent aussi comme un amortisseur RC pour éviter que les tensions transistoires de commutation n'endommagent le triac.

21.6. TRANSISTOR UNIJONCTION

Le transistor *unijonction* (TUJ) a deux régions dopées et trois conducteurs externes (fig. 21-16 *a*). Il a un émetteur et deux bases. L'émetteur est fortement dopé et a de nombreux trous. Mais la région *N* est légèrement dopée. Voilà pourquoi la résistance entre les bases est relativement élevée, typiquement de 5 à 10 kΩ lorsque l'émetteur est ouvert. On appelle cette résistance la *résistance inter-bases;* son symbole est R_{BB}.

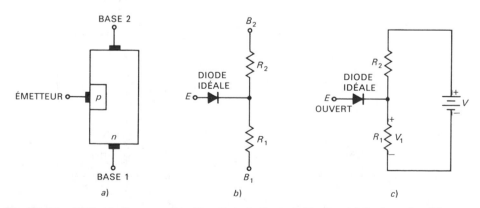

Fig. 21-16. TUJ. a) *Structure.* b) *Circuit équivalent.* c) *Tension intrinsèque de référence.*

RAPPORT INTRINSÈQUE DE RÉFÉRENCE

La figure 21-16 *b* représente le circuit équivalent d'un TUJ. La diode émetteur attaque la jonction de deux résistances internes, R_1 et R_2. Lorsque la diode émetteur ne conduit pas, $R_{BB} = R_1 + R_2$. Lorsqu'on applique la tension d'alimentation entre les deux bases (fig. 21-16 *c*), la tension entre les bornes de R_1 égale

$$V_1 = \frac{R_1}{R_1 + R_2} V = \frac{R_1}{R_{BB}} V$$

D'où

$$V_1 = \eta V \qquad\qquad (21\text{-}1)$$

avec

$$\eta = \frac{R_1}{R_{BB}}$$

(La lettre grecque η se prononce êta).

On appelle la grandeur η le *rapport intrinsèque de référence;* c'est le rapport de division de tension. La plage typique de η va de 0,5 à 0,8. Le 2N2646, par exemple, a un rapport η de 0,65. Si l'on utilise ce TUJ dans le circuit représenté à la figure 21-16 *c* avec une tension d'alimentation de 10 V,

$$V_1 = \eta V = 0{,}65(10 \text{ V}) = 6{,}5 \text{ V}$$

On appelle la tension V_1 du circuit représenté à la figure 21-16 *c* la tension intrinsèque de référence parce qu'elle garde la diode émetteur polarisée en inverse pour toutes les tensions émetteur inférieures à V_1. Si $V_1 = 6{,}5$ V, alors, idéalement, il faut appliquer une tension légèrement supérieure à 6,5 mV à l'émetteur pour faire conduire la diode émetteur.

MODE DE FONCTIONNEMENT D'UN TUJ

Soit le circuit représenté à la figure 21-17 *a*. Imaginons que la tension d'alimentation d'émetteur est nulle. Alors la tension intrinsèque de référence polarise la diode émetteur en inverse. Si on augmente la tension d'alimentation d'émetteur, v_E

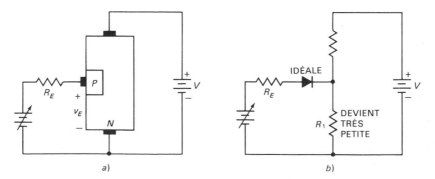

a)   *b)*

Fig. 21-17. a) *Circuit à TUJ.* b) R_1 *tend vers zéro une fois que la diode émetteur conduit.*

augmente jusqu'à une valeur légèrement supérieure à V_1. Alors la diode émetteur conduit. La région P étant fortement dopée comparativement à la région N, des trous sont injectés dans la moitié inférieure du TUJ. Le léger dopage de la région N confère une longue durée de vie à ces trous qui créent un chemin conducteur entre l'émetteur et la base du bas.

La submersion de la moitié inférieure du TUJ par des trous diminue de façon draconienne la résistance R_1 (fig. 21-17 b). Puisque R_1 chute brusquement, v_E chute brusquement aussi à une petite valeur et le courant émetteur augmente.

CIRCUIT ÉQUIVALENT A BASCULE

Pour se souvenir du mode de fonctionnement du TUJ représenté à la figure 21-18 a, observons la bascule représentée à la figure 21-18 b. La tension de B_2 à B_1 étant positive, une tension intrinsèque de référence V_1 apparaît entre les bornes de R_1. Donc, la diode émetteur de Q_2 est polarisée en inverse tant que la tension émetteur d'entrée est inférieure à la tension intrinsèque de référence. Lorsque la tension émetteur d'entrée est légèrement supérieure à la tension intrinsèque de référence, Q_2 se met à conduire et la régénération a lieu. Les deux transistors se saturent et, idéalement, court-circuitent l'émetteur et la base du bas.

La figure 21-18 c représente le symbole graphique d'un TUJ. La flèche émetteur rappelle l'émetteur du haut d'une bascule. Lorsque la tension émetteur dépasse la tension intrinsèque de référence, la bascule entre l'émetteur et la base du bas se ferme. Idéalement, il y a un court-circuit entre E et B_1. En deuxième approximation, une basse tension appelée la tension *de saturation émetteur* $V_{E(\text{sat})}$ apparaît entre E et B_1.

La bascule reste fermée tant que le courant de basculement (le courant émetteur) est supérieur au courant de maintien. Les fiches signalétiques donnent un courant de *creux* I_V* équivalent au courant de maintien. Le courant I_V d'un 2N2646, par exemple, est de 6 mA; pour maintenir la bascule fermée, le courant émetteur doit être supérieur à 6 mA.

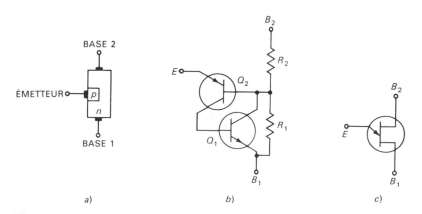

Fig. 21-18. *TUJ.* a) *Structure.* b) *Circuit à bascule équivalent.* c) *Symbole graphique.*

* N.d.T. V est mis pour *Valley* (creux).

EXEMPLE 21-6

Soit le circuit représenté à la figure 21-19. Le rapport η du 2N4871 vaut 0,85. Calculer le courant idéal émetteur.

SOLUTION

La tension intrinsèque de référence égale
$$V_1 = 0,85(10 \text{ V}) = 8,5 \text{ V}$$

Idéalement, v_E doit être légèrement supérieur à 8,5 V pour faire conduire la diode émetteur et fermer la bascule. Avec l'interrupteur d'entrée fermé, une tension de 20 V attaque la résistance de 400 Ω. C'est plus qu'il n'en faut pour surmonter la tension intrinsèque de référence. Donc, la bascule est fermée et le courant émetteur égale

$$I_E \cong \frac{20 \text{ V}}{400 \text{ }\Omega} = 50 \text{ mA}$$

EXEMPLE 21-7

Le courant de creux d'un 2N4871 égale 7 mA et la tension émetteur correspondante 1 V. Calculer la tension d'alimentation émetteur qui ouvre le TUJ représenté à la figure 21-19.

SOLUTION

Le courant émetteur diminue à mesure qu'on réduit la tension d'alimentation d'émetteur. Lorsqu'il égale 7 mA, la tension v_E correspondante égale 1 V et la bascule est sur le point de s'ouvrir. A cet instant, la tension d'alimentation d'émetteur égale
$$V = 1 \text{ V} + (7 \text{ mA})(400 \text{ }\Omega) = 3,8 \text{ V}$$

Le TUJ s'ouvre lorsque V est inférieur à 3,8 V. Alors pour fermer le TUJ, il faut élever V au-dessus de 8,5 V.

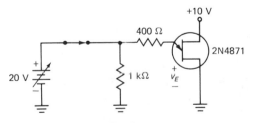

Fig. 21-19.

21.7. APPLICATIONS DES THYRISTORS

On utilise de plus en plus les thyristors pour commander l'alimentation alternative des charges résistives et des charges inductives telles les moteurs, les solénoïdes et les éléments chauffants. Les thyristors sont meilleur marché et plus fiables que leurs concurrents tels les relais. Dans cette section, nous verrons comment utiliser les thyristors à l'aide de quelques applications.

OSCILLATEUR A RELAXATION A TUJ

La figure 21-20 *a* représente un *oscillateur à relaxation* à TUJ. Son fonctionnement ressemble à celui de l'oscillateur à relaxation traité à l'exemple 21-4. Le condensateur se charge vers V_{CC}, mais dès que sa tension dépasse la tension intrinsèque de référence, le TUJ se ferme. Alors le condensateur se décharge jusqu'à ce que le décrochage par petit courant se produise. Dès que le TUJ s'ouvre, le cycle suivant commence. La sortie est donc en dents de scie.

Le montage d'une petite résistance dans chaque circuit de base donne trois sorties utiles : des dents de scie, des impulsions positives de déclenchement et des impulsions négatives de déclenchement (fig. 21-21 *b*). Les impulsions de déclenchement se produisent durant les retours des dents de scie parce que le TUJ conduit fortement durant ces temps-là. Les valeurs numériques des composants du circuit à TUJ représenté à la figure 21-20 *b* permettent de régler la fréquence entre 50 Hz et 1 kHz (environ).

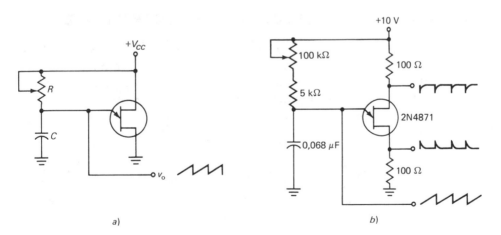

Fig. 21-20. *Circuits à TUJ.* a) *Générateur de dents de scie.* b) *Sorties de dents de scie et d'impulsions de déclenchement.*

ALLUMAGE D'UNE AUTOMOBILE

On peut utiliser les impulsions acérées de déclenchement de sortie d'un oscillateur à relaxation à TUJ pour déclencher un RCS. La figure 21-21, par

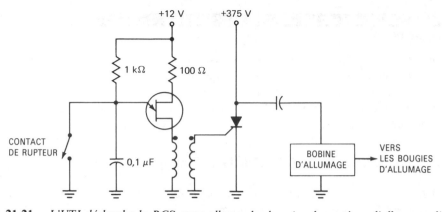

Fig. 21-21. *L'UTJ déclenche le RCS pour allumer les bougies du système d'allumage d'une automobile.*

exemple, représente une partie du système d'allumage d'une automobile. Lorsque le contact du rupteur est ouvert, le condensateur se charge exponentiellement vers + 12 V. Dès que la tension entre les bornes du condensateur dépasse la tension intrinsèque de référence, le TUJ conduit fortement *via* le primaire. Alors la tension secondaire déclenche le RCS. Lorsque le RCS se ferme, la borne positive du condensateur de sortie est brusquement mise à la masse. Une impulsion de haute tension attaque une des bougies d'allumage lorsque le condensateur de sortie se décharge dans la bobine d'allumage. Lorsque le contact se ferme, le circuit revient automatiquement à l'état initial en vue du cycle suivant.

COMMANDE PAR COUPLEUR OPTOÉLECTRONIQUE

La figure 21-22 représente une *commande par coupleur optoélectronique*. Lorsqu'une impulsion d'entrée fait conduire la DEL D_4 active le photo RCS D_3. Celui-ci applique une impulsion de tension de déclenchement au RCS principal D_2. Donc la commande est isolée des alternances positives de la tension de secteur. La nécessaire diode ordinaire D_1 protège le RCS contre la réaction induite et les tensions transitoires qui peuvent se produire durant l'alternance inverse.

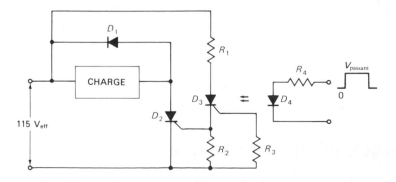

Fig. 21-22. *Commande d'un RCS par coupleur optoélectronique.*

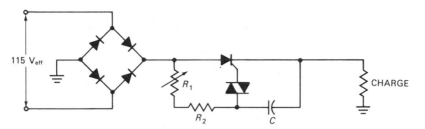

Fig. 21-23. *Commande de l'angle de conduction d'un RCS.*

RCS DÉCLENCHÉ PAR DIAC

Soit le circuit représenté à la figure 21-23. La sortie pleine onde du redresseur en pont attaque le RCS commandé par un diac et un circuit *RC* de charge. On règle la constante de temps et l'instant auquel le diac déclenche le RCS en faisant varier R_1. De tels circuits commandent facilement l'application de la puissance de plusieurs centaines de watts à une lampe, à un réchauffeur, etc. On peut utiliser une diode à quatre couches au lieu d'un diac.

RCS DÉCLENCHÉ PAR TUJ

La figure 21-24 illustre une autre façon de commander un RCS, à l'aide cette fois d'un oscillateur à relaxation à TUJ. La charge est un moteur, une lampe, un réchauffeur ou un autre dispositif. On règle la constante de temps *RC* et l'instant auquel le TUJ déclenche le RCS en faisant varier R_1. Alors on commande l'angle de conduction du RCS et donc le courant de charge. Un tel circuit est une commande une alternance puisque le RCS est bloqué durant l'alternance négative.

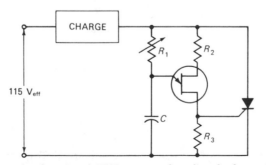

Fig. 21-24. *Oscillateur à relaxation à TUJ commandant l'angle de conduction d'un RCS.*

COMMANDE PLEINE ONDE

Le diac représenté à la figure 21-25 peut déclencher le triac sur les deux alternances de la tension de secteur. La résistance variable R_1 permet de commander la constante de temps *RC* du circuit de commande à diac. Comme cela change le point du cycle auquel le diac déclenche, on commande l'angle d'état du triac. On peut donc faire varier un grand courant de charge.

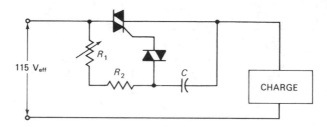

Fig. 21-25. *Commande de l'angle de conduction d'un triac.*

RCS DÉCLENCHÉ PAR MICROPROCESSEUR

Le microprocesseur d'un robot commande des moteurs et d'autres charges. La figure 21-26 représente un tel circuit de commande. L'impulsion rectangulaire provenant du microprocesseur attaque un émetteur suiveur dont la sortie commande la gâchette d'un RCS. Tant que l'impulsion rectangulaire de commande est au niveau haut, le RCS bascule durant les alternances positives et s'ouvre durant les alternances négatives. La durée de l'impulsion rectangulaire provenant du microprocesseur détermine le nombre d'alternances positives durant lesquels la puissance est appliquée à la charge.

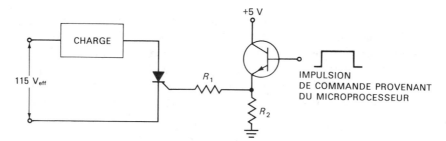

Fig. 21-26. *Microprocesseur commandant le temps de l'application d'une puissance à une charge.*

PROBLÈMES

Simples

21-1. La diode 1N5160 du circuit représenté à la figure 21-27 *a* conduit. Supposer qu'au décrochage par petit courant la tension entre les bornes de la diode est de 0,7 V et calculer la tension V à laquelle le décrochage par petit courant se produit.

21-2. Soit le circuit représenté à la figure 21-27 *b*. Avec l'alimentation de 19 V, le condensateur se charge jusqu'à 12 V, la tension de retournement de la diode, en exactement une constante de temps. Négliger la tension entre les bornes de la diode en conduction et calculer la fréquence de la dent de scie de sortie.

21-3. Soit le circuit représenté à la figure 21-27 *c*. Le courant qui traverse la résistance de 50 Ω passe par un maximum juste après le basculement de la diode. Supposer que la tension entre les bornes de la diode basculée est d'1 V et calculer le courant maximal.

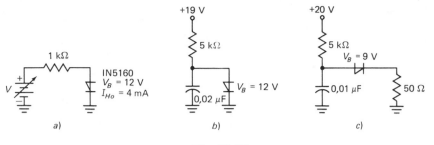

Fig. 21-27.

21-4. Le courant de déclenchement du RCS 2N4216 représenté à la figure 21-28 *a* est de 0,1 mA. Supposer que la tension gâchette est de 0,8 V et calculer la tension qui fait conduire le RCS.

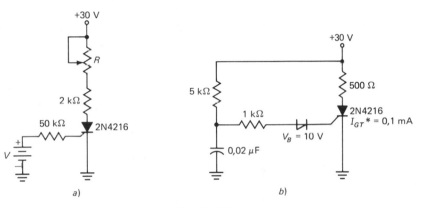

Fig. 21-28.

21-5. Soit le circuit représenté à la figure 21-28 *b*. La tension de retournement de la diode à quatre couches est de 10 V. Le courant et la tension de déclenchement du RCS sont respectivement de 0,1 mA et de 0,8 V. Supposer que la chute directe de la diode à quatre couches est d'environ 0,7 V. Calculer le courant qui traverse la diode juste après le retournement et le courant qui traverse la résistance de 500 Ω après l'instant où le RCS se met à conduire.

21-6. La figure 21-29 *a* représente un autre symbole de diac. Le diac MPT32 se retourne lorsque la tension entre les bornes du condensateur atteint 32 V. Le condensateur atteint cette tension en exactement une constante de temps. Calculer le temps que met le triac pour conduire après la fermeture de l'interrupteur. Calculer le courant idéal gâchette lorsque le diac se retourne et le courant de charge après la fermeture du triac.

21-7. La fréquence du signal carré du circuit représenté à la figure 21-29 *b* est de 10 kHz. Le condensateur atteint la tension de retournement du diac en exactement une constante de temps. Supposer que le MPT32 se retourne à 32 V. Calculer le courant idéal gâchette et le courant idéal de charge lorsque le diac se retourne.

21-8. Considérer le circuit représenté à la figure 21-30 *a*. Le rapport η du TUJ est de 0,63. Supposer que la tension entre les bornes de la diode émetteur est de 0,7 V et calculer la tension V qui fait juste conduire le TUJ.

---

* N.d.T. *GT* est mis pour *Gate Trigger* (impulsion de déclenchement gâchette).

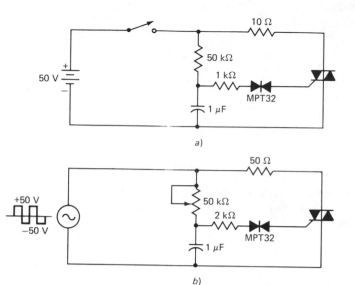

a)

b)

Fig. 21-29.

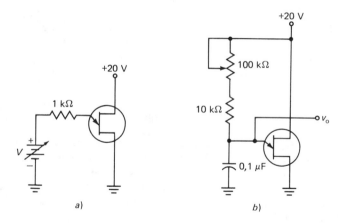

a)   b)

Fig. 21-30.

21-9. Soit le circuit représenté à la figure 21-30 *a*. Le courant de creux du TUJ est de 2 mA. Si le TUJ est basculé, il faut diminuer *V* pour obtenir un décrochage par petit courant. Supposer que la tension entre les bornes de la diode émetteur est de 0,7 V et calculer la tension *V* qui ouvre juste le TUJ.

21-10. Considérer le circuit représenté à la figure 21-30 *b*. Le rapport η du TUJ est de 0,63. Négliger la chute de tension entre les bornes de la diode émetteur et calculer les fréquences minimale et maximale de sortie.

De dépannage

21-11. Considérer le circuit représenté à la figure 21-27 *b* et dire si la fréquence de sortie augmente, diminue ou demeure la même pour chaque dérangement suivant :

a. tension d'alimentation de + 15 V,

b. augmentation de la résistance de 20 %,

c. condensateur de 0,01 μF,

d. tension de retournement de seulement 10 V.

21-12. Soit le circuit représenté à la figure 21-8 *b*. Le montage de protection par court-circuit à l'aide d'un RCS garde un court-circuit constant entre les bornes de la charge même lorsque la tension est normale. Trouve la (les) cause(s) possible(s) de ce dérangement parmi les suivantes :

a. la diode de compensation est ouverte,

b. la résistance R_3 est court-circuitée,

c. la résistance R_4 est court-circuitée,

d. le RCS est ouvert.

21-13. Le RCS du circuit représenté à la figure 21-26 ne se ferme pas. Citer au moins trois causes possibles de ce dérangement.

De conception

21-14. Considérer le circuit représenté à la figure 21-27 *b* et choisir un condensateur *C* qui produit une fréquence de sortie d'environ 20 kHz.

21-15. Le TUJ du circuit représenté à la figure 21-20 *a* a un rapport η de 0,63. La résistance maximale du potentiomètre est de 10 kΩ. Choisir un condensateur *C* qui produit une fréquence de sortie d'environ 50 kHz.

De défi

21-16. Considérer le circuit représenté à la figure 21-8 *b*. On donne $R_4 = 180\ \Omega$. Supposer que la tension et le courant de déclenchement du RCS sont respectivement d'1 V et de 10 mA. Calculer le courant minimal collecteur qui déclenche le RCS.

21-17. Le rapport η du TUJ du circuit représenté à la figure 21-20 *b* est de 0,75. Calculer les fréquences minimale et maximale de sortie.

A résoudre par ordinateur

21-18. La fonction arithmétique EXP(*x*) donne l'exposant naturel de *x*. Soit le 5programme

```
10  Y = EXP(-2)
20  PRINT Y
30  STOP
```

Lorsqu'on exécute ce programme, l'écran affiche e^{-2}. Modifier ce programme pour qu'il affiche les valeurs de e^{-x} pour les entiers *x* compris entre 1 et 10.

Analyse fréquentielle

Jusqu'à présent, nous avons analysé les tensions en fonction du temps. L'analyse temporelle n'est pas la seule. Dans ce chapitre, nous aborderons l'analyse fréquentielle.

22.1. SÉRIE DE FOURIER

La figure 22-1 *a* représente une onde sinusoïdale de crête V_P et de période T. Les traités de courant alternatif et de courant continu se concentrent sur les ondes sinusoïdales, les plus fondamentales. Dans les chapitres antérieurs nous avons insisté sur les ondes sinusoïdales. Examinons maintenant les ondes non sinusoïdales.

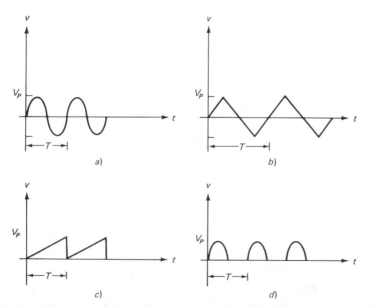

Fig. 22-1. *Ondes périodiques.* a) *Onde sinusoïdale.* b) *Onde triangulaire.* c) *Onde en dents de scie.* d) *Demi-onde redressée d'une onde sinoïdale.*

ONDES PÉRIODIQUES

La figure 22-1 *b* représente le cycle de base d'une onde triangulaire sur une période *T;* chaque cycle ultérieur est une répétition du premier cycle. Il en va de même pour la dent de scie et la demi-onde représentées respectivement aux figures 22-1 *c* et 22-1 *d;* tous les cycles sont des copies du premier. Les ondes à cycles répétitifs sont dites *périodiques;* la forme et l'amplitude de l'onde de chaque cycle sont déterminées dans une période *T*.

HARMONIQUES

L'onde sinusoïdale est extraordinaire. L'addition d'ondes sinusoïdales de bonnes amplitudes et phases donne l'onde triangulaire représentée à la figure 22-1 *b*. Une combinaison différente d'ondes sinusoïdales donne l'onde en dents de scie représentée à la figure 22-1 *c*. Et une combinaison d'ondes sinusoïdales différente des deux précédentes donne la demi-onde représentée à la figure 22-1 *d*. Autrement dit, toute onde périodique est une superposition d'ondes sinusoïdales.

Ces ondes sinusoïdales sont liées harmoniquement. Entendre par là que leurs fréquences sont des *harmoniques* (des multiples) d'une *fondamentale* (fréquence minimale). On mesure la période *T* d'une onde périodique sur un oscilloscope. L'inverse de *T* égale la fréquence fondamentale. Donc

$$f_1 = \frac{1}{T} \text{ (fondamentale)} \tag{22-1}$$

L'harmonique 2 a une fréquence

$$f_2 = 2f_1$$

l'harmonique 3 a une fréquence

$$f_3 = 3f_1$$

L'harmonique *n* a une fréquence

$$f_n = nf_1 \tag{22-2}$$

L'onde périodique représentée sur la gauche de la figure 22-2, une onde en dents de scie, équivaut à la somme des ondes sinusoïdales harmoniquement liées représentées sur la droite. La batterie tient compte de la composante moyenne continue de l'onde en dents de scie. *T* égalant 2 ms, les fréquences des harmoniques égalent

$$f_1 = \frac{1}{2 \text{ ms}} = 500 \text{ Hz}$$

$$f_2 = 2 (500 \text{ Hz}) = 1000 \text{ Hz}$$
$$f_3 = 3 (500 \text{ Hz}) = 1500 \text{ Hz}$$

SÉRIE DE FOURIER

Mise en équation de la figure 22-2 :

Onde périodique = composante continue + harmonique 1 + harmonique 2
+ harmonique 3 + ... + harmonique *n*

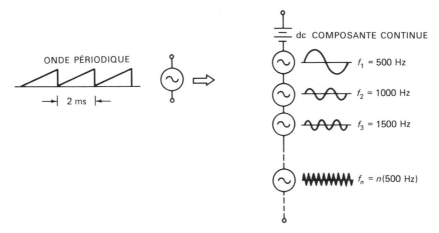

Fig. 22-2. *Une onde périodique équivaut à la somme d'ondes sinusoïdales.*

De façon plus précise

$$v = V_0 + V_1 \sin(\omega t + \phi_1) + V_2 \sin(2\,\omega t + \phi_2)$$
$$+ V_3 \sin(3\,\omega t + \phi_3) + ... + V_n \sin(n\,\omega t + \phi_n)$$

Cette équation réputée s'appelle une *série de Fourier*. Elle précise qu'une onde périodique est une superposition d'ondes sinusoïdales harmoniquement liées. La tension v est la valeur instantanée de l'onde périodique; on la calcule en additionnant la composante continue et les valeurs instantanées des harmoniques.

Théoriquement, les harmoniques continuent jusqu'à l'infini; autrement dit, n n'a pas de limite supérieure. Toutefois, au laboratoire, de cinq à dix harmoniques suffisent pour synthétiser une onde périodique à moins de 5 %. La bonne combinaison des amplitudes (V_1, V_2, V_3, ..., V_n) et des déphasages (ϕ_1, ϕ_2, ϕ_3, ..., ϕ_n) donne n'importe quelle onde périodique.

22.2. SPECTRE D'UN SIGNAL

L'analyse fréquentielle repose sur le théorème de Fourier. Nos connaissances sur les ondes sinusoïdales nous permettent de réduire une onde périodique à ses composantes sinusoïdales et d'analyser indirectement l'onde périodique par l'analyse de ces ondes sinusoïdales. On peut donc analyser un circuit non sinusoïdal de deux façons : par la recherche de l'effet d'une onde périodique en chaque instant et par la recherche de l'effet de chaque harmonique. La première méthode (temporelle) est parfois plus rapide, mais la seconde (fréquentielle) lui est souvent supérieure.

COMPOSANTES SPECTRALES

Soit A la valeur de crête à crête d'une onde *en dents de scie*. Selon les mathématiques supérieures

$$V_n = \frac{A}{n\pi} \tag{22-3}$$

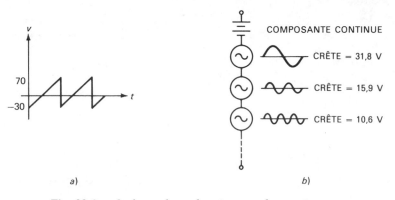

Fig. 22-3.   *Onde en dents de scie et ses harmoniques.*

Donc la valeur de crête de l'harmonique n égale A divisé par $n\pi$. La figure 22-3 *a* représente une onde en dents de scie de valeur de crête à crête de 100 V; les valeurs de crête de ses harmoniques sont

$$V_1 = \frac{100}{\pi} = 31{,}8 \text{ V}$$

$$V_2 = \frac{100}{2\pi} = 15{,}9 \text{ V}$$

$$V_3 = \frac{100}{3\pi} = 10{,}6 \text{ V}$$

La figure 22-3 *b* représente les trois premiers harmoniques de l'onde en dents de scie représentée à la figure 22-3 *a*.

L'oscilloscope (un appareil d'analyse temporelle) affiche le signal périodique en fonction du temps (fig. 22-3*a*). L'axe vertical représente la tension et l'axe horizontal le temps. L'oscilloscope affiche donc la valeur instantanée *v* de l'onde périodique.

L'*analyseur de spectre* diffère de l'oscilloscope. D'abord l'analyseur de spectre est un appareil d'analyse fréquentielle; son axe horizontal représente la fréquence. L'analyseur de spectre affiche la valeur de crête des harmoniques en fonction de la fréquence. La figure 22-4 *b* représente l'affichage de l'analyseur de spectre attaqué par l'onde en dents de scie représentée à la figure 22-4 *a*. Cet affichage s'appelle un *spectre;* la hauteur de chaque bâton représente la valeur de crête d'un harmonique et son abscisse donne la fréquence.

Toute onde périodique a un spectre, un ensemble de bâtons verticaux représentant les harmoniques. Normalement le spectre diffère d'un signal périodique à l'autre. La figure 22-4 *d* représente le spectre de l'onde carrée représentée à la figure 22-4 *c*. Ce spectre est différent de celui (fig. 22-4 *b*) d'une onde en dents de scie.

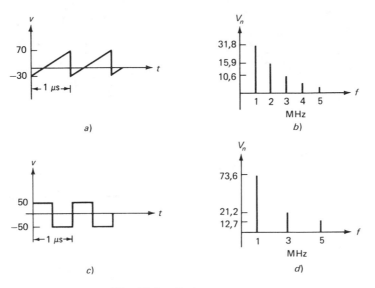

Fig. 22-4. *Ondes et spectres.*

LES QUATRE SPECTRES FONDAMENTAUX

La figure 22-5 représente les quatre ondes périodiques et leur spectre auxquels nous nous reporterons dans la suite de cette étude. Dans chaque cas, A représente la valeur de crête à crête de l'onde périodique. Pour des raisons pratiques, nous n'avons représenté les harmoniques que jusqu'à $n = 5$. Nous avons précisé la formule de la valeur de crête des harmoniques. La valeur de crête de tout harmonique du signal pleine onde représenté à la figure 22-5 *c* égale

$$V_n = \frac{4A}{\pi} \frac{1}{4n^2 - 1} \qquad (22\text{-}4\ a)$$

Celle de tout harmonique de l'onde carrée représentée à la figure 22-5-*b* égale

$$V_n = \frac{2A}{n\pi} \ (n \text{ impair seulement}) \qquad (22\text{-}4\ b)$$

SYMÉTRIE DEMI-ONDE

Deux des ondes représentées à la figure 22-5 n'ont que des harmoniques impairs. De nombreuses autres ondes n'ont aussi que des harmoniques impairs, une méthode rapide de reconnaissance de telles ondes serait donc utile.

Toute onde à *symétrie demi-onde* n'a que des harmoniques impairs. Par symétrie demi-onde, entendre que le symétrique de l'alternance négative par rapport à l'axe horizontal est la réplique exacte de l'alternance positive. La figure 22-6 *a* représente une période d'une onde triangulaire. L'alternance *abc* (en tirets) représente le symétrique par rapport à l'axe horizontal de l'alternance négative. Ce symétrique est la réplique exacte de l'alternance positive. Donc, l'onde triangulaire ne contient que des harmoniques impairs. De même, l'onde carrée représentée à la figure 22-6 *b*

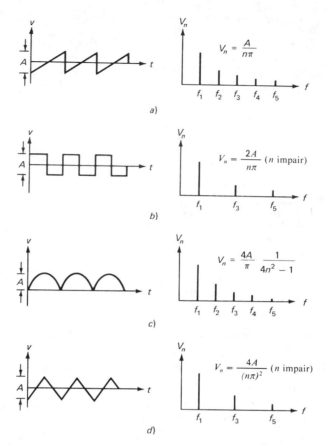

Fig. 22-5. *Quelques ondes courantes et leur spectre.* a) *Onde en dents de scie.* b) *Onde carrée.* c) *Onde sinusoïdale redressée pleine onde.* d) *Onde triangulaire.*

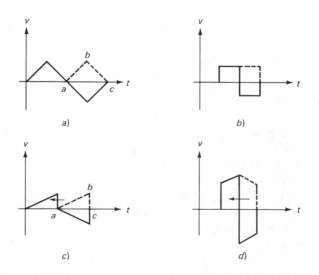

Fig. 22-6. *Vérification de symétries demi-onde.*

est de symétrie demi-onde parce que le symétrique par rapport à l'axe horizontal de l'alternance négative est la réplique exacte de l'alternance positive; donc, une onde carrée ne contient que des harmoniques impairs.

Dans le doute, translater le symétrique de l'alternance négative d'une demi-période vers la gauche; il n'y a symétrie demi-onde que si l'alternance translatée se superpose à l'alternance positive. Exemple : l'alternance *abc* représentée à la figure 22-6 *c* est le symétrique par rapport à l'axe horizontal de l'alternance négative d'une onde en dents de scie. L'alternance symétrique translatée d'une demi-période vers la gauche se superpose à l'alternance positive; donc, l'onde en dents de scie est de symétrie demi-onde et ne comporte que des harmoniques impairs.

L'onde représentée à la figure 22-6 *d* n'est pas de symétrie demi-onde. Le symétrique de l'alternance négative par rapport à l'axe horizontal et translaté vers la gauche d'une demi-période ne se superpose pas à l'alternance positive. Donc, l'onde représentée à la figure 22-6 *d* ne contient pas que des harmoniques impairs; elle contient au moins un harmonique pair.

COMPOSANTE CONTINUE

La *composante continue* est la valeur moyenne de l'onde périodique. Par définition,

$$V_0 = \frac{\text{aire sous un cycle}}{\text{période}} \tag{22-5}$$

La figure 22-7 *a* représente une onde en dents de scie à crête de 10 V et de période 2 s. L'aire sous un cycle est grisée. Il vient

$$\text{Aire} = \frac{1}{2} \text{ (base)(hauteur)}$$

$$= \frac{1}{2} (2 \text{ s})(10 \text{ V}) = 10 \text{ V} \cdot \text{s}$$

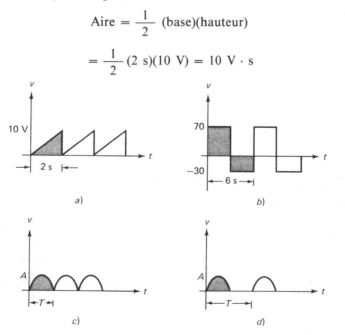

Fig. 22-7. *Aires et valeurs moyennes.*

La division par la période donne la valeur moyenne de l'onde en dents de scie. Il vient

$$V_0 = \frac{10 \text{ V} \cdot \text{s}}{2 \text{ s}} = 5 \text{ V}$$

L'aire est positive au-dessus de l'axe horizontal et négative au-dessous. Si une partie d'un cycle est au-dessus de l'axe horizontal et une partie au-dessous, additionner algébriquement les aires positive et négative pour obtenir l'aire nette sous le cycle. La figure 22-7 *b* représente une onde carrée qui dévie de + 70 V à − 30 V. L'aire de la première alternance est au-dessus de l'axe horizontal : elle est donc positive. La deuxième alternance est au-dessous de l'axe horizontal : son aire est donc négative. Voici comment calculer la valeur moyenne sur le cycle entier :

$$\text{Aire positive} = (3 \text{ s})(70 \text{ V}) = 210 \text{ V} \cdot \text{s}$$
$$\text{Aire négative} = (3 \text{ s})(- 30 \text{ V}) = - 90 \text{ V} \cdot \text{s}$$
$$\text{Aire nette sous un cycle} = 210 - 90 = 120 \text{ V} \cdot \text{s}$$

La division de l'aire nette par la période donne

$$V_0 = \frac{120 \text{ V} \cdot \text{s}}{6 \text{ s}} = 20 \text{ V}$$

Telle est la valeur moyenne pour un cycle entier de l'onde représentée à la figure 22-7 *b*, c'est la valeur que lirait un voltmètre pour tension continue.

La formule aire-sur-une-période permet de calculer la valeur moyenne de toute onde périodique constituée de segments linéaires. Les ondes en dents de scie, carrées et triangulaires sont constituées de segments rectilignes. On peut donc calculer leur aire par les formules géométriques bien connues et la diviser par la période pour obtenir la valeur moyenne.

Mais que faire avec des signaux demi-onde et pleine onde tels ceux représentés aux figures 22-7 *c* et 22-7 *d* ? Ces ondes ne sont pas linéaires et aucune formule géométrique simple ne donne leur aire. Seul le calcul infinitésimal permet de calculer leur aire exacte. On en tire les valeurs moyennes suivantes :

$$V_0 = 0,636A \qquad \text{(pleine onde)} \tag{22-6}$$

et

$$V_0 = 0,318A \qquad \text{(demi-onde)} \tag{22-7}$$

EFFET DE LA COMPOSANTE CONTINUE SUR LE SPECTRE

L'apparition d'un bâton à la fréquence nulle est la seule variation du spectre lorsqu'on additionne une composante continue à une onde. La hauteur du bâton représente la tension continue. L'addition d'une composante continue à une onde n'a généralement aucun effet sur les harmoniques; un nouveau bâton à la fréquence nulle est la seule variation spectrale.

22.3. DISTORSION HARMONIQUE

Si un signal amplifié est petit, on n'utilise qu'une petite partie de la caractéristique de transconductance. Donc l'amplificateur ne fonctionne que sur un arc presque linéaire de la caractéristique. On dit qu'un tel fonctionnement est *linéaire* parce que les variations du courant de sortie sont proportionnelles à celles de la tension d'entrée. Du fonctionnement linéaire il découle que l'onde amplifiée a même forme que l'onde d'entrée. Autrement dit, si le fonctionnement est linéaire ou en petits signaux, il n'y a pas de distorsion.

Mais si le signal est grand, on ne peut plus traiter le fonctionnement comme s'il était linéaire; les variations du courant de sortie ne sont plus proportionnelles aux variations de la tension d'entrée. La *distorsion* est donc *non linéaire*. Dans cette section, nous analyserons la distorsion dans le domaine des fréquences.

FONCTIONNEMENT EN GRANDS SIGNAUX

Si l'excursion du signal est grande, le fonctionnement est non linéaire. La figure 22-8 en représente un exemple. Une tension sinusoïdale V_{BE} produit de grandes excursions le long de la caractéristique de transconductance. Le courant résultant n'est pas sinusoïdal puisque la caractéristque est non linéaire. Autrement dit, la forme du courant de sortie n'est pas une réplique exacte de la forme d'entrée. La tension de sortie sera aussi déformée non linéairement, puisque le courant de sortie traverse une résistance de charge.

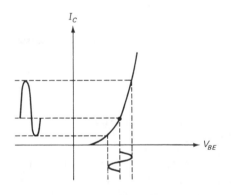

Fig. 22-8. *Distorsion non linéaire.*

La figure 22-9 *a* représente une distorsion non linéaire en fonction du temps. L'onde sinusoïdale d'entrée attaque un amplificateur. Si le fonctionnement est en grands signaux, la tension amplifiée de sortie n'est pas une onde sinusoïdale pure. Le gain est arbitrairement plus grand durant une alternance que durant l'autre; on appelle parfois cette sorte de distorsion la *distorsion d'amplitude*.

L'analyse fréquentielle donne une vue interne de l'amplitude de distorsion. La figure 22-9 *b* représente la même situation dans le domaine de la fréquence. Le spectre d'entrée est un seul bâton en f_1, la fréquence de l'onde sinusoïdale d'entrée.

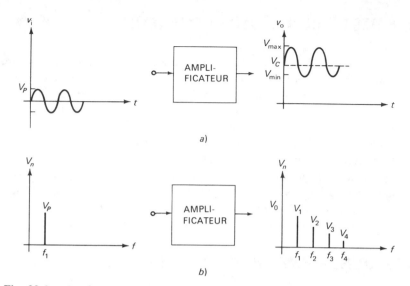

Fig. 22-9. *La distorsion d'amplitude produit des harmoniques dans le spectre.*

Le signal de sortie est déformé mais il est encore périodique ; il contient donc la composante continue et les harmoniques représentés. Nous avons arbitrairement arrêté la représentation à l'harmonique 4. Retenir qu'une onde à amplitude déformée contient une fondamentale et des harmoniques ; l'amplitude des harmoniques supérieurs indique la nocivité de la distorsion.

On appelle aussi la distorsion d'amplitude la *distorsion harmonique*. On utilise le vocable « distorsion d'amplitude » en analyse temporelle et le vocable « distorsion harmonique » en analyse fréquentielle. Lorsqu'on recherche la cause de la distorsion, on utilise le vocable « distorsion non linéaire ». Tous ces vocables sont synonymes pour le type de distorsion d'une onde sinusoïdale d'entrée. (Dans le chapitre suivant, nous étudierons la distorsion dans le cas de plusieurs ondes sinusoïdales).

FORMULE DES TAUX PARTIELS DE DISTORSION HARMONIQUE

Comment comparer la distorsion harmonique d'un amplificateur à celle d'un autre ? Plus la valeur de crête des harmoniques est grande, plus la distorsion harmonique est grande. La façon la plus simple de comparer des amplificateurs différents consiste à prendre le rapport des harmoniques à la fondamentale. Par définition

$$\text{taux 2 de distorsion harmonique} = \frac{V_2}{V_1} \times 100\,\% \qquad (22\text{-}8\ a)$$

$$\text{taux 3 de distorsion harmonique} = \frac{V_3}{V_1} \times 100\,\% \qquad (22\text{-}8\ b)$$

et ainsi de suite pour tout harmonique supérieur. En général, par définition

$$\text{taux } n \text{ de distorsion harmonique} = \frac{V_n}{V_1} \times 100\,\% \qquad (22\text{-}8\ c)$$

Si dans le spectre de sortie représenté à la figure 22-9 *b* $V_1 = 2$ V, $V_2 = 0,2$ V, $V_3 = 0,1$ V et $V_4 = 0,05$ V, alors

taux 2 de distorsion harmonique $= 10\,\%$

taux 3 de distorsion harmonique $= 5\,\%$

taux 4 de distorsion harmonique $= 2,5\,\%$

FORMULE DU TAUX TOTAL DE DISTORSION HARMONIQUE

Habituellement, les fiches signalétiques donnent le taux total de distorsion harmonique, tous les harmoniques étant groupés et comparés à la fondamentale. Par définition,

taux total de distorsion harmonique =

$$\sqrt{(\text{taux 2 de distorsion harmonique})^2 + (\text{taux 3 de distorsion harmonique})^2 + ...}$$

$$(22\text{-}9)$$

Si $V_1 = 2$ V, $V_2 = 0,2$ V, $V_3 = 0,1$ V et $V_4 = 0,05$ V, les taux partiels de distorsion harmonique sont de 10, 5 et 2,5 % et

$$\text{taux total de distorsion harmonique} = \sqrt{(10\,\%)^2 + (5\,\%)^2 + (2,5\,\%)^2} = 11,5\,\%$$

LA CONTRE-RÉACTION RÉDUIT LA DISTORSION HARMONIQUE

Dernier point. Comme nous l'avons vu au chapitre 16, la contre-réaction divise la distorsion harmonique ou non linéaire par $1 + AB$, la désensibilité. Soit un amplificateur de distorsion harmonique en boucle ouverte de 10 %. Si on utilise cet amplificateur avec une contre-réaction de désensibilité de 100, alors la distorsion harmonique en boucle fermée est seulement de $(10\,\%)/100 = 0,1\,\%$.

22.4. AUTRES SORTES DE DISTORSIONS

Dans le cas du fonctionnement non linéaire d'un amplificateur, une onde sinusoïdale d'entrée produit un signal de sortie déformé dans le domaine du temps; dans le domaine de la fréquence, le fonctionnement non linéaire équivaut à un spectre à un seul bâton produisant un spectre de sortie à plusieurs bâtons (fig. 22-10 *a*). Telle est la distorsion harmonique : une onde sinusoïdale pure d'entrée produit une fondamentale et des harmoniques.

DISTORSION DE FRÉQUENCE

La *distorsion de fréquence* est différente. Elle est distincte de la distorsion non linéaire; elle peut survenir en fonctionnement en petits signaux. La cause de la distorsion de fréquence est une variation du gain de l'amplificateur en fonction de

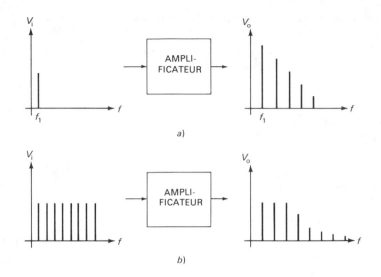

Fig. 22-10. a) *Distorsion harmonique.* b) *Distorsion de fréquence.*

la fréquence. La figure 22-10 *b* illustre ce type de distorsion. Le spectre d'entrée contient arbitrairement plusieurs composantes sinusoïdales de même amplitude. Si la fréquence de coupure de l'amplificateur est inférieure à la fréquence sinusoïdale maximale, les fréquences supérieures du spectre de sortie sont atténuées selon la figure 22-10 *b*.

La distorsion de fréquence n'est donc qu'une variation de spectre du signal causée par les fréquences de coupure de l'amplificateur. Cela détériore la qualité des signaux vocaux et des signaux musicaux. La voix et la musique sont des signaux complexes; leur spectre comporte de nombreuses composantes. A moins qu'elles n'appartiennent toutes à la bande passante de l'amplificateur, les composantes du spectre de sortie n'auront pas la bonne amplitude. Alors la voix et la musique diffèrent du signal original d'entrée.

DISTORSION DE PHASE

La *distorsion de phase* se produit lorsque la phase d'un harmonique est décalée par rapport à la fondamentale. La crête d'harmonique 3 du signal d'entrée représentée à la figure 22-11 est en phase avec la crête de la fondamentale. A la sortie, s'il y a la distorsion de phase, la phase de l'harmonique 3 par rapport à la fondamentale change.

Fig. 22-11. *Par distorsion de phase entendre un décalage des harmoniques par rapport à la fondamentale.*

Les distorsions de fréquence et de phase surviennent presque toujours simultanément. Dans la bande médiane d'un amplificateur, le gain en tension et le déphasage sont constants (0° ou 180°). Donc, aucune distorsion de fréquence ni distorsion de phase ne peut survenir si toutes les composantes sinusoïdales appartiennent à la bande médiane de l'amplificateur. Au-dehors de la bande médiane, le gain en tension chute et l'angle de phase ou déphasage varie; il y a donc distorsion de fréquence et distorsion de phase si le spectre contient des composantes au-dehors de la bande médiane.

PROBLÈMES

Simples

22-1. Supposer que la valeur de crête et la période du signal demi-onde représenté à la figure 22-1 *d* sont respectivement de 20 V et de 25 μs. Calculer la fréquence des trois premiers harmoniques.

22-2. Calculer la fréquence des quatre premiers harmoniques impairs d'une onde carrée de valeur de crête à crête de 30 V et de période de 5 ms.

22-3. Soit l'onde triangulaire représentée à la figure 22-1 *b*. On donne $V_P = 25$ V et $T = 2$ ms. Calculer la fréquence fondamentale et la fréquence de l'harmonique 25.

22-4. Soit l'onde en dents de scie représentée à la figure 22-1 *c*. On donne $V_P = 10$ V et $T = 20$ μs. Calculer la fréquence des trois premiers harmoniques.

22-5. Calculer la valeur de crête des trois premiers harmoniques impairs du problème 22-2.

22-6. Calculer la valeur de crête de la fondamentale du problème 22-3 et celle de l'harmonique 10.

22-7. Tracer le spectre de l'onde en dents de scie du problème 22-4. Inclure la composante continue et les quatre premiers harmoniques.

22-8. Une onde carrée a une crête positive de + 80 V et une crête négative de − 20 V. Calculer la tension moyenne.

22-9. Une onde sinusoïdale attaque un amplificateur. Le spectre de sortie a des bâtons en f_1, f_2 et f_3. Les valeurs de crête correspondantes sont de 5 V, 0,4 V et 0,2 V. Calculer le taux 2 de distorsion harmonique, le taux 3 de distorsion harmonique et le taux total de distorsion harmonique.

22-10. Un amplificateur de gain en tension égale à 500 a un taux total de distorsion harmonique de 0,2 % pour une onde sinusoïdale d'entrée de 10 mV eff. Supposer que la sortie ne contient qu'une fondamentale et l'harmonique 3. Calculer la valeur efficace de l'harmonique 3.

22-11. Les échelons aux décades de la tension d'entrée v_i d'un amplificateur sont de 0,1 mV, 1 mV, 10 mV, 100 mV et 1 V. Les tensions correspondantes de sortie v_o sont de 10 mV, 100 mV, 1 V, 9 V et 12 V. Dire quelle tension maximale d'entrée il faut utiliser si l'on désire éviter toute distorsion harmonique.

22-12. Un spectre a des bâtons en f_1, f_2, f_3 et f_4. Les tensions de crête correspondantes sont de 10 V, 10 V, 5 V et 5 V. Calculer le taux total de distorsion harmonique.

22-13. Selon la fiche signalétique, le taux total de distorsion harmonique d'un amplificateur opérationnel est de 3 % lorsque le signal de sortie est de 20 V. Supposer qu'on utilise cet amplificateur dans un système à contre-réaction de tension non inverseuse de désensibilité de 500. Calculer le taux total de distorsion harmonique lorsque la valeur de crête à crête du signal de sortie est de 20 V.

De dépannage

22-14.   A la figure 22-10 *b*, tous les bâtons spectraux de sortie chutent soudainement au dixième de leur valeur originale. Suggérer un dérangement possible à l'intérieur de l'amplificateur.

De conception

22-15.   On utilise un circuit à proximité d'un appareil qui rayonne un signal perturbateur de fréquence égal à 1,25 MHz. Le circuit capte le signal perturbateur. Concevoir un filtre coupe-bande pour rejeter le signal perturbateur. Prendre une résistance d'1 kΩ.

De défi

22-16.   Calculer le taux total de distorsion harmonique d'une onde carrée. (Pousser les calculs jusqu'à l'harmonique 9 inclus).

A résoudre par ordinateur

22-17.   Ecrire un programme qui calcule les 10 premiers harmoniques d'une onde en dents de scie, d'une onde carrée, d'une onde sinusoïdale redressée pleine onde et d'une onde triangulaire. Le programme doit comprendre un menu.

Mélange de fréquences

Un circuit non linéaire attaqué par une tension sinusoïdale sort des harmoniques. Un circuit non linéaire attaqué par deux tensions sinusoïdales sort des harmoniques de chaque tension sinusoïdale plus de nouvelles fréquences appelées fréquences somme et fréquences différence (ou différentielles). Dans ce chapitre, nous étudierons la théorie et l'utilisation de ces nouvelles fréquences de sortie.

23.1. NON-LINÉARITÉ

La figure 23-1 représente la caractéristique non linéaire d'une tension de sortie en fonction d'une tension d'entrée. Si le signal est petit, le point de fonctionnement instantané dévie sur une petite partie de la caractéristique. Dans un tel cas, le fonctionnement est linéaire et l'on a

$$v_o = Av_i \qquad (23\text{-}1\ a)$$

A est une constante égale au gain en tension.

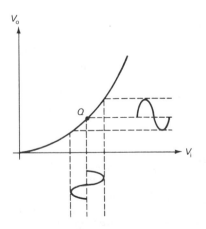

Fig. 23-1. *Caractéristiques entrée-sortie non linéaire.*

SÉRIE DE PUISSANCES

Si l'excursion du signal est grande, il faut utiliser une équation plus compliquée qui tient compte de la non-linéarité. On peut démontrer que la série de puissances

$$v_o = Av_i + Bv_i^2 + Cv_i^3 + Dv_i^4 + \ldots \tag{23-1 b}$$

est nécessaire en fonctionnement en grands signaux. On applique une telle série de puissances à toute caractéristique non linéaire semblable à celle représentée à la figure 23-1. Chaque caractéristique a son propre ensemble de coefficients *(A, B, C,...).* Remarquer que le fonctionnement linéaire est un cas particulier de la série de puissances; si v_i est petit, tous les termes d'ordre supérieur tombent et l'on a $v_o = Av_i$.

FONCTIONNEMENT EN PETITS SIGNAUX AVEC DEUX ENTRÉES SINUSOÏDALES

Que se produit-il lorsque deux tensions sinusoïdales attaquent un amplificateur ? Exprimons la première tension sinusoïdale par

$$v_x = V_x \sin \omega_x t$$

et la deuxième par

$$v_y = V_y \sin \omega_y t$$

La figure 23-2 *a* représente ces deux tensions sinusoïdales; v_x a arbitrairement la plus grande fréquence. Si les tensions sinusoïdales sont en série, comme à la figure 23-2 *b*, la tension somme d'entrée égale

$$v_i = v_x + v_x = V_x \sin \omega_x t + V_y \sin \omega_y t \tag{23-1 c}$$

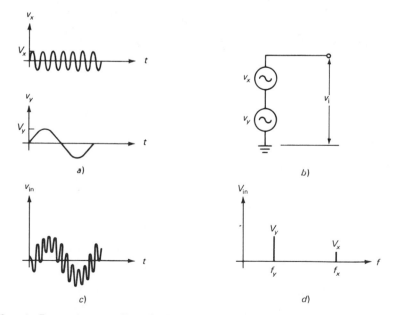

Fig. 23-2. a) *Deux signaux d'entrée.* b) *Montage en série des deux sources de tension sinusoïdale.* c) *Tension somme.* d) *Spectre de la tension somme.*

Les figures 23-2 *c* et 23-2 *d* représentent respectivement la tension somme et le spectre de la tension somme de ces deux tensions sinusoïdales. Autrement dit, les figures 23-2 *c* et 23-2 *d* représentent respectivement l'affichage de la tension somme d'entrée sur un oscilloscope et sur un analyseur de spectre.

Si les deux signaux sont petits, le fonctionnement linéaire et la formule (23-1 *a*) donnent

$$v_o = Av_i = A(v_x + v_y)$$
$$= AV_x \sin \omega_x t + AV_y \sin \omega_y t$$

Selon cette formule la tension alternative de sortie égale la somme des tensions sinusoïdales amplifiée de *A*. La figure 23-3 *a* représente le signal de sortie en fonction du temps ou dans le domaine temporel, ce signal égale simplement celui représenté à la figure 23-2 *c* amplifié de *A*. La figure 23-3 *b* représente le spectre du signal amplifié, ce spectre égale simplement le spectre original d'entrée à chaque bâton amplifié de *A*. Remarque importante : aucun harmonique ni d'autres bâtons n'apparaissent dans le spectre de sortie en fonctionnement en petits signaux.

TENSIONS SOMME

On appelle une tension telle celle représentée à la figure 23-3 *a* une *tension somme* parce qu'elle est la somme ou la superposition de deux tensions sinusoïdales. De telles tensions somme sont fréquentes. Exemple : un signal perturbateur de fréquence f_x se superpose parfois à l'entrée d'un amplificateur au signal sinusoïdal de fréquence f_y que l'on désire amplifier. Alors la sortie de l'amplificateur ressemble à la tension somme représentée à la figure 23-3 *a*.

Le signal perturbateur entre dans l'amplificateur d'un grand nombre de façons. Ce peut être une ondulation excessive d'alimentation additionnée au signal désiré. Ce peut être une tension induite par des appareils électriques proches ou un signal radio émis. Quoi qu'il en soit, retenir que toute tension somme semblable à celle illustrée à la figure 23-3 *a* représente la somme de deux tensions sinusoïdales.

FONCTIONNEMENT LINÉAIRE DANS LE CAS DE PLUSIEURS COMPOSANTES SINUSOÏDALES

Les résultats obtenus pour deux tensions sinusoïdales sont applicables quel que soit le nombre de tensions d'entrée. Autrement dit, l'amplificateur linéaire de 10

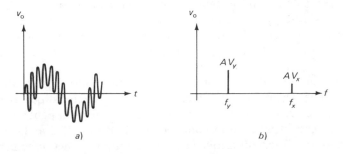

Fig. 23-3. a) *Signal somme amplifié.* b) *Spectre.*

tensions sinusoïdales d'entrée donne 10 tensions sinusoïdales de sortie. Le spectre de sortie contient 10 bâtons spectraux de mêmes fréquences que ceux du spectre d'entrée; chaque composante est amplifiée de *A*.

Le signal produit par le do central d'un piano est un bon exemple d'entrée à plusieurs sinusoïdes. Ce signal contient une fondamentale de fréquence de 256 Hz plus des harmoniques jusqu'à environ 10 000 Hz (environ 40 harmoniques); l'intensité des harmoniques par rapport à la fondamentale rend le son de cette note différent de celui de toutes les autres. Le spectre de sortie du signal du do central linéairement amplifié ne contient que les harmoniques originaux amplifiés de *A*. La sortie est plus forte, mais a encore le son distinctif du do central. Donc, un bon amplificateur haute fréquence est un amplificateur petits signaux ou linéaire; il n'ajoute ni ne soustrait aucune composante spectrale; il amplifie également toutes les composantes.

23.2. FONCTIONNEMENT EN SIGNAUX MOYENS DANS LE CAS D'UNE TENSION SINUSOÏDALE

Pour des valeurs typiques de *A, B, C,...* de la formule (23-1 *b*), le premier terme important de puissance supérieure est le terme du deuxième degré. Donc, à un niveau du signal d'entrée, compris entre les petits signaux et les grands signaux, seuls les deux premiers termes de la formule (23-1*b*) sont importants :

$$v_o = Av_i + Bv_i^2 \tag{23-2}$$

Puisque ce fonctionnement particulier est compris entre le fonctionnement en petits signaux et le fonctionnement en grands signaux, on l'appelle le fonctionnement *en signaux moyens*. Tout amplificateur à transistor peut fonctionner en signaux moyens et l'équation de sa tension alternative de sortie comprend seulement un terme linéaire et un terme du deuxième degré. SI l'on augmente le signal, l'amplificateur à transistor bipolaire passe en fonctionnement en grands signaux. Alors le terme cubique et ceux de puissance plus élevée deviennent importants.

AMPLIFICATEUR A FET

A la différence de l'amplificateur à transistor bipolaire, un amplificateur à FET fonctionne en signaux moyens jusqu'à la saturation et le blocage. Autrement dit, si l'on augmente le signal d'entrée, l'amplificateur à FET continue à fonctionner en signaux moyens; la formule de la tension de sortie ne contient que le terme linéaire et le terme quadratique ou du deuxième degré. La formule (23-2) s'applique à un amplificateur à FET pour tout niveau de signal, pourvu que le signal de sortie ne soit pas écrêté. Cela découle directement de la caractéristique parabolique de transconductance. Nous ne le prouverons pas, mais on peut déduire la formule (23-2) de l'équation de transconductance d'un FET. Donc, la formule (23-2) s'applique à un amplificateur à FET tant que le point de fonctionnement instantané appartient à la caractéristique de transconductance.

LE TERME DU DEUXIÈME DEGRÉ PRODUIT L'HARMONIQUE 2

Le terme du deuxième degré Bv_i^2 produit le taux 2 de distorsion harmonique. Supposons que la tension sinusoïdale d'entrée égale

$$v_i = V_x \sin \omega_x t$$

En fonctionnement en signaux moyens, la tension de sortie égale

$$v_o = Av_i + Bv_i^2$$
$$= AV_x \sin \omega_x t + BV_x^2 \sin^2 \omega_x t \qquad (23\text{-}3\ a)$$

Utilisons l'identité trigonométrique

$$\sin^2 A = 1/2 - 1/2 \cos 2A \qquad (23\text{-}3\ b)$$

dans laquelle A représente un angle. Posons $A = \omega_x t$ et utilisons l'identité (23-3 b) pour réarranger la formule (23-3 a). Il vient

$$v_o = 1/2 BV_x^2 + AV_x \sin \omega_x t - 1/2 BV_x^2 \cos 2\omega_x t \qquad (23\text{-}4)$$

Chaque terme de cette expression est important. Voici la signification de chacun :

$1/2 BV_x^2$ — est le terme constant, il représente la composante continue;

$AV_x \sin \omega_x t$ — est le terme linéaire de sortie; il représente la tension sinusoïdale d'entrée amplifiée;

$1/2 BV_x^2 \cos 2\omega_x t$ — ce terme comprend la fréquence $2\omega_x$, exprimée en radians, équivalente à la fréquence de cycle de $2f_x$; par conséquent, ce terme représente l'harmonique 2 de la tension sinusoïdale d'entrée.

La figure 23-4 a représente chacune de ces composantes en fonction du temps. L'addition de ces composantes donne la tension somme ou totale qu'afficherait un oscilloscope. La figure 23-4 b représente le spectre; remarquer la composante

RÉSUMÉ

En fonctionnement en signaux moyens, une tension sinusoïdale d'entrée v_x produit une composante continue, une fondamentale amplifiée et un harmonique 2. Dans la suite de cette étude, nous appellerons le deuxième membre de la formule (23-4) la *sortie x*. On peut représenter la sortie x en fonction du temps (fig. 23-4 a) ou en fonction de la fréquence (fig. 23-4 b).

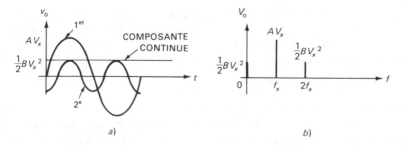

Fig. 23-4. a) *Sortie x en fonction du temps.* b) *Spectre de sortie x.*

23.3. FONCTIONNEMENT EN SIGNAUX MOYENS DANS LE CAS DE DEUX TENSIONS SINUSOÏDALES

Un phénomène remarquable se produit lorsque deux tensions sinusoïdales d'entrée attaquent un amplificateur signaux moyens : la sortie comprend de *nouvelles fréquences* en plus des harmoniques. Dans cette section, nous prouverons que si deux tensions sinusoïdales d'entrée de fréquences f_x et f_y attaquent un amplificateur signaux moyens, le spectre de sortie contient des composantes sinusoïdales de fréquences

f_x et f_y : les deux fréquences d'entrée

$2f_x$ et $2f_y$: les harmoniques 2 des fréquences d'entrée

$f_x + f_y$: une nouvelle fréquence égale à la somme des fréquences d'entrée

$f_x - f_y$: une nouvelle fréquence égale à la différence des fréquences d'entrée.

Si les deux fréquences d'entrée sont d'1 kHz et de 20 kHz, le spectre de sortie contient les fréquences sinusoïdales d'1 kHz et de 20 kHz (les deux fréquences d'entrée), les fréquences de 2 kHz et de 40 kHz (les harmoniques 2), la fréquence de 21 kHz (la somme) et la fréquence de 19 kHz (la différence).

PRODUIT CROISÉ

Lorsque deux tensions sinusoïdales d'entrée attaquent un amplificateur, la tension d'entrée égale

$$v_i = v_x + v_y$$

v_x et v_y sont des tensions sinusoïdales. En fonctionnement en signaux moyens, la tension de sortie égale

$$\begin{aligned} v_o &= Av_i + Bv_i^2 \\ &= A(v_x + v_y) + B(v_x + v_y)^2 \\ &= Av_x + Av_y + Bv_x^2 + 2Bv_xv_y + Bv_y^2 \end{aligned}$$

Réarrangeons les termes comme suit

$$v_o = \underbrace{Av_x + Bv_x^2}_{\text{sortie } x} + \underbrace{Av_y + Bv_y^2}_{\text{sortie } y} + \underbrace{2Bv_xv_y}_{\substack{\text{produit} \\ \text{croisé}}} \qquad (23\text{-}5)$$

La somme des deux premiers termes du deuxième membre de cette formule donne la sortie x étudiée dans la section précédente, autrement dit, la sortie d'un amplificateur signaux moyens lorsque seule la tension v_x attaque l'amplificateur; nous savons donc déjà que ces deux termes donnent une composante continue, une fondamentale amplifiée f_x et un harmonique 2, $2f_x$.

On appelle la somme des deux termes suivants, $Av_y + Bv_y^2$, la *sortie y* en raison de sa ressemblance avec la sortie x. Les termes de la sortie y donnent une composante continue, une fondamentale amplifiée f_y et un harmonique 2, $2f_y$. Autrement dit, la sortie y est ce que sort un amplificateur signaux moyens lorsque la tension sinusoïdale de fréquence f_y est la seule entrée de l'amplificateur.

Le phénomène inhabituel dans la formule (23-5) est le *produit croisé* $2Bv_xv_y$. Si la formule (23-5) *ne contenait pas* de produit croisé, la sortie serait la superposition des sorties x et y. Cela permettrait de considérer chaque entrée séparément, de trouver leur réponse de l'amplificateur et d'additionner les sorties x et y pour obtenir la sortie totale. Mais en raison du produit croisé, le théorème de superposition ne donne qu'une partie de la sortie totale.

FRÉQUENCE SOMME ET FRÉQUENCE DIFFÉRENCE

Dans la formule (23-5), on sait déjà que les termes de la sortie x représentent une composante continue, une fondamentale amplifiée f_x et un harmonique 2, $2f_x$. De même, les termes de la sortie y représentent une autre composante continue, une fondamentale amplifiée f_y et un harmonique 2, $2f_y$. Il ne reste qu'à comprendre ce qu'est le produit croisé.

Lorsqu'on substitue

$$v_x = V_x \sin \omega_x t$$

et

$$v_y = V_y \sin \omega_y t$$

dans le produit croisé, il vient

$$2 Bv_x v_y = 2 B (V_x \sin \omega_x t) (V_y \sin \omega_y t)$$
$$= 2 BV_x V_y (\sin \omega_x t) (\sin \omega_y t) \qquad (23\text{-}6)$$

On peut développer le produit des deux tensions sinusoïdales à l'aide de l'identité trigonométrique

$$\sin A \sin B = 1/2 \cos (A - B) - 1/2 \cos (A + B)$$

Posons $A = \omega_x t$ et $B = \omega_y t$. Développons et réarrangeons (23-6) sous la forme

$$2 Bv_x v_y = BV_x V_y \cos (\omega_x - \omega_y) t - BV_x V_y \cos (\omega_x + \omega_y) t \qquad (23\text{-}7)$$

Le premier terme du deuxième membre est une composante sinusoïdale de fréquence $\omega_x - \omega_y$, exprimée en radians, équivalente à une fréquence $f_x - f_y$; par conséquent, ce premier terme représente la fréquence différence. Le deuxième terme est aussi une composante sinusoïdale, mais de fréquence $f_x + f_y$; aussi ce deuxième terme représente-t-il la fréquence somme.

SPECTRE DE SORTIE

La formule (23-5) donne la tension de sortie d'un amplificateur signaux moyens attaqué par deux tensions sinusoïdales d'entrée. Les deux premiers termes donnent la sortie x; ces termes représentent une composante continue, une fondamentale amplifiée f_x et un harmonique 2, $2f_x$. La figure 23-5 a représente le spectre de la sortie x. Dans la formule (23-5), les termes de la sortie y représentent une autre composante continue, une fondamentale amplifiée fondamentale f_y et un harmonique 2, $2f_y$. La figure 23-5 b représente le spectre des termes de la sortie y. Dans la formule (23-5), le produit croisé représente les termes somme et différence; la figure 23-5 c représente le spectre de ce produit croisé.

Le signal total de sortie égale la somme de la sortie x, de la sortie y et du produit croisé. La représentation graphique du signal en fonction du temps est trop compliquée, mais celle en fonction de la fréquence est facile. La figure 23-5 d

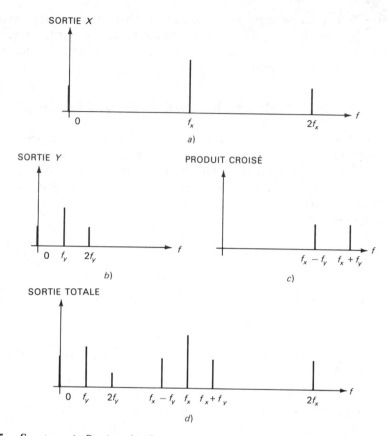

Fig. 23-5. *Spectres.* a) *Sortie y.* b) *Sortie y.* c) *Composantes somme et différence.* d) *Sortie totale.*

représente le spectre de sortie d'un amplificateur signaux moyens attaqué par deux tensions sinusoïdales. Comme on le constate, le bâton de fréquence nulle est la somme des composantes continues. Fait plus important, les autres bâtons représentent les signaux sinusoïdaux : on a chaque fréquence d'entrée et son harmonique, plus les fréquences somme et différence.

RÉSUMÉ

Nous avons découvert quelque chose de neuf et d'utile. Un amplificateur signaux moyens soumis à deux signaux sinusoïdaux sort six signaux sinusoïdaux de fréquence f_x, $2f_x$, f_y, $2f_y$, de fréquence

$$\text{somme} = f_x + f_y$$

et de fréquence

$$\text{différence} = f_x - f_y$$

23.4. FONCTIONNEMENT EN GRANDS SIGNAUX DANS LE CAS DE DEUX TENSIONS SINUSOÏDALES

Que se produit-il lorsque deux tensions sinusoïdales attaquent un amplificateur à transistor bipolaire dans le mode grands sinaux ? Le spectre de sortie contient chaque fréquence d'entrée, tous les harmoniques de ces fréquences et les fréquences somme et différence produites par chaque combinaison des harmoniques.

DÉVELOPPEMENT

Pour le fonctionnement en grands signaux, il faut appliquer la formule (23-1 *b*) selon laquelle

$$v_o = Av_i + Bv_i^2 + Cv_i^3 + \ldots$$

Cette série est infinie ; le nombre de termes est illimité ; chaque nouveau terme additionné à la série égale la puissance immédiatement supérieure de v_i multipliée par un coefficient. Dans le cas de deux tensions sinusoïdales d'entrée,

$$v_i = v_x + v_y$$

v_x et v_y sont des tensions sinusoïdales. Substituons $v_x + v_y$ à v_i dans la série infinie. Il vient

$$v_o = A(v_x + v_y) + B(v_x + v_y)^2 + C(v_x + v_y)^3 + \ldots$$

Appliquons le théorème du binôme à chaque terme et réarrangeons cette formule sous la forme

$$v_o = (Av_x + Bv_x^2 + Cv_x^3 + \ldots) + (Av_y + Bv_y^2 + Cv_y^3 + \ldots) + (2\,Bv_xv_y + 3\,Cv_x^2v_y + 3\,Cv_xv_y^2 + \ldots) \qquad (23\text{-}8)$$

La quantité entre les deux premières parenthèses est la *sortie x*. Donc

$$\text{sortie } x = Av_x + Bv_x^2 + Cv_x^3 + \ldots$$

On obtient cette sortie si v_x seul attaque l'amplificateur. On démontre par la trigonométrie que v_x^n produit l'harmonique n de f_x. Par conséquent, la sortie x contient une fondamentale amplifiée de fréquence f_x, un harmonique 2 de fréquence $2f_x$, un harmonique 3 de fréquence $3f_x$, etc.

La quantité entre la deuxième paire de parenthèses de la formule (23-8) est la *sortie y*. Donc

$$\text{sortie } y = Av_y + Bv_y^2 + Cv_y^3 + \ldots$$

On obtient cette sortie si v_y seul attaque l'amplificateur. On démontre encore que le terme d'exposant n produit l'harmonique n; par conséquent, le spectre de la sortie y contient des bâtons spectraux à f_y, $2f_y$, $3f_y$, ...

La quantité entre la troisième paire de parenthèses de la formule (23-8) est la somme des produits croisés du développement binôminal de chaque puissance de $v_x + v_y$. Donc

$$\text{somme des produits croisés} = 2\,Bv_xv_y + 3\,Cv_x^2v_y + 3\,Cv_xv_y^2 + \ldots$$

Après le dernier terme écrit en viennent d'autres de la forme

$$K v_x^m v_y^n$$

On démontre en mathématiques supérieures que chaque produit croisé génère une fréquence somme $m f_x + n f_y$ et une fréquence différence $m f_x - n f_y$. Donc

$$f \text{ nouvelles} = m f_x \pm n f_y \qquad (23\text{-}9)$$

avec m et n des entiers positifs quelconques.

CALCULS SYSTÉMATIQUES

La formule (23-9) donne toutes les fréquences somme et différence générées dans un amplificateur grands signaux attaqué par deux ondes sinusoïdales. Voici une façon systématique d'utiliser cette importante formule :

Groupe 1. La combinaison de l'harmonique 1 de v_x avec chaque harmonique de v_y donne les fréquences

$$f_x \pm f_y$$
$$f_x \pm 2 f_y$$
$$f_x \pm 3 f_y$$
.
.
.

Groupe 2. La combinaison de l'harmonique 2 de v_x avec chaque harmonique de v_y donne les fréquences

$$2 f_x \pm f_y$$
$$2 f_x \pm 2 f_y$$
$$2 f_x \pm 3 f_y$$
.
.
.

Groupe 3. La combinaison de l'harmonique 3 de v_x avec chaque harmonique de v_y donne les fréquences

$$3 f_x \pm f_y$$
$$3 f_x \pm 2 f_y$$
$$3 f_x \pm 3 f_y$$
.
.
.

et ainsi de suite. On calcule toutes les fréquences somme et différence supérieures et intéressantes de cette façon.

Considérons un exemple concret. Supposons que les deux tensions sinusoïdales d'entrée de fréquences $f_x = 100 \, \text{kHz}$ et $f_y = 1 \, \text{kHz}$ attaquent un amplificateur grand signaux. Les fréquences différence et somme égalent respectivement.

Groupe 1.

$$100 \text{ kHz} \pm 1 \text{ kHz} = 99 \text{ et } 101 \text{ kHz}$$
$$100 \text{ kHz} \pm 2 \text{ kHz} = 98 \text{ et } 102 \text{ kHz}$$
$$100 \text{ kHz} \pm 3 \text{ kHz} = 97 \text{ et } 103 \text{ kHz}$$
.
.
.

Groupe 2.

$$200 \text{ kHz} \pm 1 \text{ kHz} = 199 \text{ et } 201 \text{ kHz}$$
$$200 \text{ kHz} \pm 2 \text{ kHz} = 198 \text{ et } 202 \text{ kHz}$$
$$200 \text{ kHz} \pm 3 \text{ kHz} = 197 \text{ et } 203 \text{ kHz}$$
.
.
.

Groupe 3.

$$300 \text{ kHz} \pm 1 \text{ kHz} = 299 \text{ et } 301 \text{ kHz}$$
$$300 \text{ kHz} \pm 2 \text{ kHz} = 298 \text{ et } 302 \text{ kHz}$$
$$300 \text{ kHz} \pm 3 \text{ kHz} = 297 \text{ et } 303 \text{ kHz}$$
.
.
.

et ainsi de suite. On calcule toutes les fréquences somme et différence intéressantes de cette façon.

FRÉQUENCES NÉGATIVES

Lorsqu'on calcule les fréquences différence, on peut trouver des fréquences négatives. Supposons que les deux fréquences d'entrée sont de 10 kHz et de 3 kHz. Le groupe 1 comprend les fréquences

$$10 \text{ kHz} \pm 3 \text{ kHz} = 7 \text{ et } 13 \text{ kHz}$$
$$10 \text{ kHz} \pm 6 \text{ kHz} = 4 \text{ et } 16 \text{ kHz}$$
$$10 \text{ kHz} \pm 9 \text{ kHz} = 1 \text{ et } 19 \text{ kHz}$$
$$10 \text{ kHz} \pm 12 \text{ kHz} = -2 \text{ et } 22 \text{ kHz}$$

Prendre la valeur absolue des fréquences négatives. Dans cet exemple, -2 kHz devient 2 kHz. On peut délaisser le signe moins parce que la valeur des termes en cosinus de la formule (23-7) et des autres produits croisés est la même pour la fréquence positive et la fréquence négative en vertu de l'identité trigonométrique

$$\cos (A - B) = \cos (B - A)$$

RÉSUMÉ

De toute évidence, le comportement d'un amplificateur grands signaux est complexe. On applique deux tensions sinusoïdales à un tel amplificateur et l'on obtient deux tensions sinusoïdales amplifiées, leurs harmoniques et toutes les fréquences somme et différence concevables produites par les fréquences d'entrée et leurs harmoniques. Théoriquement, le nombre des composantes spectrales est infini. Pratiquement, l'amplitude de ces composantes diminue à mesure que *m* et *n* augmentent.

23.5. DISTORSION D'INTERMODULATION

Les fréquences somme et différence de sortie d'un amplificateur non linéaire de parole ou de musique les dénaturent complétement. La *distorsion d'intermodulation* est la variation du spectre causée par les fréquences somme et différence.

ACCORD PARFAIT DO-MI-SOL

Pour des raisons mal comprises, les accords sont agréables lorsqu'une relation mathématique lie les notes. A la figure 23-6 *a*, la fréquence fondamentale du do central (point 1) est de 256 Hz. Le do suivant de droite lui est supérieur d'une *octave* (point 2); la fréquence fondamentale de ce do est de 512 Hz, le double exact de

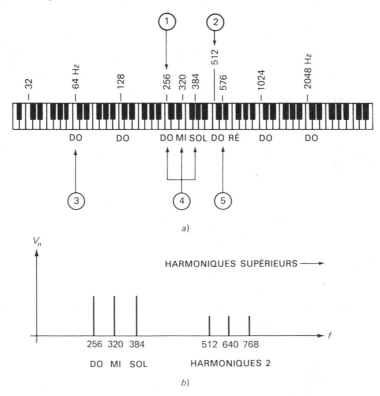

Fig. 23-6.   a) *Clavier de piano.* b) *Spectre de do-mi-sol.*

celle du do central. Le son de la combinaison de deux notes distantes d'une octave est agréable.

On peut produire des accords encore plus plaisants. Tel est le cas pour l'accord do-mi-sol (point 4). L'accord do-mi-sol possède les propriétés mathématiques intéressantes suivantes :

do	mi	sol	Notes de l'accord
256	320	384	Fréquence fondamentale, Hz
1	5/4	6/4	Rapport au do central

Selon les rapports, un accord est agréable lorsque les fondamentales sont des multiples du quart de la plus petite fréquence.

Outre les fréquences fondamentales données, l'accord do-mi-sol contient des harmoniques jusqu'à environ 10 kHz. Les amplitudes de ces harmoniques confèrent à l'accord un son distinct.

La figure 23-6 *b* représente une partie du spectre de l'accord do-mi-sol. Elle comporte les fréquences fondamentales 256-320-384, les harmoniques 2, 512-640-768, les harmoniques 3, les harmoniques 4, ... Les amplitudes relatives de ces harmoniques par rapport aux fondamentales doivent demeurer les mêmes, si l'on veut conserver exactement le même son. Si ce spectre attaque un *amplificateur linéaire,* toutes les composantes spectrales appartenant à la bande médiane de l'amplificateur ont le même gain. Selon le théorème de superposition, la sortie égale la somme de toutes les composantes spectrales amplifiées.

FRÉQUENCES SOMME ET DIFFÉRENCE

Le spectre de sortie d'un amplificateur *non linéaire* attaqué par l'accord do-mi-sol contient tous les bâtons spectraux d'entrée plus les sommes et différences de toutes les combinaisons de ces composantes. Ce son est atroce. L'oreille détecte immédiatement les fréquences somme et différence qui lui semblent des erreurs du pianiste.

Les fréquences de deux premiers bâtons spectraux, par exemple, représentés à la figure 23-6 *b* sont de 256 et 320 Hz ; ces composantes produisent une fréquence différence de 64 Hz et une fréquence somme de 576 Hz. La composante de 64 Hz correspond à la note do à deux octaves au-dessous du do central (point 3 de la figure 23-6 *a*). Cette note do supplémentaire n'est pas déplaisante parce qu'elle est harmoniquement liée au do central ; mais elle représente une nouvelle composante par rapport au son original. La fréquence somme de 576 Hz est nettement pire ; elle correspond à la note ré à une octave au-dessus du do central (point 5 de la figure 23-6 *a*). Cette note ré n'appartient pas à l'accord parfait do-mi-sol et est *discordante ;* elle a le même effet qu'une erreur du pianiste.

Outre les fréquences somme et différence des deux premières fondamentales, on obtient aussi de nombreuses autres fréquences somme et différence produites par d'autres combinaisons. Conclusion, l'amplification non linéaire produit beaucoup de notes discordantes.

RAPPORT AVEC LA DISTORSION NON LINÉAIRE

La distorsion non linéaire génère une distorsion harmonique et une distorsion d'intermodulation. Tout dispositif ou circuit à relation entrée-sortie non linéaire déforme le signal non linéairement. La forme du signal périodique qui traverse un circuit non linéaire varie en fonction du temps. Le spectre du signal périodique qui traverse un circuit non linéaire varie en fonction de la fréquence. Si une seule tension sinusoïdale d'entrée attaque le circuit non linéaire, on n'a que de la distorsion harmonique; mais si plusieurs tensions sinusoïdales l'attaquent, on a de la distorsion harmonique et de la distorsion d'intermodulation.

23.6.   MÉLANGEUR DE FRÉQUENCES

Chaque récepteur de radio et chaque récepteur de télévision, ou presque, comporte un *mélangeur de fréquences*. De nombreux autres systèmes électroniques en comportent également.

PRINCIPE

La figure 23-7 illustre le principe de fonctionnement d'un mélangeur de fréquences. Deux tensions sinusoïdales d'entrée attaquent un circuit non linéaire. On obtient toutes les composantes harmoniques et d'intermodulation précédentes. Le filtre passe-bande laisse passer une composante d'intermodulation, habituellement la fréquence différence $f_x - f_y$. Par conséquent, la sortie finale d'un mélangeur typique est une tension sinusoïdale de fréquence $f_x - f_y$. Au point de vue spectral, le mélangeur de fréquences est un dispositif qui produit un spectre de sortie à un seul bâton en $f_x - f_y$ lorsque le spectre d'entrée a une paire de bâtons en f_x et f_y.

On peut utiliser un filtre passe-bas au lieu d'un filtre passe-bande pourvu que $f_x - f_y$ soit inférieur à f_x et f_y. Si f_x est de 2 MHz et f_y de 1,8 MHz, alors

$$f_x - f_y = 2 \text{ MHz} - 1,8 \text{ MHz} = 0,2 \text{ MHz}$$

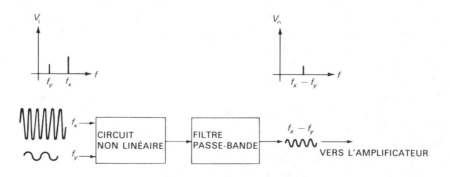

Fig. 23-7.   *Mélangeur de fréquences.*

Dans ce cas, la différence est inférieure à chaque fréquence d'entrée, aussi peut-on utiliser un filtre passe-bas si on le désire. (La construction des filtres passe-bas est habituellement plus facile que celle des filtres passe-bande).

Mais dans les applications où $f_x - f_y$ est compris entre f_x et f_y, il faut utiliser un filtre passe-bande. Si $f_x = 2$ MHz et $f_y = 0,5$ MHz, alors

$$f_x - f_y = 2 \text{ MHz} - 0,5 \text{ MHz} = 1,5 \text{ MHz}$$

Pour ne passer que la fréquence différence, il faut utiliser un filtre passe-bande.

AMPLITUDE HABITUELLE DES SIGNAUX D'ENTRÉE

Dans la plupart des applications, un des signaux d'entrée du mélangeur doit être *grand*. Cela est nécessaire pour obtenir un fonctionnement non linéaire; s'il n'y a pas un grand signal, il n'y a pas de composantes d'intermodulation. Ce grand signal d'entrée est souvent fourni par un oscillateur ou un générateur de signaux.

Habituellement, l'autre signal d'entrée est *petit*. S'il n'y avait que ce signal, le mélangeur fonctionnerait en petits signaux. Ce signal est faible parce qu'il provient souvent d'une antenne.

Par conséquent, les entrées normales d'un mélangeur sont

1. Un grand signal capable de faire fonctionner le mélangeur en signaux moyens ou en grands signaux.

2. Un petit signal qui, seul, ne produit qu'un fonctionnement en petits signaux.

MÉLANGEUR A TRANSISTOR

La figure 23-8 représente un mélangeur à transistor. Un signal attaque la base et l'autre l'émetteur. Le courant collecteur résultant contient des composantes harmoniques et des composantes d'intermodulation. Lorsque le circuit résonnant parallèle *LC* est accordé sur la fréquence différence, la fréquence du signal de sortie égale $f_x - f_y$.

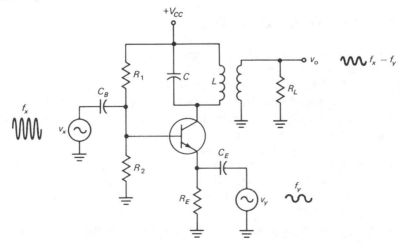

Fig. 23-8. *Mélangeur à transistor.*

MÉLANGEURS A DIODE

Le dispositif non linéaire peut être une diode au lieu d'un transistor. On attaque la diode avec un signal somme contenant les fréquences f_x et f_y. Alors le courant de diode contient des composantes harmoniques et des composantes d'intermodulation. On élimine la fréquence différence à l'aide d'un filtre.

Signalons qu'on appelle aussi un mélangeur une *hétérodyne* et que *fréquence de battement* est synonyme de fréquence différence. Le circuit représenté à la figure 23-8 mélange deux signaux d'entrée et sort une fréquence de battement $f_x - f_y$.

GAIN DE CONVERSION

Par *gain de conversion,* entendre le gain en puissance du mélangeur. Donc

$$\text{gain de conversion} = \frac{P_o}{P_i} \qquad (23\text{-}10)$$

Dans cette formule, P_o est la puissance de sortie du signal différence et P_i la puissance d'entrée du plus petit signal d'entrée. Exemple : supposons que le plus petit signal d'entrée du mélangeur représenté à la figure 23-8 fournit une puissance de 10 μW à l'émetteur; si la puissance de sortie du signal différence est de 40 μW, alors

$$\text{gain de conversion} = \frac{40\ \mu W}{10\ \mu W} = 4$$

Cela équivaut à un gain de conversion en décibels de 6 dB.

Le gain de conversion en tension est utile lui aussi. Par définition,

$$\text{gain de conversion en tension} = \frac{v_o}{v_i} \qquad (23\text{-}11)$$

MÉLANGEURS DES RÉCEPTEURS AM

La figure 23-9 représente les étages d'entrée d'un récepteur radio AM typique. L'antenne fournit un faible signal à l'amplificateur RF (radiofréquence). Bien que l'amplificateur RF l'amplifie, le signal f_x d'attaque du mélangeur est encore petit. L'autre entrée du mélangeur provient d'un oscillateur local (OL); ce signal est assez grand pour produire un fonctionnement non linéaire. La sortie du mélangeur est donc un signal de fréquence $f_x - f_y$.

Le signal différence attaque plusieurs étages appelés des amplificateurs FI (fréquence intermédiaire). Leur fonction est d'augmenter le gain du récepteur. Le grand signal de sortie des amplificateurs FI attaque les autres étages.

Considérons un exemple numérique. Pour syntoniser une station de fréquence de 1000 kHz,

1. Régler un condensateur pour accorder l'amplificateur RF sur 1000 kHz.

2. Régler un autre condensateur pour ajuster la fréquence de l'oscillateur local à 1455 kHz.

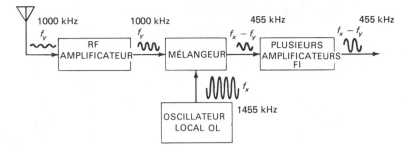

Fig. 23-9. *Etages d'entrée d'un récepteur AM typique.*

Selon la figure 23-9, la sortie du mélangeur est de 455 kHz. Les amplificateurs FI sont accordés fixement sur cette fréquence; donc, le signal de 455 kHz reçoit le gain maximal du groupe d'amplificateurs FI.

Lorsqu'on syntonise une station de fréquence de 1200 kHz, l'étage RF est accordé sur 1200 kHz et l'oscillateur local à 1655 kHz. La fréquence différence est encore de 455 kHz. Autrement dit, par conception, la fréquence de sortie du mélangeur égale toujours 455 kHz, peu importe la station syntonisée. Nous verrons pourquoi au chapitre suivant. Pour l'instant, disons simplement qu'il est plus facile de concevoir un groupe d'étages amplificateurs accordés sur une fréquence constante que d'essayer d'accorder en bloc ces étages sur chaque fréquence de station.

Autre point. Nous avons utilisé une FI de 455 kHz parce que c'est l'une des FI courantes des récepteurs commerciaux. Citons les autres FI de 456 kHz et 465 kHz. La FI de nombreux autoradios est de 175 kHz ou de 262 kHz. Peu importe la valeur exacte, tout récepteur moderne comporte un groupe d'amplificateurs FI accordés fixement sur la même fréquence. La fréquence du signal d'entrée est convertie à cette FI.

23.7. SIGNAUX PARASITES

Dans cette section, nous décrirons le sérieux problème que présentent parfois les mélangeurs et nous exposerons comment y remédier.

SIGNAUX PERTURBATEURS

Le filtre de sortie d'un mélangeur laisse passer tout signal de fréquence appartenant à la bande passante. De petits signaux perturbateurs traversent le filtre avec la fréquence différence désirée. Comme nous l'avons vu à la section 23-4, le mélangeur génère de nombreuses fréquences différence. On a

$$\text{fréquences différence} = mf_x - nf_y$$

avec m et n des entiers quelconques. Pour certains m et n, les fréquences différence sont proches de $f_x - f_y$. On appelle ces fréquences différence des signaux parasites parce qu'elles traversent le filtre avec la fréquence différence désirée.

Si $f_x = 10,5$ MHz et $f_y = 2,5$ MHz, la différence désirée égale
$$f_x - f_y = 10,5 \text{ MHz} - 2,5 \text{ MHz} = 8 \text{ MHz}$$

De nombreux m et n produisent des fréquences différence proches de cette valeur. Si $m = 2$ et $n = 5$,
$$mf_x - nf_y = 2\,(10,5 \text{ MHz}) - 5\,(2,5 \text{ MHz}) = 8,5 \text{ MHz}$$

Cette fréquence est proche de la fréquence désirée. Une partie suffisante de ce signal de 8,5 MHz qui atteindrait la sortie perturberait le signal désiré. Il existe d'autres fréquences parasites proches de la fréquence désirée. La sortie du mélangeur contient donc le signal désiré plus de nombreux signaux parasites.

Les signaux parasites surviennent pour m et n supérieurs à 1. Ils sont donc faibles comparativement au signal désiré. On accepte donc le mélangeur à transistor bipolaire dans certaines applications même s'il sort de petits signaux parasites.

MÉLANGEUR A FET

Les signaux parasites de sortie du mélangeur à transistor bipolaire causent des dérangements dans de nombreuses applications. La façon la plus simple d'éliminer les signaux parasites est de faire fonctionner le mélangeur en signaux moyens; dans ce cas, la tension de sortie égale
$$v_o = Av_i + Bv_i^2$$

Comme nous l'avons prouvé à la section 23-3, le fonctionnement en signaux moyens ne produit que les fréquences d'entrée, leurs harmoniques 2, la fréquence somme et la fréquence différence. Il n'y a pas d'autre fréquence différence, aussi n'y a-t-il pas de signaux parasites en fonctionnement en signaux moyens.

Le FET est le dispositif idéal pour un mélangeur puisqu'il fonctionne en signaux moyens jusqu'au blocage et jusqu'à la saturation. Le mélangeur à FET élimine pratiquement les signaux parasites. Pour le mélange, le FET est donc supérieur au transistor bipolaire.

Pour que le FET fonctionne en signaux moyens, le grand signal ne doit pas le saturer ni le bloquer. Si cela arrivait, le terme cubique et les termes de puissance supérieure se glisseraient dans l'expression de la tension de sortie. Autrement dit, si le signal de l'oscillateur local est assez grand pour écrêter, le contenu en signaux parasites augmentera. Idéalement, le signal de l'oscillateur local fait dévier le FET le plus possible sur la caractéristique de transconductance sans écrêtage; alors le gain de conversion est maximal et les signaux parasites minimaux.

23.8. BOUCLES A VERROUILLAGE DE PHASE

Une *boucle à verrouillage de phase* est une boucle de réaction comprenant un détecteur de phase, un filtre passe-bas, un amplificateur et un oscillateur à fréquence réglée par variation de tension. Au lieu de réinjecter une tension, une boucle à verrouillage de phase réinjecte une fréquence et la compare avec la fréquence d'entrée. Cela permet à l'oscillateur à verrouillage de phase de se verrouiller sur la fréquence d'entrée.

DÉTECTEUR DE PHASE

Soit un mélangeur soumis à deux fréquences d'entrée de 50 kHz. La fréquence différence nulle représente le continu. Donc, un mélangeur soumis à des fréquences d'entrée égales sort une tension continue.

Un *détecteur de phase* est un mélangeur optimisé pour usage avec des fréquences d'entrée égales. On appelle ce mélangeur un détecteur de phase (ou un comparateur de phase) parce que la tension continue dépend de la phase, angle de phase ou déphasage ϕ entre les signaux d'entrée. La tension continue varie en fonction de la phase, angle de phase ou déphasage.

La figure 23-10 *a* illustre la phase, angle de phase ou déphasage entre les deux signaux sinusoïdaux. S'il est soumis à ces signaux d'entrée, le détecteur de phase représenté à la figure 23-10 *b* sort une tension continue. La figure 23-10 *c* représente la caractéristique de variation de la tension continue de sortie d'un détecteur de phase. La tension est maximale lorsque l'angle de phase ϕ est nul. La tension continue diminue jusqu'à un minimum lorsque l'angle de phase croît de 0° à 180°. Pour $\phi = 90°$, la sortie continue égale la moyenne des sorties maximale et minimale.

Soit un détecteur de phase de sortie maximale de 10 V et de sortie minimale de 5 V. Lorsque les deux entrées sont en phase, la sortie continue est de 10 V. Lorsque les entrées sont déphasées de 90°, la sortie continue est de 7,5 V. Lorsque les entrées sont déphasées de 180°, la sortie continue est de 5 V. Propriété importante à retenir : la sortie continue diminue à mesure que l'angle de phase, phase ou déphasage augmente.

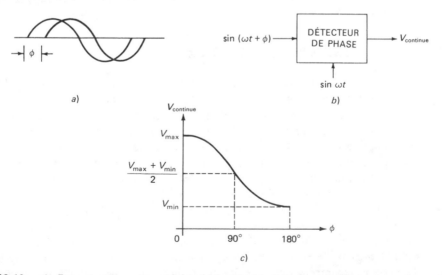

Fig. 23-10. a) *Deux tensions sinusoïdales déphasées.* b) *Détecteur de phase attaqué par des signaux de même fréquence.* c) *La tension continue de sortie diminue à mesure que le déphasage augmente.*

OSCILLATEUR A FRÉQUENCE RÉGLÉE PAR VARIATION DE TENSION

Nous avons vu au chapitre 20 que l'application d'une tension continue à l'entrée de commande faisait fonctionner une minuterie 555 en *oscillateur à fréquence réglée par variation de tension*. Rappelons le principe. Considérons la figure 23-11 *a*. Si la tension continue augmente, la fréquence du signal de sortie diminue. Autrement dit, une tension continue commande la fréquence de l'oscillateur. La fréquence diminue linéairement lorsque la tension continue augmente (fig. 23-11 *b*).

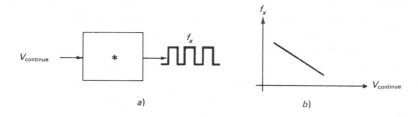

* OSCILLATEUR À FRÉQUENCE RÉGLÉE PAR VARIATION DE TENSION

Fig. 23-11. a) *L'oscillateur à fréquence réglée par variation de tension génère une tension carrée.* b) *La fréquence de sortie est inversement proportionnelle à la tension continue d'entrée.*

On peut concevoir les oscillateurs à fréquence réglée par variation de tension de nombreuses autres façons. On peut, par exemple, utiliser un oscillateur *LC* avec un varactor (condensateur à capacité réglée par tension). On fait varier la capacité et l'on règle la fréquence de résonance en faisant varier la tension continue appliquée au varactor (aussi appelé varicap). Retenir ce point important suivant sur un oscillateur à fréquence réglée par variation de tension : la tension continue d'entrée règle la fréquence de sortie.

BOUCLE A VERROUILLAGE DE PHASE

La figure 23-12 *a* représente le schéma fonctionnel d'une boucle à verrouillage de phase. Le signal de fréquence f_x est l'un des signaux d'entrée du détecteur de phase. L'autre entrée provient d'un oscillateur à fréquence réglée par variation de tension. Un filtre passe-bas de sortie du détecteur de phase élimine les fréquences originales, leurs harmoniques et la fréquence somme. Seule la fréquence différence (une tension continue) sort du filtre passe-bas. Cette tension continue règle la fréquence de l'oscillateur à fréquence réglée par variation de tension.

Le système de réaction représenté à la figure 23-12 *a verrouille* la fréquence de l'oscillateur à fréquence réglée par variation de tension sur la fréquence d'entrée. Si le système fonctionne correctement, la fréquence de l'oscillateur à fréquence réglée par variation de tension égale f_x, la fréquence du signal d'entrée. Les deux entrées du détecteur de phase ont donc la même fréquence. La phase, angle de phase ou déphasage entre ces entrées détermine la sortie continue. La figure 23-12 *b* représente les vecteurs du signal d'entrée et de l'oscillateur à fréquence réglée par variation de tension.

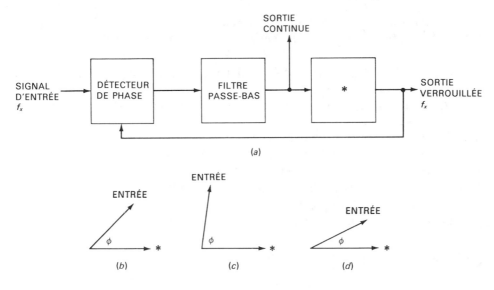

(a)

(b)   (c)   (d)

* OSCILLATEUR À FRÉQUENCE RÉGLÉE PAR VARIATION DE TENSION

Fig. 23-12. a) *Boucle à verrouillage de phase.* b) *Phase, angle de phase ou déphasage entre le signal d'entrée et le signal de l'oscillateur à fréquence réglée par variation de tension.* c) *Une augmentation de la fréquence d'entrée équivaut à une augmentation de la phase, angle de phase ou déphasage.* d) *Une diminution de la fréquence d'entrée équivaut à une diminution de la phase, angle de phase ou déphasage.*

La fréquence de l'oscillateur poursuit la variation de la fréquence d'entrée. Si la fréquence d'entrée f_x augmente légèrement, son vecteur tourne plus vite et la phase, angle de phase ou déphasage augmente (fig. 23-12 c). Donc, la tension continue de sortie du détecteur de phase diminue. Cette tension continue moindre augmente de force la fréquence de l'oscillateur jusqu'à f_x.

Si la fréquence d'entrée diminue, son vecteur ralentit et la phase, angle de phase ou déphasage diminue (fig. 23-12 d). La tension continue de sortie du détecteur de phase augmente. Cette augmentation de tension fait décroître la fréquence de l'oscillateur à fréquence réglée par variation de tension jusqu'à la fréquence d'entrée. Donc, la boucle à verrouillage de phase corrige automatiquement la fréquence de l'oscillateur à fréquence réglée par variation de tension et la phase, angle de phase ou déphasage.

Voici un exemple numérique. Supposons que l'oscillateur à fréquence réglée par variation de tension est verrouillé sur une fréquence d'entrée de 50 kHz. Si la fréquence d'entrée augmente jusqu'à 51 kHz, le détecteur de phase envoie immédiatement une plus petite tension à l'oscillateur et augmente sa fréquence jusqu'à 51 kHz. Si la fréquence d'entrée diminue jusqu'à 49 kHz, le détecteur de phase envoie une plus grande tension continue à l'oscillateur et diminue sa fréquence jusqu'à 49 kHz. Dans les deux cas, la réaction règle automatiquement l'angle, angle de phase ou déphasage pour produire une tension continue qui verrouille la fréquence de l'oscillateur sur la fréquence d'entrée.

La *gamme de verrouillage* B_L* est la gamme de fréquence que l'oscillateur à fréquence réglée par variation de tension peut produire. Par définition,

$$B_L = f_{max} - f_{min} \qquad (23\text{-}12)$$

avec f_{max} = fréquence maximale de l'oscillateur à fréquence réglée par variation de tension

f_{min} = fréquence minimale de l'oscillateur à fréquence réglée par variation de tension.

Si la fréquence de l'oscillateur à fréquence réglée par variation de tension peut varier de 40 à 60 kHz, la gamme de verrouillage égale

$$B_L = 60 \text{ kHz} - 40 \text{ kHz} = 20 \text{ kHz}$$

Une fois la boucle à verrouillage de phase verrouillée, la fréquence d'entrée f_x peut varier de 40 à 60 kHz; l'oscillateur à fréquence réglée par variation de tension poursuivra la fréquence d'entrée et la sortie verrouillée égalera f_x.

MODE LIBRE OU ASTABLE

Rappelons que la minuterie 555 astable sans tension de commande oscillait à la fréquence propre déterminée par les composants du circuit. Cela est aussi vrai pour l'oscillateur à fréquence réglée par variation de tension représenté à la figure 23-12 *a*. Si l'on coupe le signal d'entrée, l'oscillateur à fréquence réglée par variation de tension oscille librement ou de façon astable et les éléments du circuit déterminent sa fréquence.

CAPTURE ET VERROUILLAGE

Supposons que la boucle à verrouillage de phase soit libre ou non verrouillée. La boucle à verrouillage de phase se verrouille sur la fréquence d'entrée si celle-ci appartient à la gamme de capture, une bande de fréquence centrée sur la fréquence propre. Par définition, la *gamme de capture* égale

$$B_C = f_2 - f_1 \qquad (23\text{-}13)$$

Dans cette formule, f_2 et f_1 sont les fréquences maximale et minimale sur lesquelles la boucle à verrouillage de phase peut se verrouiller. La gamme de capture est toujours inférieure ou égale à la gamme de verrouillage et est liée à la fréquence de coupure du filtre passe-bas. Plus la fréquence de coupure est petite, plus la gamme de capture est petite.

Voici un exemple. Supposons que la boucle à verrouillage de phase peut initialement se verrouiller sur la fréquence maximale de 52 kHz et sur la fréquence minimale de 48 kHz. Alors la gamme de capture est de 4 kHz et la fréquence centrale de 50 kHz. Si la gamme de verrouillage est de 20 kHz et le verrouillage acquis, la fréquence d'entrée varie graduellement de 40 à 60 kHz sans perte de verrouillage.

SORTIE VERROUILLÉE

On peut utiliser la sortie verrouillée f_x d'une boucle à verrouillage de phase pour synchroniser les oscillateurs horizontal et vertical des téléviseurs sur les tops de

---

* N.d.T. *L* est mis pour *lock* (verrouillage).

synchronisation d'entrée. Les boucles à verrouillage de phase servent aussi à syntoniser automatiquement chaque canal de télévision en se verrouillant sur sa fréquence. Dans une autre utilisation, les boucles à verrouillage de phase se verrouillent sur les faibles signaux provenant des satellites ou d'autres sources éloignées et améliorent le rapport signal/bruit.

Généralement, la sortie verrouillée est un signal de même fréquence que le signal d'entrée. Même si le signal d'entrée dérive sur une grande gamme de fréquence, la fréquence de sortie restera verrouillée. Cela élimine la nécessité d'accorder un circuit résonnant pour maximiser la sortie.

SORTIE FM

La figure 23-13 *a* représente un oscillateur *LC* à condensateur variable d'accord. Si la capacité varie, la fréquence d'oscillation varie. La figure 23-13 *b* représente le signal de sortie. C'est un exemple de *modulation de fréquence* (FM, *frequency modulation*). Si la capacité du condensateur représenté à la figure 23-13 *a* varie sinusoïdalement à la fréquence d'1 kHz, la fréquence de modulation est d'1 kHz.

Si le signal FM représenté à la figure 23-13 *b* est l'entrée de la boucle à verrouillage représentée à la figure 23-12 *a*, l'oscillateur à fréquence réglée par variation de tension poursuivra la fréquence d'entrée variable. Donc, la tension de sortie du filtre passe-bas fluctue. La fréquence de cette tension égale celle du signal de modulation. Autrement dit, la sortie continue variable représente maintenant une sortie FM démodulée utile dans les récepteurs FM. Si le signal de modulation est de la musique, le signal de sortie FM sera la même musique.

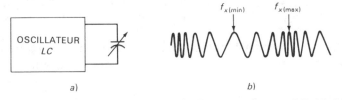

Fig. 23-13. a) *Condensateur variable raccordé à un oscillateur LC.* b) *Modulation de fréquence.*

LE 565

Le Signetics NE565 est un CI à 14 broches qu'on peut raccorder à des composants externes pour former une boucle à verrouillage de phase. La figure 23-14 représente le schéma fonctionnel d'un NE565. Les broches 2 et 3 appliquent une entrée différentielle au détecteur de phase. Si l'on préfère une seule entrée, on met la broche 3 à la masse et on applique le signal d'entrée à la broche 2. Habituellement, on relie les broches 4 et 5 ensemble. Alors la sortie de l'oscillateur à fréquence réglée par variation de tension devient une entrée du détecteur de phase. La broche 4 est la broche de sortie si l'on veut une sortie verrouillée.

On raccorde une résistance externe de minutage à la broche 8 et un condensateur externe de minutage à la broche 9. Ces deux composants déterminent la fréquence propre *f* de l'oscillateur à fréquence réglée par variation de tension. Il vient

$$f = \frac{0,3}{R_T C_T} \tag{23-14}$$

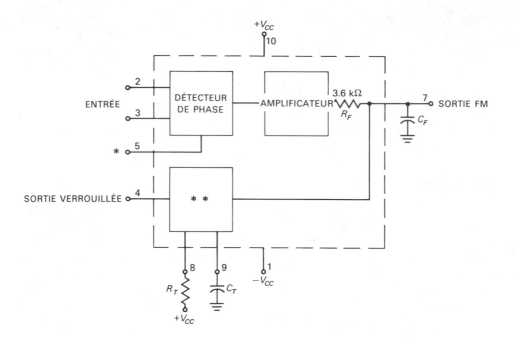

* ENTRÉE DE L'OSCILLATEUR À FRÉQUENCE RÉGLÉE PAR VARIATION DE TENSION

* *OSCILLATEUR À FRÉQUENCE RÉGLÉE PAR VARIATION DE TENSION

Fig. 23-14. *Schéma fonctionnel d'un NE565.*

On choisit R_T et C_T pour que la fréquence propre de l'oscillateur à fréquence réglée par variation de tension soit au centre de la gamme de la fréquence d'entrée. Si l'on désire se verrouiller sur une fréquence d'entrée comprise entre 40 et 60 kHz, prendre R_T et C_T pour que la fréquence propre de l'oscillateur à fréquence réglée par variation de tension égale 50 kHz.

La broche 7 est la sortie FM. On ne l'utilise que si un signal FM attaque le détecteur de phase. Dans les récepteurs FM, par exemple, un signal démodulé sort de cette broche. Ce signal passe ensuite aux autres amplificateurs et sort finalement du haut-parleur.

Remarquer le condensateur de filtrage C_F entre la broche 7 et la masse. Ce condensateur et la résistance interne de 3,6 kΩ forme le filtre passe-bas RC qui élimine les fréquences originales, leurs harmoniques et la fréquence somme. La fréquence de coupure de ce filtre égale

$$f = \frac{1}{2\pi R_F C_F} \qquad (23\text{-}15)$$

Plus la fréquence de coupure de ce filtre est petite, plus la gamme de capture est petite. Certaines applications ne comportent pas de condensateur de filtrage. Dans ce cas, la gamme de capture égale presque la gamme de verrouillage.

23.9. BRUIT

Comme nous l'avons vu, le bruit contient des composantes sinusoïdales à toutes les fréquences. Quelques composantes de bruit se mélangent avec le signal de l'oscillateur local et produisent des fréquences différence à la sortie du mélangeur. Voilà pourquoi le reste du système amplifie le signal désiré et le bruit perturbateur qui sortent du mélangeur. En général, le bruit est toute sorte de signal perturbateur qui ne découle pas du signal d'entrée ou qui ne lui est pas lié.

QUELQUES TYPES DE BRUIT

D'où provient le bruit ? Des moteurs électriques, des enseignes au néon, du secteur, des systèmes d'allumage, des éclairs, etc., qui produisent des champs électriques et des champs magnétiques. Ces champs induisent des tensions de bruit dans les circuits électroniques. Pour réduire le bruit de ce type, blinder le circuit et les câbles de raccordement.

L'ondulation de l'alimentation est aussi un bruit parce qu'elle est indépendante du signal désiré. On sait que l'ondulation pénètre dans le chemin du signal *via* les résistances de polarisation (et aussi par induction). L'utilisation d'alimentations régulées et de blindage réduit l'ondulation à un niveau acceptable.

Les vibrations causées par le secouement d'un circuit ou les heurts qu'il subit déplace les plaques des condensateurs, les enroulements des bobines, etc. Il en résulte des bruits *microphoniques.* A cet égard et en raison de sa structure à l'état solide, le transistor est nettement supérieur au tube à vide.

BRUIT THERMIQUE

On peut éliminer ou au moins minimiser les effets de l'ondulation, des bruits microphoniques et du bruit des champs externes. Mais on ne peut que légèrement contrer le *bruit thermique.* La figure 23-15 *a* illustre le principe de ce type de bruit. Toute résistance contient des électrons de bande de conduction. Comme les atomes les retiennent faiblement, ces électrons se déplacent de façon aléatoire dans différentes directions (fig. 23-15 *a*). L'énergie nécessaire à ces mouvements provient de l'énergie thermique de l'air ambiant; plus la température ambiante est élevée, plus les électrons sont actifs.

Le déplacement de milliards d'électrons génère un chaos total. A certains instants, plus d'électrons se déplacent vers le haut que vers le bas et une petite tension négative apparaît entre les bornes de la résistance. A d'autres instants, plus d'électrons se déplacent vers le bas que vers le haut et la tension est positive. La figure 23-15 *b* représente l'oscillogramme de cette tension de bruit amplifiée. Comme toute autre tension, le bruit a une valeur efficace. Les crêtes maximales de bruit égalent environ quatre fois la valeur efficace.

L'amplitude et la forme variables de la tension de bruit impliquent qu'elle contient de nombreuses composantes de fréquences différentes. On démontre par un développement mathématique poussé que le spectre du bruit est celui représenté à la figure 23-15 *c.* Remarquer que le bruit est uniformément distribué sur toute la

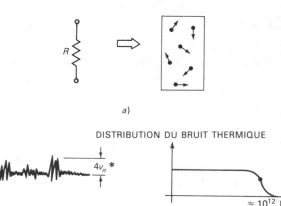

DISTRIBUTION DU BRUIT THERMIQUE

b)   *c)*

Fig. 23-15. *Bruit thermique.* a) *Déplacement aléatoire des électrons.* b) *Oscillogramme.*
c) *Distribution spectrale.*

gamme des fréquences pratiques. La fréquence de coupure d'environ 10^{12} Hz
dépasse largement les aptitudes des circuits électroniques. Voilà pourquoi la
plupart des gens disent que le bruit contient des composantes sinusoïdales à toutes
les fréquences.

Quelle tension de bruit v_n* une résistance produit-elle ? Cela dépend de la
température, de la bande passante du système et de la résistance. On a :

$$v_n = \sqrt{4kTBR}$$ (23-16)

Dans cette formule, v_n = tension efficace de bruit
              k = constante de Boltzmann = $1,37 \times 10^{-23}$
              T = température absolue = température Celsius + 273°C
              B = bande passante du bruit, Hz
              R = résistance, Ω

Selon la formule (23-16), la tension de bruit augmente avec la température, la bande
passante et la résistance.

A la température ambiante (25°C), cette formule se réduit à

$$v_n = 1,28(10^{-10})\sqrt{BR}$$ (23-17)

La bande passante B de bruit égale environ la bande passante à 3 dB de
l'amplificateur, du mélangeur ou du système analysé. La bande passante totale d'un
récepteur radio à transistors, par exemple, est d'environ 10 kHz. Telle est la valeur
approximative de B dans la formule (23-17). Un récepteur de télévision ou
téléviseur a une bande passante d'environ 4 MHz, la valeur de B à utiliser pour les
calculs du bruit d'un téléviseur.

Les formules (23-16) et (23-17) permettent de calculer le bruit généré par
n'importe quelle résistance d'un amplificateur. Les résistances proches de l'entrée
de l'amplificateur sont les plus importantes parce que leur bruit sera le plus
amplifié et dominera le bruit de sortie finale. On détermine grossièrement le niveau

_____

* N.d.T. n est mis pour *noise* (bruit).

de bruit d'entrée en calculant le bruit généré par la résistance de Thévenin qui attaque l'amplificateur ou le système.

Voici un exemple. Supposons que la résistance de Thévenin d'une source qui attaque un amplificateur est de 5 kΩ. Si la bande passante de l'amplificateur est de 100 kHz et la température ambiante de 25°C, la tension de bruit d'entrée de l'amplificateur égale

$$v_n = 1,28(10^{-10})\sqrt{10^5(5000)} = 2,86 \ \mu V$$

Tel est grossièrement le niveau de bruit d'entrée. Ce bruit masquera ou couvrira tout signal reçu qui lui est inférieur.

PROBLÈMES

Simples

23-1. Deux ondes sinusoïdales attaquent un amplificateur signaux moyens. Supposer que les fréquences d'entrée sont de 56 kHz et de 84 kHz. Calculer les fréquences que contient la sortie.

23-2. Les fréquences d'entrée d'un amplificateur grands signaux sont d'1 kHz et de 4 kHz. Calculer les fréquences des harmoniques que contient la sortie, et les fréquences somme et différence du premier groupe.

23-3. Le spectre de sortie d'un amplificateur linéaire contient 1 kHz, 2 kHz, 3 kHz, 4 kHz et 5 kHz. Calculer son nombre de signaux d'entrée.

23-4. Soit le clavier de piano représenté à la figure 23-6 *a*. Déterminer la fréquence fondamentale du plus petit do, du plus haut do et du plus haut mi.

23-5. Le spectre d'entrée d'un amplificateur signaux moyens contient les fréquences de 384 Hz, 480 Hz et 576 Hz. Calculer les fréquences que le spectre de sortie contient.

23-6. Les fréquences somme et différence de sortie d'un amplificateur signaux moyens sont de 2 kHz et 10 kHz. Calculer les fréquences d'entrée.

23-7. Lorsqu'il est accordé sur le canal 3, le mélangeur d'un téléviseur a un petit signal d'entrée de fréquence de 63 MHz et un signal d'oscillateur local de fréquence de 107 MHz. Calculer la fréquence différence de sortie du mélangeur.

23-8. Les fréquences d'une station AM vont de 535 à 1 605 kHz. Dans un récepteur radio AM, le signal reçu est une entrée du mélangeur, le signal de l'oscillateur local est l'autre entrée. La fréquence du signal de l'oscillateur local est supérieur de 455 kHz à celle du signal reçu. Calculer les fréquences minimale et maximale de l'oscillateur local. Supposer qu'on utilise un oscillateur Hartley pour générer le signal de l'oscillateur local et calculer le rapport de la capacité maximale d'accord à la capacité minimale d'accord.

23-9. Les puissances des signaux d'entrée et de sortie d'un mélangeur à transistor bipolaire sont respectivement de 3 μW et d'1,5 μW. Calculer le gain de conversion en puissance en décibels.

23-10. Les tensions des signaux d'entrée et de sortie d'un mélangeur à FET sont respectivement de 10 mV et 40 mV. Calculer le gain de conversion en tension en décibels.

23-11. La figure 23-16 représente un 565 monté en boucle à verrouillage de phase. Calculer la fréquence de l'oscillateur à fréquence réglée par variation de tension lorsque le curseur de potentiomètre est en haut et lorsqu'il est en bas.

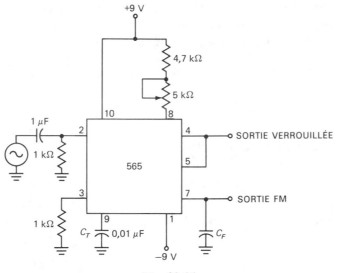

Fig. 23-16.

23-12. Calculer la fréquence de coupure du filtre passe-bas représenté à la figure 23-16 lorsque $C_F = 0,1$ μF. (Si nécessaire, se reporter à la figure 23-14).

23-13. Calculer la tension de bruit thermique à la température ambiante pour une bande passante d'1 MHz et une résistance de
  a. 1 MΩ;
  b. 10 kΩ;
  c. 100 Ω.

23-14. Calculer la tension de bruit thermique à la température ambiante de la résistance de 10 kΩ pour une bande passante de 100 kHz, d'1 kHz et de 10 Hz.

23-15. Un amplificateur non inverseur de tension a un gain en tension en boucle fermée de 1000 et une bande passante de 150 kHz. Supposer que la résistance de Thévenin de la source est d'1 kΩ et calculer la tension de bruit de sortie de l'amplificateur.

De dépannage

23-16. Toutes les tensions continues du mélangeur représenté à la figure 23-8 sont normales, mais aucune fréquence différence n'apparaît entre les bornes de R_L. Citer au moins trois dérangements possibles.

23-17. La sortie d'un mélangeur à FET contient des signaux parasites excessifs. Trouver la (les) cause(s) possible(s) de ce dérangement parmi les suivantes :
  a. FET ouvert;
  b. FET non attaqué assez durement;
  c. un grand signal bloque le FET;
  d. pas de tension d'alimentation.

23-18. La boucle à verrouillage représentée à la figure 23-16 ne se verrouille pas sur la fréquence d'entrée. Citer au moins cinq causes possibles de ce dérangement.

De conception

23-19. Soit le NE565 représenté à la figure 23-14. On donne $R_T = 10$ kΩ. Choisir C_T pour obtenir une fréquence propre de 5 kHz.

23-20. Soit le NE565 représenté à la figure 23-14. Choisir une capacité C_F pour obtenir une fréquence de coupure de 500 Hz.

De défi

23-21. Deux signaux sinusoïdaux de fréquences d'1 MHz et de 7,4 MHz attaquent un amplificateur grands signaux. Calculer les fréquences somme et différence produites par les cinq premiers harmoniques de chaque signal d'entrée.

A résoudre par ordinateur

23-22. Ecrire un programme qui calcule les fréquences somme et différence du problème 23-21.

Modulation d'amplitude

La radio, la télévision et de nombreux autres systèmes électroniques n'existeraient sans modulation, un procédé qui permet à un signal basse fréquence (typiquement audio) de commander l'amplitude, la fréquence et la phase, angle de phase ou déphasage d'un signal haute fréquence (habituellement radiofréquence).

24.1. PRINCIPE

Il y a modulation d'amplitude (AM, *amplitude modulation*) lorsqu'un signal basse fréquence commande l'amplitude d'un signal haute fréquence. La figure 24-1 *a* représente un simple modulateur. L'entrée du potentiomètre est un signal haute fréquence v_x. L'amplitude de v_o dépend donc de la position du curseur. Si l'on monte et descend sinusoïdalement le curseur, v_o ressemble au signal AM représenté à la figure 24-1 *b*. Remarquer que l'amplitude ou valeur de crête du signal haute fréquence varie à basse fréquence.

On appelle le signal haute fréquence d'entrée la *porteuse* et le signal basse fréquence le *signal de modulation*. Normalement, la porteuse accomplit des centaines de cycles par cycle du signal de modulation. Voilà pourquoi les crêtes positives de la porteuse sont si serrées qu'elles forment une enveloppe supérieure continue (fig. 24-1 *c*). Les crêtes négatives forment une enveloppe inférieure.

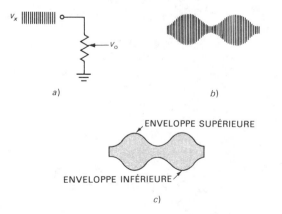

Fig. 24-1. *Modulation d'amplitude.*

AMPLIFICATEUR RF MODULÉ

La figure 24-2 représente un exemple d'un étage RF modulé. Voici son mode de fonctionnement. La porteuse v_x est l'entrée d'un amplificateur à émetteur commun. L'amplificateur amplifie la porteuse de A, sa sortie est donc Av_x. Le signal de modulation fait partie de la polarisation. Il fait donc varier le courant émetteur à basse fréquence et par conséquent r'_e et A. Voilà pourquoi le signal amplifié de sortie ressemble au signal AM représenté à crêtes variant sinusoïdalement avec le signal de modulation. Autrement dit, les enveloppes supérieure et inférieure ont la forme du signal de modulation.

TENSIONS D'ENTRÉE

En fonctionnement normal, l'étage représenté à la figure 24-2 doit avoir une petite porteuse. La porteuse ne doit pas modifier le gain en tension; seul le signal de modulation doit le modifier. Donc, le fonctionnement doit être petits signaux par rapport à la porteuse. Le signal de modulation affecte le point Q. Pour faire varier sensiblement le gain en tension, le signal de modulation doit être grand. Voilà pourquoi le fonctionnement est grands signaux par rapport au signal de modulation.

FRÉQUENCES D'ENTRÉE

Habituellement, la fréquence f_x de la porteuse est beaucoup plus grande que la fréquence f_y de modulation. Dans l'étage RF modulé représenté à la figure 24-2, la fréquence f_x doit au moins valoir $100 f_y$. Voici pourquoi. Les condensateurs doivent sembler de petites impédances pour la porteuse et de grandes impédances

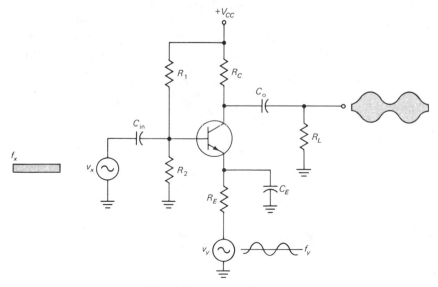

Fig. 24-2. *Etage RF modulé.*

pour le signal de modulation. Dans ce cas, la porteuse entre dans l'étage et en sort tandis que le signal de modulation est bloqué à la sortie.

EXEMPLE 24-1

Soit l'amplificateur représenté à la figure 24-3. La crête de la porteuse d'entrée est de 10 mV. La crête du signal de modulation d'entrée est de 8 V. Calculer les gains en tension minimal, au repos et maximal.

SOLUTION

Lorsque la tension de modulation est nulle, la tension entre les bornes de la résistance d'émetteur est de 9,3 V. Donc, le courant émetteur est de 0,93 mA et r'_e d'environ 26,9 Ω. Donc le gain en tension au repos égale

$$A = \frac{r_C}{r'_e} = \frac{10\ 000 \parallel 1500}{26,9\ \Omega} = 48,5 \text{ (au repos)}$$

Lorsque la tension de modulation atteint une crête positive de 8 V, la tension entre les bornes de la résistance d'émetteur n'est que de 1,3 V. A cet instant, le courant émetteur est de 0,13 mA et r'_e de 192 Ω. Le gain en tension correspondant égale

$$A = \frac{10\ 000 \parallel 1500}{192\ \Omega} = 6,79 \text{ (minimal)}$$

A la crête négative du signal de modulation, la tension entre les bornes de la résistance d'émetteur est de 17,3 V. Le courant émetteur passe à 1,73 mA, r'_e diminue jusqu'à 14,5 Ω et

$$A = \frac{10\ 000 \parallel 1500}{14,5} = 90 \text{ (maximal)}$$

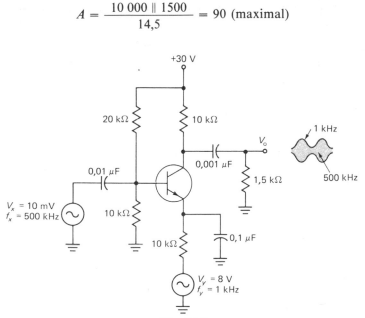

Fig. 24-3.

En ce qui concerne la porteuse, l'amplificateur à émetteur commun fait varier son gain en tension d'une petite valeur de 6,79 à une grande valeur de 90. Par conséquent, le signal de sortie est un signal AM (fig. 24-3). Dans les sections suivantes, nous désignons le gain en tension au repos par A_0, le gain en tension minimal par A_{min} et la gain en tension maximal par A_{max}. Dans cet exemple, $A_0 = 48,5$, $A_{min} = 6,79$ et $A_{max} = 90$.

24.2. TAUX DE MODULATION

Idéalement, un signal sinusoïdal de modulation fait varier le gain en tension sinusoïdalement. Il vient

$$A = A_0(1 + m \sin \omega_3 t) \qquad (24-1)$$

Avec $A =$ gain instantané en tension
  $A_0 =$ gain en tension au repos
  $m =$ facteur de modulation d'amplitude

Lorsque la fonction sinusoïdale varie entre -1 et 1, le gain en tension varie sinusoïdalement entre $A_0(1 - m)$ et $A_0(1 + m)$. Si $A_0 = 100$ et $m = 0,5$, le gain en tension varie sinusoïdalement entre un gain en tension minimal

$$A_{min} = 100(1 - 0,5) = 50$$

et un gain en tension maximal

$$A_{max} = 100(1 + 0,5) = 150$$

Selon la formule (24-1), m commande la modulation. Plus m est grand, plus la variation du gain en tension est grande. Le taux de modulation mesure la modulation d'amplitude. Par définition,

$$\text{taux de modulation} = m \times 100\,\% \qquad (24-2)$$

Si $m = 0,5$, le taux de modulation est de 50 %. Si $m = 0,9$, le taux de modulation égale 90 %.

On mesure m comme suit. Soit un signal AM semblable à celui représenté à la figure 24-4 a. La tension maximale de crête à crête égale $2V_{max}$ et la tension minimale de crête à crête égale $2V_{min}$. La formule

$$m = \frac{2V_{max} - 2V_{min}}{2V_{max} + 2V_{min}} \qquad (24-3)$$

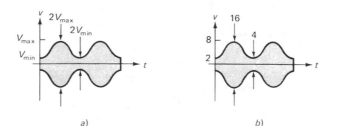

Fig. 24-4.

lie les valeurs de crête à crête à m. Le facteur de modulation d'amplitude du signal représentée à la figure 24-4 b égale

$$m = \frac{16 - 4}{16 + 4} = 0,6$$

ce qui équivaut à un taux de modulation de 60 %.

24.3. SPECTRE AM

La tension de sortie d'un étage RF modulé ressemble à celle représentée à la figure 24-5 a. On a

$$v_0 = Av_x$$

Si la porteuse est sinusoïdale, il vient

$$v_o = AV_x \sin \omega_x t$$

Dans cette relation V_x est la valeur de crête de la porteuse d'entrée. Selon la formule (24-1), la tension de sortie égale

$$v_o = A_0(1 + m \sin \omega_y t)(V_x \sin \omega_x t)$$

D'où

$$v_o = A_0 V_x \sin \omega_x t + m A_0 V_x \sin \omega_y t \sin \omega_x t \qquad (24\text{-}4)$$

PORTEUSE NON MODULÉE

Le premier terme du deuxième membre de la formule (24-4) représente une composante sinusoïdale de crête $A_0 V_x$ et de fréquence f_x. La figure 24-5 b représente le premier terme. Cette porteuse est dite non modulée parce que c'est la tension de sortie lorsque m est nul.

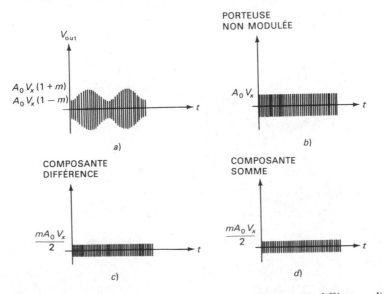

Fig. 24-5. a) *Signal AM.* b) *Porteuse non modulée.* c) *Composante différence.* d) *Composante somme.*

PRODUIT CROISÉ

Le deuxième terme du deuxième membre de la formule (24-4) est un produit croisé de deux ondes sinusoïdales semblable aux produits croisés d'un mélangeur. Comme nous l'avons vu au chapitre précédent, le produit de deux ondes sinusoïdales donne deux nouvelles fréquences : une fréquence somme et une fréquence différence. Selon une identité trigonométrique appliquée au deuxième terme du deuxième membre de la formule (24-4), il vient

$$m A_0 V_x \sin \omega_y t \sin \omega_x t = \frac{m A_0 V_x}{2} \cos (\omega_x - \omega_y)t - \frac{m A_0 V_x}{2} \cos (\omega_x + \omega_y) t$$

Le premier terme du deuxième membre est une sinusoïde de valeur de crête $m A_0 V_x / 2$ et de fréquence différence $f_x - f_y$. Le deuxième terme est aussi une sinusoïde de crête $m A_0 V_x / 2$, mais de fréquence somme $f_x + f_y$. Les figures 24-5 c et 24-5 d représentent ces composantes sinusoïdales.

COMPOSANTES SPECTRALES

En foncttion du temps, un signal AM semblable à celui représenté à la figure 24-5 a est la superposition de trois ondes sinusoïdales (fig. 24-5 b à d). La fréquence d'une onde sinusoïdale égale la fréquence de la porteuse, la fréquence d'une autre égale la fréquence différence et la fréquence de la troisième égale la fréquence somme.

Voici ce que donne la modulation d'amplitude en fonction de la fréquence. La figure 24-6 a représente le spectre d'entrée d'un étage RF modulé. Le premier bâton représente le grand signal de modulation de fréquence f_y. Le deuxième bâton

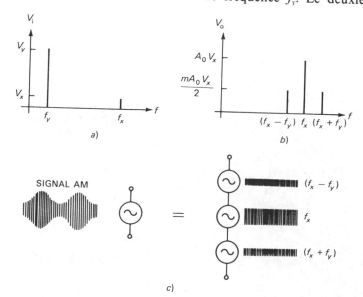

Fig. 24-6. a) *Spectre d'entrée.* b) *Spectre de sortie.* c) *Le signal AM est la somme de trois ondes sinusoïdales.*

représente la petite porteuse de fréquence f_x. La figure 24-6 *b* représente le spectre de sortie. La porteuse amplifiée est disposée entre les composantes différence et somme. La composante différence est parfois appelée la fréquence latérale inférieure et la composante somme la fréquence latérale supérieure.

Dans un circuit, un signal AM équivaut à trois sources d'ondes sinusoïdales en série (fig. 24-6). Cette équivalence n'est pas une fiction mathématique; les fréquences latérales existent réellement. On peut les séparer de la porteuse à l'aide de filtres bande étroite.

24.4. DÉTECTEUR D'ENVELOPPE

Une fois le signal AM reçu, l'œuvre de la porteuse est terminée. Le récepteur comporte un dispositif spécial qui sépare le signal de modulation de la porteuse. Ce dispositif s'apelle un *démodulateur* ou un *détecteur*.

DÉTECTEUR A DIODE

La figure 24-7 *a* représente un type de démodulateur. Fondamentalement, ce dispositif est un détecteur de crête. Idéalement, il détecte les crêtes du signal d'entrée, de sorte que la sortie est l'enveloppe supérieure. Voilà pourquoi on appelle ce dispositif un *détecteur d'enveloppe*.

La diode conduit brièvement durant chaque cycle de porteuse et charge le condensateur jusqu'à la tension de crête du cycle particulier de la porteuse. Entre les crêtes, le condensateur se décharge *via* la résistance. Si on rend la constante de temps RC nettement supérieure à la période de la porteuse, la décharge entre les cycles est faible. Cela élimine presque toute la porteuse. Alors la sortie ressemble à l'enveloppe supérieure avec une petite ondulation (fig. 24-7 *b*).

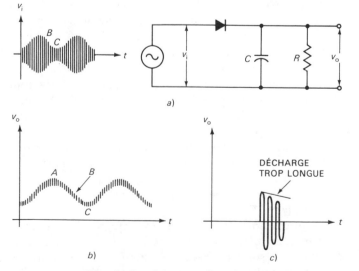

Fig. 24-7. *Détecteur d'enveloppe.*

CONSTANTE DE TEMPS *RC* NÉCESSAIRE

Précisons le point important suivant. Entre les points *A* et *C* représentés à la figure 24-7 *b*, chaque crête de porteuse est inférieure à la précédente. Si la constante de temps *RC* est trop grande, le dispositif ne peut détecter la proche crête de porteuse (fig. 24-7 *c*). La partie de l'enveloppe la plus difficile à suivre est en *B* de la figure 24-7 *b*. La vitesse de décroissance de l'enveloppe est maximale en ce point. Par calcul infinitésimal, on égale la vitesse de variation de l'enveloppe et la décharge du condensateur pour prouver que

$$f_{y\,(max)} = \frac{1}{2\,\pi\,RCm} \tag{24-5}$$

Dans cette relation, *m* est le facteur de modulation d'amplitude. Cette formule donne la fréquence maximale d'enveloppe que le détecteur peut suivre sans atténuation. Si la fréquence d'enveloppe est supérieure à $f_{y\,(max)}$, la sortie détectée chute de 20 dB par décade.

Les étages qui suivent le détecteur d'enveloppe sont habituellement des amplificateurs audio à fréquence de coupure supérieure inférieure à la fréquence de porteuse. Voilà pourquoi ces étages audio réduisent la petite ondulation de porteuse (fig. 24-7 *b*). On ajoute parfois un filtre passe-bas à la sortie du détecteur pour éliminer la petite ondulation de porteuse.

24.5. RÉCEPTEURS SUPERHÉTÉRODYNES

Le récepteur superhétérodyne a une sélectivité constante et est plus facile à accorder sur la gamme de fréquence. La figure 24-8 représente le schéma fonctionnel d'un récepteur superhétérodyne. A la section 23-6, nous avons expliqué le mélange près de l'entrée d'un récepteur superhétérodyne. Rappelons que le mélange du signal reçu avec le signal de l'oscillateur local donne le signal FI. Puisque l'oscillateur local représenté à la figure 24-8 fonctionne à 455 kHz au-dessus du signal RF, la fréquence centrale du spectre FI est de 455 kHz.

Plusieurs étages FI amplifient le signal FI (fig. 24-8). On détecte l'enveloppe de la sortie du dernier étage FI pour récupérer le signal de modulation. Ce signal attaque les amplificateurs audio et le haut-parleur. La sortie du détecteur fournit aussi la tension de CAG réinjectée aux amplificateurs FI. (Nous avons étudié la CAG aux sections 17-1 et 17-3).

Comme nous l'avons mentionné, on ne fabrique pas des bobines et de gros condensateurs sur une puce. Voilà pourquoi les CI des téléviseurs ne contiennent que des transistors et des résistances. Pour que ces puces fonctionnent convenablement, il faut connecter des bobines et des condensateurs externes pour accorder les étages RF et les étages FI.

Le LM1820 est un exemple de récepteur AM intégré. Il contient un amplificateur RF, un oscillateur, un mélangeur, des amplificateurs FI et un détecteur à CAG. Le montage des circuits résonnants parallèle externes d'un amplificateur audio tel le LM386 et d'un haut-parleur donne un poste radio récepteur AM complet.

En résumé, le récepteur superhétérodyne est un dispositif standard dans la plupart des systèmes de télécommunication. Son composant principal, un mélangeur, abaisse le spectre reçu à une fréquence intermédiaire. A cette fréquence constante et plus petite, les étages FI amplifient convenablement le signal avant la détection d'enveloppe et l'amplification audio.

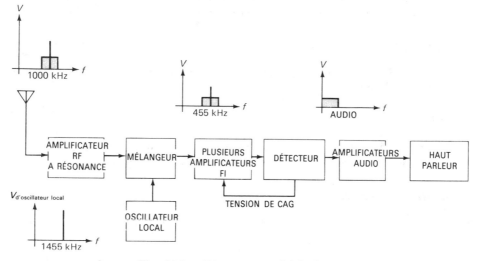

Fig. 24-8. *Récepteur superhétérodyne.*

PROBLÈMES

Simples

24-1. Soit l'étage RF modulé représenté à la figure 24-3. Supposer que $R_E = 20$ kΩ et $V_y = 4$ V. Calculer A_0, A_{min} et A_{max}.

24-2. On donne $A_{min} = 40$ et $A_{max} = 60$. Calculer le taux de modulation.

24-3. Soit un signal AM tel que $V_{max} = 1,8$ V et $V_{min} = 1,2$ V. Calculer m et le taux de modulation.

24-4. Soit une fréquence de modulation de 250 Hz et une fréquence de porteuse de 400 kHz. Calculer les fréquences latérales.

24-5. Soit un étage modulé RF. On donne $m = 0,3$ et $A_0 = 100$. Supposer que la tension de crête de la porteuse d'entrée est de 10 mV. Calculer la valeur de crête de la porteuse de sortie et celle de chaque fréquence latérale.

24-6. Un signal AM attaque un détecteur d'enveloppe à résistance R de 10 kΩ et condensateur C de capacité égale à 1000 pF. Supposer que le taux de modulation est de 30 % et calculer la fréquence maximale de modulation détectable sans atténuation.

24-7. Un récepteur superhétérodyne a une fréquence intermédiaire de 455 kHz. Calculer la fréquence de l'oscillateur local lorsque la fréquence reçue est successivement de 540 kHz et de 1600 kHz.

De dépannage

24-8.   Soit le circuit représenté à la figure 24-3. Le signal de sortie n'est pas modulé et sa tension de crête égale seulement 1,3 mV. Trouver la (les) cause(s) possible(s) de ce dérangement parmi les suivantes :
a. condensateur de couplage d'entrée ouvert;
b. condensateur de couplage de sortie ouvert;
c. condensateur de découplage d'émetteur ouvert;

De conception

24-9.   Soit le circuit représenté à la figure 24-3. Choisir une résistance R_E pour obtenir un gain en tension au repos de 40.

De défi

24-10.   Une porteuse RF est modulée par un signal sinusoïdal. Démontrer que la puissance maximale des fréquences latérales égale la moitié de la puissance de la porteuse.

A résoudre par ordinateur

24-11.   Ecrire un programme qui calcule la fréquence de coupure d'un détecteur d'enveloppe.

Appendice 1

DÉMONSTRATIONS

Démonstration de la formule (7-5)

Partons de la formule de Shockley d'une jonction PN de géométrie rectangulaire

$$I = I_s (\in {^{Vq/kT}} - 1) \qquad (A-1)$$

dans laquelle I = courant total de diode

I_S = courant inverse de saturation

V = tension totale entre les bornes de la couche de déplétion ou d'appauvrissement

q = charge d'un électron

k = constante de Boltzmann

T = température absolue, $^{\circ}C + 273$

L'équation (A-1) *ne comprend pas* la résistance extrinsèque de chaque côté de la jonction. Voilà pourquoi cette formule ne s'applique à la diode totale que si la tension entre les bornes de la résistance extrinsèque est négligeable.

A la température ambiante, q/kT égale environ 40 et la formule (A-1) devient

$$I = I_s (\in {^{40\,V}} - 1) \qquad (A-2)$$

(Certains auteurs utilisent 39 V, mais la différence est minime). Pour obtenir r'_e, différentions I par rapport à V. Il vient

$$\frac{dI}{dV} = 40\,I_s \in {^{40\,V}}$$

La formule (A-2) permet de récrire cette égalité sous la forme

$$\frac{dI}{dV} = 40\,(I + I_s)$$

L'inversion donne r'_e. Il vient

$$r'_e = \frac{dV}{dI} = \frac{1}{40\,(I + I_s)} = \frac{25 \text{ mV}}{I + I_s} \qquad (A-3)$$

La formule (A-3) comprend l'effet du courant de saturation inverse. Dans un amplificateur linéaire pratique, I est beaucoup plus grand que I_S (sinon la polarisation est instable). D'où, pratiquement

$$r'_e = \frac{25 \text{ mV}}{I}$$

Ajoutons l'indice E, puisque nous parlons de la couche d'appauvrissement d'émetteur. D'où

$$r'_e = \frac{25 \text{ mV}}{I_E}$$

Démonstration de la formule (10-42)

Selon la figure 10-13 *a*, la puissance dissipée instantanée durant le temps de conduction du transistor égale

$$p = V_{CE}\, I_C$$
$$= V_{CEQ}(1 - \sin\,\theta)\, I_{C\,(sat)}\, \sin\,\theta$$

Voilà pour l'alternance durant laquelle le transistor conduit. Idéalement, durant l'alternance de blocage, $p = 0$.

La puissance dissipée moyenne égale

$$p_{moy} = \frac{aire}{période} = \frac{1}{2\,\pi} \int_0^\pi V_{CEQ}\,(1 - \sin\,\theta)\, I_{C\,(sat)}\, \sin\,\theta\; d\theta$$

On obtient, après évaluation de l'intégrale définie sur l'alternance de 0 à π et division par la période $2\,\pi$, la puissance moyenne sur un *cycle entier* d'un transistor, soit

$$p_{moy} = \frac{1}{2\,\pi}\, V_{CEQ}\, I_{C\,(sat)} \left[-\cos\,\theta - \frac{\theta}{2} \right]_0^\pi$$

$$= 0{,}068\; V_{CEQ}\, I_{C\,(sat)} \qquad\qquad (A\text{-}4)$$

Telle est la puissance dissipée par transistor sur un cycle entier en supposant une excursion de 100 % sur la droite de charge dynamique.

Si le signal ne couvre pas toute la droite de charge, la puissance instantanée égale

$$p = V_{CE}\, I_C = V_{CEQ}\,(1 - k\,\sin\,\theta)\, I_{C\,(sat)}\, k\,\sin\,\theta$$

avec la constante k comprise entre 0 et 1 ; k représente la fraction utilisée de la droite de charge. L'intégration de

$$p_{moy} = \frac{1}{2\,\pi} \int_0^\pi p\; d\theta$$

donne

$$p_{moy} = \frac{V_{CEQ}\, I_{C\,(sat)}}{2\,\pi} \left(2\,k - \frac{\pi k^2}{2} \right) \qquad\qquad (A\text{-}5)$$

Comme p_{moy} est une fonction de k, différencions et posons $dp_{moy}/dk = 0$ pour trouver la valeur de k qui maximise p_{moy}. D'où

$$\frac{dp_{moy}}{dk} = \frac{V_{CEQ}\, I_{C\,(sat)}}{2\,\pi}\,(2 - k\pi) = 0$$

D'où

$$k = \frac{2}{\pi} = 0{,}636$$

Remplaçons k dans la formule (A-5) par 0,636. Il vient

$$p_{moy} = 0{,}107\; V_{CEQ}\, I_{C\,(sat)} \cong 0{,}1\; V_{CEQ}\, I_{C\,(sat)}$$

Comme $I_{C(sat)} = V_{CEQ}/R_L$ et $V_{CEQ} = PP/2$, la formule précédente devient

$$P_{D\,(max)} = \frac{PP^2}{40\,R_L}$$

Démonstration des formules (12-14) et (12-15)

Partons de l'équation de transconductance

$$I_D = I_{DSS} \left[1 - \frac{V_{GS}}{V_{GS \, (blocage)}} \right]^2 \qquad \text{(A-6)}$$

Dérivons, il vient

$$\frac{dI_D}{dV_{GS}} = g_m = 2 \, I_{DSS} \left[1 - \frac{V_{GS}}{V_{GS \, (blocage)}} \right] \left[- \frac{1}{V_{GS \, (blocage)}} \right]$$

soit

$$g_m = - \frac{2 \, I_{DSS}}{V_{GS \, (blocage)}} \left[1 - \frac{V_{GS}}{V_{GS \, (blocage)}} \right] \qquad \text{(A-7)}$$

Lorsque $V_{GS} = 0$, il vient

$$g_{m0} = - \frac{2 \, I_{DSS}}{V_{GS \, (blocage)}} \qquad \text{(A-8)}$$

d'où, par réarrangement

$$V_{GS \, (blocage)} = - \frac{2 \, I_{DSS}}{g_{m0}}$$

Fin de la démonstration de la formule (12-15). Remplaçons le premier facteur du deuxième membre de la formule (A-7) par g_{m0} qui lui est égal selon la formule (A-8). Il vient

$$g_m = g_{m0} \left[1 \bigcirc \frac{V_{GS}}{V_{GS \, (blocage)}} \right]$$

Fin de la démonstration de la formule (12-14).

Démonstration de la formule (14-35)

Pour déterminer le gain en courant, prendre r_c nul et R_S infini (fig. 14-20 c). Autrement dit, court-circuiter la sortie en alternatif et attaquer l'entrée avec une source de courant. Dans ces conditions, la résistance de Thévenin du réseau de retard de base devient

$$R = \beta r'_e$$

et la capacité égale

$$C = C'_e + C'_c$$

Dans ces conditions particulières, on appelle la fréquence de coupure du réseau de retard de base la *fréquence bêta de coupure, f_β*. Il vient

$$f_\beta = \frac{1}{2 \pi \beta r'_e (C'_e + C'_c)} \qquad \text{(A-9)}$$

Selon un développement dont nous discuterons dans un instant, on a la relation

$$f_\beta = \frac{f_T}{\beta} \qquad \text{(A-10)}$$

Cette relation permet de récrire (A-9) sous la forme

$$C'_e + C'_c = \frac{1}{2\pi f_T r'_e}$$

D'où, puisque C'_e est beaucoup plus grand que C'_c,

$$C'_e \cong \frac{1}{2\pi f_T r'_e}$$

La démonstration de la formule (A-10) n'est pas facile. Il faut tenir compte du retard de diffusion des porteurs à travers la base. Voir les pages 26-35 de l'ouvrage de Pettit, J.M. et M.M. Mc Whorter intitulé *Electronic Amplifier Circuits* édité par McGraw-Hill Book Company, New York, en 1961.

Démonstration de la formule (14-52 *a*)

Le gain total en tension de deux étages identiques en cascade couplés directement égale

$$A_1 A_2 = \frac{A_{1(\text{méd})}}{\sqrt{1 + (f/f_c)^2}} \frac{A_{2(\text{méd})}}{\sqrt{1 + (f/f_c)^2}}$$

La fréquence de coupure à 3 dB survient lorsque le produit des dénominateurs

$$\sqrt{1 + (f/f_c)^2} \ \sqrt{1 + (f/f_c)^2} = \sqrt{2}$$

D'où

$$1 + (f/f_c)^2 = \sqrt{2}$$

Isolons la fréquence de coupure totale. Il vient

$$f = f_c \sqrt{2^{1/2} - 1}$$

L'application d'un tel développement à *n* étages donne

$$f = f_c \sqrt{2^{1/n} - 1}$$

L'application d'un tel développement à la fréquence de coupure inférieure et à la bande passante totale donne

$$B_n = B \sqrt{2^{1/n} - 1}$$

Démonstration de la formule (15-22)

L'équation d'une tension sinusoïdale est

$$v = V_P \sin \omega t$$

La dérivée par rapport au temps égale

$$\frac{dv}{dt} = \omega V_P \cos \omega t$$

La vitesse de variation passe par un maximum pour $t = 0$. La vitesse de variation maximale égale la pente maximale de la tension de sortie. En ce point critique,

$$S_R = \left(\frac{dv}{dt} \right)_{\text{max}} = \omega_{\text{max}} V_P = 2\pi f_{\text{max}} V_P$$

D'où

$$f_{\text{max}} = \frac{S_R}{2\pi V_P}$$

Démonstration de la formule (16-8)

Calculons l'impédance de sortie en boucle fermée. Partons de

$$A_{CL} = \frac{A}{1 + AB}$$

Or

$$A = A_u \frac{R_L}{r_o + R_L}$$

avec A le gain en charge (R_L branché), A_u* le gain sans charge (R_L débranché). Après substitution, le gain en boucle fermée égale

$$A_{CL} = \frac{A_u}{1 + A_u B + r_o / R_L}$$

Lorsque,

$$1 + A_u B = \frac{r_o}{R_L}$$

A_{CL} chute de moitié. Alors la résistance de charge est adaptée à la résistance de Thévenin de sortie de l'amplificateur à réaction. Isolons R_L. Il vient

$$R_L = \frac{r_o}{1 + A_u B}$$

Cette résistance de charge force le gain en tension en boucle fermée à chuter de moitié. Elle égale donc l'impédance de sortie en boucle fermée. Donc,

$$r_{o(CL)} = \frac{r_o}{1 + A_u B}$$

Dans tout amplificateur pratique à réaction, r_o est beaucoup plus petit que R_L. Donc A égale environ A_u. Voilà pourquoi on a, à peu près,

$$r_{o(CL)} = \frac{r_o}{1 + AB}$$

avec $r_{o(CL)}$ = impédance de sortie en boucle fermée
r_o = impédance de sortie en boucle ouverte
AB = gain de boucle ouverte

Démonstration de la formule (16-20)

Supposons qu'un amplificateur inverseur a une résistance de réaction R_F entre ses bornes d'entrée et de sortie. Appelons V_1 la tension d'entrée, V_2 la tension de sortie et I le courant qui parcourt la résistance de réaction. Il vient

$$I = \frac{V_1 + V_2}{R_F} \tag{A-11}$$

---

* N.d.T. u est mis pour *unloaded* (sans charge).

que l'on peut récrire sous la forme

$$I = \frac{V_1 + AV_1}{R_F} = \frac{V_1\,(1 + A)}{R_F}$$

D'où

$$\frac{V_1}{I} = \frac{R_F}{1 + A}$$

Le premier membre de cette égalité étant le rapport de la tension d'entrée au courant d'entrée, il vient

$$r_{i(CL)} = \frac{R_F}{1 + A}$$

C'est une partie du théorème de Miller pour une résistance de réaction. Puisque la résistance équivalente de Miller d'entrée égale R_F divisé par $1 + A$, la résistance d'entrée est très petite.

Démontrons la deuxième moitié du théorème de Miller pour une résistance de réaction. Puisque $A = V_2/V_1$, la formule (A-11) devient

$$I = \frac{V_2/A + V_2}{R_F} = \frac{V_2(1/A + 1)}{R_F}$$

D'où

$$\frac{V_2}{I} = \frac{AR_F}{1 + A}$$

Telle est la résistance équivalente de Miller de sortie.

Démonstration de la formule (16-22)

En raison de la masse virtuelle du circuit représenté à la figure 16-17, pratiquement tout le courant d'entrée traverse R_1. L'addition des tensions le long du circuit donne

$$- v_{erreur} + i_i R_1 - (i_o - i_i)R_2 = 0 \qquad\qquad \text{(A-12)}$$

Or

$$v_{erreur} = \frac{v_o}{A}$$

et

$$v_o = i_o R_L + (i_o - i_i)R_2$$

Donc la formule (A-12) devient

$$\frac{i_o}{i_i} = \frac{AR_1 + (1 + A)R_2}{R_L + (1 + A)R_2}$$

Puisque A est beaucoup plus grand que 1, il vient

$$\frac{i_o}{i_i} = \frac{A(R_1 + R_2)}{R_L + AR_2}$$

AR_2 étant habituellement nettement supérieur à R_L, il vient

$$\frac{i_o}{i_i} = \frac{R_1}{R_2} + 1$$

Démonstration de la formule (16-24)

Si le gain en tension en boucle ouverte décroît à la vitesse de 20 dB par décade, alors

$$A = \frac{A_{\text{méd}}}{1 + jf/f_2} \qquad \text{(A-13)}$$

avec A = gain en tension en boucle ouverte à toute fréquence
$A_{\text{méd}}$ = gain en tension en boucle ouverte en bande médiane
f = fréquence du signal d'entrée
f_2 = fréquence de coupure en boucle ouverte

Substituons la formule (A-13), dans

$$A_{CL} = \frac{A}{1 + AB}$$

et simplifions. Il vient

$$A_{CL} = \frac{A_{\text{méd}}}{1 + A_{\text{méd}} B + jf/f_2}$$

La fréquence de coupure en boucle fermée survient lorsque la partie réelle du dénominateur égale la partie imaginaire, donc lorsque

$$1 + A_{\text{méd}} B = \frac{f}{f_2}$$

D'où

$$f = (1 + A_{\text{méd}} B)f_2$$

De cette fréquence de coupure en boucle fermée, on tire

$$f_{2(CL)} = (1 + A_{\text{méd}} B)f_2$$

avec $f_{2(CL)}$ = fréquence de coupure supérieure en boucle fermée
$A_{\text{méd}}$ = gain en boucle ouverte en bande médiane
B = taux de réaction
f_2 = fréquence de coupure supérieure en boucle ouverte

Démonstration des formules (17-9) et (17-10)

Soit l'amplificateur représenté à la figure 17-9. L'addition des tensions donne

$$- v_i + i_i R_S + i_i R_F + v_o = 0$$

D'où

$$i_i = \frac{v_i - v_o}{R_S + R_F} \qquad \text{(A-14)}$$

L'addition des tensions le long de la deuxième boucle donne

$$- v_i + i_i R_S + v_{\text{erreur}} = 0$$

D'où

$$- v_i + i_i R_S - \frac{v_o}{A} = 0 \qquad \text{(A-15)}$$

Substituons la formule (A-14) dans (A-15) et réarrangeons. Il vient

$$A_{CL} = \frac{- R_F}{R_S} \frac{AB}{1 + AB} \qquad \text{(A-16)}$$

Le facteur A dépend de la fréquence puisque

$$A = \frac{A_{méd}}{1 + jf/f_2}$$

Substituons cela dans la formule (A-16) et réarrangeons. Il vient

$$A_{CL} = \frac{-R_F}{R_S} \frac{A_{méd} B}{1 + A_{méd} B + jf/f_2}$$

Le dénominateur $1 + A_{méd} B + jf/f_2$ est l'élément essentiel de cette relation. L'égalisation des parties réelle et imaginaire donne la fréquence de coupure. Il vient

$$f_{2(CL)} = (1 + A_{méd} B)f_2 \qquad (A-17)$$

On déduit de (A-17) que la fréquence de coupure en boucle fermée est accrue du facteur $1 + A_{méd} B$.

Le produit gain en boucle fermée - bande passante est $A_{CL}f_{2(CL)}$. La formule (A-17) devient donc

$$A_{CL}f_{2(CL)} = A_{CL} (1 + A_{méd} B)f_2$$

qui, par la formule (A-16), donne

$$A_{CL}f_{2(CL)} = \frac{-R_F}{R_F + R_S} f_{unité} \qquad (A-18)$$

Démonstration de la formule (18-21)

La formule

$$\triangle V = \frac{IT}{C} \qquad (A-19)$$

donne la variation de la tension entre les bornes du condensateur.

Durant l'alternance positive de la tension d'entrée (fig. 18-23 *a*), le courant idéal de charge du condensateur égale

$$I = \frac{V_P}{R}$$

Comme T est le temps de décroissance de la rampe de sortie, il vaut la moitié de la période de sortie. Si f est la fréquence du signal carré d'entrée, alors $T = 1/2f$. Substituons I et T dans la formule (A-19). Il vient

$$\triangle V = \frac{V_P}{2fRC}$$

La tension de crête à crête d'entrée égale $2V_P$ et la tension de crête à crête de sortie vaut $\triangle V$. D'où

$$v_{o \,(de \; crêtre \; à \; crête)} = \frac{v_{i \,(de \; crête \; à \; crête)}}{4fRC}$$

Démonstration de la formule (18-22)

Le PSB égale $+ BV_{sat}$ et le PIB égale $- BV_{sat}$. Partons de la formule fondamentale de charge et décharge applicable à tout circuit RC :

$$v = v_i + (v_f - v_i) (1 - e^{-t/RC}) \qquad (A-20)$$

dans laquelle, v = tension instantanée entre les bornes du condensateur
v_i = tension initiale entre les bornes du condensateur
v_f = tension cible entre les bornes du condensateur
t = temps de charge
RC = constante de temps

Dans le circuit représenté à la figure 18-25 *b*, la charge du condensateur commence à la valeur $- BV_{sat}$ et se termine à $+ BV_{sat}$. La tension cible entre les bornes du condensateur est $+ V_{sat}$ et le temps de charge du condensateur est la moitié de la période, $T/2$. Substituons ces valeurs dans la formule (A-20). Il vient

$$BV_{sat} = - BV_{sat} + (V_{sat} + BV_{sat}) (1 - e^{-T/2RC})$$

qui se simplifie en

$$\frac{2B}{1 + B} = 1 - e^{-T/2RC}$$

qui, par réarrangement et prise de l'antilog, donne

$$T = 2RC \ln \frac{1 + B}{1 - B}$$

Démonstration des formules (19-6) et (19-7)

Considérons le circuit représenté à la figure 19-4 *a*. Le courant de charge I traverse R_4. Par conséquent, la tension d'entrée du diviseur de tension égale

$$V = IR_4 + V_o$$

La tension qui atteint la base de Q_3 égale

$$V_B = K(IR_4 + V_o)$$

Puisque la tension émetteur égale

$$V_E = V_o$$

la tension base-émetteur égale

$$V_{BE} = K(IR_4 + V_o) - V_o$$

D'où

$$V_{BE} = KIR_4 + (K - 1) V_o$$

et

$$I = \frac{V_{BE} + (1 - K)V_o}{KR_4} \tag{A-21}$$

Lorsque les bornes de charge sont court-circuitées, le courant de charge égale I_{SL} et la relation (A-21) se réduit à

$$I_{SL} = \frac{V_{BE}}{KR_4}$$

avec I_{SL} = courant de charge court-circuitée
V_{BE} = tension base-émetteur de Q_3, de 0,6 à 0,7 V
K = taux de réaction du diviseur de tension formé par R_5 et R_6
R_4 = résistance sensible au courant

Lorsque le régulateur fonctionne normalement à son courant maximal de charge, la formule (A-21) donne

$$I_{max} = I_{SL} + \frac{(1 - K) V_o}{KR_4}$$

avec I_{max} = courant maximal de charge avec sortie régulée

        V_o = tension régulée de sortie

Démonstration de la formule (20-20)

Partons de la formule (A-20), la relation de charge et décharge de tout circuit *RC*. A la figure 20-30 *b*, la tension initiale entre les bornes du condensateur est nulle, la tension cible entre les bornes du condensateur est + V_{CC} et la tension finale entre les bornes du condensateur est + $2V_{CC}/3$. Substituons ces valeurs dans la formule (A-20). Il vient

$$\frac{2V_{CC}}{3} = V_{CC}(1 - e^{-W/RC})$$

qui se simplifie en

$$e^{-W/RC} = \frac{1}{3}$$

D'où

$$W = 1,0986\,RC \cong 1,1\,RC$$

Démonstration des formules (20-22) et (20-23)

Le temps de charge représenté à la figure 20-32 *b* est *W*. La tension entre les bornes du condensateur part de + $V_{CC}/3$ et se termine à + $2V_{CC}/3$ avec une tension cible + V_{CC}. Substituons ces valeurs dans la formule (A-20). Il vient

$$\frac{2V_{CC}}{3} = \frac{V_{CC}}{3} + \left(V_{CC} - \frac{V_{CC}}{3}\right)(1 - e^{-W/RC})$$

qui se simplifie en

$$e^{-W/RC} = 0,5$$

D'où

$$W = 0,693\,RC = 0,693(R_A + R_B)C$$

L'équation de décharge est analogue, à l'exception près qu'on utilise R_B au lieu de $R_A + R_B$. Le temps de décharge représenté à la figure 2-32 *b* est $T - W$, d'où

$$T - W = 0,693\,R_B C$$

Par conséquent, la période égale

$$T = 0,693(R_A + R_B)C + 0,693\,R_B C$$

et le coefficient d'utilisation égale

$$D = \frac{0,693(R_A + R_B)C}{0,693(R_A + R_B)C + 0,693\,R_B C} \times 100\,\%$$

D'où

$$D = \frac{R_A + R_B}{R_A + 2R_B} \times 100\,\%$$

Pour obtenir la fréquence, prendre l'inverse de la période *T*. D'où

$$f = \frac{1}{T} = \frac{1}{0,693(R_A + R_B)C + 0,693\,R_B C}$$

et

$$f = \frac{1,44}{(R_A + 2R_B)C}$$

Appendice 2

Résistances nominales ± 5 %

Ω	Ω	Ω	kΩ	kΩ	kΩ	MΩ	MΩ
1,0	10	100	1,0	10	100	1,0	10
1,1	11	110	1,1	11	110	1,1	
1,2	12	120	1,2	12	120	1,2	
1,3	13	130	1,3	13	130	1,3	
1,5	15	150	1,5	15	150	1,5	
1,6	16	160	1,6	16	160	1,6	
1,8	18	180	1,8	18	180	1,8	
2,0	20	200	2,0	20	200	2,0	
2,2	22	220	2,2	22	220	2,2	
2,4	24	240	2,4	24	240	2,4	
2,7	27	270	2,7	27	270	2,7	
3,0	30	300	3,0	30	300	3,0	
3,3	33	330	3,3	33	330	3,3	
3,6	36	360	3,6	36	360	3,6	
3,9	39	390	3,9	39	390	3,9	
4,3	43	430	4,3	43	430	4,3	
4,7	47	470	4,7	47	470	4,7	
5,1	51	510	5,1	51	510	5,1	
5,6	56	560	5,6	56	560	5,6	
6,2	62	620	6,2	62	620	6,2	
6,8	68	680	6,8	68	680	6,8	
7,5	75	750	7,5	75	750	7,5	
8,2	82	820	8,2	82	820	8,2	
9,1	91	910	9,1	91	910	9,1	

Appendice 3

Capacités nominales

pF	μF	μF	μF	μF
10	0,001	0,1	10	1 000
12	0,0012			
13	0,0013			
15	0,0015	0,15	15	
18	0,0018			
20	0,002			
22	0,0022	0,22	22	2 200
24				
27				
30				
33	0,0033	0,33	33	3 300
36				
43				
47	0,0047	0,47	47	4 700
51				
56				
62				
68	0,0068	0,68	68	6 800
75				
82				
100	0,01	1,0	100	10 000
110				
120				
130				
150	0,015	1,5		
180				
200				
220	0,022	2,2	220	22 000
240				
270				
300				
330	0,033	3,3	330	
360				
390				
430				
470	0,047	4,7	470	47 000
510				
560				
620				
680	0,068	6,8		
750				
820				82 000
910				

Réponses aux problèmes de numéro impair

CHAPITRE 1

1-1. 0,1 V   **1-3.** 22,5 A   **1-5.** 0,218 A, 10,9 V   **1-7.** 200 Ω

1-9. R_S est inférieur ou égal à 0,2 Ω   **1-11.** 4,81 mA; non   **1-13.** En débranchant

la résistance de charge et en mesurant la tension à vide à l'aide d'un voltmètre.   **1-15.** 6 mA, 4 mA, 3 mA, 2,4 mA, 2 mA, 1,71 mA et 1,5 mA

1-17. Débrancher la résistance de charge, mesurer la tension entre A et B, remplacer la source de tension par un court-circuit et mesurer la résistance entre A et B à l'aide d'un ohmmètre   **1-19.** Tracer une source de courant de 6 mΛ en parallèle avec une résistance de 2 kΩ; 5,35 mA   **1-21.** R_1 ouvert, R_2 court-circuité (pont de soudure type)   **1-23.** Charge ouverte

1-25. $V_S = 30$ V, $R_1 = 4$ kΩ et $R_2 = 4$ kΩ   **1-27.** Mesurer la tension à vide entre les bornes de la batterie; c'est V_{TH}. Puis, mesurer le courant lorsque la charge est court-circuitée. Finalement, calculer V_{TH}/I_{SL} pour obtenir R_{TH}

1-29. 24,7 μA, 21,1 μA, 18,5 μA, 16,4 μA, 14,8 μA, 13,5 μA et 12,3 μA

1-31. LE SOLEIL BRILLE. à la ligne 1, LA PROGRAMMATION EST FACILE — à la ligne 2 — JE PEUX APPRENDRE CETTE MATIÈRE. à la ligne 3

1-33. 10 PRINT "LYCÉE PAPILLON"; 20 PRINT "20, RUE DES ÉPINES"; 30 PRINT "L'HAY-LES-ROSES, 94240"; 40 END

CHAPITRE 2

2-1. 64 nA, 2,05 μA   **2-3.** 2,6 (10^6)   **2-5.** Tracer la droite qui passe par l'origine et (4 mA, 8 V)   **2-7.** 40 mW, 85 mW   **2-9.** 40 mA, 8 V, 36 mA, 0,8 V, 32 mW, les ordonnées de la droite de charge sont divisées par 2   **2-11.** 8,3 mA

2-13. 44,4 μA, non   **2-15.** 1N914, 1N4001   **2-17.** 70 Ω, 15,6 Ω, 8,2 Ω

2-19. Ouverte   **2-21.** Diode court-circuitée, résistance de 100 kΩ ouverte

2-23. Pas de tension d'alimentation, R_1 ouvert ou R_2 court-circuité

2-25. 23,4 kΩ   **2-27.** Résistances nominales ou normalisées les plus proches : $R_1 = 2,4$ kΩ, $R_2 = 620$ Ω   **2-29.** $I_S = 0,528$ μA, $I_{SL} = 4,47$ μA

2-33. Affiche 11 500

CHAPITRE 3

3-1. 103,5 V, 126,5 V   **3-3.** 1N4002, 1N1183
3-5. 28,3 V, 18 V, 60 mA   **3-7.** 60 mA, 56,6 V, 30 mA
3-9. 135 mA, 67,5 mA, 84,9 V   **3-11.** Oui   **3-13.** Environ 1,9 V
3-15. 12,5 V, 62,5 mA, 1,04 V, 31,3 mA, 25 V   **3-17.** 10,7 A
3-19. 1953 V, 1302 V   **3-21.** 2546 V, 25,4 mA, 212 V
3-23. 0,1 V; elles protègent l'ampèremètre contre un courant excessif
3-25. Condensateur de filtrage ouvert, capacité du condensateur
de filtrage trop petite, résistance de charge trop petite
3-27. Transformateur défectueux, diodes ouvertes, condensateur
de filtrage court-circuité, résistance de charge court-circuitée,
les diodes de gauche ne sont pas à la masse
3-29. 10,6 V, 184 μF (la capacité nominale ou normalisée la plus proche
est 220 μF), 11 mA, 21,2 V   **3-31.** 416 μF (la capacité nominale
ou normalisée la plus proche est 470 μF)   **3-33.** Calculer la moyenne des valeurs
d'une onde sinusoïdale sur un petit intervalle tel 10°   **3-35.** 64,3 A

CHAPITRE 4

4-1. 300 mW   **4-3.** 0,05 V   **4-5.** 751 Ω **4-7.** 132 mA, 0,384 V
4-9. 0,05 V   **4-11.** 26,7 mV   **4-13.** 3 kΩ **4-15.** 12 V, 51 mA, 29,2 mV
4-17. 160 Ω **4-21.** 23 mA   **4-23.** 16,4 mA, 18,1 mA   **4-25.** 0,38 V
4-27. 6,5 MHz, 11,3 MHz   **4-29.** 125 MHz   **4-31.** Diode Zener
4-33. b, d, f   **4-35.** $V_Z = 6,8$ V, $R_S = 204$ Ω (la résistance nominale
ou normalisée la plus proche est 200 Ω)   **4-37.** 525 Ω (la résistance nominale
ou normalisée immédiatement supérieure est 560 Ω)   **4-39.** 0,438 V
4-41. Affiche le courant Zener limite

CHAPITRE 5

5-1. 20 000 électrons, 980 000 électrons   **5-3.** 0,995; 200   **5-5.** 10 mV,
0,1 V, 0,5 V   **5-7.** 0,125 mA   **5-11.** 0,1 μA, 9999 V   **5-13.** 120 mV
5-15. 2 mA, 20 V   **5-17.** 0,198 mA, 0, oui   **5-19.** 0,915 mA, 10,6 mA, 0
5-21. 1 mA, 10 V, 8,2 V   **5-23.** Idéalement, 0   **5-25.** a) 5 mA, b) 10 mA, 0;
c) 10 V   **5-27.** d   **5-29.** a) allumée; b) éteinte; c) éteinte; d) éteinte
5-31. Prendre $R_E = 120$ Ω **5-33.** Prendre $R_E = 470$ Ω **5-35.** a) 3,6 V;
b) 0,24 mA; c) 2,4 μA

CHAPITRE 6

6-1. 16,9 V **6-3.** 220 **6-5.** 4,93 V, 6,9 V, 5,77 V **6-7.** 73 V, 0,72 V, 0,83 V **6-9.** 1er : 2,86 V, 2,16 V, 9 mA, 11 V, 99mV; 2e : 2,83 V, 2,13 V, 17,8 mA, 10,9 V, 156 mW; 3e : 3,05 V, 2,35 V, 15,7 mA, 10,3 V, 125 mW
6-11. 6,11 mW **6-13.** − 2,18 V, − 1,48 V, − 9,11 V **6-15.** 20 mA
6-17. a) plus grande; b) plus grande; c) plus petite; d) plus grande;
e) plus petite, f) plus grande; g) plus petite; h) plus grande; i) plus grande;
j) plus petite **6-19.** Résistance de 1,8 kΩ court-circuitée, transistor ouvert, résistance de 470 Ω ouverte, résistance de 510 Ω court-circuitée, résistance de 2,4 kΩ ouverte et pas de tension d'alimentation
6-21. Conception possible : R_1 = 7,5 kΩ, R_2 = 1,2 kΩ, R_E = 1 kΩ, R_C = 3,9 kΩ **6-23.** Prendre V_Z = 7,5 V et R_E = 180 Ω **6-25.** 9 V, 8,3 V **6-27.** a) Passe à la ligne 6000; b) A la ligne 7000

CHAPITRE 7

7-1. 3,98 μF (la capacité immédiatement supérieure est 4,7 μF)
7-3. 159 μF (220 μF) **7-9.** 2,5 kΩ, 500 Ω, 250 Ω, 50 Ω, 25 Ω, 5 Ω, 2,5 Ω
7-11. 19,2 Ω **7-13.** − 261 mV **7-15.** 208, 322 **7-17.** − 226 mV
7-19. − 162 mV **7-21.** 67,6 mV **7-23.** 238 mV **7-25.** 134 mV
7-27. a) Toutes les tensions continues sont normales, pas de tension alternative d'entrée à la première base; b) La tension continue collecteur du premier étage est faible; c) Tensions continues normales, pas de signal alternatif à la sortie finale; d) Tensions continues normales, gain en tension du premier étage faible; e) Tensions continues du deuxième étage faibles parce que le transistor est saturé; f) Tension continue collecteur du premier étage faible, pas de tension alternative de sortie; g) Grande tension continue collecteur dans le deuxième étage, pas de signal alternatif de sortie
7-29. Conception possible R_1 = 2,7 kΩ, R_2 = 470 Ω, R_E = 130 Ω, R_C = 620 Ω, r_E = 20 Ω **7-33.** L'ordinateur calcule et affiche la gain en tension de Thévenin d'un étage à émetteur à la masse

CHAPITRE 8

8-1. 7,5 V, 6,8 V, 15 V, 0,567 mA, 0,567 mA, 3,54 μA
8-3. 28,7 mV **8-5.** 1er : 2,14 V, 1,44 V, 10,2 V, 1,44 mA, 1,44 mA, 18 μA; 2e : 7,5 V, 6,8 V, 15 V, 0,829 mA, 0,829 mA, 10,4 μA **8-7.** − 268 mV
8-9. 13 mA, 108 μA, 0,9 μA **8-11.** 9,32 mV **8-13.** − 251 mV
8-15. 5,5 V, 8,62 mA, 0,15 Ω **8-17.** 2,9 V, 2,2 V, 8,95 V, 1,83 mA,

1,83 mA, 24,4 μA   **8-19.** Le conducteur de référence
met l'émetteur à la masse   **8-21.** Environ 6,4 mV   **8-23.** c) ou d)
8-25. Conception possible : $R_1 = 220$ kΩ, $R_2 = 220$ kΩ et $R_E = 1,8$ kΩ
8-27. 4,48 V, 3,78 V, 11,2 V, 3,78 mA, 3,78 mA, (3,78 mA)/h_{FE}
8-29. 1,79 V, environ zéro

CHAPITRE 9

9-1. 215; $-$ 144; 2,98 kΩ, 49,5 kΩ **9-3.** 342 Ω, 165 Ω, 62 Ω, 30 Ω,
14,8 Ω, 5,87 Ω, 3,12 Ω **9-5.** 119; $-$ 41   **9-7.** $-$ 122; 0,973
9-9. 2 kΩ, 1; $-$ 131; 14 μS   **9-11.** 5,83; 1,49 (10^{-4}); $-$ 0,994; 0,199 μS
9-13. C_2 ouvert   **9-15.** Conception possible : $R_1 = 4,3$ kΩ, $R_2 = 750$ Ω,
$R_E = 750$ Ω, $R_C = 3$ kΩ et $R_L = 3,3$ kΩ **9-17.** 7544
9-19. 25 kΩ, 0,999; $-$ 73,4 μS   **9-21.** a) non; b) oui; c) non

CHAPITRE 10

10-1. $I_{C \text{ (sat)}} = 1,18$ mA, $V_{CE \text{ (blocage)}} = 8,84$ V, PP = 6,98 V
10-3. 5,2 V   **10-5.** 7,14 V, la droite de charge dynamique passe
par 7,28 mA et 9,25 V   **10-7.** $-$ 16,2; 125; 2027; 9,27 mW, 280 mV, 45,4 mA,
441 mW, 2,1 %   **10-9.** 2,04 %   **10-13.** 39,8 mA, 338 mA, 74 %
10-15. 11 mA, 19 mA   **10-17.** 74,7 Ω **10-19.** 1 W, 0,2 W
10-21. 103 mA   **10-23.** 2,75 W   **10-25.** 184°C   **10-27.** c)
10-29. d)   **10-31.** Prendre $R_1 = 2$ kΩ **10-37.** Tous sauf b)

CHAPITRE 11

11-1. 4,98 MHz, 12,8 mA, 15 V, 200 kHZ, 30 V
11-3. $-$ 4,3 V   **11-5.** 14,94 MHz   **11-7.** 62,6 kΩ **11-9.** 5,01 MHz
11-11. 19,1 V, 11,7 W   **11-13.** 5,15 V   **11-15.** 50 mA   **11-17.** b); d); e)
11-19. 5 kΩ **11-21.** $V_{CC} = 10$ V, $L = 23,9$ μH, $C = 1060$ pF   **11-23.** 5 kΩ; 25
11-25. 2000; 3000.

CHAPITRE 12

12-1. 1,5 (10^{11})   **12-3.** $I_D = 0,032 (1 + V_{GS}/8)^2$, 8 mA, 18 mA
12-5. 5,12 mA, $-$ 1,38 V, 5,78 V   **12-7.** 1,98 mA, 7,5 V, 8,5 V, 11,4 V
12-9. 1,98 mA, 8,47 V   **12-11.** 3000 μS   **12-13.** $-$ 2 V
12-15. $-$ 16,1 mV   **12-17.** 200 mV   **12-19.** 1,03 mV, 20 mV

12-21. 200 Ω, augmente   **12-23.** b)   **12-25.** 333 Ω (la résistance nominale ou normalisée la plus proche est 330 Ω)

12-27. $R_E = 6,2$ kΩ, $R_D = 8,2$ kΩ   **12-29.** 3,9 mA, − 1,05 V

12-31. 16 mA, 30 V; 2,94 mA

CHAPITRE 13

13-1. 4,5 mA, 12,5 mA   **13-3.** 100 MΩ, − 8,1 kΩ

13-5. 2,25 mA   **13-7.** − 7,74   **13-9.** + 5 V, 0

13-11. a)   **13-13.** b)   **13-15.** 7,5 kΩ   **13-17.** 976 mV

13-19. 25 μs, 1 kHz   **13-21.** Il calcule K, 7 V, 6

CHAPITRE 14

14-1. 345 Hz, 260 Hz   **14-3.** 41,2 Hz, 740 Hz   **14-5.** 42,9 Hz

14-7. − 25; 637 Hz   **14-9.** 194 kHz, 10,6 MHz   **14-11.** 1273 pF

14-13. 11,5 Hz, 7,8 MHz   **14-15.** 250 W   **14-19.** 40 dB, 0 dB

14-21. 0,44 μs   **14-23.** 350 kHz   **14-25.** c)   **14-27.** b)

14.29. 0,0398 μF (utiliser 0,022 μF et 0,018 μF)   **14-31.** 5 Ω, 4 kΩ

CHAPITRE 15

15-1. 0,715 mA, 1,43 mA, 7,85 V   **15-3.** 7,15 μA, 5,96 μA, 1,19 μA, 6,56 μA

15-5. 1,83 μA, 1,53 μA, 0,3 μA, 1,68 μA   **15-7.** 143; 10,5 kΩ

15-9. 173, − 0,603, 49,1 dB   **15-11.** 3906, − 1; 71,8 dB

15-13. 0,1 V   **15-15.** 9,85 V   **15-17.** 9 V

15-19. a) environ 36 dB; b) 21 V; c) 1000   **15-21.** 1,5 V/μs

15-23. 3,33 V/μs   **15-25.** 2,36 V/ μs   **15-27.** a) 800 kHz; b) 2 MHz; c) 4 MHz   **15-29.** 0,7 V   **15-31.** 7,15 kΩ (6,8 kΩ)

15-33. 293 kΩ (300 kΩ)   **15-35.** 10,7 Ω, 187   **15-37.** 0,93 mA, 186

CHAPITRE 16

16-1. 1 000 000; 0,02; 50   **16-3.** 0,15 μV, 1 mV, 1,5 μV, 1 mV, 150

16-5. 334 MΩ, 0,3 Ω   **16-7.** 105 mV   **16-9.** 20 000 MΩ

16-11. 100 mV, 1 V, 10 V   **16-13.** 1 Ω, 10 Ω, 100 Ω

16-15. 1 mA   **16-17.** 10 kHz, 15,9 V

16-19. 100 et 10 kHz, 5 et 200 kHz, 2 et 500 kHz   **16-21.** 3 MHz, 3 MHz
16-23. 2 MHz   **16-25.** c)   **16-27.** LF355 défectueux,
potentiomètre non raccordé à la broche 1 ou à la broche 5,
alimentation de + 15 V non raccordée au curseur, alimentations manquantes
16-29. $R_1 = 240$ kΩ et $R_2 = 1$ kΩ   **16-33.** 41 mV

CHAPITRE 17

17-1. 10   **17-3.** $A_1 = 194$, $A_2 = 48$, $A_1A_2 = 9\,312$
17-5. 7; 10   **17-7.** − 100; 10 kHz   **17-9.** − 1; − 0,5, − 0,25; − 0,125
17-11. 10 mA, 500 Ω   **17-13.** 1 mA, − 0,5 V   **17-15.** 15,9 kHz,
40 dB par décade   **17-17.** 796 Hz, 15,9 kHz   **17-19.** V_o passe en saturation
positive ou négative   **17-21.** Une solution :
$R_1 = 20$ kΩ et $R_2 = 1$ kΩ   **17-23.** Une solution : $R = 1$ kΩ

CHAPITRE 18

18-1. 7 μV, 0,4 mA, 0,127 mA   **18-3.** 0, + 600 mV, 20 kHz
18-5. + 3,72 V, − 13 à − 14 V, + 13 à + 14 V   **18-7.** + 0,271 V et
− 0,271 V   **18-9.** 0,638 pF   **18-11.** 1 V   **18-13.** 90,9 mV
18-15. 12,8 kHz, 13 V   **18-17.** Résistance d'1 kΩ court-circuitée; résistance
de 47 kΩ ouverte   **18-19.** Condensateur C_2 ouvert, résistance R_5 court-circuitée,
connexions de non-inversion et d'inversion inversées
18-21. Solution approximative : 2,7 kΩ et 1 kΩ pour le 399 du haut,
6,8 kΩ et 1 kΩ pour celui du bas   **18-23.** Une solution :
$R_1 = 1$ kΩ, $R_2 = 5,1$ kΩ   **18-25.** 141 μs

CHAPITRE 19

19-1. 34,5 V   **19-3.** 0,63 A   **19-5.** 8,81 à 15,3 V
19-7. 6,66 A, 2,59 A, 59,9 W, 23,3 W   **19-9.** 0,1 %   **19-11.** 0,211 %
19-13. 5 à 15,8 V   **19-15.** 0,508 A   **19-17.** 1,25 à 27,3 V, 1,25 V
19-19. 8 V   **19-21.** a) augmente; b) diminue; c) diminue; d) augmente
19-23. a) reste la même; b) diminue; c) diminue (le plus probablement);
d) diminue   **19-25.** 130 Ω   **19-27.** 3333 μF (3300 μF)
19-29. 331; 208; 16,9 Ω   **19-31.** 18,6 mA

CHAPITRE 20

20-1. 9 V   **20-3.** A : 35,8 à 362 Hz; B : 358 Hz à 3,62 kHz;
C : 3,58 kHz à 36,2 kHz; D : 35,8 kHz à 362 kHz   **20-5.** 3,62 MHz
20-7. 5,97 mA, 14 V   **20-9.** 0,2   **20-11.** 10 MHz, 15 MHz, 20 MHz
20-13. a) 1,59 MHz; b) environ 10 000   **20-17.** Résistance de
polarisation de 10 kΩ ouverte, résistance de 5 kΩ court-circuitée,
résistance d'1 kΩ ouverte, bobine d'arrêt RF ouverte, bobine de 5 μH ouverte,
condensateur de 0,001 μF ouvert, etc. **20-19.** d)   **20-21.** 4,46 μH
20-23. Une solution : $R_1 = 1$ kΩ, $R_2 = 2,2$ kΩ, $R_E = 2$ kΩ et $C = 0,001$ μF
20-25. Tirer la fréquence signifie la faire varier légèrement;
le condensateur d'accord s'ajoute à la capacité de montage
20-27. 41 V/ms, 18,6 V/ms et 12,4 V/ms

CHAPITRE 21

21-1. 4,7 V   **21-3.** 0,16 A   **21-5.** 9,3 mA, 60 mA
21-7. 16 mA, 1 A   **21-9.** 2,7 V   **21-11.** a) demeure la même; b) diminue;
c) augmente; d) augmente   **21-13.** Charge ouverte, résistance R_1 ouverte;
résistance R_2 court-circuitée; transistor ouvert; pas d'alimentation
de + 5 V, etc. **21-15.** 0,002 μF   **21-17.** 82 Hz, 1,72 kHz

CHAPITRE 22

22-1. 40 kHz, 80 kHz, 120 kHz   **22-3.** 500 Hz, 12,5 kHz
22-5. 19,1 V, 6,37 V, 3,82 V   **22-7.** Le spectre comporte cinq bâtons :
à 0 Hz, 50, 100, 150 et 200 kHz; les valeurs de crête
correspondantes sont 5 V, 3,18 V, 1,59 V, 1,06 V et 0,796 V
22-9. 8 %, 4 %, 8,94 %   **22-11.** 10 mV   **22-13.** 0,006 %
22-15. Utiliser un pont de Wien ou un filtre en double T;
conception possible $R = 1,27$ kΩ et $C = 100$ pF

CHAPITRE 23

23-1. Originales : 56 et 84 kHz; harmoniques 2 : 112 et 168 kHz; somme :
140 kHz; différence : 28 kHz   **23-3.** 5   **23-5.** Fréquences
d'entrée : 384, 480 et 576 Hz; harmoniques 2 : 768, 960
et 1152 Hz; sommes et différences : 864, 960, 1 056, 96, 192 Hz
23-7. 44 MHz   **23-9.** − 3dB   **23-11.** 3,09 kHz, 6,38 kHz

23-13. a) 128 μV; b) 12,8 μV; c) 1,28 μV   **23-15.** 1,57 μV
23-17. c)   **23-19.** 0,006 μF   **23-21.** Groupe 1 : 6,4 et 8,4; 5,4 et 9,4; 4,4 et
10,4; 3,4 et 11,4; 2,4 et 12,4. Groupe 2 : 13,8 et 15,8; 12,8 et 16,8;
11,8 et 17,8; 10,8 et 18,8; 9,8 et 19,8. Groupe 3 : 21,2 et 23,2; 20,2 et 24,2;
19,2 et 25,2; 18,2 et 26,2; 17,2 et 27,2. Groupe 4 : 28,6 et 30,6;
27,6 et 31,6; 26,6 et 32,6; 25,6 et 33,6; 24,6 et 34,6.
Groupe 5 : 36 et 38; 35 et 39; 34 et 40; 33 et 41; 32 et 42

CHAPITRE 24

24-1. 24,3; 13,8; 34,7   **24-3.** 0,2; 20 %
24-5. 1 V, 0,15 V, 0,15 V   **24-7.** 995 kHz, 2055 kHz   **24-9.** 12 kΩ

INDEX

LOUIS-JEAN
avenue d'Embrun, 05003 GAP cedex
Tél. : 92.53.17.00
Dépôt légal : 408 — Mai 1995
Imprimé en France